国 家 出 版 基 金 资 助 项 目

国家出版基金项目
NATIONAL PUBLICATION FOUNDATION

③

秦岭昆虫志

半翅目
同翅亚目

总 主 编　杨星科
本卷主编　张雅林
副 主 编　乔格侠　冯纪年　彩万志

世界图书出版公司
西安 北京 上海 广州

图书在版编目（CIP）数据

秦岭昆虫志. 3，半翅目. 同翅亚目. ／杨星科，张雅林
主编. —西安：世界图书出版西安有限公司，2017.12
ISBN 978 - 7 - 5192 - 3110 - 1

Ⅰ. ①秦… Ⅱ. ①杨… ②张… Ⅲ. ①秦岭—昆虫志
②半翅目—昆虫志—秦岭 ③同翅亚目—昆虫志—秦岭
Ⅳ. ①Q968.224.1

中国版本图书馆 CIP 数据核字（2017）第 316900 号

书　　名	秦岭昆虫志　半翅目　同翅亚目
总 主 编	杨星科
本卷主编	张雅林
副 主 编	乔格侠　冯纪年　彩万志
责任编辑	冀彩霞　赵亚强　孙　蓉
装帧设计	诗风文化
出版发行	世界图书出版西安有限公司
地　　址	西安市北大街 85 号
邮　　编	710003
电　　话	029 - 87214941　87233647（市场营销部）
	029 - 87234767（总编室）
网　　址	http://www.wpcxa.com
邮　　箱	xast@ wpcxa.com
经　　销	新华书店
印　　刷	陕西博文印务有限责任公司
开　　本	787mm×1092mm　1/16
印　　张	57.75
插　　页	72
字　　数	1200 千字
版　　次	2017 年 12 月第 1 版　2017 年 12 月第 1 次印刷
国际书号	ISBN 978 - 7 - 5192 - 3110 - 1
定　　价	480.00 元

内容简介

本志为《秦岭昆虫志》第三卷，记述了秦岭半翅目 Hemiptera 同翅亚目 Homoptera 8 个总科，即角蝉总科 Membracoidea、沫蝉总科 Cercopoidea、蝉总科 Cicadoidea、蜡蝉总科 Fulgoroidea、蚜总科 Aphidoidea、粉虱总科 Aleyrodoidea、木虱总科 Psylloidea 和蚧总科 Coccoidea 等，共 34 科 339 属 601 种。

这些记录是在检视大量标本的基础上，考证了以往的相关文献确认的。文中配有 493 幅形态特征图和 96 个彩版，提供了分总科、科、亚科、族、属和种的检索表；文末附有中名索和学名索引。

本志可为从事昆虫学、生物多样性研究及生物地理学研究提供可靠资料，可为昆虫学、生物多样性保护与农林生产部门及大专院校有关专业师生教学和科研工作提供参考。

序

　　秦岭是我国最古老的山脉之一，在我国生物地理上占据着重要地位。它是我国南北气候的分水岭，环境的复杂性成就了生物的多样性，因此受到了世界的高度关注。关于秦岭的生物资源、区系组成、分布格局等，植物和大型动物都有较为系统的研究和显著的成果，《秦岭植物志》《秦岭动物志》陆续问世，而无脊椎动物研究却一直属于空白。

　　杨星科研究员长期从事昆虫区系的研究，先后组织开展过多次大型科学考察，并且都有很好的成果以专著、考察报告等形式展现给大家，为我国的昆虫多样性研究做出了实质性的贡献。2013 年，他利用在中国科学院西安分院、陕西省科学院工作的机会，积极争取项目支持，团结全国同行，全面开展秦岭地区昆虫资源的考察。通过 3 年的野外工作，在大家的共同努力下，完成了《秦岭昆虫志》这部 12 卷册的巨著。《秦岭昆虫志》所包括的种类是原已知种类的 2 倍，编写完全按照志书的规则，不同阶元都有鉴别特征及检索表，属、种都有科学引证，在保证种类准确性的同时，为大家提供了更为广泛的信息，文后附有详细的参考文献，有力地保证了《秦岭昆虫志》的质量和水平，使这套志书具有很高的科学价值和应用价值，我相信这套志书的出版必定会对我国乃至世界昆虫多样性研究产生深远的影响。

　　生物多样性研究，直接关系到生物资源的合理开发与科学利用，关系到生态系统的平衡与可持续发展，关系到友好型生态环境的建设。我国地域广阔，地形复杂多样，生物多样性极为丰富。但是，我国昆虫资源家底远不清楚，昆虫多样性研究与国际相比相差甚远。如何改变这种现状，在需要国家政策支持的同时，更需要我们同行的共同努力。《秦岭昆虫志》的完成与问世，为我们大家起到了很好的示范与引领作用。

随着全球化的发展态势，世界各国、不同地域之间的各种交流、来往、贸易、物流等出现新的模式和高频次现象，这也给我们带来巨大的挑战。首先是生物安全问题，随着贸易往来、物流循环、人员交流的不断增长，外来入侵生物的入侵形势严峻，农林生产及生态环境的安全威胁加大；其次是生物产业作为未来战略新兴产业，对生物资源的挖掘与开发日趋强化，生物资源的研究与保护已不仅仅是一个科学问题。这些都关系到我们国家的经济与社会发展战略。昆虫是生物界最大的家族，蕴藏着巨大的资源，摸清昆虫资源家底，不但可以有效应对外来生物入侵，破解生物安全的威胁，同时也可以对我国生物资源的保护和利用做出实质性的贡献，这是我们科技工作者义不容辞的责任和义务。我衷心希望我国昆虫界的同仁们，在国家建设科技强国战略的指引下，大家齐心协力，共同努力，把我国昆虫多样性研究推向一个新的水平，真正服务于国家战略需求！

这或许是《秦岭昆虫志》带给我们的启迪吧！

是为序！

中国科学院院士

中国科学院上海植物生理生态研究所研究员　尹文英

2016 年 11 月于上海

出版前言

秦岭自西向东，横贯我国中部，是长江、黄河两大水系的分水岭，西起甘肃临洮，东抵河南鲁山，东西长达 500km，南北宽 140～200km，地处北纬 32°5′～34°45′，东经 104°30′～115°52′。秦岭西部比较陡峭，海拔较高，一般在 2000～3000m；东部比较舒缓，海拔较低，一般在 2000m 以下。它是古北区和东洋区的分界线，同时为亚热带、暖温带的分界线，亚热带常绿阔叶林的分布北线。该地区具有从一种自然地理条件向另一种自然过渡、从一种地质构造单元向另一种构造单元过渡的特性。同时，秦岭作为我国大陆青藏高原以东的最高山地，它又具有自己独特的垂直景观带谱。正因为秦岭山地地理位置的特殊性，使得其物种多样性非常丰富且具较强的区域特异性，一直是生物分类学和生物地理学研究的热点区域。然而，之前对该地区昆虫区系研究多较为零散，缺乏系统的专著。

1997 年，中国科学院生命科学院生物技术局设立"关键地区生物资源综合考察及其评价"重大项目，并于 1998～1999 年由项目主持单位组织考察秦岭西段和甘肃南部地区。在此研究基础上，形成了 2005 年出版的《秦岭西段及甘南地区昆虫》这一专著。该书对于秦岭西部地区的昆虫类群的系统研究有着重要意义，推动了对该区生物多样性的研究，也让更多的人认识到了秦岭地区的重要性。然而，由于其工作多集中在秦岭西部地区，对秦岭中、东部地区的调查较少，未能反映整个秦岭地区昆虫的全貌。为了全面系统地评价和利用秦岭昆虫资源，我们在陕西省财政厅科技专项经费的支持下，在陕西省科学院的大力帮助下，从 2012 年开始，再次进行了为期3年的野外调查工作，在借鉴秦岭西段研究结果的基础上，重点加强了秦岭中、东部地区的调查工作。参加野外工作的包括陕西省动物研究所、西北农林科技大学、陕西师范大学、中国科学院动物研究所、南开大学、浙江大学、河北大学、中国农业大学、中南科技大学等十多家单位，计120多人次，共获得昆虫标本50余万号，进一步完善了秦岭地区昆虫多样性资料，为编写《秦岭昆虫志》奠定了良好基础。

《秦岭昆虫志》按照《中国动物志》的编写体例进行编写，顺序上参照六足动物的系统关系；各目按照系统发育关系，以科为单元进行编写，科下各属按照系统关系排序，属内各种以种名的首字母顺序编排，各阶元都有鉴别特征和检索表，属、种都有科学引证，文后附参考文献。为了准确体现各位专家的劳动，除了《秦岭昆虫志》编委会外，各卷都有本卷的编委会，各科作者署名紧跟其后。

《秦岭昆虫志》共分为十二卷：第一卷由廉振民教授主编，包括无翅昆虫、蜉蝣目、蜻蜓目、襀翅目、蜚蠊目、等翅目、螳螂目、革翅目、直翅目、竹节虫目；第二卷由卜文俊教授主编，包括半翅目异翅亚目；第三卷由张雅林教授主编，包括半翅目同翅亚目；第四卷由花保祯教授主编，包括啮虫目、缨翅目、广翅目、蛇蛉目、脉翅目、毛翅目、长翅目；第五卷鞘翅目（一）由杨星科、葛斯琴研究员主编，包括步甲科、龙虱科、牙甲总科、隐翅虫总科、金龟总科、花甲总科、丸甲总科、长蠹总科、吉丁甲总科、叩甲总科、郭公甲总科、扁甲总科、拟步甲总科等；第六卷鞘翅目（二）由林美英博士主编，包括暗天牛科、瘦天牛科和天牛科；第七卷鞘翅目（三）由杨星科、张润志研究员主编，主要包括叶甲总科（除去天牛类）、象甲总科；第八卷鳞翅目由薛大勇研究员、韩红香和姜楠博士主编，包括大蛾类；第九卷鳞翅目（二）由房丽君研究员主编，包括蝶类；第十卷由杨定教授、王孟卿副研究员和董慧博士主编，包括双翅目；第十一卷由陈学新教授主编，包括膜翅目。十一卷共记述了秦岭地区六足类4纲27目334科3325属7496种，其中包括1个新属、27个新种、12个中国新纪录属、34个新纪录种、42个陕西新纪录属、260个陕西新纪录种。需要说明的是：鳞翅目小蛾类已由南开大学李后魂教授主编先期出版，我们这次没有组织重新编写；另有部分目、科因为国内没有专家研究，因此没有办法编写。为了弥补缺憾，系统总结陕西秦岭地区已知昆虫种类，同时也便于读者使用，由唐周怀研究员、杨美霞博士主编，完成了《陕西昆虫名录》，作为本志的第十二卷。

目前，《秦岭昆虫志》即将付梓。该项目成果的获得，是全国广大同行通力合作、共同努力的结果，凝聚了昆虫分类学者忠诚于神圣事业的集体智慧。项目主持单位、《秦岭昆虫志》编委会对各卷主编的辛勤劳动和各位专家的全力支持、无私奉献表示衷心的感谢！对大家的科学精神表示敬佩！

在项目立项初期，白明博士在项目建议书的起草、成稿等方面做了大量工作；张雅林、廉振民等多位教授提出了许多宝贵意见；陕西省财政厅教科文处在项目申请和审批方面给予了诸多指导和帮助。在项目执行过程中，陕西省动物研究所领导给予了全力的支持，唐周怀研究员对野外工作给予了多方面的协调和帮助。

在本志编写过程中，尹文英院士、印象初院士、康乐院士分别给予了不同程度的鼓励、支持、指导和帮助，特别是尹文英院士在大病初愈的情况下欣然为本志写序，让我们深受鼓舞和激励！

在本志的统稿过程中，杨美霞博士付出了巨大的劳动，崔俊芝女士和郭明霞同学在文字整理、格式修改、学名审核等方面做了大量的工作。本书的出版，得到了世界图书出版有限公司的鼎力支持，特别是薛春民先生的全力支持与帮助，责任编辑同志亦付出了的艰辛的努力和辛勤的劳动，终使本志得以顺利出版。

我们谨借此对以上相关单位和个人，以及在项目执行和出版过程中提供帮助和做出贡献的同志表示衷心的感谢！

由于我们的水平所限，本志的错误和缺憾在所难免，诚望大家不吝赐教！

《秦岭昆虫志》编委会
2017 年 10 月于古城西安

Preface

Through the middle China from the West to the East, the Qinling Mountains provide a natural boundary between the Yangtze River and the Yellow River, the two major river systems in China. Located around the latitude 32°5′ − 34°45′N and the longitude 104°30′ − 115°52′E, they stretch from Lintao, Gansu Province in the west to Lushan, Henan Province in the east, with the length of 500km from west to east and the breadth of 140 − 200km from north to south. The west part of the Qinling Mountains is considerably steep, with higher elevations of 2000 − 3000m, while the east part is comparatively gentle, with lower elevation generally below 2000m. The Qinling Mountains are generally accepted as the boundary between Palaearctic and Oriental Regions, subtropical and warm temperate zones, as well as the north line of distribution of subtropical evergreen broad-leaved forests. This region is characterized by transition from one natural geographical condition to another and one geological structure unit to another. Furthermore, the Qinling Mountains, as the highest mountain in the east of the Qinghai-Tibet Plateau, have their own unique vertical landscape spectrum. Because of the special geographical location of the Qinling Mountains Range, it is rich in species diversity and has strong regional endemism, which constantly makes it research hotspot both for taxonomy and biogeography. However, the study of dipster fauna in this area is fragmented and still lacks systematic monographs.

In 1997, the Biotechnology Bureau of the Chinese Academy of Sciences established a major Project of "Comprehensive Survey and Evaluation of Biological Resources in Key Regions". In 1998 – 1999, the presider of this project investigated the western part of Qinling range and southern Gansu. On the basis of these expeditions, a monograph entitled *Insect Fauna of Mid-West Qinling Range and Southern Gansu* was published in 2005. This book is of great significance for the systematic study of insects in the western Qinling region. It has promoted the study of biodiversity in this region and made more people realize the importance of Qinling region. However, since its work is mainly concentrated on the west part of Qinling, there are little surveys in the mid-east part, which hardly reflects the true state of the insect fauna of the entire Qinling Mountains. In order to comprehensively and systematically evaluate and utilize the insect resources of the Qinling Mountains, funded by special expenses of Science and Technology Project from the Financial Department of Shaanxi Province, as well as the help from Shaanxi Academy of Sciences, we have carried out a three-year field survey since 2012. Based on the expedition results of the western region, we have paid more attention to the eastern part of the Qinling Mountains during the investigations. More than 120 researchers from over 10 institutions participated in the field work, including Shaanxi Institute of Zoology, Northwest A & F University, Shaanxi Normal University, Institute of Zoology, Chinese Academy of Sciences, Nankai University, Zhejiang University, Hebei University, China Agricultural University, Central South University of Forestry and Technology etc. Over half million insect specimens were collected, which would greatly improve the biodiversity data of insect fauna in the Qinling region and lay a good foundation for the compiling of the monograph *Insect Fauna of the Qinling Mountains*.

The compiling style of *Insect Fauna of the Qinling Mountains* is mainly in accordance with *Fauna Sinica*, and the sequence is based on the systematic relationship of the hexapod system. The compiling of each orderis according to the phylogenetic relationship and one family is taken as a unit. Below the family, the sequence of each genus is also according to the phylogenetic relationship, while below the genus, the arrangement of species is in alphabetical order. each species is sorted according to the first letter. Each category is accompanied by identification feature and identification key, and each genus, as well as each species has scientific citation. At the end, references are attached. In order to accurately reflect the work of every specialist, apart from the Editorial Board of *Insect Fauna of the Qinling Mountains*, the Editorial Board for each volume is also provided, and the authors for each family immediately follow the family name.

There are totally 12 volumes for *Insect Fauna of the Qinling Mountains*. Volume I is edited by Professor Lian Zhenmin, and includes apterygot insects, Ephemeroptera, Odonata, Plecoptera, Blattodea, Isoptera, Mantodea, Dermaptera, Orthoptera and Phasmatodea. Volume II is edited by Professor Bu Wenjun, and includes Hemiptera-Heteroptera. Volume III is edited by Professor Zhang Yalin, and includes Hemiptera-Homoptera. Volume IV is edited by Professor Hua Baozhen, and includes Psocoptera, Thysanoptera, Megaloptera, Raphidioptera, Neuroptera, Trichoptera and Mecoptera. Volume V (Coleoptera I) is jointly edited by Professor Yang Xingke and Ge Siqin, and includes Carabidae, Dytiscidae, Hydrophiloidea, Staphylinoidea, Scarabaeoidea, Dascilloidea, Byrrhoidea, Dryopoidea, Buprestoidea, Elateroidea, Cleroidea, Cujoidea and Tenebrionoidea. Volume VI (ColeopteraII) is edited by Dr. Lin Meiying, and includes

Vesperidae, Disteniidae and Cerambycidae. Volume VII (Coleoptera III) is jointly edited by Professor Yang Xingke and Zhang Runzhi, and includes Chrysomeloidea (except Cerambycid-beetles) and Curculionoidea. Volume VIII (Lepidoptera I) is jointly edited by Professor Xue Dayong, Dr. Han Hongxiang and Jiang Nan, and includes large moths. Volume IX (Lepidoptera II) is edited by Professor Fang Lijun, and includes exclusively butterflies. Volume X is edited by Professor Yang Ding, Associate Prof. Wang Mengqing and Dr. Dong Hui, and includes Diptera. Volume XI is edited by Professor Chen Xuexin, and includes Hymenoptera. There are totally 4 classes, 27 orders, 334 families, 3325 genera and 7496 species of Hexapoda recorded in the 11 volumes of this series, including one new genus and 27 new species. For the new record, there are 12 genera and 34 species from China, as well as 42 genera and 260 species from Shaanxi Province. It should be noted that the contents of Microlepidoptera have been published previously by Professor Li Houhun, Nankai University, therefore, we haven't rewritten the same context. Besides, due to the unavailability of suitable specialists, some insect groups unavoidably are not covered in this series. In order to make up for this defect and systematically summarize the known species of insects, as well as make convenience for the readers, the book *Insect Fauna of Shaanxi Province*, was jointly compiled by Prof. Tang Zhouhuai and Dr. Yang Meixia, which will be the twelfth volume of this series.

Currently, 12 volumes have been completed and are ready for publication. The achievements should be addressed to the cooperation and collective intelligence of numerous entomologists throughout China. The project presiding institution and the editorial board are highly appreciated with all specialists' hard work, full support and unselfish dedication!

During the initial stage of the program, Dr. Bai Ming had contributed a lot to the drafting of the research proposal. Prof. Zhang Yalin and Prof. Lian Zhenmin had proposed many valuable comments. The Financial Department of Shaanxi Province had given a lot of guidance and helps during the application process and final approval of the program. During the conduction of the program, the authority of Shaanxi Institute of Zoology had given a full support to the research. Prof. Tang Zhouhuai had made a lot of coordination and assistances in the fieldwork.

In the preparation of this series of books, Academicians Yin Wenying, Yin Xiangchu and Kang Le had provided various degrees of encouragement, supports, guidance and help! In particular, Prof. Yin Wenying readily consented to write the preface even though she had just recovered from a severe illness, which really made us encouraged and inspired!

In the process of drafting preparation, Dr. Yang Meixia had paid a great labor. Mrs. Cui Junzhi and Miss Guo Mingxia had done a lot of work in word polishing, format adjustment, and terms checking. While, the publication of this series have obtained great support from World Publishing Corporation, especially Mr. Xue Chunmin. The executive editors have also made a lot of hard work.

We would like to express our heartfelt gratitude to the above-mentioned institutes and individuals, as well as those not mentioned above but provided various assistances in the implementation period of the program, drafting preparation and publication.

Due to the limitations of our expertise, there are inevitable mistakes and shortcomings in this series. We sincerely expect you to enlighten us with your instruction!

Editorial Board of *Insect Fauna of the Qinling Mountains*

目　录

同翅亚目 Homoptera

同翅亚目 Homoptera

同翅亚目 Suborder Homoptera 和异翅亚目 Suborder Heteroptera 同属于半翅目 Hemiptera，也有学者将其作为两个独立的目，即同翅目 Order Homoptera 和半翅目 Order Hemiptera（狭义）。同翅亚目包括角蝉总科 Membracoidea、沫蝉总科 Cercopoidea、蝉总科 Cicadoidea、蜡蝉总科 Fulgoroidea、蚜总科 Aphidoidea、粉虱总科 Aleyrodoidea、木虱总科 Psylloidea 和蚧总科 Coccoidea 等 8 个总科。

本志记述了陕西秦岭地区 8 个总科 34 科 339 属 601 种。

总科检索表

1. 喙着生于前足基节之前（头喙类 Auchenorrhyncha） ·· 2
   喙着生于前足基节之间或更后（胸喙类 Stenorrhyncha） ·································· 5
2. 前翅基部有肩板；触角着生于复眼之间 ···························· **蜡蝉总科 Fulgoroidea**
   前翅基部无肩板；触角着生于复眼下方 ··· 3
3. 个体大，具 3 个单眼，呈三角形排列 ···························· **蝉总科 Cicadoidea**
   体小至中型，具 2 个单眼 ··· 4
4. 后足胫节具 1~2 个刺 ··· **沫蝉总科 Cercopoidea**
   后足胫节具有刺毛列或基兜毛 ································· **角蝉总科 Membracoidea**
5. 跗节 2 节，同样发达；雌雄均有翅 ·· 6
   跗节 1 节，如有 2 节，则第 1 节很小；雌虫无翅，或有无翅世代 ·················· 7
6. 前翅翅脉先三分支，每支再二分支；触角 10 节；复眼不分群 ·············· **木虱总科 Psylloidea**
   前翅只有 3 条脉，合在短的主干上；复眼的小眼分上下两群 ·········· **粉虱总科 Aleyrodoidea**
7. 触角 3~6 节，有明显的感觉孔；爪 2 个，第 1 节很小；如有翅则 2 对；腹部常有腹管 ········· ··· **蚜总科 Aphidoidea**
   触角节数不定，无明显的感觉孔；爪 1 个；雄虫有翅 1 对，后翅变为平衡棒；腹部无腹管 ······ ··· **蚧总科 Coccoidea**

第一章 角蝉总科 Membracoidea

鉴别特征：小到大型昆虫，体长 2~30mm。头后口式，刺吸式口器。颜色由暗淡到鲜艳，形状奇异。单眼 2 枚（少数种类无单眼），着生于头冠、边缘或颜面上。头冠较发达，一部分种类占据颜面大部。触角刚毛状或细长。前胸背板发达，向后延伸至少伸达小盾片缝，有的种类具背突、侧突或前突。后足胫节具基兜刚毛不成列或具4 棱状的排刺。足的跗节为 3 节。前翅为复翅，基部革质，向外渐薄，翅室和翅脉变化大，形成网状、半网状（犁胸蝉科、角蝉科）或不为网状（叶蝉科）。后翅膜质。

分类：广泛分布于世界各地，且地域性强，东、西半球的区系截然不同。角蝉总科 Membracoidea 包括角蝉科 Membracidae 和叶蝉科 Cicadellidae，全球已知 20000 余种。中国的特有种较多，陕西秦岭地区分布 2 科 139 属 291 种。

分科检索表

后足胫节有棱脊，沿棱脊有刚毛列 ·· **叶蝉科 Cicadellidae**
后足胫节无棱脊，无刚毛列 ·· **角蝉科 Membracidae**

一、叶蝉科 Cicadellidae[①]

张雅林 吕林 戴武 黄敏 秦道正 魏琮
（西北农林科技大学植保资源与病虫害治理教育部重点实验室，
西北农林科技大学昆虫博物馆，陕西杨凌 712100）

鉴别特征：叶蝉形态变化很大。头部颊宽大，单眼 2 枚，少数种类无单眼；触角刚毛状。前翅革质，后翅膜质，翅脉不同程度退化；后足胫节有棱脊，棱脊上生 3~4列刺状毛，后足胫节刺毛列是叶蝉科最显著的鉴别特征。

生物学：一般生活在植株上，后足发达能飞善跳，多在叶部取食，也有一些种类生活于地面或植物根部；多数种类 1 年 1 代，有些 1 年 2~3 代，以成虫或若虫越冬。叶蝉为植食性，直接刺吸植物汁液掠夺营养、传播植物病毒病，是重要的农林害虫。

分类：广泛分布于世界各地。叶蝉科分为 40 个亚科，已知 20000 多种，中国已知约 2000 种，陕西秦岭地区已知 12 亚科 124 属 250 种。

---

①博士研究生王洋、杨丽元、薛清泉、冯玲等参加了部分标本鉴定和初稿整理工作，此前毕业的叶蝉分类研究生的研究工作也为本文做出了贡献，特此表示感谢。

分亚科检索表(根据张雅林 1990 改编)

1. 体黑色或褐色，被有稀疏的鳞片和刚毛，头常向前延伸，前胸背板和小盾片大，后足腿节端部
有 3 根大刚毛 ·· 杆叶蝉亚科 Hylicinae
不具上述综合特征 ··· 2

2. 体被白色小刚毛，体扁平，卵圆形；头宽短，前缘向下突出有横皱纹 ····· 乌叶蝉亚科 Penthimiinae
体不被白色小刚毛，不具上述综合特征 ·· 3

3. 触角着生于复眼上缘连线上方，并明显离开复眼；头部呈叶状突出于前方，颜面凹陷；前胸背
板隆起，常有耳状突出构造或两侧缘角状突出 ···················· 耳叶蝉亚科 Ledrinae
触角不着生于复眼连线上方，并接近复眼 ·· 4

4. 唇基大，基部宽，端部狭而圆；颜面和唇基凸出；单眼着生于头冠部而不位于颜面或头部前缘 ··· 5
不具上述综合特征 ··· 6

5. 单眼位于头冠中央或后部 ······································· 大叶蝉亚科 Cicadellinae
单眼位于头冠前部，头冠和颜面中央均具有纵隆线 ··········· 横脊叶蝉亚科 Evacanthinae

6. 颜侧线终止于触角窝或稍上方；单眼与复眼之距明显小于单眼与头冠后缘之距 ············ 7
颜侧线超过触角窝伸达单眼或单眼附近；单眼不位于头冠后部 ·························· 11

7. 体扁平，单眼位于头冠，前翅基半部翅脉消失，后足腿节刚毛式2:1:1 ·····················
·· 隐脉叶蝉亚科 Nirvaninae
前翅翅脉完整 ·· 8

8. 头冠前缘通常突出，前胸背板阔，侧缘较长，头冠中长大于复眼间宽 ······················· 9
不具上述综合特征，头冠不突出，头冠中长等于或小于复眼间宽，触角正常，前翅翅脉不具断
续斑纹 ·· 10

9. 头冠前缘通常突出或近叶形，具缘脊或沟；头冠和颜面相交处阔，具横皱；单眼缘生，头冠较前
胸背板宽，头冠前缘一般具有横脊 ························· 缘脊叶蝉亚科 Selenocephalinae
头冠前缘一般不具缘脊，头冠较前胸背板略窄，触角檐横走或近横走，颜面侧观凸起；触角窝
位于复眼中部上方，唇基端部比基部宽 ···················· 叶蝉亚科 Iassinae

10. 前胸背板大，前缘很突出，中后域拱起，向前侧缘下倾；后翅端室 3 个；单眼间距离为单眼与
复眼间距离的 2 倍或 2 倍以上 ······················· 广头叶蝉亚科 Macropsinae
前胸背板正常，不显著拱起或下倾；后翅端室 4 个；单眼间距离为单眼与复眼间距离的 2 倍以
下 ····························· 圆痕叶蝉亚科 Megophthalminae（=Agalliinae）

11. 有单眼，单眼间距短于触角窝间距，若等长则唇基端部宽度大于基部宽度 ··············· 12
单眼有或无，单眼间距等于或大于触角窝间距，若等长则唇基两侧平行或向末端收狭 ····· 13

12. 头宽小于前胸宽；颜面狭长，两侧缘平行；单眼位于头冠或头部前缘 ······················
·· 离脉叶蝉亚科 Coelidiinae
头宽大于前胸宽；颜面短阔，基向渐宽，近呈三角形；单眼位于颜面 ·····················
·· 片角叶蝉亚科 Idiocerinae

13. 单眼远离复眼，复眼小 ······························ 小眼叶蝉亚科 Xestocephalinae
不具上述特征 ·· 14

14. 前翅基部翅脉消失，除端横脉外基半部再无横脉，无翅室，多数种类前翅无端片，在前缘常有

1 个卵圆形蜡质区 ·· 小叶蝉亚科 Typhlocybinae

前翅翅脉完整，如退化则端片宽大，翅前缘无蜡质区 ··········· 角顶叶蝉亚科 Deltocephalinae

（一）大叶蝉亚科 Cicadellinae

鉴别特征：个体中型到大型，体色与斑块多变；单眼位于头冠中后域，冠面平坦或隆起，少数种类冠面略凹陷，头冠前缘宽圆突出，少数种类头冠极度向前延长；颜面侧唇基缝伸达头冠或到达单眼，额唇基表面隆起，其两侧的横印痕列模糊或显著，唇基间缝中央清晰或模糊；前胸背板与头冠的相对宽度因属种而异；后足胫节刚毛排成 4 列。

分类：遍及世界各大动物地理区，以热带、亚热带地区种类最为丰富。陕西秦岭地区分布 5 属 10 种。

分属检索表

1.　雌虫第 7 尾节腹板后缘深凹·· 凹大叶蝉属 *Bothrogonia*
　　雌虫第 7 尾节腹板后缘无深凹 ··· 2
2.　雄虫不具尾节腹突 ··· 3
　　雄虫具尾节腹突 ·· 4
3.　雄虫尾节侧瓣较短 ··· 透大叶蝉属 *Nanatka*
　　雄虫尾节侧瓣向后适度延伸 ··· 大叶蝉属 *Cicadella*
4.　前翅外缘具透明条带 ··· 边大叶蝉属 *Kolla*
　　前翅外缘不具透明条带 ··· 条大叶蝉属 *Atkinsoniella*

1. 条大叶蝉属 *Atkinsoniella* Distant, 1908

Atkinsoniella Distant, 1908：235. **Type species**：*Atkinsoniella decisa* Distant, 1908.

属征：头冠前缘宽圆，轻度或适度向前突出，单眼位于复眼前缘连线附近，两单眼间平坦或凹陷，生于凹陷内；侧唇基缝伸达头冠，或到达单眼；颜面额唇基中域突出或平坦，两侧的横印痕列不明显或消失；前胸背板与头冠的相对宽度因种而异，前胸背板有无刻痕因种而异，后缘轻度凹陷；小盾片横刻痕后常突起，前翅端部膜区显著或不显著。雄虫尾节侧瓣向后适度延伸，后缘或宽圆突出，或窄，或短截，其后缘区域常着生大刚毛，基腹部刚毛存在或消失，刚毛数量和大小因种而存在差异；尾节腹突起始于基腹部，向背后缘延伸，部分种类向中域及后域延伸；下生殖板宽，向背后缘延伸，或长过尾节，其上着生单列或多列刚毛，部分种类刚毛较长；连索宽，端部向后延伸至阳基侧突中长，但不及端部；阳基侧突不具端前叶；阳茎干短，向背后方延伸，生殖孔位于端部。阳茎附突基部与连索关联，端部骤然弯向背面，其端部与阳茎再次相关联。

分布: 东洋区。秦岭地区发现 3 种。

分种检索表

1. 雄虫尾节背缘无凹陷,不具指状突起 ···················· 隐纹条大叶蝉 *A. thalia*
   雄虫尾节背缘具凹陷,具指状突起 ·· 2
2. 雄虫下生殖板具多列大刚毛 ····························· 条翅条大叶蝉 *A. grahami*
   雄虫下生殖板具 1 列大刚毛 ······················· 双斑条大叶蝉 *A. bimanculata*

(1) 双斑条大叶蝉 *Atkinsoniella bimanculata* **Cai et Shen, 1998**(图 1)

Atkinsoniella bimanculata Cai *et* Shen, 1998:43.

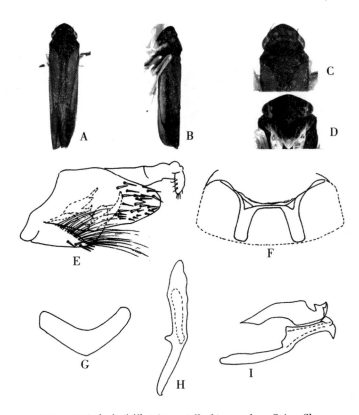

图 1 双斑条大叶蝉 *Atkinsoniella bimanculata* Cai *et* Shen

A. 整体背面观(habitus, dorsal view);B. 整体侧面观(habitus, lateral view);C. 头胸部背面观(head and thorax, dorsal view);D. 颜面(face);E. 尾节侧瓣及下生殖板侧面观(pygofer side and subgenital plate, lateral view);F. 2S 腹内突(2S abdominal apodemes);G. 连索背面观(connective, dorsal view);H. 阳基侧突背面观(style, dorsal view);I. 阳茎及附突侧面观(aedeagus and paraphysis, lateral view)

鉴别特征: 头冠黑色,前缘钝圆,单眼位于凹陷处;颜面的后唇基黑色,其余部分及前胸腹面和足黄白色，中胸、后胸及腹部黑褐至黑色；前胸背板黑色，较头冠略宽，前缘凸出，后缘稍凹入，中后域两侧各有 1 个红色斑块；小盾片黑色，横刻痕平直。前翅红色，爪缝和革片中央具黑色细条纹，外缘及端部黑色。雄虫尾节侧瓣向后延伸，亚端部凹陷，端部伸向背后方，末端近斜截，近端部 1/3 处着生大量粗刚毛；尾节腹突起始于基部，向背后方延伸，基部较宽，末端超过尾节背缘；下生殖板长三角形，近外缘着生 1 列大刚毛，外缘极端部着生大量小刚毛；连索宽，呈"V"形，中柄较短；阳基侧突长，端部尖细；阳茎基突基部窄，向端部渐宽，近端部背向弯曲；阳茎波浪状弯曲，端部背向弯曲。

  采集记录：1♂（NWAFU），宁陕火地塘，1998.Ⅵ.05，杨玲环采。

  分布：陕西（宁陕）、河南、浙江。

（2）条翅条大叶蝉 *Atkinsoniella grahami* Young，1986（图 2）

Atkinsoniella grahami Young，1986：105.

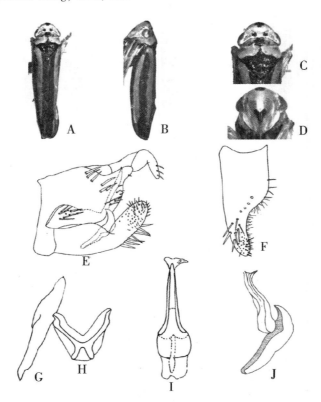

图 2　条翅条大叶蝉 *Atkinsoniella grahami* Young

 A. 整体背面观(habitus, dorsal view)；B. 整体侧面观(habitus, lateral view)；C. 头胸部背面观(head and thorax, dorsal view)；D. 颜面(face)；E. 尾节侧瓣及下生殖板侧面观(pygofer side and subgenital plate, lateral view)；F. 下生殖板腹面观(subgenital plate, ventral view)；G. 阳基侧突背面观(style, dorsal view)；H. 连索背面观(connective, dorsal view)；I. 阳茎及附突后面观(aedeagus and paraphysis, posterior view)；J. 阳茎及附突侧面观(aedeagus and paraphysis, lateral view)

鉴别特征：头冠红色，单眼间冠面凹陷，单眼后缘各具1块小黑斑，头顶具1块黑色大斑；颜面橙色，额唇基中域较平坦，两侧的横印痕列明显，近唇基间缝有1块"Y"形的黑斑；前胸背板黑色，中央具两条红色横斑或中部相接呈1条红色大横斑；小盾片黑色；前翅黑色，爪片与革片各有1条红色纵条斑，翅端部黑色透明。雄虫尾节侧瓣向后延长，端部具1指状突起，亚端部凹陷；尾节腹突起始于基部，向后延伸至中部后向背后方弯折，且略超过背缘；下生殖板具多列大刚毛；连索"V"形；阳基侧突细长，向两端渐变窄；阳茎基突基部较细，向中部渐变宽，后向端部渐变窄，近中部与阳茎相关联；阳茎干细长，侧面观腹缘中部具波浪状突起。

采集记录：1♂（NWAFU），宁陕火地塘，2004. Ⅶ. 15，柳晓霞采；1♂（NWAFU），秦岭，1994. Ⅶ. 21，张雅林采。

分布：陕西(宁陕)、湖北、四川、贵州、云南。

（3）隐纹条大叶蝉 *Atkinsoniella thalia*（Distant，1918）（图3）

Tettigoniella thalia Distant，1918b：2.
Atkinsoniella thalia：Young，1986：97.

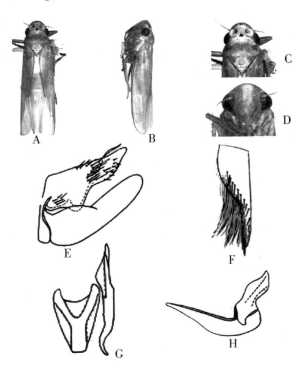

图3　隐纹条大叶蝉 *Atkinsoniella thalia*（Distant）（仿 Young，1986）

A. 整体背面观（habitus, dorsal view）；B. 整体侧面观（habitus, lateral view）；C. 头胸部背面观（head and thorax, dorsal view）；D. 颜面（face）；E. 尾节侧瓣及下生殖板侧面观（pygofer side and subgenital plate, lateral view）；

F. 下生殖板腹面观（subgenital plate, ventral view）；G. 连索及阳基侧突背面观（connective and style, dorsal view）；

H. 阳茎及附突侧面观（aedeagus and paraphysis, lateral view）

鉴别特征：头冠浅黄色，向前适度突出；单眼着生于复眼前缘的连线上，两单眼间隆起；头冠前缘及后缘中央分别着生1块小黑斑；颜面灰白色，额唇基上的横印痕列明显；前胸背板及小盾片前黄色，小盾片两基角处分别有1块小黑斑，部分种类此处无小黑斑；前翅黄色，近端部灰白色透明。雄虫尾节侧瓣腹缘近1/3处突变窄，其基腹部及近端缘1/3处着生刚毛，端部尖出。尾节腹突细长于近端部有1齿突，弯向背缘且超过背缘；下生殖板近外缘着生1列大刚毛，外缘及端缘着生大量的细长刚毛。连索"Y"形。阳基侧突细长。阳茎基突向端部渐变宽，阳茎干短，伸向背后方。

采集记录：3♂（NWAFU），太白山自然保护区，2013. IX. 08，任凤娟采；3♀（NWAFU），佛坪，2008. X. 01，吕林采。

分布：陕西（太白山，佛坪）、河北、河南、浙江、湖北、江西、湖南、福建、海南、广西、四川、贵州；印度，缅甸，泰国。

2. 凹大叶蝉属 *Bothrogonia* Melichar，1926

Bothrogonia Melichar, 1926：341. **Type species**：*Cicada ferruginea* Fabricius, 1787.

属征：头冠前缘宽圆突出，复眼前角有角状突起，单眼位于复眼前角的连线上，单眼间冠面存在明显凹陷；侧唇基缝延伸至头冠到达单眼；颜面额唇基隆起，中域平坦，两侧的横印痕列显著或不显著，唇基间缝中央模糊；前胸背板显著宽于头部，前缘突出，后缘凹陷，侧缘向两侧发散；小盾片在横刻痕后突起。前翅膜质，翅脉清晰，具4个端室。雄虫不具2S腹内突。雄虫尾节显著向后延伸，后缘突出，近端部着生大刚毛；基腹部着生有1对尾节腹突向后延伸，其基部着生大刚毛；下生殖板宽三角形，常向后延伸超过尾节，具单列或多列大刚毛；连索短，"Y"形；阳基侧突细长，末端延伸远超过连索端部，无端前叶；阳茎对称，短，无阳茎基突。

分布：东洋区。秦岭地区发现1种。

（4）黑尾凹大叶蝉 *Bothrogonia ferruginea*（Fabricius，1787）（图4）

Cicada ferruginea Fabricius, 1787：269.

Bothrogonia ferruginea（Fabricius, 1787）：Melichar, 1926a：341.

Bothrogonia ferruginea：Young, 1986：209.

鉴别特征：体橙黄色，头冠基部和端部中央各有1块黑色圆斑，额唇基近唇基间缝处有不规则黑板。前胸背板有3块黑色圆斑，分别位于前缘中央和后缘两侧。小盾片中后缘有1块黑色圆斑。前翅端部或呈褐色，基部各有1块黑板。腹部呈黑色。雄虫尾节基部宽，向端部逐渐变窄，末端弧圆，端部着生粗刚毛；尾节腹突基部着生有几根粗刚毛，末端尖。下生殖板基部宽，向端部渐细，末端斜截，外缘着生有细密小刚毛，中域着生有1列粗刚毛。连索"Y"形。阳基侧突狭长，基半部略粗，端向渐细。阳茎侧面观形似月牙状，中部有小突起和小凹陷；腹面观，基部粗，中部略细。

采集记录：1♂（NWAFU），略阳两河口，2002.Ⅷ.19，魏琮采；3♂（NWAFU），留坝庙台子，1991.Ⅴ.07，田润刚采；1♂（NWAFU），佛坪龙草坪，1998.Ⅵ.04，杨玲环采；2♂（NWAFU），洋县，2002.Ⅷ.22，尚素琴采。

分布：陕西（略阳、留坝、洋县、佛坪）、黑龙江、吉林、辽宁、天津、河北、山东、河南、甘肃、青海、上海、江苏、安徽、浙江、湖北、江西、湖南、福建、台湾、广东、香港、广西、重庆、四川、贵州、云南、西藏；韩国，日本，越南，老挝，泰国，柬埔寨，缅甸，印度，南非。

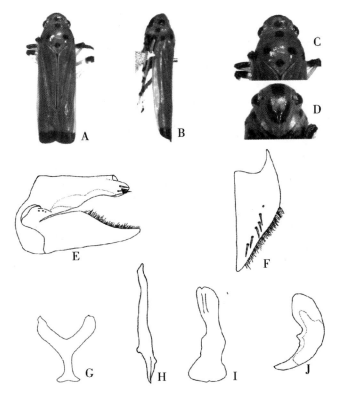

图 4　黑尾凹大叶蝉 *Bothrogonia ferruginea*（Fabricius）

A. 整体背面观（habitus, dorsal view）；B. 整体侧面观（habitus, lateral view）；C. 头胸部背面观（head and thorax, dorsal view）；D. 颜面（face）；E. 尾节侧瓣及下生殖板侧面观（pygofer side and subgenital plate, lateral view）；F. 下生殖板腹面观（subgenital plate, ventral view）；G. 连索背面观（connective, dorsal view）；H. 阳基侧突背面观（style, dorsal view）；I. 阳茎后面观（aedeagus, posterior view）；J. 阳茎侧面观（aedeagus, lateral view）

3. 大叶蝉属 *Cicadella* Latreille，1817

Cicadella Latreille, 1817: 406. **Type species**: *Cicada viridis* Linnaeus, 1758.

属征：头冠适度向前突出，前缘宽圆；单眼位于复眼前角的连线上；颜面侧唇基缝伸达头冠到达单眼，额唇基突起，两侧的横印痕列清晰，唇基间缝明显；前胸背板较头宽冠略窄，侧缘平行，其上有横皱纹；前翅具 4 个端室。雄虫尾节侧瓣向后适度延长，端部窄且突出；不具尾节腹突；下生殖板三角形，向后延长达尾节尾节端部，其上着生有 1 列纵向排列的刚毛；连索宽"Y"形；阳基侧突未伸达连索端部，无端前叶；阳茎中等长度，无突起；阳茎基突对称，基部宽。

分布：古北区，新北区，非洲区。秦岭地区发现 1 种。

(5)大青叶蝉 *Cicadella viridis*（**Linnaeus，1758**）（图 5）

Cicada viridis Linnaeus，1758：438.

Tettigonia viridis：Latreille，1802：262.

Cicadella viridis：Van Dumeril，1817：190.

Cicadella viridis：Young，1977：569.

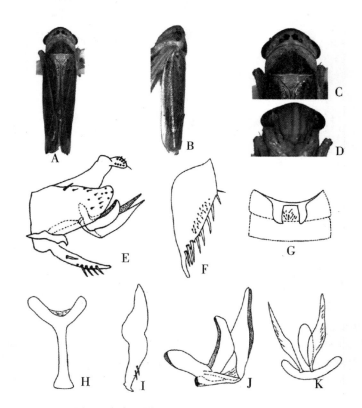

图 5　大青叶蝉 *Cicadella viridis*（Linnaeus）

A. 整体背面观（habitus，dorsal view）；B. 整体侧面观（habitus，lateral view）；C. 头胸部背面观（head and thorax，dorsal view）；D. 颜面（face）；E. 尾节侧瓣及下生殖板侧面观（pygofer side and subgenital plate，lateral view）；F. 下生殖板腹面观（subgenital plate，ventral view）；G. 2S 腹内突（2S abdominal apodemes）；H. 连索背面观（connective，dorsal view）；I. 阳基侧突背面观（style，dorsal view）；J. 阳茎侧面观（aedeagus，lateral view）；K. 阳茎后面观（aedeagus，posterior view）

鉴别特征：体浅绿或深绿；头冠中后域有 2 个五边形黑斑；额唇基中域两纵线及两侧的印痕棕色。前胸背板前缘色浅，多呈黄绿色，中域及后缘色深，多呈浅绿或深绿色；小盾片呈黄绿色。前翅端部透明膜质，前缘白色透明，其他区域呈深绿或浅绿。雄虫尾节基部宽，向端部渐窄，末端窄圆，近端部着生许多粗刚毛；下生殖板长三角形，基部宽，端部细如指状，外侧缘着生1列粗刚毛，外缘着生许多小刚毛；阳茎侧突两端尖细，中域膨大，端部呈角状弯曲，近端部着生有少量粗刚毛；连索"Y"形，主干较长。

采集记录： 2♂（NWAFU），太白山自然保护区，2013.Ⅸ.08，任凤娟采；2♂3♀（NWAFU），佛坪，2008.Ⅸ.30-Ⅹ.01，肖斌采。

分布： 陕西（太白山，佛坪），全国广布；世界广布。

4. 边大叶蝉属 *Kolla* Distant, 1908

Kolla Distant, 1908g：223. **Type species**：*Kolla insignis* Distant, 1908.

属征： 头冠向前略延长，前缘宽圆，单眼位于复眼前角的连线附近，单眼间或具凹陷；颜面额唇基两侧的横印痕列明显或不明显，额唇基中域或不平坦，唇基间缝中部或显著；前胸背板与头冠的相对宽度比因种而异，小盾片刻痕后近平坦；前翅前缘多具透明条带。雄虫腹部常具有退化的腹突。雄虫尾节侧瓣向后延长，后缘光滑凸出，具有大小刚毛；尾节突起始于基腹部且向背后方延伸；下生殖板长三角形且向后延伸超过尾节末端，其上着生单列或多列大刚毛，中部常具凹陷；连索"Y"形，主干端部显著变宽，端部延伸超过阳基侧突端部；阳茎基部常骨化，常无阳茎基突。

分布： 东洋区。秦岭地区发现2种。

(6) 白边大叶蝉 *Kolla paulula* (Walker, 1858)（图6）

Tettigonia paulula Walker, 1858：219.

Kolla paulula：Jacobi, 1941a：300.

Kolla paulula：Young, 1986：135.

鉴别特征： 头冠黄色或橙色，头冠近后缘中央有1块大黑斑，或无，前缘中央两侧及头顶分别有1块黑斑；颜面黄色或橙色，额唇基上的横印痕列较清晰，近唇基间缝有1块黑斑；前胸背板黄色或橙色，中后域有1块黑色横贯黑斑，横斑中部角状突起；小盾片黄色，两侧基角处各有1个小三角形黑斑，前翅黑色，前缘黄白色，端部深褐色透明。雄虫尾节侧瓣向后适度延长，后缘凸圆，背缘及近端部着生大量大刚毛；尾节腹突细长向后缘延伸；下生殖板长三角形，近外缘着生1列大刚毛；连索"Y"形，端部膨大；阳基侧突中部宽两端尖细，端部弯曲；阳茎端部两宽裂片。

采集记录： 3♀（NWAFU），太白山自然保护区，2013.Ⅸ.08，任凤娟采。

分布： 陕西（太白山）、辽宁、山西、甘肃、浙江、湖北、湖南、福建、台湾、广东、香港、广西、重庆、四川、云南；日本，印度，尼泊尔，孟加拉国，缅甸，越南，泰国，柬埔寨，斯里兰卡，马来西亚，印度尼西亚。

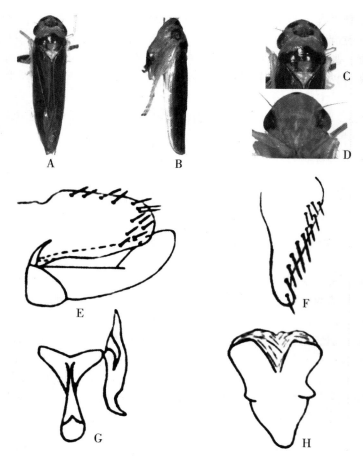

图6　白边大叶蝉 *Kolla paulula*（Walker）（仿 Young，1986）

A. 整体背面观（habitus, dorsal view）；B. 整体侧面观（habitus, lateral view）；C. 头胸部背面观（head and thorax, dorsal view）；D. 颜面（face）；E. 尾节侧瓣及下生殖板侧面观（pygofer side and subgenital plate, lateral view）；F. 下生殖板腹面观（subgenital plate, ventral view）；G. 连索及阳基侧突背面观（connective and style, dorsal view）；H. 阳茎后面观（aedeagus, posterior view）

（7）棒突边大叶蝉 *Kolla rhabdoma* Yang *et* Li，2000（图7）

Kolla rhabdoma Yang *et* Li，2000：409.

　　鉴别特征：头冠橘色，向前适度延长，端部宽圆，单眼间具 1 个黑色大斑，复眼前方及头顶各具 1 个黑色斑块，其中头顶的黑斑较小；颜面黄色，额唇基中央有 1 个黑色纵斑；前胸背板黑色，近前缘有 1 个"人"字形橘色斑；小盾片两基角处各有 1 个黑色倾斜斑块，两黑色斜条斑于端部相接；前翅黑色，外缘具 1 个透明的条带。雄虫尾节侧瓣向后适度延长，近似长方形，近端部及背缘散生大刚毛；尾节腹突起始于基部，向后延伸，基部散生细刚毛，近端部背向弯曲；下生殖板长三角形，外缘近中部凹陷，基域着生 2 列刚毛，近中域并为 1 列；连索"Y"形，中柄细长，两侧臂相距较远；阳基侧突宽片状，向端部渐变窄，未及连索端部；阳茎干端部两裂片背向弯曲，裂片间的棒状突起伸达端片端部。

采集记录：1♂（NWAFU），宁陕旬阳坝，1995. Ⅷ. 20，张文珠采。

分布：陕西（宁陕）、贵州。

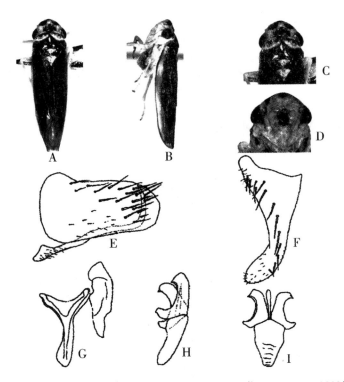

图 7　棒突边大叶蝉 *Kolla rhabdoma* Yang *et* Li（仿 Yang *et* Li，2000）

A. 整体背面观（habitus, dorsal view）；B. 整体侧面观（habitus, lateral view）；C. 头胸部背面观（head and thorax, dorsal view）；D. 颜面（face）；E. 尾节侧瓣（pygofer, lateral view）；F. 下生殖板腹面观（subgenital plate, ventral view）；G. 连索及阳基侧突背面观（connective and style, dorsal view）；H. 阳茎侧面观（aedeagus, lateral view）；I. 阳茎后面观（aedeagus, posterior view）

5. 透大叶蝉属 *Nanatka* Young，1986

Nanatka Young，1986a：150. **Type species：***Nanatka deficiens* Young，1986.

属征：头冠前缘角状突出，单眼着生于凹陷处，两单眼间冠面隆起；颜面额唇基隆起，额唇基上的横印痕列或延伸至冠面；前胸背板较头部宽，后缘向前略凹；小盾片横刻痕后轻微突起。部分雌虫前翅短，未到达腹部末端。雄虫尾节侧瓣较短，后缘突出，有多列刚毛分布于腹缘或后缘；无尾节腹突；下生殖板宽，端部宽圆突出，或超过尾节端部，其腹面着生大量短小刚毛；连索宽"Y"形，向后延伸或略长于阳基侧突端部；阳基侧突或具大的端前叶突起，侧面观细长，近端部背向弯曲，与阳茎干中后部相互关联；阳茎形状差异较大。

分布：东洋区。中国已知 11 种，秦岭地区发现 3 种。

分种检索表

1. 雄虫阳茎近长方形 ·· 黑条透大叶蝉 *N. nigrilinea*
   雄虫阳茎不近似长方形 ·· 2
2. 雄虫尾节侧瓣宽短，后缘斜截 ·································· 白云透大叶蝉 *N. baiyunana*
   雄虫尾节侧瓣向端部渐窄，端部凸圆 ·························· 栗条透大叶蝉 *N. castenea*

（8）栗条透大叶蝉 *Nanatka castenea* Cai et Kuoh, 1995（图 8）

Nanatka castenea Cai *et* Kuoh, 1995: 460.

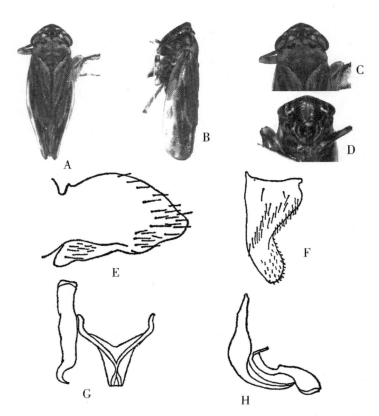

图 8　栗条透大叶蝉 *Nanatka castenea* Cai et Kuoh（仿 Cai *et* Kuoh, 1995）

A. 整体背面观（habitus, dorsal view）；B. 整体侧面观（habitus, lateral view）；C. 头胸部背面观（head and thorax, dorsal view）；D. 颜面（face）；E. 尾节侧瓣（pygofer, lateral view）；F. 下生殖板腹面观（subgenital plate, ventral view）；G. 连索及阳基侧突背面观（connective and style, dorsal view）；H. 阳茎及附突侧面观（aedeagus and paraphysis, lateral view）

　　鉴别特征：体深褐色，头冠前缘角状突出，复眼内侧角有两灰白色斑；颜面额唇基中域平坦，两侧具黑色褐色相间条纹，颊、舌侧板及前唇基黑色唇基间缝灰白色，舌侧板具月牙状灰白斑；前胸背板前缘突出，后缘微凹，近前缘域有不规则的褐色斑纹，近后缘有1个黑色条斑横贯后缘；小盾片黑色；前翅黑色，前缘区有多个大黑斑，翅脉清晰，褐色，近端部褐色透明。雄虫尾节侧瓣向端部渐窄，端部凸圆并着生大量的粗刚毛，腹缘着生大量刚毛；下生殖板基部宽，近中央背向弯曲，端部窄圆，近中央着生两列粗刚毛，近外缘及端部着生大量的小刚毛；连索宽"Y"形；阳基侧突长，端部弯钩状；阳茎基突近中域略膨大，端部尖细且背向弯曲；阳茎基部较窄，向端部变宽，端部宽圆。

　　采集记录：2♂（NWAFU），太白山，2014.Ⅷ.01，曹凤麟采。

　　分布：陕西（太白山）、四川。

(9) 白云透大叶蝉 *Nanatka baiyunana* Cai *et* Shen, 1998（图9）

Nanatka baiyunana Cai *et* Shen, 1998：44.

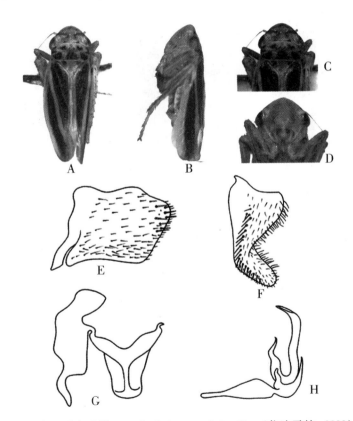

图9　白云透大叶蝉 *Nanatka baiyunana* Cai *et* Shen（仿沈雪林，2009）

A. 整体背面观（habitus, dorsal view）；B. 整体侧面观（habitus, lateral view）；C. 头胸部背面观（head and thorax, dorsal view）；D. 颜面（face）；E. 尾节侧瓣（pygofer）；F. 下生殖板腹面观（subgenital plate, ventral view）；G. 连索及阳基侧突背面观（connective and style, dorsal view）；H. 阳茎及附突侧面观（aedeagus and paraphysis, lateral view）

鉴别特征：头冠前缘角状突出，端部凸圆或具不规则褐色条纹；单眼着生于凹陷处，单眼间的冠面隆起，单眼斜前方或有1块黑色细条斑；颜面浅黄色，额唇基上的横印痕列清晰；前胸背板中后域具多个不规则黑斑；小盾片浅黄色，两基角处各有1块小黑斑或不明显；前翅黑色，爪缝基前缘为白色透明。雄虫尾节侧瓣宽短，后缘斜截，其上分布大量的小刚毛，后缘着生大量粗刚毛；不具尾节腹突；下生殖板基部宽，端部窄，近中央着生1列粗刚毛；连索宽，呈"Y"形；阳基侧突中央宽，两头较窄，端部细长弯钩状；阳茎基突近中后域略膨大，端部尖细；阳茎干细长，端部弯曲。

采集记录：2♂（NWAFU），秦岭太白山，2014. Ⅶ.04，曹凤麟采。

分布：陕西（太白山）、河南。

（10）黑条透大叶蝉 *Nanatka nigrilinea* **Cai** *et* **Kuoh，1995**（图10）

Nanatka nigrilinea Cai et Kuoh，1995：464.

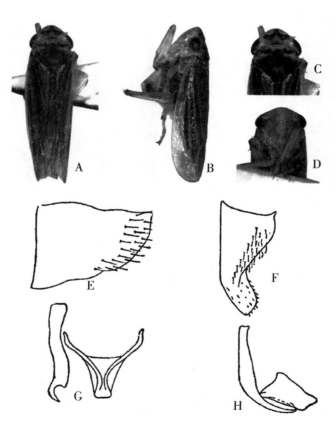

图10　黑条透大叶蝉 *Nanatka nigrilinea* Cai et Kuoh（仿 Cai et Kuoh，1995）

A. 整体背面观（habitus, dorsal view）；B. 整体侧面观（habitus, lateral view）；C. 头胸部背面观（head and thorax, dorsal view）；D. 颜面（face）；E. 尾节侧瓣（pygofer）；F. 下生殖板腹面观（subgenital plate, ventral view）；G. 连索及阳基侧突背面观（connective and style, dorsal view）；H. 阳茎及附突侧面观（aedeagus and paraphysis, lateral view）

鉴别特征：头冠及前胸背板黄色，单眼白色透明，位于凹陷处，单眼间冠面隆起，单眼前方具 1 块似"山"字形黑斑；颜面黄色，额唇基上的横印痕列清晰；前胸背板近前缘两侧各有 1 块黑色短横条斑，后缘具 1 块横贯黑色宽条斑；小盾片两基角处及端部各有 1 块大黑色三角斑；前翅黄褐色，爪片及革片具褐色纵条斑。雄虫尾节侧瓣向端部渐窄，背缘近平直，近端缘着生大量粗刚毛；下生殖板基部宽，近中央着生 1 列粗刚毛，近外缘和端缘着生大量小刚毛；连索宽，呈"Y"形；阳基侧突细长，端部弯曲似钩状；阳茎基突两端较细，中部较粗；阳茎近长方形。

采集记录：2♂（NWAFU），秦岭太白山，2014.Ⅶ.01，曹凤麟采。

分布：陕西（太白山）、四川。

（二）杆叶蝉亚科 Hylicinae

鉴别特征：体中到大型，粗壮，暗褐色或黑色，体表及翅具鳞片或刚毛。头冠常向前延伸并形成各种形状的突起；单眼位于冠面；额侧缝延伸至单眼着生部位。前胸背板横阔，常具显著性突起；小盾片大。前翅长，端片多发达，延伸至前缘区。雄后足腿节端部具 3 根大刚毛。雄虫生殖瓣多在侧面与尾节侧瓣相连；下生殖板长，具大刚毛或刚毛；连索较短，侧臂退化；阳基侧突多细长；阳茎多管状。

分类：它是叶蝉科中 1 个非常小的亚科，研究者甚少，曾因叶蝉科提升为总科而被提升为科级单元 Hylicidae（Evans，1946，1964，1988）。全世界目前已知 14 属 43 种，主要分布于东洋区，部分种类扩散至非洲区。中国已知 5 属 10 种，陕西秦岭地区分布 2 属 2 种。

分属检索表

头部短，中长小于前胸背板中长，小盾片显著向后延伸 ························ 片胫叶蝉属 *Balala*

头部极度向前延长，中长大于前胸背板与小盾片之和 ························ 桨头叶蝉属 *Nacolus*

6. 片胫叶蝉属 *Balala* Distant，1908

Balala Distant，1908：250. **Type species**：*Penthimia fulviventris* Walker，1851.

Wania Liu，1939：297. **Type species**：*Wania membracioidea* Liu，1939.

属征：头冠窄于前胸背板，中长小于复眼间距；头冠前缘略弧形凸出，后缘稍凹入。单眼明显，位于冠面；额唇基及前唇基隆起，侧额缝延伸至近单眼处；前唇基前缘显著弧形凸出或中部略凹入；舌侧板窄；颊侧缘近复眼处略凹或弧圆凸出。前胸背板阔，后缘凹入；小盾片长三角形，显著向后延伸，具中纵脊。前翅窄长，爪区端部平截而不呈角状；端片发达。前足胫节阔扁。雄虫尾节侧面观较阔，端部具大刚毛；附突细长、发达。下生殖板阔，密布刚毛。阳基侧突基突粗壮而长，端突短钝，端部具数根刚毛。连索阔短。阳茎管状，或具侧突。

分布：东洋区。世界已知6种，中国已知5种，但台湾片胫杆蝉 *Balala formosana* Kato 的分类地位有待进一步研究确定。秦岭地区发现1种。

(11) 黑面片胫叶蝉 *Balala nigrifrons* Kuoh, 1992 (图 11)

Balala nigrifrons Kuoh, 1992：283.

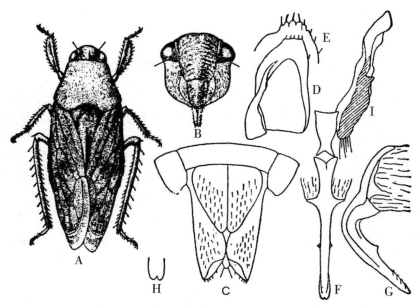

图 11　黑面片胫杆蝉 *Balala nigrifrons* Kuoh (仿葛钟麟, 1992)

A. 整体背面观 (habitus, dorsal view)；B. 颜面 (face)；C. 雄虫生殖节腹面观 (genital segments, ventral view)；D. 尾节腹面观 (pygofer, ventral view)；E. 尾节端部腹面观 (apex of pygofer, ventral view)；F. 阳茎腹面观 (aedeagus, lateral view)；G. 阳茎侧面观 (aedeagus, lateral view)；H. 阳茎端部腹面观 (apical part of aedeagus, ventral view)；I. 阳基侧突和连索腹面观 (styce and connective, ventral view)

鉴别特征：体长 10.60～13.30mm。雄虫体色整体栗褐色；头冠、额唇基、前唇基、复眼、触角、小盾片基部、各足端跗节及跗节爪、后足胫节刺、腹部背板、腹板侧区与生殖节栗黑色；腹部腹板中域暗黄色，侧板污黄色并具黑褐斑；前翅栗黄色，端脉处具1条透明窄带；腹部背面3～5节侧区具1条连续纵长鲜黄斑。雌虫体色较浅，头部、前胸背板、小盾片及胸部腹面中足前部分为栗黄色，其余为栗褐色；额唇基栗黑色，中央具1条淡黄褐色纵斑，延伸至前唇基基部；小盾片侧缘暗栗褐色。不同个体体色有深浅变化，部分雄虫腹部腹面为污青白色，生殖节为栗褐色，但斑纹特征一致。头冠前缘在复眼间弧圆突出，中长为复眼间宽4/5，冠面中域略渐隆起；自复眼前缘起，两侧各具1条纵隆条，延伸至颜面触角着生处；单眼至复眼距离约为复眼至中线的1/3。额唇基侧区具横斜印痕；前唇基端向渐窄，端缘略弧形突出。前胸背板中长约为头冠的 3 倍，侧缘中部略凹入，后缘中部显著凹入。小盾片长于前胸背板，横刻痕不明显，中纵脊向后渐隆。头部、前胸背板、小盾片密生小刻点；全体包括前翅稀被白色间有黑色短毛，或簇生。雄虫尾节侧瓣侧面观窄长，背缘、腹缘接近平行；腹缘无突起，但腹面观具纵脊折；附突细长，端半部弯向背面，向后延伸几乎近尾节侧瓣下后角。下生殖板内缘直，外缘弧形，端部弧圆，腹面具较细刚毛。阳基侧突端突略延伸；端部略膨大，具较长刚毛。连索近端部处略缢缩，端缘中部凹入。阳茎管状，前腔发达，阳茎干近中部侧缘各具 1 齿状突起。

采集记录： 1 ♂（NWAFU），1983.Ⅷ.15，寄主为竹类；1 ♂（IZAS），留坝县城，1020m，1998.Ⅶ.18，姚建采。

分布： 陕西（留坝）、浙江、江西、贵州、云南。

注： 本种与片胫杆蝉 *Balala fulviventris*（Walker）相近，但以较深体色及颜面形状与之相区分。

7. 桨头叶蝉属 *Nacolus* Jacobi，1914

Nacolus Jacobi，1914：381. **Type species**：*Nacolus gavialis* Jacobi，1914.

Ahenobarbus Distant，1918：28. **Type species**：*Ahenobarbus assamensis* Distant，1918.

属征： 头冠显著向前延伸，逐渐变窄；中长约为头宽的 4 倍或更长，中纵脊发达。单眼明显，位于冠面；前唇基发达，前缘显著；舌侧板窄。前胸背板阔，后缘深凹；小盾片小，侧缘略凹入。前翅窄长，端片发达。雄虫尾节端部具明显突起。下生殖板阔，密布刚毛。阳基侧突粗壮。连索阔短。阳茎管状。

分布： 东洋区。秦岭地区发现 1 种。

（12）桨头叶蝉 *Nacolus assamensis*（**Distant，1918**）（图 12）

Ahenobarbus assamensis Distant，1918：28.

Nacolus assamensis：Esaki & Ito，1945：27.

Nacolus fuscovittatus Kuoh，1992：58.

Nacolus nigrovittatus Kuoh，1992：58.

鉴别特征： 体长 18mm 左右。头冠黑褐色，颜面棕黄色，前唇基端半部黑褐色，散生许多黑色的小瘤突。前胸背板两侧脊内侧黑褐色，呈纵带状，外侧棕黄色；小盾片黑褐色；前翅黑褐色。头部极度向前延长，呈角状突出，端向渐次收狭，端缘微翘起；端部 3/5 ~ 3/4 中央纵向隆起，侧面观背缘呈锯齿状，有 3 个瘤突，脊起两侧纵向各有 3 个小突瘤，侧缘隆起呈脊状；头冠基半部有 3 条纵脊，两侧脊起与端部侧脊弯曲相连。单眼位于头冠基部侧脊外侧缘，与复眼前角接近，头冠全长约为两复眼间宽 5 倍；颜面狭长，额唇基区纵向隆起，散生许多小的瘤突，前唇基两侧缘波状，端向渐窄，唇基间缝模糊。前胸背板梯形，侧缘内凹，后缘弧形凹入，具5条纵脊，中部3纵脊与头冠3脊相连，近侧缘各有1纵隆起；小盾片两基角微隆起，横刻痕向前弧形弯曲，端部中央隆起；前翅短于腹部；全体密被微毛，雄虫腹部第7腹板端缘宽圆，侧端缘生1个乳头状突起。

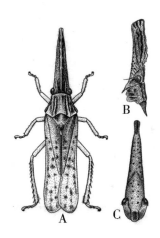

图12　桨头叶蝉 *Nacolus assamensis*（Distant）

A. 整体背面观（habitus, dorsal view）；B. 头部、前胸背板和小盾片侧面观（head, pronotum and scutellum, lateral view）；C. 颜面（face）

采集记录：1♂，周至竹峪，2008.Ⅸ.06，吕林采；2♂3♀（NWAFU），周至楼观台，1991.Ⅸ.05-07。

分布：陕西（周至）、河南、湖北、四川、贵州、云南；印度。

（三）乌叶蝉亚科 Penthimiinae

鉴别特征：体卵圆形，较扁平，虫体自前胸背板中部隆起，向四周倾斜，体多被白色或浅黄褐色短刚毛；头冠宽短，前缘多具横皱；单眼位于头冠上；前翅端片宽大或狭窄，具有4~5个端室；后足胫节扁平，胫节刺粗壮。

分类：世界广布。陕西秦岭地区分布2属5种。

分属检索表

体被网状纹 ·· 网背叶蝉属 *Reticuluma*
体无网状纹 ·· 乌叶蝉属 *Penthimia*

8. 乌叶蝉属 *Penthimia* Germar，1821

Penthimia Germar，1821：46. **Type species**：*Cercopis atra* Fabricius，1794.
Cercopis（*Penthimia*）Comte，1840：68.

　　属征：该属种类体色较深，多数为黑色、褐色等，少数具艳丽的色斑。体形宽短，较扁平，虫体自前胸背板向下倾斜；单眼位于头冠上，自单眼前到后唇基基部有多条明显的横皱纹，复眼外缘与头冠前缘成1条连续曲线；颜面色深，侧缘明显凹陷，后唇基中部隆起，向两侧倾斜，前唇基较为平坦；整个头部窄于前胸背板；前胸背板前缘弧状突出，后缘中部略微凹入，侧缘较平直；小盾片宽大于长，横刻痕位于中部，较为明显，呈弧状、角状或较为平直；前翅宽短，长度约为宽度的2倍，前翅末端超出腹部，爪片末端平截，端片宽大，具有3个端前室，4个或5个端室；足腿节扁平，胫节扁平或四边形，后足胫节刺粗壮，通常在成排的大刺中间有一些小刺穿插其中。雄虫尾节侧瓣末端无突起，下生殖板末端超过尾节侧瓣末端，且其上生有刚毛；阳茎结构较为简单，多数手指状；阳基侧突端部弯曲，弯曲程度因种而异，且在亚端部外侧着生有数根或长或短的刚毛。

　　分布：世界广布。秦岭地区发现3种。

分种检索表

1. 前胸背板黄色 ·· 黄背乌叶蝉 *P. flavinotum*
　 前胸背板不为黄色 ··· 2
2. 前翅端部具黑褐色大斑块 ·································· 端黑乌叶蝉 *P. subniger*
　 前翅端部不具黑褐色大斑块 ···························· 栗斑乌叶蝉 *P. rubramaculata*

(13) 黄背乌叶蝉 *Penthimia flavinotum* Matsumura, 1912 (图13)

Penthimia flavinotum Matsumura, 1912a: 50.

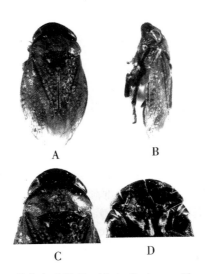

图13　黄背乌叶蝉 *Penthimia flavinotum* Matsumura

A. 整体背面观 (habitus, dorsal view)；B. 整体侧面观 (habitus, lateral view)；C. 头胸部背面观 (head and thorax, dorsal view)；D. 颜面 (face)

鉴别特征：体黄褐色，头冠黑色，单眼黄褐色，复眼银灰色，其上有大的黑褐色斑块；前胸背板黄色仅基部黑色；小盾片黑色，侧缘中央及末端各有 1 个大的黄白色点；前翅黄褐色，端部透明，翅脉浅黄褐色，端室中有小的黄褐色斑块。体长卵圆形，头冠前缘横皱明显，小盾片及前翅上白色细刚毛明显。

采集记录： 1♀（NWAFU），宝鸡，1400m，1973．Ⅹ．13，周尧、卢筝、田畴采。

分布：陕西（宝鸡）、湖北、台湾、四川；日本。

（14）端黑乌叶蝉 *Penthimia subniger* **Distant，1908**（图 14）

Penthimia subniger Distant，1908：243．

Penthimia subnigra Metcalf，1962：202．

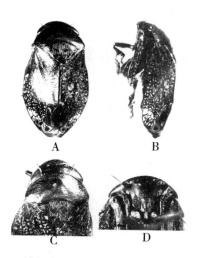

图 14   端黑乌叶蝉 *Penthimia subniger* Distant

A. 整体背面观（habitus，dorsal view）；B. 整体侧面观（habitus，lateral view）；C. 头胸部背面观（head and thorax，dorsal view）；D. 颜面（face）

鉴别特征：体黑色。前胸背板后缘 1/2 处有 1 条呈元宝状的红棕色斑纹；小盾片侧缘中部及末端各有 1 个黄白色小点；前翅黑色到黑褐色，其上分布有非常密集的黄褐色小点，端前室端部白色半透明，端室中有大的黑褐色斑块，端片上亦有大的黑褐色斑块；足黑色，后足胫节刺棕色。体长卵圆形，全体披白色细刚毛；头冠前缘加厚明显，横皱纹明显；颜面黑色，后唇基中部隆起向两侧倾斜，前唇基长方形，舌侧板宽大，明显；前胸背板中域隆起，向四周倾斜；小盾片基半部披密集刚毛，端半部具刻点和横皱；前翅较长，具 5 个端室，端片宽大。

采集记录： 4♀（NWAFU），宁陕火地塘，2013．Ⅶ．31，钟海英采。

分布：陕西（宁陕）、四川；印度。

（15）栗斑乌叶蝉 *Penthimia rubramaculata* Kuoh, 1992（图 15）

Penthimia rubramaculata Kuoh, 1992：287.

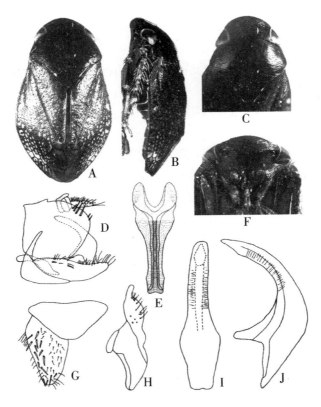

图 15　栗斑乌叶蝉 *Penthimia rubramaculata* Kuoh

A. 整体背面观(habitus, dorsal view)；B. 整体侧面观(habitus, lateral view)；C. 头胸部背面观(head and thorax, dorsal view)；D. 颜面(face)；E. 雄虫尾节侧瓣和下生殖板侧面观(male pygofer side and subgenital plate, lateral view)；F. 连索腹面观(connective, ventral view)；G. 雄虫生殖瓣和下生殖板腹面观(male valve and subgenital plate, ventral view)；H. 阳基侧突背面观(style, dorsal view)；I. 阳茎腹面观(aedeagus, ventral view)；J. 阳茎侧面观(aedeagus, lateral view)

鉴别特征：头冠、前胸背板及小盾片黑色，前翅基部黑色，端部深褐色；头冠前缘加厚，单眼连线到后唇基有多条明显的横皱纹，单眼到复眼与到头冠中央的距离相等；复眼银灰色，其上具有大的黑褐色斑块，内侧缘有 1 条黄褐色边；前胸背板后缘及侧后缘具 1 条黄褐色窄边，后缘中部弧状凹入；小盾片侧缘中部及末端各有 1 个不太明显的黄白色小点；前翅上散布有较为密集的浅黄褐色斑点，翅脉深褐色，具 5 个端室，端室中具有大的深褐色斑块。雌虫与雄虫外部形态特征基本相同，唯有前胸背板黄红褐色，后缘加深成栗红色。尾节宽短，端缘生有数根刚毛，下生殖板明显超出尾节侧瓣；生殖瓣宽三角形；下生殖板外侧缘平直，端部钝圆，其上生有稀疏的刚毛；连索"Y"形；阳基侧突端部平截，亚端部外侧缘着生有 10 多根刚毛；阳茎干自基部开始弯曲,阳茎口位于端部。

　　采集记录:1♂(NWAFU),太白山中山寺,1981.Ⅵ.08,采集人不详;1♀(NWA-FU),宁陕火地塘,2012.Ⅵ.30,吕林采;1♀(NWAFU)宁陕火地塘,2004.Ⅶ.19,吕林、段亚妮采。

　　分布:陕西(太白山,宁陕)、河北、山西、河南、宁夏、甘肃、四川、贵州。

9. 网背叶蝉属 *Reticuluma* Cheng *et* Li,2005

Reticuluma Cheng *et* Li,2005:379. **Type species**:*Reticuluma citrana* Cheng *et* Li,2005.

　　属征:体扁平,全体被棕色或黑色网状纹,前翅半透明;头冠短小,稍窄于前胸背板,头冠上有4个黑色或棕色斑纹排列成弧状。头冠顶端有数条横走脊纹,延伸到后唇基基部,有些种不明显。单眼位于头冠上,冠缝长约为头冠长度的2/3。颜面黑色,宽明显大于长,后唇基平坦,中部稍微凹陷。前胸背板宽约为中长的两倍,表面平滑,后缘平直或中部凹入。小盾片宽大于长,横刻痕位于中部,未伸达两端,小盾片两侧缘中部及端部各有1个乳白色或黄白色小点。前翅长约为宽的2倍,半透明,其上覆盖有网状纹,翅脉周围及翅室中均有分布。前翅具有5个端室,端室中有小的棕色或黑色斑点,端片狭窄;爪片上两条翅脉间有1短横脉相连;后足腿节端部刚毛刺式为2+2+1式,亚端部有数根短刚毛;后足胫节扁平,前背侧刚毛较长,其间分布数根短刚毛;后足跗节第1、2节端部平截,均生有端部平截的刚毛。雄虫尾节侧瓣上生有或长或短的刚毛,有的种尾节侧瓣端部具突起;连索"Y"形或"T"形;阳基侧突端部弯曲,其弯曲程度因种而异,数根刚毛位于亚端部边缘;阳茎多数具有1~2对突起,个别种无突起。

　　分布:古北区,东洋区。秦岭地区发现2种。

分种检索表

阳茎具突起 ·· **茶网背叶蝉** *R . testacea*
阳茎无突起 ·· **指茎网背叶蝉** *R. dactyla*

(16)指茎网背叶蝉 *Reticuluma dactyla* Fu *et* Zhang,2015(图16)

Reticuluma dactyla Fu *et* Zhang,2015:253.

　　鉴别特征:体长卵圆形,全体被覆黑色网状纹;头冠钝圆突出,前缘生有多条明显的横皱,冠缝明显,4个圆形黑色斑点分布于冠缝两侧,排列成弧状;单眼褐色,位于头冠上;复眼黑色,内缘棕红色;颜面黑色,宽大于长,后唇基平坦,中部稍微凹陷;前胸背板前缘深棕色，后缘近乎平直，其上覆盖有黑白相间的网状纹；小盾片上覆盖有棕色和黑色相间的网状纹，横刻痕弧状，位于中部，横刻痕两端及小盾片端部乳白色；前翅乳白色半透明，具有 5 个端室，第 2、3、4 端室中具有黑褐色斑块，翅脉黑褐色，沿爪缝有数个至 10 多个大小不一致的黑斑，排成一列。雄虫尾节侧瓣近似正方形，亚端部生有数根长刚毛，端缘中下部有 1 列短细刚毛；下生殖板长于尾节侧瓣，三角形，端部及侧缘生有 1 排长刚毛和数根短刚毛，外侧缘中部略凹陷，生殖瓣端部平截；阳基侧突细长，端部极细，弯钩状，亚端部生有数根细小刚毛；连索"Y"形，与阳基侧突长度相似，连索干基部加厚；阳茎手指状，阳茎口位于端部。雌虫第 7 腹板宽大于长，三角形，后缘微凸，中部有 1 个缺口凹入；第 1 产卵瓣刀剑状，其上分布有很多细小的纵向纹，端部较为明显；第 2 产卵瓣细长，背面具有端部平截的小齿。

　　分布：陕西（秦岭）。

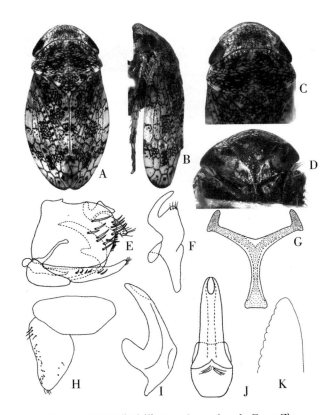

图 16　指茎网背叶蝉 *Reticuluma dactyla* Fu *et* Zhang

A. 整体背面观（habitus, dorsal view）；B. 整体侧面观（habitus, lateral view）；C. 头胸部背面观（head and thorax, dorsal view）；D. 颜面（face）；E. 雄虫尾节侧瓣和下生殖板侧面观（male pygofer side and subgenital plate, lateral view）；F. 阳基侧突背面观（style, dorsal view）；G. 连索腹面观（connective, ventral view）；H. 雄虫生殖瓣和下生殖板腹面观（male valve and subgenital plate, ventral view）；I. 阳茎侧面观（aedeagus, lateral view）；J. 阳茎腹面观（aedeagus, ventral view）；K. 第 2 产卵瓣端部（apex of valvulae 2）

（17）茶网背叶蝉 *Reticuluma testacea*（**Kuoh, 1991**）（图 17）

Penthimia teatacea Kuoh, 1991：206.

Reticuluma testacea：Fu *et* Zhang, 2015：253.

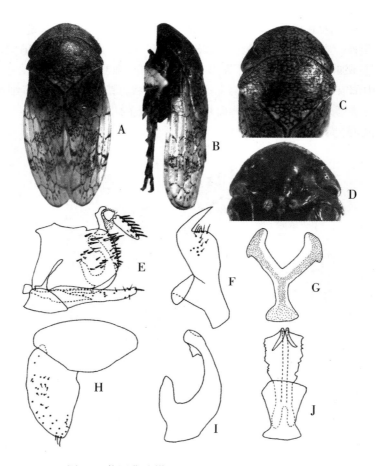

图 17　茶网背叶蝉 *Reticuluma testacea*（Kuoh）

A. 整体背面观（habitus, dorsal view）；B. 整体侧面观（habitus, lateral view）；C. 头胸部背面观（head and thorax, dorsal view）；D. 颜面（face）；E. 雄虫尾节侧瓣和下生殖板侧面观（male pygofer and subgenital plate, lateral view）；F. 阳基侧突背面观（style, dorsal view）；G. 连索腹面观（connective, ventral view）；H. 雄虫生殖瓣和下生殖板腹面观（male valve and subgenital plate, ventral view）；I. 阳茎侧面观（aedeagus, lateral view）；J. 阳茎腹面观（aedeagus, ventral view）

　　鉴别特征：虫体自前胸背板中部向下倾斜，头冠、前胸背板及小盾片黄褐色，其上布满黑褐色网状纹；头冠前缘加厚，钝圆突出，两复眼之间具有 4 个暗黄色圆斑，排列成弧状，复眼黑色，内侧缘具红褐色边，单眼黑色，位于复眼与冠缝之间，冠缝明显，黑褐色，占头冠中长的 2/3；颜面黑色，后唇基两侧倾斜，前唇基长方形；前胸背板前缘弧状，后缘平直；小盾片三角形，宽大于长，横刻痕弧状，位于中部，两端各具 1 个黄白色点；前翅灰白色，半透明，翅脉明显，翅面具 3 条虫蛀状纹，中部纹未达前翅前缘，具 5 个端室，第 2、3、4 端室各具 1 个黑褐色小点，端片狭窄。雄虫尾节侧瓣无突起，端缘及中部具长短不一的刚毛，分布杂乱；下生殖板两侧缘近乎平行，近似长方形，端部生有数根长刚毛，中部及外缘具分散的短刚毛；连索短小，"Y"形，两侧臂与连索干近乎等长；阳基侧突端部尖细，亚端部生有数根到 10 多根刚毛；阳茎具有 2 对突起，较大的突起两侧具齿，较小的突起位于阳茎端部。

采集记录： 1♂（NWAFU），太白山蒿坪寺，1200m，1982.Ⅶ.14，王海丽采，陕西太白山昆虫考察组；1♂（IZAS），留坝，1020m，1998.Ⅶ.18，张学忠采；1♂（IZAS），留坝县城，1020m，1998.Ⅶ.18，姚健采；1♀（IZAS），陕西留坝庙台子，1350m，1998.Ⅶ.21，姚健采。

分布： 陕西（太白山，留坝）、河南、安徽、浙江、江西、湖南、福建、贵州、云南。

（四）耳叶蝉亚科 Ledrinae

鉴别特征： 体小至大型，体色多为黑褐色，或褐色、红褐色、黄褐色、黄绿色、绿色。体表散布颗粒、刻点或皱褶。头冠扁平或不扁平。单眼位于头冠冠面或头部边缘凹陷内。前唇基狭小；后唇基与额愈合成额唇基，基部凸出较宽大、收狭成细长三角形或基部不凸出。触角较短，触角脊隆起明显或不明显。前胸背板宽阔，常向前倾斜，部分属侧缘向外延长成角状突起，部分属体背向上隆起形成耳状突。小盾片基角及末端或具隆起。足较短，多呈四棱或三棱形，着生细刺或较粗基部具鞘的大刺。后足腿节末端具 3 根较粗的大刺。前翅半革质或革质；后翅膜质透明。雄虫尾节侧瓣较宽，外侧端部具细短稀疏的刚毛，端部或近端部内缘具突起。下生殖板长条形或豆荚形，具细密刚毛，内缘刚毛稍长。连索较短。阳基侧突较宽或细长，端部多弯向腹面。阳茎纵扁或管状，细长或较粗，多数种类阳茎干具 1 个或多个突起。

分类： 世界性分布。陕西秦岭地区分布 5 属 9 种。

分属检索表

10. 耳叶蝉属 *Ledra* Fabricius, 1803

Ledra Fabricius, 1803: 13. **Type species**: *Ledra aurita*（Linné, 1758）.

属征：体中至大型。体色多为黄褐色、褐色或黑褐色。头冠较宽，扁薄，五边形；冠面基部具"山"字形隆起，端半部呈半透明窗斑。单眼位于复眼前缘连线之上，之间的距离小于相邻复眼间的距离。颜面较宽。唇基沟明显；额唇梨形，基端部窄；前唇基圆柱形。颊平坦，边缘明显凹入；舌侧板较宽。触角脊微隆起。前胸背板中后部强烈或轻微隆起；背板上常具耳状突起，中纵脊有或无。小盾片端角上稍或明显隆起。前翅翅脉较突出。后足胫节三棱，明显扁平扩延，其上常有色斑分布。雄虫尾节中上部收狭，内侧具 1 个较粗突起。下生殖板呈柳叶形。阳基侧突细长，较直，末端近直角折曲。阳茎干管状，末端常具 2 个细长突起。雌虫第 7 腹板略短于或等于其前节，后缘凹。

分布：古北区，东洋区，新热带区，澳洲区。秦岭地区发现 1 种。

(18) 窗冠耳叶蝉 *Ledra auditura* Walker, 1858（图 18）

Ledra auditura Walker, 1858: 249.

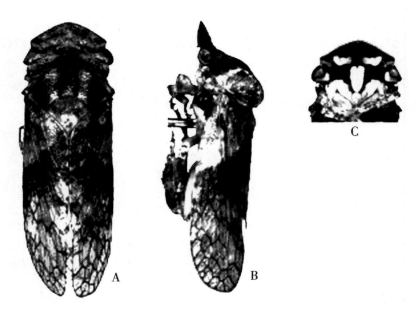

图 18　窗冠耳叶蝉 *Ledra auditura* Walker
A. 雄虫背面观（male habitus, dorsal view）；B. 雄虫侧面观（male habitus, lateral view）；C. 颜面（face）

鉴别特征：体长 10.80mm。头冠中长 1.30mm，前胸背板中长 2.10mm；头宽 3.50mm；前胸背板两突起间宽 3.60mm。头冠及小盾片棕黄褐色，散布红褐色小瘤粒，前胸背板、前翅、胫节及跗节褐色。复眼红褐色，单眼褐色。颜面黑褐色，仅触角基与额唇基侧缘间两边各有 1 个近长方形黄色条带；额唇基后半部及复眼下缘的颊分为黄色。头冠下倾，冠缝隆起，两侧缘在复眼前方有 1 段较短略外扩的直后角状与前缘相交；前胸背板具密集凹刻点，前中部两侧各有 1 个凹坑，中后部开始隆起，隆起上具较大耳状突 2 个，内侧 2 个细长脊突；小盾片盾间沟后有 1 条纵脊状隆起；前翅密布凹刻点，前缘具暗红色斑。后足胫节具大刺 3 根，大刺之间散布细长刚毛。

采集记录：1♂，宁陕火地塘，1985.Ⅵ.22，唐周怀采。

分布：陕西（宁陕）、东北、安徽、福建、台湾、香港；俄罗斯，朝鲜，日本。

11. 肩叶蝉属 *Paraconfucius* Cai，1992

Paraconfucius Cai，1992：266. **Type species**：*Paraconfucius pallidus* Cai，1992.

属征：体小型。体色多为红褐色或褐色，体表散布红褐色瘤粒。头部、前胸背板和小盾片密布小颗粒。头冠扁，端半部近透明，基半部具 1 块"山"字形隆起；冠面向下倾斜，两侧下斜超过颜面额唇基；明显窄且短于前胸背板；侧缘于复眼前缘的直段较长，后与前缘弧形相交，前缘呈钝角弧状拱出；冠缝隆起，末端明显翘起。单眼位于复眼连线之前，之间距离小于相邻复眼间的距离。唇基沟不甚明显；额唇基梨状，宽平。颊平坦，边缘明显凹陷；舌侧板半月形，细长。触角较长；触角脊及触角窝不明显。前胸背板中后部隆起（侧面观），隆起基部两侧略凹陷，具黑色短横斜带；前缘弧状前凸，侧缘稍向外扩，后缘波曲。小盾片三基角均隆起，其中于盾间沟之前隆起幅度较大，呈小耳状。前翅前缘具红泽，翅脉隆起及 A_1 脉基部明显隆起；爪区密布刻点，末端超过腹部末端，翅端片仅在前缘具 1 条极窄的边；翅具 A 脉两条，不分叉，两脉之间无 2 条横脉。足短。后足具红色及红褐色瘤粒，四棱，腿节末端有 3 根刺；后足胫节扁平，AV 列具 3～5 根大刺，其余散布较密集的小短刺。雄虫第 8 节腹板长于第 7 体节腹板，其后缘外凸。雄虫尾节在侧面观近三角形，近末端有 1 个长突起，伸出体外。下生殖板宽，柳叶形，具不规则排列的小刚毛。阳基侧突长，末端折曲。阳茎干纵扁，背向弯曲；腹面常有单个或成对的中等程度突起。连索腹面观呈"T"形。

分布：古北区，东洋区。秦岭地区发现 1 种。

(19) 淡缘肩叶蝉 *Paraconfucius pallidus* Cai，1992（图 19）

Paraconfucius pallidus Cai，1992：266.

鉴别特征：体长 10.50～11.00mm。头长 1.20～1.30mm，前胸背板长 2.00～

2.20mm；头宽2.50~2.70mm；前胸背板宽3.10~3.70mm。体黄褐色或深褐色。头冠端部及前翅前缘散布较大的暗红色瘤粒；前胸背板亚后缘及小盾片前缘具密集较小的暗红色颗粒。颜面前方深赭色，触角以下为黄褐色。腹部腹面黄色。翅脉暗红褐色。后足胫节端半部具3根大刺。雄虫尾节在侧面观近三角形，腹缘近末端有1条细长指形突起。下生殖板近长方形。阳基侧突长，末端突起很长、较粗；阳基侧突末端分为大小相近的两叉，弯曲。连索"十"字形。阳茎近末端稍膨大，两边各有1个三角形小突起。雌虫第7腹部弧状凹。

采集记录：1♂，周至厚畛子，1756m，1987.Ⅶ.19。

分布：陕西（周至）、安徽、广东、云南。

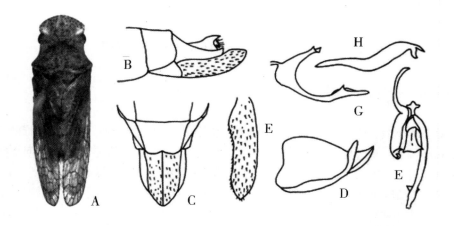

图19　淡缘肩叶蝉 *Paraconfucius pallidus* Cai（图B-H，仿蔡平，1992）
A. 雄虫背面观（habitus, dorsal view）；B. 雄虫生殖节侧面观（male genital segments, lateral view）；C. 生殖节腹面观（genital segments, ventral view）；D. 雄虫尾节（male pygofer）；E. 下生殖板（subgenital plate）；F. 阳茎、连索及阳基侧突腹面观（aedeagus, connective and style, ventral view）；G. 阳茎侧面观（aedeagus, lateral view）；H. 阳基侧突侧面观（style, lateral view）

12. 肖点叶蝉属 *Midoria* Kato, 1931

Midoria Kato, 1931：439. **Type species：***Midoria capitata* Kato, 1931.

属征：体小型。体色多为红褐色或褐色。前胸背板和小盾片密布小颗粒，前胸背板后缘具皱褶，前翅轭区刻点粗大。头冠扁平，冠面向下倾，两侧下斜；头明显略窄且短于前胸背板；侧缘于复眼前缘有一小段较直，前缘呈钝角弧状拱出；冠缝明显隆起，冠缝两侧区域略下凹。单眼位于复眼连线之前，之间距离小于相邻复眼间的距离。唇基沟明显；额唇基梨状，宽平。颊平坦，边缘明显凹陷；舌侧板半月形，较宽。触角较长；触角脊不明显，触角窝凹陷。前胸背板中后部隆起（侧面观）；前缘弧状前凸，侧缘稍向外扩，后缘波曲。小盾片的盾间沟向前凸。前翅爪区密布刻点，末端超过腹部末端，翅端片仅在前缘具 1 条窄边；翅具 A 脉两条，不分叉，两脉之间具 2 横脉，有无隆起。足短。后足四棱，腿节末端有 3 根刺；胫节 AV 列具 3~5 根大刺，其余散布较密集的小短刺。雄虫第 8 节腹板长于第 7 体节腹板，其后缘外凸。雄虫尾节在侧面观近三角形，近末端有 1 长突起，伸出体外。下生殖板宽，柳叶形。阳基侧突长，末端折曲。阳茎干纵扁，从侧面观是背向弯曲；腹面常有单个或成对的中等程度突起。

　　分布：东洋区。秦岭地区发现 3 种。

分种检索表

(20) 环突肖点叶蝉 *Midoria annulata* Cai et Jiang, 2000（图 20）

Midoria annulata Cai et Jiang, 2000：415.

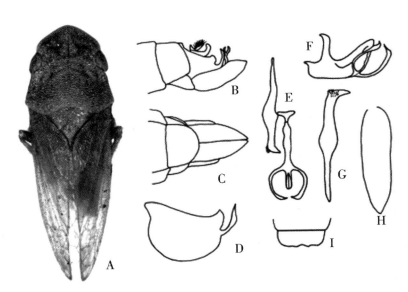

图 20　环突肖点叶蝉 *Midoria annulata* Cai et Jiang（图 B-I，仿蔡平和江佳富，2000）

A. 雄虫背面观（male habitus, dorsal view）；B. 雄虫生殖节侧面观（male genital segments, lateral view）；C. 雄虫生殖节腹面（male genital segments, ventral view）；D. 尾节（pygofer）；E. 阳茎、连索和阳基侧突腹面观（aedeagus, connective and style, ventral view）；F. 阳茎侧面观（aedeagus, lateral view）；G. 阳基侧突侧面观（style, lateral view）；H. 下生殖板（subgenital plate）；I. 雌虫第 7 腹板（female sternite 7）

　　鉴别特征：体长 6.80 ~ 7.00mm。头长 0.90 ~ 1.00mm，前胸背板长 1.40 ~ 1.50mm；头宽 2.10 ~ 2.20mm；前胸背板宽 2.30 ~ 2.35mm。体黄褐色。头冠、前胸背板和小盾片具淡黄色小颗粒；前胸背板前缘及前翅臀区刻点密集。头冠端半部两侧微向下倾，侧缘在复眼前方有一小段直，后与前缘弧状相交；前缘向外突出，呈钝角状，弧度较缓。头冠侧缘在复眼前缘下斜明显，前缘末端向上翘起（侧面观）。复眼灰褐色；单眼褐色，外侧具 1 个倒"八"字形较短隆起。颜面褐色，较平坦；触角脊不明显，触角窝凹陷明显。前胸背板前缘弧状，超过复眼中点连线；侧缘向外扩，呈"八"字形；后缘中央弧状向前凸。前胸背板前中部有"八"字形较深的短凹痕，靠近侧缘有 2 个较浅较宽的凹陷；中后部隆起，上具皱褶。臀脉 2 条，A_2 基部略隆起。后足胫节具 5 根大刺。雄虫第 8 腹板长于前节。尾节腹缘近末端生 1 向外伸出的长突，背向弯曲，近末端略膨大，而后逐渐收狭尖出。下生殖板长且宽。阳基侧突基半部细，后逐渐加宽至 2/3 处，略收狭之后又开始增宽至末端最宽，末端折曲约 60°；折曲顶端弧度较陡，具 1 个尖角（腹面观）；折曲后呈等腰三角形，略扭向内侧。连索"T"形，背面纵向有 1 个长膜质片状突起。阳茎侧面观背向弯曲。阳茎干纵扁，由于背部隆起致管身成三棱形，腹面近中部伸出 2 个细长片状突起，弯向阳茎；末端呈小钩状（背面观），略超出阳茎末端（侧面观）。

　　采集记录：1♂，凤县双石铺，1980. V.06，向龙成、马宁采。

　　分布：陕西（凤县）、山东、贵州。

(21) 褐脉肖点叶蝉 *Midoria brunnea* Cai et Kuoh，1995（图 21）

Midoria brunnea Cai *et* Kuoh，1995：87.

　　鉴别特征：体长 8.70mm。头长 1mm，前胸背板长 1.80mm；头宽 2.80mm；前胸背板宽 3.20mm。体黄褐色。头冠密布小颗粒；前胸背板散布凹刻痕，中后部具横皱褶；前翅密布刻点。头冠红褐色，端半部具淡黄褐色倒三角形斑，两侧微向下倾，侧缘逐渐收狭与前缘弧状相交；前缘向外突出，呈钝角状，弧度较缓。头冠前缘末端略向上翘起（侧面观）。冠缝隆起。单眼外侧具 1 个倒"八"字形较短隆起。颜面和复眼上方各具 1 个倒三角形红褐色斑，其余部位呈暗黄色。前胸背板前缘弧状；侧缘向外扩，呈"八"字形；后缘中央近平直。前胸背板前中部有"八"字形较深的凹痕；中后部隆起。后足胫节具 6 根大刺。雄虫第 8 腹板明显长于前节。尾节末端（侧面观）极尖，略延长。下生殖板长且宽。阳基侧突基半部细，后逐渐加宽至约 1/2 处两边缘较宽，之后逐渐变细至折曲处又突然变宽，末端折曲约 90°，折曲后呈逐渐扭向内侧的锐角三角形。连索锚柱形，背面纵向有 1 个长膜质片状突起。阳茎侧面观背向弯曲，阳茎干圆管形。阳茎近末端两侧着生 2 个细长管状突起，指向体前方，末端远超阳茎末端；阳茎腔背面延伸为片状（不为叉状）。

　　采集记录：1♂，宁陕火地塘，1750m，1979. Ⅶ.24，韩寅恒采。

分布：陕西（宁陕）、浙江。

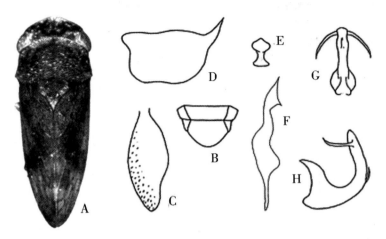

图21　褐脉肖点叶蝉 *Midoria brunnea* Cai *et* Kuoh（图 B – H，仿蔡平和葛钟麟，1995）
A. 雄虫背面观（male habitus, dorsal view）；B. 雄虫第7、8 腹板（male segments 7 and 8）；C. 下生殖板（subgenital plate）；D. 尾节（pygofer）；E. 连索（connective）；F. 阳基侧突（style）；G. 阳茎腹面观（aedeagus, ventral view）；H. 阳茎侧面观（aedeagus, lateral view）

(22) 锈褐肖点叶蝉 *Midoria ferruginea* Cai *et* Kuoh, 1995（图 22）

Midoria ferruginea Cai *et* Kuoh, 1995：88.

鉴别特征：体长 8.00 ~ 8.15mm。头长 1.08 ~ 1.12mm，前胸背板长 1.50 ~ 1.60mm；头 2.25 ~ 2.30mm；前胸背板宽 2.60 ~ 2.70mm。体黄褐色。体背具密集刻点。头冠扁平，向下倾斜。头冠侧缘在复眼前方有较长一段直，后与前缘弧状相交；前缘向外突出，呈钝角状，弧度较小。头冠侧缘在复眼前缘下斜明显（侧面观），前缘末端向上翘起。复眼灰棕色；单眼褐色围以暗红色圈，外侧具 1 个倒"八"字形隆起。颜面红褐色；触角脊不明显，触角窝略凹陷。前胸背板前缘弧状，超过复眼中点连线；侧缘向外扩，呈"八"字形；后缘中央弧状略向前凸。前胸背板前中部两侧各有 1 圆凹痕，具"Ω"形斑；中后部隆起，上具皱褶。翅臀区散布红褐色瘤粒；臀脉 2 条，A_2 基部略隆起。后足胫节具 5 根大刺。雄虫第 8 腹板中长约为前一体节的 1.50 倍；后缘略向前凸。尾节腹缘内侧近末端生 1 个小指状突起，指向背内侧。下生殖板长且宽。阳基侧突基半部细，后逐渐加宽至基半部的 2 倍，近末端收狭，约 60°背向折曲，折曲处弧状，较缓，后外侧下倾呈较细长，末端小钩状突，并不逐渐扭向内侧，指向腹面。连索"T"形，背面纵向有 1 个长膜质片状突起。阳茎侧面观背向弯曲，阳茎干管状，末端尖。

采集记录：1♂，佛坪龙草坪，1986.Ⅷ.25，潘城采于草丛。

分布：陕西（佛坪）、浙江。

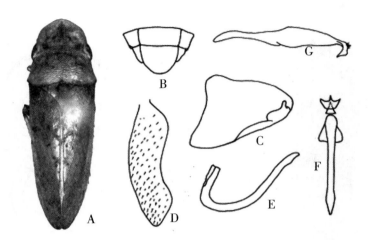

图22　锈褐肖点叶蝉 *Midoria ferruginea* Cai et Kuoh(图 B–G, 仿蔡平和葛钟麟, 1995)
A. 雄虫背面观(male habitus, dorsal view)；B. 雄虫第 8 腹板(male sternite 8)；C. 尾节(pygofer)；D. 下生殖板(subgenital plate)；E. 阳茎侧面观(aedeagus, lateral view)；F. 阳茎和连索腹面观(aedeagus and connective, ventral view)；G. 阳基侧突(style)

13. 角胸叶蝉属 *Tituria* Stål, 1865

Tituria Stål, 1865: 158. **Type species**: *Petalocephala nigromarginata* Stål, 1865.

属征: 体小型。体色多为红褐或褐色。前胸背板和小盾片密布小颗粒，前胸背板后缘具皱褶，前翅轭区刻点粗大。头冠扁平，冠面向下倾，两侧下斜；前缘呈钝角弧状拱出；冠缝明显隆起，冠缝两侧区域略下凹。单眼位于复眼连线之前，之间的距离小于相邻复眼间的距离。唇基沟明显；额唇基梨状，宽平。颊平坦，边缘明显凹陷；舌侧板半月形，较宽。触角较长；触角脊不明显，触角窝凹陷。前胸背板中后部隆起(侧面观)；前缘弧状前凸或近平直，侧缘相交成角突，后缘波曲。小盾片的盾间沟向前凸。前翅爪区密布刻点，末端超过腹部末端，翅端片仅在前缘具 1 窄边；翅具 A 脉两条，不分叉。后足 4 棱，腿节末端有 3 根刺。雄虫尾节在侧面观近三角形，近末端有 1 个长突起，伸出体外。下生殖板宽柳叶形。连索腹面观呈"T"形。阳基侧突长，末端折曲。阳茎干纵扁，背向弯曲；腹面常有单个或成对的中等程度突起。

分布: 古北区，东洋区。秦岭地区发现 3 种。

分种检索表

1. 阳茎背面近末端具 1 对小尖角状突起 ·· **大麻角胸叶蝉 *T. sativa***
　　阳茎背面近末端无 1 对小尖角状突起 ··· 2

2. 阳茎端部具细钩状突起 ·· 双色角胸叶蝉 *T. colorata*

阳茎端部无细钩状突起 ·· 矢茎角胸叶蝉 *T. sagittata*

(23) 双色角胸叶蝉 *Tituria colorata* Jacobi, 1944（图 23）

Tituria colorata Jacobi, 1944: 39.

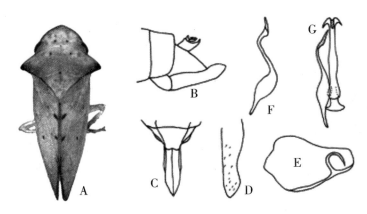

图 23 双色角胸叶蝉 *Tituria colorata* Jacobi（图 B – G, 仿蔡平, 1993）

A. 雄虫背面观（male habitus, dorsal view）; B. 生殖节侧面观（genital segments, lateral view）; C. 生殖节腹面观（genital segments, dorsal view）; D. 下生殖板腹面观（subgenital plate, ventral view）; E. 尾节内侧观（pygofer, inner view）; F. 阳基侧突侧面观（style, lateral view）; G. 阳茎、连索及阳基侧突腹面观（aedeagus, connective and style, ventral view）

鉴别特征： 体长 11.20 ~ 12.20mm。头冠中长 1.80 ~ 1.90mm；前胸背板中长 2.00 ~ 2.20mm；头宽 3.50 ~ 3.60mm；前胸背板间宽 5.30 ~ 5.60mm。体淡黄色、黄绿色或褐色。体表具刻点，头冠刻点较小，前胸背板具短横刻痕，刻点较粗大，小盾片具横皱脊。头冠边缘及前胸背板侧缘黑色，近边缘有暗红色窄边。复眼红褐色，单眼鲜红色。颜面基部边缘暗红色，额唇基基部收狭，细长，末端尖。前胸背板前缘及后缘中央各有 1 个红褐色点；前中部两侧有 2 个凹黑点。小盾片两侧缘基半部黑色，端角处黑色。前翅外缘近末端褐色，两臀脉近末端及外缘与翅轭相交处之前具一小段褐色，中域有 1 个褐色点。头冠略下倾，两侧略下倾，边缘自复眼前缘逐渐收狭至末端，末端稍尖；冠缝隆起明显，两侧凹陷。前胸背板前缘弧状前凸；后缘略波曲。前翅有臀脉两条，不分叉。后足胫节 6 ~ 7 根大刺。雄虫第 8 腹板长于前节，后缘中央略凹。尾节侧面观近三角形，末端较宽圆；腹缘近末端有 1 个长钩形水平指向端部的突起，接近尾节背缘。下生殖板柳叶形。阳基侧突侧面观片状，基部较窄薄，逐渐加宽至近基部最宽，端半部细，近末端背向弯曲，末端突起细长三角形，背面观包围着阳茎。连索宽片状，中央具 1 条细三角形纵脊。阳茎干细长略扁，基半部折曲约 45°，端部两侧外生 1 对等长的细钩状短突起。阳茎背腔片状。阳茎口位于末端。

采集记录： 1♂, 凤县双石铺, 1995.Ⅷ.14, 张文珠、任立云采；1♂, 太白山蒿坪寺，1981.Ⅷ.14；1♂，太白，1981.Ⅷ.14，采集人不详。

　　分布：陕西（凤县、太白）、河南、浙江、湖北、广东、贵州、云南。

（24）矢茎角胸叶蝉 *Tituria sagittata* Cai *et* Shen，1999（图24）

Tituria sagittata Cai *et* Shen，1999：26.

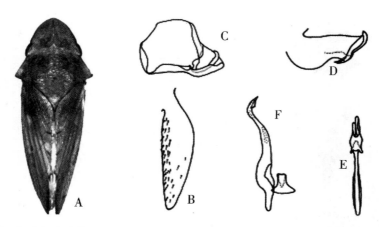

　　图24　矢茎角胸叶蝉 *Tituria sagittata* Cai *et* Shen（图 B – F，仿蔡平和申效诚，1999）

A. 雄虫背面观（male habitus，dorsal view）；B. 下生殖板（subgenital plate）；C. 尾节内侧观（pygofer，inner view）；
D. 阳茎侧面观（aedeagus，lateral view）；E. 阳茎背面观（aedeagus，dorsal view）；F. 连索和阳基侧突背面观（con-
nective and style，dorsal view）

　　鉴别特征：体长 11.50 ~ 12.20mm。头冠中长 1.90 ~ 2.00mm；前胸背板中长
1.90 ~ 2.00mm；头宽3.20 ~ 3.40mm；前胸背板间宽 4.20 ~ 4.50mm。头冠，前胸
背板及小盾片为黄褐色；翅为棕褐色。头冠边缘边缘及前胸背板侧缘黑色，亚边
缘有不明显的红色边；冠缝基半部黑色。复眼棕色；单眼透明，围以黑色圈，单眼
外侧有 1 条斜指向外的长方形黄褐色带。颜面浅红色，体躯两侧颜色较深。前胸
背板前缘和后缘中央均有 1 个暗红色点；背板前中部有两个黑点，后缘中央颜色较
深，以中纵脊为中心，形成 1 条"山"字形褐色条带。小盾片两侧缘基部黑色，末端
尖角处黑色。前翅臀褶末端前一小段为褐色。前翅中域有 1 个褐点。头冠自基部
逐渐收狭至末端，末端稍尖；冠缝明显，近末端两侧凹陷，使冠缝末端向上翘。前
胸背板中纵脊明显，前缘近平直；后缘近平直。前翅有臀脉两条。雄虫第8腹板长
于前节，后缘近平直。尾节侧面观近靴形，较宽，末端钝圆；腹缘中上部有 1 个长
钩形突起，沿尾节边缘弯向背端。下生殖板豆荚形。阳基侧突侧面观片状，波浪
形弯曲，基部窄细，近基部扩大，端半部细，近末端明显背向波曲；背面观"S"形，
弧状包围阳茎。连索宽片状，中央具 1 条三角形纵脊。阳茎干发达，纵扁，腹面基
半部近半圆形隆起，近端部收狭，末端有长短不一的 2 个片状突，侧向扩延，背末

端成矢头状，腹末端成尖角状。阳茎背腔片状。阳茎口位于腹面末端。雌虫第7
体节与前节近等长，后缘前收，弧状凹入。

采集记录：1♀，凤县双石铺，1995.Ⅷ.15，张文珠、任立云采；1♂，太白，1981.
Ⅷ.14；1♀，太白，1981.Ⅷ.14；1♀，太白山蒿坪寺，1200m，1983.Ⅵ.01，陕西太白
山昆虫考察组采；1♀，太白山蒿坪寺，1982.Ⅴ.08。

分布：陕西(凤县、太白)、河南、浙江、湖北、江西、湖南、广东、四川。

(25)大麻角胸叶蝉 *Tituria sativa* **Cai** *et* **Shen，1998**(图25)

Tituria sativa Cai *et* Shen，1998：38.

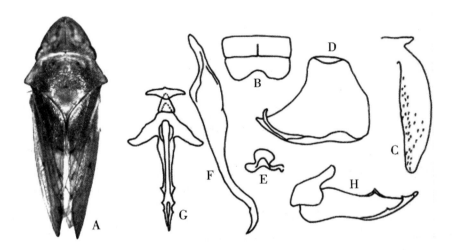

图25　大麻角胸叶蝉 *Tituria sativa* Cai et Shen(图 B－H，仿蔡平和申效诚，1998)

A. 雄虫背面观(male habitus，dorsal view)；B. 雄虫第8腹板(male sternite 8)；C. 下生殖板腹面观(subgenital plate，ven-
tral view)；D. 雄虫尾节内侧观(male pygofer，inner view)；E. 连索侧面观(connective，lateral view)；F. 阳基侧突(style)；
G. 连索和阳茎腹面观(connective and aedeagus，ventral view)；H. 阳茎侧面观(aedeagus，lateral view)

鉴别特征：体长13.70～13.90mm。头冠中长2.00～2.20mm；前胸背板中长2.10～
2.20mm；头宽3.80～3.90mm；前胸背板间宽5.00～5.10mm。体背黄褐色、红褐色或褐
色。体表具刻点，冠缝两侧具纵皱褶，前胸背板后缘刻点较粗大，小盾片具横皱脊。头
冠边缘及前胸背板侧缘黑色。颜面及前胸侧板红褐色。前胸背板前中部两侧有2个黑
点，黑点之后各有1个较大的圆斑。小盾片端角处黑色。前翅外缘端部褐色，两臀脉近
末端及外缘与翅轭相交处之前具一小段褐色，中域有1个褐色点。头冠略向前，两侧略
下倾，边缘自复眼前缘逐渐收狭至末端，末端稍尖；冠缝隆起明显，两侧凹陷。前胸背
板前缘弧状前凸；后缘略波曲。雄虫第8腹板略长于前节，后缘近直。尾节侧面观近靴
形，较宽，末端较尖；腹缘中上部有1个长钩形突起，沿尾节边缘弯向背端。下生殖板
宽柳叶形，近1/4圆状，末端收狭成钝圆，中部无收狭；外缘弧形外凸。阳基侧突侧面

观片状，波浪形弯曲，基部窄细，近基部扩大，端半部细，近末端背向波曲幅度较小，末端尖，略弯；背面观"S"形，弧状包围阳茎。连索宽片状，中央具1个三角形纵脊。阳茎干发达，纵扁，腹面近基部圆片状隆起显著，近末端收狭成尖角状，裂为长短不一的2片，背面近末端及末端着生1对或2对小尖角状突，近末端的较大。

采集记录： 1♂，凤县双石铺，1995.Ⅶ.15，张文珠、任立云采；1♂，太白山蒿坪寺，1982.Ⅷ.10；1♂，太白山蒿坪寺，1981.Ⅷ.14，吴瑞云、侯佳采；1♂，太白山蒿坪寺，1982.Ⅶ.14-19，路进生采；1♂，太白山，2008.Ⅷ.13，孙晶采；1♂，太白山蒿坪寺，1981.Ⅷ.12，赵德金采；1♂，佛坪龙草坪，1986.Ⅷ.21，关改平采；1♂，宁陕旬阳坝，1995.Ⅷ.28，张文珠、任立云采；1♂，宁陕关口，1984.Ⅷ.14。

分布： 陕西（凤县、佛坪、宁陕，太白山）、北京、山西、河南。

14. 片头叶蝉属 *Petalocephala* Stål，1854

Petalocephala Stål，1854：251. **Type species：** *Petalocephala bohemani* Stål，1854.

属征： 体中至大型。体色为黄绿色、黄褐色、褐色或红棕色等。体背常具刻点。头及前胸背板向下倾。头冠扁薄，冠缝不明显或明显隆起。单眼位于冠面后方，之间距离明显小于与相邻复眼间的距离。唇基沟明显；额唇基梭形或梨形，中央常具凹槽。颊平坦，边缘明显凹。触角脊不明显。前胸背板前缘微向前弧状突，侧缘近平行或略向外扩，后缘波曲或略波曲；有的种类背板近前缘可见1条既长又深的刻痕。小盾片的盾间沟向后凹。前翅末端超过腹部末端，翅脉末端呈网状，爪区密布较大刻点。后足胫节扁平四棱形，具5~7根大刺。雄虫第8节腹板长于前节，其后缘微凸。雄虫尾节近三角形，具突起。下生殖板宽柳叶形，其上密布细小刻点，内缘具稀疏的稍长刚毛，外缘散布稀疏的细小短刚毛。阳基侧突长，基部片状较宽，末端折曲。连索片状。阳茎管状，背向弯曲，近末端有的有突起。雌虫第7腹板近与前节等长，中央长方形凹陷。

分布： 古北区，东洋区，非洲区，澳洲区。秦岭地区发现1种。

(26) 红缘片头叶蝉 *Petalocephala ruformarginata* Kuoh，1984（图26）

Petalocephala ruformarginata Kuoh，1984：271.

鉴别特征： 体长9~10mm。头中长1.20~1.30mm，前胸背板中长1.70~1.80mm；头宽2.60~2.70mm；前胸背板间宽2.90~3.00mm。体暗黄色或黄绿色。背板带黄泽，具刻点，前胸背板中后部具横皱脊。头冠边缘具略宽的红色边；前胸背板两侧缘略带褐色；前翅外缘暗红色，翅中域具1个红褐色小点；颜面及小盾片上散布不均匀的黄白色斑。头冠下倾，于复眼前缘逐渐收狭，呈弧形，末端稍尖；冠面前中部略凹陷。冠缝明显，隆起。复眼灰褐色，单眼透明围以褐色圈。前胸背板向后逐渐隆起，前缘弧状前凸，侧缘略外扩与后缘相交处呈 1 个小角突，后缘略波曲；前中部两侧略呈圆形凹陷，中央具 1 条细凹槽。盾间沟较靠后，弧状前凸。前翅有臀脉两条，A₁ 脉隆起。后足胫节 AD 列大刺 5 ~ 6 根。雄虫第 8 腹板中长近 1.30 倍于前节，后缘微凸，中央近平直。尾节侧面观近三角形，较细长，末端钝圆；腹缘近末端有 1 个长指状突起，伸出尾节端部。下生殖板较窄长，基部最宽，后收狭至末端钝圆，外缘中部内收。阳基侧突侧面观片状，较直，基部较宽薄，后逐渐收狭至近基部，中部最宽，逐渐收狭至末端，末端近钝角弯曲，后呈近细长条形，略向内侧弯。连索元宝形，中央具 1 条纵脊。阳茎干粗且略扁，逐渐收狭，1/2 处背向折曲，3/4 处背面扩延成两近与阳茎干成直角的细刺突，末端背面观呈椭圆长片状。

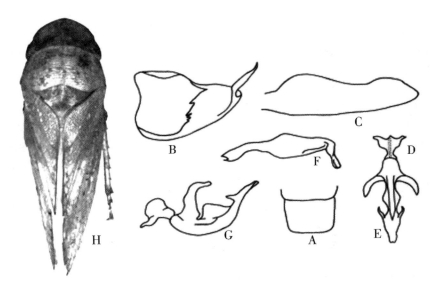

图 26　红缘片头叶蝉 *Petalocephala ruformarginata* Kuoh（图 B – H，仿蔡平和何俊华，1997）

A. 雄虫背面观（male habitus, dorsal view）；B. 尾节内侧观（pygofer, inner view）；C. 下生殖板（subgenital plate）；D. 连索（connective）；E. 阳茎腹面观（aedeagus, ventral view）；F. 阳基侧突（style）；G. 连索和阳茎侧面观（connective and aedeagus, lateral view）；H. 雄虫腹部末端侧面观（male apical abdomen, lateral view）

采集记录：1♂，宁陕火地塘，2004.Ⅸ.07，曹燕采。

分布：陕西（宁陕）、北京、浙江、江西、湖南、四川、贵州、云南。

（五）横脊叶蝉亚科 Evacanthinae

鉴别特征：体中型，一般体长为 4 ~ 9mm。体色较深，常为棕色、褐色或黑色，或具有鲜艳斑纹。头冠具有中纵脊和侧脊，单眼位于头冠侧缘外侧；颜面额唇基中央具有纵脊。前翅翅脉较完整，少数个体附生短横脉，具有 4 或 5 个端室，爪片通常狭小。雄虫阳茎干多为弯管状，有些种类着生附突；连索"Y"形；阳基侧突端部拐杖形，向一侧或两侧延伸，少数种类不发达；下生殖板狭长或叶片状，着生刚毛。

　　分类：古北区，东洋区，新北区。陕西秦岭地区分布有8属17种。

分属检索表

1. 头冠极度向前延伸或向前延伸成尖锥状，中长明显大于或稍大于前胸背板和中胸小盾片之和
　　 ·· 2
　　头冠没有极度向前延伸，中长稍短或等于前胸背板和中胸小盾片之和 ············· 3
2. 尾节侧瓣具腹缘突起 ··· **皱背叶蝉属 *Strianatus***
　　尾节侧瓣无腹缘突起 ··· **突脉叶蝉属 *Riseveinus***
3. 头冠中纵脊前端具有横脊或横痕 ··· 4
　　头冠中纵脊两侧没有横脊或横痕 ··· 6
4. 头冠前端的横脊较为明显；尾节侧瓣腹缘有突起 ············· **横脊叶蝉属 *Evacanthus***
　　头冠前端有横痕，但较弱；尾节侧瓣腹缘无突起 ····························· 5
5. 尾节侧瓣腹缘较平滑，阳茎末端常具有1对突起 ············· **冠垠叶蝉属 *Boundarus***
　　尾节侧瓣腹缘通常向内卷曲，阳茎末端没有对状的突起 ············· **斜脊叶蝉属 *Bundera***
6. 尾节侧瓣末端通常平截，边缘着生成排或成簇的刺状刚毛列 ············· **角突叶蝉属 *Taperus***
　　尾节末端弧圆，近端部着生少量的刚毛 ································· 7
7. 阳基侧突端部发达，向两侧延伸，长度超过阳基侧突的1/2 ············· **凸冠叶蝉属 *Convexana***
　　阳基侧突端部不发达，长度短于阳基侧突的1/2 ············· **锥头叶蝉属 *Onukia***

15. 冠垠叶蝉属 *Boundarus* Li *et* Wang, 1998

Boundarus Li *et* Wang, 1998：198. **Type species**：*Boundarus trimaculatus* Li *et* Wang, 1998.

　　属征：头部前端宽圆突出，中央长度微短于前胸背板和小盾片长度之和，头冠中央有1条较明显的中纵脊，中纵脊长度未伸达头冠前端，在近端部与横垠成"十"字形相交，侧脊弱，冠面明显凹陷；单眼位于头冠侧域，着生在横垠末端的冠面上；颜面长度大于宽度；额唇基棕色或稻黄色，向基部渐渐变窄，中央有1条明显的纵隆起线，隆起线的两侧具有横皱纹；舌侧板较宽阔，伸达额唇基的端部；颊明显的向两侧倾斜；前胸背板较头部宽；小盾片三角形，短于前胸背板的中长，在中后部具有明显的横刻痕；前翅棕色具有深褐色的条纹，爪区的2条臀脉分离，前缘区缺少 R_{1a} 脉，4端室，端片狭小；后足腿节刚毛式为2:1:1。雄虫尾节侧瓣腹面观宽圆突出，端区散生少量的粗长刚毛，腹缘无突起；下生殖板狭长，向端部渐细，内侧有1排粗长刚毛，外侧着生许多不规则的毛发状的刚毛；连索倒"Y"形；阳基侧突末端的细长隆起较为发达，似手杖形；阳茎干侧面观向背面弯曲，端部具有1对腹缘突起，阳茎口位于端部。

分布：中国。秦岭地区发现2种。

分种检索表

前翅不具有条纹，阳茎干侧面观基部较为粗壮，端部1对突起的长度是阳茎干的1/4倍长 ………
………………………………………………………… 黑色冠垠叶蝉 *B. nigronotus*

前翅具有条纹，阳茎干侧面观较为均匀，端部1对突起的长度超过阳茎干的1/3倍长 …………
………………………………………………………… 三斑冠垠叶蝉 *B. trimaculatus*

(27) 黑色冠垠叶蝉 *Boundarus nigronotus* **Zhang，Zhang *et* Wei，2010**（图27；图版1：A）

Boundarus nigronotus Zhang，Zhang *et* Wei，2010：66.

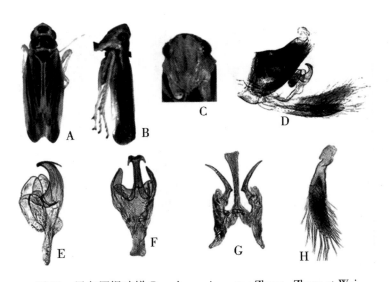

图27 黑色冠垠叶蝉 *Boundarus nigronotus* Zhang，Zhang *et* Wei

A. 雄虫背面观（male habitus, dorsal view）；B. 雄虫侧面观（male habitus, lateral view）；C. 颜面（face）；D. 雄虫尾节侧瓣侧面观（male pygofer, lateral view）；E. 阳茎侧面观（aedeagus, lateral view）；F. 阳茎腹面观（aedeagus, ventral view）；G. 连索和阳基侧突背面观（connective and style, dorsal view）；H. 下生殖板腹面观（subgenital plate, ventral view）

鉴别特征：头冠中央具有黑色大斑块，前胸背板和小盾片黑色；前翅基部深褐色向端部渐淡，翅脉明显且浅黄色。雄虫尾节侧瓣向端部渐窄，末端弧圆突出，具有少量的微刚毛；下生殖板狭长分节，超过尾节末端，端半部两侧具有细长刚毛；阳茎干基部较为粗壮，向端部稍窄，阳茎中部两侧具有1对叶片状突起，阳茎干的顶端具有1对突起，突起较短，约为阳茎干的1/4长，阳茎口位于阳茎干的亚端部。

采集记录：1♂5♀，宁陕火地塘，1984.Ⅶ.17，张雅林采。

分布：陕西（宁陕）、吉林、河南、湖北、四川、贵州。

(28) 三斑冠垠叶蝉 *Boundarus trimaculatus* Li *et* Wang, 1998（图28；图版1：B）

Boundarus trimaculatus Li *et* Wang, 1998：198.

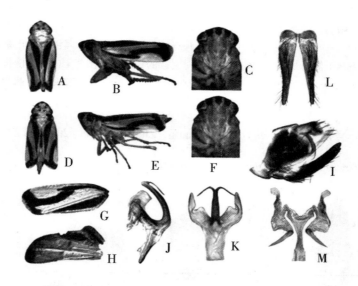

图28 三斑冠垠叶蝉 *Boundarus trimaculatus* Li *et* Wang

A. 雄虫背面观（male habitus, dorsal view）；B. 雄虫侧面观（male habitus, lateral view）；C. 雄虫颜面（male face）；D. 雌虫背面观（female habitus, dorsal view）；E. 雌虫侧面观（female habitus, lateral view）；F. 雌虫颜面观（female face）；G. 前翅（forewing）；H. 后翅（hindwing）；I. 雄虫尾节侧瓣侧面观（male pygofer, lateral view）；G. 阳茎侧面观（aedeagus, lateral view）；K. 阳茎腹面观（aedeagus, ventral view）；L. 下生殖板腹面观（subgenital plate, ventral view）；M. 连索和阳基侧突背面观（connective and style, dorsal view）

鉴别特征：头冠背面观具有7个黑色的斑点，前面观具有3个黑色的斑块；前翅具有深褐色的条形斑，爪片区深褐色；雌虫腹部末端超过前翅末端，使腹部外露。雄虫尾节背缘域着生很多的小刚毛，端区着生少量的大刚毛；下生殖板超过尾节末端，在内侧着生1列刚毛；阳茎干侧面观向背面弯曲，端部腹缘域具有1对细长突起，突起的长度是阳茎干的1/3倍长，阳茎口位于端部。

采集记录：1♀，户县桦树坪，2007.Ⅵ.27，周顺采；3♀，华山，采集日期不详，田畴、陈彤采；11♂10♀，宁陕火地塘，1985.Ⅵ.15，李金航采。

分布：陕西（户县、华阴、宁陕）、河南、四川。

16. 斜脊叶蝉属 *Bundera* Distant, 1908

Bundera Distant, 1908：228. **Type species**：*Bundera venata* Distant, 1908.

属征：头冠圆锥形前突，中长等于或稍大于前胸背板中长，中纵脊隆起明显，无横脊或具有较弱的横痕，侧脊和缘脊明显，和中纵脊于头冠顶端汇合成一点，在侧脊和缘脊之间通常有斜皱纹，冠面平坦或稍凹陷，冠面中央通常具有纵皱纹或黑色斑块；单眼位于头冠侧脊的外侧；颜面中纵脊明显，两侧具有横刻痕。前胸背板前缘微突，后缘接近平直；中胸小盾片三角形，后缘域具有明显的横刻痕。雄虫尾节侧面观基部较宽，向端部渐窄，无腹缘突起，但是通常腹缘末端向内卷曲且超出尾节末端，形成伪突起；下生殖板基部分节，端部弧圆，着生许多不规则刚毛；连索"Y"形，主干细长；阳茎侧面观背缘通常具有囊状突起，腹缘通常明显三角形隆起，阳茎的端部管状弯曲。

　　分布：东洋区。秦岭地区发现1种。

(29) 峨嵋斜脊叶蝉 *Bundera emeiana* Li *et* Wang, 1994（图29；图版1：C）

Bundera emeiana Li *et* Wang, 1994：7.

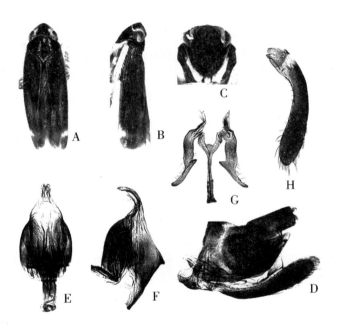

图29　峨嵋斜脊叶蝉 *Bundera emeiana* Li *et* Wang

A. 雄虫背面观（male habitus, dorsal view）；B. 雄虫侧面观（male habitus, lateral view）；C. 颜面（face）；D. 雄虫尾节侧瓣侧面观（male pygofer, lateral view）；E. 阳茎腹面观（aedeagus, ventral view）；F. 阳茎侧面观（aedeagus, lateral view）；G. 连索和阳基侧突背面观（connective and style, dorsal view）；H. 下生殖板腹面观（subgenital plate, ventral view）

　　鉴别特征：头冠稍短，中长约等于前胸背板中长，冠面中央的大斑块从头冠顶端延伸到后缘，整个颜面为黑色；前胸背板深褐色，后缘平直，中胸小盾片棕色，后缘域具有横刻痕；前翅浅褐色，端室基部有稻黄色的条斑。雄虫尾节侧面观基部较宽；下生殖板中部稍弯曲，端部弧圆，着生少量刚毛，外缘有细长的长刚毛；阳茎侧面观中部明显膨大，背缘突起狭片状，腹缘明显隆起，隆起的顶端为刺状突，阳茎端部为弯管状，长度为阳茎的 1/4，阳茎端部腹面观枝状，且在中部分叉，边缘膜质化。

采集记录：1♂，太白，1981.Ⅷ.14，采集人不详。

分布：陕西（太白）、四川。

17. 凸冠叶蝉属 *Convexana* Li, 1994

Convexana Li, 1994：465. **Type species**：*Convexana nigrifronta* Li, 1994.

属征：头冠前缘钝圆前突，冠面平坦或稍隆起，通常具有纵皱纹，中纵脊明显，侧脊较弱。单眼位于头冠侧缘，靠近复眼。颜面额唇基隆起，中纵脊明显，两侧有横印痕，前唇基由基部向端部渐细，舌侧板宽大。前胸背板宽于头冠，前缘微凸，后缘平直或中部微凹。小盾片三角形，中后缘有弧形刻痕。雄虫尾节侧瓣侧面观末端弧圆，无腹缘突起。下生殖板狭长，中域靠近内侧通常具有 1 排粗大的刚毛。连索"Y"形。阳基侧突基部发达，向两侧明显的延伸。阳茎中部较为发达，明显膨大成囊状，阳茎干的端部管状弯曲，阳茎口位于末端。

分布：中国。秦岭地区发现 1 种。

(30) 白脊凸冠叶蝉 *Convexana albicarinata* Li, 1994（图 30；图版 1：D）

Convexana albicarinata Li, 1994：467.

鉴别特征：头冠棕色，唯中纵脊淡黄白色，小盾片中央淡黄白色，两侧角棕色。前翅前缘域中部和亚端部各有 1 个乳白色的斑。雄虫尾节侧瓣侧面观基部较宽，腹缘向背缘倾斜。下生殖板基部稍宽，向末端渐细，长度明显超过尾节末端。阳茎侧面观背缘囊状突非常发达，腹缘中部有隆起，阳茎干端部较短，阳茎腹面观似"钟"字形。

采集记录：1♂，凤县双石铺，1995.Ⅷ.14，张文珠、任立云采；1♂，南五台，1980.Ⅷ.28，周静若采；3♂，太白山中山寺，1500m，1982.Ⅶ.17，周静若、刘兰、代小枫采；1♀，留坝，2004.Ⅶ.02，吕林、段亚妮采；1♀，留坝庙台子，1995.Ⅶ.19，张文珠、任立云采；1♂1♀，留坝紫柏山，1600m，2004.Ⅷ.04，吕林、段亚妮采；1♂1♀，宁陕火地塘，1984.Ⅷ.17，张雅林采；1♂1♀，南郑小冷坝，2004.Ⅶ.22，吕林、段亚妮采；1♀，南郑黎坪，2004.Ⅶ.22，吕林、段亚妮采。

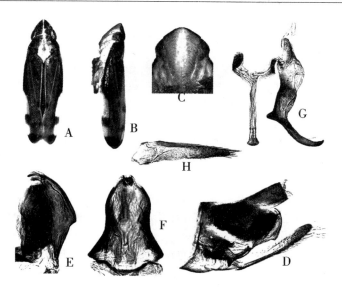

图 30 白脊凸冠叶蝉 *Convexana albicarinata* Li

A. 雄虫背面观(male habitus, dorsal view)；B. 雄虫侧面观(male habitus, lateral view)；C. 颜面(face)；D. 雄虫尾节侧瓣侧面观(male pygofer, lateral view)；E. 阳茎侧面观(aedeagus, lateral view)；F. 阳茎腹面观(aedeagus, ventral view)；G. 连索和阳基侧突背面观(connective and style, dorsal view)；H. 下生殖板腹面观(subgenital plate, ventral view)

分布：陕西(凤县、留坝、宁陕、南郑，太白山)、河南、甘肃、浙江、湖北、湖南、福建、广西、四川、贵州。

18. 横脊叶蝉属 *Evacanthus* Le Peletier *et* Servillle，1825

Evacanthus Le Peletier *et* Servillle，1825：612. **Type species**：*Cicada interrupta* Linné，1758.

属征：头冠前缘钝圆形前突，中长约等于或稍短于前胸背板中长，中央不仅有 1 条明显的纵脊，而且在中前域有 1 条横脊与之成"十"字形交叉状；大多数种类的侧脊明显，冠面稍凹陷；颜面额唇基中央具有明显的中纵脊，且两侧有横印痕；舌侧板狭长，前唇基像舌头状，基部宽于端部，端部弧圆且长度超过舌侧板；触角脊明显。少数种类端半部具有短横脉(R 脉)；具有狭长的端片。雄虫尾节端部通常宽圆突出(少数种类基部较宽向端部渐窄)，着生少量的刚毛，具有腹缘突起，且腹缘突起从基部与腹缘愈合，到达端半部以后开始分离；下生殖板分节，狭长如叶片状，中央着生许多大刚毛，边缘着生头发状的刚毛；连索"Y"形；阳茎侧面观具有 1 对明显的背片突，阳茎干背向弯曲。

分布：全北区，东洋区。秦岭地区发现 8 种。

分种检索表

(31) 二点横脊叶蝉 *Evacanthus biguttatus* Kuoh, 1987（图 31；图版 1：E）

Evacanthus biguttatus Kuoh, 1987：114.

鉴别特征：头冠稻黄色，在接近后缘处中纵脊的两侧各有 1 个黑色的圆形斑，颜面为匀称的棕黄色；前胸背板前缘微突，后缘接近平直前翅翅面为浅稻黄色，着生有小的刻点，翅脉明显。雄虫尾节端部宽圆，背缘稍凹陷收窄，腹缘突起从尾节中部开始分离，末端与尾节端缘等长；阳茎侧面观背缘有 1 对发达的片状突，腹缘也具有较明显的突起，阳茎干腹面观中部两侧各着生 1 个横向的刺状突，阳茎开口位于腹缘末端。

采集记录：2♀，朱雀森林公园，2007. Ⅶ. 22，戴武采；2♀，太白山蒿坪寺，1982. Ⅶ. 14，路进生采；4♂♀，宁陕火地塘，1994. Ⅷ. 14，张雅林采；1♀，宁陕平河梁，1984. Ⅷ. 16，蒋凡采；1♂2♀，宁陕火地塘，1985. Ⅵ. 15，李金舫采。

分布：陕西（户县、宁陕，太白山）、吉林、河北、河南、甘肃、湖北、四川。

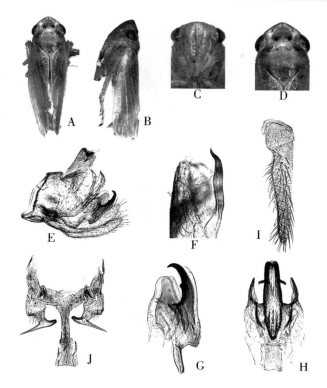

图 31　二点横脊叶蝉 *Evacanthus biguttatus* Kuoh

A. 雄虫背面观(male habitus, dorsal view)；B. 雄虫侧面观(male habitus, lateral view)；C. 颜面(face)；D. 雄虫头部背面观(male head, dorsal view)；E. 雄虫尾节侧面观(male pygofer, lateral view)；F. 尾节腹缘突起侧面观(pygofer ventral process, lateral view)；G. 阳茎侧面观(aedeagus, lateral view)；H. 阳茎腹面观(aedeagus, ventral view)；I. 下生殖板腹面观(subgenital plate, ventral view)；J. 连索和阳基侧突背面观(connective and style, dorsal view)

(32) 叉突横脊叶蝉 *Evacanthus bistigmanus* Li *et* Zhang, 1993 (图 32；图版 1：F)

Evacanthus bistigmanus Li *et* Zhang, 1993：24.

鉴别特征：头冠中央有 1 个扇形的黑色斑块，颜面与头冠交界处具有 3 个黑斑，颜面中纵脊深棕色，下颚板棕色。前胸背板前缘域和近后缘域各有 1 对深棕色斑块，后缘颜色较浅为稻黄色；中胸小盾片三角形的 2 个顶角各有 1 个黑斑，其余均为稻黄色。前翅翅脉明显，基部深褐色向端部渐成褐色。雄虫尾节腹缘突起从端部 1/4 处开始分离且背向弯曲；阳茎侧面观背缘突起较为发达，狭长成叶片状，且边缘曲波状；阳茎干腹面观在基部两侧各着生 1 个长枝状突起，与阳茎干等长并依附在一起。

采集记录：1♂，南五台，1980. Ⅵ，马宁采；1♀，南五台，1980. Ⅷ. 26，路进生采；1♂1♀，户县桦树坪，2007. Ⅵ. 27，周顺采；1♀，朱雀森林公园，2007. Ⅶ. 22，张晓辉、孙晓颖采；1♀，朱雀森林公园，2007. Ⅶ. 22，戴武采。

分布：陕西（长安、户县）、河南、浙江、云南。

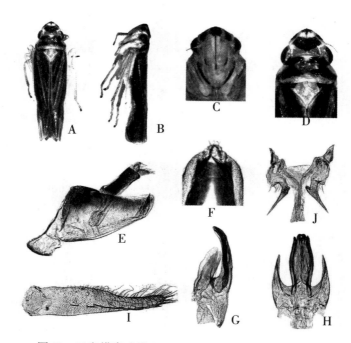

图32　叉突横脊叶蝉 *Evacanthus bistigmanus* Li *et* Zhang

A. 雄虫背面观(male habitus, dorsal view)；B. 雄虫侧面观(male habitus, lateral view)；C. 颜面(face)；D. 雄虫头部背面观(male head, dorsal view)；E. 雄虫尾节侧瓣侧面观(male pygofer, lateral view)；F. 尾节腹缘突起腹面观(pygofer ventral process, ventral view)；G. 阳茎侧面观(aedeagal, laterus view)；H. 阳茎腹面观(aedeagus, ventral view)；I. 下生殖板腹面观(subgenital plate, ventral view)；J. 连索和阳基侧突背面观(connective and style, dorsal view)

(33) 淡黑横脊叶蝉 *Evacanthus nigrescens* Jacobi, 1943 (图33；图版1：G)

Evacanthus nigrescens Jacobi, 1943：21.

鉴别特征：头冠弧圆向前突起，中央为深褐色斑块，颜面额区颜色较浅，后唇基棕色，中纵脊颜色较浅和额区颜色一致，颊、舌侧板和下鄂板棕色和后唇基颜色一致，前唇基浅棕色；单眼位于侧脊靠上方的凹陷内，靠近复眼。前胸背板近黑色，前缘微突，后缘中央微向前凹入，后缘边缘颜色稍浅；中胸小盾片颜色和前胸背板颜色一致，后缘域有横刻痕。前翅翅脉明显，基部浅褐色，向端部颜色渐浅呈半透明状。雄虫尾节腹缘突起在腹缘中部开始分离，背向弯曲，末端超出尾节端缘；腹缘突起侧面观较为发达，呈狭长的片状，靠近下方的一侧骨化程度较重，在端部分裂成二叉状，其中一叉成细长锥状，另一叉骨化程度较轻成薄片状；阳茎侧面观背缘着生有1对片状突起，且向阳茎干弯曲，阳茎腹缘有1个小的突起而成不平滑状，阳茎干约占整个阳茎长度的2/5，阳茎干两侧稍靠腹缘处各着生1个骨化程度较重的指状突起，长度与阳茎干等长。

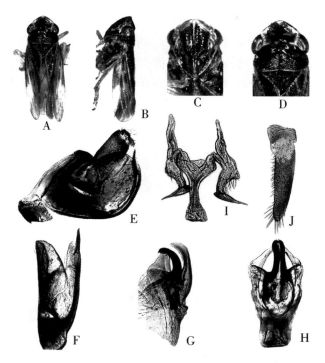

图 33　淡黑横脊叶蝉 *Evacanthus nigrescens* Jacobi

A. 雄虫背面观(male habitus, dorsal view)；B. 雄虫侧面观(male habitus, lateral view)；C. 颜面(face)；D. 雄虫头部背面观(male head, dorsal view)；E. 雄虫尾节侧瓣侧面观(male pygofer, lateral view)；F. 尾节腹缘突起侧面观(pygofer ventral process, lateral view)；G. 阳茎侧面观(aedeagus, lateral view)；H. 阳茎腹面观(aedeagus, ventral view)；I. 连索和阳基侧突背面观(connective and style, dorsal view)；J. 下生殖板腹面观(subgenital plate, ventral view)

采集记录：1♂，朱雀森林公园，2007. Ⅶ. 22，戴武采；1♀，宝鸡，1994. Ⅶ. 21，张雅林采；1♀，太白山蒿坪寺，1200m，1982. Ⅵ. 28，贺苔汉采；2♂，太白山蒿坪寺，1982. Ⅸ. 15；1♀，太白山平安寺，2800m，1983. Ⅷ. 19；1♀，留坝，1215m，2004. Ⅷ. 03，吕林、段亚妮采。

分布：陕西(户县、宝鸡、留坝)、黑龙江、吉林、山西、河南、宁夏、甘肃、湖北、湖南、福建、广西、重庆、四川。

(34) 黑面横脊叶蝉 *Evacanthus heimianus* Kuoh, 1980 (图 34；图版 1：H)

Evacanthus heimianus Kuoh, 1980：196.

鉴别特征：头冠前缘弧圆形前突，冠面黑色，中长明显短于前胸背板中长，颜面黑褐色，且常有白色绒毛，单眼位于侧脊分叉的凹陷区域内，距离复眼和头冠顶端的距离相等，触角脊明显；前胸背板为黑色，后缘中央向前微凹入；中胸小盾片为黑色，后缘域有横刻痕；前翅基部黑色，尤其是爪片区除边缘为乳白色外，全为黑色，向端部渐变成褐色。雄虫尾节端部宽圆，靠近外缘下端有 1 个乳状突起，腹缘突起细长，长度超过尾节端缘，腹缘突起的末端突变长针刺状；下生殖板狭长，端半部稍弯曲，着生有粗大的刚毛；阳茎侧面观背缘突起极为发达，为卵圆形，且在卵圆形的上端延伸出 1 个狭片状突起，在阳茎的腹缘有 1 个明显的隆起，阳茎干占整个阳茎长度的 1/3，端部背向弯曲，腹面观在阳茎干的端部 2/5 处向两侧延伸出短粗的突起，阳茎开口位于腹缘末端。

采集记录：1♂，周至厚畛子，1998. Ⅵ. 02，杨玲环采；6♀，太白，1981. Ⅷ. 14；2♀，太白山平安寺，2800m，1983. Ⅷ. 19；3♀，太白山蒿坪寺，1982. Ⅶ. 18，王柴采；2♀，太白山拔仙台，3768m，1983. Ⅷ. 12；3♀，太白山放羊寺，1981. Ⅷ. 14，李伟奇采；10♂15♀，佛坪，1988. Ⅵ. 08，杨玲环采；1♂，佛坪凉风垭，1700m，2008. Ⅹ. 02，肖斌采；2♀，宁陕，1998. Ⅵ. 07，杨玲环采。

分布：陕西(周至、太白、佛坪、宁陕)、湖北、广西、四川、云南；泰国。

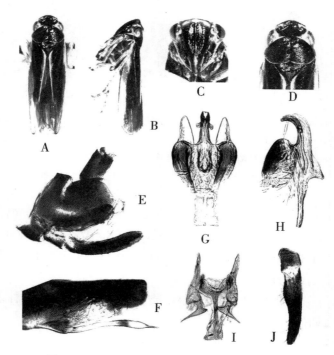

图 34　黑面横脊叶蝉 *Evacanthus heimianus* Kuoh

A. 雄虫背面观(male habitus, dorsal view)；B. 雄虫侧面观(male habitus, lateral view)；C. 颜面(face)；D. 雄虫头部背面观(male head, dorsal view)；E. 雄虫尾节侧瓣侧面观(male pygofer, lateral view)；F. 尾节腹缘突起侧面观(pygofer ventral process, lateral view)；G. 阳茎腹面观(aedeagus, ventral view)；H. 阳茎侧面观(aedeagus, lateral view)；I. 连索和阳基侧突背面观(connective and style, dorsal view)；J. 下生殖板腹面观(subgenital plate, ventral view)

(35) 黄面横脊叶蝉 *Evacanthus interruptus* (Linné, 1758) (图35; 图版1: I)

Cicada interrupta Linné, 1758: 438.

Amblycephalus interruptus: Crutis, 1829: 192.

Evacanthus interruptus: Le Peletier & Servillle, 1825: 612.

鉴别特征: 头冠前端钝圆突出, 中长稍短于前胸背板中长; 冠面黑色, 颜面棕黄色; 前胸背板和中胸小盾片均为黑色; 前翅爪片边缘浅黄色, 前缘域和爪缝具有浅橙黄色的条斑, 翅面黑色, 端室处为棕色。雄虫尾节宽圆, 端部后缘下方向后延伸成钝圆突起, 尾节腹缘突起端部向背缘弯曲, 长度超过尾节末端; 阳茎侧面观背缘突起较发达, 呈卵圆形且向上延伸出片状突起, 阳茎基部腹缘具有明显的突起, 且突起的边缘有小的齿状突, 阳茎干端部弯钩状, 阳茎腹面观在阳茎干的中部两侧各着生1个刺状突起。

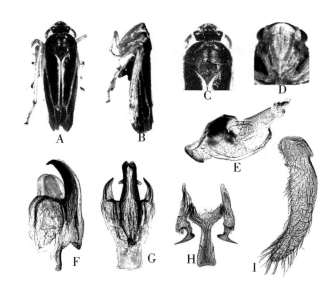

图35　黄面横脊叶蝉 *Evacanthus interruptus* (Linné)

A. 雄虫背面观(male habitus, dorsal view); B. 雄虫侧面观(male habitus, lateral view); C. 颜面(face); D. 雄虫头部背面观(male head, dorsal view); E. 雄虫尾节侧瓣侧面观(male pygofer, lateral view); F. 尾节腹缘突起侧面观(pygofer ventral process, lateral view); G. 阳茎腹面观(aedeagus, ventral view); H. 阳茎侧面观(aedeagus, lateral view); I. 连索和阳基侧突背面观(connective and style, dorsal view); J. 下生殖板腹面观(subgenital plate, ventral view)

采集记录: 2♂4♀, 户县桦树坪, 2007. Ⅵ. 27, 周顺采; 1♀, 凤县, 1972. Ⅶ, 闫长清采; 15♂23♀, 太白山蒿坪寺, 1982. Ⅵ. 24, 刘兰、周静若采; 2♂, 留坝紫柏山, 1600m, 2004. Ⅷ. 04, 吕林、段亚妮采; 3♀, 宁陕火地塘, 1984. Ⅷ. 14, 刘兰、梁爱萍采; 10♂10♀, 宁陕火地塘, 1985. Ⅵ. 15, 李金舫采; 4♂, 宁陕旬阳坝, 1998. Ⅵ. 06, 杨玲环采。

分布： 陕西（户县、凤县、留坝、宁陕，太白山）、黑龙江、吉林、河北、河南、宁夏、甘肃、新疆、湖北、广西、四川、贵州、西藏。

（36）长刺横脊叶蝉 *Evacanthus longispinosus* Kuoh, 1992（图36；图版1：J）

Evacanthus longispinosus Kuoh, 1992: 264.

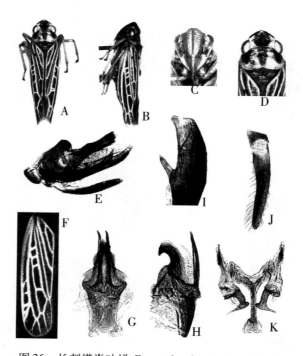

图36　长刺横脊叶蝉 *Evacanthus longispinosus* Kuoh

A. 雄虫背面观（male habitus, dorsal view）；B. 雄虫侧面观（male habitus, lateral view）；C. 颜面（face）；D. 雄虫头部背面观（male head, dorsal view）；E. 雄虫尾节侧瓣侧面观（male pygofer, lateral view）；F. 前翅（forewing）；G. 阳茎腹面观（aedeagus, ventral view）；H. 阳茎侧面观（aedeagus, lateral view）；I. 尾节腹缘突起腹面观（pygofer ventral process, ventral view）；J. 下生殖板腹面观（subgenital plate, ventral view）；K. 连索和阳基侧突背面观（connective and style, dorsal view）

鉴别特征： 头冠中央有1个深褐色斑块，侧脊较明显，颜面额唇基区和前唇基区棕黄色，颊褐色，舌侧板稻黄色；前胸背板前缘微突，后缘中央向前凹入，中央和两侧区域各有1个深褐色纵条斑，中央的条斑和头冠中域的斑块具有延续性；中胸小盾片接近黑色，颜色均匀一致，后缘域的横刻痕不明显；前翅浅棕色，翅脉乳白色非常明显，中室和前缘域都附生有3～4个短横脉。雄虫尾节侧面观稍狭长，腹缘突起较为发达，与尾节腹缘愈合至末端，但在端部1/3处附生出1个叉状突起；阳茎侧面观背缘突不明显，阳茎干非常粗壮，端部弯钩状，背缘骨化程度较轻，在阳茎干和阳茎基部的交界处腹缘着生有1对较为发达的细长枝状突起，长度超过阳茎干的端部。

采集记录：3♂14♀，终南山（周至段），1951. Ⅵ. 27，采集人不详；1♀，宁陕火地塘，2004. Ⅶ. 15，任世超采；1♀，宁陕旬阳坝，1998. Ⅵ. 07，杨玲环采。

分布： 陕西（周至、宁陕）、河南、湖北、四川。

(37) 黄带横脊叶蝉 *Evacanthus repexus* Distant，1908（图37；图版1：K）

Euacanthus repexus Distant，1908：228.

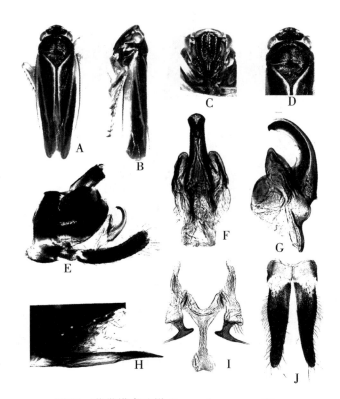

图37　黄带横脊叶蝉 *Euacanthus repexus* Distant

A. 雄虫背面观（male habitus, dorsal view）；B. 雄虫侧面观（male habitus, lateral view）；C. 颜面（face）；D. 雄虫头部背面观（male head, dorsal view）；E. 雄虫尾节侧瓣侧面观（male pygofer, lateral view）；F. 阳茎腹面观（aedeagus, ventral view）；G. 阳茎侧面观（aedeagus, lateral view）；H. 尾节腹缘突起腹面观（pygofer ventral process, ventral view）；I. 连索和阳基侧突背面观（connective and style, dorsal view）；J. 下生殖板腹面观（subgenital plate, ventral view）

鉴别特征： 本种外部形态特征与黑面横脊叶蝉 *Evacanthus heimianus* 十分相似，仅从翅面上可以区分，黄带横脊叶蝉的前翅爪片边缘为乳白色，前缘域和爪缝为浅灰色条斑，近似透明状，其余部分从基部的黑色向端部渐变成褐色。雄虫尾节骨化程度较重，侧面观端半部宽圆突出，在外缘靠近下方区域向后延伸成半透明的乳状突起，且向内稍卷曲；阳茎侧面观背缘突起呈"K"形，腹缘强烈波曲状，且有1个明显的齿状突，阳茎干末端向内小弯钩状，阳茎干腹面观基部较粗壮，向端部稍细后末端微膨大，两侧较为平滑，没有任何突起。

采集记录：1♀，周至厚畛子，2009. Ⅹ. 13，魏琮采；2♀，宁陕火地塘，1987. Ⅵ. 19，刘兰采。

分布：陕西(周至、宁陕)、河南、湖北、广西、四川、贵州、云南、西藏。

(38) 灰毛横脊叶蝉 *Evacnthus hairus* Li *et* Wang, 1996 (图38；图版1：L)

Evacnthus hairus Li *et* Wang, 1996：96.

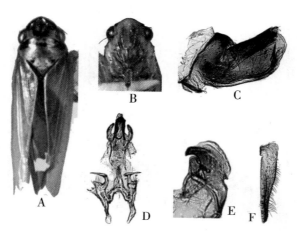

图38　灰毛横脊叶蝉 *Evacnthu shairus* Li *et* Wang

A. 雄虫背面观(male habitus, dorsal view)；B. 颜面(face)；C. 雄虫尾节侧瓣侧面观(male pygofer, lateral view)；D. 阳茎、连索和阳基侧突腹面观(aedeagus, connective and style, ventral view)；E. 阳茎侧面观(aedeagus, lateral view)；F. 下生殖板腹面观(subgenital plate, ventral view)

鉴别特征：头冠淡黄微带褐色，横脊短小，基域两侧有黑褐色螺纹；复眼、额唇基及前唇基中央黑褐色，颊区、下颏板、前唇基两侧淡黄微带白色；前胸背板淡黄白色，中域及两侧黑褐色；小盾片淡黄褐色，基角黑褐色；前翅淡褐色，前缘域端区及翅脉灰白色；胸部腹板和腹足淡黄微褐。雄虫尾节侧瓣近似长方形，腹缘突起宽，沿端缘伸至背缘；下生殖板狭长分节，超过尾节末端，端半部具有粗长刚毛；阳茎基部细，中部向背面扩突，端弯，末端有小钩。

采集记录：1♂，太白山大殿，1982. Ⅶ. 16，周静若采；1♂，太白山蒿坪寺，1982. Ⅶ. 16，贺王宗采。

分布：陕西(太白山)、甘肃、贵州。

19. 锥头叶蝉属 *Onukia* Matsumura, 1912

Onukia Matsumura, 1912a：44. **Type species**：*Onukia onukii* Matsumura, 1912.

属征：头冠锥形前突，中央长度稍大于或等于前胸背板中长，中纵脊明显，具有侧脊和缘脊，与头冠顶端汇合成一点；颜面额唇基中央中纵脊明显，两侧具有横刻痕，前唇基基半部宽阔，端半部收窄，舌侧板狭小；触角窝较浅；前胸背板前缘较窄，后缘域明显宽于前缘，约为前缘的 1.50 倍，后缘近平直或微凹；前翅翅脉明显。雄虫尾节侧瓣侧面观宽扁或后缘形状不规则，端半部有少量的大刚毛，无腹缘突起；下生殖板较宽，基部不分节，中部或内侧缘通常具有 1 列粗大的刚毛，长度超过尾节末端；连索"Y"形；阳基侧突基部向两侧有横向延伸；阳茎侧面观背缘有片状突起较发达，阳茎干的端部弯管状。

　　分布：东洋区。秦岭地区发现 2 种。

分种检索表

头冠、前胸背板和小盾片不全黑，有黑斑或黄斑 ……………………… 黄斑锥头叶蝉 *O. flavopunctata*

头冠、前胸背板和小盾片全黑色，无斑纹 …………………………… 黄纹锥头叶蝉 *O. flavimacula*

(39) 黄纹锥头叶蝉 *Onukia flavimacula* Kato，1933（图 39；图版 2：A）

Onukia flavimacula Kato，1933：455.

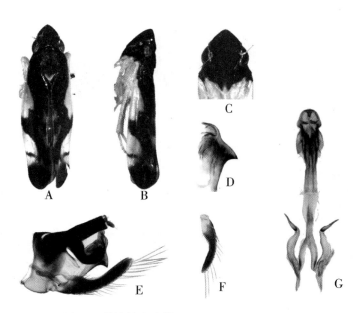

图 39　黄纹锥头叶蝉 *Onukia flavimacula* Kato

A. 雄虫背面观（male habitus，dorsal view）；B. 雄虫侧面观（male habitus，lateral view）；C. 颜面（face）；D. 阳茎侧面观（aedeagus，lateral view）；E. 雄虫尾节侧面观（male pygofer，lateral view）；F. 下生殖板腹面观（subgenital plate，ventral view）；G. 阳茎，连索和阳基侧突腹面观（aedeagus，connective and style，ventral view）

　　鉴别特征：头冠、颜面和前胸背板黑色，前翅基半部黑色，向端部渐成褐色。前翅前缘区有2块灰白色的条斑。雄虫尾节侧瓣侧面观形状较为独特，基部较宽，中部突然变窄与端半部成2节状。下生殖板基部略宽，向端部变细，中部稍向外弯曲。靠近内侧着生1列大刚毛。阳茎侧面观背缘突起发达，呈弧形，腹缘隆起较明显，末端角状，阳茎干稍粗壮，阳茎腹面观中部略膨大。

　　采集记录：1♀，留坝庙台子，1995.Ⅷ.19，张文珠、任立云采；1♀，佛坪岳坝，2012.Ⅷ.13，高敏采；1♀，宁陕平河梁；1984.Ⅷ.16，薛台红采。

　　分布：陕西（留坝、佛坪、宁陕）、福建、台湾、贵州。

（40）黄斑锥头叶蝉 *Onukia flavopunctata* Li *et* Wang, 1991（图40；图版2：B）

Onukia flavopunctata Li *et* Wang, 1991：61.

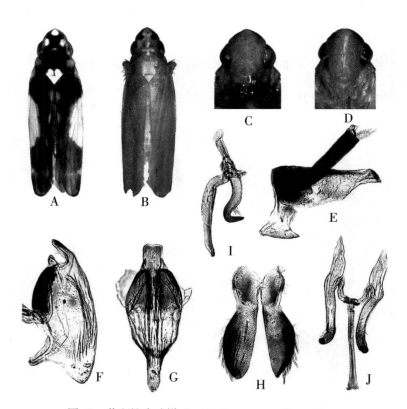

图40　黄斑锥头叶蝉 *Onukia flavopunctata* Li *et* Wang

A. 雄虫背面观（male habitus, dorsal view）；B. 雌虫背面观（female habitus, dorsal view）；C. 雄虫颜面（male face）；D. 雌虫颜面（female face）；E. 雄虫尾节侧瓣侧面观（male pygofer, lateral view）；F. 阳茎侧面观（aedeagus, lateral view）；G. 阳茎腹面观（aedeagus, ventral view）；H. 下生殖板腹面观（subgenital plate, ventral view）；I. 连索和阳基侧突侧面观（connective and style, lateral view）；J. 连索和阳基侧突背面观（connective and style, dorsal view）

鉴别特征：头冠背面观具有 7 个黑色的斑点，前面观具有 3 个黑色的斑块；前翅具有深褐色的条形斑，爪片区深褐色。雄虫尾节背缘域着生很多的小刚毛，端区着生少量的大刚毛；下生殖板超过尾节末端，在内侧着生 1 列刚毛；阳茎干侧面观向背面弯曲，端部腹缘域具有 1 对细长突起，突起的长度是阳茎干长度的 1/2。

采集记录：1♀，户县桦树坪，2007. Ⅵ. 27，周顺采；3♀，华山，采集日期不详，田畴、陈彤采；11♂10♀，宁陕火地塘，1985. Ⅵ. 15，李金舫采。

分布：陕西(户县、华阴、宁陕)、浙江、福建、贵州。

20. 突脉叶蝉属 *Riseveinus* Li, 1995

Riseveinus Li, 1995: 189. **Type species**: *Dussana sinensis* Jacobi, 1944.

属征：头冠、前胸背板和小盾片黑色，头冠中纵脊和侧缘以及小盾片的刻痕为浅黄色或浅褐色。前翅褐色，具有淡黄色或浅褐色的斑块，翅脉较清晰。头冠明显前突，中长约与前胸背板和小盾片中长之和相等，或稍短于他们之和，中纵脊明显片状突起，颜面额唇基也有 1 条明显的中纵脊，致使头冠的横截面形成“ + ”形，侧脊隆起且在复眼前端分叉，侧脊与中纵脊之间凹陷；单眼位于头冠侧域的侧脊分叉内；颜面长大于宽，额唇基中央具有中纵脊，中纵脊的两侧有横皱纹；前胸背板宽大于长，前缘弧形，后缘微凹；小盾片三角形，中长约与前胸背板等长；前翅前缘具有小刻点，翅脉明显，爪脉 1A 和 2A 在中部 1/3 处短暂愈合后分开；后足胫节刺毛列 2 + 1 + 1 式。雄虫尾节侧瓣不具有腹缘突起；下生殖板狭长，通常着生 1 排刺毛列；阳基侧突端部隆起非常发达，向两端延伸成近“T”形；连索“Y”形，干长约为臂长的 2.50 倍；阳茎干侧面观向背缘弯曲，通常具有 1 个或 1 对细长的突起。

分布：中国。秦岭地区发现 1 种。

(41) 中华突脉叶蝉 *Riseveinus sinensis* (**Jacobi, 1944**)(图 41；图版 2: C)

Dussana sinensis Jacobi, 1944: 51.
Riseveinus sinensis: Li, 1995: 192.

鉴别特征：雄虫尾节侧瓣端部弧圆，具有很多的刚毛，下生殖板长度超过尾节末端；阳基侧突的长度为连索的 0.66 倍；阳茎背缘基部具有明显的二裂片状突起，腹缘具有 1 对发达的枝状突起，长度超过阳茎干，阳茎干侧面观背向弯曲且生殖管非常明显，阳茎开口较大，从阳茎干的端部 1/3 处开至顶端。

采集记录：1♀，太白山蒿坪寺，1982. Ⅶ. 18，周静若采。

分布：陕西(太白山)、浙江、湖北、福建、台湾。

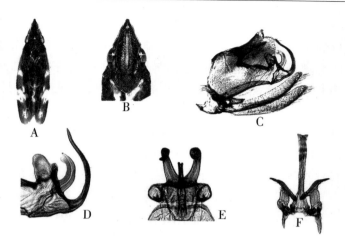

图41　中华突脉叶蝉 *Riseveinus sinensis*（Jacobi）

A. 雄虫背面观（male habitus, dorsal view）；B. 雄虫颜面（male face）；C. 雄虫尾节侧瓣侧面观（male pygofer, lateral view）；D. 阳茎侧面观（aedeagus, lateral view）；E. 阳茎背面观（aedeagus, dorsal view）；F. 连索和阳基侧突背面观（connective and style, dorsal view）

21. 皱背叶蝉属 *Striatanus* Li *et* Wang, 1995

Striatanus Li *et* Wang, 1995：189. **Type species**：*Striatanus curvatanus* Li *et* Wang, 1995.

属征：头冠、前胸背板和小盾片接近黑色。前翅稻黄色，具有半透明的斑块，翅脉明显，为乳白色；头和胸部着生有较稀疏、短的和浅色的头发状的毛。头冠圆锥形向前突出，长大于宽，大约等于或稍短于前胸背板和小盾片中长之和，中纵脊隆起较为明显，侧缘隆起且接近复眼处分叉，单眼位于侧缘域的分叉区域内，中纵脊和侧缘之间明显凹陷；颜面长大于宽，额唇基中央有1条明显的中纵脊，中纵脊两侧具有横皱纹；前胸背板宽于头冠，前缘稍微前突，后缘微凹或接近平直；前翅翅脉较为明显，在接近前缘域通常具有浅色的斑块，臀脉1A和2A在中部具有短暂的愈合后分开，4个翅室，端片较小。后足腿节刚毛列为2+1+1式。雄虫尾节具有腹缘突起。阳基侧突基部向两端有明显的隆起，呈拐杖型。连索"Y"形。阳茎干侧面观向背部弯曲，至少有1对背缘突起在阳茎干的中部。

分布：中国。秦岭地区发现1种。

（42）曲突皱背叶蝉 *Striatanus curvatanus* Li *et* Wang, 1995（图42；图版2：D）

Striatanus curvatanus Li *et* Wang, 1995：189.

鉴别特征：雄虫尾节侧面观端半部较为宽阔，末端弧圆，腹缘突起较粗壮且强烈背向弯曲，没有超过尾节末端边缘。阳茎侧面观背向弯曲近呈直角状，且在弯曲处着生有小的齿状突起。

　　采集记录：1♂，太白山沙坡寺，1982.Ⅶ.04。

　　分布：陕西（太白山）、四川、贵州。

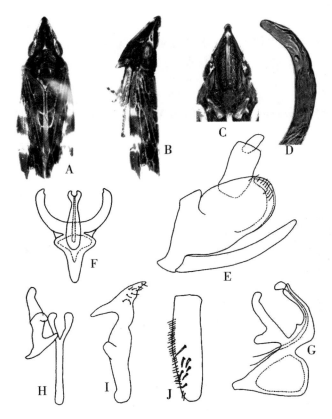

图 42　曲突皱背叶蝉 *Striatanus curvatanus* Li *et* Wang

A. 雄虫背面观（male habitus, dorsal view）；B. 雄虫侧面观（male habitus, lateral view）；C. 颜面（face）；D. 尾节腹缘突起端部侧面观（apex of pygofer ventral process, lateral view）；E. 雄虫尾节侧瓣侧面观（male pygofer, lateral view）；F. 阳茎腹面观（aedeagus, ventral view）；G. 阳茎侧面观（aedeagus, lateral view）；H. 连索和阳基侧突背面观（connective and style, dorsal view）；I. 阳基侧突背面观（style, dorsal view）；J. 下生殖板腹面观（subgenital plate, ventral view）

22. 角突叶蝉属 *Taperus* Li *et* Wang, 1994

Taperus Li *et* Wang, 1994：374. **Type species**：*Taperus fasciatus* Li *et* Wang, 1994.

　　属征：头冠、前胸背板和小盾片深棕色；头冠中央通常具有浅褐色的中纵脊，有时还会延伸至前胸背板，甚至是小盾片。颜面浅黄褐色；前翅深棕色，前缘域通常具有浅灰色或近黄色的条斑。头冠前缘近锥形前突，中长短于前胸背板和小盾片之和，中纵脊非常弱，冠面近平坦或微凹；额唇基中央具有1条中纵脊，中纵脊的两侧具有横皱纹；前唇基基部较宽，向端部渐细。尾节侧瓣无腹缘突起，通常在尾节的端缘着生成排或成簇的刺状刚毛列，是本属显著的鉴别特征；下生殖板狭长且基部分节，内侧着生1列粗壮的大刚毛，外侧着生细长的小刚毛，端部弧圆；连索"Y"形，主干为臂长的1倍多；阳基侧突端部向两端稍微延伸或向一侧延伸较长；阳茎非常发达，阳茎干通常在两侧具有薄片状突起，端部通常向背缘管状弯曲。

　　分布：东洋区。秦岭地区发现1种。

(43) 横带角突叶蝉 *Taperus fasciatus* Li *et* Wang, 1994（图43；图版2：E）

Taperus fasciatus Li *et* Wang, 1994：374.

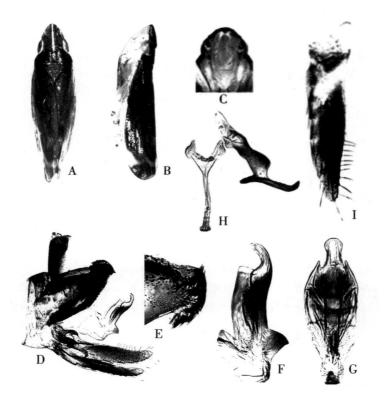

图43　横带角突叶蝉 *Taperus fasciatus* Li *et* Wang

A. 雄虫背面观（male habitus, dorsal view）；B. 雄虫侧面观（male habitus, lateral view）；C. 颜面（face）；D. 雄虫尾节侧瓣侧面观（male pygofer, lateral view）；E. 雄虫尾节侧瓣端部侧面观（apex of male pygofer, lateral view）；F. 阳茎侧面观（aedeagus, lateral view）；G. 阳茎腹面观（aedeagus, ventral view）；H. 连索和阳基侧突背面观（connective and style, dorsal view）；I. 下生殖板腹面观（subgenital plate, ventral view）

　　鉴别特征：头冠、前胸背板和小盾片深褐色；头冠中纵脊苍白色，颜面接近白色；

前翅接近黑色，第四端室域具有灰白色的斑块。雄虫尾节侧瓣基部较开阔，从端部
1/3处至顶端渐渐变窄，端部着生簇状的粗大刚毛；阳基侧突端部向两侧延伸，但向
其中一侧延伸较长，大约为阳基侧突长度的1/3；阳茎侧面观，腹缘近基部向外形成
三角形的突起，端部管状向背面弯曲，与阳茎干两侧薄片状突起之间具有较大的空
间，形成明显的直角状凹陷。

采集记录：8♂，留坝庙台子，1995.Ⅷ.19，张文珠、任立云采。

分布：陕西(留坝)、浙江、江西、湖南、福建、海南、广西、四川、贵州；越南。

（六）隐脉叶蝉亚科 Nirvaninae

鉴别特征：该亚科昆虫体较细弱，多呈扁平状，体中型，体长4~13mm，体色大
多呈浅黄白色，具有黄、红、褐、黑等颜色的斑纹。头冠较平坦或微隆起，边缘常具弱
脊，冠缝一般较明显(消室叶蝉属除外)；复眼较大，单眼明显，常位于头冠前侧缘，
单复间距离略小于或等于到头冠顶点的距离；触角长，触角檐常凸出，触角窝深；大
多种类翅长于体，前翅革片基部翅脉退化消失，仅端部较明显，具4个端室，无端前
室；后翅较大，膜质透明有3~4个端室。胸足中，前、中足圆筒状，后足胫节长而
扁，具密集刺毛列，后足腿节末端刚毛排列为2:1:1。

分类：世界广布。陕西秦岭地区有7属12种。

分属检索表

23. 消室叶蝉属 *Chudania* Distant，1908

Chudania Distant，1908：268. **Type species**：*Chudania delecta* Distant，1908.

　　属征：虫体浅黄色；颜面及体背面（包括前翅）常具褐色斑纹图案，褐色深浅不一，由浅褐色至黑褐色，这些显著的褐色斑纹图案是本属明显的外观鉴别特征之一，在同一种内的不同个体，略有变化，在有些种，具雌雄异型现象，即两性标本具截然不同的斑纹图案，雌虫体褐色部分少于雄虫。头冠前缘略呈角状凸出，顶角约等于或略大于 90°，冠缝不明显，自复眼前角沿侧缘至头冠端部顶点具 1 条斜脊；单眼淡黄色，位于复眼前方近侧缘，复眼近椭圆形；颜面宽阔，密布小刻点，额唇基区内具1 条纵脊，基区隆起，近呈半球形，两侧具肌痕。雄虫尾节侧缘后方有 1 个发达的尾节突，尾节形状因种而异，其上常具小刚毛，后缘具大刚毛；下生殖板宽阔，外缘在基半部常凹入，在凹入部附近中央有 1 纵列粗壮大刚毛，斜伸向内缘端部；阳茎向腹面弯曲，通常基半部骨化，端半部膜质、囊状（*C. africana* 例外），膜质部腹面常有纵的骨化带或自基半部末端发出的长突，支持膜质部，阳茎基半部有成对突起。

　　分布：东洋区。秦岭地区发现 2 种。

分种检索表

体前部背面全呈黑褐色或黑色，前翅端半部褐色区沿翅前缘具 1 个大透斑 ……………………………………………………………………………………… **甘肃消室叶蝉 *C. ganana***
体前部背面沿中线具暗褐色纵带，其两侧浅黄色，前翅端半部褐色区沿翅前缘无大透斑 ……………………………………………………………………… **武当消室叶蝉 *C. wudangana***

(44) 甘肃消室叶蝉 *Chudania ganana* Yang *et* Zhang，1990（图 44；图版 3：A）

Chudania ganana Yang *et* Zhang，1990：68.

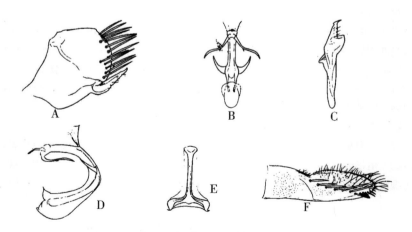

图 44　甘肃消室叶蝉 *Chudania ganana* Yang *et* Zhang

A. 尾节侧面观（pygofer, lateral view）；B. 阳茎后腹面观（aedeagus, posteroventral view）；C. 阳基侧突背面观（style, dorsal view）；D. 阳茎侧面观（aedeagus, lateral view）；E. 连索背面观（connective, dorsal view）；F. 下生殖板（subgenital plate）

鉴别特征：雄虫头冠、颜面、前胸背板及小盾片均为黑色；复眼红褐色；前翅爪区沿翅基缘、后缘、并占据爪片端部全呈深褐色，其余部分浅黄色，端半部深褐色，深褐色区与浅黄色区交界处边缘不整齐，互相交错，革区端半部褐色区内，中部沿前缘有1块浅黄色大斑，近三角形，其附近端方有1块浅黄色小斑，沿翅后缘在爪片端Cu横脉处、第1端室近端部各有1块浅黄色小斑。雄虫尾节突发达，斜伸向背后方，其上着生有几根刚毛，末端尖，微弯；阳茎向腹面弧形弯曲，端半部膜质囊状，末端膨大，腹面有两条纵骨化带，由基半部骨化部分延伸而来，支持膜质部，基半部骨化，在阳茎中部背侧面，由两侧发出1对弯曲短突，伸向阳茎基方，基部腹面有1对很长的突起，沿阳茎腹面延伸，在靠突起基部2/5处分出1短支，其长度约为突起全长的1/5。

采集记录：6♂2♀，汉中南郑，2004.Ⅶ.21，吕林采。

分布：陕西(南郑)、甘肃、湖南。

(45)武当消室叶蝉 *Chudania wudangana* Zhang et Yang, 1990(图45；图版3：B)

Chudania wudangana Zhang et Yang, 1990：64.

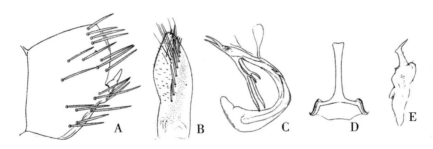

图45　武当消室叶蝉 *Chudania wudangana* Zhang et Yang

A. 尾节侧面观(pygofer, lateral view)；B. 下生殖板(subgenital plate)；C. 阳茎侧面观(aedeagus, lateral view)；D. 连索背面观(connective, dorsal view)；E. 阳基侧突背面观(style, dorsal view)

鉴别特征：虫体浅黄色；头冠向前略呈角状突出，其上有纵条纹向顶端会聚，缘脊明显，冠缝不清楚，头冠顶端、中域沿中线及后缘呈黑色；复眼出边缘色浅外，中域黑褐色；颜面中央纵脊基部具1块小黑斑；前胸背板中域、小盾片盾间沟前中域及盾间沟后全部黑褐色，前胸背板中长略短于头长，其上有细的横条纹，前缘弧形突出，后缘略凹入，中胸盾间沟明显，下陷弯曲，伸达侧缘。前翅沿翅后缘及翅末端约1/5处呈深褐色，其余部分浅黄色，翅后缘深褐色区向浅黄色区一边呈角状凸出，革片在翅后缘爪片末端有1浅黄色小斑，端部黑褐色区内有1个不连续浅黄色横带，由4个大小不同的浅黄色小斑组成，形状不规则。雄虫尾节腹缘有1个发达的尾节突，端部弯曲，端向渐细，其上有大刚毛；阳茎向腹面弯曲，端半部膨大，膜质，囊状，1对发达突起，突起弯向腹面或腹侧面，其基半部在膜质的囊内，端半部伸出囊外，向渐尖,阳茎基半部骨化,中部有 1 对短突起,斜伸向阳茎基部,向末端渐细,腹面有两侧具 1 对发达的长突,细长干状,弯曲,末端渐尖,近中部处具 1 个短突,阳茎基部与连索关键处腹面具 1 对角状短突。

采集记录:4♂5♀,留坝庙台子,1995.Ⅶ.19,张文珠、任立云采。

分布:陕西(留坝)、湖北、湖南、贵州。

24. 凹片叶蝉属 *Concaveplana* Chen *et* Li,1998

Concaveplana Chen *et* Li,1998:382. **Type species**:*Concaveplana spinata* Chen *et* Li,1998.

属征:头冠前缘角状向前凸出,中央长度大于两复眼间宽,冠面扁平,基部冠缝明显,中端部冠面略下凹,端缘微上翘,侧缘具脊;单眼位置明显,复眼较大;颜面中央长度大于宽,扁平,具中纵脊,两侧具斜褶,前唇基基部至端部逐渐变狭;前胸背板中域微隆起,前缘弧圆突出,后缘略突入,侧缘平直近平行,小盾片横刻痕弧圆,伸达边缘;前翅长于腹部末端,革片基部翅脉退化严重,具 4 个端室,无端前室,后翅具 3 个端室。雄虫尾节侧瓣端缘中部极度向内侧凹入,端缘背侧着生 1 个发达的长突起,柳叶状,端腹缘后半部着生发达大刚毛;下生殖板长且阔,中域具 1 列斜的大刚毛;阳茎基部膨大,端部背向弯曲,常具突起;连索"Y"形;阳基侧突基部扭曲,中部宽,端部常呈片状反折。

分布:东洋区。秦岭地区发现 1 种。

(46)红线凹片叶蝉 *Concavepla rufolineata*(**Kuoh,1973**)(图 46;图版 3:C)

Pseudonirvana rufolineata Kuoh,1973:180.

Concavepla rufolineata:Chen & Li,1998:384.

鉴别特征:虫体淡黄白色,头冠前端弧圆凸出,冠面较平坦,端缘微上翘,自头冠顶点和近前缘至小盾片基侧角和末端,共有 3 条平行的橙红色纵带纹,其中间的带纹在顶点处分叉,呈锚状;单眼白色,复眼中央大部为褐色,具黄白色晕圈;颜面黄白色;前胸背板比头部略宽,中域微隆起,前缘弧圆突出,后缘微向前凹,侧缘微斜具浅橙色纵带;前翅淡黄白色,隐现浅褐色,略发乌,前缘端部具 3 条褐色斜纹,第 3 条斜纹后侧及第 1 端室基部各具 1 个透明斑点,第 2 端室具 1 个小的黑褐色斑点,爪片区末端具 1 个浅褐色斑点。阳茎管状弯曲,基部着生 1 对片状突起,几乎是阳茎长的 2 倍,突起基部背侧有 1 刺突,突起 1/2 处对折弯向腹部,阳茎亚端部着生 1 对刺状突起。

采集记录:1♀,南五台,1980.Ⅵ.采集日期不详,马宁采。

分布:陕西(长安)、江苏、浙江、湖北、江西、湖南、广西。

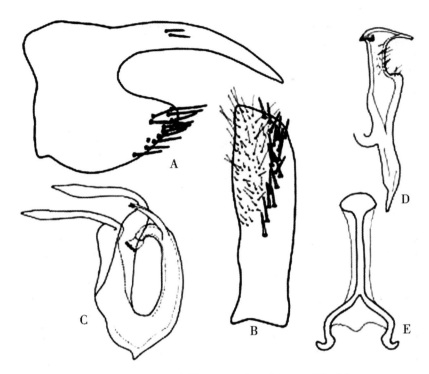

图 46　红线凹片叶蝉 *Concavepla rufolineata*（Kuoh）

A. 尾节侧面观（pygofer, lateral view）；B. 下生殖板（subgenital plate）；C. 阳茎侧面观（aedeagus, lateral view）；
D. 连索背面观（connective, dorsal view）；E. 阳基侧突背面观（style, dorsal view）

25. 隆额叶蝉属 *Convexfronta* Li，1997

Convexfronta Li，1997：2. **Type species**：*Convexfronta guoi* Li，1997.

　　属征：头冠中域微隆起，前缘向前凸出，中央长度与两复眼间宽相等或略短，前侧缘具缘脊，侧缘在复眼前方有一小段较平直，单眼近复眼前角处，位于头冠侧缘；颜面中央长度大于宽，额唇基区域丰满隆起，具中纵脊，两侧有较弱斜褶，前唇基基部向外侧凸出，由基部至端部渐狭，舌侧板狭小；前胸背板中域隆起，前缘弧形突出，后缘稍向前凹入，侧缘倾斜；前翅长于腹部末端，革片基部翅脉退化严重，具4个端室，无端前室，端片狭小，后翅具3个端室。雄虫尾节侧瓣端区着生发达大刚毛，腹缘着生1个枝状突起；下生殖板一般较宽，中域着生1列大刚毛，端半部有小刚毛密生；阳茎向背面弯曲，常具发达突起；连索"Y"形；阳基侧突与连索几乎等长。

　　分布：中国。秦岭地区发现1种。

（47）郭氏隆额叶蝉 _Convexfronta guoi_ Li，1997（图47；图版3：D）

Convexfronta guoi Li，1997：2.

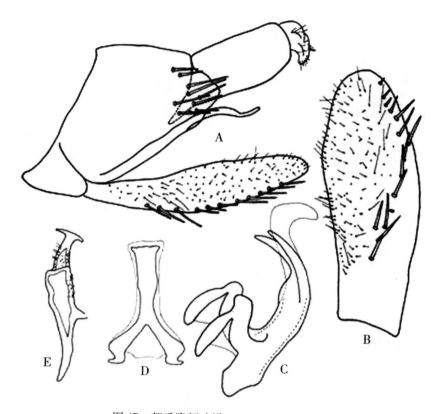

图47　郭氏隆额叶蝉 _Convexfronta guoi_ Li

A. 尾节侧面观（pygofer, lateral view）；B. 下生殖板（subgenital plate）；C. 阳茎侧面观（aedeagus, lateral view）；
D. 连索背面观（connective, dorsal view）；E. 阳基侧突背面观（style, dorsal view）

　　鉴别特征：头冠前端角状凸出，冠面中域隆起，缘脊明显，头冠近顶点处有 1 个黑褐色近圆形斑，其后相隔一段距离连接 1 条黑褐色细线，该细线纵贯前、中胸背板，终止于小盾片横刻痕处，冠缝两侧各有 1 条乳白色波浪状宽带纹，直达小盾片末端；单眼黑褐色，复眼浅褐色；颜面淡黄白色，长大于宽，额唇基中域丰满隆起，中央具纵脊，两侧有较弱斜褶，前唇基基部向外侧凸出，由基部至端部渐狭，舌侧板狭小；前翅浅黄白色，半透明，翅面上散布浅褐色波浪状斜纹，有 7～9 条，前缘端部具 2 条褐色斜纹；第 2 端室基部具 1 个黑褐色圆形斑，端片浅褐色。雄虫尾节侧瓣腹缘具 1 个枝状尾节突，端区散生大刚毛；阳茎背腔较发达，基部膨大，着生 1 对伸向背面的片状突起，突起1/2处向腹面对折弯曲，中部着生 1 对二叉状较长突起，该突起位于阳茎干的一侧。

　　采集记录：1♂，留坝庙台子，2004.Ⅶ.22，吕林、段亚妮采；1♂，宁陕旬阳坝，

1998. Ⅶ. 29；1♂，宁强金穴坪，1984. Ⅶ. 18。

　　分布：陕西（留坝、宁陕、宁强）、甘肃、湖北、贵州。

26. 指腹叶蝉属 *Decursusnirvana* Gao，Dai *et* Zhang，2014

Decursusnirvana Gao，Dai *et* Zhang，2014：492. **Type species**：*Decursusnirvana fasciiformis* Gao *et* Zhang，2014.

　　属征：头冠前缘角状向前凸出，中央长度约等于两复眼间宽，或略大，冠面平坦或中域稍隆起，冠缝较明显，侧缘具脊；单眼靠近侧缘，较明显，复眼较大；颜面微突起，中央长略大于宽，扁平，具中纵脊，两侧具斜褶；前胸背板中央长度比头冠略短或相等，中域隆起，前缘弧圆突出，后缘略突入，侧缘向前倾斜，小盾片横刻痕弧圆，伸达边缘；前翅长于腹部末端，革片基部翅脉退化不明显。雄虫尾节侧瓣端缘中部向外凸出，端腹缘常具发达的突起，形状多变，端区着生发达大刚毛；肛管短且发达，骨化程度高；下生殖板较长，宽叶片状，中域具斜生大刚毛，形成 1 纵列或排列不规则；阳茎近中部腹向对折弯曲，呈倒"V"形，具发达突起；连索"Y"形；阳基侧突基部常扭曲，中部宽，端部末端弯曲向外。

　　分布：中国。秦岭地区发现 1 种。

(48) 端黑指腹叶蝉 *Decursusnirvana excelsa*（Melichar，1902）（图 48；图版 3：E）

Tettigonia excelsa Melichar，1902：113.

Tettigoniella excelsa：Oshanin，1912：100.

Oniella excelsa：Matsumura，1912：46.

Cicadella excelsa：Wu，1935：74.

Chudania nigridorsalis Kuoh，1992：294.

Decursusnirvana excelsa：Gao，Dai & Zhang，2014：493.

　　鉴别特征：虫体黄白色，腹部黑色；头冠前缘角状凸出，冠面中域稍隆起，冠缝较明显，缘脊明显，顶端至单眼区域黑色，其余部分黄白色；单眼红褐色，复眼黑色；颜面黄白色，中长大于宽，额唇基纵向微隆起，中央具 1 条纵脊，两侧有斜褶，舌侧板黑色。前胸背板前缘弧状凸出，基域中央及侧缘区域黄白色，其余为黑色，小盾片黑色；前翅黑色，不透明，具 5 个白色斑纹。雄虫尾节侧瓣端缘中部向外凸出，突出部分近方形，端腹缘具 1 个向下的突起，腹缘基部具 1 个向上的片状突起，2 个突起均由基部向端部渐狭，呈钩状；阳茎呈管状，中部对折弯曲向下，似倒"V"形，其上着生 5 根刺状突起，1 根位于近弯折处，较短，端部和近端部各着生 1 对，这 4 根突起较长，阳茎口面向腹面；阳基侧突基部渐狭，端部弯曲向外延伸呈钳状。

　　采集记录：1♂，留坝庙台子，1995. Ⅷ. 19，张文珠、任立云采；4♂，宁陕火地塘，2004.Ⅷ.03，戴武、刘振江采。

　　分布：陕西(留坝、宁陕)、甘肃、青海、湖北、四川、贵州、云南。

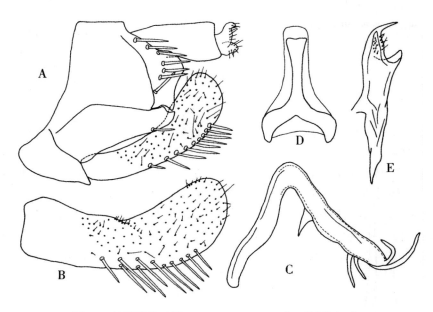

图 48　端黑指腹叶蝉 *Decursusnirvana excelsa*（Melichar）

A. 尾节侧面观(pygofer, lateral view)；B. 下生殖板(subgenital plate)；C. 阳茎侧面观(aedeagus, lateral view)；
D. 连索背面观(connective, dorsal view)；E. 阳基侧突背面观(style, dorsal view)

27. 隐脉叶蝉属 *Nirvana* Kirkaldy，1900

Nirvana Kirkaldy，1900：93. **Type species**：*Nirvana pseudommatos* Kirkaldy，1900.

Quercinirvana Ahmed et Mahmood，1970：260. **Type species**：*Quercinirvana longicephala* Ahmed et Mahmood，1970.

　　属征：体色浅，头冠较平坦，向前延伸呈三角形凸出，从复眼前方向前逐渐变窄，中央长度大于两复眼间宽，侧缘缘脊明显；颜面色浅均一，额唇基狭长，端部平坦，基部稍隆起，上具细且弱斜褶，基域中央中纵脊不明显，前唇基端部变窄，端缘近平直，舌侧板狭小；前胸背板前缘突出，后缘稍向前突出，侧缘近平直；前翅长于腹部末端，革片基部翅脉退化严重，具 4 个端室，后翅具 3 个端室。雄虫尾节侧瓣上着生发达大刚毛，尾节突起部发达或者无；下生殖板狭长，腹面内缘或端缘着生一些大刚毛，外缘着生一些小刚毛；连索"Y"形，阳茎向背面弯曲，结构比较简单。

　　分布：东洋区，澳洲区。秦岭地区发现 1 种。

(49) 宽带隐脉叶蝉 *Nirvana suturalis* Melichar, 1903 (图 49; 图版 3: F)

Nirvana suturalis Melichar, 1903: 166.

Sophonia fluctuosa Huang, 1989: 66.

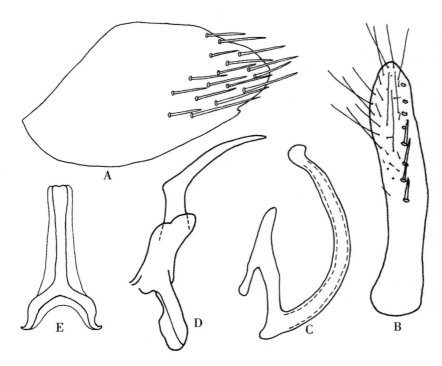

图 49　宽带隐脉叶蝉 *Nirvana suturalis* Melichar

A. 尾节侧面观 (pygofer, lateral view); B. 下生殖板 (subgenital plate); C. 阳茎侧面观 (aedeagus, lateral view); D. 阳基侧突背面观 (style, dorsal view); E. 连索背面观 (connective, dorsal view)

鉴别特征: 虫体淡黄色,体背从头冠顶端至前翅爪片区末端具 1 条黑色锯齿状宽纵带纹,单眼周围区域深黄色;单眼浅黄褐色,位于头冠前侧缘,着生在缘脊内侧,复眼黑褐色;颜面淡黄色,前唇基区微隆起;前胸背板侧缘深黄色;前翅革片区翅脉极度退化,近透明,端半部前缘区有 2 条深褐色斜纹,一长一短,端半部后缘区浅褐色,第 2 端室内有 1 个黑色圆斑。雄虫尾节侧瓣端缘中部凸出,端区着生许多发达大刚毛;下生殖板窄长,端半部着生 6~10 根大刚毛,端区中域有细小刚毛散生,侧缘具细长刚毛;阳茎背向弯曲,仅基部有 1 对突起,突起端半部膨大,腹向弯曲;阳基侧突中域大,至末端逐渐变细。

采集记录: 1♂1♀,佛坪岳坝,2012. Ⅷ. 13,高敏采。

分布: 陕西(佛坪)、海南、云南;日本,缅甸,印度,斯里兰卡。

28. 小板叶蝉属 *Oniella* Matsumura，1912

Oniella Matsumura，1912a：46. **Type species**：*Oniella leucocephala* Matsumura，1912.

属征：头冠前缘角状向前凸出，中央长度比两复眼间宽小，冠面平坦或中域稍隆起，冠缝较明显，侧缘具脊；单眼靠近侧缘，较明显，复眼较大；颜面微突起，中央长度略大于宽，扁平，具中纵脊，两侧具斜褶，前唇基基部至端部逐渐变狭，末端近平切，舌侧板狭小；前胸背板中央长度比头冠略短或相等，中域隆起，前缘弧圆突出，后缘略凹入，侧缘向前倾斜，小盾片横刻痕圆弧形，伸达边缘；前翅长于腹部末端，革片基部翅脉退化不明显，具 4 个端室，端片小，无端前室，后翅具 3 个端室。雄虫尾节侧瓣端缘中部向外凸出，端腹缘常具发达的突起，形状多变，端区着生发达大刚毛；下生殖板较长，叶片状，中域具斜生大刚毛，形成 1 纵列或排列不规则；阳茎弯曲，但常不对称，具发达突起；连索"Y"形；阳基侧突基部常扭曲，中部宽，端部末端弯曲向外。

分布：中国；日本。秦岭地区发现 4 种。

分种检索表

1. 前翅上没有任何斑纹··**白翅小板叶蝉 *O. albula***
   前翅上具不同颜色的斑纹 ··· 2
2. 前翅端部具深棕色斑纹 ·······································**横带小板叶蝉 *O. fasciata***
   前翅端部具 1~2 个黄白色大斑 ··· 3
3. 阳茎管状弯曲，不具发达突起 ·······························**白头小板叶蝉 *O. honesta***
   阳茎管状且端部渐狭，近中部具 4 根发达突起 ·············**陕西小板叶蝉 *O. shaanxiana***

（50）白翅小板叶蝉 *Oniella albula*（**Cai *et* Shen，1998**）（图 50；图版 3：G）

Sophonia albula Cai et Shen，1998：46.

Oniella albula：Gao & Zhang，2013：43.

鉴别特征：虫体淡黄白色，头冠顶端具 1 个深褐色菱形斑纹，缘脊明显，基域具 1 对黑褐色小点；单眼白色透明，复眼黑褐色；颜面黄白色，中央具 1 条纵脊，约占全长的 1/2；前胸背板前缘域淡黄，中后域隐现黑褐色，小盾片基侧角各有 1 个黑褐色斑点；前翅灰污白色，半透明，无任何斑纹，后缘略带褐色。雄虫尾节侧瓣端缘具 1 个拳头状突起；阳茎整体扁片状，基部膨大，着生 1 对伸向背面的细长突起，突起弯曲呈"C"形，比阳茎长。

采集记录: 1♂,朱雀森林公园,2007.Ⅶ.22,戴武采;1♂,南郑元坝,2004.Ⅵ. 22,吕林采(灯诱)。

分布: 陕西(户县、南郑)、山西、河南、四川。

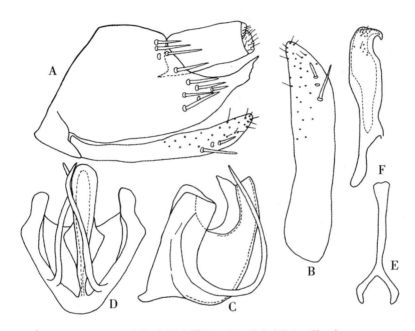

图 50　白翅小板叶蝉 *Oniella albula*(Cai *et* Shen)

A. 尾节侧面观(pygofer, lateral view); B. 下生殖板(subgenital plate); C. 阳茎侧面观(aedeagus, lateral view); D. 阳茎后腹面观(aedeagus, posteroventral view); E. 连索背面观(connective, dorsal view); F. 阳基侧突背面观(style, dorsal view)

(51)横带小板叶蝉 *Oniella fasciata* **Li** *et* **Wang, 1992**(图 51;图版 3:H)

Oniella fasciata Li *et* Wang, 1992:128.

鉴别特征: 虫体淡黄白色,头冠淡黄白色,冠面平坦;单眼黄白色,复眼浅褐色;颜面黄色,额唇基较平坦,中端部稍向下凹陷,两侧有斜褶,中央具 1 条短纵脊;前胸背板侧缘及后缘区域黑色,中胸小盾片近正三角形,黑色;前翅浅黄白色,微发乌,半透明,中部具 1 个黑褐色横带斑,伸达两侧缘,前缘端部具 2 条褐色斑纹,端区褐色,由端部向基部颜色逐渐变深。雄虫尾节侧瓣腹缘较圆滑,具 1 个发达刺状突起;阳茎基部膨大,中部和端部各着生 1 对二叉状刺突。

采集记录: 1♂3♀,华山,1962.Ⅷ.22,杨集昆采。

分布: 陕西(华阴)、浙江、湖北、四川、贵州。

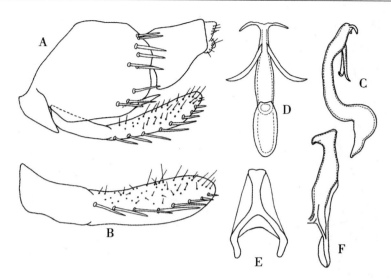

图 51　横带小板叶蝉 *Oniella fasciata* Li *et* Wang

A. 尾节侧面观(pygofer, lateral view)；B. 下生殖板(subgenital plate)；C. 阳茎侧面观(aedeagus, lateral view)；
D. 阳茎后腹面观(aedeagus, posteroventral view)；E. 连索背面观(connective, dorsal view)；F. 阳基侧突背面观
(style, dorsal view)

(52) 白头小板叶蝉 *Oniella honesta* **Melichari, 1902**(图 52；图版 3：I)

Oniella honesta Melichar, 1902：132.

Oniella leucocephala Matsumura, 1912：47.

Oniella nigrovittata Kuoh, 1992：295.

Oniella flavomarginata Li *et* Chen, 1999：85.

鉴别特征：头冠前缘呈锐角状凸出，冠面稍隆起，缘脊明显，头冠白色至黄色，均匀无斑纹；单眼浅橘色，复眼黄色隐现浅褐色；颜面颜色比头冠略浅，长大于宽，额唇基中域隆起，两侧有斜褶，中央具 1 条短纵脊，舌侧板较小；前胸背板黑色，前缘弧状凸出向两侧倾斜，后缘微凹入，除小盾片末端黄色外，其余部分为黑色；前翅与头冠同色，微发乌，半透明，前缘端部具 3 条褐色直黑色的斑纹。雄虫尾节侧瓣端缘中部向外凸出，端腹缘具发达尾节突；阳茎基部膨大，背缘着生 1 对片状突起，端部细管状背向弯曲，背部具牙齿状突起，端部具 1 个小二叉突。

采集记录：3♂，朱雀森林公园，2007.Ⅶ.22，戴武采；2♂，太白桃川镇，2009.Ⅵ.16，高霞、亢菊侠采；2♂，宁陕火地塘，2004.Ⅷ.03，戴武、刘振江采。

分布：陕西(户县、太白、宁陕)、河北、山西、河南、宁夏、甘肃、青海、新疆、安徽、浙江、湖北、湖南、四川、贵州、云南；日本。

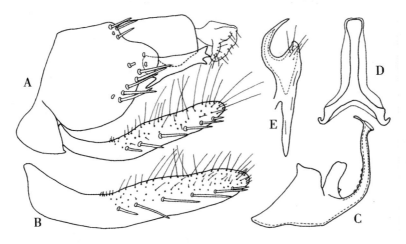

图 52　白头小板叶蝉 *Oniella honesta* Melichari，1902

A. 尾节侧面观（pygofer, lateral view）；B. 下生殖板（subgenital plate）；C. 阳茎侧面观（aedeagus, lateral view）；
D. 连索背面观（connective, dorsal view）；E. 阳基侧突背面观（style, dorsal view）

(53) 陕西小板叶蝉 *Oniella shaanxiana* Gao *et* Zhang，2013（图 53；图版 3：J）

Oniella shaanxiana Gao *et* Zhang，2013：42.

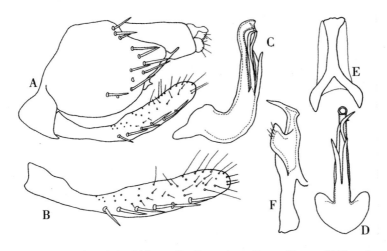

图 53　陕西小板叶蝉 *Oniella Shaanxiana* Gao *et* Zhang，2013

A. 尾节侧面观（pygofer, lateral view）；B. 下生殖板（subgenital plate）；C. 阳茎侧面观（aedeagus, lateral view）；
D. 阳茎后腹面观（aedeagus, posteroventral view）；E. 连索背面观（connective, dorsal view）；F. 阳基侧突背面观
（style, dorsal view）

　　鉴别特征：头冠向前延伸，中长约等于前胸背板和小盾片中长之和。雄虫尾节
侧瓣端部弧圆，具有很多的刚毛，下生殖板长度超过尾节末端，着生有许多的小刚

毛。阳基侧突的长度为连索的 0.66 倍,阳基侧突的基部向两端延伸较明显。阳茎背缘基部具有明显的二裂片状突起,腹缘具有 1 对发达的枝状突起,长度超过阳茎干,阳茎干侧面观背向弯曲且生殖管非常明显,阳茎开口较大,从阳茎干的端部 1/3 处开至顶端。

采集记录:4♂3♀,终南山(周至段),1951.Ⅵ.27。

分布:陕西(周至)、四川。

29. 拟隐脉叶蝉属 *Sophonia* Walker,1870

Sophonia Walker,1870b:327. **Type species**:*Sophonia rufitelum* Walker,1870.

Pseudonirvana Baker,1923:386. **Type species**:*Pseudonirvana sandakanensis* Baker,1923.

Quercinirvana Ahmed,Manzoor *et* Mahmood,1970:260. **Type species**:*Quercinirvana longicephala* Ahmed,Manzoor *et* Mahmood,1970.

属征:头冠较平坦或微隆起,向前凸出,中央长度大于两复眼间宽,前侧缘具缘脊;颜面额唇基狭长,基部均匀微隆起,其上有斜侧褶,端部较平坦;前胸背板前缘突出,后缘稍向前突出,侧缘近平直;前翅长于腹部末端,革片基部翅脉退化严重,具 4 个端室,无端前室,端片狭小,后翅具 3 个端室。雄虫尾节侧瓣上着生发达大刚毛,尾节突起部发达或者无,形状不稳定,变化较大;下生殖板一般较宽,且长,中域着生 1 列大刚毛,端半部有小刚毛散生;阳茎向背面弯曲,常具有结构非常复杂的发达突起;连索"Y"形;阳基侧突基部扭曲,端部逐渐变细。

分布:东洋区。秦岭地区发现 2 种。

分种检索表

前翅爪片后缘具褐色狭边,雄虫尾节侧瓣端缘不成尖角状 …… 褐缘拟隐脉叶蝉 *S. fuscomarginata*

前翅爪片后缘无褐色狭边,雄虫尾节侧瓣端缘成尖角状突出 ………… 蔷薇拟隐脉叶蝉 *S. rosea*

(54)褐缘拟隐脉叶蝉 *Sophonia fuscomarginata* Li *et* Wang,1991(图 54;图版 3:K)

Sophonia fuscomarginata Li *et* Wang,1991:125.

鉴别特征:虫体淡黄白色,头冠前端呈锐角状凸出,端缘微向上翘;单眼浅黄白色,周围区域有 1 个橘色晕圈,复眼深褐色;颜面浅黄色,额唇基基域隆起,具中脊,两侧有斜褶,前唇基似方形;前胸背板前缘域有 1 条凹痕,直线状;前翅灰白色,发乌半透明,端部前缘具 3 条褐色斜纹,端缘、端片及 4 个端室基部呈浅褐色,第 2 端室内有 1 块黑褐色大圆斑，爪片区末端隐现 1 条浅褐色斑纹，后缘呈褐色。雄虫尾节侧瓣端缘中部尖而凸出，微微向上翘；阳茎呈管状，背向弯曲，基部腹面着生 1 对发达突起，长于阳茎，突起近中部向腹面对折弯曲。

采集记录：2♂2♀，佛坪岳坝，2012. Ⅷ. 13，高敏采（灯诱）。

分布：陕西（佛坪）、湖南、四川、贵州、云南。

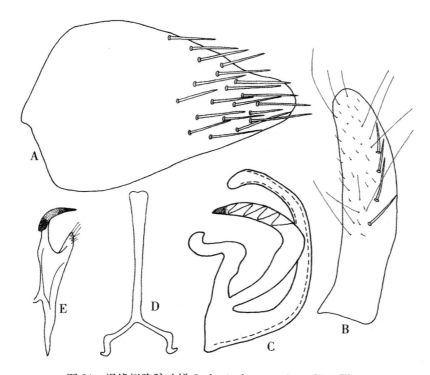

图 54　褐缘拟隐脉叶蝉 *Sophonia fuscomarginata* Li *et* Wang

A. 尾节侧面观（pygofer, lateral view）；B. 下生殖板（subgenital plate）；C. 阳茎侧面观（aedeagus, lateral view）；
D. 连索背面观（connective, dorsal view）；E. 阳基侧突背面观（style, dorsal view）

(55) 蔷薇拟隐脉叶蝉 *Sophonia rosea* Li *et* Wang, 1991（图 55；图版 3：L）

Sophonia rosea Li *et* Wang, 1991：126.

Pseudonirvana alba Kuoh, 1992：293.

鉴别特征：虫体淡橙色，头冠橙色，前端呈锐角状凸出，冠面稍隆起，具缘脊和 1/2 细弱中脊，复眼与冠缝中间区域有 1 个透明圆斑；单眼橙色，周围有 1 个红色晕圈，复眼黄白色，隐现黑色；前翅浅橙黄色，半透明，前缘端部具 3 条褐色斑纹，第 2 端室基部具 1 个黑褐色圆形斑，端片和端室基部浅褐色。雄虫尾节侧瓣端缘中部尖而凸出，似三角形，角状部位着生 1 根短钩状突起，微弯向背面；阳茎基部明显膨大，端部着生 2 对突起，其中 1 对突起基部扁宽，端部细长呈长刺状，另 1 对则呈细弯钩状。

　　采集记录：2♀，太白保护区管理站，1981.Ⅷ.14。

　　分布：陕西（太白）、贵州、云南。

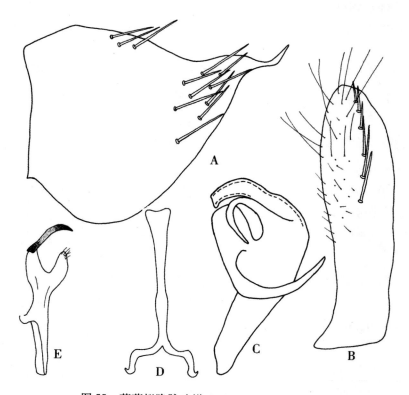

图 55　蔷薇拟隐脉叶蝉 *Sophonia rosea* Li *et* Wang

A. 尾节侧面观（pygofer, lateral view）；B. 下生殖板（subgenital plate）；C. 阳茎侧面观（aedeagus, lateral view）；
D. 连索背面观（connective, dorsal view）；E. 阳基侧突背面观（style, dorsal view）

（七）缘脊叶蝉亚科 Selenocephalinae

　　鉴别特征：头冠前缘通常突出或近叶形，具缘脊或沟。头冠和颜面相交处阔圆的种类，具粗糙横皱。单眼缘生，少数种类部分或全部在颜面（Ianeirini），多数远离复眼。颜面平整或微隆。额唇基缝明显（*Drabescus*）或无。前足胫节端部背面扩展或正常，具缘刺列。前幕骨臂镰刀形，少数种类近端部钝并侧向扩展。

　　分类：古北区，东洋区，非洲区。全世界已知 57 属 330 余种，中国已知 34 属 67 种。陕西秦岭地区分布 3 族 7 属 15 种。

分族检索表

1. 触角檐弱或缺；前足胫节圆或背部微扁；前翅端片狭或阔 ·· 2

 触角檐强；前足胫节背面平坦且边缘尖削，端部有时扩展；前翅端片阔 ······ **胫槽叶蝉族 Drabescini**

2. 触角短，明显短于体长之半，触角窝位于复眼近中部到复眼下角 ········· **缘脊叶蝉族 Selenocephalini**

 触角长，接近或超过体长之半，触角窝位于复眼中部到复眼上角 ······ **脊翅叶蝉族 Paraboloponini**

I. 缘脊叶蝉族 Selenocephalini Fieber, 1872

鉴别特征：单眼缘生；触角明显短于体长的1/2，触角窝位于复眼近中部到复眼下角；头冠前缘弧圆，有粗横皱；额唇基区端向明显加宽。

分布：古北区，东洋区，非洲区。全世界已知13属，其中亚太地区分布有4属，欧洲1属，其余分布于非洲。秦岭地区有1属2种。

30. 齿茎叶蝉属 *Tambocerus* Zhang *et* Webb, 1996

Tambocerus Zhang *et* Webb, 1996：8. **Type species**：*Selenocephalus disparatus* Melichar, 1903.

属征：体黄色或黄褐色，有或无褐色微点；头冠横宽，向前略突出，前缘具缘脊，近端部有1较浅横凹，冠域位于复眼前方中部高度处，平滑，具不明显的纵纹；单眼缘生，靠近复眼；前幕骨臂"Y"形；触角较长，但短于体长的1/2，触角窝浅，触角窝位于复眼近中部到复眼下角，触角檐钝；额唇基阔，微隆；唇基间缝明显，侧额缝伸达相应单眼；前唇基基部窄，端部略膨大；头与前胸背板等宽或稍窄；前胸背板横宽，前缘微隆，侧缘短，具细密横皱，后缘横平凹入；小盾片宽大于长，盾间沟明显；前翅长方形，具4端室，3端前室；前足胫节背面圆，刚毛式5+5或1+5，后足腿节端部刺式2+2+1。雄虫尾节侧瓣后缘渐狭，端部具细小的骨化齿；下生殖板三角形或基半部呈不规则形，其上着生1列大型刚毛；阳基侧突端突长或短，端向渐尖；连索"Y"形，干长臂短；阳茎端干指状，背向弯曲，侧面具细齿，阳茎口位于干端部腹面。

分布：东洋区。世界已知6种，中国分布有4种。秦岭地区发现2种。

分种检索表

下生殖板阔方,2/3 处端向收缩成指状,侧缘具大型刚毛;尾节侧瓣不向腹部延伸;阳茎端部具小齿突 ··· **长齿茎叶蝉 T. elongatus**

下生殖板基部较阔;尾节侧瓣向腹部明显延伸成尖突;阳茎端部突起侧面观呈三角形 ············ ··· **三角齿茎叶蝉 T. triangulatus**

(56) 长齿茎叶蝉 *Tambocerus elongatus* Shen, 2008(图 56)

Tambocerus elongatus Shen, 2008: 243.

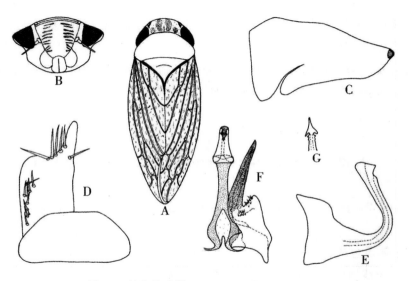

图 56 长齿茎叶蝉 *Tambocerus elongatus* Shen

A. 雄虫背面观(male habitus, dorsal view);B. 颜面腹面观(face, ventral view);C. 尾节侧瓣侧面观(pygofer, lateral view);D. 生殖瓣和下生殖板腹面观(valve and subgenital plate, ventral view);E. 阳茎侧面观(aedeagus, lateral view);F. 阳茎、连索和阳基侧突背面观(aedeagus, connective and style, dorsal view);G. 阳茎端部后面观(apex of aedeagus, posterior view)

鉴别特征:体长 6.00~6.80mm。土黄色,体小型。头冠前缘弧形突出,中长是两侧长的1.50倍,冠缝明显,两侧靠近前缘处各有1个半月形淡褐色斑;近前域有1个横凹;单眼缘生,从背部可见,靠近复眼;颜面三角形,额唇基微隆,基部较宽,端向略收缩;前唇基基部窄,端向略膨大,具中纵脊,唇基间缝明显;触角短,未过体长的1/2,触角窝浅,位于复眼近中部到复眼下角触角脊弱,侧额缝伸达相应单眼。头比前胸背板窄;前胸背板前缘弧形,后缘横平凹入,中域、后域略隆起,具细密横皱;小盾片三角形,中长小于前胸背板中长,盾间沟明显,基部沿盾间沟两侧各有1个白色小条形斑;前翅浅褐色透明,密布褐色网纹,翅脉明显,具4个端室,3个端前室,端片极窄;体下及足黄色，前足胫节端部背面不扩展，后足腿节端部刺式2+2+1。雄虫尾节侧瓣长三角形，端缘角状；生殖瓣梯形；下生殖板基部阔方，约为端部的2倍长，2/3处端向急踞收缩，端部指状；侧缘分布有5根大型粗刚毛，基部近侧缘有1排竖刚毛；阳基侧突基部较宽，中部收缩，端突极长，端向收缩，端部尖锐状，侧叶短，和侧叶形成1个深"V"形凹槽；连索"Y"形，干粗而长，约为臂长的2倍多，两臂夹角小；阳茎端向弯折，几乎成直角状，近端部有1对小叶状突起，侧缘齿状。

采集记录：2♂（NWAFU），太白科协馆，1984.Ⅶ.12，柴勇辉采；1♀（IZAS），宁陕火地塘，1580m，1998.Ⅷ.17，袁德成采（灯诱）；2♀（NWAFU），汉中天台，1980.Ⅷ.魏建华采。

分布：陕西（太白、宁陕、汉中）、河南、安徽、湖北、湖南、福建、广东、海南、广西、四川、贵州。

(57) 三角齿茎叶蝉 *Tambocerus triangulatus* Shen，2008（图57）

Tambocerus triangulatus Shen，2008：246.

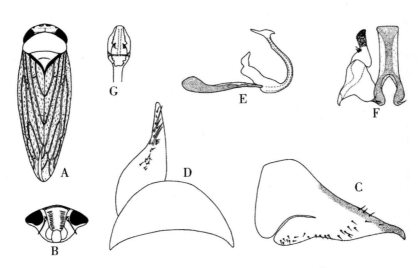

图57　三角齿茎叶蝉 *Tambocerus triangulatus* Shen

A. 雄虫背面观（male habitus, dorsal view）；B. 颜面腹面观（face, ventral view）；C. 尾节侧瓣侧面观（pygofer, lateral view）；D. 生殖瓣和下生殖板腹面观（valve and subgenital plate, ventral view）；E. 阳茎和连索侧面观（aedeagus and connective, lateral view）；F. 连索和阳基侧突背面观（aedeagus and style, dorsal view）；G. 阳茎和连索端部背面观（apex of aedeagus and connective, dorsal view）

鉴别特征：体长6.20~6.80mm。体小型，土黄色；头冠前缘弧形突出，有1对褐色小圆斑，中长是两侧长的1.50倍，具褐色散状纹，近前缘有1个浅横凹，冠缝明显，前缘有1条黄色横带，其上缘、下缘褐色；单眼缘生，和相应复眼之间的距离是其自身直径的 1 倍；颜面三角形，额唇基基部隆起，端向收缩，外缘具褐色线状斑；前唇基基部窄，端向略膨大，唇基间缝明显；触角短，未超过体长之半，触角窝深，位于复眼前方中部高度下方，触角脊钝，侧额缝伸达相应单眼。头比前胸背板窄；前胸背板前缘弧圆，侧缘短而突出，后缘横平微凹，中域、后域微隆，密布黄色小点；小盾片三角形，盾间沟模糊；前翅长方形，均匀密布褐色点状斑，翅脉明显，具 4 个端室，3 个端前室，端片窄；体下及足与体同色，前足胫节端部背面不扩展，后足腿节端部刺式 2 + 2 + 1。雄虫尾节侧瓣长三角形，分布有小刚毛，具 1 个尾节突；生殖瓣半圆形；下生殖板基部宽，1/2 端向收缩，端部指状，侧缘具大刚毛；阳基侧突基部宽，中部窄，端突长而钝，端部角状，侧叶短，具丛生感觉毛；连索"Y"形，干粗壮，约为臂长的 2 倍；阳茎背向极度弯曲成钩状，端部膨大，边缘齿状，似荷叶状，近端部有 1 对小突起。

采集记录：1♂（IZAS），周至厚畛子，1350m，1999.Ⅵ.24，朱朝东采。

分布：陕西（周至）、海南。

Ⅱ. 胫槽叶蝉族 Drabescini Ishihara，1953

鉴别特征：头部前缘平滑或具不规则细横皱，口上有时有 1 个卷曲的沟；额唇基粗糙，额唇基沟存在；触角长，超过体长之半，位于复眼上方；触角脊强而倾斜；前足胫节背面明显扩展或正常；前幕骨臂镰形；前翅端片阔。

分布：世界已知 2 属 52 种，中国记录 1 属 22 种。秦岭地区发现 1 属 7 种。

31. 胫槽叶蝉属 *Drabescus* Stål，1870

Drabescus Stål，1870：738. **Type species**：*Bythoscopus remotus* Walker，1851.

Tylissus Stål，1870：739. **Type species**：*Tylissus nitens* Stål，1870.

Drabescus（*Ochrescus*）Anufriev *et* Emeljanou，1988：174. **Type species**：*Drabescus ochrifrons* Vilbaste，1968.

Drabescus（*Leucostigmidium*）Anufriev *et* Emeljanou，1988：174. **Type species**：*Selenocephalus nigrifemoratus* Matsumura，1905.

Paradrabescus Kuoh，1985：379. **Type species**：*Paradrabescus testaceus* Kuoh，1985.

鉴别特征：中到大型叶蝉，体粗壮，黑褐色，楔形；头短而阔，少数种类头冠前缘向前伸长，冠域凹或平坦有细纵纹；头部前缘具缘脊或侧观阔圆但具细横线；单眼缘生，位于脊间凹槽内，远离复眼；颜面平整，宽大于长；触角长，位于复眼上方，触角窝深，触角脊强而倾斜，有些种类额唇基沟明显；额唇基区平坦或微隆，有纵皱，基部较宽，端向略收缩；前唇基基部窄，端向膨大；舌侧板大；颊区阔，基部凹陷；前胸背板横宽，前缘突出，侧缘具隆线，后缘横平微凹，中域有细密横皱，具刻点；小盾片阔三角形，微皱；前翅端片阔，具4个端室，3个端前室；前足胫节背面扁平，端部扩展或正常，缘刺式不规则或1＋4，后足腿节端部刺式2＋1、2＋2＋1或2＋2＋1＋1。雄虫尾节侧瓣有或无大型刚毛，有或无尾节突；生殖瓣半圆形或三角形；下生殖板长三角形，无大型刚毛或具细小刚毛；阳基侧突端突较骨化；连索短或长，"Y"形；阳茎对称，有或无侧基突，阳茎口开口于近端部腹面。

　　分布：东洋区，古北区。秦岭地区发现7种。

分种检索表

(58) 横带胫槽叶蝉 *Drabescus albofasciatus* **Cai et He**, **1998**(图58)

Drabescus albofasciatus Cai et He, 1998：24.

Drabescus peltatus Shang et Zhang, 2012：3. **New synonym.**

　　鉴别特征：雄虫体长7.60mm，雌虫体长10.20mm。全体暗黑褐色，但头冠为暗黄褐色，头冠与颜面交界处为浅黄色缘线；前胸背板密生黄褐色细小斑点，小盾片也有少量分布；前翅暗黑褐色，基部多少隐现出灰白色透明斑，以中央1条近透明灰白色横带较明显，翅脉间生有灰白色微小斑点。颜面、胸部腹面、腹部及足均为暗黑褐色，仅腹部腹板后缘红褐色，足的侧缘及胫刺多少也带有红褐色。头部微宽于前胸背板，前端弧圆；头冠短阔，前缘、后缘平行，整个冠面坡向前缘低洼，冠缝细弱。颜面额唇基基缘域凹洼成浅横沟状，前唇基近长方形，末端圆起。前胸背板横皱纹细密，小盾片横刻痕略为弧形，端部低平，并于中央有 1 个浅纵刻痕。雄虫腹部第 8 节腹板长条形，中长与其前节相等。尾节侧瓣较宽短，背缘凹曲，端部向背后方收窄圆起，其下方腹缘末端有 1 个弯曲的短刺状突，仅在末端表面生有少许细刚毛。基瓣宽，"V"形。下生殖板较狭长，端向渐窄，末端稍扭曲近膜质。连索"Y"形，主干略长于臂部。阳基侧突自基部急剧收缢成条形，端向渐窄，端部向侧方弯曲。阳茎长弯管状，自中部端向渐细，中部腹面侧生 1 对短刺突，阳茎口位于末端背面。以上描述引自 Cai et He(1998)。

分布：陕西(秦岭)、河南、湖北。

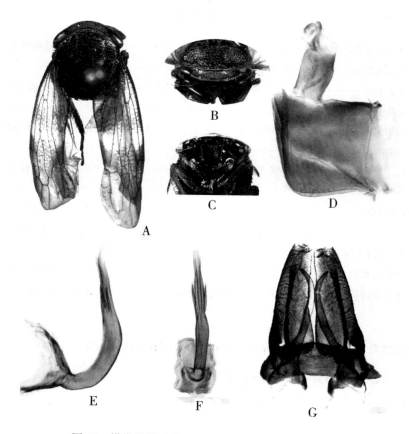

图 58　横带胫槽叶蝉 *Drabescus albofasciatus* Cai et He

A. 雄虫背面观(male habitus, dorsal view)；B. 头冠背前面观(vertex, dorsoanterior view)；C. 颜面(face)；D. 尾节侧瓣侧面观(pygofer, lateral view)；E. 阳茎侧面观(aedeagus, lateral view)；F. 阳茎后面观(aedeagus, posterior view)；G. 生殖瓣、下生殖板和阳基侧突腹面观(valve, subgenital plate and style, ventral view)

(59) 细茎胫槽叶蝉 *Drabescus minipenis* **Zhang**，**1997**（图 59）

Drabescus minipenis Zhang，1997：240.

鉴别特征： 体长 9.00~10.50mm。体黑色，较大型，头部略宽于前胸背板；头冠前缘略突出，中长大于两侧长度的 1/4，前端中部有 1 个黄褐色斑，中域具纵条纹；复眼黑色；头部前缘有 1 条黄色横带，单眼位于横带上缘，远离复眼。颜面宽为长的 2 倍多，黑色，粗糙，端缘角状；触角接近复眼上角，触角窝深，触角脊强，斜伸向复眼前上角，两触角脊间有 1 个横埂；额唇基区长大于基部宽，中域有纵条纹，侧缘黄色；前唇基中域隆起成脊状，基部收缢，端部扩大，端缘具隆线；颊区阔，中域凹陷，散布纵横条纹，侧缘端向逐渐收狭。前胸背板黑色，前端 1/4 具不规则隆起，中后域密布横条纹；小盾片三角形，与前胸背板等长，具细纵条纹，端区褐色，具横条纹；前翅褐色透明，翅脉黑色，中部及后部靠近前缘域各有 1 个白色斑，沿翅脉稀疏散布数个白色点，A_1 脉端部白色；体腹面及足黑色；前足胫节背面平坦，端部不膨大，后足腿节端部刚毛式为 2 + 1。雄虫尾节侧瓣狭长，后部着生数根大刚毛，后腹缘齿状骨化；下生殖板长，端部指状，侧缘着生许多细长刚毛；生殖瓣后缘突出，近呈角状，前缘凹入；连索倒 "Y" 形，干细长；阳茎干细小、侧扁，侧基突细，伸达阳茎近端部，阳茎口位于阳茎端部。

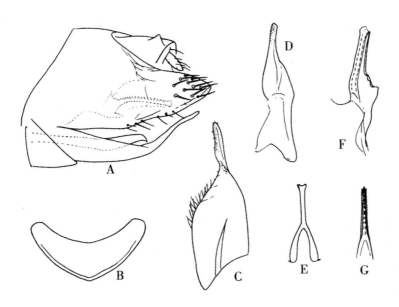

图 59　细茎胫槽叶蝉 *Drabescus minipenis* Zhang

A. 尾节侧瓣侧面观（pygofer, lateral view）；B. 生殖瓣背面观（valve, dorsal view）；C. 下生殖板腹面观（subgenital plate, ventral view）；D. 阳基侧突腹面观（style, ventral view）；E. 连索背面观（connective, dorsal view）；F. 阳茎侧面观（aedeagus, lateral view）；G. 阳茎后面观（aedeagus, posterior view）

采集记录：1♂，翠华山，1987. Ⅷ. 22，门宏超采；1♀，太白山沙坡寺，1982. Ⅶ. 14；1♀，太白山蒿坪寺，1200m，1982. Ⅶ. 18，周静若、刘兰采；1♂，太白山蒿坪寺，1200m，1982. Ⅶ. 16，马长贵采；1♂，太白山中山寺，1500m，1982. Ⅶ. 07，周静若、刘兰采；1♂，宁陕，1986. Ⅷ. 24，采集人不详。

分布：陕西(长安、宁陕，太白山)、河南、台湾、四川、云南。

(60) 宽胫槽叶蝉 *Drabescus ogumae* Matsumura，1912(图60)

Drabescus［sic！］*ogumae* Matsumura，1912b：291.

Drabescus ogumae：Kuoh，1966：116.

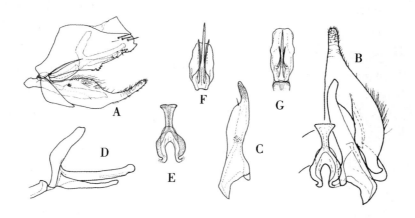

图60　宽胫槽叶蝉 *Drabescus ogumae* Matsumura(仿 Zhang & Webb，1996)

A. 尾节侧瓣侧面观(pygofer, lateral view)；B. 生殖瓣、下生殖板、阳基侧突和连索腹面观(valve, subgenital plate, style and connective, ventral view)；C. 阳基侧突背面观(style, dorsal view)；D. 阳茎侧面观(aedeagus, lateral view)；E. 连索腹面观(connective, ventral view)；F. 阳茎后面观(aedeagus, posterior view)；G. 阳茎腹面观(aedeagus, ventral view)

鉴别特征：体长10mm。体黄褐色至暗褐色。头冠部鲜褐色，前缘黑色，在前缘两侧部分，黑色边缘加宽呈黑色条纹；颜面基缘，额唇基区及前唇基为黑色，其余部分褐色；而在头冠前缘与颜面基缘间有1条明显的黄色条纹，单眼缘生。复眼黑褐色；触角基部两节赤褐色。前胸背板黄褐至鲜褐色，两侧的前半部分黑褐色，有时黑褐色部分会向后扩延及至整个侧面部分，小盾片为黄褐色，两侧角暗黑褐色；前翅半透明，黄褐色至褐黑色；在近翅的前缘部分，有不正形的白色斑纹3条，翅端部色泽深暗，翅脉为黑褐色，其上散布白色小点；后翅白色半透明。虫体腹面及足均为褐色，杂生黑色斑点。头冠前端微呈角状突出；额唇基区具有纵走皱纹。前胸背板横皱明显，细而稠密；小盾片中央横刻痕呈弧形弯曲，端部亦生有横皱；前翅密生粗大皱纹；前足胫节外侧缘特别扩大，以致前足胫节显著扁平。

　　采集记录：1♂（NWAFU），秦岭，1995．Ⅶ.27，刘德国采。

　　分布：陕西（秦岭）、浙江、台湾、广东、四川、云南；日本。

(61) 淡色胫槽叶蝉 *Drabescus pallidus* **Matsumura，1912**（图 61）

Dabrescus［sic！］*pallidus* Matsumura，1912b：291.
Drabescus pallidus Kato，1933b：26；Zhang & Webb，1996：25.

　　鉴别特征：体黄褐色至暗褐色。头冠、前胸背板和小盾片鲜黄色，前缘黑色，在前缘两侧部分，黑色边缘加宽呈黑色条纹；颜面基绿，额唇基区及前唇基为黑色，其余部分褐色；而在头冠前缘与颜面基绿间有1条明显的黄色条纹，单眼缘生。复眼黑褐色；触角基部2节赤褐色。前胸背板黄褐色至鲜褐色，两侧的前半部分黑褐色，有时黑褐色部分会向后扩延及至整个侧面部分，小盾片为黄褐色，两侧角暗黑褐色；前翅半透明，黄褐色至褐黑色；在近翅的前缘部分，有不正形的白色斑纹3条，翅端部色泽深暗，翅脉为黑褐色，其上散布白色小点；后翅白色半透明。虫体腹面及足均为褐色，杂生黑色斑点。头冠前端微呈角状突出；额唇基区具有纵走皱纹。前胸背板横皱明显，细而稠密；小盾板中央横刻痕呈弧形弯曲，端部亦生有横皱；前翅密生粗大皱纹；前足胫节外侧缘特别扩大，以致前足胫节显著扁平。

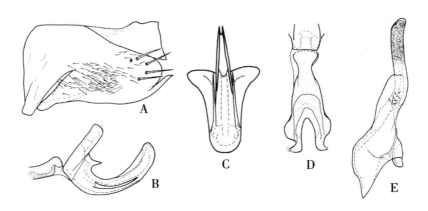

图 61　淡色胫槽叶蝉 *Drabescus pallidus*（仿 Zhang & Webb，1996）
A. 尾节侧瓣侧面观（pygofer，lateral view）；B. 阳茎和连索侧面观（aedeagus and connective，lateral view）；C. 阳茎后面观（aedeagusr，posterior view）；D. 连索和阳茎基部腹面观（connective and base of aedeagus，ventral view）；E. 阳基侧突腹面观（style，ventral view）

　　采集记录：1♂1♀（NWAFU），陕西太白保护区管理站，Ⅷ.14；1♂（NWAFU），周至板房子，1996．Ⅶ.21，任立云采。

　　分布：陕西（太白、周至）、河南；朝鲜，日本。

（62）沥青胫槽叶蝉 *Drabescus piceatus* **Kuoh**，1985（图62）

Drabescus piceatus Kuoh，1985：378.

鉴别特征：体长8mm。体连翅长9.50mm。各部外形特征概如阔胫槽叶蝉，只是头冠向前突出较小，中长大于近复眼处长1/4，头冠表面纵皱较稠密，额唇基仅侧区生有较多横刻痕；前足胫节上缘扩延的最宽处宽度仅近原胫节宽的2倍。其雄虫生殖节基瓣宽为三角形；下生殖板端部狭细弯曲，伸达尾节末端；尾节末端宽截，端部生有数根刺毛；阳茎基"Y"形，主干长，阳茎较短，基部宽扁，向末端收狭，端半且略纵扁而稍弯向背方，性孔开口于顶端腹面生有1对长大突起，基部宽扁，端部收狭而尖出，整个微呈"S"形；阳基侧突甚狭长，伸近阳茎末端。（以下描述引自葛钟麟，1985）全体沥青色，体背生有许多污黄色小圆点，其中小盾片端部圆点密集连成带，在横刻痕基方尚有1个淡黄色纵条；虫体腹面头部前缘二缘脊间区及单眼污黄白色，前足、中足内面与后足胫刺、胸部腹面散生数枚斑点为污黄色，额唇基的侧缘区具呈橘黄色纵条；其复眼为污黄褐色；前翅透明，翅脉与端缘区色黑褐，爪片端部浅黑褐色，相对的前缘区有许多浅黑褐色小斑点，翅脉上生淡污黄色小颗粒。

采集记录：1♂（NWAFU），周至板房子，1996.Ⅶ.21，任立云采；1♂1♀（NWAFU），太白保护区管理站，Ⅷ.14。

分布：陕西（周至、太白）、河南。

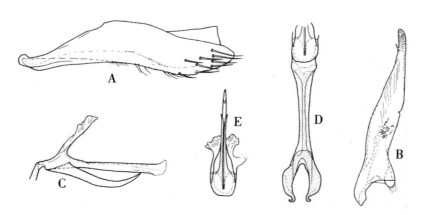

图62　沥青胫槽叶蝉 *Drabescus piceatus* Kuoh（仿 Zhang *et* Webb，1996）

A. 尾节侧瓣侧面观（pygofer, lateral view）；B. 阳基侧突腹面观（style, ventral view）；C. 阳茎侧面观（aedeagus, lateral view）；D. 连索和阳茎基部腹面观（connective and base of aedeagus, ventral view）；E. 阳茎腹面观（aedeagus, ventral view）

(63) 赭胫槽叶蝉 *Drabescus ineffectus*（**Walker, 1858**）（图 63）

Bythoscopus ineffectus Walker, 1858：266.

Dabrescus［sic!］*ineffectus*：Distant, 1908b：145.

Athysanopsis fasciata Kato, 1932：224.

Drabescus ochrifrons Vilbaste, 1968：116.

鉴别特征：体黄褐色至暗褐色。头冠、前胸背板和小盾片淡黄褐色，头冠前缘具黑色条纹，翅脉呈淡褐色，端片发达。尾节侧瓣后腹缘具突起；下生殖板阔，阳基侧突端突极长，呈"S"形弯曲，略短于下生殖板端部，侧叶不发达；阳茎简单，呈"C"形背向弯曲，不具基侧突，阳茎口位于近端部腹面。

采集记录：1♂，太白山蒿坪寺，1200m，1982.Ⅶ.14，王海丽采，陕西太白山昆虫考察组。

分布：陕西(秦岭)、浙江、湖北、广西；俄罗斯，印度。

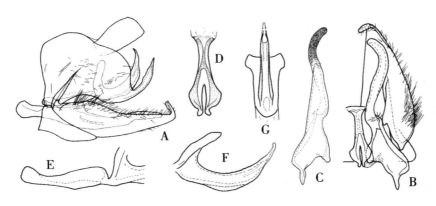

图 63　赭胫槽叶蝉 *Drabescus ineffectus*(Walker)（仿 Zhang *et* Webb, 1996）

A. 尾节侧瓣侧面观(pygofer, lateral view)；B. 生殖瓣、下生殖板、阳基侧突和连索背面观(valve, subgenital plate, style and connective, dorsal view)；C. 阳基侧突腹面观(style, ventral view)；D. 连索腹面观(connective, ventral view)；E. 连索和阳茎基部侧面观(connective and base of aedeagus, lateral view)；F. 阳茎侧面观(aedeagus, lateral view)；G. 阳茎后面观(aedeagus, posterior view)

(64) 韦氏胫槽叶蝉 *Drabescus vilbastei* **Zhang *et* Webb, 1996**（图 64）

Drabescus nigrifemoratus（Matsumura, 1905）（misidentification）.

Drabescus vilbastei Zhang *et* Webb, 1996：26.

鉴别特征：体长8.30～9.00mm。此种形态特征近似于 *Drabescus evani*，但本种颜面下半部分为黄色，而不是具1条黄色横带。雄性外生殖器相似于 *Drabescus pallidus*，但阳基侧突的端突短，阳茎干和侧突长，生殖孔小。

　　采集记录：1♂（IZAS），宁陕火地塘，1580m，1998.Ⅷ.20，袁德成采（灯诱）；1♀（IZAS），宁陕火地塘，1998.Ⅷ.14；1♂（IZAS），宁陕火地塘，1998.Ⅷ.18；1♂（IZAS），宁陕火地塘，1998.Ⅷ.27，姚建采；1♂（CAU），秦岭，1961.Ⅷ.08，杨集昆采。

　　分布：陕西（宁陕）；俄罗斯，日本。

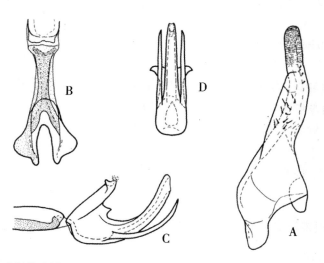

图64　韦氏胫槽叶蝉 *Drabescus vilbastei* Zhang et Webb（仿 Zhang et Webb，1996）
A. 阳基侧突腹面观（style, ventral view）；B. 连索和阳茎基部腹面观（connective and base of aedeagus, ventral view）；
C. 阳茎和连索端部侧面观（aedeagus and apex of connective, lateral view）；D. 阳茎后面观（aedeagus, posterior view）

Ⅲ. 脊翅叶蝉族 Paraboloponini Ishihara，1953

　　鉴别特征：触角长，通常等于或大于体长之半，位于复眼前方近中部或中部高度以上；额唇基在触角处因触角窝扩展而收缩；前幕骨臂"T"形或镰刀形。

　　分布：亚太地区，非洲。世界已知35属114种，亚太地区已知34属112种，中国已知16属47种。秦岭地区分布5属6种。

分属检索表

1. 头冠前缘三角形或弧形向前突出，约为复眼长度的2倍 …………… **脊翅叶蝉属 *Parabolopona***
　　头冠圆弧形突出约为复眼处长 ……………………………………………………………… 2
2. 连索干端部膨大 ……………………………………………………… **阔颈叶蝉属 *Drabescoides***
　　连索干端部不膨大 ………………………………………………………………………… 3
3. 尾节侧瓣具背缘或腹缘的突起 …………………………………………………………… 4

尾节侧瓣无突起或具有内脊 ··· **沟顶叶蝉属 Bhatia**

4. 头顶具有 1 对黑色的大圆斑;下生殖板内缘端半部收狭;阳茎具侧基突 ·················
    ·· **肖顶带叶蝉属 Athysanopsis**

    头顶不具 1 对大圆斑;下生殖板内缘直;阳茎无侧基突 ·············· **管茎叶蝉属 Fistulatus**

32. 肖顶带叶蝉属 *Athysanopsis* Matsumura, 1914

Athysanopsis Matsumura, 1914: 184. **Type species**: *Athysanopsis salicis* Matsumura, 1914.

属征:体黄绿色,头冠宽而短,前缘区两侧各有 1 个大黑斑。单眼位于头冠前缘,具脊,前胸背板横宽,在近前缘处两侧各有 1 列黑斑,呈"八"字形,每列由 4 个黑斑组成,其中靠中央 1 个最大,前胸背板中后部密布横皱纹。尾节侧瓣后缘具向腹面伸出的脊突;下生殖板内缘约 1/2 处突然收缩;阳茎具 1 对细长的基侧突。

分布:中国;朝鲜,日本。秦岭地区发现 1 种。

(65)八字纹肖顶带叶蝉 *Athysanopsis salicis* Matsumura, 1905(图 65)

Athysanopsis salicis Matsumura, 1905a: 64.

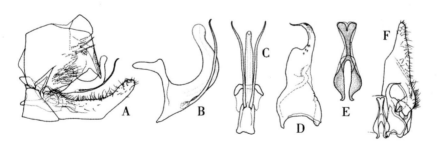

图 65   八字纹肖顶带叶蝉 *Athysanopsis salicis* Matsumura(仿 Zhang *et* Webb, 1996)

A. 尾节侧瓣侧面观(pygofer, lateral view); B. 阳茎侧面观(aedeagus, lateral view); C. 阳茎后面观(aedeagus, posterior view); D. 阳基侧突腹面观(style, ventral view); E. 连索腹面观(connective, ventral view); F. 生殖瓣、下生殖板、阳基侧突和连索背面观(valve, subgenital plate, style and connective, dorsal view)

鉴别特征:体黄绿色。头冠宽短,前缘区两侧各有 1 个大黑斑。前胸背板横宽,在近前缘处两侧各有 1 列黑斑,呈"八"字形,每列由 4 个黑斑组成,其中靠中央 1 个最大,前胸背板中后部密布横皱纹;小盾片在近基侧角处各有 1 个三角形黑斑,横刻痕前方也有 1 个较大黑斑,该斑有时分为 2 块。尾节侧瓣后缘具向腹面伸出的脊突;下生殖板内缘约 1/2 处突然收缩;阳茎具 1 对细长的基侧突。

采集记录：1♂（NWAFU），1♀（IZAS），佛坪，870～1000m，1998.Ⅶ.25，张学忠采。
分布：陕西（佛坪）、吉林、河南、安徽。

33. 沟顶叶蝉属 *Bhatia* Distant，1908

Bhatia Distant，1908：357. **Type species**：*Eutettix*? *olivacea* Melichar，1903.
Melichariella Matsumura，1914：236. **Type species**：*Melichariella satsumensis* Matsumura，1914.
Koreanopsis Kwon *et* Lee，1979：50. **Type species**：*Koreanopsis koreana* Kwon *et* Lee，1979.

属征：头冠短而宽，近前端有 1 个横凹，前缘阔圆，具数条横隆线；单眼缘生，远离复眼；触角长，位于复眼前部上方；额唇基稍隆起，端部收狭；前唇基端部膨大，中央收缩成匙形；前足胫节背面刚毛式 1 + 4，后足腿节端部刺式 2 + 2 + 1；雄虫尾节侧瓣着生数根大型刚毛；下生殖板近三角形；连索"Y"形或"H"形，阳茎具 1 对长后侧基突。

分布：东洋区，澳洲区。世界已知 17 种，我国分布 10 种，秦岭地区发现 1 种。

(66) 韩国沟顶叶蝉 *Bhatia koreana*（Kwon *et* Lee，1979）（图 66）

Koreanopsis koreana Kwon *et* Lee，1979：50.
Bhatia koreana：Zhang & Webb，1996：12.

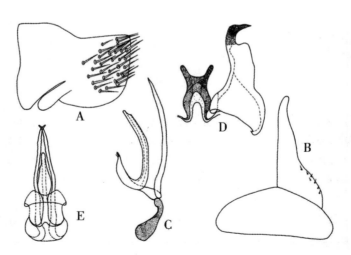

图 66　韩国沟顶叶蝉 *Bhatia koreana*（Kwon *et* Lee）

A. 尾节侧瓣侧面观（pygofer，lateral view）；B. 生殖瓣和下生殖板腹面观（valve and subgenital plate，ventral view）；C. 阳茎和连索侧面观（aedeagus and connective，lateral view）；D. 阳基侧突和连索腹面观（style and connective，ventral view）；E. 阳茎背面观（aedeagus，dorsal view）

鉴别特征：头冠中域略长于两侧复眼的距离；尾节侧瓣阔，侧叶着生数根大刚毛，无内脊；生殖瓣近三角形；下生殖板内缘直，外缘基部着生零星小刚毛；阳基侧突端突呈鸟头状强烈弯曲；连索短小，"H"形；阳茎侧面观，基部突起和阳茎干均细长，突起较为光滑，且长于阳茎干；腹面观阳茎干近中域膨大，后端向渐细，基突无刻痕，且内外缘均具细齿，并弯曲伸出，趋向聚合；阳茎口位于干的端部腹面。

采集记录：1♂（IZAS），宁陕火地塘，1580m，1998.Ⅷ.18，采集人不详。

分布：陕西（宁陕）；韩国。

34. 阔颈叶蝉属 *Drabescoides* Kwon *et* Lee，1979

Drabescoides Kwon *et* Lee，1979：53. **Type species**：*Selenocephalus nuchalis* Jacobi，1943.

Drabescus（*Drabescoides*）：Anufriev & Emeljanov，1988：174.

属征：头冠横宽，前缘弧圆形，中长近等于两侧长；单眼缘生，远离复眼；触角位于复眼上角，触角窝较深，触角檐钝；额唇基端向收缩，前唇基基部窄，端向略膨大；舌侧板甚宽；前胸背板前缘突出，侧缘短，近直线形，后缘横平微凹入；小盾片三角形，端部尖细；前翅5端室，3端前室，端片阔；前足胫节背面刚毛式2＋4、4＋4或更多，后足腿节端部刺式2＋2＋1；雄虫尾节侧瓣长方形，后缘着生数目不等的刺状突；下生殖板近三角形，端向收狭；阳基侧突近三角形，基部宽扁，端突小；连索"Y"形，干部膨大或宽扁；阳茎宽扁，端向膨大，端部有1个小尖突，近端部有侧叶；阳茎口开口于近端部腹面。

分布：中国；俄罗斯，韩国，日本。世界已知5种，中国均有分布，秦岭地区发现1种。

(67) 阔颈叶蝉 *Drabescoides nuchalis*（**Jacobi，1943**）（图67）

Selenocephalus nuchalis Jacobi，1943：30.

Kutara brunnescens：Vilbaste，1968：118（misidentification）.

Drabescus striatus Anufriev，1971：61.

Drabescus nuchalis：Anufriev，1978：42.

Drabescoides nuchalis：Kwon & Lee，1979：53.

鉴别特征：外形特征与属征等同。尾节侧瓣短于下生殖板，侧瓣上着生一些小刚毛，后腹缘具数目不等的尾节突；下生殖板近三角形；阳基侧突近三角形，端部突起较短；连索呈倒"Y"形，中部角状弯曲，主干膨大，侧臂靠近；阳茎侧面观端干背向弯曲，端部较渐细，腹面观阳茎干宽扁，两侧较直，端部急剧收缩呈尖细状。

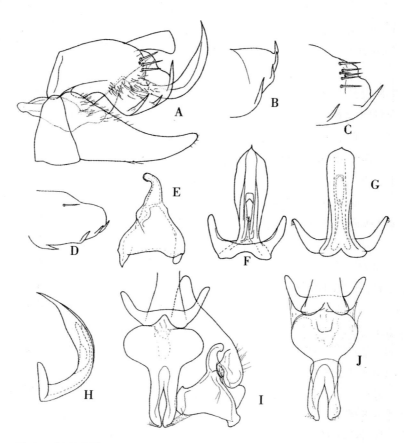

图 67　阔颈叶蝉 *Drabescoides nuchalis*（Jacobi）（仿 Zhang *et* Webb，1996）

A. 尾节侧瓣侧面观（pygofer，lateral view）；B‒D. 尾节侧瓣端部侧面观（apex of pygofer，lateral view）；E. 阳基侧突腹面观（style，ventral view）；F. 阳茎背面观（aedeagus，dorsal view）；G. 阳茎腹面观（aedeagus，ventral view）；H. 阳茎侧面观（aedeagus，lateral view）；I. 下生殖板、阳基侧突、连索和阳茎基部腹面观（subgenital plate，style，connective and base of aedeagus，ventral view）；J. 连索和阳茎基部腹面观（connective and base of aedeagus，ventral view）

采集记录： 1♂（NWAFU），凤县双石铺，1995. Ⅶ. 13，余同前采；2♀（NWAFU），凤县留凤关，1995. Ⅶ. 17，张文珠、任立云采；1♂（NWAFU），太白山蒿坪寺，1200m，1982. Ⅶ. 18，赵晓明采，太白山昆虫考察组；1♀（NWAFU），太白山中山寺，1500m，1982. Ⅶ. 17，周静若、刘兰采，太白山昆虫考察组；1♂（IZAS），宁陕旬阳坝，1350m，1998. Ⅶ. 29，姚建采；1♀（IZAS），宁陕火地塘，1580m，1998. Ⅷ. 18，袁德成采。

分布： 陕西（凤县、宁陕，太白山）、北京、天津、河南、新疆、浙江、江西、湖南、福建、广东、广西、四川；俄罗斯，朝鲜，日本。

35. 管茎叶蝉属 *Fistulatus* Zhang, Zhang *et* Chen, 1997

Fistulatus Zhang, Zhang *et* Chen, 1997: 237. **Type species**: *Fistulatus sinensis* Zhang, Zhang *et* Chen, 1997.

属征：头冠长度小于复眼间距离之半，中长略大于两侧长，冠缝明显，冠域有斜条纹向头前方会聚，头冠近端部处微陷，端部平坦；头部前缘具数条横隆线；单眼缘生，远离复眼；颜面宽大于长；触角细长，位于复眼前上角，触角窝深，扩展到额唇基；额唇基区微隆起；前唇基两侧弧形内凹，端部扩大；舌侧板大；前胸背板前缘突出，侧缘较短，后缘近平直，微凹入，前端 1/3 具不规则微隆起，后端 2/3 具横条纹；小盾片三角形，与前胸背板等长；前翅具 4 个端室，3 个端前室；前足胫节背面刚毛式 1 + 4，后足腿节端部刚毛式 2 + 2 + 1；雄虫尾节侧瓣具突起或内突，生殖瓣近梯形；连索"Y"形；阳茎背腔较发达，端干简单，有或无突起；阳茎口位于干端部。

分布：中国。目前已知 5 种，秦岭地区分布 1 种。

(68) 中华管茎叶蝉 *Fistulatus sinensis* Zhang, 1997（图 68）

Fistulatus sinensis Zhang, 1997: 237.

鉴别特征：体长 7 ~ 8mm。体黄褐色，头部略宽于前胸背板；头冠光滑，前端弧形突出，有模糊的纵向条纹向头前会聚，头部近前缘横向下陷，其两侧各有 1 枚褐斑，中部亦有 2 枚横向条斑，有时较模糊；复眼黑褐色；头部前缘具数条横隆线；单眼黄色，缘生，距复眼一段距离；颜面宽大于长，端部近角状，触角长，第 2 节黑色，位于复眼上角处，触角窝深，扩展到额唇基；额唇基微隆起，侧缘近触角处收狭；前唇基中部收狭，端部膨大；舌侧板大；颊区侧缘收狭，基部在复眼下方凹陷。前胸背板在复眼后方有 3 枚褐色小点横向排列，后端 2/3 具横条纹；小盾片黄褐色或浅褐色，盾间沟两端及盾片端部各有 1 个污黄色斑点。前翅浅褐色，半透明，翅脉褐色，爪脉及爪片端部各有 1 个褐色斑点；体腹面及足黄色。雄虫尾节侧瓣上着生 4 ~ 5 根大刚毛，沿侧瓣后腹缘有 1 个骨化突起，突起基部内缘有 1 个小的齿状突；第 10 腹节较长，筒状；下生殖板近三角形，端部膜质扩展；生殖瓣后缘中部角状突出，前缘凹入，阳基侧突近端部有侧突，连索短小；阳茎背腔突较长，指向背方，阳茎干细管状，中部两侧各有 1 个细小的基向突起，阳茎口位于阳茎端部。

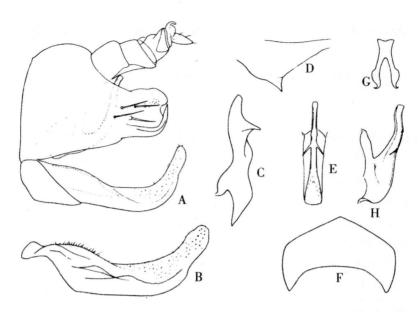

图68　中华管茎叶蝉 *Fistulatus sinensis* Zhang(仿张雅林等, 1997)

A. 尾节侧瓣侧面观(pygofer, lateral view)；B. 下生殖板侧面观(subgenital plate, lateral view)；C. 阳基侧突背面观(style, dorsal view)；D. 尾节腹缘齿突后面观(the dentate ventral process, posterior view)；E. 阳茎后面观(aedeagus, posterior view)；F. 生殖瓣腹面观(valve, ventral view)；G. 连索背面观(connective, dorsal view)；H. 阳茎侧面观(aedeagus, lateral view)

采集记录：3♂(NWAFU)，太白保护区管理站，Ⅷ.14，灯诱；1♀(NWAFU)，太白山，1989.Ⅶ.20，田润刚采；1♂(NWAFU)，宁陕，1986.Ⅷ，徐卫采；1♀(IZAS)，宁陕火地塘，1580m，1998.Ⅶ.27，姚建采；4♂5♀(IZAS)，宁陕火地塘，1580m，1998.Ⅷ.14-18，袁德成采(灯诱)；1♀(NWAFU)，宁陕火地塘，1985.Ⅷ.27，刘社采；1♀(NWAFU)，宁陕火地塘，1984.Ⅷ.17，张雅林采；1♀(NWAFU)，宁陕火地塘，1986.Ⅶ，魏信平采；1♂(NWAFU)，宁陕火地塘，2000.Ⅶ.22，刘振江、戴武采；3♂2♀(NWAFU)，秦岭，1987.Ⅸ.10，周静若、王素梅采；2♀(NWAFU)，秦岭，1987.Ⅸ.10，周静若采。

分布：陕西(太白、宁陕，秦岭)、河南、甘肃。

36. 脊翅叶蝉属 *Parabolopona* Matsumura, 1912

Parabolopona Matsumura, 1912b：288. **Type species**：*Parabolocratus guttatus* Uhler, 1896.

属征：体黄色或黄绿色；头冠向前呈三角形或弧形突出，扁平，前缘檐状，具缘脊；单眼缘生，与复眼之间的距离是其自身直径的2倍；颜面宽略大于长，额唇基区狭长，唇基间缝明显；前唇基狭长，端部膨大；前胸背板横宽，宽度约为长度

的 2 倍，侧缘具隆线；小盾片与前胸背板等长；前足胫节背面刚毛式 1 +4，后足腿
节端部刚毛式 2 +2 +1。雄虫尾节侧瓣分布有数根大型刚毛和许多小刚毛；生殖瓣
三角形；下生殖板基部宽，端向收缩，端部指状；阳基侧突有较长端突，侧扁；连
索"Y"形，干部向后延伸，在中部与阳茎以膜质相连，臂短；阳茎干直或向背或腹
面弯曲，端部分叉或有成对端突或无突起；阳茎口位于干端部腹面；雌性第 2 产卵
瓣基半部愈合，端部略膨大，无基突，背齿微小，背面骨化区长或短。

　　分布：古北区，东洋区。世界现已知 9 种，我国分布有 8 种，秦岭地区分布
2 种。

分种检索表

阳茎端部具 1 对突起侧向延伸，呈鱼钩状 ················· 石原脊翅叶蝉 *P. ishihari*
阳茎端部具 1 对突起端向延伸，呈二叉状 ················· **华脊翅叶蝉 *P. chinensis***

(69) 华脊翅叶蝉 *Parabolopona chinensis* Webb，1981（图 69）

Parabolopona chinensis Webb, 1981：45.

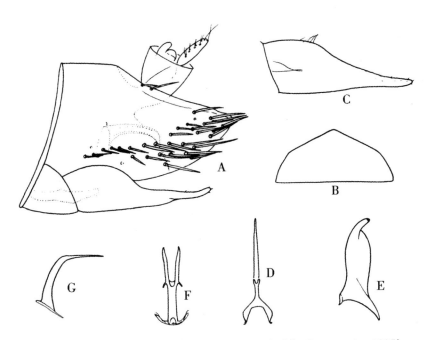

图 69　华脊翅叶蝉 *Parabolopona chinensis* Webb（仿 Zhang *et al*.，1995）

A. 尾节侧瓣侧面观（pygofer, lateral view）；B. 生殖瓣腹面观（valve, ventral view）；C. 下生殖板腹面观（subgeni-
tal plate, ventral view）；D. 连索背面观（connective, dorsal view）；E. 阳基侧突腹面观（style, ventral view）；F. 阳
茎背面观（aedeagus, dorsal view）；G. 阳茎侧面观（aedeagus, lateral view）

　　鉴别特征：头冠叶状向前伸出，触角着生于上角。雄虫尾节侧瓣端部尖，前缘无突起，着生数根大刚毛；生殖瓣近三角形，端部钝尖；连索端部突起向后伸出，端向渐细；阳茎与连索近中域膜质相连，阳茎干端部叉状突起，强烈腹向弯曲，突起的基部各具 1 个小侧突；阳茎口位于端部分叉处。

　　分布：陕西（秦岭）、湖北、四川。

　　注：Webb（1981）依据雄性（正模，湖北省、四川省的交界，Mo-Tai-chi、Sang-Hou-Ken，1948. Ⅶ. 19，Gressitt & Djou 诱，CAS，San Francisco）建立该种；张雅林等（1995）对中国分布的脊翅叶蝉属作了研究，并描记此种。

（70）石原脊翅叶蝉 *Parabolopona ishihari* **Webb，1981**（图 70）

Parabolopona ishihari Webb，1981：45.

　　鉴别特征：尾节侧瓣端向渐细，前缘无突起；生殖瓣近三角形，端部圆；连索端部突起细直，与主干膜质相连；阳茎干粗短，伸出较直，顶端具 1 对指向腹缘的长突，后面观突起向两侧伸出，趋向分离，基腔发达；阳茎口大，位于顶端腹面。

　　分布：陕西（秦岭）、北京、湖南、海南、广西、云南；日本。

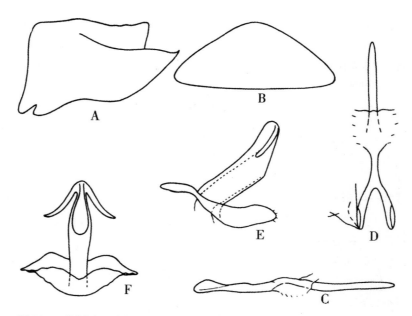

图 70　石原脊翅叶蝉 *Parabolopona ishihari* Webb（仿 Zhang *et al.*，1995）

A. 尾节侧瓣侧面观（pygofer，lateral view）；B. 生殖瓣腹面观（valve，ventral view）；C. 连索侧面观（connective，lateral view）；D. 连索背面观（connective dorsal view）；E. 阳茎侧面观（aedeagus，lateral view）；F. 阳茎后面观（aedeagus，posterior view）

(八) 小叶蝉亚科 Typhlocybinae

鉴别特征：体小，纤弱。单眼有或无，一般位于头部前缘。前翅基部翅脉消失，除端横脉外基半部再无横脉，翅中域无翅室，端部具 4 个翅室，多数种类前翅无端片，在前缘常有 1 卵圆形蜡质区；后翅有周缘脉，根据其伸达位置不同做为最为重要的族的鉴别特征。雄虫外生殖器发达。

分类：世界各大动物地理区系均有分布。全世界已知 6 族 440 属，中国记载 6 族 125 属，陕西秦岭地区发现 6 族 36 属 85 种。

分族检索表

1. 前翅有端片 ································· 眼小叶蝉族 Alebrini
   前翅无端片 ·· 2
2. 后翅各脉终止于周缘脉，周缘脉至少伸达 R + M 脉端部 ··············· 3
   后翅纵脉伸达翅端，周缘脉不超过 CuA 脉 ·························· 4
3. 后翅周缘脉延伸超过 R + M 脉端部，CuA 脉 2 分支 ······· 叉脉叶蝉族 Dikraneurini
   后翅周缘脉延伸到达但不超过 R + M 脉端部 ············· 小绿叶蝉族 Empoascini
4. 前翅 MP″ + CuA′(第 1 端脉) 指向后缘，后翅第 1、2 臀脉端部分离 ····· 5
   前翅 MP″ + CuA′(第 1 端脉) 伸达翅端或弯向前缘，后翅第 1、2 臀脉完全愈合 ·········
   ·································· 斑叶蝉族 Erythroneurini
5. 后翅只有 2 或 3 条横脉，周缘脉与 CuA 脉间有横脉相连 ·········· 小叶蝉族 Typhlocybini
   后翅只有 1 条横脉，周缘脉直接连于 CuA 脉中部 ·············· 塔叶蝉族 Zyginellini

I . 眼小叶蝉族 Alebrini McAtee，1926

鉴别特征：体白色、淡黄色、黄色、橙色、淡褐色、褐色等，头冠通常具有黑色、褐色等斑点；有 1 对单眼，大多位于颜面与头冠交界处边缘，少数位于头冠部；前翅具缘片；后翅膜质，R 脉和 M 脉在端部不愈合，Cu_1 脉 2 分支，周缘脉末端与 R 脉相接；腹内突通常不发达，仅伸达第 3 腹节；下生殖板末端尖或圆，外缘近基部刚毛成单列或散生，近中部通常有大刚毛。

分布：世界广布。秦岭地区分布 2 属 3 种。

分属检索表(♂)

后翅周缘脉于端角处脉纹消失，不与 R 脉相接触，第一端室呈半开放状；阳茎干粗壮 ·············

··· 沙小叶蝉属 *Shaddai*

后翅周缘脉与 R 脉接触，第一端室闭合状；阳茎干细长 ·················· 眼小叶蝉属 *Alebra*

37. 眼小叶蝉属 *Alebra* Fieber，1872

Compsus Fieber，1866a：507. **Type species**：*Cicada albostriella* Fallén，1826.

Alebra Fieber，1872a：14 (new name for *Compsus* Fieber，1866).

Nesopteryx Matsumura，1913b：60. **Type species**：*Nesopteryx arisana* Matsumura，1913.

　　属征：腹内突不发达。雄虫尾节侧瓣端部近中间着生一些发丝状细长刚毛，后缘具有背突和腹突，背突上常着生一些小突起或刚毛，腹突很大，细长或宽阔。下生殖板长，明显超过尾节侧瓣末端，端部向上翻卷，其上着生很多大刚毛和一些发丝状细长的刚毛，下生殖板腹面内缘着生一些大刚毛，外缘着生一些小刚毛。阳基侧突长，端部尖锐向腹面弯曲。连索三角形或"V"形。阳茎背腔发达，阳茎干细长，稍弯向背面。阳茎口位于阳茎干末端或背面近中部。

　　分布：全北区。秦岭地区发现 2 种。

分种检索表(♂)

尾节侧瓣背突骨化，向后稍突出 ································· 淡色眼小叶蝉 *A. pallida*

尾节侧瓣背突骨化，向背面延伸 ································· 鹅耳眼小叶蝉 *A. neglecta*

(71) 淡色眼小叶蝉 *Alebra pallida* Dworawska，1968(图 71)

Alebra pallida Dworawska，1968d：565.

　　鉴别特征：雄虫尾节侧瓣形状不规则，周边固化程度高，端部近中间着生一些发丝状细长刚毛，背突向后稍突出，其上着生一些小刚毛，腹突长而宽阔。下生殖板端部向上翻卷，翻卷背面部着生很多大刚毛，下生殖板腹面内缘着生一些大刚毛，外缘着生一些小刚毛。阳基侧突长，中部膨大，端部尖锐向腹面弯曲。连索近三角形。阳茎背腔发达，片状较厚，阳茎干细长，稍弯向背面。阳茎口位于阳茎干背面近中部。

　　采集记录：2♂5♀，紫阳，1981. V. 16，马宁采。

　　分布：陕西(紫阳)；俄罗斯，朝鲜，韩国。

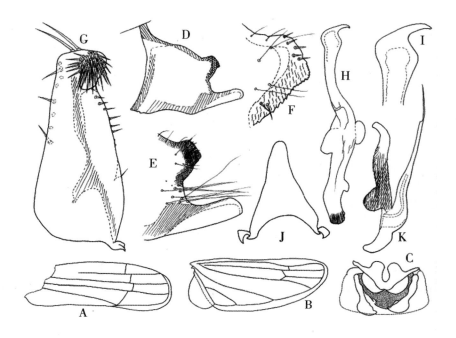

图 71　淡色眼小叶蝉 *Alebra pallida* Dworawska

A. 前翅(forewing)；B. 后翅(hindwing)；C. 腹内突(abdominal apodemes)；D. 雄虫尾节侧瓣侧面观(male pygofer side, lateral view)；E. 雄虫尾节侧瓣后缘(hind part of male pygofer)；F. 雄虫尾节侧瓣后背角(caudo-dorsal angle of male pygofer)；G. 下生殖板(subgenital plate)；H. 阳基侧突(style)；I. 阳基侧突端部(apex of style)；J. 连索(connective)；K. 阳茎侧面观(aedeagus, lateral view)

(72) 鹅耳眼小叶蝉 *Alebra neglecta* Wagner, 1940 (图 72)

Alebra neglecta Wagner, 1940a: 112.

鉴别特征： 雄虫尾节侧瓣形状不规则，周边固化程度高，端部近中间着生数根发丝状细长刚毛，背突角状向背面突出，其上着生一些小刚毛和一些小突起，腹突长而宽阔。下生殖板端部向上翻卷，翻卷背面部着生很多大刚毛和一些发丝状细长刚毛，下生殖板腹面内缘着生一些大刚毛，外缘着生一些小刚毛。阳基侧突长，中部膨大，端部尖锐向腹面弯曲。连索三角形。阳茎背腔发达，片状较厚，阳茎干细长，稍弯向背面。阳茎口位于阳茎干背面近中部。

采集记录： 3♀，南五台，1980.Ⅵ.25，马宁采。

分布： 陕西(长安)、河北、甘肃；俄罗斯，日本，哈萨克斯坦，欧洲。

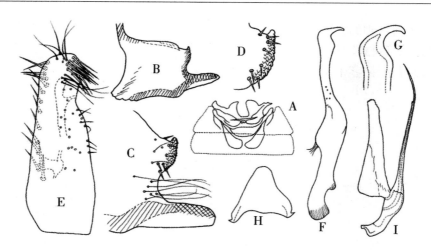

图 72　鹅耳眼小叶蝉 *Alebra neglecta* Wagner

A. 腹内突（abdominal apodemes）；B. 雄虫尾节侧瓣侧面观（male pygofer side, lateral view）；C. 雄虫尾节侧瓣后缘（hind part of male pygofer）；D. 雄虫尾节侧瓣背突（caudo-dorsal angle of male pygofer）；E. 下生殖板（subgenital plate）；F. 阳基侧突（style）；G. 阳基侧突端部（apex of style）；H. 连索（connective）；I. 阳茎侧面观（aedeagus, lateral view）

38. 沙小叶蝉属 *Shaddai* Distant, 1918

Shaddai Distant, 1918b：15. **Type species**：*Shaddai typicus* Distant, 1918.

Sinalebra Zachvatkin, 1936a：16. **Type species**：*Shaddai hummeli* Zachvatkin, 1936.

属征：腹内突不发达。雄虫尾节侧瓣近三角形或近四边形，有腹突或无，后缘部着生一些刚毛。下生殖板长于尾节侧瓣，向端部渐细，腹面内缘部着生 1 行粗大刚毛，外缘部着生一些小刚毛和齿突，或着生一些长而纤细的刚毛。阳基侧突长，端部钩状。连索"Y"形或"V"形。阳茎背腔很发达，阳茎干细长或粗短，向端部尖细。阳茎口位于阳茎干末端。

分布：东洋区。秦岭地区发现 1 种。

(73) 陕西沙小叶蝉 *Shaddai shaanxiensis* Chou et Ma, 1981（图 73）

Shaddai shaanxiensis Chou et Ma, 1981：191.

Shaddai xianensis Chou et Ma, 1981：192.

鉴别特征：腹内突不发达，不超过第 3 腹节。雄虫尾节侧瓣末端呈三角形，后缘中部有 1 个向后的角状突起，上缘中部至角突上有一些小刚毛。下生殖板长于尾节侧瓣，内缘中部至端部着生 1 行粗大刚毛，端部散生一些纤细小刚毛，外缘中后部至端部着生 1 行纤细的大刚毛。阳基侧突长，中部稍膨大，端部钩状。连索"V"形。阳茎背腔发达，背腔形态有变化，前腔较发达，阳茎干较粗，距端部 1/2 处向端部渐细。阳茎口位于阳茎干末端。

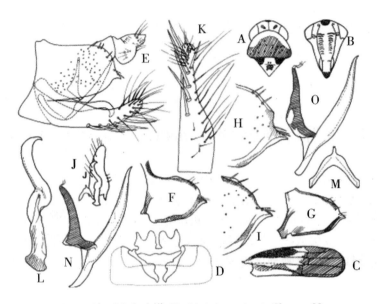

图 73　陕西沙小叶蝉 *Shaddai shaanxiensis* Chou *et* Ma

A. 头胸部背面观(head and thorax, dorsal view)；B. 颜面(face)；C. 前翅(forewing)；D. 腹内突(abdominal apodemes)；F, G. 雄虫尾节侧瓣侧面观(male pygofer side, lateral view)；H, I. 雄虫尾节侧瓣后缘(hind part of male pygofer)；J. 阳基侧突、连索及下生殖板(style, connective and subgenital plate)；K. 下生殖板(subgenital plate)；L. 阳基侧突(style)；M. 连索(connective)；N, O. 阳茎侧面观(aedeagus, lateral view)；G, I, N. 四川标本(specimen from Sichuan Prov.)；F, H, O. 陕西标本(specimen from Shaanxi Prov.)

采集记录：6♂2♀，南五台，1980. Ⅴ.15，马宁采；2♂8♀，南五台，1980. Ⅵ. 25，马宁采；2♂3♀，南五台，1980. Ⅹ.13，马宁采；1♀，南五台，1980. Ⅹ.31，马宁采；1♂1♀，周至田峪，1951. Ⅹ.27；1♀，太白山蒿坪寺，1982. Ⅵ.05，王迷采；1♀，太白山中山寺，1500m，1982. Ⅶ.17；1♀，太白山蒿坪寺，1200m，1982. Ⅹ.04；1♂，太白山蒿坪寺，1200m，1982. Ⅹ.08；1♂1♀，太白山骆驼寺，2100m，1983. Ⅴ. 29；1♀，太白山骆驼寺，2100m，1983. Ⅵ.06；2♀，太白桃川镇，1100m，2009. Ⅵ. 14，亢菊侠、高霞采；4♂8♀，太白桃川镇，1100m，2009. Ⅵ.16，亢菊侠、高霞采；2♂ 7♀，太白桃川镇，1100m，2009. Ⅵ.17，亢菊侠、高霞采；5♂5♀，华山，1983. Ⅸ.30，陆晓林等采；2♂，留坝，1980. Ⅹ.06，马宁采；4♂，佛坪，1981. Ⅴ.18，马宁采；1♂，佛坪，890m，2008. Ⅸ.30，肖斌采；1♀，宁陕火地塘，1984. Ⅶ.03，张雅林采；2♀，宁陕火地塘，1984. Ⅶ.08，张雅林采；2♂2♀，宁陕火地塘，1984. Ⅷ.14，张雅林采；4♂11♀，宁陕火地塘，1985. Ⅵ.15，李金舫采；1♂1♀，宁陕火地塘，1998. Ⅵ.05，杨玲环采；1♂，宁陕旬阳坝，1995. Ⅷ.25，张文珠、任立云采；1♀，宁陕旬阳

坝，1995.Ⅷ.26，张文珠、任立云采；2♂，宁陕旬阳坝，1995.Ⅷ.27，张文珠、任立云采；3♂7♀，宁陕旬阳坝，1998.Ⅵ.06，杨玲环采；1♂，秦岭，1980.Ⅹ.01，周静若采；11♂4♀，秦岭天台，1200～1900m，1999.Ⅸ.03，Dworawska 采；2♂2♀，镇安，1981.Ⅴ.13，马宁采。

分布：陕西（长安、周至、太白、华阴、留坝、佛坪、宁陕、镇安、安康）、北京、宁夏、甘肃、四川。

Ⅱ. 叉脉叶蝉族 Dikraneurini McAtee, 1926

鉴别特征：体白色、淡黄色、黄色、橙色、淡褐色、褐色等，头冠通常具有黑色、褐色等斑点。后翅膜质，第 1、2 臀脉完全愈合或不愈合，Cu_1 脉 2 分支，周缘脉超过 R + MP 脉，末端在翅近中部与 C 脉或 MP 脉相接；腹内突通常很发达，伸达第 4 或第 5 腹节；下生殖板末端尖或圆，外缘近基部刚毛成单列或散生，近中部通常有大刚毛。

分布：世界广布。秦岭地区发现 3 属 3 种。

分属检索表(♂)

1. 前翅 MP″ + CuA′脉不伸达翅缘 ·· 迪克小叶蝉属 *Dicraneurula*
   前翅 MP″ + CuA′脉伸达翅缘 ··· 2
2. 连索缺失；阳茎干无突起 ·· 燕尾小叶蝉属 *Forcipata*
   连索与阳茎基部相关键；阳茎干有突起 ····································· 叉脉小叶蝉属 *Dikraneura*

39. 迪克小叶蝉属 *Dicraneurula* Vilbaste, 1968

Dicraneurula Vilbaste, 1968a: 79. **Type species**: *Dicraneurula silvicola* Vilbaste, 1968.

属征：腹内突不发达。雄虫尾节侧瓣宽而短。下生殖板超过尾节侧瓣末端，端部近方形，端部靠近内缘有 1 个大的突起，指向背面，外缘基部着生几根大刚毛。阳基侧突宽阔，有端前突。连索中突发达，两臂长。阳茎简单，端部尖细。阳茎口位于阳茎干末端。

分布：中国；俄罗斯，韩国。秦岭地区发现 1 种。

(74) 迪克小叶蝉 *Dicraneurula exigua*（Vilbaste, 1968）（图 74）

Dicraneura exigua Vilbaste, 1968a: 78.

Dicraneurula silvicola Vilbaste, 1968a: 80.

Dicraneurula exigua：Anufriev，1978a：76.

Togaricrania Huanglongensis Chou *et* Ma，1981：193.

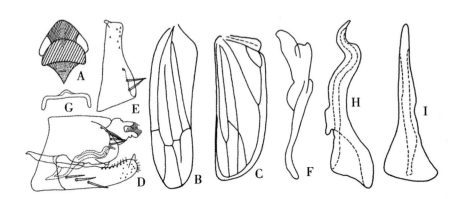

图 74　迪克小叶蝉 *Dicraneurula exigua*（Vilbaste）

A. 头冠、前胸背板和小盾片背面观（crown, pronotum and scutellum, dorsal view）；B. 前翅（forewing）；C. 后翅（hindwing）；D. 生殖荚侧面观（genital capsule, lateral view）；E. 下生殖板（subgenital plate）；F. 阳基侧突（style）；G. 连索（connective）；H. 阳茎侧面观（aedeagus, lateral view）；I. 阳茎腹面观（aedeagus, ventral view）

鉴别特征：雄虫尾节侧瓣端部钝圆，着生 1 行大刚毛。下生殖板超过尾节侧瓣末端，端部近方形，端部靠近内缘有 1 个大的突起，指向背面，外缘基部着生 3 根大刚毛。阳基侧突端部近三角形，端前突大，侧缘不平直。连索中突发达，两臂细长，两端弯曲呈直角。阳茎侧面观波浪状弯曲，端部尖细，基部宽阔。阳茎口位于阳茎干末端。

采集记录：1♀，南五台，1980.Ⅵ.25，马宁采（*Togaricrania huanglongensis* Chou *et* Ma，1981 的模式标本）。

分布：陕西(长安)；俄罗斯，韩国。

40. 叉脉小叶蝉属 *Dikraneura* Hardy，1850

Dikraneura Hardy，1850a：423. **Type species**：*Dikraneura variata* Hardy，1850.

属征：腹内突简单或发达，一般伸达第 3 至第 5 腹节。雄虫尾节侧瓣端部常具 1 个指状突起。下生殖板宽阔，端部钝圆，腹面外缘常着生 1 行大刚毛，并伴生数根小刚毛。阳基侧突宽阔，端部细，具端前突。连索"U"形或"Y"形。阳茎背腔发达，阳茎干长，近基部、中部或端部常具突起。阳茎口位于阳茎干末端或腹面。

分布：古北区，东洋区，新热带区，非洲区，澳洲区。秦岭地区发现 1 种。

（75）东方叉脉小叶蝉 *Dikraneura*（*Dikraneura*）*orientalis* Dworakowska，1993（图75）

Dikraneura orientalis Dworakowska，1993：154.

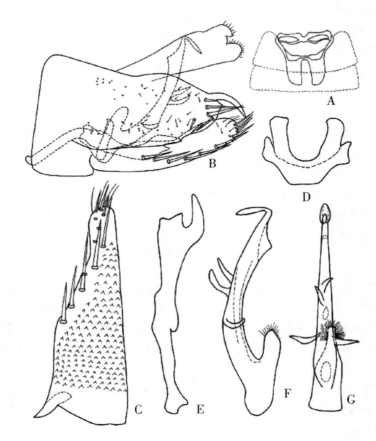

图75　东方叉脉小叶蝉 *Dikraneura*（*Dikraneura*）*orientalis* Dworakowska

A. 腹内突（abdominal apodemes）；B. 生殖荚侧面观（genital capsule，lateral view）；C. 下生殖板（subgenital plate）；
D. 连索（connective）；E. 阳基侧突（style）；F. 阳茎侧面观（aedeagus，lateral view）；G. 阳茎后面观（aedeagus，
posterior view）

鉴别特征： 腹内突较发达，伸达第4腹节。雄虫尾节侧瓣基部略宽，端部有1较长指状突起，端部着生3根大刚毛，近端部区域着生一些小刚毛。下生殖板基部宽阔，端半部狭窄，端部钝圆，腹面布满齿突，端部着生一些较大刚毛，中部着生1行大刚毛。阳基侧突较细，端部渐细，端前突片状。连索"U"形，两臂端部二分叉状。阳茎背腔发达，阳茎干较细，端部、腹面近基部及腹面近中部各有1对较短突起，阳茎干亚端部背面也有1个角状突起。阳茎口位于阳茎干腹面近中部。

采集记录： 1♀，南五台，1980.Ⅹ.13，马宁采；3♀，周至楼观台，1983.Ⅸ.15，张雅林采；1♀，太白山蒿坪寺，1200m，1983.Ⅴ.11；1♂3♀，太白山蒿坪寺，

1200m，1983.Ⅵ.13；1♀，太白山蒿坪寺，1200m，1983.Ⅶ.17；1♂，太白山蒿坪寺，1200m，1982.Ⅷ.18，赵晓明采；1♀，太白山中山寺，1500m，1982.Ⅶ.17，周静若、刘兰采；25♂16♀，太白山骆驼寺，2100m，1983.Ⅴ.26；6♂8♀，太白山大殿，2300m，1983.Ⅴ.27；1♂，太白山骆驼寺，2100m，1983.Ⅴ.27；8♂5♀，太白山骆驼寺，2100m，1983.Ⅴ.28；1♂，太白山蒿坪寺，1200m，1983.Ⅴ.28；16♂9♀，太白山骆驼寺，2100m，1983.Ⅴ.29；1♂，太白山骆驼寺，2100m，1983.Ⅴ.30；3♂8♀，太白山骆驼寺，2100m，1983.Ⅵ.02；24♂10♀，太白山骆驼寺，2100m，1983.Ⅵ.06；2♂3♀，太白山大殿，2300m，1983.Ⅵ.06；2♂3♀，太白山骆驼寺，2100m，1983.Ⅵ.17；2♂2♀，太白山骆驼寺，2100m，1983.Ⅵ.21；3♀，太白桃川镇，1100m，2009.Ⅵ.14，亢菊侠、高霞采；8♀，太白桃川镇，1100m，2009.Ⅵ.16，亢菊侠、高霞采；19♀，太白桃川镇，1100m，2009.Ⅵ.17，亢菊侠、高霞采；2♀，凤县，1980.Ⅴ.06，采集人不详；21♂23♀，华山，1983.Ⅸ.30，陆晓林等采；1♂，秦岭，1980.Ⅳ.08；2♀，秦岭，1980.Ⅴ.08，采集人不详；1♂，秦岭，1980.Ⅹ.01，周静若采；34♂33♀，秦岭天台山，1900m，1999.Ⅸ.03，Dworakowska 采；1♀，留坝，1980.Ⅹ.04，马宁采；2♂4♀，留坝，1980.Ⅹ.06，马宁采；♂，宁陕旬阳坝，1985.Ⅷ.25，张文珠、任立云采；1♂2♀，宁陕旬阳坝，1985.Ⅷ.27，张文珠、任立云采；4♂8♀，火地塘，1984.Ⅷ.14，张雅林采；2♂4♀，镇安，1983.Ⅴ.13，马宁采。

分布：陕西（长安、周至、凤县、太白、华阴、留坝、宁陕、镇安、宁强）、河南、浙江、台湾、四川、云南；日本。

41. 燕尾小叶蝉属 *Forcipata* DeLong *et* Caldwell，1936

Forcipata DeLong *et* Caldwell，1936a：70. **Type species**：*Forcipata loca* DeLong *et* Caldwell，1936.

属征：腹内突短小或发达。雄虫尾节侧瓣宽阔，较短。下生殖板长，钳状，腹面常具刚毛，端部渐细或钝圆，或者端部具1个突起呈两裂瓣状，有些种类齿状突起位于下生殖板亚端部或中部。阳基侧突较长，中部加宽，基部较宽，端部渐细。连索缺失。阳茎长，背腔和前腔不发达，阳茎干基部宽阔，端部渐细，弯向背面。阳茎口位于阳茎干末端。

分布：古北区，东洋区，新北区，澳洲区。秦岭地区发现1种。

(76)柠檬燕尾小叶蝉 *Forcipata citrinella*（Zetterstedt，1828）（图76）

Cicada citrinella Zetterstedt，1828：536.

Typhlocyba citrinella：Herrich-Schäffer，1834：2.

Cicadula citrinella：Zetterstedt，1840：299.

Cicadula gracilis Zetterstedt，1840：299.

Eupteryx citrinellus Bold, 1866: 207.

Notus citrinellus Sahlberg, 1871: 34.

Dicranoneura citrinella: Douglas, 1875: 27.

Erythria citrinella Fieber, 1884: 44.

Dicranoneura similis Edwards, 1885: 229.

Dikraneura (*Dikraneura*) *citrinella*: Puton, 1886: 87.

Empoasca citrinella Kontkanen, 1950: 64.

Forcipata citrinella: Fischer, 1952: 112.

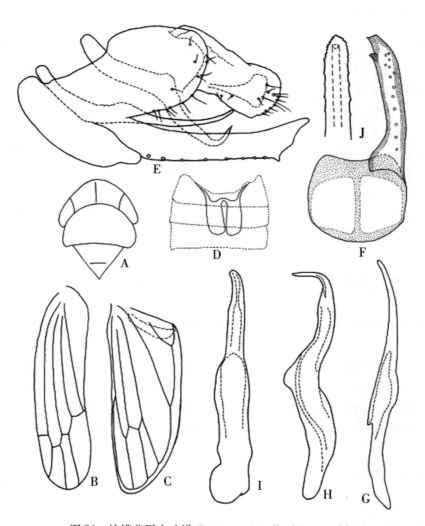

图 76　柠檬燕尾小叶蝉 *Forcipata citrinella*（Zetterstedt）

A. 头胸部背面观（head and thorax, dorsal view）；B. 前翅（forewing）；C. 后翅（hindwing）；D. 腹内突（abdominal apodemes）；E. 生殖荚侧面观（genital capsule, lateral view）；F. 下生殖板和生殖瓣腹面观（subgenital plate and valve, ventral view）；G. 阳基侧突腹面观（style, ventral view）；H. 阳茎侧面观（aedeagus, lateral view）；I. 阳茎腹面观（aedeagus, ventral view）；J. 阳茎端部（apex of aedeagus）

鉴别特征：腹内突发达，伸达第 5 腹节。雄虫尾节侧瓣宽阔，端部钝圆，端缘处着生数根小刚毛。下生殖板钳状，较长，约为生殖瓣的 1.50 倍，端部渐细，亚端部内侧有 1 个齿状突，腹面着生 1 行刚毛。阳基侧突如属征。阳茎干长，前端伸出生殖瓣外，后端端部渐细，弯向背面，顶端钝圆，锯齿状。阳茎口位于阳茎干末端。

采集记录：1♀，紫阳，1973.Ⅷ.13，路进生、张兴、裴敬献采；1♂1♀，西乡，2009.Ⅷ.25，秦道正采。

分布：陕西（紫阳、西乡）、河北；俄罗斯，蒙古，韩国，哈萨克斯坦，乌兹别克斯坦，塔吉克斯坦，北美洲，欧洲。

Ⅲ．小绿叶蝉族 Empoascini Haupt，1935

鉴别特征：单眼发达；前翅无端片，后翅周缘脉伸达但不超过 RP + MP′脉端部；肛管基部有 1 对突起，阳基侧突无端前突。

分布：广泛分布于世界各大动物地里区。世界已知 85 属 20 亚属 1100 余种，中国已记载 37 属 7 亚属 196 种。秦岭地区发现 13 属 2 亚属 39 种。

分属检索表(♂)

11. 肛突端部常具齿。阴茎背突发达，阴茎端部有 1 个长端 ············ 偏茎叶蝉属 *Asymmetrasca*

　　 肛突端部常无齿。阳茎背突多不发达，阳茎端部一般无长突 ··········· 小绿叶蝉属 *Empoasca*

12. 阳基侧突端部强烈扭曲，尾节突端部分二叉 ····················· 雅氏叶蝉属 *Jacobiasca*

　　 阳基侧突端部微扭曲，尾节突端部不分叉 ····················· 芒果叶蝉属 *Amrasca*

42. 长柄叶蝉属 *Alebroides* Matsumura，1931

Alebroides Matsumura，1931b：68. **Type species**：*Alebroides marginatus* Matsumura，1931.

属征：头冠前缘弧形突出，前后缘近平行；中长小于复眼间宽，冠缝明显，有单眼；颜面略狭，额唇基区略隆起。前胸背板中长约为头冠中长的 2 倍，胸宽大于或等于头宽。前翅 RP 与 MP′脉基部共柄，源于 r 室，致第 3 端室呈三角形，MP″+CuA′脉源于 m 室，c 室与 r 室几等宽，皆窄于 m 室与 cua 室，后翅 CuA 脉端部分二叉，分叉点在 CuA 脉和 MP″交叉点或位于其基部。腹内突发达。雄虫尾节侧瓣端部着生小刚毛，有尾节突；下生殖板明显超过尾节端部，端部向背上方弯曲，4 种类型的刚毛均存在，侧面 2 列大刚毛尖锐，至端部呈单列。阳基侧突与尾节侧瓣几乎等长，端半部长，近端部有细刚毛及齿突。阳茎前腔发达，无背腔；连索片状；肛突发达。

分布：古北区，东洋区，澳洲区。我国已知 27 种，秦岭地区分布 8 种。

分种检索表(♂)

1. 阳茎侧观呈匙状 ······························· 德氏长柄叶蝉 *A. dworakowska*

　　 阳茎不如上述 ··· 2

2. 肛突分叉 ······································· 叉突长柄叶蝉 *A. similis*

　　 肛突不分叉 ··· 3

3. 尾节突波曲 ······························· 杨凌长柄叶蝉 *A. yanglinginus*

　　 尾节突弧形弯曲 ··· 4

4. 阳茎干基腹面有突起 ······························· 柳长柄叶蝉 *A. salicis*

　　 阳茎干基腹面无突起 ··· 5

5. 阳茎侧观几乎等宽 ······························· 异长柄叶蝉 *A. discretus*

　　 阳茎侧观阳茎干明显宽于前腔 ··· 6

6. 尾节突端部有横刻纹 ······················· 陕西长柄叶蝉 *A. shaanxiensis*

　　 尾节突端部无横刻纹 ··· 7

7. 肛突侧观端部波曲 ······························· 波纹长柄叶蝉 *A. sinuatus*

　　 肛突侧观端部镰刀状 ······························· 镰长柄叶蝉 *A. falcatus*

(77) 德氏长柄叶蝉 *Alebroides dworakowskae* **Chou** *et* **Zhang, 1987**（图 77）

Alebroides dworakowskae Chou et Zhang, 1987：291.

鉴别特征：体长3.50～4.00mm。体色变化大，雌虫颜色浅淡，雄虫颜色较深，头胸部背面浅黄色、橙黄色至黄褐色，头前缘单眼间色较深，有些个体触角颜色较深。前胸背板中后域浅黄色半透明至黄褐色；盾片及小盾片浅黄色至黄褐色，有些个体盾片中央和小盾片乳黄白色；前翅半透明，白色至烟褐色。有些个体色深，黄色与褐色相间，颜面唇基间缝、唇基缝、舌侧板缝、额缝及前胸背板下侧缘深褐色，颜面其余部分、胸足、腹部腹面中域浅黄色；前胸背板、小盾片、腹部背面深褐色；也有的个体前翅基半部透明，端半部烟褐色。腹突较发达。雄虫尾节突侧观端部向背上方弯曲，背腹面观宽扁，端部两侧具细齿；下生殖板端部1/3向上弯曲，基部2/3平直；连索近梯形，后缘中央凹入，两侧微向内弯曲；阳茎发达，匙状，基干细长，中段膨大呈半球形，半球向背面凸起，端部细短；肛突简单，中度发达，向末端渐尖。

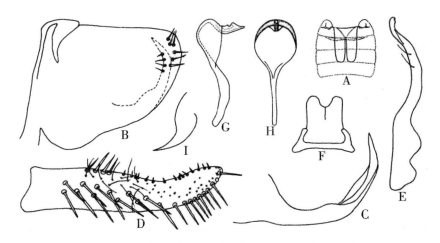

图77　德氏长柄叶蝉 *Alebroides dworakowskae* Chou et Zhang

A. 腹内突（abdominal apodemes）；B. 雄虫尾节侧瓣侧面观（male pygofer, lateral view）；C. 尾节突（pygofer appendage）；D. 下生殖板（subgenital plate）；E. 阳基侧突（style）；F. 连索（connective）；G. 阳茎侧面观（aedeagus, lateral view）；H. 阳茎腹面观（aedeagus, ventral view）；I. 肛突（anal appendage）

采集记录：2♂10♀，南五台，1980. V.15，周尧、向龙成采；1♂1♀，凤县，1984. V.07，赵晓明采；1♂，凤县，1980. Ⅷ，孙宏采；3♂，凤县天台山，1998. Ⅵ.09，采集人不详；5♂55♀，太白山大殿，1983. V.27，陕西省太白山昆虫考察组采；1♀，太白山上白云，1800m，1983. Ⅵ.07；6♀，太白山蒿坪寺，1200m，1983. Ⅵ.13；1♂，太白山，2300m，1983. V.27，陕西省太白山昆虫考察组采；1♂，太白山，1200m，1983. V.11，陕西省太白山昆虫考察组采；1♂，太白山，1800m，1983. Ⅵ.07，陕西省太白山昆虫考察组采；2♂，太白山，2100m，1983. V.28，陕西省太白山昆虫考察组采；1♂，太白山，2100m，1983. V.29，陕西省太白山昆虫考察组采；

1♂，太白山，2100mm，1983.Ⅵ.02，陕西省太白山昆虫考察组采；2♂，太白山，1983.
Ⅴ.30，陕西省太白山昆虫考察组采；1♂，太白山，1982.Ⅹ.08，陕西省太白山昆虫考察组
采；2♂，太白山，1983.Ⅵ.02-07，陕西省太白山昆虫考察组；14♂37♀，1980.Ⅸ.13；2♀，
1980.Ⅵ.25，马宁采；1♂6♀，留坝，1980.Ⅹ.06，马宁采；1♂6♀，留坝，1980.Ⅴ.06，向龙
成、马宁采；1♂1♀，1980.Ⅹ.01，王素梅采；2♂，1995.Ⅶ.26；3♂11♀，1995.Ⅶ.27；1♂
2♀，留坝，1995.Ⅶ.18，张文珠、任立云采；1♂，镇巴，1980.Ⅳ.28，魏建华采；1♂，镇巴，
1980.Ⅳ.29；1♂，宁陕火地塘林场，1984.Ⅷ.01，张雅林采；1♀，采集信息同前；9♂6♀，
同前；6♀3♂，宁陕火地塘，1985.Ⅵ.15，李金舫采；9♂3♀，华山，1983.Ⅸ.30，陆晓林
采；10♂6♀，宁陕火地塘，1984.Ⅷ.14，张雅林采；13♂6♀，宁陕旬阳坝，1998.Ⅵ.06，杨
玲环采；1♂3♀，宁陕旬阳坝，1995.Ⅶ.25；1♀，宝鸡，1400m，1973.Ⅹ.13，周尧、卢筝、田
畴采；2♂3♀，秦岭，1987.Ⅸ.10，柴永辉采；1♀，秦岭，1980.Ⅴ.08，采集人不详；1♂
1♀，秦岭，1980.Ⅹ.01，王素梅采；1♂，石泉，1984.Ⅳ.26；7♂，1983.Ⅴ.11-30；2♀，旬
阳，1980.Ⅳ.24；1♀，镇安，1981.Ⅴ.13。

分布：陕西（长安、宝鸡、华阴、留坝、镇巴、宁陕、石泉、旬阳、镇安、紫阳、安康）、甘
肃、湖北、湖南、广西、云南。

(78) 杨凌长柄叶蝉 *Alebroides yanglinginus* Chou et Zhang，1987（图78）

Alebroides yanglinginus Chou et Zhang，1987：290.
Alebroides taibaiensis Chou et Zhang，1987：295.

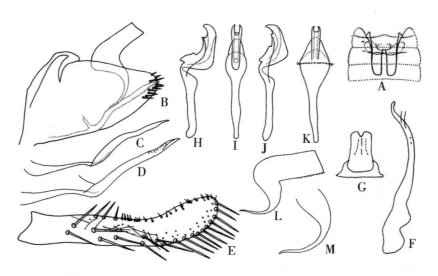

图78　杨凌长柄叶蝉 *Alebroides yanglinginus* Chou et Zhang

A. 腹内突（abdominal apodemes）；B. 雄虫尾节侧瓣侧面观（male pygofer，lateral view）；C，D. 尾节突（pygofer appendage）；E. 下生殖板（subgenital plate）；F. 阳基侧突（style）；G. 连索（connective）；H，J. 阳茎侧面观（aedeagus，lateral view）；I，K. 阳茎腹面观（aedeagus，ventral view）；L，M. 肛突（anal appendage）

鉴别特征：体长4.10mm。体浅黄色。复眼黑色；颜面中央浅黄色，侧面近白色；

盾片中央和小盾片乳黄白色；胸部腹面颜色较浅，前翅半透明，唯爪区色略深，前缘中域有1块白色网粒体区，后翅透明。胸足爪节深褐色，后足胫节胫刺基部褐色。腹突中度发达。雄虫尾节突近平直；下生殖板端部略弯向背上方；阳基侧突基部2/3微弯，其后弧形弯曲；连索近梯形，后缘中央切凹，两侧缘微向内弯曲。阳茎背腹面观两端细长，中部膨大，椭圆形，基半部基向渐尖，端半部在阳茎口处切凹，侧观端半部较粗，基半部较细，中部成拱桥状弯曲。肛突细长、弯曲，端向渐尖。

采集记录：1♂，凤县，1980.V.06；1♂1♀，秦岭，1987.IX.10，柴永辉采；1♂，太白山骆驼寺，2100m，1983.V.29，陕西省太白山昆虫考察组采。

分布：陕西（凤县，太白山）、甘肃、湖北。

（79）异长柄叶蝉 *Alebroides discretus* **Chou et Zhang，1987**（图79）

Alebroides discretus Chou et Zhang，1987：293.

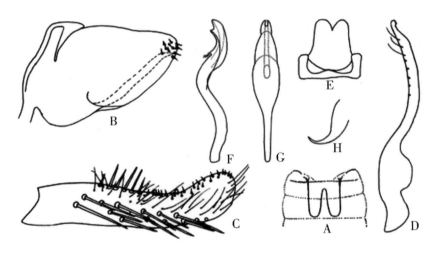

图79　异长柄叶蝉 *Alebroides discretus* Chou et Zhang

A. 腹内突（abdominal apodemes）；B. 雄虫尾节侧瓣侧面观（male pygofer, lateral view）；C. 下生殖板（subgenital plate）；D. 阳基侧突（style）；E. 连索（connective）；F. 阳茎侧面观（aedeagus, lateral view）；G. 阳茎腹面观（aedeagus, ventral view）；H. 肛突（anal appendage）

鉴别特征：体长3.80mm。全体黄色，唯胸足爪节深褐色；复眼黄褐色至深褐色；触角鞭节中段褐色，端部色浅。前胸背板中域半透明；盾片中央及小盾片乳黄白色。前翅黄色半透明，后翅透明。腹突中等发达。雄虫下生殖板端部微向上弯曲；尾节突平直，端部略膨大；连索近梯形，后缘中央深凹，两侧缘略弯曲；阳茎背腹面观基部1/3细长，中部1/3膨大呈椭圆形，端部1/3近圆锥形，阳茎侧面观细长，粗细近一致，有3道弯。肛突细长，弯曲。

采集记录：1♂，太白山骆驼寺，1983．Ⅴ．26-30，2100m，陕西省太白山昆虫考察组采；2♂3♀，采集信息同前；1♂，宁陕火地塘，1985．Ⅴ．15，李金舫采；3♂，宁东旬阳坝，1988．Ⅴ．06，杨玲环采；1♂，宁陕，1984．Ⅷ．04；1♂，太白山，1981．Ⅶ．14，采集人不详。

分布：陕西(太白山，宁陕)、甘肃、湖北、广西、四川。

(80)镰长柄叶蝉 *Alebroides falcatus* Sohi *et* Dworakowska，1979(图80)

Alebroides falcatus Sohi *et* Dworakowska，1979：369.

Alebroides qinglingnus Chou *et* Zhang，1987：294.

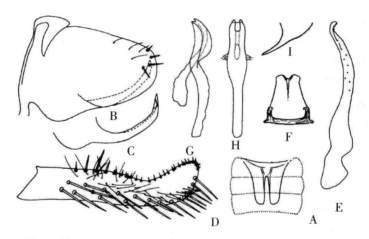

图80　镰长柄叶蝉 *Alebroides falcatus* Sohi *et* Dworakowska，1979
A. 腹内突(abdominal apodemes)；B. 雄虫尾节侧瓣侧面观(male pygofer, lateral view)；C. 尾节突(pygofer appendage)；D. 下生殖板(subgenital plate)；E. 阳基侧突(style)；F. 连索(connective)；G. 阳茎侧面观(aedeagus, lateral view)；H. 阳茎腹面观(aedeagus, ventral view)；I. 肛突(anal appendage)

鉴别特征：成虫头胸部背面黄白色。冠缝前端有1个黄色斑纹，复眼灰褐色至黑色，前胸背板前侧缘有蜡质带，中域至后缘烟褐色、半透明，盾片和小盾片浅褐色，盾间沟黑色，其前中域和小盾片两侧缘淡黄色，小盾片两侧缘还各有1条弯曲的深褐色短条纹。前翅黄色半透明，爪区浅褐色，后翅灰白透明。胸足爪节深褐色。腹内突伸达第5腹节。雄虫尾节短阔，端部钝圆，尾节突发达，近端部1/3弯向背上方。下生殖板基半部两侧缘近平直，端部弯向背上方，A群刚毛4～5根，B群小刚毛19～23根，位于外缘端半部，C群刚毛20～21根，D群刚毛位于其背方。阳基侧突阔，端部弯曲，具密齿。阳茎干侧观呈半圆形，短于前腔长度，腹面观阳茎干近等宽，基半部变狭。连索端部收狭，后缘中央切凹。肛突侧观呈镰刀状，端向收狭，末端尖锐。

采集记录：1♂，宝鸡，1980.Ⅴ.08，采集人不详。

分布：陕西(宝鸡)、四川、云南；印度。

寄主：*Urtica* sp.。

(81) 陕西长柄叶蝉 *Alebroides shaanxiensis* **Chou** *et* **Zhang，1987**(图81)

Alebroides shaanxiensis Chou *et* Zhang，1987：292.

鉴别特征：体长4mm。成虫体黄色。有些个体颜色较浅，黄白色至苍白色；复眼颜色深浅不一；盾片中央和小盾片乳黄白色；胸足爪节褐色；前翅基部2/3 黄色、半透明，端部1/3色浅透明，后翅灰白透明。腹突中等发达。雄虫下生殖板波状，端部略向后上方弯曲；尾节突端部有刻纹；阳茎基半部较细，端半部略粗，侧观其端半部半球形，有刻凹，阳茎整体侧观匙形。连索近梯形，后缘中央凹入，凹入部两侧倾斜，两侧缘弧凹。肛突细长弯曲。

采集记录：5♂4♀，1980.Ⅴ.15；4♂♀，1980.Ⅵ.25；7♂2♀，1980.Ⅹ.13，南五台，马宁采；2♂，200m，凤县天台山，1998.Ⅵ.09，杨玲环采；1♂，太白山骆驼寺，2100~2300m，1983.Ⅴ.26，陕西省太白山昆虫考察组采；1♀，采集信息同前；14♂1♀，同前，1983.Ⅴ.26-Ⅵ.06；1♂，太白山蒿坪寺，1200m，1982.Ⅶ.16；1♂，留坝，1995.Ⅶ.20，张文珠、任立云采；2♂，宁陕火地塘，1980.Ⅵ.15，李金舫采；4♂，宁陕旬阳坝，1998.Ⅵ.06；1♂，宁陕旬阳坝，1995.Ⅷ.27；5♂4♀，宁陕火地塘，1984.Ⅷ.14，张雅林采；1♀，旬阳，1980.Ⅳ.24。

分布：陕西(周至、凤县、留坝、宁陕、旬阳，太白山)、甘肃、湖北。

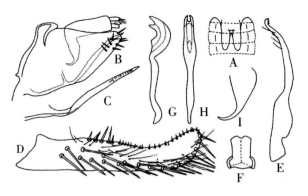

图81　陕西长柄叶蝉 *Alebroides shaanxiensis* Chou *et* Zhang

A. 腹内突(abdominal apodemes)；B. 雄虫尾节侧瓣侧面观(male pygofer, lateral view)；C. 尾节突(pygofer appendage)；D. 下生殖板(subgenital plate)；E. 阳基侧突(style)；F. 连索(connective)；G. 阳茎侧面观(aedeagus, lateral view)；H. 阳茎腹面观(aedeagus, ventral view)；I. 肛突(anal appendage)

（82）波纹长柄叶蝉 *Alebroides sinuatus* **Dworakowska, 1980**（图 82）

Alebroides sinuatus Dworakowska, 1980：156.

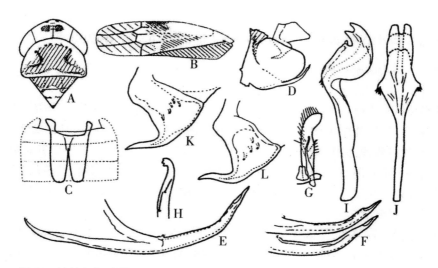

图 82　波纹长柄叶蝉 *Alebroides sinuatus* Dworakowska（仿 Dworakowska, 1997）

A. 头胸部背面观（head and thorax, dorsal view）；B. 前翅（forewing）；C. 腹内突（abdominal apodemes）；D. 雄虫尾节侧瓣和肛突侧面观（male pygofer and anal appendage, lateral view）；E, F. 尾节突（pygofer appendage）；G. 阳基侧突、连索、下生殖板和生殖瓣腹面观（style, connective, subgenital plate and valve, ventral view）；H. 阳基侧突端部（apex of style）；I. 阳茎侧面观（aedeagus, lateral view）；J. 阳茎腹面观（aedeagus, ventral view）；K, L. 肛突（anal appendage）

鉴别特征：成虫体色变化较大。黄色、金黄色至橙色，深色标本体污白色或黄褐色，头部有斑纹，头前缘靠近复眼处有 2 个褐色斑纹，冠缝及头顶基部横斑褐色，还有一些深色个体的前胸背板黄色至深褐色，沿后缘有 1 条灰色横带纹，中胸小盾片褐色，前中域颜色稍浅，颜面褐色，额侧区、触角、前唇基下部及额唇基中纵斑纹色浅，单眼围以深色环纹，前翅半透明，网粒体区端部褐色，腹部背面中央褐色，背板各侧缘有黑斑。足灰褐色。雌虫腹部第 9 节背面褐色。橙色个体前胸背板前侧缘色浅。浅色个体背面有白色斑纹，前翅浅褐色，雌性生殖器黄褐色，生殖瓣褐色。腹内突伸近第 5 节端部。雄虫尾节侧瓣端向略收狭，尾节突超过尾节侧瓣端部，端部 2/3 渐狭，弯向背上方。下生殖板基半部两侧缘近平直，端部弯向背上方。阳基侧突端部有少数齿状突，近端部有少量细刚毛。阳茎干侧观宽阔，半圆形，端向收狭，小于前腔长度，腹面观阳茎干近等宽，基半部变狭。连索近梯形。肛突短，未伸达尾节侧瓣高度之半，波曲，端向强烈收狭，末端尖锐。

采集记录：1♂，南五台，1980. Ⅴ.15，采集人不详；1♀，宝鸡，1980. Ⅴ.08；1♂，凤县，1980. Ⅴ.06；1♂，留坝，1980. Ⅳ.06，马宁采；1♂，石泉，1980. Ⅳ.25；1♂，旬阳，1980. Ⅳ.24。

分布: 陕西(长安、宝鸡、留坝、石泉、旬阳);印度,尼泊尔。

寄主: *Artemisia* sp. , *Urtica* sp. , *Erechtites valerianaefolia* , *Girardania heterophyla*。

(83)柳长柄叶蝉 *Alebroides salicis*(**Vilbaste,1968**)(图83)

Paolia salicis Vilbaste, 1968a:80.

Alebroides salicis: Anufriev, 1969b:170.

鉴别特征: 体灰白色,有乳白色斑纹。前翅灰白色,端部色浅,一些深色个体前翅基部2/3金黄色,端部浅灰色。前胸背板中后域亮黄色。深色个体仅腹部前缘褐色。腹内突伸近第5节前缘。雄虫尾节长,端半部腹缘向背上方收狭,尾节突几乎平直,从近基部弯向背上方,端背缘有刻纹,端部骤狭。下生殖板基半部两侧缘平直,端部弯向背上方,A群刚毛位于外缘近中部。阳基侧突端部阔,端部有少数齿状突,近端部有少量细刚毛。阳茎干侧观与前腔几乎等长,背缘几乎平直,腹缘近中部膨大,端向收狭,基腹面有短突,阳茎口位于阳茎干端部,阳茎腹面观中部显著膨大,两端狭。连索长,近梯形。肛突窄,弧形弯曲,伸达尾节侧瓣高度之半,端向收狭,端部尖锐。

采集记录: 1♂,秦岭,1987.Ⅸ.10,柴勇辉采。

分布: 陕西(秦岭)、湖南、台湾、四川、贵州、云南;俄罗斯,朝鲜。

寄主: *Salix sachalinensis* , *Artemisia* sp. 。

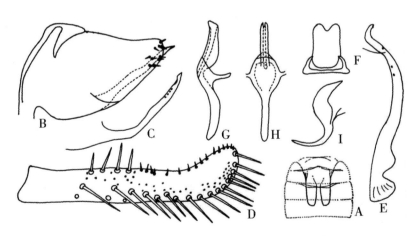

图83 柳长柄叶蝉 *Alebroides salicis*(Vilbaste)

A. 腹内突(abdominal apodemes);B. 雄虫尾节侧瓣侧面观(male pygofer, lateral view);C. 尾节突(pygofer appendage);D. 下生殖板(subgenital plate);E. 阳基侧突(style);F. 连索(connective);G. 阳茎侧面观(aedeagus, lateral view);H. 阳茎腹面观(aedeagus, ventral view);I. 肛突(anal appendage)

(84) 叉突长柄叶蝉 *Alebroides similis* **Dworakowska**, **1977**(图 84)

Alebroides similis Dworakowska, 1977：13.

鉴别特征：成虫头胸部黄褐色，前胸背板侧缘有乳黄色斑纹，中后域浅黄褐色，单眼后缘围以乳黄色斑纹，在乳黄色斑纹后还有深色斑，中胸小盾片基角及端部灰色，盾间沟前中部和盾间沟后乳黄色。前翅黄白色半透明，cua 和 c 室黄褐色，翅脉褐色。腹内突超过第 5 节端部。雄虫尾节侧瓣基部阔，端向变窄，端部钝圆，尾节突发达，超过尾节侧瓣端部甚多，基部 2/3 近等宽，端部收狭，弯向背上方，近端部背面有刻痕，端部尖锐。下生殖板长，基半部两侧缘平直，端部弯向背上方，A 群刚毛位于近中部处。阳基侧突端部细长，端部有 3 个齿状突，近端部有 2 个细刚毛。阳茎前腔狭，阳茎干侧观约等于前腔长度，端部明显膨大，阳茎口位于阳茎干端部，阳茎腹面观端半部膨大，基半部收狭。连索近梯形，后缘中部切凹。肛突端部分叉，背叉长于腹叉。

采集记录：1♂，周至楼观台，1983.Ⅸ.05，张雅林采；6♂6♀，宝鸡，1980.Ⅹ.01，王素梅采；1♂，杨凌西农校园，1982.Ⅸ；2♂，太白山大殿，2300m，陕西省太白山昆虫考察组采；6♂，华山，1983.Ⅸ.30，陆晓林采。

分布：陕西(周至、宝鸡、武功、华阴，秦岭)、四川、云南。

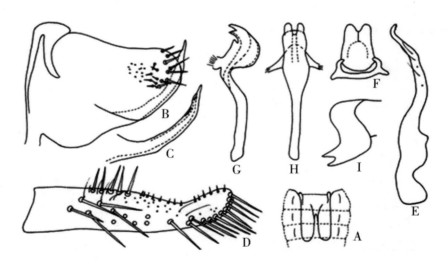

图 84　叉突长柄叶蝉 *Alebroides similis* Dworakowska

A. 腹内突(abdominal apodemes)；B. 雄虫尾节侧瓣侧面观(male pygofer, lateral view)；C. 尾节突(pygofer appendage)；D. 下生殖板(subgenital plate)；E. 阳基侧突(style)；F. 连索(connective)；G. 阳茎侧面观(aedeagus, lateral view)；H. 阳茎腹面观(aedeagus, ventral view)；I. 肛突(anal appendage)

43. 芒果叶蝉属 *Amrasca* Ghauri, 1967

Amrasca Ghauri, 1967a: 159. **Type species**: *Amrasca splendens* Ghauri, 1967.

属征: 头顶略宽于前胸背板, 头冠前端弧形突出, 后缘凹入, 前后缘不平行, 单眼位于头冠前缘与颜面交界处, 冠缝明显。前翅各端脉基部分离, RP 脉源于 r 室, MP″+CuA′和 MP′脉源于 m 室, 后翅 CuA 脉端部不分二叉。腹突发达。雄虫尾节侧瓣近三角形, 端部着生小刚毛, 有尾节突。下生殖板长, 超过尾节端部, 形态特征有变化, 有大刚毛及细长刚毛。阳基侧突发达, 近端部有细刚毛, 端部有锯齿突。阳茎侧观狭长, 前腔发达, 背腔无或不发达, 阳茎干弯曲。连索基半部阔, 端半部狭, 常呈"凸"字形。肛突不甚发达。

分布: 古北区, 东洋区, 非洲区, 澳州区。世界报道 15 种, 中国已知 2 种, 秦岭地区分布 1 种。

(85) 棉叶蝉 *Amrasca biguttula* (**Ishida, 1913**) (图 85)

Chlorita biguttula Ishida, 1913.

Zygina punctata Melichar, 1914b: 146.

Emoasca bipuunctata Schumacher, 1915b: 127.

Chlorita bimaculata Matsumura, 1917b: 393.

Typhlocyba uniguttata Jacobi, 1941a: 311.

Empoasca quadrinotatissima Dlabola, 1957.

Empoasca biguttula: Kuoh, 1966: 96.

Sundapteryx biguttula: Dworakowska, 1970b: 712.

Amrasca biguttula: Dworakowska & Virktmath, 1975: 530.

鉴别特征: 体长 2.30mm。头冠淡黄绿色, 近前缘处有 2 个小黑斑, 该斑四周围饰有淡白色纹, 颜面黄色, 中央有 1 条白色纵斑, 端部色浅; 复眼黑褐色, 上有淡色斑。前胸背板淡黄绿色, 前侧缘有 3 个白色斑纹, 后缘中央还有 1 个白色斑, 小盾片基部中央、两侧角及侧缘中央各有 1 个白色斑纹, 小盾片淡黄绿色。前翅透明微带黄绿色, 端部色略灰暗, 在 cua 室端部有 1 个黑色斑。胸部、腹部淡黄绿色。足淡黄绿色, 胫节末端至跗节黄绿色。该种体色有变化, 有的个体整体黄褐至红褐色。腹突伸达第 3 腹节端部。雄虫尾节侧瓣近三角形, 基部阔, 端向收狭, 端部着生刚毛, 尾节突发达, 超过尾节侧瓣甚多, 近端部收狭, 末端尖锐。下生殖板窄长, 整体波曲, 基部阔, A 群刚毛 2 列, C 群大刚毛呈单列, 至近中部渐细长, B 群刚毛细长单列。阳基侧突短, 基部阔, 端部弯曲, 端部有齿突和细刚毛。阳茎侧观狭长, 前腔约为阳茎干长度的 2 倍, 阳茎干侧观半圆形弯曲。连索基部阔, 端半部狭, 呈"凸"字形。

　　分布：陕西（秦岭）、河北、山东、河南、江苏、安徽、浙江、湖北、江西、湖南、福建、台湾、海南、广西；日本，阿富汗，印度，孟加拉国，越南，斯里兰卡。

　　寄主：棉，茄，木棉，锦葵，马铃薯，番茄，地瓜，空心菜，秋菊，向日葵，萝卜，芝麻，桑，葡萄，美人蕉，紫苏，野苋菜。

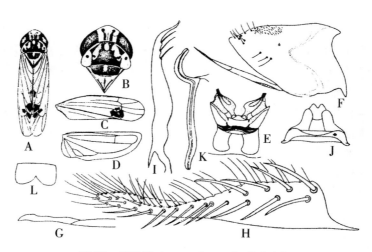

图 85　棉叶蝉 *Amrasca biguttula*（Ishida）

A. 成虫背面观（habitus, dorsal view）；B. 头胸部背面观（head and thorax, dorsal view）；C. 前翅（forewing）；D. 后翅（hindwing）；E. 腹内突（abdominal apodemes）；F. 雄虫尾节侧瓣侧面观（male pygofer, lateral view）；G. 尾节突（pygofer appendage）；H. 下生殖板（subgenital plate）；I. 阳基侧突（style）；J. 连索（connective）. K. 阳茎侧面观（aedeagus, lateral view）；L. 第 9 尾节腹面观（sternite 9, ventral view）

44. 光小叶蝉属 *Apheliona* Kirkaldy，1907

Apheliona Kirkaldy，1907：67. **Type species**：*Heliona bioculata* Melichar，1903.

Empoanara Distant，1918b：106. **Type species**：*Empoanara militaris* Distant，1918.

Chikkaballapura Distant，1918b：107. **Type species**：*Chikkaballapura maculosa* Distant，1918.

Sujitettix Matsumura，1931b：76. **Type species**：*Sujitettix ferruginea* Matsumura，1931.

Apheliona（*Ushamenona*）Malhtra *et* Sharma，1974a：245. **Type species**：*Sujitettix aryavartha* Ramakrishnan *et* Menon，1972.

　　属征：体长 3~4mm。体粗壮。头冠宽短，前端呈弓形，头宽大于前胸背板宽，头长约为胸长之半，冠缝延伸达颜面触角基部水平处，单眼位于颜面近基部，侧额缝靠近单眼；颜面宽阔，宽度接近中长，额唇基区隆起。前翅 RP、MP′脉基部共柄，源于 r 室，MP″+CuA′脉源于 m 室，后翅 CuA 脉端部分二叉，分叉点在 CuA 和 MP″脉交叉点的基部。腹突发达。雄虫尾节侧瓣基部阔，端半部收狭，端部钝圆或角状突出，个别种类尾节端部具长或短的突起，有尾节突。下生殖板阔，超过尾节端部，端部向背上方弯曲，有 4 种类型的刚毛。阳基侧突近端部有细刚毛，部分种类近端部刚毛细长，端部具齿。阳茎无突起，前腔发达，侧观阳茎干背面扩展成片状，膜质。连索多呈"X"形。肛突发达。

分布：古北区，东洋区。世界共知 29 种 2 亚种，中国已知 6 种，秦岭地区分布 2 种。

分种检索表(♂)

阳基侧突近端部簇生很多长细密刚毛 ·· 印度光小叶蝉 *A. indica*
阳基侧突近端部细刚毛少，短 ······································· **锈光小叶蝉 *A. ferruginea***

(86) 锈光小叶蝉 *Apheliona ferruginea*（Matsumura, 1931）（图 86）

Sujitettix ferruginea Matsumura, 1931b：76.

Empoasca capitata Kato, 1940p：698.

Apheliona (Sujitettix) ferruginea：Anufriev, 1972a：41.

Apheliona ferruginea：Dworakowska, 1977：612.

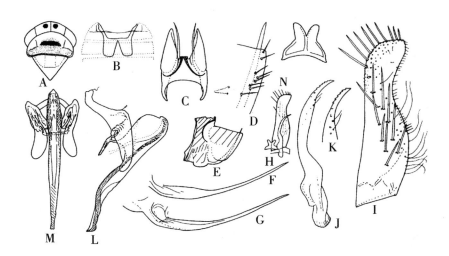

图 86　锈光小叶蝉 *Apheliona ferruginea*（Matsumura, 1931）（仿 Dworakowska, 1994）
A. 头胸部背面观（head and thorax, dorsal view）；B. 腹内突（abdominal apodemes）；C. 雄虫尾节侧瓣背面观（male pygofer, dorsal view）；D. 雄虫尾节侧瓣端部（terminal part of male pygofer, lateral view）；E. 雄虫尾节侧瓣侧面观（male pygofer, lateral view）；F, G. 尾节突（pygofer appendage）；H. 阳基侧突、连索、下生殖板和生殖瓣腹面观（style, connective, subgenital plate and valve, ventral view）；I. 下生殖板（subgenital plate）；J. 阳基侧突（style）；K. 阳基侧突端部（apex of style）；L. 肛突和阳茎侧面观（anal appendage and aedeagus, lateral view）；M. 肛突和阳茎腹面观（anal appendage and aedeagus, ventral view）；N. 连索（connective）

鉴别特征：体长 4.25 ~ 4.40mm。体橙黄色。头顶近前缘有 2 个深褐色圆斑。单眼褐至黑色，围绕单眼有黑色斑纹。前胸背板中域及后缘的横条斑黄褐色，其中部还有 1 个半月形黑褐色横斑，其前侧缘有黑线纹。前翅灰褐色，端缘褐色，翅基部橙色。腹部背面中部黑褐色，两侧缘色浅。腹突伸达第 4 腹节。雄虫尾节侧瓣侧观近三角形，背端角钝，外表面有 8 个小刚毛，内表面有 2 个刚毛，尾节突略弯曲，超过背端角，基部阔，端部 2/3 收狭，末端尖锐；尾节背面端部平截。阳基侧突端部有 8 个几乎均匀分布的齿，近端部有 2 根细刚毛。下生殖板基部 1/3 阔，基部 2/3 弯向背上方，端向变窄，A 群刚毛 3 个位于外缘 2/5 处，B 群刚毛 27 个，C 群刚毛 20 个，D 群细刚毛长。肛突长，端部变狭，端部片状。阳茎干侧观阔，约为前腔长度的 2/3，端背面膜质扩展，端部有凹刻。连索基部阔，端半部显著变狭。

采集记录：1♀，阳平关，1980. X .04。

分布：陕西（紫阳、宁强）、浙江、湖北、湖南、台湾、广东、海南、四川、云南；日本，印度，泰国，马来西亚，文莱，印度尼西亚。

(87) 印度光小叶蝉 *Apheliona indica* Dworakowska *et* Sohi，1978（图 87）

Apheliona indica Dworakowska *et* Sohi，1978：463.

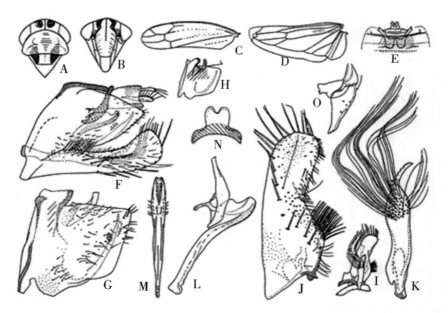

图 87　印度光小叶蝉 *Apheliona indica* Dworakowska *et* Sohi（仿 Dworakowska *et* Sohi，1978）
A. 头胸部背面观（head and thorax，dorsal view）；B. 颜面（face）；C. 前翅（forewing）；D. 后翅（hindwing）；E. 腹内突（abdominal apodemes）；F. 雄虫外生殖器侧面观（male terminalia，lateral view）；G，H. 雄虫尾节侧瓣和肛突侧面观（male pygofer and anal appendage，lateral view）；I. 阳基侧突、连索、下生殖板和生殖瓣腹面观（style，connective，subgenital plate and valve，ventral view）；J. 下生殖板（subgenital plate）；K. 阳基侧突（style）；L. 阳茎和肛突侧面观（aedeagus and anal appendage，lateral view）；M. 阳茎腹面观（aedeagus，ventral view）；N. 连索（connective）；O. 肛突（anal appendage）

　　鉴别特征：体长 3.70~3.80mm。头部黄白色，冠缝两侧近前缘各有 1 个浅褐色或黑色斑纹，复眼黑褐色，冠缝浅褐色，颜面黄白色，围绕单眼有 2 个黄色斑纹。前胸背板黄白色或前缘浅褐色，中部灰色，后缘宽的乳灰色横带有或无，中胸小盾片顶角灰色。前翅几乎半透明。腹突伸达第 4 腹节。雄虫尾节侧瓣短阔，端缘平截，或基部阔，端向收狭，端部角状，端部着生 10~13 个小刚毛，尾节突自基部向背上方弯曲，端向收狭，未达端背角，或近端部略扩展，端部尖锐。连索基部阔，端部 2/3 明显变窄，宽度仅为基部宽度之半，后缘中央深凹。阳基侧突端部有 6~7 个齿，近端部有多数簇生的发状长刚毛。下生殖板基部 1/3 阔，端半部弯向背上方，A 群刚毛密生，B 群小刚毛多，C 群刚毛约 19 个，D 群细刚毛少。肛突阔，伸过尾节侧板高度之半，中部阔，端向变窄。阳茎干阔，端背面凹入，前腔狭，背腹观阳茎干阔，端向略狭，前腔窄长。

　　分布：陕西（秦岭）；印度。

　　寄主：*Butea monosperma*。

45. 偏茎叶蝉属 *Asymmetrasca* Dlabola, 1958

Asymmetrasca Dlabola, 1958c：51. **Type species**：*Empoasca decedens* Paoli, 1932.

　　属征：体小，绿色种类。形态特征似 *Empoasca* 属的种类，但雄虫下生殖板基部狭，缺角状基侧突，下生殖板近基部背缘的刚毛与基部远距。肛突端部常具齿。阳茎背突发达，阳茎干等于或长于前腔长度，端部向侧面有 1 个长突。

　　分布：古北区，东洋区。全世界已知 16 种，中国已记载有 15 种，秦岭地区分布有 6 种。

分种检索表(♂)

1. 阳茎端突腹面观向右侧延伸 ··· 2
   阳茎端突腹面观向左侧延伸 ··· 3
2. 阳茎干波曲，其基背面光滑无齿 ······················· **斯恩偏茎叶蝉 *A. cienka***
   阳茎干弯曲，其基背面不光滑，具细齿 ··············· **枯萎偏茎叶蝉 *A. decedens***
3. 阳茎背腔很短，明显小于前腔 ··· 4
   阳茎背腔长，与前腔几乎同等发达 ··· 5
4. 阳茎腹面观近中部略扩展，侧面观阳茎干背缘几平直 ······· **锐偏茎叶蝉 *A. rybiogon***
   阳茎腹面观近基部显著扩展，侧面观阳茎干背缘波曲 ······· **板井偏茎叶蝉 *A. sakaii***
5. 侧面观阳茎干宽度变化不显著，阳茎干基背缘光滑无齿 ······· **凯偏茎叶蝉 *A. kaicola***
   侧面观阳茎干端半部明显收狭，阳茎干基背缘具少数齿 ······· **卢偏茎叶蝉 *A. lutowa***

（88）锐偏茎叶蝉 *Asymmetrasca rybiogon*（Dworakowska，1971）（图88）

Empoasca（*Empoasca*）*rybiogon* Dworakowska，1971：508.

Asymmetrasca rybiogon：Liu *et al.*，2014：338.

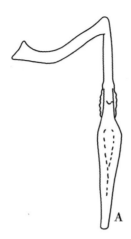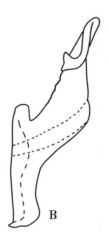

图88 锐偏茎叶蝉 *Asymmetrasca rybiogon*（Dworakowska）（仿 Dworakowska，1982）

A. 阳茎腹面观（aedeagus，ventral view）；B. 阳茎侧面观（aedeagus，lateral view）

鉴别特征：雄虫体长2.90～3.20mm。体淡绿色，头冠短，浅黄色。复眼棕褐色。颜面前唇基墨绿色，额唇基区暗黄色。前胸背板灰黄色，中胸背板两侧缘由暗色条纹。前翅浅黄绿色，前翅、后翅透明，腹部背面、腹面橙黄色。腹内突自基部至端部向两侧略岔开，伸达第5腹节。尾节侧瓣端部近着生10～11根小刚毛，尾节突未伸达尾节侧瓣端部。下生殖板狭长，基部与端部宽度几乎相等，背缘波状，侧面有2斜列大刚毛，至近端部大刚毛呈单列，近中部大刚毛列背方及腹缘端部有细长刚毛，近中部背缘有5～6根小刚毛，下生殖板端半部背缘有1～2列小刚毛。阳基侧突端部细、弯曲，近端部有6～7根细刚毛，端部有细齿突。阳茎前腔发达，阳茎干基部阔，端向收狭，阳茎端部有1个突起，背腹观向左侧下方延伸。连索基部阔，端部中央缺凹。肛突基部阔，端部有瘤突。

采集记录：6♂，留坝，1980.Ⅹ.04，采集人不详；6♂，留坝，1980.Ⅹ.06，马宁采；1♂，安康，1980.Ⅳ.23；1♂，石泉，1980.Ⅶ.04，马宁采。

分布：陕西（留坝、安康、石泉）、江苏、浙江、江西、湖南、福建、海南、广西、贵州、云南；朝鲜。

寄主：水稻，棉花，黑豆，沙打旺，苹果，山楂。

（89）卢偏茎叶蝉 *Asymmetrasca lutowa*（Dworakowska，1971）（图89）

Empoasca lutowa Dworakowska，1971：508.

Asymmetrasca lutowa：Liu *et al*.，2014：334.

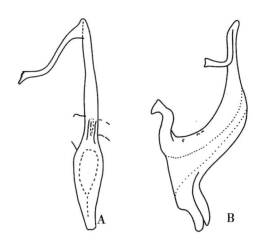

图89　卢偏茎叶蝉 *Asymmetrasca lutowa*（Dworakowska）（仿 Dworakowska，1971）

A. 阳茎腹面观（aedeagus, ventral view）；B. 阳茎侧面观（aedeagus, lateral view）

鉴别特征：体黄色。冠缝伸达头顶前缘。复眼黑色。颜面阔。中胸背板中央有1个长方形白色斑纹，小盾片黄色。前翅黄绿色，前翅、后翅透明。腹部背面、腹面黄色。腹内突发达。雄虫尾节侧瓣近三角形，端部着生小刚毛，尾节突细，向背上方弯曲。下生殖板长，基半部两侧缘近平行，端部1/3略向背上方弯曲，近基部斜生3列大刚毛，至中部大刚毛呈双列，斜伸达内缘近端部，内缘端部大刚毛呈单列。阳基侧突端半部略长，近端部有细刚毛，端部有少数细齿突。阳茎侧观前腔及背腔不甚发达，阳茎干长，端部弯折呈钩状，阳茎口位于阳茎干近中部腹面。连索近四边形，后缘中央凹入。

采集记录：1♂，杨凌，1980. Ⅵ.02，马宁采。

分布：陕西（杨凌）、浙江；朝鲜，印度。

（90）凯偏茎叶蝉 *Asymmetrasca kaicola*（**Dworakowska，1982**）（图90）

Empoasca（*Empoasca*）*kaicola* Dworakowska，1982：46.

Empoasca（*Empoasca*）*kishtwarensis* Sharma，1984：30.

Asymmetrasca kaicola：Liu *et al*.，2014：334.

鉴别特征：体橄榄绿色，伴有乳白色不均匀斑，头冠前缘弓形突出。冠缝几乎伸达头顶前缘。复眼棕色。颜面狭，前唇基墨绿色。中胸背板中部有1个近长方形的白色斑纹。前翅半透明。腹内突伸达第5腹节。尾节侧瓣端部着生8~10根小刚毛，尾节突短，未伸达尾节侧瓣端部，端部尖锐。下生殖板基部阔，背缘略波曲，近中部背缘有刚毛3~4根，侧面有2斜列大刚毛，至近端部大刚毛呈单列，近中部大刚毛列背方及腹缘端部有细刚毛,下生殖板端半部背缘还有 1~2 列小刚毛。阳基侧突端部狭,弯曲,近端部有 4~5 根小刚毛,端部有少量细齿。阳茎前腔不甚发达,阳茎干基部近平直,端部狭,端部有 1 个侧突,背腹观该突起向右下方延伸,波曲,阳茎口位于阳茎干中部腹面。连索近四边形,基部阔,端缘中央深凹。肛突端部有瘤突。

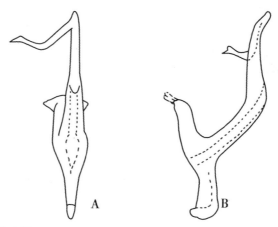

图 90　凯偏茎叶蝉 *Asymmetrasca kaicola*(Dworakowska)(仿 Dworakowska,1982)

A. 阳茎腹面观(aedeagus, ventral view);B. 阳茎侧面观(aedeagus, lateral view)

采集记录: 1♂,西乡,2001.Ⅶ.09,秦道正采。

分布: 陕西(西乡)、山东、湖南、海南。

寄主: 棉花,黑豆,樟树。

(91)板井偏茎叶蝉 *Asymmetrasca sakaii*(Dworakowska,1971)(图 91)

Empoasca sakaii: Dworakowska, 1971: 508.

Empoasca(*Empoasca*)*sakaii*: Dworakowska, 1982: 45.

Asymmetrasca sakaii: Liu *et al.*, 2014: 339.

鉴别特征: 雄虫连翅体长 2.40mm。体淡绿色。冠缝伸达头顶前缘。颜面阔,前唇基色略浅,其余部分黄绿色。前胸背板两侧缘有不规则白色斑纹,中胸背板中央有白色斑纹,小盾片乳白色。前翅半透明,后翅透明。腹内突伸达第 5 腹节。尾节侧瓣端部着生 9~10 根小刚毛,尾节突细短,未伸达尾节侧瓣端部,端部尖锐。下生殖板基半部阔,近中部有 4~5 根刚毛,侧面有 2 斜列大刚毛,至近端部大刚毛呈单列,大刚毛背方有大量细刚毛,下生殖板端半部背缘还有 1~2 列小刚毛。阳基侧突端部弯曲,变狭,近端部有 2~3 根小刚毛,端部有少量细齿。阳茎前腔短,阳茎干基部阔,端部收狭,顶端有 1 个突起,背腹观该突起向右下方延伸,波曲,阳茎干近基部背缘不光滑,阳茎口位于阳茎干中部腹面。连索近长方形,端部中央凹入。肛突基部阔，端向收狭，端部有瘤突。

采集记录： 2♂，宁陕火地塘，1984.Ⅷ.14，张雅林采；1♂，紫阳，1981.Ⅴ.16，马宁采；6♂，西乡，2000.Ⅷ.10，秦道正采。

分布： 陕西（宁陕、紫阳、西乡）、山东、湖南、福建、四川、云南；日本，印度。

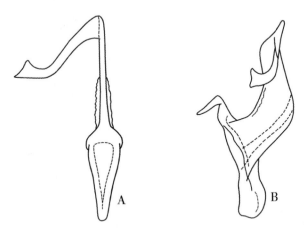

图91　板井偏茎叶蝉 *Asymmetrasca sakaii* （Dworakowska）（仿 Dworakowska，1982）

A. 阳茎腹面观（aedeagus，ventral view）；B. 阳茎侧面观（aedeagus，lateral view）

（92）枯萎偏茎叶蝉 *Asymmetrasca decedens* （**Paoli，1932**）（图 92）

Empoasca decedens Paoli，1932：117.

Asymmetrasca decedens：Dlabola，1958：52.

鉴别特征： 体黄褐色。冠缝伸达头顶前缘。复眼黑色。颜面狭长，前唇基墨绿色。小盾片淡黄色。前后翅透明。腹内突发达，伸达第 5 腹节端部。雄虫尾节侧瓣端部着生小刚毛，尾节突细短，略向背上方弯曲。下生殖板基半部两侧缘近平行，背缘中部有几根刚毛，侧面斜生 3 列大刚毛，近中部大刚毛呈双列，端部大刚毛呈单列，大刚毛列背方有若干细长刚毛，下生殖板背缘端半部有小刚毛。阳基侧突基部端部略狭弯，近端部有细刚毛，有少数细齿。阳茎侧观前腔及背腔较发达，阳茎干端部弯折呈钩状，阳茎口位于阳茎干近中部腹面。连索近四边形，后缘中央凹入。

采集记录： 1♂，南五台，1980.Ⅳ.25，采集人不详；1♂，凤县秦岭车站，1980.Ⅴ.08，采集人不详；1♂，留坝，1980.Ⅶ.10，采集人不详；1♂，城固 1980.Ⅴ.03，采集人不详；1♂，城固，1980.Ⅶ.06，采集人不详；1♂，镇巴，1980.Ⅳ.28，马宁采。

分布： 陕西（凤县、留坝、城固、镇巴）；俄罗斯，朝鲜，塞浦路斯，斯洛伐克，伊拉克，巴勒斯坦，意大利，法国，埃及。

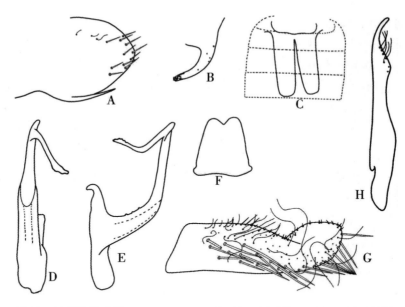

图 92　枯萎偏茎叶蝉 *Asymmetrasca decedens*（Paoli）（仿 Dworakowska，1970）

A. 雄虫尾节侧瓣侧面观（male pygofer, lateral view）；B. 肛突（anal appendage）；C. 腹内突（abdominal apodemes）；D. 阳茎腹面观（aedeagus, ventral view）；E. 阳茎侧面观（aedeagus, lateral view）；F. 连索（connective）；G. 下生殖板（subgenital plate）；H. 阳基侧突（style）

（93）斯恩偏茎叶蝉 *Asymmetrasca cienka*（Dworakowska，1982）（图 93）

Empoasca（*Empoasca*）*cienka* Dworakowska，1982：45.

Asymmetrasca cienka：Liu *et al.*，2014：329.

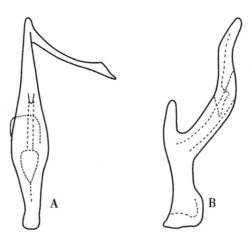

图 93　斯恩偏茎叶蝉 *Asymmetrasca cienka*（Dworakowska）（仿 Dworakowska，1982）

A. 阳茎腹面观（aedeagus, ventral view）；B. 阳茎侧面观（aedeagus, lateral view）

鉴别特征：连翅体长 3.00～3.10mm。体黄色。冠缝两侧各有 1 个乳白色不规则的斑纹。复眼黑色。中胸背板中部有 1 个不规则斑纹，小盾片淡黄色。前后翅透明。腹内突伸达第 6 腹节。雄虫尾节侧瓣端部有 9～10 根小刚毛，尾节突细，未伸达尾节侧瓣端部，端部尖锐。下生殖板基部与端部宽度几乎相等，中部背缘有 3～4 根细刚毛，侧面有 2 斜列大刚毛，至端部大刚毛呈单列，大刚毛列背方有 2～4 列细刚毛，下生殖板端背缘还有 1～2 列小刚毛。阳基侧突基部阔，端部狭弯，近端部有 4～5 根细刚毛，端部有细齿。阳茎前腔阔，背腔不甚发达，阳茎端部有 1 个突起，背腹观该突起向左方延伸，突起端部边缘有小齿突，阳茎口位于阳茎干近中部腹面。肛突基部阔，端部有瘤突。连索近长方形，端部中央凹。

分布：陕西（秦岭）、山东、河南、新疆、湖北、湖南、四川、贵州；朝鲜。

46. 奥小叶蝉属 *Austroasca* Lower，1952

Austroasca Lower，1952：202. **Type species**：*Empoasca viridigrisea* Paoli，1936.

属征：体粗壮。头冠前端钝圆，冠缝明显，单眼位于头冠前缘与颜面交界处；颜面宽度接近中长，额唇基区略隆起；前胸背板发达，中长大于头长。前翅所有端脉皆源于 m 室，各端脉基部常分离，后翅 CuA 脉端部不分叉。腹突不发达。雄虫尾节侧瓣近三角形，端部有小刚毛，尾节突长。下生殖板阔长，超过尾节端部，端部向背上方弯曲，近基部至端部有大刚毛，A 群刚毛无，有其余类型的刚毛。阳基侧突近端部有细刚毛，端部有锯齿突。阳茎无突起，前腔发达，背腔无或不发达，阳茎干弧形弯曲或略弯曲。连索前缘中部或中部及两侧突出，略呈"凸"字形。肛突不甚发达，短阔或略狭。

分布：古北区，东洋区，非洲区，澳洲区。世界共知 25 种，中国已知 2 种，秦岭地区分布 2 种。

分种检索表（♂）

尾节突长，远超过尾节端部，端部显著向背上方弯曲 ················· 蒙奥小叶蝉 *A. mitjaevi*

尾节突较短，略超过尾节端部，端部略向背上方弯曲 ················· 棉奥小叶蝉 *A. vittata*

(94) 棉奥小叶蝉 *Austroasca vittata*（**Lethierry，1884**）（图 94）

Empoasca vittata Lethierry，1884c：65.

Chlorita vittata：Matsumura，1931b：62.

Austroasca vittata：Dworakowska，1973b：53.

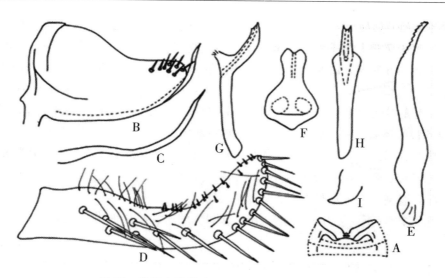

图 94　棉奥小叶蝉 *Austroasca vittata*（Lethierry）

A. 腹内突（abdominal apodemes）；B. 雄虫尾节侧瓣侧面观（male pygofer, lateral view）；C. 尾节突（pygofer appendage）；D. 下生殖板（subgenital plate）；E. 阳基侧突（style）；F. 连索（connective）；G. 阳茎侧面观（aedeagus, lateral view）；H. 阳茎腹面观（aedeagus, ventral view）；I. 肛突（anal appendage）

鉴别特征：体黄绿色。头部冠缝两侧各有 1 个浅黄绿色斑，复眼黄褐色，单眼中后部围以乳黄色斑纹，颜面基部黄色，前唇基和颊略显黄绿色。前胸背板前侧缘有乳黄色不规则斑纹，中胸盾间沟前中域和盾间沟后有乳黄白色斑。前翅黄绿色，沿爪缝黄白色，翅端部黄褐色。足黄色至黄绿色。腹部黄色，下生殖板端部浅绿色。腹内突伸达第 3 腹节。雄虫尾节侧瓣基部阔，端向收狭，近三角形，端部有小刚毛，尾节突长，超过尾节侧瓣端部，近端部收狭，向背上方弯曲。下生殖板阔长，超过尾节端部甚多，端部向背上方弯曲，B 群小刚毛明显，C 群大刚毛近基部双列，端半部呈单列延伸至内缘端部，D 群细长刚毛 2~4 列。阳基侧突近端部有细刚毛，端部有锯齿突。阳茎前腔约为阳茎干长度的 2 倍，侧观阳茎干狭，弧形弯曲，阳茎口位于阳茎干端部。连索略呈"凸"字形。肛突伸近尾节侧瓣高度的 1/2，基部阔，端向骤狭。

采集记录：3♀，南五台，1980.Ⅵ.25，采集人不详；1♂，凤县，1980.Ⅴ.06，采集人不详；1♀，留坝，1980.Ⅶ.10，采集人不详；2♀，石泉，1980.Ⅶ.04，采集人不详；1♂，旬阳，1980.Ⅳ.24，采集人不详。

分布：陕西（长安、凤县、留坝、石泉、旬阳、安康）、黑龙江、吉林、辽宁、江苏、浙江；俄罗斯，蒙古，朝鲜，日本，欧洲。

寄主：棉花，核桃及桃属，蒿属植物。

（95）蒙奥小叶蝉 *Austroasca mitjaevi* **Dworakowska，1970**（图 95）

Kyboasca vittata Dlabola，1967（nec Lethierry，1884）.

Kyboasca lepidolophae Dworakowska, 1968（nec Mitjaev, 1963）.

Austroasca mitjaevi Dworakowska, 1970b：713.

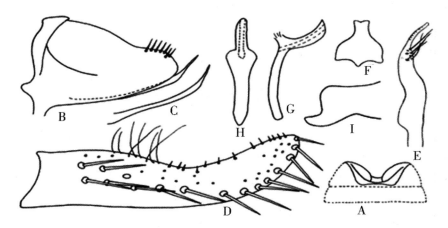

图95　蒙奥小叶蝉 *Austroasca mitjaevi* Dworakowska

A. 腹内突（abdominal apodemes）；B. 雄虫尾节侧瓣侧面观（male pygofer, lateral view）；C. 尾节突（pygofer appendage）；D. 下生殖板（subgenital plate）；E. 阳基侧突（style）；F. 连索（connective）；G. 阳茎侧面观（aedeagus, lateral view）；H. 阳茎腹面观（aedeagus, ventral view）；I. 肛突（anal appendage）

鉴别特征：体黄绿色。冠缝两侧有浅黄绿色斑纹，复眼褐色，单眼中后部有乳黄色环纹，颜面黄色至青绿色。前胸背板前侧缘有不规则斑纹，中胸盾间沟前中域和盾间沟后有乳黄白色斑。前翅黄绿色，翅端部黄褐色。足黄色至黄绿色。腹部黄色。腹突不发达。雄虫尾节侧瓣近三角形，端部背缘有小刚毛，尾节突长，远超过尾节端部，端部显著向背上方弯曲。下生殖板阔长，超过尾节端部，端部略向背上方弯曲，B 群刚毛数量不多，C 群大刚毛近基部呈 2 列，D 群刚毛细。阳基侧突近端部有细刚毛，端部有锯齿突。阳茎无突起，前腔发达，侧观阳茎干呈弧形弯曲或略弯曲。连索前缘中部或中部及两侧突出，略呈"凸"字形。肛突不甚发达，短阔，端向略狭。

采集记录：1♂15♀，南五台，1980. Ⅵ.25；2♂3♀，1200m，1998. Ⅵ.02；1♂，周至厚畛子，1500m，1998. Ⅵ.03，杨玲环采；3♀，周至楼观台，1979. Ⅶ.10，田畴、陈彤采；1♂，凤县，1980. Ⅶ，孙宏采；1♂，凤县，1980. Ⅴ.06，向龙成、马宁采；1♂1♀，凤县，1982. Ⅶ，申秦岭采；1♂，凤县，1991.Ⅸ.06，田润刚采；1♀，太白山沙坡寺，1982.Ⅷ.03，陕西省太白山昆虫考察组采；3♂3♀，1997.Ⅷ.14；2♀，太白山蒿坪寺，1997.Ⅷ.13，胡建采；13♂19♀，1985.Ⅷ.18；2♀，1995.Ⅷ.25；1♂，1995.Ⅷ.26；2♂5♀，1985.Ⅷ.19；1♀，1985.Ⅷ.17；3♂2♀，留坝，1995.Ⅷ.20，张文珠、任立云采；15♂7♀，留坝，1980.Ⅶ.10；14♂41♀，佛坪，1981. Ⅴ.18；1♂3♀，佛坪龙草坪，1980.Ⅷ.03；2♂，宁陕火地塘，1984. Ⅷ.16；7♂5♀，1984.Ⅷ.14；2♂，1980.Ⅳ.25；3♂20♀，石泉，1980. Ⅶ.04；1♂5♀，旬阳，1980.Ⅳ.24，魏建华采；1♂3♀，1951. Ⅹ.27；1♀，1951.Ⅸ.17，1♂，1951.Ⅸ.26；1♂，秦岭田峪，1951. Ⅴ.

27，周尧采；1♀，秦岭，1987. IX. 10，柴永辉采；1♂，石泉，1979. IV. 25；3♂7♀，镇安，1981. V. 14；1♀，商南，1983. VIII，李小林采。

分布：陕西（长安、周至、凤县、太白、留坝、佛坪、宁陕、石泉、旬阳、镇安、商南、紫阳、宁强）、黑龙江、山西、山东、河南、甘肃、湖南、福建、广东、广西、四川、贵州、云南；蒙古，朝鲜。

47. 绿小叶蝉属 *Chlorita* Fieber，1872

Chloria Fieber，1866a：508（nec Schiner，1862）. **Type species**：*Cicada viridula* Fallén，1806.

Chlorita Fieber，1872a：14（new name for *Choria* Fieber，1866a）.

Empoasca (*Chlorita*)：Kloet & Hincks，1945a：57.

属征：体粗短，头冠前端钝圆或略角状突出，后缘凹入，中长小于复眼间宽，冠缝明显，有单眼；颜面宽阔，宽度约等于中长，额唇基区隆起，额缝清晰。前胸背板中长明显大于头长，中胸盾间沟明显。前翅 MP′ 和 RP 脉源于 r 室，基部分离，MP″ + CuA′ 脉源于 m 室，后翅 CuA 脉端部不分叉。腹突不发达，无尾节突。下生殖板阔。阳基侧突近端部有细刚毛，端部有锯齿突。阳茎前腔发达，阳茎有或无突起。肛突发达，明显长。

分布：古北区，东洋区，新北区，非洲区。世界共知 4 亚属 73 种，中国已知 2 亚属 4 种，秦岭地区分布有 2 种。

分种检索表(♂)

肛突明显不对称 ·· 圆绿小叶蝉 *C. hortensis*

肛突几乎对称 ··· 直茎绿小叶蝉 *C. erecta*

(96) 圆绿小叶蝉 *Chlorita hortensis* Dworakowska，1977（图 96）

Chlorita hortensis Dworakowska，1977：285.

鉴别特征：体黑绿色，头顶和胸部的斑纹明显，绿色或灰绿色，额侧斑小，额基部斑纹几乎与头顶斑纹相接，单眼下无斑纹或几乎不可见。前翅基部绿色，近端部灰白色。复眼褐色。雄虫尾节侧瓣阔，端部钝圆，肛突细长弯曲，明显伸出尾节侧瓣腹缘，不对称。

采集记录：1♂，镇巴，1980. IV. 28，马宁采。

分布：陕西（镇巴）；印度，尼泊尔。

寄主：蒿草 *Artemisia* sp.。

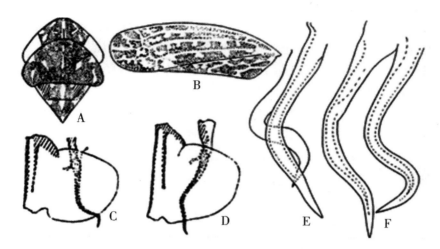

图 96　圆绿小叶蝉 *Chlorita hortensis* Dworakowska

A. 头胸部背面观（head and thorax, dorsal view）；B. 前翅（forewing）；C, D. 尾节侧瓣和肛突侧面观（male pygofer and anal appendage, lateral view）；E, F. 肛突（anal appendage）

(97) 直茎绿小叶蝉 *Chlorita erecta* Dworakowska, 1968（图 97）

Chlorita erecta Dworakowska, 1968：570.

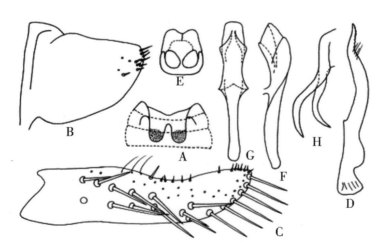

图 97　直茎绿小叶蝉 *Chlorita erecta* Dworakowska

A. 腹内突（abdominal apodemes）；B. 雄虫尾节侧瓣侧面观（male pygofer, lateral view）；C. 下生殖板（subgenital plate）；D. 阳基侧突（style）；E. 连索（connective）；F. 阳茎侧面观（aedeagus, lateral view）；G. 阳茎腹面观（aedeagus, ventral view）；H. 肛突（anal appendage）

鉴别特征：体绿色。头部、胸部背面和颜面基部有黄白色小斑，额唇基端半部有黄绿色横斑，前唇基基半部黄绿色，端半部青绿色，颊有乳黄绿色斑纹。复眼褐色。中胸小盾片绿色或赭黄色，盾间沟褐色。前翅褐绿色，点缀有很多灰色斑纹，后翅灰白色。腹部黄色。足黄至黄绿色。腹突伸达第 4 腹节。雄虫尾节侧瓣基部阔，端向收狭，端部钝圆，着生有小刚毛，下生殖板超过尾节端部长度，基部 2/5 阔，两侧缘几乎平行，向端部略狭，端部略弯向背上方，B 群刚毛少，基部 C 群刚毛双列，近端部呈单列，伸达腹缘端部，D 群细刚毛 2~3 列。阳基侧突基部阔，近端部有细刚毛，端部有锯齿突。阳茎侧观前腔狭，略弯曲，阳茎干阔，阳茎口位于阳茎端部背面。肛突发达，很长，左右不对称，基部较平直，端部弯曲。

分布：陕西(秦岭)、江苏；朝鲜。

48. 小绿叶蝉属 *Empoasca* Walsh, 1862

Empoasca Walsh, 1862：149. **Type species**：*Empoasca viridescens* Walsh, 1862.

属征：体纤弱或粗壮，体黄绿色、绿色至暗绿色，头冠前端钝圆、弧形至弓形突出，冠缝明显，未达头冠前缘，单眼位于头冠前缘或头冠与颜面交界处；颜面阔，宽度等于或略小于中长，额唇基区隆起，前胸背板中长大于头长，胸宽等于或小于头宽。前翅 RP、MP′脉共柄或基部分离，源于 r 室，后翅 CuA 脉端部不分二叉。腹突发达。有尾节突。下生殖板具 4 种类型的刚毛。阳基侧突基部阔，端半部变狭、长，近端部有细刚毛，端部有锯齿突。阳茎前腔一般较发达或发达。肛突明显。

分布：世界广布。世界共知 10 亚属 800 余种，我国已知 4 亚属 100 余种，秦岭地区分布 2 亚属 10 种。

分亚属检索表(♂)

下生殖板基部很阔，端向强烈收狭，基部侧面有三角状突起 ……………………………………
………………………… 松村叶蝉亚属 *Empoasca*（*Matsumurasca*）
下生殖板不如上所述 ………………………… 小绿叶蝉指名亚属 *Empoasca*（*Empoasca*）

48-1. 小绿叶蝉指名亚属 *Empoasca*（*Empoasca*）Walsh, 1862

Empoasca（*Empoasca*）Walsh, 1862：149. **Type species**：*Empoasca viridescens* Walsh, 1862.

属征：虫体较纤弱，一般绿色，头冠前端钝圆或弧形突出，后缘凹入，冠缝明显，未达头冠前缘；颜面宽阔，额唇基区隆起。前胸背板中长大于头长。前翅 RP、MP′脉基部一般分离，较少基部起自一点，后翅 CuA 脉端部不分二叉。腹突发达。尾节突长超过尾节侧瓣端部。下生殖板狭长，C 群大刚毛 2～3 列。阳基侧突基部阔，端半部变狭长，近端部有细刚毛，端部有锯齿突，肛突明显。

分布：世界广布。本亚属世界已知 471 种，秦岭地区分布有 9 种。

分种检索表

(98) 金小绿叶蝉 *Empoasca*（*Empoasca*）*ariadnae* Dworakowska, 1971（图 98）

Empoasca abietis Dworakowska, 1968：570（nec Matsumura, 1916）.

Empoasca ariadnae Dworakowska, 1971：508.

Empoasca（*Empoasca*）*ariadnae*：Dworakowska, 1982：39.

鉴别特征：雄成虫头冠淡绿色，中部两侧有乳白色斑纹，复眼黑色；前胸背板两侧有不规则形淡黄绿色斑纹；中胸盾间沟深褐色，其前中域及盾间沟后有淡黄绿色大斑，盾间沟后两侧缘有小斑。前后翅透明。雄虫尾节侧瓣后缘有数根小刚毛，尾节突向背上方明显弯曲，端部收狭。下生殖板基部阔，端部略向背上方弯曲，末端钝圆，C 群大刚毛 1 列，其外侧 D 群刚毛细长。阳基侧突基部短阔，端半部变狭，近端部有细刚毛，端部有细齿突。阳茎侧观前腔发达、弯曲，阳茎干腹面观端半部膨大，端部有突起，阳茎口位于阳茎干近端部腹面。连索基部阔，端向收狭，前缘近平直。肛突基部粗壮，端部骤尖。

采集记录: 1♂, 宁陕旬阳坝, 1998. V.06, 杨玲环采。

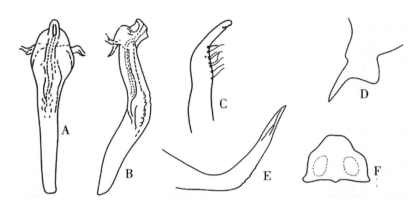

图 98　金小绿叶蝉 *Empoasca*(*Empoasca*)*ariadnae* Dworakowska(仿 Dworakowska, 1982)
A. 阳茎腹面观(aedeagus, ventral view); B. 阳茎侧面观(aedeagus, lateral view); C. 阳基侧突(style); D. 肛突
(anal tube appendage); E. 尾节突(pygofer appendage); F. 连索(connective)(A – E 仿 Dworakowska, 1982; F 仿
Dworakowska, 1971)

分布: 陕西(宁陕)、湖南、广西、云南;朝鲜。

(99)叉小绿叶蝉 *Empoasca*(*Empoasca*)*furcata* **Vilbaste, 1968**(图 99)

Empoasca furcata Vilbaste, 1968: 88.

Empoasca (*Empoasca*) *furcata*: Dworakowska, 1982: 35.

鉴别特征: 雄虫头冠浅绿色,中部两侧各有 1 个浅黄褐色圆斑,复眼中部黑褐色,两边棕褐色;颜面基部额缝外侧至复眼间有浅乳黄色斑纹,额唇基基部暗黄色,前唇基浅黄色,端部浅黄绿色,舌侧板、颊黄白色。前胸背板前缘中部及两侧缘有浅乳黄色斑纹;中胸盾间沟褐色,其前中域及盾间沟后有乳黄色大斑。前翅浅黄绿色,前后翅透明,腹部黄色。雄虫尾节侧瓣基部阔,端半部收狭,端部有小刚毛,尾节突向背上方弯曲,超过尾节侧瓣边缘。下生殖板狭长,外缘波状,端部向背上方弯曲,近基部 C 群刚毛 2 斜列,至端部呈单列,D 群刚毛细。阳基侧突基半部阔,端半部变狭,端部弯曲,近端部有细刚毛,端部有锯齿突。阳茎前腔细长,阳茎干侧观宽阔,腹面观阳茎中部略膨大,向基部明显收狭,阳茎口位于阳茎干端部。连索近梯形,前缘中部突出,后缘中央切凹。肛突发达,基部阔,弯曲,端部分叉,背叉明显长于腹叉。

采集记录: 1♂, 眉县汤峪, 900m, 1998. VI.01, 杨玲环采; 3♂, 留坝, 1980. X.04, 马宁采。

分布: 陕西(眉县、留坝)、湖南、福建、海南、四川、云南;朝鲜, 日本。

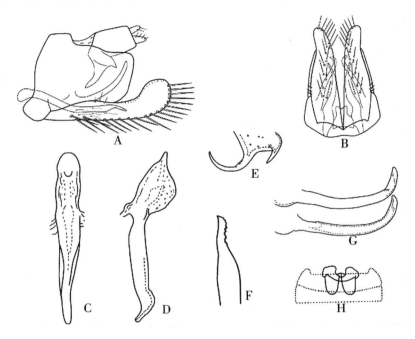

图99　叉小绿叶蝉 *Empoasca*(*Empoasca*)*furcata* Vilbaste

A. 雄虫尾节侧瓣侧面观(male pygofer, lateral view)；B. 雄虫尾节侧瓣腹面观(male pygofer, ventral view)；C. 阳茎腹面观(aedeagus, ventral view)；D. 阳茎侧面观(aedeagus, lateral view)；E. 肛突(anal appendage)；F. 阳基侧突(style)；G. 尾节突(pygofer appendage)；H. 腹内突(abdominal apodemes)(A, B 仿 Vilbaste, 1968；C－H 仿 Dworakowska, 1982)

(100) 阿勒泰小绿叶蝉 *Empoasca*（*Empoasca*）*altaica* **Vilbaste, 1965**(图 100)

Empoasca altaica Vilbaste, 1965：45.

Empoasca（*Empoasca*）*altaica*：Dworakowska, 1982：35.

鉴别特征：雄虫头冠浅黄色，中部两侧各有 1 个浅青绿色圆斑，复眼黄褐色至棕褐色，单眼内侧有浅乳黄色小斑；颜面基部额缝外侧至复眼间有浅乳黄色斑；前胸背板前缘中部及两侧缘有浅乳黄色斑；前翅浅黄绿色，前后 2 翅透明，腹部橙黄色。腹突自基部至端部向两侧略岔开，伸达第 4 腹节。雄虫尾节侧瓣后缘略平截，着生若干小刚毛，尾节突未超过尾节端部。下生殖板狭长，外缘波状，端部向背上方弯曲，近基部 C 群刚毛 2 斜列，近端部呈单列。阳基侧突基半部阔，端半部变狭，弯曲，近端部有细刚毛，端部有锯齿突。阳茎干侧观宽阔，腹面观阳茎基半部细长，阳茎口位于阳茎干端部。连索基部宽阔，端半部收狭，后缘中央凹入。肛突短，有两大齿，齿端尖锐。

采集记录：1♂，宝鸡，1980. V. 08，向成龙，马宁采；1♂，南郑元坝，1280m，2004. Ⅶ. 23，吕林采。

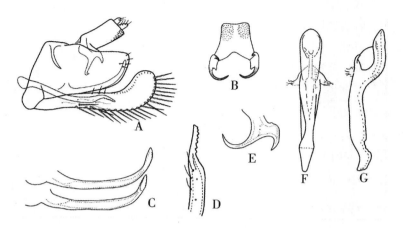

图 100　阿勒泰小绿叶蝉 *Empoasca*（*Empoasca*）*altaica* Vilbaste

A. 雄虫尾节侧瓣侧面观（male pygofer, lateral view）；B. 肛突背面观（anal appendage, dorsal view）；C. 尾节突（pygofer appendage）；D. 阳基侧突端部（apex of style）；E. 肛突（anal appendage）；F. 阳茎腹面观（aedeagus, ventral view）；G. 阳茎侧面观（aedeagus, lateral view）（A, B 仿 Vilbaste, 1968；C – G 仿 Dworakowska, 1982）

分布：陕西（宝鸡、南郑、西乡）、河南、山东、江西；俄罗斯，蒙古，朝鲜。

（101）缘小绿叶蝉 *Empoasca*（*Empoasca*）*affinis* Nast，1937（图 101）

Empoasca affinis Nast，1937：25.

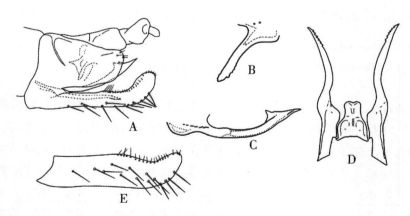

图 101　缘小绿叶蝉 *Empoasca*（*Empoasca*）*affinis* Nast

A. 雄虫尾节侧瓣侧面观（male pygofer, lateral view）；B. 肛突（anal appendage）；C. 尾节突（pygofer appendage）；D. 连索和阳基侧突（connective and style）；E. 下生殖板（subgenital plate）（B, C 仿 Dworakowska, 1977；A, D, E 仿 Nast, 1937）

鉴别特征：雄虫头冠青黄色，复眼黄褐色。前胸背板前缘中部及两侧缘有暗乳黄色不规则形斑纹，中后域浅青黄色，后缘两侧青绿色；中胸盾间沟褐色，前翅暗青黄色或半透明，后翅透明，翅脉褐色。雄虫尾节侧瓣后缘略平截，着生若干小刚毛，尾节突超过尾节端部，端部尖锐、扩展。下生殖板长，外缘波状，端部向背上方弯曲，C 群刚毛呈 2 斜列，至端部呈单列。阳基侧突基部阔，端半部狭，端部弯曲，近端部有细刚毛，端部有锯齿突。阳茎干侧观宽阔，腹面观阳茎基半部细长，阳茎口位于阳茎干端部。连索基部阔，端半部收狭，后缘中央凹入。肛突基部粗壮，端部具细齿。

采集记录：4♂，太白科协馆，1984.Ⅶ.12，柴勇辉采。

分布：陕西（太白）、甘肃、新疆；印度、欧洲。

（102）肖克小绿叶蝉 *Empoasca*（*Empoasca*）*shokella*（**Matsumura, 1931**）（图 102）

Chlorita shokella Matsumura, 1931：90.

Empoasca shokella：Dworakowska, 1972：22.

Empoasca（*Empoasca*）*shokella*：Zhang, Liu & Qin, 2008：63.

鉴别特征：尾节突长，波曲，端部腹面有齿；侧面观阳茎干阔。肛突端向骤狭。阳基侧突基部阔，端部渐狭，端部弯曲，近端部有细刚毛，端部有锯齿突。

分布：陕西（秦岭）、福建、台湾、广东、海南；越南。

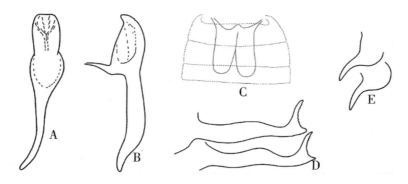

图 102　肖克小绿叶蝉 *Empoasca*（*Empoasca*）*shokella*（Matsumura）
A. 阳茎腹面观（aedeagus, ventral view）；B. 阳茎侧面观（aedeagus, lateral view）；C. 腹内突（abdominal apodemes）；D. 尾节突（pygofer appendage）；E. 肛突（anal appendage）（A, E 仿 Dworakowska, 1972）

（103）鸡公山小绿叶蝉 *Empoasca*（*Empoasca*）*jigongshana* **Cai** *et* **Shen, 1999**（图 103）

Empoasca jigongshana Cai *et* Shen, 1999：26.

鉴别特征：体长 3.20mm。通体黄绿色，头冠前端钝圆突出，中长大于复眼间宽，冠缝不明显，腹突不甚发达，仅至第 4 腹节，向两边叉状倾斜。尾节突简单，逐渐尖锐，端部背向弯曲游离；肛突细长；阳基侧突基部阔，端部渐狭，端部弯曲，近端部有细刚毛，端部有锯齿突。

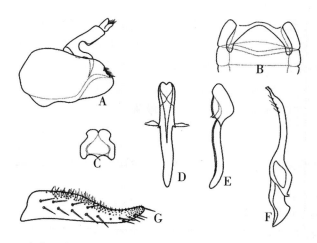

图 103　鸡公山小绿叶蝉 Empoasca（Empoasca）jigongshana Cai et Shen

A. 雄虫尾节侧瓣侧面观（male pygofer, lateral view）；B. 腹内突（abdominal apodemes）；C. 连索（connective）；D. 阳茎腹面观（aedeagus, ventral view）；E. 阳茎侧面观（aedeagus, lateral view）；F. 阳基侧突（style）；G. 下生殖板（subgenital plate）（仿 Cai et Shen, 1999）

采集记录：1♂，略阳柳树坪，713m，2004.Ⅶ.19，吕林采。

分布：陕西（略阳）、河南。

（104）松田小绿叶蝉 Empoasca（Empoasca）matsudai Dworakowska, 1972（图 104）

Empoasca matsudai Dworakowska, 1972：20.

Empoasca（Empoasca）matsudai：Dworakowska, 1982：50.

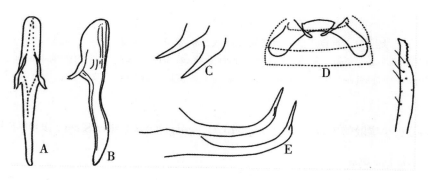

图 104　松田小绿叶蝉 Empoasca（Empoasca）matsudai Dworakowska

A. 阳茎腹面观（aedeagus, ventral view）；B. 阳茎侧面观（aedeagus, lateral view）；C. 肛突（anal appendage）；D. 腹内突（abdominal apodemes）；E. 尾节突（pygofer appendage）；F. 阳基侧突（style）（仿 Dworakowska, 1972）

鉴别特征：与 *Empoasca*（*Empoasca*）*hiromichi* 相似，但本种体色苍白，体小。腹突顶端扩展，肛突细长，尖锐；尾节突长，阳茎较细。

采集记录：1♂，南郑元坝，1280m，2004.Ⅶ.23，吕林采。

分布：陕西（南郑）、河南、湖南；朝鲜，日本。

（105）广道小绿叶蝉 *Empoasca*（*Empoasca*）*hiromichi*（**Matsumura，1931**）（图105）

Chlorita hiromichi Matsumura，1931：88.

Empoasca（*Empoasca*）*hiromichii*：Dworakowska，1982：50.

鉴别特征：雄虫头冠浅黄色，中部两侧各有1个浅青绿色斑，近后缘两侧各有1个浅乳黄色斑，复眼黄褐，前唇基浅黄绿色，前胸背板前缘中部及两侧缘有浅乳黄色斑纹，前翅浅黄绿色，前后翅透明，腹部橙黄色。腹突自基部至端部向两侧岔开。雄虫尾节侧瓣后缘着生小刚毛。下生殖板狭长，外缘波状，端部向背上方弯曲，C群刚毛2列，至端部呈单列。阳基侧突基部阔，端部渐狭，端部弯曲，近端部有细刚毛，端部有锯齿突。阳茎干侧观宽阔，腹面观阳茎基半部细长，阳茎口位于阳茎干亚端部。连索基部宽阔，端半部收狭，后缘中央凹入。

分布：陕西（秦岭）、山东、江苏、浙江、湖南；日本。

寄主：棉花。

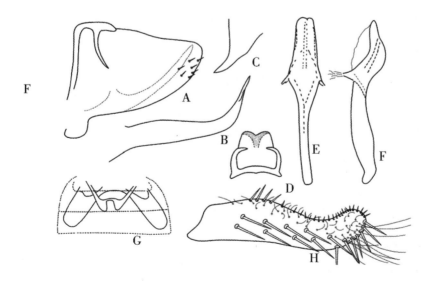

图105　广道小绿叶蝉 *Empoasca*（*Empoasca*）*hiromichi*（Matsumura）

A. 雄虫尾节侧瓣侧面观（male pygofer, lateral view）；B. 尾节突（pygofer appendage）；C. 肛突（anal appendage）；D. 连索（connective）；E. 阳茎腹面观（aedeagus, ventral view）；F. 阳茎侧面观（aedeagus, lateral view）；G. 腹内突（abdominal apodemes）；H. 下生殖板（subgenital plate）

(106) 弯板小绿叶蝉 *Empoasca*（*Empoasca*）*reducata* Dworakowska，1972（图 106）

Empoasca（*Empoasca*）*reducata* Dworakowska，1972h：20.

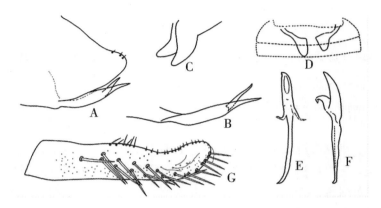

图 106　弯板小绿叶蝉 *Empoasca*（*Empoasca*）*reducata* Dworakowska，1972

A. 雄虫尾节侧瓣侧面观（male pygofer，lateral view）；B. 尾节突（pygofer appendage）；C. 肛突（anal appendage）；
D. 腹内突（abdominal apodemes）；E. 阳茎腹面观（aedeagus，ventral view）；F. 阳茎侧面观（aedeagus，lateral
view）；G. 下生殖板（subgenital plate）（仿 Dworakowska，1972）

　　鉴别特征：体长 2.75mm。头冠、额唇基、前胸背板暗黄色，翅、前唇基、单眼以及前胸背板以下部分绿色，下生殖板上大刚毛到达顶端部，尾节突端部二分叉，阳茎端部半膜质，阳基侧突端部齿状，肛突非常短，未达第 4 腹节。

　　采集记录：1♂，南郑元坝，2004.Ⅶ.23，吕林采；1♂，黎坪，800m，2004.Ⅶ.21，吕林采；1♂，宁陕旬阳坝，1998.Ⅵ.06，杨玲环采。

　　分布：陕西（南郑、宁陕）、台湾；越南。

48-2. 松村叶蝉亚属 *Empoasca*（*Matsumurasca*）**Anufriev，1973**

Empoasca（*Matsumurasca*）Anufriev，1973：540. **Type species**：*Empoasca diversa* Vilbaste，1968.

　　属征：本亚属同小绿叶蝉属其他各亚属的区别在于：前翅 RP、MP′脉共柄，至第 3 端室呈三角形。下生殖板三角形，基部很宽，端部向背上方弯曲，尾节腹面观 2 个下生殖板基部宽度之和大于尾节宽度。

　　分布：东洋区。世界已知 15 种，我国已知 9 种，秦岭地区分布 1 种。

(107) 井小绿叶蝉 *Empoasca*（*Matsumurasca*）*parvifacia* Dworakowska，1994（图 107）

Empoasca（*Matsumurasca*）*parvifacia* Dworakowska，1994：103.

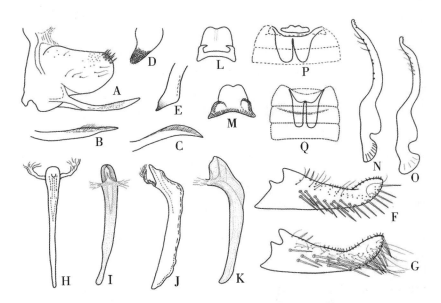

图 107　井小绿叶蝉 *Empoasca*（*Matsumurasca*）*parvifacia* Dworakowska

A. 雄虫尾节侧瓣侧面观（male pygofer, lateral view）; B, C. 尾节突（pygofer appendage）; D, E. 肛突（anal append-
age）; F, G. 下生殖板（subgenital plate）; H, I. 阳茎腹面观（aedeagus, ventral view）; J, K. 阳茎侧面观（aedea-
gus, ventral view）; L, M. 连索（connective）; N, O. 阳基侧突（style）; P, Q. 腹突（abdominal apodemes）（A, E, F,
H, J, M, N, P 仿 Dworakowska, 1994）

鉴别特征：体长 3.70～4.00mm。通体黄绿色，头胸部及前翅有橄榄绿色斑纹，
颜面上部略带棕色，基部绿色。前翅端部略烟灰色。腹突发达，伸达第 4 或第 5 腹
节；阳茎干非常短，呈柄状；肛突短，端部具刻纹。尾节突几乎平直，端部矛状，亚
端部饰有小毛簇。

采集记录：1♂，凤县天台山，2000m，1998.Ⅵ.09，杨玲环采；2♂，宁陕旬阳
坝，1998.Ⅵ.06，杨玲环采。

分布：陕西（凤县、宁陕）、云南；印度。

注：采自中国的标本与采自印度的模式标本相比，有些腹突发达，伸达第 5 腹
节，肛突端部也不如正模那样尖锐。

49．石原叶蝉属 *Ishiharella* Dworakowska，1970

Ishiharella Dworakowska，1970b：716. **Type species**：*Empoasca polyphemus* Matsumura，1931.

属征：体粗壮，圆筒形。头冠宽而短，前后缘近平行，中长小于复眼间宽，无冠

缝，头冠前缘与颜面交界处有 1 个黑色大斑，单眼位于颜面基部，与复眼距离较远。颜面宽阔，宽度接近或略小于中长，额唇基区隆起。前胸背板大，前侧缘有 1 个"八"字形横凹陷，胸长大于头长，胸宽大于或等于头宽。前翅 RP 与 MP 脉共柄，后翅 CuA 脉端部不分叉。腹内突简单、短小。雄虫尾节侧瓣后缘及后腹缘向内卷褶，于内侧向后延伸形成 1 个尾突。下生殖板基部不同程度愈合，无 A 群刚毛，C 群刚毛呈单列。阳基侧突发达、狭长，端部螺旋状扭曲，或端部分二叉、近端部常有 1 个齿状突。

分布：古北区，东洋区。世界报道 5 种，中国已知 4 种，秦岭地区分布有 1 种。

(108) 齿茎石原叶蝉 *Ishiharella dentata* **Qin et Zhang**, **2004**（图 108）

Ishiharella dentata Qin et Zhang, 2004：118.

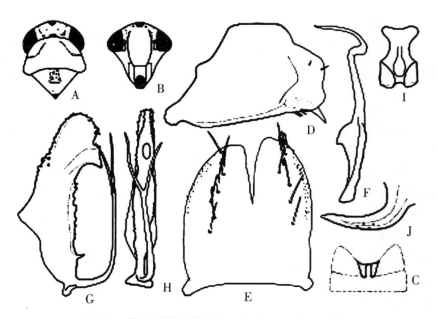

图 108　齿茎石原叶蝉 *Ishiharella dentata* Qin et Zhang

A. 头胸部背面观（head and thorax, dorsal view）；B. 颜面（face）；C. 腹内突（abdominal apodemes）；D. 雄虫尾节侧瓣侧面观（male pygofer, lateral view）；E. 下生殖板（subgenital plate）；F. 阳基侧突（style）；G. 阳茎侧面观（aedeagus, lateral view）；H. 阳茎腹面观（aedeagus, ventral view）；I. 连索（connective）；J. 肛突（anal appendage）

鉴别特征：体长 4.80mm。体暗橙黄色，头冠后缘中部有 1 个浅褐色近梯形斑纹，前缘与颜面交界处有 1 个黑色五边形大斑，无冠缝，头冠近中部两侧各有 1 个深褐色小斑，颜面近基部额缝外侧各有 1 条浅褐色斑纹，基向延伸至头冠近后缘，再略弧形内弯，复眼黑色；额唇基、前唇基基半部暗橙黄色，端半部黑褐色，舌侧板和颊暗黄色。前胸背板前侧缘"八"字形横凹陷黑褐色；中胸盾间沟褐色，其前方有 1 个近梯形褐色大斑，盾间沟后有 1 条浅褐色倒梯形斑纹，小盾片端角黑色。前翅橙黄，半透明，后翅透明、翅脉褐色。足污黄色。腹突简单，伸达第 3、4 腹节节间膜。雄虫尾节侧瓣浅褐色，后缘及后腹缘向内卷褶，内侧近端部下方有 1 个突起，弧形弯曲，略超过尾节端部。下生殖板阔，内缘基半部愈合。阳基侧突狭长，基部阔，端向渐细，端部螺旋状扭曲，末端尖。阳茎干发达，侧观阔，略向腹面弯曲，背面基部约1/3 处和腹面近端部各有 1 个大齿突，端半部及腹面中部还具若干小齿突，阳茎口位于阳茎干近端部腹面；阳茎干基部腹面有 1 个细长突起，沿阳茎干方向延伸，略短于阳茎干，端部分二叉。连索近"凸"字形，近端半部两侧缘弧形内凹，端部扩展约与基部等宽，基部两侧缘向内卷褶。肛突发达，弧形弯曲，端向渐尖。

采集记录：1♂，宁陕旬阳坝，1988.Ⅵ.06，杨玲环采。

分布：陕西（宁陕）。

50. 雅氏叶蝉属 *Jacobiasca* Dworakowska, 1972

Austroasca（*Jacobiasca*）Dworakawoska，1972c：29. **Type species**：*Chlorita lybica* Bergevin *et*
　　Zanon，1922.

Jacobiasca：Dworakowska，1976b：6.

属征：体纤弱，头冠前端弧形突出，前后缘近平行，中长略小于复眼间宽，冠缝明显；颜面阔，额唇基区隆起。前翅 RP 脉源于 r 室，MP″+ CuA′和 MP′脉基部分离，源于 m 室，后翅 CuA 脉端部不分叉。腹突不发达，自基部向两侧岔开。雄虫尾节侧瓣基部阔，端向收狭，近三角形，尾节突端部一般分二叉，若不分叉则端部或近端部不光滑。下生殖板发达，超过尾节端部，有 4 种类型的刚毛。阳基侧突狭长，端部扭曲，近端部有细刚毛，端部有细齿突。阳茎无突起，前腔发达，背腔无或不发达，阳茎干侧观弯曲。肛突不发达。连索呈"凸"字形。

分布：古北区，东洋区，非洲区。世界共知 19 种，我国已知 2 种，秦岭地区分布有 1 种。

(109) 波宁雅氏叶蝉 *Jacobiasca boninensis*（**Matsumura, 1931**）（图 109）

Chlorita boninensis Matsumura，1931b：86.

Austroasca（*Jacobiasca*）*boninensis*：Dworakowska，1972i：30.

Jacobiasca boninensis：Dworakowska，1977：14.

鉴别特征：体黄色。头顶两侧靠复眼各有 1 个乳黄色斑纹，沿冠缝有 1 个乳黄色纵斑，复眼深褐色，颜面黄色，额唇基中央有 1 个乳黄色纵斑。前胸背板前侧缘有不规则斑纹，中胸盾间沟前中域和盾间沟后乳黄白色，两基侧角黄色，前翅黄色，半透明，后翅黄白色。腹部黄色。足黄至黄绿色。

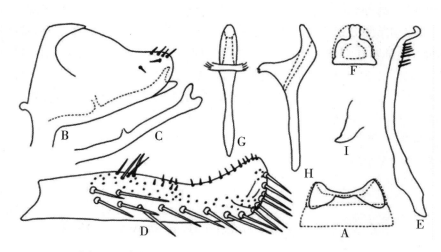

图 109　波宁雅氏叶蝉 Jacobiasca boninensis（Matsumura）

A. 腹内突（abdominal apodemes）；B. 雄虫尾节侧瓣侧面观（male pygofer, lateral view）；C. 尾节突（pygofer appendage）；D. 下生殖板（subgenital plate）；E. 阳基侧突（style）；F. 连索（connective）；G. 阳茎背面观（aedeagus, dorsal view）；H. 阳茎侧面观（aedeagus, lateral view）；I. 肛突（anal appendage）

雄虫尾节侧瓣基部阔，端向收狭，近三角形，尾节突端部分二叉。下生殖板最宽处位于近基部，端向略狭，A 群刚毛 5 根，B 群刚毛明显，C 群刚毛近基部呈 2 列，而后呈单列斜伸达内缘端部，D 群刚毛 2～4 列。阳基侧突近端部略扩展，着生细刚毛，端部扭曲、有细齿。阳茎前腔细长，阳茎干阔，侧观弯曲，背腔不发达，腹面观阳茎近中部略扩展，基部明显狭。连索呈"凸"字形。肛突基部阔，端向收狭。

采集记录：1♀，留坝，1980.Ⅹ.06，采集人不详；1♂，文武山，1980.Ⅳ.22，马宁采；6♂4♀，洋县，1980.Ⅸ.28，刘绍友采；1♂1♀，石泉，1980.Ⅶ.04，采集人不详。

分布：陕西（留坝、洋县、石泉、西乡、宁强）、甘肃、江苏、浙江、湖南、广东、海南、广西、四川、贵州、云南；日本，印度，越南，马来西亚。

51. 绿叶蝉属 *Kyboasca* Zachvatkin, 1953

Kyboasca Zachvatkin, 1953c：228. **Type species**：*Chloria bipunctata* Oshanin, 1871.

属征：体粗壮，圆筒状，头前端弓形突出，后缘凹入，中长小于复眼间宽，冠缝明显；颜面宽阔，宽度接近中长，额唇基区隆起。前胸背板长约为头长的 2 倍，胸宽略大于头宽；中胸盾间沟明显。各端脉基部分离或 RP、MP′ 脉基部起自一点，后翅 CuA 脉端部不分二叉。腹部各腹节背面有突起。雄虫尾节侧瓣基部阔，端半部收狭，近三角形，具尾节突。下生殖板阔，超过尾节端部，有 4 种类型的刚毛。阳基侧突近端部有细刚毛，端部有齿突。阳茎无突起，前腔发达，长于阳茎干长度，阳茎干常弧形弯曲，背腹面常附有膜质结构。连索近"凸"字形。肛突短阔，不甚发达。

　　分布：古北区，新北区。世界共知 11 种，中国已知 3 种，秦岭地区分布有 2 种。

分种检索表（♂）

前翅 cua 室端部有 1 个黑褐色圆斑 ·················· **双斑绿叶蝉** ***K. bipunctata***

前翅 cua 室端部及第 1 端室基部有 2 个黑褐色圆斑 ············· **赛绿叶蝉** ***K. sexevidens***

（110）双斑绿叶蝉 *Kyboasca bipunctata*（Oshanin，1871）（图 110）

Chloria bipunctata Oshanin，1871a：212.

Eupoasca haupti Ribaut，1933a：161.

Empoasca bipunctata：Paoli，1936a：19.

Empoasca（*Kybos*）*bipunctata*：Zachvatkin，1947a：118.

Kyboasca bipunctata：Dworakowska，1968b：366.

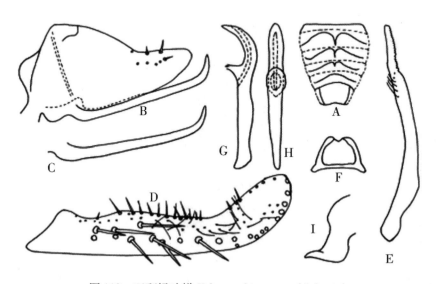

图 110　双斑绿叶蝉 *Kyboasca bipunctata*（Oshanin）

A. 腹内突（abdominal apodemes）；B. 雄虫尾节侧瓣侧面观（male pygofer，lateral view）；C. 尾节突（pygofer appendage）；D. 下生殖板（subgenital plate）；E. 阳基侧突（style）；F. 连索（connective）；G. 阳茎侧面观（aedeagus，lateral view）；H. 阳茎腹面观（aedeagus，ventral view）；I. 肛突（anal appendage）

鉴别特征: 陈旧标本体黄色,头顶冠缝两侧各有 1 个浅褐色斑,单眼中后部围以乳黄色斑纹,复眼褐色,颜面黄色,额唇基中央有 1 条乳黄色纵斑,颊乳黄色。前胸背板靠复眼后有乳白色不规则斑纹,前胸背板中后域半透明,中胸盾间沟前中域和盾间沟后有乳白色斑纹。前翅半透明,cua 室端部有 1 个褐色圆斑,后翅灰白色。腹部和足黄色。雄虫尾节侧瓣长,背缘近端部内凹,端部钝圆,着生小刚毛,尾节突长,自基部至近端部近等宽,端部略狭,超出尾节侧瓣端部,弯向背上方。下生殖板长,超过尾节端部,近基部 2/5 处最宽,A 群刚毛基部呈双列,至端部呈单列,伸达腹缘端部,D 群细刚毛 2~4 列。阳基侧突近端部有细刚毛,端部密生锯齿突。阳茎前腔明显长于阳茎干长度,阳茎干弯曲,端部狭,阳茎腹面观近中部略扩展。连索后缘中央凹入。肛突短阔,弯曲。

分布: 陕西(秦岭)、黑龙江、吉林、辽宁、内蒙古、河北、新疆;俄罗斯,朝鲜,哈萨克斯坦,高加索地区,欧洲。

(111) 赛绿叶蝉 *Kyboasca sexevidens* **Dlabola, 1967**(图 111)

Kyboasca sexevidens Dlabola, 1967a: 19.

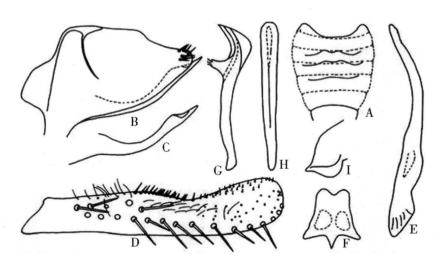

图 111　赛绿叶蝉 *Kyboasca sexevidens* Dlabola

A. 腹内突(abdominal apodemes); B. 雄虫尾节侧瓣侧面观(male pygofer, lateral view); C. 尾节突(pygofer appendage); D. 下生殖板(subgenital plate); E. 阳基侧突(style); F. 连索(connective); G. 阳茎侧面观(aedeagus, lateral view); H. 阳茎腹面观(aedeagus, ventral view); I. 肛突(anal appendage)

鉴别特征: 体黄绿色。头顶黄色,沿冠缝有乳白色纵斑,围绕单眼有乳黄色斑纹,复眼褐色,靠近头冠及颜面处黑色,颜面额侧区乳黄白色,额唇基中央有 1 条乳黄白色纵斑,额唇基端部及前唇基黄绿色,颊黄白色。前胸背板前侧缘有乳白色不规则斑纹,近前缘有 2 个黑色圆斑,前胸背板中后域褐色,两基侧角黄绿色,中胸盾间沟前中域和盾间沟后有乳白色斑纹,基侧角黄色。前翅半透明,端缘浅褐色,cua室端部和第 1 端室基部各有 1 个褐色至浅褐色圆斑,后翅灰白色。腹部黄色。足黄至黄绿色。雄虫尾节侧瓣基部阔,端半部收狭,端部钝圆,着生小刚毛,尾节突长,沿尾节腹缘延伸,近端部扩展,端部骤狭,末端尖锐。下生殖板阔,超过尾节端部,A 群刚毛近基部呈双列,至端部呈单列,伸达腹缘端部,D 群刚毛 2~5 列。阳基侧突近端部有细刚毛,端部有锯齿突。阳茎前腔约为阳茎干长的 2 倍,阳茎干弯曲,中部阔,向端部收狭,阳茎腹面观端部宽,向基部渐狭。连索前缘中央突出,后缘中央凹入,肛突短阔,弯曲。

采集记录: 2♂1♀,旬阳,1981. V. 14,马宁采;2♂,镇安,1981. V. 13,采集人不详。

分布: 陕西(旬阳、镇安)、内蒙古、河北;俄罗斯,蒙古。

52. 膜瓣叶蝉属 *Membranacea* Qin *et* Zhang,2011

Membranacea Qin *et* Zhang,2011:50. **Type species**:*Membranacea spinata* Qin *et* Zhang,2011.

属征: 体粗壮。头冠前端弧形突出,后缘凹入,前后缘近平行,中长小于复眼间宽,冠缝明显,伸近头冠前缘,头冠和颜面交接处中央有 1 个黑色大斑;颜面略狭,宽度小于中长,侧观略隆起。前胸背板宽阔,中长明显大于头长,胸宽略大于头宽,中胸盾间沟明显。前翅各端脉基部分离,RP 和 MP′脉源于 r 室,MP″ + CuA′脉源于 m 室,c 室、r 室、m 室几乎等宽,后翅 CuA 脉端部分二叉。腹突发达,平行延伸。雄虫尾节侧瓣基部阔,中部背缘阶梯状收狭,端部有小刚毛,无尾节突。下生殖板阔,超过尾节端部,A 群刚毛单列。阳基侧突基半部阔,端半部收狭,端部具齿,近端部有细刚毛。阳茎细长,前腔发达,无背腔,端半部两侧有侧翼状突起。侧观无肛突。

分布: 中国。秦岭地区分布有 1 种。

(112) 单片膜瓣叶蝉 *Membranacea unijugata* Qin *et* Zhang(图 112)

Membranacea unijugata Qin *et* Zhang,2011:51.

鉴别特征: 体长 4.30~4.50mm。雄虫头冠浅橙色,后缘两侧各有 1 个浅褐色斑纹,复眼黑色,头顶前缘与颜面交界处的黑色大斑有暗橙色环纹;额唇基中部有 1 条褐色纵带,前唇基褐色,舌侧板和颊浅褐色。前胸背板中后域暗红褐色;中胸盾间沟黑褐色,其前中域有 1 个暗黄色四边形大斑,盾间沟后两侧缘各有 1 个橙黄色斑,中胸基部两侧紧挨前胸背板后缘各有 1 个黑斑,小盾片端角黑色。前翅基部的 2/3 为浅红褐色,端部浅黄色,后翅透明,翅脉褐至浅褐色。腹部黑褐色。足除后足胫节中部浅黑褐色外，均为浅橙红色。个别陈旧标本体色稍浅，前胸背板前缘中部有乳黄色斑纹。翅黄色。足除腿节中部褐色外均为暗黄色。腹突伸达第 5 腹节。雄虫尾节侧瓣褐色，基部阔，背缘近中部阶梯状收狭，背缘端半部平直，端部呈指状突出，着生小刚毛。下生殖板阔，浅褐色，外缘中部略隆起，端部略向背上方弯曲，A 群刚毛较长，位于外缘近中部，C 群大刚毛为 1 斜列，在近中部侧错落着生 1～2 根大刚毛，似成双列，D 群刚毛位于端部。阳基侧突基半部阔，端半部变狭，弯曲，端部具齿，近端部有细刚毛。阳茎细长，侧观弯曲，前腔约为阳茎干长度之半，腹面观近端部两侧各有 1 个侧翼状突起，阳茎口位于阳茎干近端部腹面。连索基部宽阔，端向收狭，前缘弧形凹入。侧观肛突无，腹面观肛突相对延伸。

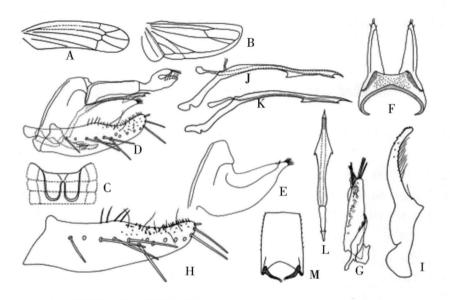

图 112　单片膜瓣叶蝉 *Membranacea unijugata* Qin et Zhang

A. 前翅(forewing)；B. 后翅(hindwing)；C. 腹内突(abdominal apodemes)；D. 雄虫外生殖器侧面观(male terminalia, lateral view)；E. 雄虫尾节侧瓣侧面观(male pygofer, lateral view)；F. 雄虫尾节侧瓣背面观(male pygofer, dorsal view)；G. 阳基侧突、连索、下生殖板和生殖瓣腹面观(style, connective, subgenital plate and valve, ventral view)；H. 下生殖板(subgenital plate)；I. 阳基侧突(style)；J, K. 阳茎侧面观(aedeagus, lateral view)；L. 阳茎背面观(aedeagus, dorsal view)；M. 肛突腹面观(anal appendage, ventral view)

采集记录：1♂，太白山中山寺，1500m，周静若、刘兰采。
分布：陕西(太白山)、四川。

53. 尼小叶蝉属 *Nikkotettix* Matsumura，1931

Nikkotettix Matsumura，1931b：76. **Type species**：*Nikkotettix galloisi* Matsumura，1931.

　　属征：体纤细或粗壮。头冠前缘弧形突出，后缘凹入，冠缝明显，未伸达前缘，单眼位于头顶前缘与颜面交界处。前胸背板阔，中长大于头长，胸宽略大于或约等于头宽。前翅 RP 和 MP′脉源于 r 室，MP″＋CuA′脉源于 m 室，第 2、3 端脉基部远离或共柄，后翅 CuA 脉端部分二叉。雄虫尾节侧瓣发达，有或无尾节突；下生殖板长，超过尾节末端；腹突短阔；阳基侧突与 *Empoasca* 同型；阳茎干基部腹面有 1 个或 1 对突起。

　　分布：东洋区。世界报道 5 种，我国已知 4 种，秦岭地区分布 2 种。

分种检索表(♂)

阳茎干基部腹面具 1 对突起 ……………………………………… 太白尼小叶蝉 *N. taibaiensis*
阳茎干基部腹面具 1 个突起 ……………………………………… 伽氏尼小叶蝉 *N. galloisi*

(113) 太白尼小叶蝉 *Nikkotettix taibaiensis* **Qin *et* Zhang，2003**（图 113）

Nikkotettix taibaiensis Qin *et* Zhang，2003：27.

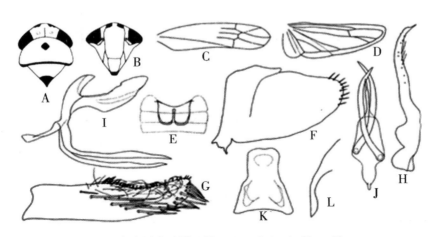

图 113　太白尼小叶蝉 *Nikkotettix taibaiensis* Qin *et* Zhang

A. 头胸部背面观(head and thorax，dorsal view)；B. 颜面(face)；C. 前翅(forewing)；D. 后翅(hindwing)；E. 腹内突(abdominal apodemes)；F. 雄虫尾节侧瓣侧面观(male pygofer，lateral view)；G. 下生殖板(subgenital plate)；H. 阳基侧突(style)；I. 阳茎侧面观(aedeagus，lateral view)；J. 阳茎腹面观(aedeagus，ventral view)；K. 连索(connective)；L. 肛突(anal appendage)

　　鉴别特征：体长 4.70～5.40mm。体粗壮。头冠橙红色，头冠近中部两侧各有 1 个浅褐至浅黄褐色圆斑，复眼黑色，在头顶前缘与颜面交接处有 2 个近三角形黑色大斑；额唇基、前唇基橙红色，前唇基端部浅黑色，颊浅橙红色。前胸背板前缘中部有 1 个近菱形浅黑色大斑，沿后缘至两侧浅黑色，小盾片端角黑色。前翅浅橙红色，后翅半透明。腹突伸达第 5 腹节。雄虫尾节侧瓣褐色，后缘有刚毛，无尾节突；下生殖板阔，超过尾节长度，基部 1/4 两侧缘近平行，外缘中部略隆起，端部 1/3 略向后上方弯曲，B 群刚毛密生，C 群刚毛近基部斜生 1 列，其中基部的 1 根较短，尔后呈双列斜伸达内缘端部，D 群刚毛细长；阳基侧突基部很短，端半部狭长，有细刚毛，端部尖锐，近端部有锯齿突；连索基部宽阔，端向收狭，两侧缘向内弯曲；阳茎干侧观显著扁平，基部腹面有 1 对发达长突，超过阳茎干长度，端向渐细，末端尖，腹面观相对延伸，交叉，阳茎口斜切，位于近端部；肛突弯曲，末端尖锐，不呈钩状。

采集记录：1♂，太白山点兵场，1700m，1982. Ⅶ. 15，周静若、刘兰采；1♂1♀，同前。

分布：陕西（太白山）。

（114）伽氏尼小叶蝉 *Nikkotettix galloisi* Matsumura，1931（图 114）

Nikkotettix galloisi Matsumura，1931：76.

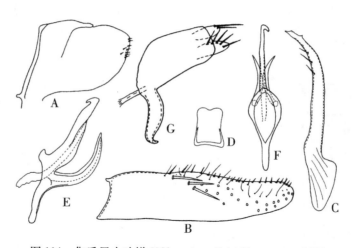

图 114　伽氏尼小叶蝉 *Nikkotettix galloisi* Matsumura，1931

A. 雄虫尾节侧瓣侧面观（male pygofer，lateral view）；B. 下生殖板（subgenital plate）；C. 阳基侧突（style）；D. 连索（connective）；E. 阳茎侧面观（aedeagus，lateral view）；F. 阳茎背面观（aedeagus，dorsal view）；G. 肛突（anal appendage）

鉴别特征：体浅褐色。头顶中部前缘橙色，前胸背板中部黄色至橙黄色，复眼红色，有黑斑，中胸基角黑色。前翅黄褐色，后翅翅脉灰白色。腹部背面中央有黑色纵斑。雄虫尾节侧瓣后缘有小刚毛，尾节突长，弯向背上方；下生殖板阔，侧观超过尾节长度，基部 1/4 两侧缘近平行，外缘中部略隆起，端部 1/3 略向后上方弯曲，B 群刚毛起于外缘近中部至端部，C 群刚毛 2～3 列，伸达内缘端部，D 群刚毛少；阳基侧突狭，端部有少量锯齿状突端，近端部细刚毛；连索呈梯形，基部宽阔，端向收狭；阳茎背腔短，阳茎干呈管状，略弯曲，中部略膨大，基背面有 1 个小的刺状突起，基腹面还有 1 个突起，不超过阳茎干长度，弯曲，阳茎口位于腹面近中部；肛突长，波曲，端向渐狭。

采集记录：6♂5♀，太白保护区管理站，1998.Ⅷ.14，胡建采；2♂1♀，太白山，1998.Ⅶ.06，赵明水采。

分布：陕西（太白）、浙江；日本。

54. 叉脉叶蝉属 *Schizandrasca* Anufriev, 1972

Schizandrasca Anufriev, 1972a：36. **Type species**：*Alebroides ussurica* Vilbatse, 1968.

属征：体粗壮。头冠前端弧形突出，后缘凹入，中长小于复眼间宽，冠缝明显；颜面宽阔，宽度接近中长，额唇基区隆起。前胸背板宽阔，前缘弧形突出，后缘凹入，胸长约为头长的2倍，胸宽约等于或略大于头宽；中胸盾间沟短，未达侧缘。RP与MP′脉基部起自一点或共柄，后翅CuA脉端部分二叉。腹突发达或不甚发达。雄虫尾节侧瓣基部阔，端向收狭，端部角状略弯向背上方，着生小刚毛，无尾节突。下生殖板基部略宽，端向略狭，有4种类型的刚毛。阳基侧突弯曲，近端部有细刚毛，端部有细齿突。阳茎细长呈钩状，阳茎口位于阳茎干端部。肛突侧观不明显，腹面观相对延伸，弯曲。

分布：古北区，东洋区。世界共知2种，中国记载1种，秦岭地区分布有1种。

(115) 优叉脉叶蝉 *Schizandrasca ussurica*（**Vilbaste, 1968**）（图115）

Alebroides ussurica Vilbaste, 1968：73.

Schizandrasca ussurica：Anufriev, 1972a：36.

鉴别特征：体暗红色。头顶暗黄色，前缘中部暗红色，冠缝红褐色，复眼黑色，颜面基部暗红色，其余部分暗黄色。前胸背板前侧缘及中胸小盾片暗黄色，前胸背板中域大部暗红色。前翅半透明。足黄色。腹突伸达第4腹节端部。雄虫尾节侧面观基部阔，端半部强烈收狭，端部向背上方弯曲，端部着生若干小刚毛，尾节背面观背脊桥短，端部膜质。无尾节突。下生殖板基部1/3宽阔，两侧缘近平行，端向收狭，端部略弯向背上方，近基部A群刚毛6~7个，B群刚毛21~25个，C群刚毛17~19个，斜伸达内缘端部，D群刚毛2~3列。阳基近端部着生若干小刚毛，端部具齿。连索呈四边形，后缘中央切凹。阳茎细长呈管状，整体呈钩状，无前腔和背腔，端向渐狭，阳茎口开口于端部。肛突长，伸近尾节侧瓣腹缘，侧观波曲，端部骤狭，腹面观相对延伸。

采集记录：1♂1♀，宁陕火地塘，2000.Ⅶ.22，刘振江、戴武采。

分布：陕西（宁陕）、湖北；俄罗斯，朝鲜。

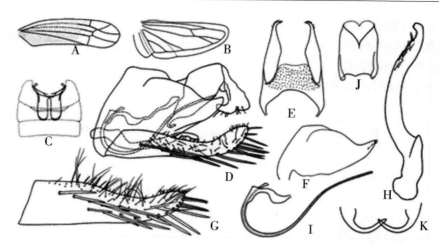

图 115　优叉脉叶蝉 *Schizandrasca ussurica* （Vilbaste）

A. 前翅（forewing）；B. 后翅（hindwing）；C. 腹内突（abdominal apodemes）；D. 雄虫外生殖器侧面观（male termi-nalia, lateral view）；E. 雄虫尾节侧瓣背面观（male pygofer, dorsal view）；F. 雄虫尾节侧瓣侧面观（male pygofer, lateral view）；G. 下生殖板（subgenital plate）；H. 阳基侧突（style）；I. 阳茎侧面观（aedeagus, lateral view）；J. 连索（connective）；K. 肛突（anal appendage）

IV. 小叶蝉族 Typhlocybini Germar, 1833

鉴别特征： 前翅 MP″ + CuA′弯向翅后缘；后翅第 1、2 臀脉端部分离，周缘脉只伸达 CuA 近端部，RP、MP′端部愈合使后翅有 2 条横脉，或有横脉相连，使后翅具 3 条横脉。下生殖板近基有或无大刚毛，若有则为 1 根，只有少部分种类具成列大刚毛；生殖腔内部各构造无愈合现象。

分布： 秦岭地区分布 10 属 23 种。

分属检索表（♂）

1. 后翅 R、M 间有横脉 ··· 2
   后翅 R、M 间无横脉 ··· 4
2. 尾节侧瓣后缘分瓣 ··· 3
   尾节侧瓣后缘不分瓣 ······································ 蒿小叶蝉属 *Eupteryx*
3. 阳基侧突近端部不具亚端齿或突起 ······················ 雅小叶蝉属 *Eurhadina*
   阳基侧突近端部具亚端齿或突起 ························ 辜小叶蝉属 *Aguriahana*
4. 下生殖板近基部有大刚毛 ·· 5
   下生殖板近基部无大刚毛 ·· 9
5. 连索大而片状，呈纵长的"凸"字形，无中瓣，两侧骨化强 ·················· 6
   连索不如上述 ··· 8

6. 阳茎干端部附突对称 ··· 沃小叶蝉属 *Warodia*
阳茎干端部附突不对称 ·· 7
7. 尾节侧瓣基腹缘突出，其上丛生硬短刚毛 ························· 蟠小叶蝉属 *Paracyba*
尾节侧瓣腹缘具少量硬大刚毛，分散分布于基部及后部················ 蕃氏小叶蝉属 *Farynala*
8. 体粗大，头扁平，头胸部超过体长的 2/5 ····················· 博小叶蝉属 *Bolanusoides*
体纤细，头胸部特征不如上述 ································· 小叶蝉属 *Typhlocyba*
9. 阳茎干上无突起，干末端柱头状；尾节侧瓣腹缘具长叉状突 ············ 缪小叶蝉属 *Amurta*
阳茎干上具突起，干末端非柱头状；尾节侧瓣腹缘无叉状突············ 带小叶蝉属 *Agnesiella*

55. 带小叶蝉属 *Agnesiella* Dworakowska，1970

Agnesiella Dworakowska，1970：211. **Type species**：*Typhlocyba aino* Matsumura，1932.
Sarejuia Ghauri，1974：556. **Type species**：*Chikkaballapura quinquemaculata* Distant，1918.

属征：腹内突发达，常伸至第 5、6 腹节。雄虫尾节侧瓣被有 2 个刚毛区，后缘近中部微突，簇生数根小硬刚毛，侧瓣后腹缘具指形突；生殖瓣长，约为下生殖板的 1/4 ~ 1/5；下生殖板呈粗棒状，无刻纹，近端部被长而纤细的刚毛和小硬刚毛，且着生桩状刚毛或深色齿突的部位常有突出；阳基侧突亚端齿形状复杂，端部外侧缘常着生有 1 列小刚毛；连索小，中脊不发达；阳茎干细长，背缘直或呈波状弯曲，腹缘具片状或指状突起，干末端卷齿状，阳茎口位于端部腹缘。

分布：古北区，东洋区。秦岭地区发现 1 种。

(116) 核桃带小叶蝉 *Agnesiella*（*Agnesiella*）*juglandis* Chou *et* Ma，1981（图 116）

Agnesiella（*Agnesiella*）*juglandis* Chou *et* Ma，1981：198.

鉴别特征：雄虫尾节侧瓣后缘中部有 1 处凹入，内生 1 个强骨化的附突，很短，指状，上生数根大毛。下生殖板生端部背向弯曲，近于 90°，弯曲部分的基部有 1 个骨化齿，近端部有 1 排刚毛，端部也有 1 排较细而硬的刚毛。阳基侧突细，端部有 2 个长齿突，几乎互成直角，内侧亚端部另有 1 个长齿突。阳茎近端部腹面有 1 个近三角形的透明脊起，其下角很尖锐。

采集记录：2♂1♀，留坝，1980.Ⅶ.10，马宁采。

分布：陕西（留坝）、云南。

寄主：核桃 *Juglans*。

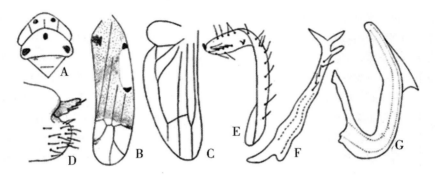

图116　核桃带小叶蝉 *Agnesiella* (*Agnesiella*) *juglandis* Chou *et* Ma

A. 头胸部背面观(head and thorax, dorsal view)；B. 前翅(forewing)；C. 后翅(hindwing)；D. 雄虫尾节侧瓣后缘 (hind part of male pygofer)；E. 下生殖板(subgenital plate)；F. 阳基侧突(style)；G. 阳茎侧面观(aedeagus, lateral view)(仿周尧和马宁，1981)

56. 辜小叶蝉属 *Aguriahana* Distant, 1918

Aguriahana Distant, 1918：105. **Type species**：*Aguriahana metallica* Distant, 1918.

Kashitettix Ishihara, 1952：60. **Type species**：*Eupteryx quercus* Matsumura, 1916.

Eupteroidea Young, 1952：92. **Type species**：*Typhlocyba stellulata* Burmeister, 1841.

Asymmetropteryx Dlabola, 1958：52. **Type species**：*Typhlocyba pictilis* Stål, 1853.

Wagneripteryx Dlabola, 1958：53. **Type species**：*Cicadula germari* Zetterstedt, 1840.

Evansioma Ahmed, 1969：313. **Type species**：*Evansioma pini* Ahmed, 1969.

Youngama Ahmed, 1969：313. **Type species**：*Youngama spinistyla* Ahmed, 1969.

Bellpenna Chiang, Hsu *et* Knight, 1989：119. **Type species**：*Bellpenna meifengensis* Chiang, Hsu *et* Knight, 1989.

属征：体白色至橄榄色，有绿色、浅蓝色、浅红色、黄色斑，头冠与前胸背板同色或有黑褐斑纹。头、胸及前翅斑纹复杂，少部分种类具较少斑纹，大部分种类在头冠与颜面间有1条横纹，并向右延伸到前胸背板两侧缘，后翅膜质区烟色。雄虫尾节侧瓣后缘在端部不规则地覆有细刚毛；后缘分瓣，上瓣骨化强烈，具黑齿及瘤突，也有一些直、细而硬的刚毛，在有的种中存在中瓣，中瓣覆有小而尖的齿及瘤突，皆稍有加黑，有些种中瓣与上瓣结合或完全没有。生殖瓣较小，阳基侧突末端常超过其基部。下生殖板基部长，基部着生有1列亚缘列长而细的大刚毛，在数量及大小上随种而变，很少有短小刚毛；外缘或多或少突然向内收狭，此区外缘有1列桩状刚毛，大小及数量因种而不同，端部短而狭，沿外缘有1列排列规则的刚毛。连索片状，两侧臂发达，中脊发达。阳基侧突弓形，头向部最小，比中部小2倍，并端向渐细，中部坚固，有基部加宽的瘤突，尾向部与中部近等长，或比头向部2倍还长；尾向部外侧缘有 1 列刚毛，末端呈钩状，具亚端齿。阳茎骨化强，干上在背、腹、两侧缘 4 个区域可产生附突，阳茎口在干的端部。

　　分布：东洋区，澳洲区，全北区。秦岭地区发现 6 种。

分种检索表(♂)

(117) 陕西辜小叶蝉 *Aguriahana shaanxiensis* Chou *et* Ma, 1981（图 117）

Agurahana shaanxiensis Chou *et* Ma, 1981：201.

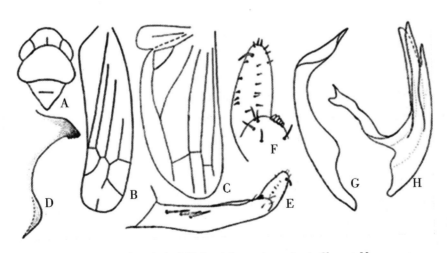

图 117　陕西辜小叶蝉 *Aguriahana shaanxiensis* Chou *et* Ma

A. 头胸部背面观(head and thorax, dorsal view)；B. 前翅(forewing)；C. 后翅(hindwing)；D. 雄虫尾节侧瓣后缘(hind part of male pygofer)；E. 下生殖板(subgenital plate)；F. 下生殖板端部(apex of subgenital plate)；G. 阳基侧突(style)；H. 阳茎侧面观(aedeagus, lateral view)（仿周尧和马宁，1981）

鉴别特征: 本种与云南辜小叶蝉 A. yunensis 外表上很相似,但从下列几点可以区别:本种体型稍小;尾节侧瓣上瓣突出较短,不到云南辜小叶蝉 A. yunensis 的 1/2;阳茎附突位于阳茎的两侧,阳茎端还具有 1 个小端附突;阳基侧突短,近端部处无刚毛着生。

采集记录: 2♂1♀,留坝,1980. X.04,马宁采。

分布: 陕西(留坝)。

(118) 灰褐辜小叶蝉 *Aguriahana adusta* Chiang, Hsu *et* Knight, 1989(图 118)

Aguriahana adusta Chiang, Hsu *et* Knight, 1989:106.

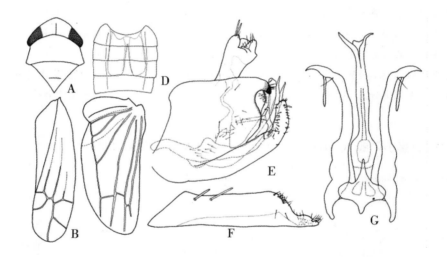

图 118 灰褐辜小叶蝉 *Aguriahana adusta* Chiang, Hsu *et* Knight

A. 头胸部背面观(head and thorax, dorsal view);B. 前翅(forewing);C. 后翅(hindwing);D. 腹内突(abdominal apodemes);E. 雄虫生殖荚(male genital capsule);F. 下生殖板(subgenital plate);G. 阳基侧突、连索及阳茎腹面观(style, connective and aedeagus, ventral view)(仿蒋中柱等, 1989)

鉴别特征: 腹内突发达,超过第 6 腹节末端。雄虫尾节侧瓣上瓣末端具小硬刚毛,中瓣具齿状刻纹。下生殖板亚基部近外缘具 2 根大刚毛,外缘距端部 1/3 处具 1 列桩状刚毛。阳基侧突细长,端部呈镰刀状,弯曲处刚毛与亚端部长突起相距不远。阳茎干长,末端腹附突二分叉。

采集记录: 2♂1♀,宁陕火地塘,1984. Ⅷ.18,李青森采。

分布: 陕西(宁陕)、台湾、云南。

寄主: 松属 *Pinus*。

(119) 核桃辜小叶蝉 *Aguriahana juglandis* Chou *et* Ma, 1981（图119）

Aguriahana juglandis Chou *et* Ma, 1981：203.

鉴别特征：雄虫尾节侧瓣后缘中部有1个骨化之隆起，上生有数根刚毛；腹附突长，在基部和中部各有1次折弯，末端指向背方。下生殖板两侧缘平行，基半部腹面着生1列3～4根大毛，端部褐色，背部有1个凸起，其外侧生有几根桩状刚毛。阳基侧突亚端齿较短，呈踵状。阳茎较长，中部背向弯曲；近端部处有1对侧附突，短，其末端向侧下方弯曲；端部有1对锥状附突，上伸。

采集记录：1♀，留坝，1980.Ⅶ.10，马宁采。

分布：陕西（留坝、宁强）、福建、四川。

寄主：核桃 *Juglans*。

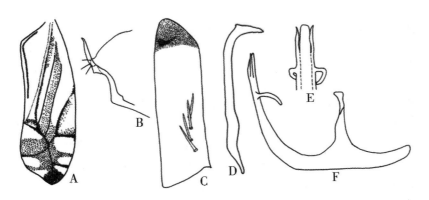

图119　核桃辜小叶蝉 *Aguriahana juglandis* Chou *et* Ma

A. 前翅（forewing）；B. 雄虫尾节侧瓣后缘（hind part of male pygofer）；C. 下生殖板（subgenital plate）；D. 阳基侧突（style）；E. 阳茎干末端（apex of aedeagal shaft）；F. 阳茎侧面观（aedeagus，lateral view）（仿周尧等，1981）

(120) 核桃异辜小叶蝉 *Aguriahana dissimilis* Chou *et* Ma, 1981（图120）

Aguriahana dissimilis Chou *et* Ma, 1981：202.

鉴别特征：本种外表与核桃辜小叶蝉 *A. juglandis* 相似，但雄虫外生殖器存在很大的差异：本种尾节侧瓣腹附突杆状，背向弯曲；其端部有精细的刻纹；仅有阳茎端附突，构造很复杂。

采集记录：1♂，宁强阳平关，1980.Ⅹ.04，马宁采。

分布：陕西（宁强）、福建、湖南。

寄主：核桃 *Juglans*。

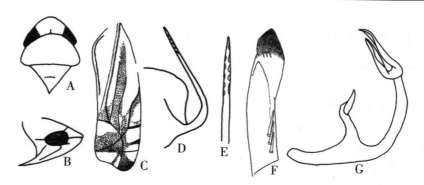

图 120　核桃异鼋小叶蝉 *Aguriahana dissimilis* Chou *et* Ma

A. 头胸部背面观(head and thorax, dorsal view); B. 头部侧面观(head, lateral view); C. 前翅(forewing); D. 雄虫尾节侧瓣后缘(hind part of male pygofer); E. 雄虫尾节侧瓣后缘突起(processes of hind part of male pygofer); F. 下生殖板(subgenital plate); G. 阳茎侧面观(aedeagus, lateral view)(仿周尧等, 1981)

(121)核桃红鼋小叶蝉 *Aguriahana rubra* **Chou** *et* **Ma**, **1981**(图 121)

Aguriahana rubra Chou *et* Ma, 1981: 203.

鉴别特征: 本种与核桃鼋小叶蝉 *A. juglandis* 很相似, 但有以下几点不同: 体色发红, 尤其是前胸背板和小盾片, 更为明显; 下生殖板端部不骨化, 突起也比较小, 在它的外侧, 有 2 根小刺; 尾节侧瓣腹附突约为核桃鼋小叶蝉的两倍宽; 阳茎只有端附突, 端附突基部向外侧平伸, 然后呈 2 个细长的分支, 分别指向末端和基部。

采集记录: 1♂, 留坝, 1980. Ⅹ.04, 马宁采。

分布: 陕西(留坝、宁强)、湖北、云南。

寄主: 核桃 *Juglans*。

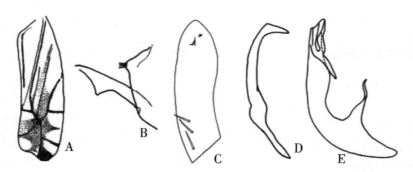

图 121　核桃红鼋小叶蝉 *Aguriahana rubra* Chou *et* Ma

A. 前翅(forewing); B. 雄虫尾节侧瓣后缘(hind part of male pygofer); C. 下生殖板(subgenital plate); D. 阳基侧突(style); E. 阳茎侧面观(aedeagus, lateral view)(仿周尧等, 1981)

（122）三角辜小叶蝉 *Aguriahana triangularis*（Matsumura，1932）（图 122）

Eupteryx triangularis Matsumura，1932：94.

Eupteryx u-nigrum Matsumura，1932：94.

Cicadella triangularis Ishihara，1953：31.

Aguriahana triangularis：Dworakowska，1972：291.

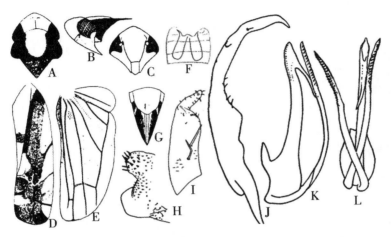

图 122　三角辜小叶蝉 *Aguriahana triangularis*（Matsumura）

A. 头胸部背面观（head and thorax, dorsal view）；B. 头胸部侧面观（head and thorax, lateral view）；C. 颜面（face）；D. 前翅（forewing）；E. 后翅（hindwing）；F. 腹内突（abdominal apodemes）；G. 雌虫腹部末端（apical part of female abdomen）；H. 雄虫尾节侧瓣后缘（hind part of male pygofer）；I. 下生殖板（subgenital plate）；J. 阳基侧突（style）；K. 阳茎侧面观（aedeagus, lateral view）；L. 阳茎后面观（aedeagus, posterior view）（仿 Dworakowska，1972）

鉴别特征：尾节侧瓣后缘上瓣及下瓣末端皆钝圆，上瓣具小棘突及小硬刚毛。下生殖板近基有 2 根大刚毛，转折处有 4 根桩状刚毛，端部大刚毛直。阳基侧突末端喙状，亚端齿近尾向部中部，短、末端钝。阳茎具 1 对细长的基附突，有时在近基部交叉，末端具刻纹；阳茎干较直，阳茎口下缘有 1 对末端指向基部的短腹附突。

采集记录：1♂，汉中，1984.Ⅷ.12，张雅林采。

分布：陕西（武功、汉中）、湖北、福建、台湾、广西、四川、贵州、云南；日本。

寄主：核桃属 *Juglans*，赤杨属 *Alnus*，悬钩子属 *Rubus*，蔷薇科 *Rosaceae*。

57. 缪小叶蝉属 *Amurta* Dworakowska，1977

Amurta Dworakowska，1977：39. **Type species**：*Amurta mirabilis* Dworakowska，1977.

属征：雄虫生殖瓣为下生殖板基部的 1/3～1/2。阳基侧突基部短小，为中部的 1/2 或更长，中部较长，端部较头、中部都长，外侧有刚毛、内侧有感觉孔，亚端部有各种矩形突。连索较宽，中脊发达，两侧臂发达但相互靠得较近，使基部稍宽于端部。阳茎无前腔，背腔发达，干较直，干上无任何附突，但在干末端稍有膨大，表面布满小齿突，并在背缘有不发达的延伸。

　　分布：东洋区。秦岭地区发现1种。

（123）二斑缪小叶蝉 *Amurta bimaculata* Zhang et Haung，2005（图123）

Amurta bimaculata Zhang *et* Haung，2005：411.

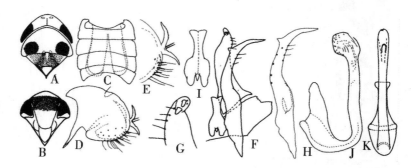

图 123　二斑缪小叶蝉 *Amurta bimaculata* Zhang *et* Haung

A. 头胸部背面观（head and thorax，dorsal view）；B. 颜面（face）；C. 腹内突（abdominal apodemes）；D. 雄虫尾节侧瓣（male pygofer side，lateral view）；E. 雄虫尾节侧瓣后缘（hind part of male pygofer）；F. 阳基侧突、连索、下生殖板及第9腹节（style，connective，subgenital plate and sternite 9，dorsal view）；G. 下生殖板端部（apex of subgenital plate）；H. 阳基侧突（style）；I. 连索（connective）；J. 阳茎侧面观（aedeagus，lateral view）；K. 阳茎后面观（aedeagus，posterior view）（仿张雅林和黄敏，2005）

　　鉴别特征：腹内突伸达第6腹节中部。雄虫尾节侧瓣后缘钝圆、分瓣，下瓣末端有1列小硬刚毛及众多的软长刚毛，上瓣有"八"字形附突，外缘细齿状，中部有3个硬刚毛。下生殖板末端有2根桩状刚毛。阳基侧突基部及中部之和等于端部长，端部亚端为三角形齿。连索如属征。阳茎干直角弯曲，末端布满小齿突，腹面稍有钝圆延伸。

　　采集记录：1♂，宁陕火地塘，1984.Ⅷ.14，张雅林采。

　　分布：陕西（宁陕）。

58. 博小叶蝉属 *Bolanusoides* Distant，1918

Bolanusoides Distant，1918：90. **Type species**：*Bolanusoides heros* Distant，1918.
Camulus Distant，1918：97. **Type species**：*Camulus omatus* Distant，1918.

　　属征：在雄性外生殖器上分为特征明显的2组：*B. heros* 群和 *B. bohter* 群。雄虫尾节侧瓣末端狭长，近末端处有数根粗而长的刚毛，末端布满棘状突，基腹缘有一些细刚毛。下生殖板较宽，两侧平行延伸，近末端由内侧向外侧收狭，末端外折，常呈鸟头状，基部有1根大刚毛，细刚毛在 *B. heros* 群中只出现在端部且数量少，而 *B. bohter* 群中则由基到端几乎连续排列，转折处及末端皆有1列小硬刚毛，转折处尚有数个桩状刚毛。阳基侧突较宽，中部瘤突不甚发达，端部与中部和基部之和近等长，端部基部内侧缘有几个感觉孔，由其而上的内侧缘为细齿状突、延伸几乎近末端，端部基部着生有数量众多的细刚毛，端向渐稀，在 *B. heros* 群中常只伸达2/3处，而在 *B. bohter* 群中则伸达3/4处。连索呈"凸"字形，中脊不甚发达。阳茎背腔发达，干或多或少呈管状，附突成对，位于干的中部或稍向端部，在 *B. heros* 群中附突及干中部纵向骨化强，阳茎口在干末端，而在 *B. bohter* 群中则阳茎干除基部外余侧向延伸，中部弱骨化且存在一些小折叠，只有1对弱骨化的附突，阳茎口在亚端部。

分布：东洋区。秦岭地区发现1种。

(124) 陕西博小叶蝉 *Bolanusoides shaanxiensis* Zhang *et* Huang, 2005（图124）

Bolanusoides shaanxiensis Zhang *et* Huang, 2005：430.

鉴别特征：腹内突达第5腹节基部。下生殖板末端转折处有3根桩状刚毛。阳基侧突内侧的细齿状突散生，外侧刚毛只伸达端部的中部。阳茎干由着生附突处向上向两侧有延伸，干具两对附突，背附突位于中部近基部，在基部有1个弯向干基部的小分支，腹附突与背附突平行延伸，阳茎口在干末端。

采集记录：2♂1♀，汉中，1984.Ⅷ.12，张雅林采。

分布：陕西（汉中）。

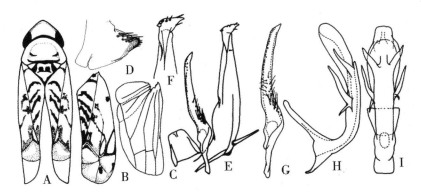

图124　陕西博小叶蝉 *Bolanusoides shaanxiensis* Zhang *et* Huang

A. 整体背面观（habitus, dorsal view）；B. 前翅（forewing）；C. 后翅（hindwing）；D. 雄虫尾节侧瓣（male pygofer, lateral view）；E 阳基侧突、连索、下生殖板（style, connective, subgenital plate）；F. 下生殖板末端（apical part of subgenital plate）；G. 阳基侧突（style）；H. 阳茎侧面观（aedeagus, lateral view）；I. 阳茎后面观（aedeagus, posterior view）（仿张雅林和黄敏，2005）

59. 蒿小叶蝉属 *Eupteryx* Curtis, 1829

Euperyx Curtis, 1829a: 192. **Type species**: *Cicada atropunctata* Goeze, 1778.

属征：雄虫肛管基部有各种各样的肛突。尾节侧瓣后侧缘有各种骨化突，尾节侧瓣的刚毛构成为后缘有许多小硬刚毛，腹缘基角有 1 个区域着生中等大小的硬刚毛，刚毛一律指向尾部后缘。下生殖板基部宽，有 1 根大刚毛，末端急剧收狭，外侧缘有 1 列小刚毛。阳基侧突端部长，向外弧形弯曲，外侧有 1 列刚毛，内侧有 1 列感觉孔，近末端呈踵状突起。阳茎前腔发达，在许多种类中长于背腔，阳茎末端常有成对突起，在某些种类为鹿角状，有些种类为纤细的指向基部的突起，有些则无成对突起，阳茎口在阳茎干的末端。

分布：除新热带区外皆有分布。秦岭地区发现 5 种。

分种检索表(♂)

1. 前翅斑块条斑，尾节附突细，阳茎干末端突起细长，向基部呈环形弯曲，近末端交叉，并接近干末端 ·· **米蒿小叶蝉 E.（E.）minuscula**
   前翅点斑或近点斑较窄，尾节附突较粗，阳茎干末端突起纤细而非环形弯曲，突起不伸达基部 ··· 2
2. 阳茎附突短，不超过阳茎干中部··· 3
   阳茎附突较长，伸达或超过阳茎干中部··· 4
3. 阳茎附突极短，末端弯向背面；体小，黄白色，斑块色浅而少 ··· **异蒿小叶蝉 E.（E.）seiugata**
   阳茎附突稍长，由基部稍向腹面靠近，末端直；体长，黄绿色，斑大而色深 ·····················
   ·· **多点蒿小叶蝉 E.（E.）adspersa**
4. 前翅点斑不明显；阳茎端突向下伸达干中部，干近基部处不加宽 ·····························
   ·· **蒿小叶蝉 E.（E.）artemisiae**
   前翅点斑清晰；阳茎端突向下过中部，干近基部处稍有加宽 ·····························
   ·· **波缘蒿小叶蝉 E.（E.）undomarginata**

(125) 蒿小叶蝉 *Eupteryx*（*Eupteryx*）*artemisiae*（Kirschbaum, 1868）(图 125)

Typhlocyba artemisiae Kirschbaum, 1868b: 190.

Eupteryx abrotani Douglas, 1874a: 118.

Eupteryx artemisiae: Puton, 1875a: 146.

鉴别特征：尾节侧瓣后缘指形突细，稍有弧形弯曲。阳基侧突末端较宽钝。阳茎干背缘中部稍有隆起，阳茎干端附突末端稍弯向腹缘，后面观两附突近平行延伸，只在近末端稍有分开，端附突为阳茎干长的1/2。

　　采集记录：1♂，旬阳，1980.Ⅳ.24，采集人不详。

　　分布：陕西（旬阳）；古北区，新北区，澳洲区。

　　寄主：蒿属 *Artemisia*。

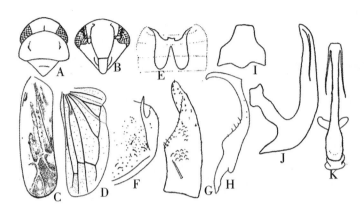

图125　蒿小叶蝉 *Eupteryx*（*Eupteryx*）*artemisiae*（Kirschbaum）

A. 头胸部背面观（head and thorax, dorsal view）；B. 颜面（face）；C. 前翅（forewing）；D. 后翅（hindwing）；E. 腹内突（abdominal apodemes）；F. 雄虫尾节侧瓣后缘（hind part of male pygofer）；G. 下生殖板（subgenital plate）；H. 阳基侧突（style）；I. 连索（connective）；J. 阳茎侧面观（aedeagus, lateral view）；K. 阳茎后面观（aedeagus, posterior view）（仿 Dworakowska，1970）

（126）波缘蒿小叶蝉 *Euperyx*（*Eupteryx*）*undomarginata* Lindberg，1929（图126）

Eupteryx undomarginata Lindberg，1929b：13.

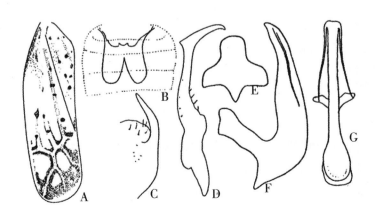

图126　波缘蒿小叶蝉 *Euperyx*（*Eupteryx*）*undomarginata* Lindberg

A. 前翅（forewing）；B. 腹内突（abdominal apodemes）；C. 雄虫尾节侧瓣后缘（hind part of male pygofer）；D. 阳基侧突（style）；E. 连索（connective）；F. 阳茎侧面观（aedeagus, lateral view）；G. 阳茎后面观（aedeagus, posterior view）（仿 Dworakowska，1970）

　　鉴别特征：腹内突达第 5 腹节中部。尾节侧瓣后缘指形突较粗而长。阳基侧突末端较宽、稍有钩状。阳茎干背缘近基部隆起较宽，后面观两端附突由中部始分离，但幅度不大，端附突是阳茎干的 3/5 长。

　　采集记录：7♂6♀，镇安，1981. V. 13，马宁采。

　　分布：陕西(镇安)；俄罗斯，蒙古，朝鲜。

　　寄主：蒿属 *Artemisia*。

(127) 异蒿小叶蝉 *Eupteryx*（*Eupteryx*）*seiugata* Dlabola, 1967（图 127）

Eupteryx seiugata Dlabola, 1967：23.

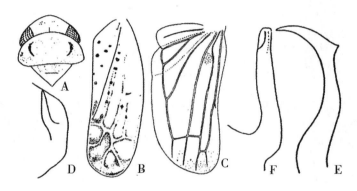

图 127　异蒿小叶蝉 *Eupteryx*（*Eupteryx*）*seiugata* Dlabola

A. 头胸部背面观(head and thorax, dorsal view)；B. 前翅(forewing)．C. 后翅(hindwing)；D. 雄虫尾节侧瓣后缘 (hind part of male pygofer)；E. 阳基侧突(style)；F. 阳茎侧面观(aedeagus, lateral view)（仿 Dworakowska, 1970）

　　鉴别特征：尾节侧瓣后缘指形突较直。阳基侧突末端渐尖。阳茎干末端侧观平截，端附突非常短而细小，末端指向背缘。

　　采集记录：12♀，佛坪，1981. V. 18，马宁采。

　　分布：陕西(佛坪)；蒙古。

　　寄主：蒿属 *Artemisia*。

(128) 多点蒿小叶蝉 *Eupteryx*（*Eupteryx*）*adspersa*（**Herrich-Schäffer, 1838**）（图 128）

Typhlocyba adspersa Herrich-Schäffer, 1838c：12.

Eupteryx adspersa：Puton, 1875a：146.

Eupteryx gallica Wagner, 1939a：195.

　　鉴别特征：腹内突达 4～5 腹节间。尾节侧瓣后缘指形突稍有弧形弯曲。阳基侧突末端呈钩状。阳茎干整体波状弯曲，端附突靠向腹缘，后面观两附突由近基部先靠拢，然后平行延伸，端附突是阳茎干1/2长。

    采集记录：9♀，留坝，1980.Ⅹ.06，马宁采。

    分布：陕西(留坝)；亚洲，欧洲。

    寄主：苦艾 *Artemisia absinthium* L.。

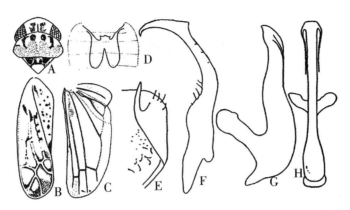

图128   多点蒿小叶蝉 *Eupteryx* (*Eupteryx*) *adspersa* (Herrich-Schäffer)

A. 头胸部背面观(head and thorax, dorsal view)；B. 前翅(forewing)；C. 后翅(hindwing)；D. 腹内突(abdominal apodemes)；E. 雄虫尾节侧瓣后缘(hind part of male pygofer)；F. 阳基侧突(style)；G. 阳茎侧面观(aedeagus, lateral view)；H. 阳茎后面观(aedeagus, posterior view)(仿 Dworakowska, 1970)

(129) 米蒿小叶蝉 *Eupteryx* (*Eupteryx*) *minuscula* Lindberg, 1929(图129)

Eupteryx minuscula Lindberg, 1929b：12.

Eupteryx ussuriensis Vilbaste, 1966.

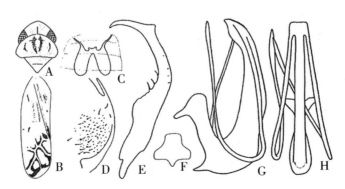

图129   米蒿小叶蝉 *Eupteryx* (*Eupteryx*) *minusula* Lindberg

A. 头胸部背面观(head and thorax, dorsal view)；B. 前翅(forewing)；C. 腹内突(abdominal apodemes)；D. 雄虫尾节侧瓣后缘(hind part of male pygofer)；E. 阳基侧突(style)；F. 连索(connective)；G. 阳茎侧面观(aedeagus, lateral view)；H. 阳茎后面观(aedeagus, posterior view)(仿 Dworakowska, 1970)

    鉴别特征：腹内突达第4~5节之间。尾节侧瓣后缘指形突直、细而短。阳基侧突末端弧形。阳茎干端突细长，向下延伸至基部处弯曲向上，而后两附突相交或末端相对。

　　采集记录：22♂，南五台，1980. Ⅹ. 13，马宁采。

　　分布：陕西（长安）、甘肃、江苏、湖北、四川；俄罗斯，朝鲜，日本。

　　寄主：蒿属 *Artemisia*。

60. 雅小叶蝉属 *Eurhadina* Haupt，1929

Eurhadina Haupt，1929：1075. **Type species**：*Cicada pulchella* Fallén，1806.

　　属征：雄虫尾节侧瓣后缘分瓣，末端皆钝圆，上瓣末端常有小硬刚毛着生或密布棘状突，下瓣内卷，末端常为指形、三角形等。生殖瓣宽大，在有些种中最长处与下生殖板长近等长。下生殖板基部宽，端向渐细，近基部或中部有 1 根大刚毛，近末端有 1 列小硬刚毛，端部也有数个，不成列，在 *Singhardina* 亚属的 group of *rubrast* 下生殖板末端收狭部分较长，占下生殖板的 1/3，末端呈钩状。阳基侧突细长，端部尤其明显，常在外侧缘有 1 列小刚毛，内侧缘有 1 列感觉孔。连索呈"Y"形，侧臂发达，中脊较发达。阳茎前腔不发达，背腔细长，阳茎干细长弯曲，某些种类在背部有加宽，附突位于阳茎干末端，呈直、弧形或"S"形弯曲，常具分支，阳茎口位于干的亚端部。

　　分布：东洋区，全北区。秦岭地区发现 3 种。

分亚属检索表

颜面隆起 ·· 雅小叶蝉亚属 *Eurhadina*（*Eurhadina*）

颜面扁平 ·· 扁雅小叶蝉亚属 *Eurhadina*（*Singhardina*）

60-1. 雅小叶蝉亚属 *Eurhadina*（*Eurhadina*）Haupt，1929

　　分布：全北区。全世界已知 20 种，中国已知 6 种，秦岭地区发现 2 种。

分种检索表（♂）

阳茎背附突不分叉 ·································· 丽雅小叶蝉 *E.*（*E.*）*callissima*

阳茎背附突端三分叉 ································ 日本雅小叶蝉 *E.*（*E.*）*japonica*

（130）丽雅小叶蝉 *Eurhadina*（*Eurhadina*）*callissima* Dworakowska，1967（图 130）

Eurhadina callissima Dworakowska，1967：633.

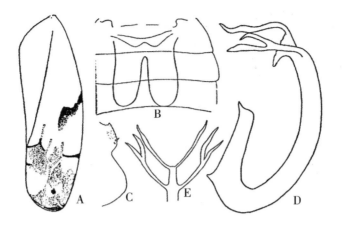

图 130　丽雅小叶蝉 *Eurhadina* (*Eurhadina*) *callissima* Dworakowska

A. 前翅(forewing)；B. 腹内突(abdominal apodemes)；C. 雄虫尾节侧瓣后缘(hind part of male pygofer)；D. 阳茎侧面观(aedeagus, lateral view)；E. 阳茎干末端(apex of aedeagal shaft)(仿 Dworakowska, 1967)

鉴别特征：腹内突近第 5 腹节端部。阳茎干上附突不分叉，侧观波状弯曲，基部有向下的片状延伸，侧附突有 2 条分支，分支由近端1/3 处始，二分支近等长。

分布：陕西(秦岭)；俄罗斯，蒙古。

(131)日本雅小叶蝉 *Eurhadina* (*Eurhadina*) *japonica* Dworakowska, 1972(图 131)

Eurhadina japonica Dworakowska, 1972：65.

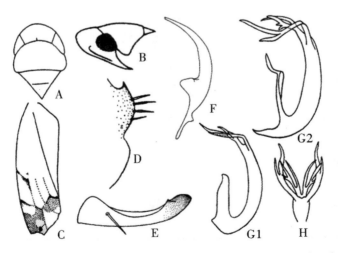

图 131　日本雅小叶蝉 *Eurhadina* (*Eurhadina*) *japonica* Dworakowska

A. 头胸部背面观(head and thorax, dorsal view)；B. 头胸部侧面观(head and thorax, lateral view)；C. 前翅(forewing)；D. 雄虫尾节侧瓣后缘(hind part of male pygofer)；E. 下生殖板(subgenital plate)；F. 阳基侧突(style)；G1, G2 阳茎侧面观(aedeagus, lateral view)；H. 阳茎干末端(apex of aedeagal shaft)(仿 Dworakowska, 1972)

鉴别特征：腹内突很长，约为腹长度的1/2。尾节侧瓣上瓣后缘具数根大刚毛。阳茎上附突短，先是二分支，而后外侧分支再次分支；侧附突较长，二分支，外侧分支始于近中部，长度约为内侧分支的1/2。

采集记录：1♂1♀，宁强阳平关，1981.Ⅴ.20，马宁采；2♂6♀，宁强平阳关，1980.Ⅹ.04，马宁采。

分布：陕西（宁强）、四川；日本。

寄主：核桃属 *Juglans*。

60-2. 扁雅小叶蝉亚属 *Eurhadina*（*Singhardina*）Mahmood，1967

Singhardina Mahmood，1967：32. **Type species**：*inghardina robusta* Mahmood，1967.

分布：东洋区。秦岭地区发现1种。

(132) 玛雅小叶蝉 *Eurhadina*（*Singhardina*）*mamata* Dworakowska，1979（图132）

Eurhadina mamata Dworakowska，1979：600.

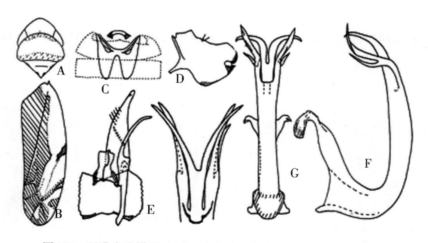

图 132　玛雅小叶蝉 *Eurhadina*（*Singhardina*）*mamata* Dworakowska

A. 头胸部背面观（head and thorax, dorsal view））；B. 前翅（forewing）；C. 腹内突（abdominal apodemes）；D. 雄虫尾节侧瓣侧面观（male pygofer side, lateral view）；E. 阳基侧突、连索、下生殖板及第9腹节背面观（style, connective, subgenital plate and sternite 9, dorsal view）；F. 阳茎侧面观（aedeagus, lateral view）；G. 阳茎后面观（aedeagus, posterior view）；H. 阳茎干末端（apex of aedeagal shaft）（仿 Dworakowska，1981）

鉴别特征：腹内突达第4腹节末端。阳茎干较直，末端有2对附突，上附突基部平行延伸后，两突起向外侧延伸，腹附突具1个较小的分支，长度为主分支的1/2，末端指向上部。

采集记录：3♂，石泉，1985. Ⅷ. 20，邵金鱼采。

分布：陕西（石泉）、湖南、福建、云南；印度，尼泊尔，巴基斯坦。

寄主：栎属 *Quercus*。

61. 蕃氏小叶蝉属 *Farynala* Dworakowska, 1970

Farynala Dworakowska, 1970：211. **Type species**：*Farynala novica* Dworakowska, 1970.

属征：雄虫尾节侧瓣后缘、腹缘各有1组粗刚毛，后缘末端渐狭，钝圆，有几个小硬刚毛。下生殖板两侧平行延伸至近端部由外侧缘向内骤然收狭，基部1列大刚毛，外缘1列小硬刚毛沿基部向上延伸，末端有几个散生的小刚毛，顶部有1组桩状刚毛。阳基侧突基部小，中部瘤突发达，尾向部细长弯曲，无亚端突起，外侧具1列刚毛，内侧具1列感觉孔。连索片状、呈"凸"字形，中脊短小。阳茎干具不对称的端附突，阳茎口在干的端部。

分布：东洋区。秦岭地区发现1种。

(133) 核桃蕃氏小叶蝉 *Farynala malhotri* Sharma, 1977（图133）

Farynala malhotri Sharma, 1977：241.

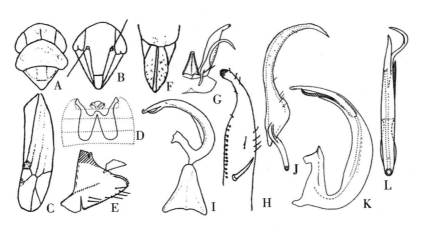

图133　核桃蕃氏小叶蝉 *Farynala malhotri* Sharma

A. 头胸部背面观(head and thorax, dorsal view)；B. 颜面(face)；C. 前翅(forewing)；D. 腹内突(abdominal apodemes)；E. 雄虫尾节侧瓣侧面观(male pygofer side, lateral view)；F. 雌虫腹部末端(apical part of female abdomen)；G. 阳基侧突、连索、下生殖板及第9腹节背面观(style, connective, subgenital plate and sternite 9, dorsal view)；H. 下生殖板(subgenital plate)；I. 阳茎和连索(aedeagus and connective)；J. 阳基侧突(style)；K. 阳茎侧面观(aedeagus, lateral view)；L. 阳茎后面观(aedeagus, posterior view)(A, B, C, D, E, G, J仿Dworakowska, 1982；F, H, I仿Sharma, 1977)

鉴别特征：腹内突达第5腹节中部。尾节侧瓣后缘钝圆，具2组大刚毛和数根小刚毛；肛管骨化强。下生殖板基的2/3两侧几乎平行，然后骤然变细，近基1根大刚毛,外侧缘及末端有1列短而硬的小刚毛。阳基侧突多刚毛。连索扁平,呈楔形。阳茎背腔发达,几乎无前腔,阳茎干弧形弯曲,末端具2个不对称的附突,后面观左侧突起较直,右侧突起半圆形弯曲,末端指向左侧。

采集记录:1(无腹末),宁强阳平关,1984. X . 04,马宁采。

分布:陕西(宁强)、广东;印度。

寄主:核桃属 *Juglans*。

62. 蟠小叶蝉属 *Paracyba* Vilbaste,1968

Paracyba Vilbaste, 1968:96. **Type species**:*Zygina akashiensis* Takahashi, 1928.

属征:雄虫尾节侧瓣侧观高,后缘分2~3个钝圆的瓣,上面2个小瓣末端有小硬刚毛,下面的小瓣常着生有较粗大的刚毛,在与上2瓣连接间处有较深的凹陷。下生殖板基部宽大,由外侧近基处收狭,使末端成为1个长于基部很多的长三角形;基部有1列大刚毛,由外侧收狭处向上并行1列小硬刚毛和1列小细刚毛,顶有不明显的桩状刚毛。阳基侧突基部细,中部较发达,但基部长于中部,尾向部较宽,端向渐细,外侧有1列小刚毛,内侧有感觉孔。连索较发达,骨化强,有发达中脊,端部向侧臂渐过渡,使其呈梯形。阳茎前腔不发达,背腔发达,背腔两侧瓣向两侧分开,阳茎干常较短,但末端有长而不对称的附突,阳茎口在干末端。

分布:古北区,东洋区。秦岭地区发现1种。

(134) 褐带蟠小叶蝉 *Paraoyba soosi* Dworakowska,1977(图134)

Paraoyba soosi Dworakowska, 1977:41.

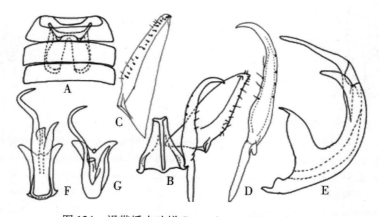

图134　褐带蟠小叶蝉 *Paraoyba soosi* Dworakowska

A. 腹内突(abdominal apodemes);B. 阳基侧突、连索和下生殖板背面观(style, connective and subgenital plate, dorsal view);C. 下生殖板(subgenital plate);D. 阳基侧突(style);E. 阳茎侧面观(aedeagus, lateral view);F, G. 阳茎后面观(aedeagus, posterior view)(仿 Dworakowska, 1977)

鉴别特征：腹内突达第5腹节基部。尾节侧瓣后缘形成2个小瓣，二者皆着生有小硬刚毛。下生殖板的桩状刚毛非常小，很难观察到。阳茎干的2个端突较亚端突2倍长；背腔的背突向两侧强延伸。

采集记录：1♂，留坝，1980. Ⅶ. 10，采集人不详。

分布：陕西（留坝、宁强）、山东、湖南、四川、云南；越南。

寄主：蔷薇科 Rosaceae。

63. 小叶蝉属 *Typhlocyba* Germar，1833

Typhlocyba Germar，1833：180. **Type species**：*Cicada quercus* Fabricius，1777.

Anomia Fieber，1866a：509. **Type species**：*Cicada quercus* Fabricius，1777.

属征：腹内突一般不伸达第6腹节。尾节侧瓣后缘分瓣或不分瓣，后缘渐细，常在后上角有骨化的突起，齿状、指状、三角形，或后缘平截，在后下角有突起，后缘还常有较长的小刚毛。下生殖板末端常有突起，基部有1列大刚毛。连索小、短、宽，大多为"凸"字形，具中脊及中瓣。阳基侧突中部宽扁，端部较短，稍长于中部或中部无特化，端部细长，远大于中部长。阳茎形状多变，具基部附突、端部附突或无突起。

分布：世界广布。秦岭地区发现3种。

分种检索表（♂）

1. 阳茎干无刺突 ··· 栎小叶蝉 *T. quercus*
   阳茎干有刺突 ··· 2
2. 阳茎干中部膨大 ··· 斑纹栎小叶蝉 *T. quercussimilis*
   茎干中部不膨大 ··· 贝小叶蝉 *T. babai*

(135) 贝小叶蝉 *Typhlocyba babai* Ishihara，1958（图135）

Typhlocyba babai Ishihara，1958：230.

鉴别特征：腹内突达第4~5腹节间。尾节侧瓣宽，其长度和最宽处近等长。腹观下生殖板两侧平行，相当窄，具细而长的亚端突起。阳茎干具齿突，两侧近平行；阳茎基附突末端稍弯曲。

分布：陕西（秦岭）、河北、甘肃、湖北、福建、四川、云南；俄罗斯，日本。

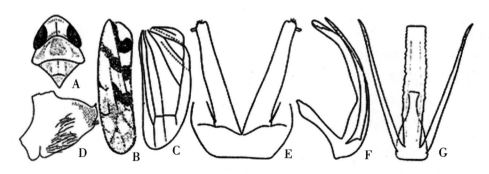

图 135　贝小叶蝉 *Typhlocyba babai* Ishihara

A. 头胸部背面观(head and thorax, dorsal view)；B. 前翅(forewing)；C. 后翅(hindwing)；D. 雄虫尾节侧瓣(male pygofer side)；E. 下生殖板和第9腹节(subgenital plate and sternite 9)；F. 阳茎侧面观(aedeagus, lateral view)；G. 阳茎后面观(aedeagus, posterior view)(仿 Anufriev, 1973)

(136) 斑纹栎小叶蝉 *Typhlocyba quercussimilis* Dworakowska，1967(图 136)

Typhlocyba quercussimilis Dworakowska，1967：636.

鉴别特征：腹内突达第 4~5 腹节间。尾节侧瓣相当窄，长度远远超过最宽处的长度。腹观下生殖板两侧近平行，相当宽，具厚而短的亚端突起。阳茎干中部膨大，侧缘具齿突，两侧近平行；阳茎基附突末端稍弧形弯曲。

分布：陕西(秦岭)、河北、甘肃、山东、湖北、福建、广东、四川；俄罗斯，蒙古，日本。

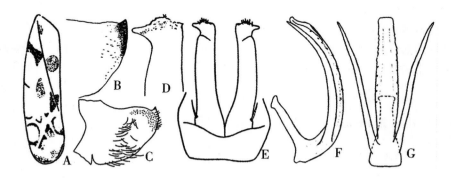

图 136　斑纹栎小叶蝉 *Typhlocyba quercussimilis* Dworakowska

A. 前翅(forewing)；B. 雄虫尾节侧瓣后缘(hind part of male pygofer)；C. 雄虫尾节侧瓣(male pygofer side)；D. 下生殖板端部(apex of subgenital plate)；E. 下生殖板及第 9 腹节侧面观(subgenital plate and sternite 9, ventral view)；F. 阳茎侧面观(aedeagus, lateral view)；G. 阳茎后面观(aedeagus, posterior view)(B, D 仿 Dworakowska 1967；A, C, E, F, G 仿 Anufriev, 1973)

（137）栎小叶蝉 *Typhlocyba quercus*（Fabricius，1777）（图 137）

Cicada quercus Fabricius，1777：298.

Typhlocyba quercus：Dlabola，1967：64.

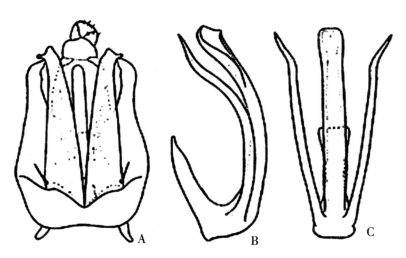

图 137　栎小叶蝉 *Typhlocyba quercus*（Fabricius）

A. 雄虫生殖荚腹面观（male genital capsule，ventral view）；B. 阳茎侧面观（aedeagus，lateral view）；C. 阳茎后面观（aedeagus，posterior view）（仿 Anufriev，1973）

鉴别特征：腹内突达第 5 腹节基部。尾节侧瓣宽，其长度和最宽处近等长。腹观下生殖板由基向端渐细。阳茎干光滑；阳茎基附突末端侧观呈"S"形弯曲。

采集记录：2♂，宁陕火地塘，1984.Ⅷ.14，张雅林采；1♀，宁陕火地塘，1984.Ⅷ.16，张雅林采。

分布：陕西（宁陕）、湖北、湖南；蒙古。

64. 沃小叶蝉属 *Warodia* Dworakowska，1971

Warodia Dworakowska，1971：215. **Type species**：*Typhlocyba hoso* Matsumura，1932.

属征：雄虫尾节侧瓣狭长或末端平截，末端有数根小硬刚毛，腹缘有内脊。下生殖板狭长，基部有 1 列大刚毛，外侧缘由中部始向端 1 列小刚毛并端向渐密，由基向端还有 1 列较长的细刚毛。阳基侧突基部短，中部瘤突发达但较短，有丛生的刚毛，端部较长，在有些种类尾向部是前二者之和的 3 倍；外侧缘 1 列小刚毛，内缘近基部 1 列感觉孔，排列较平整的小硬毛。连索较大，中脊发达，呈长"凸"字形。阳茎前腔、背腔大小相似，干较直，末端有成对突起，阳茎口在干末端。

分布：古北区，东洋区。秦岭地区发现 1 种。

（138）本州沃小叶蝉 *Warodia hoso*（Matsumura，1931）（图138）

Typhlocyba hoso Matsumura，1931：64.

Typhlocyba kiiensis Matsumura，1932：64.

Warodia hoso：Dworakowska，1971：215.

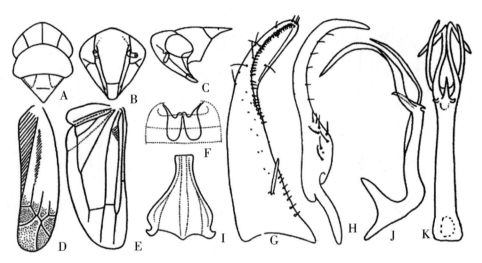

图138　本州沃小叶蝉 *Warodia hoso*（Matsumura）

A. 头胸部背面观（head and thorax, dorsal view）；B. 颜面（face）；C. 头胸部侧面观（head and thorax, lateral view））；D. 前翅（forewing）；E. 后翅（hindwing）；F. 腹内突（abdominal apodemes）；G. 下生殖板（subgenital plate）；H. 阳基侧突（style）；I. 连索（connective）；J. 阳茎侧面观（aedeagus, lateral view）；K. 阳茎后面观（aedeagus，posterior view）（仿 Dworakowska，1971）

鉴别特征：腹内突达第4腹节末端。尾节侧瓣后缘近腹缘有延长，亚后缘具成片小刚毛，基腹缘具成列小刚毛。阳基侧突末端稍钝，刚毛延伸至近端2/3处。阳茎干端部具2对附突，背附突较短，弧形弯曲，末端相对，腹附突长，超过干长，两突起在近基部处汇合，然后分别弯向两侧，干顶端还有单个短小突起。

采集记录：7♂2♀，留坝庙台子，1995.Ⅷ.19，张文珠、任立云采。

分布：陕西（留坝）、新疆、江苏、浙江、湖北、湖南、广西；日本。

寄主：麻栎 *Quercus acutissima*。

Ⅴ. 塔叶蝉族 Zyginellini Dworakowska，1977

鉴别特征：体小而纤细，但部分种类略粗壮或宽扁。体色大多鲜艳明亮，头冠、前胸背板和前翅常具有褐、黑、橙、黄、红色等的小斑点，大斑或条带，形成图案；多数种类无单眼；前翅第1端脉指向后缘，后翅第1、2臀脉基部愈合，端部分离，R、M脉端部愈合，周缘脉直接连于 CuA 脉，后翅仅有 1 个开放的端室，只有 1 条横脉；腹内突较发达；尾节侧瓣有些具附突。

分布：古北区，东洋区，新热带区，非洲区。秦岭地区发现 3 属 9 种。

分属检索表(♂)

1. 尾节有发达的尾节突，前胸背板前、侧缘有 5 个相间排列的白色或淡白色斑，前翅散布有许多黑褐色或桔红色小斑点 ····································· 零叶蝉属 *Limassolla*
   不具上述特征 ·· 2
2. 尾节侧瓣后缘及后腹缘有 3 列刚毛，有 1 对发达的基侧突 ············· 阔胸叶蝉属 *Ledeira*
   尾节侧瓣后缘有长的大刚毛，腹缘有 1 短的骨化突 ····················· 塔叶蝉属 *Zyginella*

65．阔胸叶蝉属 *Ledeira* Dworakowska，1969

Ledeira Dworakowska，1969：488. **Type species**：*Ledeira callosa* Dworakowska，1969.

属征：雄性外生殖器略相似于 *Typhlocyba* Germ。尾节后缘中部骨化，其上着生有 1 列刚毛，尾节下缘着生有 1 簇坚硬的细刚毛，附近有 1 簇小刚毛。下生殖板顶端渐细，外缘有深色瘤状突起，有 1 片区域覆盖有小的瘤状突起和许多长毛。阳基侧突基部着生有 1 簇刚毛。连索薄片状，呈"凸"字形。阳茎基部具 1 对侧突。

分布：中国；尼泊尔。秦岭地区发现 1 种。

(139) 纳氏阔胸叶蝉 *Ledeira knighti* Zhang，1990（图 139）

Ledeira knighti Zhang，1990：178.

鉴别特征：雄虫尾节后缘略呈角状突出，后缘中部有 1 个小突起，背缘骨化程度高，暗褐色，有 1 列小刚毛，腹缘近中部有 1 横列刚毛，其端方附近有 1 斜列刚毛。下生殖板狭长，外缘在距端部 1/3 处凸起，端向渐尖，中域及外缘有几根细长刚毛。连索中央有 1 个小突。阳基侧突基部短，端半部很长，略弯，末端尖。阳茎干呈管状，基部有 1 对突起宽扁，端向渐狭，末端尖，明显超过阳茎干末端。

采集记录：1♂，宁陕火地塘，1984.Ⅷ.04，张雅林采。

分布：陕西（宁陕）。

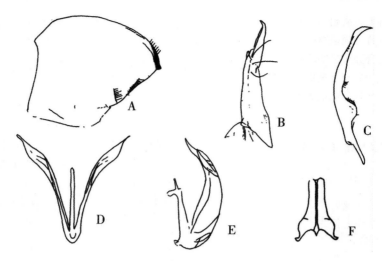

图 139　纳氏阔胸叶蝉 *Ledeira knighti* Zhang

A. 雄虫尾节侧面观(male pygofer, lateral view); B. 下生殖板(subgenital plate); C. 阳基侧突(style); D. 阳茎后面观(aedeagus, posterior view); E. 阳茎侧面观(aedeagus, lateral view); F. 连索(connective)

66. 零叶蝉属 *Limassolla* Dlabola, 1965

Limassolla Dlabola, 1965. **Type species**: *Zyginella pistaciae* Linnavuori, 1962.
Pruthius Mahmood, 1967. **Type species**: *Pruthius aureatus* Mahmood, 1967.

属征: 腹内突发达。雄虫尾节侧瓣无大刚毛, 其腹缘内面有 1 个发达的伸向背后方的尾节突。下生殖板近端部处急剧变狭, 腹面有 1 斜列大刚毛或仅在近基部有 1～2 根大刚毛, 有些种类在下生殖板腹面被有鳞片状构造。阳基侧突基部阔, 端部呈足状。连索呈"凸"字形。阳茎形状变化较大, 多数种类阳茎有突起, 突起的着生部位和形状有很大变化。零叶蝉属种类雄性外生殖器特征变化较大, 尤以阳茎最为显著, 根据其外生殖器特征分为 4 个种团。

分布: 古北区, 东洋区, 新热带区, 非洲区。秦岭地区发现 6 种。

种团检索表(♂)

阳茎简单, 无突起, 多数种类阳茎侧扁 ···················· ***multipunctata group***
阳茎有突起 ··· ***dispunctata group***

dispunctata 种团分种检索表(♂)

1. 阳茎端部有 2 对突起 ··· 2

(140) 柿散零叶蝉 *Limassolla dispunctata* **Chou et Ma, 1981**（图 140）

Limassolla dispunctata Chou et Ma, 1981：204.

　　鉴别特征：雄虫尾节附突呈锥状，不规则扭曲，如果弯曲，则弯向腹面。下生殖板黄白色，很窄，近端部处突然收缩为柱状，中部斜向生有 1 列大刚毛。阳茎端部具 2 对附突，背面观呈"X"形，端部 1 对呈鱼尾状；基部 1 对简单，伸向腹面；阳茎干细。

　　分布：陕西（秦岭）、广东。

　　寄主：柿树。

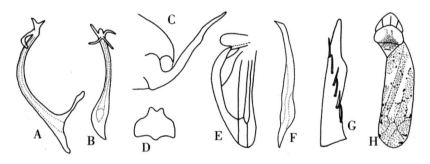

图 140　柿散零叶蝉 *Limassolla dispunctata* Chou et Ma

A. 阳茎侧面观（aedeagus, lateral view）；B. 阳茎后面观（aedeagus, posterior view）；C. 雄虫尾节突侧面观（male pygofer appendage, lateral view）；D. 连索（connective）；E. 后翅（hindwing）；F. 阳基侧突（style）；G. 下生殖板（subgenital plate）；H. 体前部和前翅背面观（anterior dorsum and forewing, dorsal view）

(141) 柿零叶蝉 *Limassolla diospyri* **Chou et Ma, 1981**（图 141）

Limassolla diospyri Chou et Ma, 1981：205.

　　鉴别特征：雄虫尾节附突发达，背向弯曲，渐尖。下生殖板略宽，近端部骤然变窄，中部斜向生有 1 列刚毛。阳茎侧扁，端部有 2 对长的附突，背面观呈"H"形，侧面观阳茎呈"S"形。

　　采集记录：4♂2♀，商南，1973. Ⅷ. 8-10，田畴等采。

　　分布：陕西（商南）、湖南。

　　寄主：柿树。

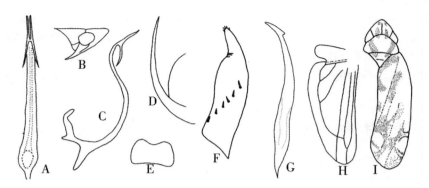

图 141　柿零叶蝉 *Limassolla diospyri* Chou et Ma

A. 阳茎后面观（aedeagus, posterior view）；B. 体前部侧面观（anterior dorsum, lateral view）；C. 阳茎侧面观（aedeagus, lateral view）；D. 雄虫尾节突侧面观（male pygofer appendage, lateral view）；E. 连索（connective）；F. 下生殖板（subgenital plate）；G. 阳基侧突（style）；H. 后翅（hindwing）；I. 体前部和前翅背面观（anterior dorsum and forewing, dorsal view）

（142）柿小零叶蝉 *Limassolla kakii* Chou et Ma, 1981（图 142）

Limassolla kakii Chou et Ma 1981：205.

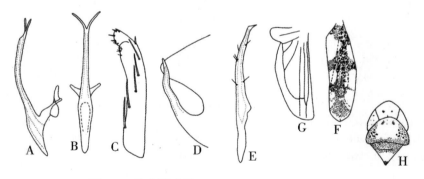

图 142　柿小零叶蝉 *Limassolla kakii* Chou et Ma

A. 阳茎侧面观（aedeagus, lateral view）；B. 阳茎后面观（aedeagus, posterior view）；C. 下生殖板（subgenital plate）；D. 雄虫尾节突侧面观（male pygofer appendage, lateral view）；E. 阳基侧突（style）；F. 前翅（forewing）；G. 后翅（hindwing）；H. 头部背面观（head, dorsal view）

鉴别特征：雄虫尾节末端锐角状突出，尾节附突弱骨化，略弯曲。下生殖板长而窄，从近基部至亚端部着生 1 列大刚毛，端部有许多小刚毛。阳茎细长，端部具 1 对附突，二叉状。

采集记录：4♂7♀，洛南，1973. Ⅶ.08-10，田畴等采；1♀，洛南，1980. Ⅷ.08，孙益智采。

分布：陕西（洛南）。

寄主：柿树。

（143）斑翅零叶蝉 *Limassolla discoloris* **Zhang** *et* **Chou，1988**（图 143）

Limassolla discoloris Zhang *et* Chou，1988：251．

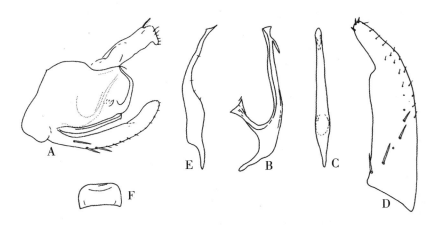

图 143　斑翅零叶蝉 *Limassolla discolori* Zhang *et* Chou

A．雄虫尾节侧面观（male pygofer，lateral view）；B．阳茎侧面观（aedeagus，lateral view）；C．阳茎后面观（aedeagus，posterior view）；D．下生殖板（subgenital plate）；E．阳基侧突（style）；F．连索（connective）

　　鉴别特征：腹内突发达，伸达腹节第 5 节中部。雄虫尾节附突发达，沿尾节侧瓣后缘背向延伸，尾节后部中域尾节突基部有几根小刚毛。下生殖板外缘近基部处斜伸向内缘中有 1 列大刚毛，靠内缘自中部起至近端部有 2 列小刚毛，至端部外缘变成 1 列，端部外缘仍有一些小刚毛。连索近四边形，边缘有骨化脊，前缘平直。阳茎近端部有 1 对短突，伸向腹面。

　　采集记录：10♂，旬阳，1981．Ⅴ．14，马宁采；1♀，镇安，1981．Ⅴ．13，马宁采。

　　分布：陕西（旬阳、镇安）。

　　寄主：柿树。

multipunatata 种团分种检索表（♂）

下生殖板基部有 1 个大刚毛，阳茎干粗细基本一致 ·······················　石原零叶蝉 *L. ishiharai*

下生殖板基部无大刚毛，阳茎干背面观端向渐细·····················　红斑零叶蝉 *L. rubrolimbata*

（144）石原零叶蝉 *Limassolla ishiharai* **Dworakowska，1972**（图 144）

Limassolla ishiharai Dworakowska，1972：865．

鉴别特征：腹内突略超过第4腹节末端。雄虫尾节附突长。下生殖板基部有1个大刚毛。阳茎前腔发达，阳茎干管状，无突起。

采集记录：3♂2♀，宁陕火地塘，1984. Ⅷ.17，张雅林采。

分布：陕西（宁陕）、湖南；日本。

寄主：杨梅。

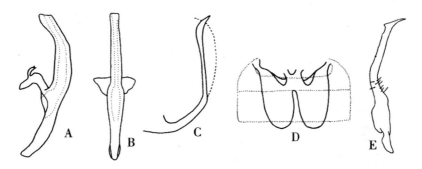

图 144　石原零叶蝉 *Limassolla ishiharai* Dworakowska

A. 阳茎侧面观（aedeagus, lateral view）；B. 阳茎后面观（aedeagus, posterior view）；C. 雄虫尾节突侧面观（male pygofer appendage, lateral view）；D. 腹内突（abdominal apodeme）；E. 阳基侧突（style）（A，B 仿 Dworakowska，1972）

(145) 红斑零叶蝉 *Limassolla rubrolimbata* Zhang et Chou, 1988（图 145）

Limassolla rubrolimbata Zhang et Chou, 1988：249.

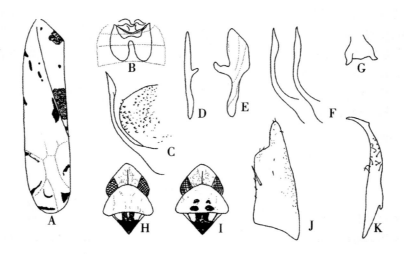

图 145　红斑零叶蝉 *Limassolla rubrolimbata* Zhang et Chou

A. 前翅（forewing）；B. 腹内突（adominal apodeme）；C. 雄虫尾节侧面观（male pygofer, lateral view）；D. 阳茎背面观（aedeagus, dorsal view）；E. 阳茎侧面观（aedeagus, lateral view）；F. 尾节突（pygofer appendage）；J. 下生殖板（subgential plate）；H，I. 头胸部背面观（head and thorax, dorsal view）；G. 连索（connective）；K. 阳基侧突（style）

鉴别特征：雄虫尾节附突发达，尾节侧面有小刻点。下生殖板略向背面弯曲，两侧近平行，近端部变狭，无大刚毛，约自基部1/3处略靠外侧斜伸向端部内缘有1纵列小刚毛，基部内缘和端部外缘有一些小刚毛。阳茎简单，无突起，前腔发达，阳茎干管状，略向背面弯曲，背面端向渐细。

采集记录：1♂，宁陕火地塘，1984.Ⅷ.14，张雅林采。

分布：陕西（宁陕）、湖南。

67. 塔叶蝉属 *Zyginella* Löw，1885

Zyginella Löw，1885：346. **Type species**：*Zyginella pulchra* Löw，1885.

Pyramidotettix Matsumura，1931b：59. **Type species**：*Conometopis citri* Matsumura，1907：113.

Remmia Vilbaste，1968：91. **Type species**：*Remmia orbigera* Vilbaste，1968.

属征：腹内突较发达，一般伸向腹节第4至第6节末端。尾节侧瓣后缘有长的大刚毛，并在其侧腹缘有1个伸向前腹缘的骨化短突。下生殖板两侧近平直，端部急剧收狭形成1个袋状构造，有一些明显的骨化构造。阳基侧突基部变阔，端部渐细，有许多小刚毛。连索呈"V"形。阳茎前腔发达，阳茎干管状，开口于端部或亚端部。

分布：古北区，东洋区，非洲区。秦岭地区发现2种。

分种检索表(♂)

阳茎干极度背向弯曲，端部膨大···苹果塔叶蝉 Z. *mali*

阳茎干略微背向弯曲，端部不膨大　···苹小塔叶蝉 Z. *minuta*

(146) 苹果塔叶蝉 *Zyginella mali*（Yang, 1965）（图146）

Pyramidotettix mali Yang，1965：197.

Remmia orbigera Vilbaste，1968：92.

Zyginella mali：Dworakowska，1970：708.

鉴别特征：腹内突伸达腹节第5节末端。雄虫下生殖板褐色，从近基部至亚端部有1列大刚毛，端部骨化，向外弯曲，有许多小刚毛。阳基侧突基部平，端部上弯成角，曲折处略膨大，上着生许多小刚毛。阳茎干端部略膨大，弯向背面呈钩状。

分布：陕西（秦岭）、内蒙古、宁夏、甘肃；俄罗斯。

寄主：苹果，沙果，槟子，海棠。

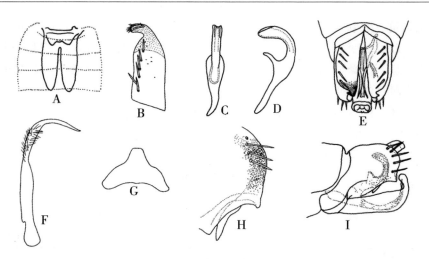

图 146　苹果塔叶蝉 *Zyginella mali*（Yang）

A. 腹内突（abdominal apodeme）；B. 下生殖板（subgenital plate）；C. 阳茎后面观（aedeagus, posterior view）；D. 阳茎侧面观（aedeagus, lateral view）；E. 雄虫尾节腹面观（male pygofer, ventral view）；F. 阳基侧突（style）；G. 连索（connective）；H, I. 雄虫尾节侧面观（male pygofer, lateral view）

（147）苹小塔叶蝉 *Zyginella minuta*（Yang, 1965）（图 147）

Pyramidotettix minuta Yang, 1965：200.

Zyginella minuta：Dworakowska, 1970：708.

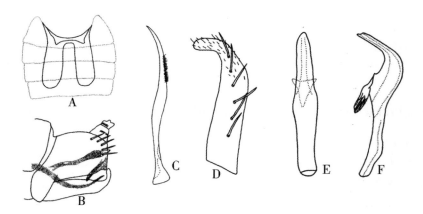

图 147　苹小塔叶蝉 *Zyginella minuta*（Yang）

A. 腹内突（abdominal apodeme）；B. 雄虫尾节侧面观（male pygofer, lateral view）；C. 阳基侧突（style）；D. 下生殖板（subgenital plate）；E. 阳茎后面观（aedeagus, posterior view）；F. 阳茎侧面观（aedeagus, lateral view）（B 仿 Yang, 1965；C, D 仿 Dworakowska, 1970）

鉴别特征：腹内突伸达腹节第 6 节中部。雄虫下生殖板黄色微带淡褐色，细长，从基部至亚端部有 1 列大刚毛，端部钝圆，有许多小刚毛。阳基侧突细长，呈弧形弯曲，端部渐细。阳茎干基部膨大，端部突伸，不向上弯成钩状。

采集记录：3♀，留坝，1980. X.06，马宁采。

分布：陕西(留坝、宁强)、江苏、福建、四川。

寄主：苹果，核桃。

VI. 斑叶蝉族 Erythroneurini Young, 1952

鉴别特征：体小，纤弱，体长一般 2~6mm。多无单眼。前翅中域翅室完全消失，无端片，端部具 4 个翅室，近平行，个别属端室不平行。后翅臀脉端部愈合，周缘脉缩短，不超过 MP″+CuA′脉，大多数属延伸至 CuA″脉并与其愈合形成短脉，个别属周缘脉退化。

分布：世界广布。秦岭地区分布 5 属 8 种。

分属检索表

1. 单眼存在 ……………………………………………………………………… 新小叶蝉属 *Singapora*
   单眼退化 …………………………………………………………………………………………… 2
2. 阳基侧突端部具 2 次延伸 …………………………………………………………………………… 3
   阳基侧突端部无 2 次延伸 …………………………………………………………………………… 4
3. 阳茎具 1 对发达的前腔突 ……………………………………………………… 赛克叶蝉属 *Ziczacella*
   阳茎无前腔突 …………………………………………………………………… 二星叶蝉属 *Arboridia*
4. 尾节侧瓣密覆纤细长刚毛 ……………………………………………………… 欧小叶蝉属 *Zygina*
   尾节侧瓣无刚毛或具少量刚毛 ………………………………………………… 安小叶蝉属 *Anufrievia*

68. 新小叶蝉属 *Singapora* Mahmood, 1967

Singapora Mahmood, 1967：20. **Type species**：*Singapora nigropunctata* Mahmood, 1967.

Erythroneuropsis Ramakrishnan *et* Menon, 1973：37. **Type species**：*Singapora nigropunctata* Mahmood, 1967.

属征：体粗壮，绿色至黄色，或褐色，多数种类头冠顶端具 1 个黑色圆点，少数种类无斑纹。头冠前缘平行于后缘，冠缝明显。具单眼。颜面侧面观隆起，前唇基阔，舌侧板小。前胸背板等宽于或略宽于头冠，表面平滑，后缘凹入。前翅第 1 端室阔，其余端室略窄，第 4 端室伸达翅端，与第 3 端室等长；具 AA 及 AP 脉。后翅 RA 脉退化，周缘脉伸达 CuA″脉并与其愈合。

雄虫 2S 腹内突长度及宽度种间差异大。肛管中度骨化，具半环形强骨化带，端部延伸出钩状或片状肛突。雄虫尾节多为圆柱状，中度骨化；尾节侧瓣后缘平截或圆弧，覆微齿状刻痕，基腹缘及中部具少量纤细刚毛，内膜无小刚毛；无尾节背突及腹突。下生殖板超出尾节侧瓣后缘，狭长形，亚基部较阔，向端部渐狭，端部侧扁，略背向弯曲；外缘亚基部具1组大刚毛，自此至端部具1列小刚毛，端部腹面散生数根或具1列小刚毛，大刚毛1~5根，着生于下生殖板中部外缘，呈直线排列。阳基侧突端部长，足状，中部靠近端前叶处具感觉刺，端前叶明显。连索呈三角片状，中柄长或短，中叶明显。阳茎干管状，无突起或端部具突起；背腔侧面观窄，后面观呈"Y"形或宽片状；前腔发达，与阳茎干相关连，前腔突长于阳茎干；阳茎开口于端部或亚端部，腹面。

分布：古北区，东洋区。秦岭地区发现2种。

分种检索表

阳茎干无突起 ·· 桃一点叶蝉 *S. shinshana*
阳茎干具突起 ·· 佛坪新小叶蝉 *S. fopingensis*

(148) 桃一点叶蝉 *Singapora shinshana*（Matsumura，1932）（图148；图版4：A－D）

Zygina shinshana Matsumura，1932：117

Erythroneura shinshana：Esaki & Ito，1954：224

Erythroneura sp. Sun，1963.

Erythroneura sudra：Kuoh，1966：90.

Singapora shinshana：Dworakowska，1970：760.

Typhlocyba sudra：Li，1987：274.

Empoascanara sudra：Liu *et al.*，2011：64.

鉴别特征：该种系桃树常见害虫桃一点叶蝉，曾被错误鉴定为 *Erythroneura sudra* 等，并被生态学家广泛引用。从分布、寄主及形态三方面对该种及 *Watara sudra*（Distant）进行对比：两种的相似之处为头冠顶端具黑色圆斑，但 *Singapora shinshana* 广泛分布于国内多个省市，主要危害蔷薇科植物，常大量发生，活体绿色至黄绿色，干标本黄色，具单眼，前翅第4端室长，伸达翅端；*Watara sudra* 仅分布于云南省，寄主为杂草，未见大量发生，体黄褐色，无单眼，前翅第4端室短，远不达翅端。

分布：陕西（秦岭）、北京、山东、江苏、浙江、江西、湖南、台湾、广东、四川；朝鲜，韩国，日本。

寄主：桃 *Amygdaluspersica*，梨 *Pyrus* sp.，山楂 *Crataeguspinnatifida*，苹果 *Maluspumila*，木瓜 *Chaenomelessinensis*，白杨 *Populustomentosa*，茶 *Camellia* sp.，红薯 *Ipomoea batatas*，红梅 *Prumusmume*，榆树 *Ulmuspumila*，柳 *Salix* sp.。

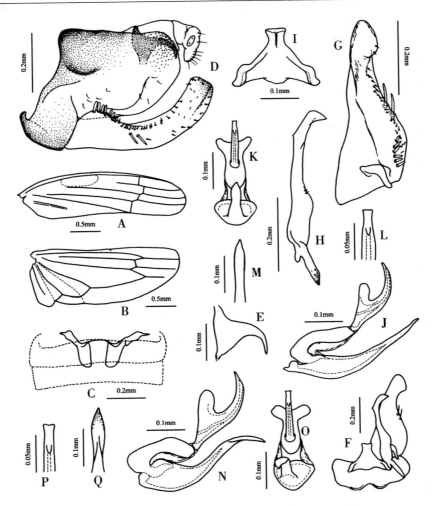

图 148　桃一点叶蝉 *Singapora shinshana*（Matsumura）

A. 前翅（forewing）；B. 后翅（hindwing）；C. 2S 腹内突（2S abdominal apodemes）；D. 生殖荚（genital capsule）；E. 肛突（anal appendage）；F. 下生殖板、阳基侧突、连索及第9腹板（subgenital plate, style, connective and sternite 9）；G. 下生殖板背面观（subgenital plate, dorsal view）；H. 阳基侧突背面观（style, dorsal view）；I. 连索（connective）；J, N. 阳茎侧面观（aedeagus, lateral view）；K, O. 阳茎后面观（aedeagus, posterior view）；M, Q. 阳茎端部后面观（apex of aedeagus, posterior view）；L, P. 前腔突端部（apex of preatrial process）

（149）佛坪新小叶蝉 *Singapora fopingensis* Chou et Ma, 1981（图149；图版4：E－H）

Singapora fopingensis Chou et Ma, 1981：196.

　　鉴别特征：体粗壮，黄色或褐色，头冠顶端无斑纹。头冠前缘平行于后缘，冠缝明显。具单眼。颜面侧面观隆起，前唇基阔，舌侧板小。前胸背板等宽于或略宽于头冠，表面平滑，后缘凹入。雄虫尾节多为圆柱状，中度骨化；下生殖板超出尾节侧瓣后缘，狭长形，亚基部较阔，向端部渐狭，端部侧扁，略背向弯曲；外缘亚基部具1

组大刚毛，自此至端部具 1 列小刚毛，端部腹面散生数根或具 1 列小刚毛，大刚毛
1～5 根，着生于下生殖板中部外缘，呈直线排列。阳基侧突端部长，足状，中部靠近
端前叶处具感觉刺，端前叶明显。连索三角片状，中柄长，中叶明显。阳茎干呈管
状，端部具突起；背腔侧面观窄，后面观呈"Y"形；前腔发达，与阳茎干相关联，前
腔突长于阳茎干；阳茎开口于端部，腹面。

分布：陕西（秦岭）、安徽、湖南、福建。

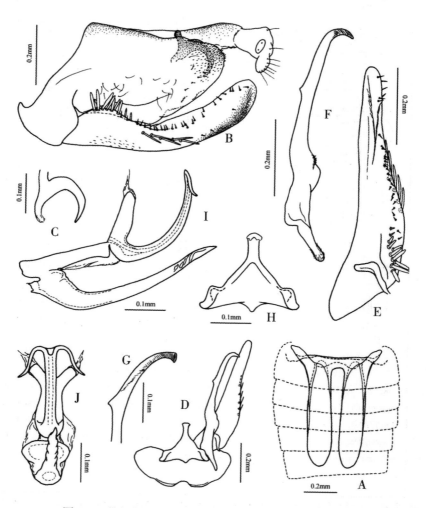

图 149　佛坪新小叶蝉 *Singapora fopingensis* Chou et Ma

A. 2S 腹内突（2S abdominal apodemes）；B. 生殖荚（genital capsule）；C. 肛突（anal appendage）；D. 下生殖板、阳
基侧突、连索及第 9 腹板（subgenital plate, style, connective and sternite 9）；E. 下生殖板背面观（subgenital plate,
dorsal view）；F. 阳基侧突背面观（style, dorsal view）；G. 阳基侧突端部侧面观（apex of style, lateral view）；H. 连
索（connective）；I. 阳茎侧面观（aedeagus, lateral view）；J. 阳茎后面观（aedeagus, posterior view）

69. 赛克叶蝉属 *Ziczacella* Anufriev, 1970

Erythroneura (*Ziczacella*) Anufriev, 1970: 697. **Type species**: *Erythroneura heptapotamica* Kusnezov, 1928.

Ziczacella: Dworakowska, 1970: 760.

属征: 体型较小，体色斑驳，头冠白色，具 1 对黑色圆斑，前胸背板黑色，前缘中线处具短的白色纵带，中部具 1 对白斑，小盾片端部黑色，前翅黑色，具不规则透明斑纹。头冠前缘钝圆突出，冠缝仅基部明显。无单眼。颜面侧面观扁平，前唇基长略大于宽，舌侧板大。前胸背板略宽于头冠，表面平滑，后缘平直或略凹入。前翅第 1、3 端室阔，第 4 端室最窄，未伸达翅端，略长于第 3 端室中长；AA 及 AP 脉缺失。后翅 RA 脉明显，周缘脉伸达 CuA″ 脉并与其愈合。雄虫 2S 腹内突阔，背向延伸，不超出第 3 腹节后缘。肛管骨化强，无肛突。雄虫尾节球状，骨化强；尾节侧瓣后缘圆弧状，基腹缘凸出，上具 1 组粗壮小刚毛，中部散生许多纤细刚毛，内膜无小刚毛；尾节背突片状，与尾节侧瓣相关连；无尾节腹突。下生殖板超出尾节侧瓣后缘，亚基部呈角状突出，向端部渐狭，端部侧扁，背向弯曲；亚基部角状突上具数根粗壮小刚毛，自此至亚端部具 1 列小刚毛，端部背面散生许多小刚毛，大刚毛 3 ~ 4 根，着生于下生殖板中部外缘，呈直线排列。阳基侧突端部具 2 次延伸，端前叶明显，上具感觉孔。连索呈"V"形，中柄短，无中叶。阳茎干呈管状，无突起或具成对突起；背腔退化；前腔长于阳茎干，具 1 对发达的前腔突；阳茎开口于端部。

分布: 古北区，东洋区。秦岭地区发现 2 种。

分种检索表

阳茎前腔突不分叉 ••• 七河赛克叶蝉 Z. *heptapotamica*
阳茎前腔突分叉 ••• 丝赛克叶蝉 Z. *steggerdai*

(150) 七河赛克叶蝉 *Ziczacella heptapotamica* (**Kusnezov, 1928**)（图 150；图版 4：I – L）

Erythroneura heptapotamica Kusnezov, 1928: 316.

Zygina inazuma Kato, 1933: 9.

Erythroneura ardeians Ross, 1965: 268.

Erythroneura (*Ziczacella*) *heptapotamica*: Anufriev, 1970: 698.

Ziczacella inazuma Dworakowska, 1970: 760.

Ziczacella heptapotamica: Nast, 1972: 312.

鉴别特征: 体型较小，体色斑驳，头冠白色，具 1 对黑色圆斑，前胸背板黑色，前缘中线处具短的白色纵带，中部具 1 对白斑，小盾片端部黑色，前翅黑色，具不规则透明斑纹。头冠前缘钝圆突出，冠缝仅基部明显。无单眼。颜面侧面观扁平，前唇基长略大于宽，舌侧板大。前胸背板略宽于头冠，表面平滑，后缘平直或略凹入。前翅第1、3端室阔，第4端室最窄，未伸达翅端，略长于第3端室中长；AA及AP脉缺失。后翅RA脉明显，周缘脉伸达CuA″脉并与其愈合。

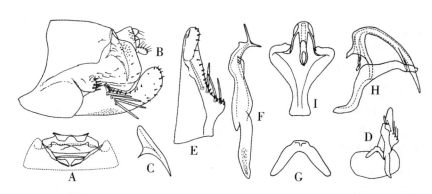

图150　七河赛克叶蝉 *Ziczacella heptapotamica*（Kusnezov）

A. 腹内突（abdominal apodemes）；B. 生殖荚侧面观（genital capsule, lateral view）；C. 尾节背突（pygofer dorsal appendage）；D. 下生殖板、阳基侧突、连索及第9腹板（subgenital plate, style, connective and sternite 9）；E. 下生殖板（subgenital plate）；F. 阳基侧突（style）；G. 连索（connective）；H. 阳茎侧面观（aedeagus, lateral view）；I. 阳茎后面观（aedeagus, posterior view）

雄虫2S腹内突阔，背向延伸，不超出第3腹节后缘。肛管骨化强，无肛突。雄虫尾节球状，骨化强；尾节侧瓣后缘圆弧状，基腹缘凸出，上具1组粗壮小刚毛，中部散生许多纤细小刚毛，内膜无小刚毛；尾节背突片状，与尾节侧瓣相关联；无尾节腹突。下生殖板超出尾节侧瓣后缘，亚基部角状突出，向端部渐狭，端部侧扁，背向弯曲；亚基部角状突上具数根粗壮小刚毛，自此至亚端部具1列小刚毛，端部背面散生许多小刚毛，大刚毛3~4根，着生于下生殖板中部外缘，呈直线排列。阳基侧突端部具2次延伸，端前叶明显，上具感觉孔。连索呈"V"形，中柄短，无中叶。阳茎前突不分叉，阳茎干呈管状，中部和端部各具1对突起；背腔退化；前腔长于阳茎干，具1对发达的前腔突；阳茎开口于端部。

　　采集记录：2♂1♀（NWAFU），太白桃川镇，1100m，2009. Ⅵ. 14，高霞、亢菊侠采。

　　分布：陕西（太白）、湖南、四川；俄罗斯，日本，哈萨克斯坦，吉尔吉斯斯坦，欧洲。

　　寄主：葎草 *Humulusjaponicus*。

（151）丝赛克叶蝉 *Ziczacella steggerdai*（Ross, 1965）（图版4：M-P）

Erythroneura steggerdai Ross, 1965：267.

Erythroneura（Ziczacella）hirayamella Anufriev, 1970：698.

Ziczacella steggerdai：Dworakowska, 1970：760.

鉴别特征：体型较小，体色斑驳，头冠白色，具 1 对黑色圆斑，前胸背板黑色，前缘中线处具短的白色纵带，中部具 1 对白斑，小盾片端部黑色，前翅黑色，具不规则透明斑纹。头冠前缘钝圆突出，冠缝仅基部明显。无单眼。颜面侧面观扁平，前唇基长略大于宽，舌侧板大。前胸背板略宽于头冠，表面平滑，后缘平直或略凹入。前翅第 1、3 端室阔，第 4 端室最窄，未伸达翅端，略长于第 3 端室中长；AA 及 AP 脉缺失。后翅 RA 脉明显，周缘脉伸达 CuA″脉并与其愈合。雄虫 2S 腹内突阔，背向延伸，不超出第 3 腹节后缘。肛管骨化强，无肛突。雄虫尾节球状，骨化强；尾节侧瓣后缘圆弧状，基腹缘凸出，上具 1 组粗壮小刚毛，中部散生许多纤细小刚毛，内膜无小刚毛；尾节背突片状，与尾节侧瓣相关联；无尾节腹突。下生殖板超出尾节侧瓣后缘，亚基部角状突出，向端部渐狭，端部侧扁，背向弯曲；亚基部角状突上具数根粗壮小刚毛，自此至亚端部具 1 列小刚毛，端部背面散生许多小刚毛，大刚毛 3~4 根，着生于下生殖板中部外缘，呈直线排列。阳基侧突端部具 2 次延伸，端前叶明显，上具感觉孔。连索呈"V"形，中柄短，无中叶。阳茎前突分叉，阳茎干呈管状；背腔退化；前腔长于阳茎干，具 1 对发达的前腔突；阳茎开口于端部。

采集记录：1♂（NWAFU），杨凌，西北农林科技大学，1983. Ⅸ，采集人不详。

分布：陕西（杨凌）、四川；朝鲜，韩国，越南。

70. 二星叶蝉属 *Arboridia* Zachvatkin，1946

Zyginidia（*Arboridia*）Zachvatkin，1946：153. **Type species**：*Typhlocyba parvula* Boheman，1845.

Arboridia（*Arboridia*）：Dworakowska，1970：607.

Khoduma Dworakowska，1972：403. **Type species**：*Khoduma jacobii* Dworakowska，1972.

属征：体型中等，黄白色、橙色或黑色，头冠常具 1 对黑斑。头冠前缘钝圆突出，冠缝不明显或仅基部明显。无单眼。颜面侧面观隆起，前唇基长略大于宽，端部较窄，舌侧板大。前胸背板等宽于或略宽于头冠，表面平滑，后缘略凹入。前翅第 1、3 端室阔，第 2、4 端室较窄，第 4 端室未伸达翅端，近等长于第 3 端室中长；具 AA 脉。后翅 RA 脉明显或退化，周缘脉伸达 CuA″脉并与其愈合。雄虫 2S 腹内突宽或窄，延伸至第 3 至第 4 腹节。肛管中度骨化，无肛突。雄虫尾节球状，中度骨化；尾节侧瓣后缘平截或圆弧，覆微齿状刻痕，基腹缘或腹缘散生许多纤细刚毛，内膜具小刚毛；尾节背突形状多样，与尾节侧瓣相关联；无尾节腹突。下生殖板超出尾节侧瓣后缘，亚基部呈角状突出，向端部渐狭，端部略侧扁；亚基部角状突上具 2 列至多列粗壮小刚毛，自此至端部具 1 列小刚毛，端部腹面散生许多小刚毛，大刚毛 3~4 根，着生于下生殖板亚基部，呈直线排列。阳基侧突端部具 2 次延伸，亚端部具感觉孔，端前叶明显。连索呈"V"形或"U"形，中柄短，无中叶。阳茎干呈管状，有或无突起；背腔侧面观呈片状，后面观呈"Y"形或"T"形；前腔退化或短于阳茎干，无前腔突；阳茎开口于端部或亚端部，腹面。

分布：古北区，东洋区。秦岭地区发现 2 种。

分种检索表

（152）核桃二星叶蝉 *Arboridia*（*Arboridia*）*agrillacea*（Anufriev, 1969）（图版 5：A – D）

Erythroneura agrillacea Anufriev, 1969：182.

Arboridia agrillacea：Anufriev, 1978：87.

鉴别特征：体型中等，黄白色、橙色或黑色，头冠常具 1 对黑斑。头冠前缘钝圆突出，冠缝不明显或仅基部明显。无单眼。颜面侧面观隆起，前唇基长略大于宽，端部较窄，舌侧板大。前胸背板等宽于或略宽于头冠，表面平滑，后缘略凹入。前翅第 1、3 翅室阔，第 2、4 翅室较窄，第 4 端室未伸达翅端，近等长于第 3 端室中长；具 AA 脉。后翅 RA 脉明显或退化，周缘脉伸达 CuA″脉并与其愈合。雄虫 2S 腹内突宽或窄，延伸至第 3 或第 4 腹节。肛管中度骨化，无肛突。雄虫尾节球状，中度骨化；尾节侧瓣后缘平截或圆弧，覆微齿状刻痕，基腹缘或腹缘散生许多纤细刚毛，内膜具小刚毛；尾节背突形状多样，与尾节侧瓣相关联；无尾节腹突。下生殖板超出尾节侧瓣后缘，亚基部呈角状突出，向端部渐狭，端部略偏扁；亚基部角状突上具 2 列至多列粗壮小刚毛，自此至端部具 1 列小刚毛，端部腹面散生许多小刚毛，大刚毛 3 ~ 4 根，着生于下生殖板亚基部，呈直线排列。阳基侧突端部具 2 次延伸，亚端部具感觉孔，端前叶明显。连索呈"V"性或"U"形；阳茎干无突起。前腔退化或短于阳茎干，无前腔突；阳茎开口于端部或亚端部，腹面。

采集记录：1♂（NWAFU），杨凌，西北农林科技大学，1984.Ⅶ.20，张雅林采；1♂（NWAFU），宁强阳平关，1980.Ⅹ.04，马宁采。

分布：陕西（杨凌、宁强）、山西、河南、甘肃、四川、贵州；俄罗斯。

寄主：核桃 *Juglansregia*，山茱萸 *Macrocarpiumafficinalis*。

（153）铃木二星叶蝉 *Arboridia*（*Arboridia*）*suzukii*（Matsumura, 1916）（图版 5：E – H）

Zygina suzukii Matsumura, 1916：396.

Erythroneura suzukii：Ishihara, 1953：34.

Erythroneura arboricola Vilbaste, 1968：101.

Arboridia（*Arboridia*）*suzukii*：Dworakowska, 1970：613.

鉴别特征：体型中等，黄白色、橙色或黑色，头冠常具 1 对黑斑。头冠前缘钝圆突出，冠缝不明显或仅基部明显。无单眼。颜面侧面观隆起，前唇基长略大于宽，端部较窄，舌侧板大。前胸背板等宽于或略宽于头冠，表面平滑，后缘略凹入。前翅第 1、3 翅室阔，第 2、4 翅室较窄，第 4 端室未伸达翅端，近等长于第 3 端室中长；具 AA

脉。后翅 RA 脉明显或退化，周缘脉伸达 CuA″脉并与其愈合。雄虫 2S 腹内突宽或窄，延伸至第 3 或第 4 腹节。肛管中度骨化，无肛突。雄虫尾节球状，中度骨化；尾节侧瓣后缘平截或圆弧，覆微齿状刻痕，基腹缘或腹缘散生许多纤细刚毛，内膜具小刚毛；尾节背突形状多样，与尾节侧瓣相关连；无尾节腹突。下生殖板超出尾节侧瓣后缘，亚基部呈角状突出，向端部渐狭，端部略偏扁；亚基部角状突上具 2 列至多列粗壮小刚毛，自此至端部具 1 列小刚毛，端部腹面散生许多小刚毛，大刚毛3 ~ 4根，着生于下生殖板亚基部，呈直线排列。阳基侧突端部具 2 次延伸，亚端部具感觉孔，端前叶明显。连索呈"V"形或"U"形；阳茎干具单个突起，位于端部腹面。前腔退化或短于阳茎干，无前腔突；阳茎开口于端部或亚端部，腹面。尾节背突不分叉，阳茎突起长于阳茎干。

采集记录：1♂（NWAFU），周至竹峪，2010. V. 01，吕林采。

分布：陕西（周至）、山西；俄罗斯，朝鲜，韩国，日本。

寄主：苹果 *Malus* sp.，稠李 *Padusmaackii*，梨 *Pyruscommunis*。

71. 欧小叶蝉属 *Zygina* Fieber，1866

Zygina Fieber，1866：509；Young，1952：74. **Type species：***Typhlocyba nivea* Mulsant *et* Rey，1855.

Typhlocyba（*Zygina*）Sahlberg，1871：172.

Erythroneura（*Flammigeroidia*）Dlabola，1958：56. **Type species：***Cicada flammigera* Fourcroy，1785.

属征：体型中等，白色或黄白色，多具橙色或红色条带。头冠前缘钝圆突出，冠缝不明显或仅基部明显。无单眼。颜面侧面观隆起，前唇基长，舌侧板大。前胸背板略宽于头冠，表面平滑，后缘略凹入。前翅第 1、3 端室阔，第 2、4 端室较窄，第 4端室未伸达翅端，近等长于第 3 端室中长；2A 及 AP 脉缺失。后翅 RA 脉明显，周缘脉伸达 CuA″脉并与其愈合。雄虫 2S 腹内突较阔，延伸至第 3 至第 4 腹节。肛管骨化弱，无肛突。雄虫尾节球状，骨化弱；尾节侧瓣后缘圆弧状，表面覆大量纤细刚毛，后缘有或无小刚毛，内膜具小刚毛；尾节背突形状多样，基部与尾节侧瓣愈合；无尾节腹突。下生殖板超出尾节侧瓣后缘，狭长，两端较阔，中部略窄；侧缘及腹面具小刚毛，其大小及数量在亚属间有差异，大刚毛在端部及中部均有着生，端部 2 ~ 3 根，大小及位置在亚属间略有差异，中部 2 根。阳基侧突端部足状或略膨大，有或无感觉器，端前叶明显。连索片状，中柄细长，中叶明显。阳茎干侧扁，无突起；背腔侧面观片状，腹面观窄；前腔短于阳茎干，无前腔突；阳茎开口于端部。

分布：古北区，东洋区，新北区，非洲区。秦岭地区发现 1 种。

(154) 异色欧小叶蝉 *Zygina*（*Zygina*）*discolor* Horváth，1897（图版 5：I - L）

Zygina discolor Horváth，1897：638.

Erythroneura discolor：Oshanin，1912：114.

　　鉴别特征：体型中等，白色或黄白色，多具橙色或红色条带。头冠前缘钝圆突出，冠缝不明显或仅基部明显。无单眼。颜面侧面观隆起，前唇基长，舌侧板大。前胸背板略宽于头冠，表面平滑，后缘略凹入。前翅第1、3端室阔，第2、4端室较窄，第4端室未伸达翅端，近等长于第3端室中长；2A及AP脉缺失。后翅RA脉明显，周缘脉伸达CuA″脉并与其愈合。雄虫2S腹内突较阔，延伸至第3至第4腹节。肛管骨化弱，无肛突。雄虫尾节球状，骨化弱；尾节侧瓣后缘圆弧状，表面覆大量纤细散生小刚毛，不汇聚成组，后缘无小刚毛，内膜具小刚毛；尾节背突形状多样，基部与尾节侧瓣愈合；无尾节腹突。下生殖板无褶皱，超出尾节侧瓣后缘，狭长，两端较阔，中部略窄；亚基部小刚毛细长，端部2~3根大刚毛更靠近末端，与中部大刚毛大小无差异。中部2根。阳基侧突端部足状或略膨大，具感觉器。端前叶明显。连索呈片状，中柄细长，中叶明显。阳茎干侧扁，无突起；背腔侧面观呈片状，腹面观窄；前腔短于阳茎干，无前腔突；阳茎开口于端部。

　　分布：陕西(秦岭)、山西、山东；哈萨克斯坦，乌兹别克斯坦，欧洲，非洲。

　　寄主：李 *Prunusamygdalus*，栎 *Quercuscalliprinos*，*Quercus* sp.，柳 *Salix* sp.，榆树 *Ulmusmontana*。

72. 安小叶蝉属 *Anufrievia* Dworakowska，1970

Anufrievia Dworakowska，1970：761. **Type species**：*Anufrievia rolikae* Dworakowska，1970.

　　属征：体型中等，黄白色至橙色，无斑纹或头冠顶端具1对黑斑。头冠前缘钝圆突出，冠缝仅基部明显。无单眼。颜面侧面观隆起，前唇基长略大于宽，舌侧板大。前胸背板略宽于头冠，具1对小凹陷，后缘略凹入。前翅第1、3端室阔，第2、4端室窄，第4端室未伸达翅端，近等长于第3端室中长；具2A脉。后翅RA脉明显，周缘脉伸达CuA″脉并与其愈合。雄虫2S腹内突阔，延伸至第3至第4腹节。肛管骨化弱，无肛突。雄虫尾节球状，中度骨化；尾节侧瓣后缘圆弧状，覆微齿状刻痕，基腹缘有或无大刚毛，中部具数根纤细刚毛，内膜具小刚毛；尾节背突片状，端部尖锐或分叉，与尾节侧瓣相关连；无尾节腹突。下生殖板超出尾节侧瓣后缘，亚基部弧圆突出，略宽于端部，少数种类端部宽于基部，端部略向外侧弯曲；外缘亚基部至端部具1列小刚毛，基部数根明显加长，大刚毛3根，着生于下生殖板亚基部近外缘，呈三角形排列。阳基侧突端部形状多样，亚端部具感觉孔，端前叶明显。连索呈"V"形或"U"形，中柄阔，中叶缺失或不完全退化。阳茎干呈管状，端部或亚端部腹面具1对突起，着生位置多不平行；背腔侧面观窄，后面观宽片状；前腔短于阳茎干，具前腔突；阳茎开口于亚端部或中部，腹面。

　　分布：古北区，东洋区。秦岭地区发现1种。

(155)拟卡安小叶蝉 *Anufrievia parisakazu* Cao et Zhang，2012(图151；图版5：M-P)

Anufrievia parisakazu Cao et Zhang，2012：59.

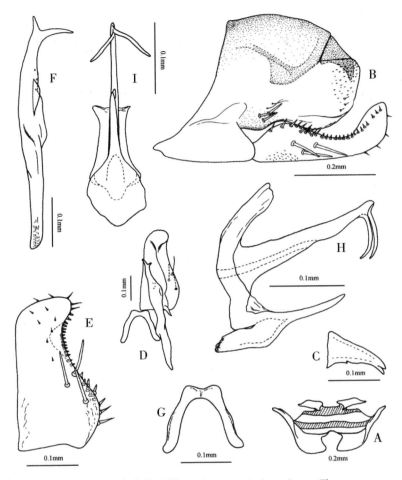

图 151　拟卡安小叶蝉 *Anufrievia parisakazu* Cao et Zhang

A. 2S 腹内突(2S abdominal apodemes)；B. 生殖荚(genital capsule)；C. 尾节背突(pygofer dorsal appendage)；D. 下生殖板、阳基侧突及连索(subgenital plate, style and connective)；E. 下生殖板腹面观(subgenital plate, ventral view)；F. 阳基侧突侧面观(style, lateral view)；G. 连索(connective)；H. 阳茎侧面观(aedeagus, lateral view)；I. 阳茎腹面观(aedeagus, ventral view)

鉴别特征：体长 3.40~3.60mm。头冠及胸部背面黄褐色，头冠顶端具 1 对三角形黑斑，后缘具黑色横带。颜面前唇基端部颜色较深，舌侧板及颊黄白色。前翅浅褐色，蜡质区褐色。尾节侧瓣基腹缘具 3 根大刚毛，尾节背突端部略分叉。下生殖板端部内缘弧形，窄于基部。阳基侧突端部足状，亚端齿与端齿间垂直。连索中柄阔，无中叶。阳茎基部较端部略阔，背缘略锯齿状，平直，突起位于亚端部，较短，侧面观略头向弯曲，腹面观较直；前腔突直，较长，由基部向端部渐狭，端部尖锐；阳茎开口于中部。

采集记录：1♂(NWAFU，正模)，周至楼观台，1983.XI.15，张雅林采；1♂1♀(NWAFU)，采集信息同前。

分布：陕西(周至)。

（九）广头叶蝉亚科 Macropsinae

鉴别特征：头冠宽短，前后缘不平行，距复眼近的两端最宽，中央处最窄；单眼生于颜面，单眼间距约为单眼至同侧复眼距离的 2～6 倍；唇基小且阔，端部略膨大；前胸背板宽大，中域隆起明显，表面有明显的刻痕；前翅端片狭或消失。尾节较短，末端常有尖刺状附突；下生殖板细长呈片状；阳茎干多呈管状。

分类：世界广布。陕西秦岭地区分布 4 属 11 种。

分属检索表

1. 前胸背板皱纹横向，尾节侧瓣无附突 …………………………………… 横皱叶蝉属 *Oncopsis*
   前胸背板皱纹斜向，尾节侧瓣有附突 …………………………………………………………… 2
2. 前翅翅脉分布有白色斑点，尾节侧瓣具端刺，或后缘呈锯齿状 ………… 尖尾叶蝉属 *Pedionis*
   前翅翅脉无白色斑点，尾节有 1 个或多个尖刺状突起 ……………………………………………… 3
3. 前胸背板皱纹微弱，背连索发达 ………………………………………… 暗纹叶蝉属 *Pediopsoides*
   前胸背板皱纹明显，背连索不发达 …………………………………………… 广头叶蝉属 *Macropsis*

73. 广头叶蝉属 *Macropsis* Lewis，1834

Macropsis Lewis，1834：49. **Type species**：*Cicada virescens* Gmelin，1789.
Tsavopsis Linnavueri，1978：14. **Type species**：*Tsavopsis tuberculata* Linnavuori，1978.

属征：头冠呈"V"形，向前角状突出；颜面长，稍大于宽；额区平坦或稍突出；单眼间距是同侧单复眼间距的 4～5 倍；雌虫后唇基侧域不扩展，舌侧板较大；雄虫舌侧板变化大（有的种类大，比较明显，但有的极小，不甚明显）；前唇基基部至端部渐狭，有些种类唇基端部膨大；头冠与前胸背板等宽，仅 *Macropsis*（*Neomacropsis*）Hamilton 头冠狭于前胸背板；前胸背板中域通常隆起，向两侧渐向下倾斜，皱纹斜向；前翅端前室 3 个，少数种类翅脉上分布有白色斑点；后足胫节微刚毛数 6～11。雄虫尾节腹缘都具有尖刺状附突，指向后缘或背缘；下生殖板细长、片状，端部稍弯曲；阳茎基部肿大，阳茎干呈端向渐狭的管状；阳基侧突狭长；背连索纤细且骨化程度低，无附属突起。

分布：古北区，东洋区，新北区，新热带区，非洲区，澳洲区。秦岭地区发现 3 种。

分种检索表

1. 前翅散布有密集的深色斑点，形成 2 条横向条带 …………… 双带广头叶蝉 *M. matsumurana*
   前翅不分布有密集深色斑点 ……………………………………………………………………… 2

2.　颜面、前胸背板前侧缘和盾片基角处均无深色斑·······················**绿色广头叶蝉 *M. lusis***
　　颜面上分布有 3 个圆形黑斑，前胸背板前侧缘和盾片基角处均有黑斑 ························
　　··**基斑广头叶蝉 *M. warburgii***

（156）基斑广头叶蝉 *Macropsis warburgii* **Huang**，**1993**（图 152）

Macropsis warburgii Huang，1993：369.

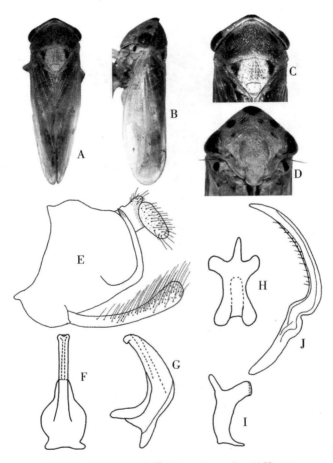

图 152　基斑广头叶蝉 *Macropsis warburgii* Huang

A. 整体背面观（habitus, dorsal view）；B. 整体侧面观（habitus, lateral view）；C. 头胸部背面观（head and thorax, dorsal view）；D. 颜面（face）；E. 雄虫尾节侧瓣与下生殖板侧面观（male pygofer side and subgenital plate, lateral view）；F. 阳茎腹面观（aedeagus, ventral view）；G. 阳茎侧面观（aedeagus, lateral view）；H. 连索腹面观（connective, ventral view）；I. 连索侧面观（connective, lateral view）；J. 阳基侧突侧面观（style, lateral view）

鉴别特征：体黄色至深棕色；头冠棕色，顶点有 1 较大黑点，复眼红棕色；颜面黄绿夹带棕色，单眼黄棕色，顶点处生有 1 个大黑点，顶点至复眼前缘的中间位置各有 1 个稍小的黑点；前胸背板褐至深褐色，前缘近复眼处有黑色斑纹；盾片黄色，两侧角处有晦暗的三角形褐色区；前翅半透明，黄褐至棕褐色。

　　采集记录：1♀，宁陕旬阳坝，1998．Ⅵ.06，杨玲环采；1♀，秦岭，1945．Ⅶ.23，徐楠采。

　　分布：陕西（宁陕）、吉林、内蒙古、山东、甘肃、新疆、台湾。

（157）绿色广头叶蝉 *Macropsis lusis* **Kuoh，1981**（图 153）

Macropsis lusis Kuoh，1981：199.

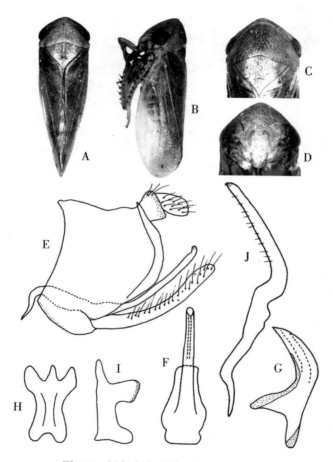

图 153　绿色广头叶蝉 *Macropsis lusis* Kuoh

A. 整体背面观（habitus, dorsal view）；B. 整体侧面观（habitus, lateral view）；C. 头胸部背面观（head and thorax, dorsal view）；D. 颜面（face）；E. 雄虫尾节侧瓣与下生殖板侧面观（male pygofer side and subgenital plate, lateral view）；F. 阳茎腹面观（aedeagus, ventral view）；G. 阳茎侧面观（aedeagus, lateral view）；H. 连索腹面观（connective, ventral view）；I. 连索侧面观（connective, lateral view）；J. 阳基侧突侧面观（style, lateral view）

　　鉴别特征：体淡黄绿色；头冠黄绿色，复眼黑色；颜面淡黄绿色，基部有半圆形晦暗区，中域散生微小的黄褐色点，单眼与颜面同色；前胸背板皱褶间黄褐色，以致前胸背板粗看黄褐；盾片淡黄绿色，两侧基角处各具1个橙色三角形区，中域散生黄褐色斑点；前翅透明具烟黄晕，翅脉黄褐色；足淡黄绿色；雌虫淡黄绿色，唯头部、颜面与盾片为鲜绿色。

　　采集记录： 1♀，宁陕火地塘，1580m，1998.Ⅶ.26，姚建采；1♂，宁陕火地塘，2000.Ⅶ.20，戴武、刘振江采。

　　分布： 陕西(宁陕)、宁夏、甘肃、山东、青海、新疆、广西、西藏。

(158) 双带广头叶蝉 *Macropsis matsumurana* China, 1925 (图 154)

Macropsis matsumurana China, 1925: 362.

Macropsis pallidinota Kuoh, 1992: 267.

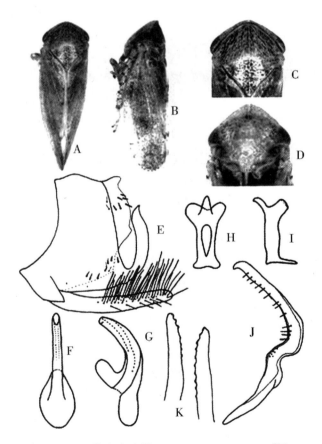

图 154　双带广头叶蝉 *Macropsis matsumurana* China

A. 整体背面观(habitus, dorsal view)；B. 整体侧面观(habitus, lateral view)；C. 头胸部背面观(head and thorax, dorsal view)；D. 颜面(face)；E. 雄虫尾节侧瓣与下生殖板侧面观(male pygofer side and subgenital plate, lateral view)；F. 阳茎腹面观(aedeagus, ventral view)；G. 阳茎侧面观(aedeagus, lateral view)；H. 连索腹面观(connective, ventral view)；I. 连索侧面观(connective, lateral view)；J. 阳基侧突侧面观(style, lateral view)；K. 雌虫第2产卵瓣(female valvule 2)

鉴别特征：体黄棕色至深棕色；头部棕色，复眼棕褐色；颜面黄色，额区有明显的黑色大刻点，单眼与触角棕黄；前胸背板棕色或深棕色，因皱纹深棕，粗视呈褐色；盾片淡黄棕色，两基侧角处色较深，中域深暗；前翅透明，黄棕色，散布有暗褐色斑点，大量的褐色斑点形成2条横向条带；个体间色泽变化在于头胸部的斑点色泽减淡，斑纹特征不变。

采集记录：3♂1♀，朱雀森林公园，2007.Ⅶ.22-25，戴武采；1♀，朱雀森林公园，2007.Ⅶ.22-25，段军娜、冯美燕采；1♀，太白山点兵场，1200m，1981.Ⅴ.30，陕西省太白山昆虫考察组采；4♀，太白山下白云，1850m，1981.Ⅴ.30，陕西省太白山昆虫考察组采；1♀，太白山蒿坪寺，1200m，1981.Ⅴ.31，陕西省太白山昆虫考察组采；1♂，太白，1981.Ⅷ.14，采集人不详；2♀，佛坪，1981.Ⅵ.13，马宁采；1♀，宁陕火地塘，1580m，1998.Ⅶ.27，姚建采。

分布：陕西（户县、太白、佛坪、宁陕）、山西、河南、宁夏、甘肃、台湾、海南、广西、四川、贵州、云南；日本。

74. 暗纹叶蝉属 *Pediopsoides* Matsumura，1912

Pediopsoides Matsumura，1912b：305. **Type species**：*Pediopsoides formosanus* Matsumura，1912.

属征：头冠狭于前胸背板；单眼至中线距离约为至同侧复眼的2~3倍；雄虫后唇基扩展，舌侧板狭；前胸背板向前呈角状或圆弧状突出，中域隆起，向前和两侧倾斜；前胸背板上的皱纹模糊不清，走向多样（横向或斜向）；前翅端前室2个，端片狭小；后足胫节微刚毛6~11个；雌虫第7节腹板前缘近平直，后缘呈倒"V"或"W"形凹入。

雄虫尾节侧瓣宽大，腹缘一般具有1个或多个尖刺状突起，突起基部较宽，向内侧弯折；阳茎基部宽大，干很短，端向收狭；阳基侧突狭长，末端钩状，近基部1/3处略膨大弯折，并在该处与连索关连；背连索与尾节上缘衔接，波状弯曲，在背端部具有竹片状突起。

分布：古北区，东洋区，新北区，非洲区。秦岭地区发现3种。

分种检索表

1. 背连索呈"S"形，向后着生1个叉状突起 ……………………………………………… 2
   背连索呈"S"形，向后着生1个指状突 …………………… 褐盾暗纹叶蝉 *P.*（*S.*）*kurentsovi*
2. 背连索上叉状突发达，阳基侧突腹缘有1个齿 ………… 类指暗纹叶蝉 *P.*（*S.*）*heterodigitatus*
   背连索上叉状突不发达，阳基侧突腹缘无齿 ………………… 凹面暗纹叶蝉 *P.*（*S.*）*aomians*

（159）凹面暗纹叶蝉 *Pediopsoides*（*Sispocnis*）*aomians*（Kuoh，1981）（图155）

Oncopsis aomians Kuoh，1981：201.

Digitalis striolatus Liu *et* Zhang, 2003：175.

Pediopsoides（*Sispocnis*）*aomians*：Dai & Zhang, 2009：28.

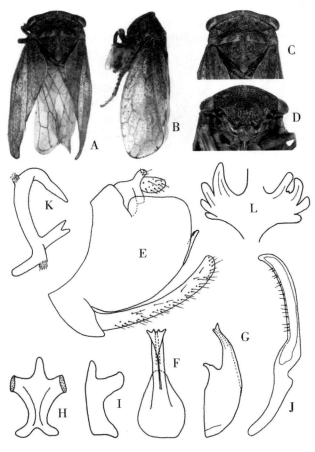

图 155 凹面暗纹叶蝉 *ediopsoides*（*Sispocnis*）*aomians*（Kuoh）

A. 整体背面观（habitus, dorsal view）；B. 整体侧面观（habitus, lateral view）；C. 头胸部背面观（head and thorax, dorsal view）；D. 颜面（face）；E. 雄虫尾节侧瓣与下生殖板侧面观（male pygofer side and subgenital plate, lateral view）；F. 阳茎腹面观（aedeagus, ventral view）；G. 阳茎侧面观（aedeagus, lateral view）；H. 连索腹面观（connective, ventral view）；I. 连索侧面观（connective, lateral view）；J. 阳基侧突侧面观（style, lateral view）；K. 背连索侧面观（dorsal connective, lateral view）；L. 尾节突（pygofer appendage）

鉴别特征：体棕色至黄棕色；头冠棕色，复眼黑褐色；雄虫颜面散布有黑色麻点，雌性颜面棕色；前胸背板棕色，周缘颜色较淡，有绿色斑块；盾片棕色；前翅棕色，端部前缘浅棕色。头稍宽于前胸背板，弧形突出；颜面宽大于长；前胸背板前缘弧状突出，后缘中部凹入，表面密布明显的横向皱纹；盾片三角形，长度约为前胸背板长度的1.20倍，基部革质，端部有横皱纹；前翅具3个端前室，端片狭。

采集记录：1♂，太白山拔仙台，3767m，1983.Ⅷ.12，陕西省太白山昆虫考察组采。

分布：陕西（太白山）、甘肃、青海、四川、贵州、云南、西藏。

（160）类指暗纹叶蝉 *Pediopsoides*（*Sispocnis*）*heterodigitatus* **Dai** *et* **Zhang，2009**（图 156）

Pediopsoides（*Sispocnis*）*heterodigitatus* Dai *et* Zhang，2009：31.

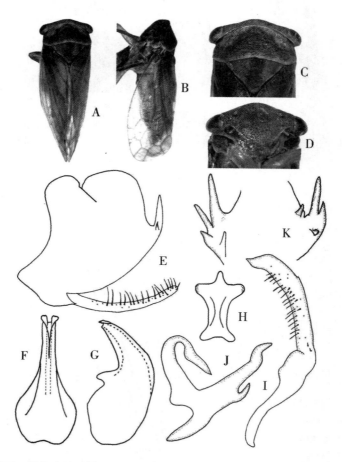

图 156　类指暗纹叶蝉 *Pediopsoides*（*Sispocnis*）*heterodigitatus* Dai *et* Zhang

A. 整体背面观(habitus, dorsal view)；B. 整体侧面观(habitus, lateral view)；C. 头胸部背面观(head and thorax, dorsal view)；D. 颜面(face)；E. 雄虫尾节侧瓣与下生殖板侧面观(male pygofer side and subgenital plate, lateral view)；F. 阳茎腹面观(aedeagus, ventral view)；G. 阳茎侧面观(aedeagus, lateral view)；H. 连索腹面观(connective, ventral view)；I. 阳基侧突侧面观(style, lateral view)；J. 背连索侧面观(dorsal connective, lateral view)；K. 尾节突(pygofer appendage)

　　鉴别特征：体棕色，散布有黑色斑点；颜面棕色，2 个单眼间有 1 条沥青色横带；前胸背板棕色，中间区域和两侧椭圆形凹坑内颜色较深；盾片棕色，两基角处有黑色三角形斑，中间部分有 1 条黑色纵带；前翅淡棕色，有较深的棕色斑点。雄虫尾节侧瓣背缘凹入，后腹缘长有指向背端的突起，1 长 3 短；阳基侧突距基部 1/3 处弯折并膨大，距端部 1/3 处长有齿；背连索呈"S"形，端半部较发达，中间偏向基部处有 1 个指向后缘的二叉状突起。

　　采集记录：1♀，终南山（周至段），1951.Ⅵ.27，采集人不详。

　　分布：陕西（周至）、四川、云南。

(161) 褐盾暗纹叶蝉 *Pediopsoides*（*Sispocnis*）*kurentsovi*（**Anufriev, 1977**）（图 157）

Oncopsis kurentsovi Anufriev, 1977：12.

Pediopsoides（*Sispocnis*）*kurentsovi*：Hamilton, 1980：897.

Pediopsoides（*Sispocnis*）*juglans* Anufriev *et* Emeljanov, 1988：83.

Pediopsoides（*Sispocnis*）*kurentsovi*：Dai & Zhang, 2009：27.

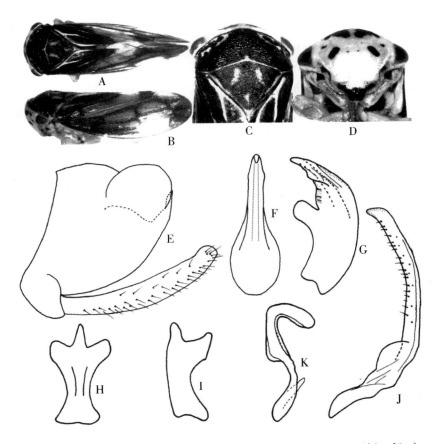

图 157　褐盾暗纹叶蝉 *Pediopsoides*（*Sispocnis*）*kurentsovi*（Anufriev）

A. 整体背面观（habitus, dorsal view）；B. 整体侧面观（habitus, lateral view）；C. 头胸部背面观（head and thorax, dorsal view）；D. 颜面（face）；E. 雄虫尾节侧瓣与下生殖板侧面观（male pygofer side and subgenital plate, lateral view）；F. 阳茎腹面观（aedeagus, ventral view）；G. 阳茎侧面观（aedeagus, lateral view）；H. 连索腹面观（connective, ventral view）；I. 连索侧面观（connective, lateral view）；J. 阳基侧突侧面观（style, lateral view）；K. 背连索侧面观（dorsal connective, lateral view）

鉴别特征：体色由浅黄至黑色变化较大；头冠橙黄色，复眼红棕色或黑褐色；颜面橙黄色，分布有 2~4 个黑色圆斑或三角形斑，复眼下缘有黑斑，前唇基分布有 2 个黑色斑点，后唇基侧缘黑色；前翅黑褐色，前缘域和端域白色半透明。雄虫尾节侧瓣后缘中部呈弧形弯曲，腹缘具 1 粗短刺状突，该突起基部较宽，向内侧弯折；背连索呈"S"形，中部有 1 个短壮突起，两端部均较宽，分别与阳茎和肛管相连。

采集记录：1♀，周至厚畛子，1320m，1999.Ⅵ.23，章有为采；1♀，宝鸡，1994.Ⅶ.21，张雅林采；1♂，宁陕旬阳坝，1995.Ⅷ.25，张文珠、任立云采。

分布：陕西（周至、宝鸡、宁陕）、北京、河北、山西、河南、浙江、福建、四川；俄罗斯，印度。

75. 尖尾叶蝉属 *Pedionis* Hamilton，1980

Pedionis Hamilton，1980：891. **Type species**：*Pediopsisgaruda* Distant，1916.

属征：体短小粗壮；头冠狭于前胸背板，前胸背板中域稍隆起，表面密生斜皱纹；颜面长大于宽，密布刻点；单眼至中线距离约为至同侧复眼的 2~3 倍；雄虫后唇基扩展以致舌侧板狭，雌虫舌侧板较大；前翅端前室 2 或 3 个，端片狭小，翅脉上通常散布白色斑点；后足胫节微刚毛数目固定不变，总是 8 个。

雄虫尾节端向渐狭具端刺，或后缘呈锯齿状，或钝圆；阳茎干相对较长，基部宽大端向狭，背向弯曲；连索中间有指状突，两侧臂背向弯曲；阳基侧突近基部 1/3 处弯折且稍膨大，端部多呈钩状；背连索粗大且复杂，"Ⅱ"形，端部突起与尾节后背缘相连，基部与阳茎相连。

分布：古北区，东洋区，澳洲区。秦岭地区发现 1 种。

(162) 李氏尖尾叶蝉 *Pedionis*（*Pedionis*）*lii* Zhang *et* Viraktamath，2010（图 158）

Pedionis（*Pedionis*）*lii* Zhang *et* Viraktamath，2010：57.

鉴别特征：体棕色；头冠上分布有淡棕色或深棕色斑点，复眼深棕色；颜面棕色，散布有深色斑点，单眼苍白，前唇基深棕色；前翅棕色，侧面观可见 1 条倾斜的半透明区，翅脉上散布有白色斑点。雄虫尾节侧瓣三角形，后缘背端长有锯齿状突起，亚端部有齿状突起；背连索似长丝带，与阳茎相连的一半较宽，两侧近平行，另一端较细，端向渐狭。

采集记录：1♂，太白山中山寺，1400m，1981.Ⅵ.02，采集人不详。

分布：陕西（太白山）、贵州。

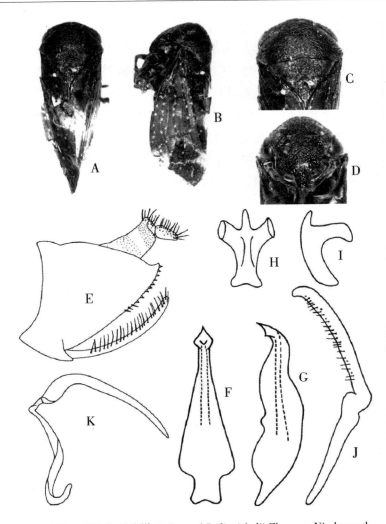

图 158　李氏尖尾叶蝉 *Pedionis*（*Pedionis*）*lii* Zhang *et* Viraktamath

A. 整体背面观（habitus, dorsal view）；B. 整体侧面观（habitus, lateral view）；C. 头胸部背面观（head and thorax, dorsal view）；D. 颜面（face）；E. 雄虫尾节侧瓣与下生殖板侧面观（male pygofer side and subgenital plate, lateral view）；F. 阳茎腹面观（aedeagus, ventral view）；G. 阳茎侧面观（aedeagus, lateral view）；H. 连索腹面观（connective, ventral view）；I. 连索侧面观（connective, lateral view）；J. 阳基侧突侧面观（style, lateral view）；K. 背连索侧面观（dorsal connective, lateral view）

76. 横皱叶蝉属 *Oncopsis* Burmeister, 1838

Bythoscopus（*Oncopsis*）Burmeister, 1838：10. **Type species**：*Cicada flavicollis* Linnaeus, 1761.

Zinneca Amyot *et* Serville, 1843：579. **Type species**：*Zinneca flavidorsum* Amyot *et* Serville, 1843.

属征：头冠较前胸背板等宽或稍宽，呈弧形突出；雄虫前唇基较小，后唇基通常向两侧扩展而将舌侧板掩盖；雌虫后唇基不扩展，前唇基和舌侧板较大；两冠坑间距较两单眼间距小；单眼间距约为单眼至同侧复眼间距的 4～6 倍；前胸背板表面密布横皱纹，中域隆起且向两侧呈现不同程度的倾斜，后缘一般呈弧形或宽角形凹入；盾片三角形，横刻痕呈角状或弧形凹陷；前翅端前室 2 或 3 个，端片狭；后足胫节具 8～12 个微刚毛。雄虫尾节无附属突起或膜质区；阳茎干粗短，无突起，背向弯曲；连索中间有指状突，两侧臂背向弯曲；阳基侧突较直或稍呈波状弯曲，基部 1/3 处弯折且稍膨胀，末端呈钩状；背连索较复杂，骨化程度高，侧面观呈"S"形，端部突起与尾节后背缘相连，基部与阳茎相连，近中部有发达的叉状突起。

分布：古北区，东洋区，新北区。秦岭地区发现 4 种。

分种检索表

1. 颜面大部分区域黑色，其余部分浅黄色 ················· **黑面横皱叶蝉** *O.（O.）nigrofaciala*
   体色不一致，颜面上有明显色斑 ·· 2
2. 颜面端部有"凸"字形黑斑 ··························· **凸斑横皱叶蝉** *O.（O.）convexus*
   颜面端部无"凸"字形黑斑 ··· 3
3. 背连索中间位置向后的突起呈条带状 ················· **黄绿横皱叶蝉** *O.（O.）flavovirens*
   背连索突起叉状，且叉状突起的两臂长度相差较大 ·········· **锯齿横皱叶蝉** *O.（O.）serrulota*

（163）凸斑横皱叶蝉 *Oncopsis（Oncopsis）convexus* **Liu，2009**（图 159）

Oncopsis（Oncopsis）convexus Liu，2009：15.

鉴别特征：头冠黑色，复眼褐色；颜面黄棕色，基缘处有 1 条黑色横带，中部也有 1 条较宽的黑色横条带，其两端向下延伸成 2 条宽的括弧状纵带，与端部额唇基处的"凸"字形黑斑相连。雄虫尾节侧瓣宽大，无附属突起；背连索呈"S"形，基半部呈弯曲的条带状，端半部呈"C"形弯曲，中间近基部处向后缘形成"钳状"突起，突起各有 1 侧锯齿状。

采集记录：1♂，朱雀森林公园，2007.Ⅶ.22，戴武采；1♂，太白山放羊寺，1981.Ⅷ.14，杨义采；1♂，太白山明星寺，2900m，1982.Ⅶ.17，赵晓明采；2♂1♀，太白山明星寺，2900m，1982.Ⅶ.17，赵晓明采。

分布：陕西（户县，太白山）、四川。

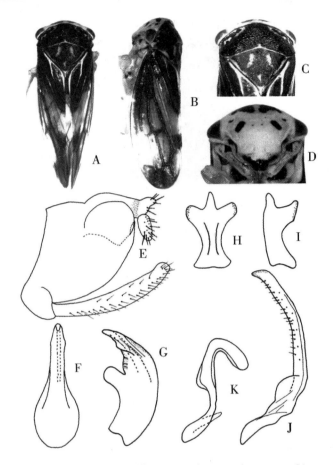

图 159　凸斑横皱叶蝉 *Oncopsis*（*Oncopsis*）*convexus* Liu

A. 整体背面观（habitus, dorsal view）；B. 整体侧面观（habitus, lateral view）；C. 头胸部背面观（head and thorax, dorsal view）；D. 颜面（face）；E. 雄虫尾节侧瓣与下生殖板侧面观（male pygofer side and subgenital plate, lateral view）；F. 阳茎腹面观（aedeagus, ventral view）；G. 阳茎侧面观（aedeagus, lateral view）；H. 连索腹面观（connective, ventral view）；I. 连索侧面观（connective, lateral view）；J. 阳基侧突侧面观（style, lateral view）；K. 背连索侧面观（dorsal connective, lateral view）

（164）黄绿横皱叶蝉 *Oncopsis*（*Oncopsis*）*flavovirens* **Kuoh, 1992**（图160）

Oncopsis（*Oncopsis*）*flavovirens* Kuoh, 1992：273.

鉴别特征：体黄绿色；头冠黑色，复眼黑褐色；颜面基部黑色，该黑色区占据了颜面的2/3长度，在该区域内左右有1对横条形黄绿色斑，额中央有1个倒"U"形浅斑，后唇基端部两侧区色黑，中央有2黑点，舌侧板黑色，前唇基端部大半黑色，单眼淡黄色。雄虫尾节侧瓣宽大，无附属突起；背连索呈"E"形，与肛管相连的臂较长，端部呈钩状弯曲，与阳茎相连的臂稍短，呈钩状弯曲。

采集记录：1♂，太白山斗母宫，2400m，1981.Ⅵ.28，陕西查太白山昆虫考察组采；1♂，太白，1982.Ⅵ.16，采集人不详。

分布：陕西（太白）、云南。

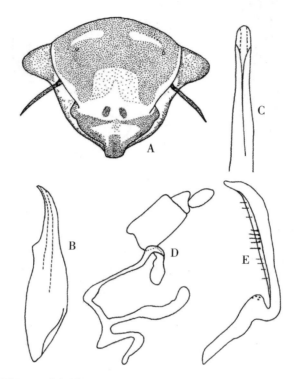

图 160　黄绿横皱叶蝉 *Oncopsis*（*Oncopsis*）*flavovirens* Kuoh

A. 颜面（face）；B. 阳茎侧面观（aedeagus, lateral view）；C. 阳茎干腹面观（aedeagal shaft ventral view）；D. 背连索侧面观（dorsal connective, lateral view）；E. 阳基侧突侧面观（style, lateral view）

（165）锯齿横皱叶蝉 *Oncopsis*（*Oncopsis*）*serrulota* Dai et Li, 2013（图 161）

Oncopsis serrulota Dai et Li, 2013：14.

鉴别特征：体棕色；头冠上分布有 1 条黑色横斑，复眼深棕色；颜面黄色，复眼间分布有 1 条黑色横条带，条带两端向下延伸，呈括弧状；前胸背板棕色，横皱纹深棕色；盾片黄色，基部两侧角处各分布有 1 个三角形黑斑，中线处黑色，两侧各有 1 个圆形黑斑，端部黑色；前翅透明，有半透明的深棕色区域，端前室 3 个，端片狭。雄虫尾节侧瓣长椭圆形，后缘斜截，侧缘分布有一些刚毛；背连索呈"S"形，中间部位生有 1 个指向后缘的二叉状突起，叉状突背缘呈锯齿状。

采集记录：4♂，太白山平安寺，2800m，1983.Ⅷ.09，陕西省太白山昆虫考察组采。

分布：陕西（太白山）、宁夏。

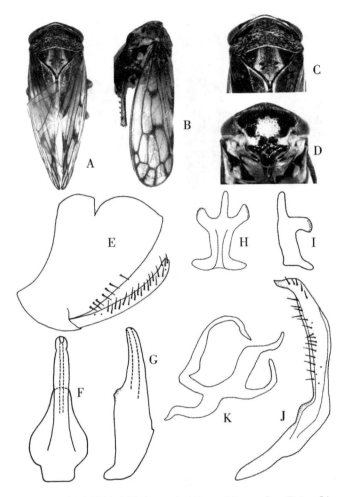

图 161　锯齿横皱叶蝉 *Oncopsis*（*Oncopsis*）*serrulota* Dai *et* Li

A. 整体背面观（habitus, dorsal view）；B. 整体侧面观（habitus, lateral view）；C. 头胸部背面观（head and thorax, dorsal view）；D. 颜面（face）；E. 雄虫尾节侧瓣与下生殖板侧面观（male pygofer side and subgenital plate, lateral view）；F. 阳茎腹面观（aedeagus, ventral view）；G. 阳茎侧面观（aedeagus, lateral view）；H. 连索腹面观（connective, ventral view）；I. 连索侧面观（connective, lateral view）；J. 阳基侧突侧面观（style, lateral view）；K. 背连索侧面观（dorsal connective, lateral view）

（166）黑面横皱叶蝉 *Oncopsis*（*Oncopsis*）*nigrofaciala* **Li，Dai *et* Li，2012**（图 162）

Oncopsis nigrofaciala Li，Dai *et* Li，2012：521．

鉴别特征：体黄棕色，头冠和前胸背板上的刻纹黑色；头冠上有 1 个黑色条斑；

复眼红褐色；颜面大部分区域黑色，其余部分浅黄色，单眼周围黑色，唇基黑色；前胸背板上复眼内侧有不规则的黑色斑点。尾节较宽大，背后缘呈波状弯曲，腹缘着生大量刚毛；阳茎管状，基部宽大，侧面观端向渐细，端部呈齿状；阳茎孔位于端部；背连索发达，中间部位有 1 个细长的突起，端部分叉，尖端呈齿状。

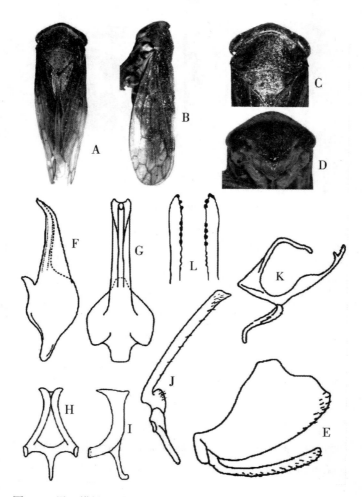

图 162　黑面横皱叶蝉 Oncopsis (Oncopsis) nigrofaciala Li, Dai et Li

A. 整体背面观 (habitus, dorsal view)；B. 整体侧面观 (habitus, lateral view)；C. 头胸部背面观 (head and thorax, dorsal view)；D. 颜面 (face)；E. 雄虫尾节侧瓣与下生殖板侧面观 (male pygofer side and subgenital plate, lateral view)；F. 阳茎侧面观 (aedeagus, lateral view)；G. 阳茎腹面观 (aedeagus, ventral view)；H. 连索腹面观 (connective, ventral view)；I. 连索侧面观 (connective, lateral view)；J. 阳基侧突侧面观 (style, lateral view)；K. 背连索侧面观 (dorsal connective, lateral view)；L. 雌虫第 2 产卵瓣 (female valvule 2)

采集记录：1♀，朱雀森林公园，2007. Ⅶ. 23，戴武采；1♀，太白山蒿坪寺，1981. Ⅷ. 12，采集人不详；1♀，太白山斗母宫，1983. Ⅷ. 07，陕西省太白山昆虫考察组采；4♀，太白山平安寺，2800m，1983. Ⅷ. 09，陕西省太白山昆虫考察组采。

分布：陕西（户县，太白山）、山西、甘肃。

（十）片角叶蝉亚科 Idiocerinae

鉴别特征：体楔形，个体小型到中型。头冠宽于前胸背板，少数头冠近等于前胸背板。前胸背板侧缘较短，弧圆。颜面通常宽大于长；单眼位于颜面，多数靠近复眼，少数距离中线较近。前翅常具4个端室，端片发达。腹突常存在。

分类：世界广布。陕西秦岭地区分布2属2种。

77. 角突叶蝉属 *Anidiocerus* Maldonado-Capriles，1976

Anidiocerus Maldonado-Capriles，1976：139. **Type species**：*Anidiocerus variabilis* Maldonado-Capriles，1976.

属征：体黄色带有不规则的暗褐色斑纹，颜面常深褐色。颜面复眼和中线间具1个深褐色圆斑；前翅褐色半透明，基部、端部和前缘脉颜色较深，翅脉深褐色。虫体细长。头冠中长短于近复眼处距离，具横皱；颜面宽稍大于长；单眼之间距离大于到同侧复眼间距离；侧额缝稍弯曲，伸达单眼；额唇基区长大于宽；前唇基端部宽于基部，侧缘内凹。前胸背板侧缘较短，点状粗糙；小盾片中长近等于头冠和前胸背板之和。前翅前缘域亚端部常具透明斑，4个端室2个端前室；端片大。后足股节端刺2+1。尾节背部通常具1个长膜质域，侧面具横向透明域；前背突长，后突位于尾节侧瓣内侧。生殖瓣长方形。下生殖板长，端部背向弯曲，背、腹缘具多根长毛，侧面具多根短毛。阳基侧突长，端半部背向弯曲，端部渐细；背缘具1排1列刚毛，腹缘具齿突。连索呈"T"形，中部具隆起。阳茎侧面常具1对亚端突，呈长刺状或齿突状；阳茎口位于腹面端部；背突短，侧面基部缢缩，端部侧面扩展。

分布：中国。秦岭地区发现1种。

（167）黄颊角突叶蝉 *Anidiocerus brevispinus* Xue *et al.*，2013（图163；图版6）

Anidiocerus brevispinus Xue *et al.*，2013：483.

鉴别特征：头部黄色。颜面近复眼处具深褐色斑纹，中线两侧各有1个黑色圆斑；颊深褐色带有浅色边缘；舌侧板和前唇基红褐色，舌侧板内缘深褐色。前胸背板前半域黄色，后半域深褐色。小盾片黄色，基部三角斑和中部棕色。前翅褐色，翅脉棕色。雄虫尾节侧瓣内缘具叉状突起，背分支突长于腹分支突，超过尾节末端。生殖瓣与尾节相连。阳茎亚端部具1对小齿突。

采集记录：1♂，宁陕火地塘，2000.Ⅶ.21，戴武、刘振江采；1♀，宁陕火地塘，1984.Ⅶ.03采集人不详。

　　分布：陕西（宁陕）。

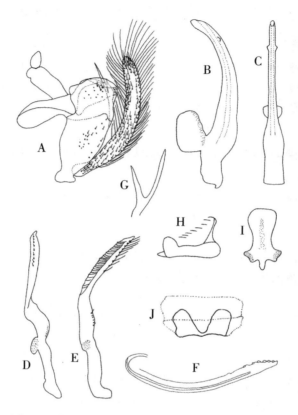

图163　黄颊角突叶蝉 Anidiocerus brevispinus Xue et al.

A. 尾节、肛管和下生殖板侧面观（male pygofer, anal tube and subgenital plate, lateral view）；B. 阳茎侧面观（aedeagus, lateral view）；C. 阳茎腹面观（aedeagus, ventral view）；D. 阳基侧突背面观（style, dorsal view）；E. 阳基侧突侧面观（style, lateral view）；F. 第2产卵瓣（valvule 2）；G. 尾节突后面观（pygofer appendage, posterior view）；H. 连索侧面观（connective, lateral view）；I. 连索腹面观（connective, ventral view）；J. 腹内突（abdominal apodemes）

78. 黑纹片角叶蝉属 *Koreocerus* Kwon, 1985

Koreocerus Kwon, 1985：71. **Type species**：*Idiocerus koreanus* Matsumura, 1915.

　　属征：头冠宽短，宽于前胸背板，前后缘近平行；颜面宽略大于长，侧额缝伸达单眼；雄虫触角末端无端片。体通常淡黄色，前翅有黑色斑纹。前翅半透明，具3个端前室。后足股节端刺2+0。尾节近方形。下生殖板狭长，外弯，亚端部外缘生长刚毛。阳基侧突呈宽条形，弯曲，末端外缘有 1 列刚毛簇。阳茎呈管状，近末端生有 1 对突起，顶端侧扁。

　　分布：中国；韩国，日本。秦岭地区发现 1 种。

（168）黑纹片角叶蝉 *Koreocerus koreanus*（**Matsumura，1915**）（图 164；图版 7）

Idiocerus koreanus Matsumura，1915：154.

Idiocerus（*Koreocerus*）*koreanus*：Kwon，1985：67.

Koreocerus koreanus：Anufriev & Emelyanov，1988：58.

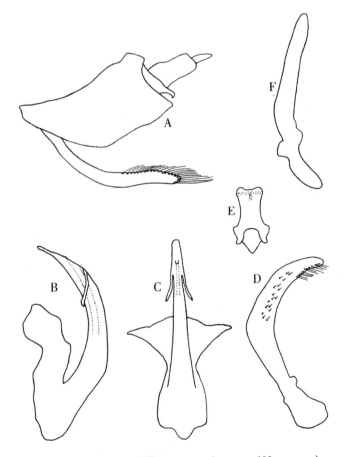

图 164　黑纹片角叶蝉 *Koreocerus koreanus*（Matsumura）

A. 尾节侧面观、肛管和下生殖板侧面观（male pygofer, anal tube and subgenital plate, lateral view）；B. 阳茎侧面观（aedeagus, lateral view）；C. 阳茎腹面观（aedeagus, ventral view）；D. 阳基侧突侧面观（style, lateral view）；E. 连索腹面观（connective, ventral view）；F. 阳基侧突背面观（style, dorsal view）

　　鉴别特征：体淡绿色。头冠淡绿色，颜面黄绿色；复眼深褐色；复眼外缘淡褐色。前胸背板淡绿色，中域黑色。小盾片浅黄绿色，两基角各有 1 黑色三角斑，中域具 2 个方形黑斑。前翅端部和爪脉域黑褐色。生殖瓣后缘外弯，前缘呈"山"字形。尾节较宽，端部具 1 个钩状突。下生殖板狭长，中部稍宽大，背缘端半部具 1 列中长细毛，腹缘端部具中长细毛。阳基侧突呈镰刀状，端半部背向弯曲，较宽大，背缘亚端部具浓密中长刚毛。阳茎干呈桶状背向弯曲，具 1 对细长亚端突，背突较发达，腹面观背突端部呈扇形。

采集记录：4♂7♀，朱雀森林公园，2007. Ⅶ. 22-25，戴武采；1♀，朱雀森林公园，2007. Ⅶ. 22-25，郑大伟采。

分布：陕西（户县）、辽宁、山西、甘肃、青海；韩国，日本。

（十一）离脉叶蝉亚科 Coelidiinae

鉴别特征：离脉叶蝉亚科头比前胸狭，复眼发达，其后侧角覆于前胸背板前侧缘；头冠通常较狭，向前延伸超过复眼前缘，前缘弧形、角状或延伸成长突，中域常略隆升高于复眼面，一般具辐射状细条纹，侧缘有时具脊；单眼位于头冠前缘，在长头型种类位于复眼前方头冠侧缘；额唇基区延长，一般前部较宽，向后部渐狭，有时隆起；前唇基短，一般基部宽，端部狭或两侧缘平行，有的端部侧向扩展变宽。前胸背板短，表面具小瘤突，背侧线具脊；小盾片大。前翅长（Tinobregmini 族短翅型例外），端部宽，脉序不完全，外端前室闭式，后翅前缘基部宽阔。足刺发达，后足腿节刚毛式 2 + 2 + 1。雄虫生殖瓣与尾节相愈合，尾节后背缘具 1～2 对突起，第 10 节有时具成对突起，阳茎多不对称，常具突起，有时阳茎端半部背腹拟二支式或在阳茎腹面有 1 个腹片；连索呈"Y"形；阳基侧突一般较长，常有突起；下生殖板长，一般背腹扁平，宽大或狭窄，有的近呈棱柱状，有的无刚毛，有的具小刚毛、细长刚毛或大刚毛。

分类：广泛分布于世界各地，其中有 3 个族分布于东洋区。世界已知 9 族 136 属 1200 余种，中国有 2 族 12 属 162 种，陕西秦岭地区有 2 属 2 种。

分属检索表

阳茎干端部或近端部只有 1 个显著的突起 ··· 单突叶蝉属 Olidiana

阳茎干端部或近端部至少有 2 个显著的突起 ··· 丽叶蝉属 Calodia

79. 单突叶蝉属 *Olidiana* McKamey，2006

Lodiana Nielson，1982：86. **Type species**：*Lodiana alata* Nielson，1982.

Olidiana MaKamey，2006a：503 n. nov. pro *Lodiana* Nielson，1982. （**Type species**：*Lodiana alata* Nielson，1982）.

属征：前翅具 3 个端前室，5 个端室，端片发达。雄虫尾节后背缘无尾节突；下生殖板狭长，端部有刚毛；阳茎不对称，细长，呈管状，具单个突起，简单或复杂，位于近端部、中部或近基部；阳茎口远离端部。

分布：东洋区。秦岭地区分布 1 种。

(169) 齿片单突叶蝉 *Olidiana ritcheriina*（Zhang, 1990）（图 165）

Lodiana ritcheriina Zhang, 1990：102.

Olidiana ritcheriina：McKamey, 2006a：503.

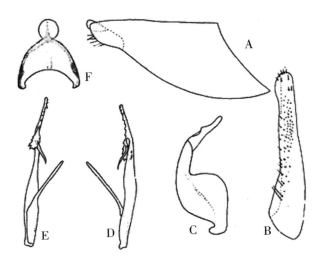

图 165　齿片单突叶蝉 *Olidiana ritcheriina*（Zhang）

A. 尾节侧面观（pygofer, lateral view）；B. 下生殖板（subgenital plate）；C. 阳基侧突（style）；D. 阳茎侧面观（aedeagus, lateral view）；E. 阳茎背腹面观（aedeagus, dorsoventral view）；F. 连索（connective）

鉴别特征：体长 7.00 ~ 9.00 mm。头冠部污黄色，冠缝明显；颜面污黄色，触角窝、前唇基等呈暗褐色至黑色，额唇基区两侧有橘红色纵带，前唇基略隆起，单眼及复眼均呈深褐色。前胸背板及小盾片均为黑色，其上散布有许多污黄色斑点及淡色小刚毛；中胸盾间沟处凹陷，小盾片二基角密布小刻点。前翅深褐色，被有稠密的污黄色小斑点。本种体色尤其颜面颜色在不同个体有一定程度变化。

雄虫尾节表面散生有一些刚毛，尾节末端内卷，生有数根大刚毛，末端背方有 1 个淡黄色薄片状构造。下生殖板狭长，沿外侧生有许多刚毛，端部有数根粗壮短刚毛，内表面密布小刻点。连索宽阔呈"Y"形。阳基侧突弯曲，基部宽阔，端部变狭，边缘齿状，外缘近端部处凹陷。阳茎狭长，侧扁，端向渐细，不对称，末端侧面有 2 ~ 3 个小齿，近端部背面呈齿状，约在端部 3/4 处背面发生 1 个突起，伸向基方，突起端半部扩展，背腹扁平，边缘呈齿状，在突起中部腹面有 1 根长刺，长于突起，弯曲，末端渐尖。雌虫第 7 腹板，长度约为前 3 节长度之和，后缘波状，中央深褐色，两侧污黄色；尾节深褐色，腹缘沿产卵瓣两侧污黄色。

采集记录：1♂，长安牛保石砭峪龙窝沟，1179m，2015.Ⅷ.27，李孟楼采；1♂，长安牛保石砭峪，1571m，2015.Ⅷ.26，李孟楼采；1♂，长安牛保石砭峪和尚庙，1337m，2015.Ⅷ.26，李孟楼采。

分布：陕西（长安）、北京、山西、甘肃、安徽、四川。

80. 丽叶蝉属 *Calodia* Nielson，1982

Calodia Nielson，1982：140. **Type species：** *Calodia multipectinata* Nielson，1982.

属征：雄性外生殖器局部不对称，尾节大，罕有尾节突。阳茎不对称，阳茎干近端部至少有 2 个阳茎突，阳茎常具齿状突起。

分布：东洋区。世界已知 52 种，我国记载 19 种，秦岭地区分布 1 种。

(170) 刺突丽叶蝉 *Calodia warei* Nielson，1982（图 166）

Calodia warei Nielson，1982：172.

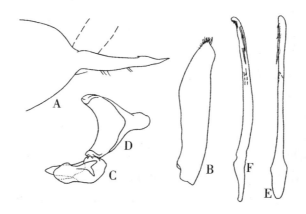

图 166　刺突丽叶蝉 *Calodia warei* Nielson
A. 尾节背面观（pygofer, dorsal view）；B. 下生殖板（subgenital plate）；C. 阳基侧突（style）；D. 连索（connective）；E. 阳茎腹面观（aedeagus, ventral view）；F. 阳茎侧面观（aedeagus, lateral view）（仿 Nielson，1982）

鉴别特征：体长 8.20～8.00mm。雄虫尾节侧瓣延长成狭长突起，端部尖；第 10 节狭长，腹面无突起。下生殖板狭长，端部有 1 根刺状突和许多小刚毛。连索呈宽"Y"形，短小。阳基侧突很短，基半部宽，端半部狭。阳茎不对称，细长，管状，阳茎干近端部右侧有数根刺状突，紧贴阳茎干，伸向基方，阳茎干端部背面也有数根刺状突；阳茎口小，位于阳茎干近中部端方，开口于右侧面。

分布：陕西（秦岭）、湖北、福建、四川、贵州；越南。

（十二）角顶叶蝉亚科 Deltocephalinae

鉴别特征：体中等大小。体色不一，多为绿、黄、褐色等。头冠通常等于或宽于前胸背板，有时略窄于前胸背板，与颜面圆弧相交或呈角状，单眼位于或接近头冠和颜面间的边缘，侧唇基缝伸达单眼，触角檐无或不明显。前翅翅脉比较完全，具 2～3 个端前室，一般有端片，长翅型昆虫休息时前翅端部通常互相重叠，内端室端向渐窄；后足胫节端部刺式多为 2 + 2 + 1。

分类：世界广布。陕西秦岭地区分布 12 族 44 属 80 种。

分族检索表

I. 角顶叶蝉族 Deltocephalini Dallas，1870

鉴别特征：体小而纤细。体长大多数在 3 ~ 4mm。头冠一般角状突出，与颜面弧圆相交，头与前胸背板近等宽，头冠中长一般大于两复眼间宽，复眼大，单眼位于头冠前缘靠近复眼；无触角檐，触角窝浅，颜面隆起，前唇基两侧平行或端向渐窄，前缘和中域明显分开。小盾片三角形，中域横刻痕凹陷、明显。前翅大翅型或亚短翅型，端片发达，通常有 4 个端室，3 个端前室，翅上有时存在横脉。生殖荚上具许多大刚毛；阳基侧突基部宽，端部窄；连索呈线状，与阳茎愈合，阳茎简单。

分布：世界广布。我国已报道 9 属，秦岭地区分布 6 属 10 种。

分属检索表

1. 头冠弧形突出，尾节侧瓣腹缘平滑 ·················· 冠带叶蝉属 *Paramesodes*
   头冠角状突出，生殖瓣和下生殖板关节相连 ························· 2
2. 前翅草区多横脉，阳茎端部不分叉或非二叉式，阳茎侧面观端部腹缘有 1 个突起，端部 2/3 侧扁
   ·· 针叶蝉属 *Matsumuratettix*
   前翅草区无多余横脉 ··· 3
3. 阳茎背面观近端部有成对的突起 ·················· 嘎叶蝉属 *Alobaldia*
   阳茎背面观无突起 ··· 4
4. 阳茎干粗短，端部强烈背折，阳茎口位于端部 ························· 5
   阳茎干长，端部略背折，阳茎口模糊 ·············· 美叶蝉属 *Maiestas*
5. 阳茎干端部腹面有 1 个突起 ·················· 纹叶蝉属 *Recilia*
   阳茎干端部无突起 ·················· 角顶叶蝉属 *Deltocephalus*

81. 冠带叶蝉属 *Paramesodes* Ishihara，1953

Paramesodes Ishihara，1953：14. **Type species**：*Athysanus albinervosus* Matsumura，1902.
Coexitianus Dlabola，1960：252. **Type species**：*Athysanus albinervosa* Matsumura，1902.

属征：浅黄色或淡黄褐色。头冠中域有 1 条黑色横带，两侧紧贴单眼后缘，伸达复眼；复眼黑色，单眼无色，围有橙黄色边；额唇基两侧区有褐色横纹。前胸背板中央有 1 条黑色纵线，向后伸达小盾片尖角，两侧各有 3 条褐色纵带。小盾片基角通常存在暗色斑。胫节刚毛基部具小黑点。前翅翅脉明显、淡白，围以黄褐色边；后翅弥漫暗褐色。体宽、较粗壮。头冠较前胸背板宽，前缘弧形突出，中长略大于两侧近复

眼处长，小于复眼间宽，与颜面弧圆相交；单眼到复眼的距离约等于单眼直径。颜面宽扁，宽大于长，额唇基宽，微隆起，前唇基两侧缘平行，颊的两侧缘在中部呈钝角弯曲。前胸背板前缘弧形突出，后缘近平直或微凹。小盾片三角形。前翅有 4 个端室，3 个端前室，内端前室基部开放。后足腿节端部刺式 2 + 2 + 1。

雄虫尾节内缘有 1 对长的突起；下生殖板近三角形，窄长，侧缘中部微凹，具 1 行大刚毛；连索与阳茎愈合，两臂平行，端部靠近；阳茎呈管状，基部粗，端部细，阳茎口位于阳茎末端。雄虫第 1、第 2 腹内突发达。

雌虫第 7 腹节后缘形状不一，中部突出或侧缘延伸。尾节具许多大刚毛。

分布：古北区，新北区，非洲区。秦岭地区发现 1 种。

(171) 莫干山冠带叶蝉 *Paramesodes mokanshanae* **Wilson, 1983**（图 167）

Paramesodes mokanshanae Wilson, 1983：26.

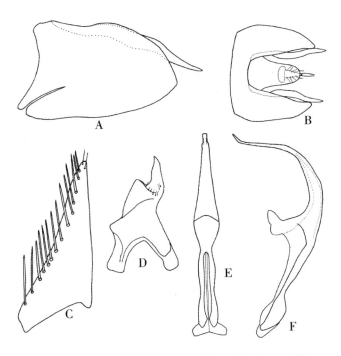

图 167　莫干山冠带叶蝉 *Paramesodes mokanshanae* Wilson

A. 尾节侧瓣（pygofer, lateral view）；B. 生殖荚背面观（genital capsule, dorsal view）；C. 下生殖板（subgenital plate）；D. 阳基侧突（style）；E. 阳茎和连索背面观（aedeagus and connective, dorsal view）；F. 阳茎和连索侧面观（aedeagus and connective, lateral view）

鉴别特征：体长 5.40～6.30mm。外形和体色同属征。雄虫尾节侧瓣长大于宽，后缘弧形突出，背缘内突端向渐细，侧面观呈波曲状伸出后缘，指向后腹缘。下生殖板三角形、窄长，侧缘近中部微凹入，外缘有 1 列大刚毛；连索与阳茎愈合，两臂平行，端部靠近；阳茎干呈管状，侧面观基部粗，端向渐细，阳茎口位于阳茎末端。

分布：陕西(秦岭)、甘肃、浙江、湖南、福建、广东、海南。

82. 嘎叶蝉属 *Alobaldia* Emeljanov, 1972

Alobaldia Emeljanov, 1972：102. **Type species**：*Thamnotettix tobae* Matsumura, 1902.

属征：头冠与前胸背板近等宽，中长近等于两复眼间宽，前缘角状突出，与头冠弧圆相交，前唇基端向渐窄。前胸背板前缘弧形突出，后缘微凹。前翅长翅型，翅脉宽而明显，外端前室长于中端前室之半，中端前室中部略缢缩，内端前室基部开放。

雄虫尾节侧瓣中后域有许多大刚毛；下生殖板近三角形，外侧缘有 1 列大刚毛；阳基侧突基部宽，端部收窄，端部突起指状、外折；阳茎近端部腹缘具成对突起。

分布：古北区，新北区，东洋区。秦岭地区发现 1 种。

(172) 烟草嘎叶蝉 *Alobaldia tobae* (**Matsumura, 1902**) (图 168)

Thamnotettix tobae Matsumura, 1902：369.
Alobaldia tobae：Emeljanov, 1972：102.

鉴别特征：体长 3.30~4.00mm。体淡黄褐色。头冠前缘有 4 个褐黑色小斑，中间 2 个较大，亚前缘有 2 条褐黑色横纹，横纹两头大，中间细，中间有时断开，横纹后方有 1 个黄褐色不规则斑(斑纹有变化，甚至消失)，复眼黑褐色，单眼淡黄色，冠缝褐色；颜面淡黄褐色，额唇基两侧具有多条褐色横纹，中纵带淡黄褐色、两侧褐色加深，与两侧的横纹相连。前胸背板淡黄褐色，中后部褐色加深，具有 6 条黄褐色纵带。小盾片两基角有 2 个褐黑色三角形斑。前翅淡黄色，翅脉淡白，翅室周缘暗褐色。前、中足腿节具有褐色环，胫刺基部具褐色小点。头冠与前胸背板近等宽，中长近等于两复眼间宽；颜面与头冠弧圆相交，额唇基长大于宽，前唇基端向渐窄，末端略圆弧状、与下颚板边缘平齐。外端前室大于中端前室之半，中端前室中部略缢缩，内端前室基部开放。

雄虫尾节侧瓣端向渐窄，末端圆弧状；下生殖板近三角形，基部宽，端向渐窄，侧缘近中部微凹入，外侧缘有 1 列大刚毛，端部及侧缘密生小刚毛，阳茎干较直，近端部背向微弯曲，近端部腹缘具成对突起，阳茎口位于端部。

分布：陕西(秦岭)、黑龙江、河南、甘肃、浙江、湖北、江西、湖南、福建、海南、广西、四川、贵州、云南；俄罗斯，朝鲜，日本，北美洲。

寄主：水稻，大麦，小麦等。

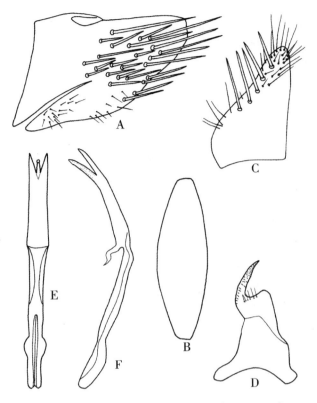

图 168 烟草嘎叶蝉 *Alobaldia tobae* (Matsumura)

A. 尾节侧瓣(pygofer, lateral view); B. 生殖瓣(valve); C. 下生殖板(subgenital plate); D. 阳基侧突(style); E. 阳茎和连索背面观(aedeagus and connective, dorsal view); F. 阳茎和连索侧面观(aedeagus and connective, lateral view)

83. 针叶蝉属 *Matsumuratettix* Metcalf, 1952

Epitettix Matsumura, 1914: 194. **Type species**: *Epitettix hiroglyphicus* Matsumura, 1914.

Matsumuratettix Metcalf, 1952: 229. **Type species**: *Epitettix hiroglyphicus* Matsumura, 1914.

Pruthiorosius Ghauri, 1963d: 559. **Type species**: *Orosius maculatus* Singh-Pruthi, 1930.

属征: 头冠前缘角状突出, 较前胸背板宽, 中长大于两复眼间宽, 冠缝明显, 复眼大, 单眼位于头冠前缘, 靠近复眼; 额唇基略隆起。前胸背板中长约等于头冠中长的 1.50 倍。前翅正常, 端片发达, 第 1 和第 2 端前室较大、大小相等, 第 3 和第 4 端前室较小、大小近相等, 外端前室细长, 基角尖, 内有 1~2 条横脉。尾节侧瓣长等于宽, 后背缘突出, 近后缘有许多大刚毛。阳基侧突短, 关节臂长, 亚端部肩角钝角状突出, 端部突起外折, 外侧缘近端部有 1 个小齿突, 连索和阳茎愈合, 阳茎侧扁, 略背向弯曲, 阳茎基背面观呈球状, 端部有 1 个突起, 略背折。雌虫生殖前节后缘内凹。

分布: 中国。世界已知 1 种, 秦岭地区发现 1 种。

（173）细针叶蝉 *Matsumuratettix hiroglyphicus*（Matsumura, 1914）（图 169）

Epitettix hiroglyphicus Matsumura, 1914：194.

Matsumuratettix hiroglyphicus：Metcalf, 1952：229.

Polyamia drepanaiforma Zhang et Duan, 2004：257.

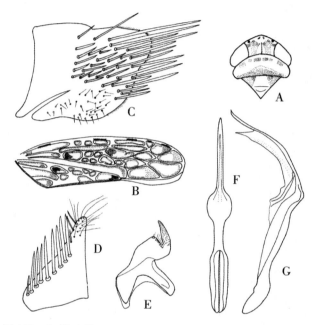

图 169　细针叶蝉 *Matsumuratettix hiroglyphicus*（Matsumura）

A. 头胸部背面观（head and thorax, dorsal view）；B. 前翅（forewing）；C. 尾节侧瓣（pygofer, lateral view）；D. 下生殖板（subgenital plate）；E. 阳基侧突（style）；F. 阳茎和连索背面观（aedeagus and connective, dorsal view）；G. 阳茎和连索侧面观（aedeagus and connective, lateral view）

鉴别特征：头冠前缘具淡褐色"V"形斑，此斑下具模糊可变的淡褐色斑，颜面、前胸背板、小盾片颜色略有变化。翅脉淡白，翅室周缘深褐色，中端前室基角和爪片端角颜色更深。

采集记录：1 ♂，安康，1980. Ⅳ. 23，马宁采。

分布：陕西（安康）、台湾、海南。

84. 角顶叶蝉属 *Deltocephalus* Burmeister, 1838

Deltocephalus Burmeister, 1838：15. **Type species**：*Cicada pulicaris* Fallén, 1806.

属征：黄褐色至深褐色，头冠、前胸背板、小盾片斑纹有或无。头冠与前胸背板近等宽，前缘角状突出，与颜面弧圆相交，冠缝纤细但基部可见，复眼大，单眼位于头冠前缘紧靠复眼；额唇基窄长，前唇基两侧缘平行或端向渐窄，端部与下颚板下缘平齐。前胸背板等于或长于头冠中长，宽大于中长的2倍。小盾片短于头冠中长，中域横刻痕平直或略弧形、内陷，不伸达侧缘。长翅型前翅端片发达，有4个端室，外端前室长于中端前室之半，中端前室中部略缢缩，内端前室基部开放或闭合。亚短翅型短于腹部，腹部末节外露，端室缩短。雄虫尾节侧瓣无突起，端向渐窄，后缘圆弧形，中后部着生许多大刚毛；生殖瓣呈三角形、卵圆形或鼓形；下生殖板近三角形，侧缘弧形突出或中部微凹，外侧缘有1列大刚毛，有时散生小刚毛，端部呈角状或弧圆；阳基侧突基部宽，端向渐细，亚端部肩角突出，端部突起呈指状、侧向弯曲；连索呈线状与阳茎愈合，阳茎开口于阳茎干端部。

　　分布：世界广布。秦岭地区发现1种。

（174）栅斑角顶叶蝉 *Deltocephalus vulgaris* Dash *et* **Viraktamath，1998**（图170）

Deltocephalus (*Deltocephalus*) *vulgaris* Dash *et* Viraktamath，1998：4.

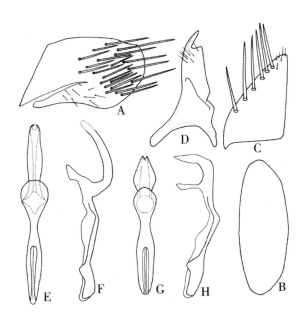

图170　栅斑角顶叶蝉 *Deltocephalus vulgaris* Dash *et* Viraktamath

A. 尾节侧瓣(pygofer, lateral view)；B. 生殖瓣(valve)；C. 下生殖板(subgenital plate)；D. 阳基侧突(style)；E，G. 阳茎和连索背面观(aedeagus and connective, dorsal view)；F，H. 阳茎和连索侧面观(aedeagus and connective, lateral view)

　　鉴别特征：体长3.30～3.60mm。体黄褐色。头冠污白色，前缘具6枚褐色小斑点，亚前缘具栅形斑。小盾片污白色，基角具黄色圆斑，横刻痕褐色，横刻痕周围色深。前腿节有环状斑或点，或带状斑，胫刺基部具深褐色小点。前翅黄褐色，翅脉淡白，翅室周缘色深。头冠中长近等于或稍长于两复眼间宽；额唇基长大于宽，前唇基两侧缘平行、近长方形。外端前室长于中端前室之半，内端前室基部开放。

　　雄虫尾节侧瓣端向收狭，后缘呈圆弧状，中后域有许多大刚毛；下生殖板近三角形，基部宽、端向渐窄，侧缘弧形突出，外侧缘具1列大刚毛；连索线状，与阳茎愈合，长于阳茎干，阳茎干背面观细长，中部隆起，端部微凹，侧面观近端部背向弯曲。

　　分布：陕西（秦岭）、浙江、湖南、江西、福建、广东、海南、广西、云南；印度。

85. 纹叶蝉属 *Recilia* Edwards，1922

Recilia Edwards，1922：206. **Type species**：*Jassus*（*Deltocephalus*）*coronifer* Marshall，1866

　　属征：该属与角顶叶蝉属相似，但该属阳茎干短于连索，端部腹缘具1个突起可与后者区别。

　　分布：古北区，东洋区。世界已知2种，秦岭地区分布1种。

(175) 花冠纹叶蝉 *Recilia coronifer*（**Marshall，1866**）（图171）

Iassus（*Deltocephalus*）*coronifer* Marshall，1866：222.

Jassus（*Deltocephalus*）*coronifer* Dallas，1867：676.

Jassus（*Deltocephalus*）*coroniceps* Kirschbaum，1868：126.

Thamnotettix coronifera Puton，1875：136.

Deltocephalus i-album Scott，1881：137.

Deltocephalus coronifer Edwards，1888：48.

Recilia coronifer Edwards，1922：207；Emeljanov，1964：508.

Deltocephalus（*Recilia*）*coronifer*，Ribaut，1952：250.

Recilia（*Recilia*）*coronifer* Kwon *et* Lee，1979：74.

　　鉴别特征：体长3.60~4.00mm。体黄褐色。头冠鹅黄色，前缘有6个深褐色小斑，有时愈合成弧形或环形斑，亚端部有1条棕黄色横带、两侧粗中间细，中后域各有1个棕黄色不规则斑，常与横带融合，冠缝深褐色，复眼黑褐色，单眼黄白色；颜面黄白色，额唇基两侧有数条黑色横纹，舌侧板缝、唇基间缝、唇基两侧缘及触角下深褐色。前胸背板黄白色，中后域褐色加深，有6条浅的棕黄色不规则纵带。小盾片黄白色，基角各有1个黄褐斑，中域横刻痕黄褐色。腿节具黑褐色环纹，胫刺基部具小褐斑。前翅黄褐色，翅室边缘深褐色，中端前室近基部有1个深褐色圆斑。雌虫第7腹板后缘中部黑色。

　　头冠中长近等于两复眼间宽；额唇基窄长，前唇基端向渐窄，端部与下颚板下缘平齐。前胸背板长约为头冠的1.20倍，宽大于中长的2倍。长翅型或短翅型，内端前室基部开放。下生殖板基部宽，侧缘端向弧形突出，外侧缘有1列大刚毛；阳基侧突端部突起呈指状、较粗，略外折，亚端部肩角发达；阳茎长约为连索之半，端半部背向强烈弯曲，端部后缘有1个短突，端向针状突出。雌虫第7腹板后缘中部略凸，微呈"W"形。

采集记录：2♀，凤县双石铺，1995.Ⅶ.17，张文珠、任立云采；1♂，留坝，2004.Ⅷ.02，吕林、段亚妮采；2♂，留坝，1215m，2004.Ⅷ.03，吕林、段亚妮诱。

分布：陕西(凤县、留坝)、黑龙江、辽宁、河北、天津、山西、山东、河南、甘肃、湖北、湖南、广东；俄罗斯，蒙古，朝鲜，日本，欧洲。

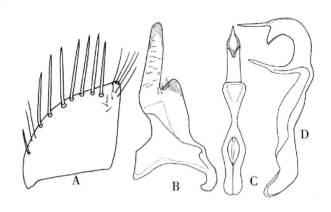

图171　花冠纹叶蝉 *Recilia coronifer*(Marshall)
A. 下生殖板(subgenital plate)；B. 阳基侧突(style)；C. 阳茎和连索背面观(aedeagus and connective, dorsal view)；D. 阳茎和连索侧面观(aedeagus and connective, lateral view)

86. 美叶蝉属 *Maiestas* Distant, 1917

Maiestas Distant, 1917：312. **Type species**：*Maiestas illustris* Distant, 1917.

Togacephalus Matsumura, 1940：38. **Type species**：*Deltocephalus distinctus* Motschulsky, 1895.

Inazuma Ishihara, 1953：15. **Type species**：*Deltocephalus dorsalis* Motschulsky, 1895.

Inemadara Ishihara, 1953：15. **Type species**：*Deltocephalus oryzae* Matsumura, 1902.

Insulanus Linnavuori, 1960a：303(as subgenus of Deltocephalus). **Type species**：*Stirellus subviridis* Metcalf, 1946.

属征：与角顶叶蝉属相似，主要区别在于本种阳茎干长，端部略背折，端缘不具"V"形凹刻，端部有时突出成细的或尖刺状的突起，阳茎口模糊。

分布：世界性分布。中国已知31种，秦岭地区分布5种。

分种检索表

1. 内端前室基部闭合 ……………………………………………………………………… 2

(176) 电光叶蝉 *Maiestas dorsalis*（Motschulsky，1895）（图 172，173）

Deltocephalus dorsalis Motschulsky, 1895：114.

Deltocephalus fulguralis Matsumura, 1902：391.

Inazuma dorsalis：Ishihara, 1953：48.

Recilia dorsalis：Nielson, 1968：315.

Recilia dorsalis：Wilson & Claridge, 1991：92.

Deltocephalus（*Recilia*）*dorsalis*：Dash & Viraktamath, 1998：27.

Maiestas dorsalis：Webb & Viraktamath, 2009：16.

　　鉴别特征：体长 3~4mm。浅黄色，具淡褐斑纹。头冠中前部具 2 个浅黄褐斑、后方具 2 个浅黄褐小斑。小盾片基角处各具 1 个浅黄褐斑。前翅具闪电状黄褐色宽纹。前唇基近端部略收窄。内端前室基部闭合。下生殖板基部宽，端向渐窄，近三角形，侧缘有 1 列大刚毛；阳基侧突亚端部肩角不明显，端部突起长、发达；阳茎干腹面观端向渐细、端部尖。

　　采集记录：10♂29♀，西乡，1980.X，刘绍友采。

　　分布：陕西（西乡）。

　　寄主：水稻，小麦，玉米，高粱，粟，甘蔗，柑橘等。

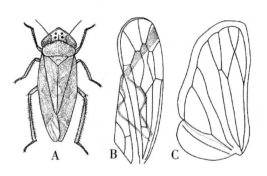

图 172　电光叶蝉 *Maiestas dorsalis*（Motschulsky）

A. 整体背面观（habitus, dorsal view）；B. 前翅（forewing）；C. 后翅（hindwing）

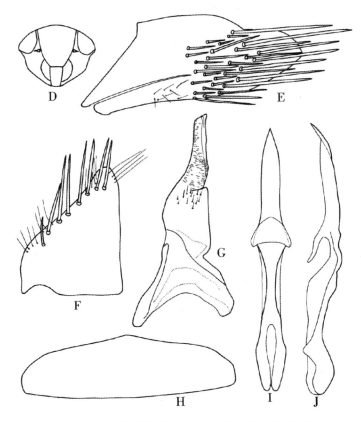

图 173　电光叶蝉 *Maiestas dorsalis*（Motschulsky）

D. 颜面（face）；E. 尾节侧瓣（pygofer, lateral view）；F. 下生殖板（subgenital plate）；G. 阳基侧突（style）；H. 生殖瓣（valve）；I. 阳茎和连索背面观（aedeagus and connective, dorsal view）；J. 阳茎和连索侧面观（aedeagus and connective, lateral view）

(177) 稻叶蝉 *Maiestas oryzae*（**Matsumura, 1902**）（图 174）

Deltocephalus oryzae Matsumura, 1902：390.

Thamnotettix oryzae：Matsumura, 1914：174.

Inemadara oryzae：Ishihara, 1953：48.

Recilia（*Togacephalus*）*oryzae*：Kwon & Lee, 1979：77.

Recilia oryzae：Wilson & Claridge, 1991：95.

Maiestas oryzae：Webb & Viraktamath, 2009：18.

鉴别特征：体长 3.60~4.00mm。体黄褐色。头冠黄白色，前缘两侧各有 1 个弓形褐斑，有时呈 2 个小点，冠缝褐色，亚前缘两侧各有 1 个褐色斑点，复眼内侧各有 1 个褐色斑点，3 个斑常愈合为棕黄色大斑，头冠后缘两侧各有 1 个暗色不规则斑，复眼深褐色，单眼黄白色；颜面污黄色，额唇两侧区有数条色横纹，前唇基基缘暗褐，中央又有 1 个或隐或现的暗斑，舌侧板缝处暗褐色。前胸背板黄白色，中域有时透出黑色。小盾片黄白色，基角色暗，中域横刻痕褐色。腿节具褐色斑点与条纹环，胫刺基部具褐色小点。前翅淡黄褐色，翅脉淡白，翅室周缘褐色。头冠与前胸背板等宽，中长小于两复眼间宽；前唇基端向渐窄。前胸背板略长于头冠中长。小盾片短于头冠中长。前翅长翅型，内端前室基部闭合。雄虫尾节侧瓣中部端向渐窄，腹缘弧线形，中后部有许多大刚毛；生殖瓣前缘平直，后缘中部突出；下生殖板基部宽，侧缘端向弧形突出，端部弧缘，外侧缘有 1 列大刚毛；阳基侧突亚端部肩角发达，端部突起呈长指状、粗壮、外折，侧面观有两处突起；阳茎与连索近等长，背面观基部膨大，近基部约 1/4 处缢缩，侧面观阳茎端部略背折。

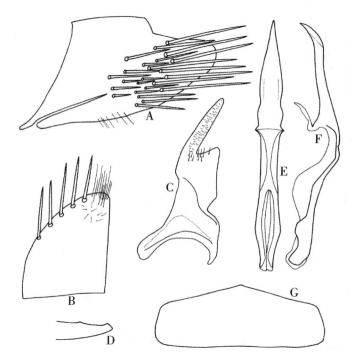

图 174　稻叶蝉 *Maiestas oryzae*（Matsumura）

A. 尾节侧瓣（pygofer, lateral view）；B. 下生殖板（subgenital plate）；C. 阳基侧突（style）；D. 阳基侧突端部侧面观（apex of style, lateral view）；E. 阳茎和连索背面观（aedeagus and connective, dorsal view）；F. 阳茎和连索侧面观（aedeagus and connective, lateral view）；G. 生殖瓣（valve）

分布：陕西（秦岭）、东北、内蒙古、河南、甘肃、安徽、浙江、湖北、广西、贵州；朝鲜，日本。

寄主：水稻，大麦，小麦，玉米，燕麦等。

（178）宽额美叶蝉 *Maiestas latifrons*（**Matsumura, 1902**）（图 175）

Deltocephalus latifrons Matsumura, 1902：393.

Recilia（*Togacephalus*）*latifrons*：Kwon & Lee, 1979：77.

Recilia latifrons：Wilson & Claridge, 1991：95.

Maiestas heuksandoensis：Webb & Viraktamath, 2009：16.

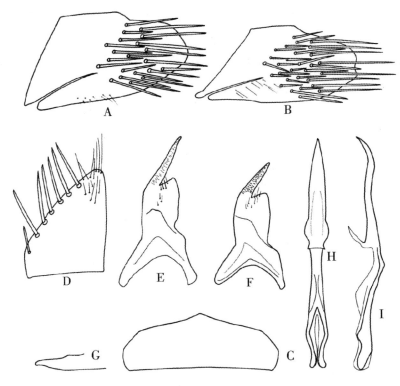

图 175　宽额美叶蝉 *Maiestas latifrons*（Matsumura）

A，B. 尾节侧瓣（pygofer, lateral view）；C. 生殖瓣（valve）；D. 下生殖板（subgenital plate）；E，F. 阳基侧突（style）；G. 阳基侧突端部侧面观（apex of style, lateral view）；H. 阳茎和连索背面观（aedeagus and connective, dorsal view）；I. 阳茎和连索侧面观（aedeagus and connective, lateral view）

鉴别特征：体长 3.10～3.60mm。体淡黄褐色至黄褐色。头冠黄白色、污黄色、黄色，头冠前缘有 2 个相连的褐色弓形斑，冠缝前端两侧各有 1 个褐色斑点，弓形斑和斑点常通过纵贯头顶的暗色纵带连在一起，头部斑纹有变化甚至消失，冠缝棕黄色，复眼棕黄色、红色、红褐色、黑色，单眼黄白色透明、黄褐色；颜面污黄色，额唇两侧区有数条褐色横纹，前唇基周缘、舌侧板缝处色泽较暗。前胸背板污白色，中域有时透出黑色，具 6 条棕黄色纵带。小盾片污白色至黄白色，基角具棕黄色圆斑，中域横刻痕棕黄色。腿节具褐色环，胫刺基部具褐色小点。前翅黄褐色，翅脉淡白，翅室周缘色深。头冠中长近等于复眼间宽；前唇基端向渐窄。前胸背板中长略大于头冠中长。前翅长翅型，内端前室基部开放。下生殖板近直角三角形，侧缘弧凸，端部弧缘；阳基侧突端前片锐角突出，端片呈指状、外折，长短有变化；阳茎与连索近等长，背面观基部膨大，端部细，无明显缢缩，侧面观阳茎端部略背折。

分布：陕西(秦岭)、浙江、湖北、江西、湖南、福建、广东、海南、广西、四川、云南；俄罗斯，韩国，日本。

(179)兰花美叶蝉 *Maiestas bilineata*（**Dash *et* Viraktamath，1998**）（图176）

Deltocephalus（*Recilia*）*bilineatus* Dash *et* Viraktamath，1998：14.

Maiestas bilineata：Webb & Viraktamath，2009：21.

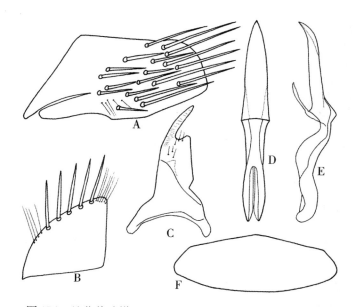

图176　兰花美叶蝉 *Maiestas bilineata*（Dash *et* Viraktamath）
A. 尾节侧瓣(pygofer, lateral view)；B. 下生殖板(subgenital plate)；C. 阳基侧突(style)；D. 阳茎和连索背面观(aedeagus and connective, dorsal view)；E. 阳茎和连索侧面观(aedeagus and connective, lateral view)；F. 生殖瓣(valve)

鉴别特征：体长2.70~3.00mm。体淡黄褐色至黄褐色。头冠污白色，前缘两侧各有1个双弓状棕色纹，亚端部两侧向后各有1条棕黄色纵带，伸达小盾片基角，冠缝褐色，复眼、单眼红褐色至黑色；颜面额唇基黄褐色，有数条黄白色横纹，前唇基黄白色。前胸背板污白色，中后域有时透出黑色，具6条棕黄色纵带。小盾片污白色，中域横刻痕褐色。腿节具褐色环，胫刺基部具褐色小点。前翅黄褐色，翅脉淡白，翅室周缘色深。雌虫第7腹板后缘中部有黑色斑。头冠中长约为两复眼间宽的1.30倍；前唇基端向渐窄。前胸背板宽，约为长的2倍，中长略短于头冠中长。小盾片长约为头冠中长的0.70倍。前翅长翅型，翅脉粗，端片发达，内端前室基部闭合。雄虫尾节侧瓣端向渐窄，后缘呈圆角状突出，中后部有许多大刚毛；下生殖板基部宽，侧缘弧形突出，端部呈圆角状突出，外侧缘有1列大刚毛，散生小刚毛；阳基侧突端部突起呈细指状、微外折；阳茎稍长于连索，背面观端向渐窄，侧面观阳茎端部尖细、背折，阳茎基部腹缘有1个腹向的角状突起。

分布：陕西(秦岭)、福建、广东、海南、广西；印度。

寄主：苜蓿。

(180) 丝美叶蝉 *Maiestas horvathi* (Then, 1896)(图 177)

Thamnotettix horvathi Then, 1896：193.

Deltocephalus horvathi：Wagner, 1939：164.

Deltocephalus (*Recilia*) *horvathi*：Logvineko, 1963：175.

Recilia horvathi：Emeljanov, 1964：404.

Maiestas horvathi：Webb & Viraktamath, 2009：16.

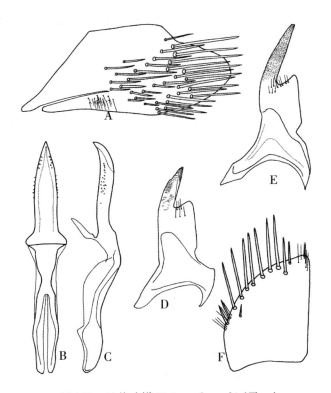

图 177　丝美叶蝉 *Maiestas horvathi* (Then)

A. 尾节侧瓣(pygofer, lateral view)；B. 阳茎和连索背面观(aedeagus and connective, dorsal view)；C. 阳茎和连索
侧面观(aedeagus and connective, lateral view)；D – E. 阳基侧突(style)；F. 下生殖板(subgenital plate)

鉴别特征：体长 3.50 ~ 3.70mm。体黄褐色。头冠黄白色，前缘两侧各有 1 条黄褐色弧纹，亚前缘有 1 条黄褐色横带，中部色深，常与前缘弧形纹愈合，中后域两侧各有 1 个黄褐色圆斑，复眼红褐色，单眼黄白色透明或褐色；颜面棕黄色或黄白色，额唇基两侧具有数条黄褐色横纹，触角下方、唇基间缝、舌侧板缝、唇基周缘、唇基中线处某时色深。前胸背板黄白色、黑色加深，具 6 条浅的黄褐色纵带。小盾片黄白

色，两基角各有 1 个褐斑，中线周围色深，中域横刻痕褐色。腿节和胫节具褐色环状纹，胫刺基部具褐色小点。前翅黄褐色，翅脉淡白，内端前室中部常与翅脉同色。头冠中长等于两复眼间宽；额唇基窄长，前唇基端向渐窄。小盾片中长约为头冠中长的 0.60 倍。前翅长翅型，内端前室基部开放，有淡白宽横带。雄虫尾节侧瓣基部宽，端向渐细，后缘弧圆；下生殖板基部宽，侧缘端向弧圆突出，端部圆角状突出，侧缘有 1 列大刚毛、散生许多小刚毛；阳茎微短于连索，背面观基部宽，近基部陡然收狭，中部近等宽、端向渐细，端部尖细，侧面观端部背向微弯曲，阳茎干中部两侧有许多小的刺状突起。

采集记录：1♂，周至楼观台，1973. Ⅸ. 27-29，周尧、殷梅生、王素梅采；1♂，武功，1983. Ⅶ，袁林采；1♂，凤县双石铺，1995. Ⅶ. 14，张文珠、任立云采；1♂，凤县双石铺，1995. Ⅶ. 17，张文珠、任立云采；2♂，宁陕火地塘，1984. Ⅷ. 17，张雅林采。

分布：陕西（周至、武功、凤县、宁陕）、黑龙江、辽宁、天津、河北、山东、甘肃、新疆、湖南、广东；俄罗斯，欧洲，澳洲，非洲（北部）。

Ⅱ. 隆脊叶蝉族 Paralimnini Distant，1908

鉴别特征：小到中型。头冠前缘钝圆突出，单眼位于头冠前缘靠近复眼，头冠与颜面圆弧相交。前翅具 3 个端前室。雄虫尾节短，连索两侧臂端部愈合，呈箭状或"V"形，阳茎与连索关节相连，阳茎口位于端部或腹部。

分布：古北区，东洋区，新北区，非洲区。秦岭地区分布 9 属 10 种。

分属检索表

8. 尾节后缘有 2 个突起,端部片状突后缘无角突 ……………………………… 二突叶蝉属 *Philaia*

尾节后缘有 1 个突起,端部片状突后缘有角突 ……………………… 玛瑙叶蝉属 *Acharis*

87. 肛突叶蝉属 *Changwhania* Kwon, 1980

Changwhania Kwon, 1980: 96. **Type species**: *Aconura terauchii* Matsumura, 1915.

属征: 黄色至乌黄色。头顶具点状或线状斑纹,触角下具点状斑纹。头部略宽于前胸背板,头冠顶端角状突出,中长等于或稍长于 2 个眼间宽,冠面平直或略突出,与颜面圆锐相接,单眼位于头冠侧缘,紧靠复眼;额显著长大于宽,前唇基端向渐窄,端缘低而圆,喙短于前唇基,伸达前足基节。前胸背板宽为长的 2 倍,中长等于或稍长于头冠,侧缘甚短。前翅大翅、狭长,具 2 个端前室。前足腿节 AV 约 8 根刚毛,前足胫节刺式 1+4,后足腿节端部刺式 2+2+1。雄虫尾节长,伸过下生殖板,后半部生有许多大刚毛,腹缘内侧有 1 对突起指向尾后;肛管前腹缘有 1 对发达的突起,端缘多少呈锯齿状;下生殖板近三角形,外缘基部凸出,近端部内凹,着生 1 列大刚毛,端部斜截或弧圆,中部近外缘有 1 个色斑;阳基侧突基部宽,端向渐窄;连索较短,侧臂靠近,骨化程度低;阳茎极细长,不对称,于近基部处弯曲,阳茎干有时扭曲,近末端生有 1 对突起,阳茎口位于近末端腹面。雌虫腹部第 7 腹板后缘中部多少向后凸出。第 1 产卵瓣未强烈弯折,背部刻点达背缘,斑结状至淀粉粒状。第 2 产卵瓣背缘端部约1/2具斜的三角形小齿。

分布: 古北区,东洋区。全世界已知 4 种。秦岭地区分布 1 种。

(181) 锡兰肛突叶蝉 *Changwhania ceylonensis*(**Baker, 1925**)(图 178)

Deltocephalus bimaculatus Melichar, 1903: 204(nec Gillette & Baker, 1895).

Deltocephaus ceylonensis Baker, 1925: 537(new name for *Deltocephalus bimaculatus* Melichar, 1903).

Cicadula bipunctatus: Singh-Pruthi, 1930: 59.

Changwhania changwhani Kwon, 1980: 99.

Changwhania ceylonensis: Webb & Heller, 1990: 452.

鉴别特征: 体长 2.60～3.20mm。头冠通常具深褐色线状斑或卵形斑。阳基侧突端片足状,脚后跟处有变化;阳茎基部强烈背折,阳茎干细,端部弧圆,中部有时扭曲,不对称,有 1 个较长的近端部的突起,1 个较短的端部突起,长突起大于短突起的 2 倍。雌虫第 7 腹板后缘中部突出,呈片状,通常黄白色。

采集记录: 1♀,西乡,1980.Ⅶ.29,马宁采;1♀,安康,1980.Ⅶ.29,马宁采。

分布: 陕西(西乡、安康)、山东、湖北、江西、湖南、福建、广东、海南、广西、四川;韩国,印度。

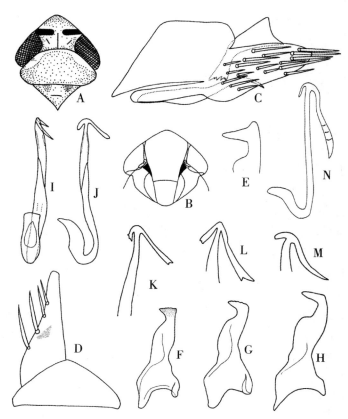

图 178　锡兰肛突叶蝉 *Changwhania ceylonensis*（Baker）（A 和 B 仿 Kwon，1980）

A. 头胸部背面观（head and thorax，dorsal view）；B. 颜面（face）；C. 尾节侧瓣（pygofer，lateral view）；D. 生殖瓣和下生殖板（valve and subgenital plate）；E. 阳基侧突端部（apex of style）；F－H. 阳基侧突（style）；I. 阳茎背面观（aedeagus，dorsal view）；J，N. 阳茎侧面观（aedeagus，lateral view）；K－M. 阳茎端部（apex of aedeagus）

88. 二突叶蝉属 *Philaia* Dlabola，1952

Philaia Dlabola，1952：48. **Type species**：*Philaia jassargiforma* Dlabola，1952.

属征：体中等纤细，头冠钝角状突出，冠面平坦。头冠与颜面圆弧相交。前胸背板与头冠近等宽。雄虫尾节侧瓣后缘具骨化的突起，后半部分布大量大刚毛，前缘基部有 1 簇大刚毛；生殖瓣发达，中长大于下生殖板；下生殖板宽短，侧缘有 1 列大刚毛。阳基侧突基部宽，端向渐窄；阳茎基发达，阳茎干背向弯曲，端部腹缘近 1/3 加宽呈瓣状，阳茎口位于端部。

分布：中国；蒙古，中亚，欧洲。世界仅知 1 种，秦岭地区有分布。

（182）二突叶蝉 *Philaia jassargiforma* **Dlabola**，**1952**（图179）

Philaia jassargiforma Dlabola，1952：48.

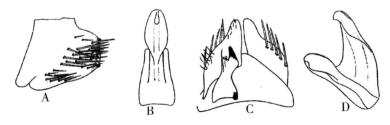

图179　二突叶蝉 *Philaia jassargiforma* Dlabola

A. 尾节侧瓣侧面观（pygofer side, lateral view）；B. 阳茎腹面观（aedeagus, ventral view）；C. 生殖瓣、下生殖板、阳基侧突和连索（valve, subgenital plate, style and connective）；D. 阳茎侧面观（aedeagus, lateral view）

鉴别特征：体长2.60～3.10mm。棕灰色。头冠近前缘有4个黑褐色的小斑点，中域有2条模糊的灰色纵带。前翅翅室具棕色晕纹。尾节侧面观长约等于宽，向后微收狭，后背缘和后腹缘各有1个骨化的小齿突，后半部和近腹缘有许多大刚毛。生殖瓣宽三角形。下生殖板基部宽，端向渐狭，侧缘近端部向内微凹，外侧缘有1列大刚毛。阳基侧突短小，基部宽、端向渐窄，端突呈指状。阳茎基发达，阳茎干侧扁，近端部向两侧呈片状延伸、瓣状，端部微向背面弯曲，阳茎口位于端部。

分布：陕西（秦岭）；蒙古，哈萨克斯坦，欧洲。

89. 长臂叶蝉属 *Diplocolenus* **Ribaut**，**1946**

Diplocolenus Ribaut，1946b：82. **Type species**：*Deltocephalus calceolatus* Boheman，1845.

属征：头冠较前胸背板宽且长，前缘钝圆突出，单眼位于头冠前缘靠近复眼，与颜面圆角相交；颜面前唇基两侧缘端向渐窄；前翅窄、不发达，有3个端前室，内端前室基部闭合。尾节侧瓣后缘有1个尖细的突起，下生殖板侧缘有1个凹刻，大刚毛无序排列，连索长，两侧臂发达、长于主干，端部靠近。阳茎干端部有2个突起；阳茎口位于阳茎干端部。

分布：全北区。世界已知34种，秦岭地区分布1种。

（183）纵带长臂叶蝉 *Diplocolenus ikumae*（**Matsumura**，**1911**）（图180）

Deltocephalus ikumae Matsumura，1911：29.

Diplocolenus ikumae：Ishihara，1966：39.

鉴别特征：棕色，具棕黑色斑点。尾节侧瓣端向收狭，后背缘有 1 个突起，背缘近中部有 1 簇大刚毛。生殖瓣宽三角形，后缘圆弧状。下生殖板宽短，长短于最宽处，近端部凹入。阳基侧突基部宽，端向渐窄，端部呈指状突侧向弯曲，内侧缘略呈微齿状，阳茎干纤细，背向弯曲，端部有 1 对背向的端突，阳茎口位于端部腹面。

采集记录：1♂1♀，太白山蒿坪寺，1200m，1982.Ⅶ.18，赵晓明采；1♀，太白山明星寺，2900m，1982.Ⅶ.17，赵晓明采；1♂3♀，宁陕火地塘，2000.Ⅶ.20，戴武、刘振江采；1♀，宁陕火地塘，1985.Ⅵ.22，唐周怀采；1♀，宁陕，1984.Ⅷ.17，采集人不详。

分布：陕西（太白山，宁陕）、宁夏、甘肃；俄罗斯。

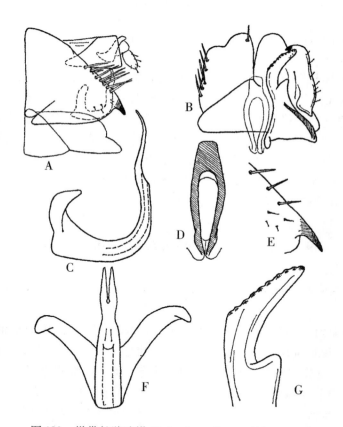

图 180　纵带长臂叶蝉 *Diplocolenus ikumae*（Matsumura）

A. 尾节侧面观（pygofer, lateral view）；B. 生殖瓣、下生殖板、阳基侧突和连索（valve, subgenital plate, style and connective）；C. 阳茎侧面观（aedeagus, lateral view）；D. 连索（connective）；E. 尾节后缘突起（caudal process of pygofer）；F. 阳茎腹面观（aedeagus, ventral view）；G. 阳基侧突端部（apex of style）

90. 光叶蝉属 *Futasujinus* Ishihara, 1953

Futasujinus Ishihara, 1953: 47. **Type species**: *Deltocephalus candidus* Matsumura, 1914.

属征: 头冠前缘角状突出，单眼位于头冠前缘近复眼处，到复眼的距离等于单眼直径。前胸背板近等于头冠，前翅具 5 个端室，3 个端前室。雄虫尾节侧瓣后缘有 1 个突起，下生殖板三角形，外缘着生 1 列大刚毛，连索环状，两侧臂端部愈合。

分布: 古北区。世界已知 6 种，秦岭地区分布 1 种。

(184) 白脉光叶蝉 *Futasujinus amuriensis*（**Metcalf, 1955**）（图 181）

Deltocephalus bilineatus Lindberg, 1929: 7.

Deltocephalus amuriensis Metcalf, 1955: 266.

Futasujinus rudis Emeljanov, 1966: 127.

Futasujinus amuriensis: Vilbaste, 1967: 49.

鉴别特征: 体长 4mm。体深褐色。头端部中央有 1 个"八"字形深褐色纹，并沿头冠侧缘延伸到单眼前方，每条斑下有 1 个三角形的淡棕色斑，一直延伸到头冠基部，头冠基部每侧中央有 2 个淡棕色的点状斑，两斑之间夹有 1 个小圆白斑。头长大于两复眼间距。唇基土黄色，基部两侧各有 4 条褐色细纹，唇基间沟深褐色。前胸背板土黄色，有 6 条深褐色纵带，背板中央近前缘 1/3 处有 1 个弓形的透明斑。小盾片两基角中域各有 1 个长三角形褐斑。前翅淡褐色、透明，翅脉清晰。头冠前缘呈圆角状突出，中域略凹，单眼小、紧靠复眼。前胸背板与头冠等宽，中长近等于头冠中长，前缘弧状突出，后缘近平直。小盾片三角形，宽约为中长的 2 倍。前翅具 5 个端室，3 个端前室，局部翅室外缘淡棕色加深，翅端缘深褐色。尾节侧瓣宽短，后缘有 1 个长突，向内弯折，近后缘有许多大刚毛。生殖瓣正三角形。下生殖板基部宽、端向渐窄，侧缘弧形弯曲，外侧缘长有细长大刚毛。阳基侧突端部平，不弯曲。连索两臂平行，端部愈合。阳茎基不发达，阳茎干宽短，端部两侧各有 1 个小突起，近端部两侧各有 1 个三角形突起。阳茎口位于端部。

采集记录: 1♂，安康，1980.Ⅶ.02，马宁采。

分布: 陕西（安康）、安徽；俄罗斯。

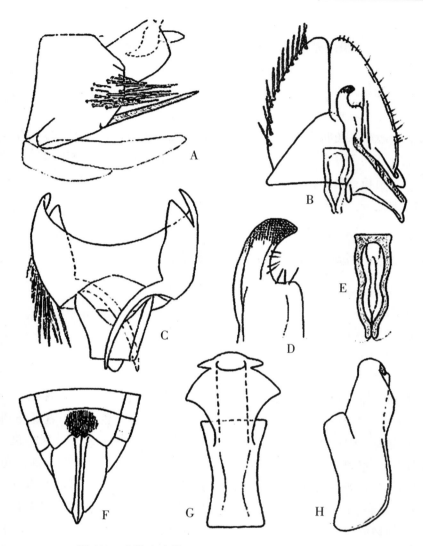

图 181 白脉光叶蝉 *Futasujinus amuriensis*（Metcalf）

A. 尾节侧面观（pygofer, lateral view）；B. 生殖瓣、下生殖板、阳基侧突和连索（valve, subgenital plate, style and connective）；C. 尾节侧瓣腹面观（pygofer side, ventral view）；D. 阳基侧突端部背面观（apex of style, dorsal view）；E. 连索（connective）；F. 雌虫腹节端部腹面观（apex of female abdomen, ventral view）；G. 阳茎腹面观（aedeagus, ventral view）；H. 阳茎侧面观（aedeagus, lateral view）

91. 玛瑙叶蝉属 *Acharis* Emeljanov, 1966

Acharis Emeljanov, 1966：125. **Type species**：*Deltocephalus ussuriensis* Melichar, 1902.

属征：头冠前缘角状突出，单眼位于头冠前缘近复眼处，到复眼的距离等于单眼直径。前胸背板近等于头冠，前翅具 5 个端室，3 个端前室。雄虫尾节侧瓣后缘有 1

个突起，下生殖板呈三角形，外缘着生1列大刚毛，连索呈环形，阳茎干背向弯曲，端部向两侧延伸。

分布：中国；蒙古，俄罗斯，朝鲜。世界已知2种，中国分布1种，秦岭地区发现1种。

(185) 乌苏里玛瑙叶蝉 *Acharis ussuriensis*（Melichar, 1902）（图 182）

Deltocephalus ussuriensis Melichar, 1902: 144.

Sorhoanus ussuriensis: Dlabola, 1955: 127.

Acharis ussuriensis: Emeljanov, 1966: 96.

Futasujinus laminatus Cai et Shen, 1999: 30.

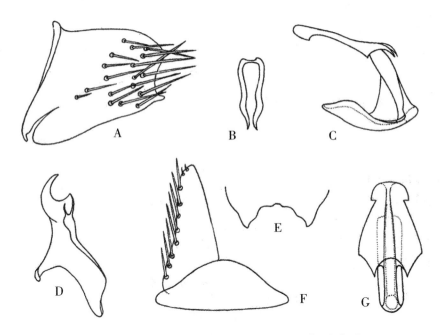

图 182 乌苏里玛瑙叶蝉 *Acharis ussuriensis*（Melichar）

A. 尾节侧瓣侧面观（pygofer side, lateral view）；B. 连索（connective）；C. 阳茎侧面观（aedeagus, lateral view）；D. 阳基侧突（style）；E. 雄虫第7腹板后缘（caudal margin of male sternite 7）；F. 生殖瓣和下生殖板腹面观（valve and subgenital plate, ventral view）；G. 阳茎腹面观（aedeagus, ventral view）

鉴别特征：体长3.00～3.20mm。体淡黄色，具有浅黄绿色纵纹。头冠具有2条纵带，前胸背板有4条纵带，中间2条与头冠上的纵纹相连，小盾片上1条中纵带。颜面浅褐色，额唇基区两侧具浅褐黑色横纹。单、复眼及冠缝均为黑褐色。前翅浅黄褐色，翅脉淡黄绿色明显，部分翅脉缘以黑褐色晕纹，翅室端部近黑褐色；后翅黑褐色半透明。胸部腹面大部分黑褐色，其余部位黄褐色，足亦黄褐色，腔刺基部黑褐色；腹部腹板黑色，仅侧缘下端、末节腹板及雄虫下生殖板黄绿色至黄褐色。头冠端部呈锐角状突出，较前胸背板宽，中长大于复眼间宽，冠缝明显，伸达冠面前端 2/3 处；复眼大，单眼位于头冠侧缘，到复眼距离约为自身直径的 1.50 倍。颜面凸突，唇基间缝平直，前唇基端向渐窄，端缘直；喙伸达前足基节。前胸背板横宽，中长略小于头冠，宽为长的 2 倍，前侧缘甚短，后缘平直，中央有 1 条横刻痕，有时前中域还有 1 个圆弧状短刻痕。小盾片长约为前胸背板的 3/5，横刻痕平直，位于基部 1/3 处，两侧不达侧缘。前翅长约为宽的 3 倍，末端圆，具 5 个端室、3 个端前室，端前室小、三角形；端片短窄，仅包围第 1、2 端室。雌虫第 7 节腹板中长稍大于其前一节，后缘略凹人。雄虫第 8 节腹板呈长方形，中长与其前一节相等；基瓣后缘近圆弧状突出；尾节侧瓣端大半部散生大刚毛，腹缘末端有 1 个乳头状小突起，其后下方内侧还有 1 个小突起；下生殖板略狭长，端向渐次收窄，外缘生有 1 列大刚毛；连索狭长，近"U"形；阳基侧突端部窄细，末端呈钩状弯曲；阳茎基半部呈斜管状，端半部呈片状近矢头形；阳茎背突发达，两侧具骨化的内骨。

采集记录：4♂6♀，凤县双石铺，1995.Ⅷ.13，张文珠、任立云采。

分布：陕西(凤县)；蒙古，朝鲜。

92. 尖头叶蝉属 *Yanocephalus* Ishihara，1953

Yanocephalus Ishihara，1953：48. **Type species：***Deltocephalus yanonis* Matsumura，1902：400.

属征：头冠前端角状突出，中长较两侧复眼处长，约为两复眼间宽的 1.50 倍，头冠与颜面角状相交，前胸背板近等于头冠宽，前翅端片不发达。下生殖板三角形，侧缘有成列的大刚毛，连索呈"V"形，阳茎干细长，端部有短的附突，阳茎口位于端部。

分布：中国；朝鲜，日本。秦岭地区分布 1 种。

(186) 纵带尖头叶蝉 *Yanocephalus yanonis* (Matsumura，1902) (图 183)

Deltocephalus yanonis Matsumura，1902.

Yanocephalus yanonis：Ishihara，1953：48.

Yanocephalus fasciatus Dworakowska，1973：423.

鉴别特征：体长 3.20～4.00mm。体淡黄白色。头冠前缘有 2 个小黑斑，向后有 2 条黄褐色纵纹。复眼黑褐色，单眼黄褐色，额唇基基半部褐色，端前部和前唇基淡黄白色。前胸背板具 4 条黄褐色纵纹。小盾片和前翅淡黄白色，翅脉周缘具黑色晕纹。胸部腹板和足淡黄褐色，常有黑色斑。腹部黑褐色，各节后缘有黄白色狭边。雄虫下生殖板淡黄白色，中央有 1 条黑色纵线。雌虫尾节黑褐色。头冠向前呈锐角状突出，中长约等于两只复眼间宽，单眼位于头冠前缘紧靠复眼，前唇基两侧缘近平行，舌侧板宽大。前胸背板前缘弧形突出，后缘近平直；小盾片横刻痕略凹陷。前翅端片较窄。雄虫翅端与尾节近等长，雌虫稍短于尾节，产卵器常外露。

采集记录： 2♂2♀，凤县双石铺，1995.Ⅷ.14，张文珠、任立云采；2♂2♀，太白山蒿坪寺，1200m，1982.Ⅶ.18，采集人不详；4♂2♀，留坝，1995.Ⅷ.20，张文珠、任立云采；4♂3♀，宁陕旬阳坝，1995.Ⅷ.27，张文珠、任立云采。

分布： 陕西（凤县、留坝、宁陕，太白山）、河南、甘肃、湖北、湖南、福建、贵州；朝鲜，日本。

寄主： 水稻及其他禾本科植物。

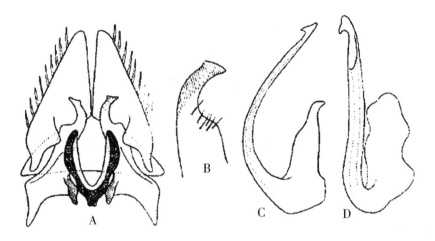

图183　纵带尖头叶蝉 *Yanocephalus yanonis*（Matsumura）

A. 生殖瓣、下生殖板、阳基侧突和连索腹面观（valve, subgenital plate, style and connective, ventral view）；B. 阳基侧突端部（apex of style）；C. 阳茎侧面观（aedeagus, lateral view）；D. 阳茎腹面观（aedeagus, ventral view）

93. 拟光头叶蝉属 *Paralaevicephalus* Ishihara，1953

Paralaevicephalus Ishihara, 1953：14. **Type species：** *Deltocephalus nigrifemoratus* Matsumura, 1902.

Khasiana Rao, 1989：81. **Type species：** *Khasiana primus* Rao, 1989.

属征： 体长2.70～3.50mm。污黄色。头冠前缘两侧各有1条模糊的斑纹，末端加粗，伸达单眼，端部呈柄状伸达头冠前缘。颜面黑色，有相连的横条纹。头冠及前胸背板有污黄色或棕黄色纵条带，头冠2条、前胸背板4～6条，雌虫显著。前翅翅脉明显，翅室中常有黑色条带，端部烟褐色。头冠较前胸背板宽且长，三角形，前缘呈角状突出，冠面中域微凹。前唇基两侧缘近平行。复眼较大，单眼位于头冠前缘靠近复眼，到复眼距离约等于单眼直径。前胸背板侧缘短，前缘呈圆弧形突出，后缘微凹。小盾片短于前胸背板。前翅端片发达，4个端室。后足刺式2+2+1。雄虫尾节侧瓣长大于宽，背面2/3处有许多大刚毛。生殖瓣大，三角形。下生殖板短，侧缘有许多大刚毛、不规则排列，内侧缘向后伸出1个长而粗的突起。阳基侧突端部突起短或长。连索两侧臂端部靠近、愈合，呈环形，主干发达或无。阳茎干长或短，背向弯曲，阳茎口位于端部或腹缘。

分布： 中国；朝鲜，日本，印度。秦岭地区分布2种。

(187) 细茎拟光头叶蝉 *Paralaevicephalus gracilipenis* **Dai，Zhang** *et* **Hu，2005**（图184）

Paralaevicephalus gracilipenis Dai，Zhang *et* Hu，2005：405.

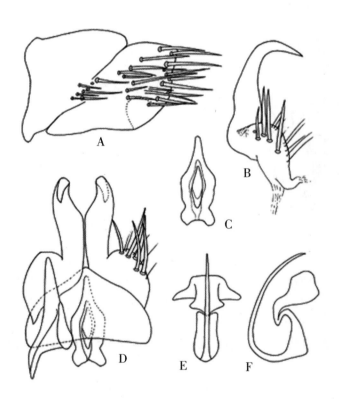

图184　细茎拟光头叶蝉 *Paralaevicephalus gracilipenis* Dai，Zhang *et* Hu

A. 尾节侧瓣侧面观（pygofer side，lateral view）；B. 下生殖板（subgenital plate）；C. 连索（connective）；D. 生殖瓣、下生殖板、阳基侧突和连索腹面观（valve，subgenital plate，style and connective，ventral view）；E. 阳茎腹面观（aedeagus，ventral view）；F. 阳茎侧面观（aedeagus，lateral view）

鉴别特征： 体长2.70~3.50mm。污黄色。头冠前缘两侧各有1条模糊的斑纹，末端加粗，伸达单眼，端部呈柄状伸达头冠前缘。颜面黑色，有相连的横条纹。头冠及前胸背板有污黄色或棕黄色纵条带，头冠2条、前胸背板4~6条，雌虫显著。前翅翅脉明显，翅室中常有黑色条带，端部烟褐色。头冠较前胸背板宽且长，三角形，前缘角状突出，冠面中域微凹。前唇基两侧缘近平行。复眼较大，单眼位于头冠前缘靠近复眼，到复眼距离约等于单眼直径。前胸背板侧缘短，前缘圆弧形突出，后缘微凹。小盾片短于前胸背板。前翅端片发达，具4个端室，后足刺式2+2+1。尾节侧瓣后腹缘向内反折，近背缘2/3有许多大刚毛。生殖瓣大，三角形。下生殖板短，侧缘圆弧突出，有许多大刚毛、不规则排列，端部内侧缘向后伸出1长而粗的突起，端部强烈弯向背面。阳基侧突短，端部突起不伸达下生殖板突起端缘。连索两侧臂端部愈合，呈环状。阳茎干细长，背向强烈弯曲，有1个发达的背腔；阳茎口位于端部腹面。

采集记录：1♂7♀，凤县留凤关，1995.Ⅶ.17，张文珠、任立云采；1♀，凤县双石铺，1995.Ⅶ.14，张文珠、任立云采；1♀，凤县双石铺，1995.Ⅶ.15，张文珠、任立云采；2♂1♀，留坝，1995.Ⅶ.20，张文珠、任立云采；1♂1♀，留坝，1995.Ⅶ.18，张文珠、任立云采；1♀，宁陕旬阳坝，1995.Ⅶ.27，张文珠、任立云采；1♂，宁陕旬阳坝，1998.Ⅵ.06，杨玲环采。

分布：陕西（凤县、留坝、宁陕）、甘肃、湖南、福建、海南、广西、四川、贵州。

（188）直突拟光头叶蝉 *Paralaevicephalus grossus* **Xing, Dai *et* Li, 2009**（图185）

Paralaevicephalus grossus Xing, Dai *et* Li, 2009：59.

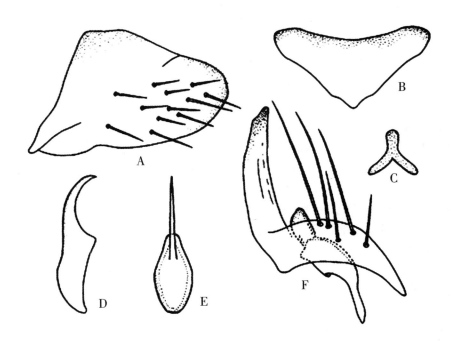

图185　直突拟光头叶蝉 *Paralaevicephalus grossus* Xing, Dai *et* Li

A. 尾节侧面观（pygofer, lateral view）；B. 生殖瓣（valve, ventral view）；C. 连索（connective）；D. 阳茎侧面观（aedeagus, lateral view）；E. 阳茎腹面观（aedeagus, ventral view）；F. 下生殖板和阳基侧突腹面观（sudgenital plate and style, ventral view）

　　鉴别特征：体长 3.00 ~ 3.30mm。下生殖板短，外缘及端缘圆，大刚毛不规则排列，端突长而钝，端部背向强烈弯曲。阳基侧突短，基部宽，端部阔而圆，伸出下生殖板端缘。连索呈"Y"形，两侧臂分歧，主干与两侧臂近等长。阳茎干短而细，背向弯曲。

　　分布：陕西（秦岭）。

　　寄主：杂草。

94. 沙叶蝉属 *Psammotettix* Haupt，1929

Psammotettix Haupt，1929：262. **Type species**：*Athysanus maritimus* Perris，1857.

Ribautiellus Zachvatkin，1933：268. **Type species**：*Cicada striatus* Linnaeus，1758.

　　属征：体细长，头冠较前胸背板宽，前缘角状突出，与颜面圆角状相交，前唇基部宽，端向渐窄，前翅长，端片发达，外端前室小，雄虫下生殖板小，侧缘有 1 列大刚毛，连索长，主干长，两侧臂近平行，阳茎干背向弯曲，端部呈勺状，阳茎口大，位于端部腹缘。

　　分布：世界广布。世界已知 117 种，秦岭地区分布 1 种。

(189) 条沙叶蝉 *Psammotettix striatus*（Linné，1758）（图 186）

Cicada striata Linné，1758：437.

Tettigonia striata：Latreille，1804：323.

Jassus strigatus：Germar，1821：92.

Deltocephalus striatus：Herrich-Schäffer，1840：382.

Psamnotettix striatus：Ribaut，1938：166.

　　鉴别特征：体灰黄色，头部呈钝角突出，头冠近端处具浅褐色斑纹 1 对，后与黑褐色中线接连，两侧中部各具 1 个不规则的大型斑块，近后缘处具 2 个逗点形纹，颜面两侧有黑褐色横纹。复眼黑褐色，1 对单眼。前胸背板具 5 条浅黄色至灰白色条纹，纵贯于前胸背板上，与 4 条灰黄色至褐色较宽纵带相间排列。小盾板 2 侧角有暗褐色斑，中间具 2 个明显褐点，横刻纹褐黑色；前翅浅灰色，半透明，翅脉黄白色；胸部、腹部黑色；足浅黄色。

　　分布：陕西（秦岭）；世界广布。

　　寄主：水稻，小麦，大麦，雀麦，甜菜，茄子，甘蔗，大麻。

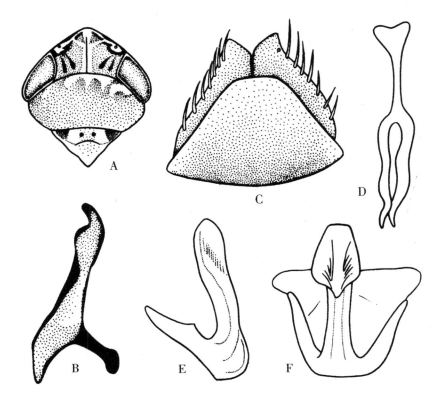

图 186　条沙叶蝉 *Psammotettix striatus*（Linné）

A. 头胸部背面观（head and thorax, dorsal view）；B. 阳基侧突（style）；C. 生殖瓣和下生殖板（valve and subgenital plate）；D. 连索（connective）；E. 阳茎侧面观（aedeagus, lateral view）；F. 阳茎腹面观（aedeagus, ventral view）

95. 弯茎叶蝉属 *Urganus* Dlabola, 1965

Urganus Dlabola, 1965：113. **Type species**：*Deltocephalus chosenensis* Matsumura, 1915.

属征：尾节侧瓣后腹缘有小的突起，微突出，近后缘有许多大刚毛。下生殖板基部宽，端向渐窄，侧缘弧形突出，近侧缘着生 1 列大刚毛。阳基侧突基部宽，端向渐窄，近端部肩角不发达。连索两侧臂长，端部愈合。阳茎基发达，阳茎干背向弯曲，阳茎口位于阳茎干中部腹缘。

分布：古北区。世界已知 1 种，秦岭地区分布 1 种。

(190) 弯茎叶蝉 *Urganus chosenensis*（**Matsumura, 1915**）（**图 187**）

Deltocephalus chosenensis Matsumura, 1915：164.

Urganus paradarrinus Dlabola, 1965：113.

Urganus chosenensis：Vilbaste, 1969：1.

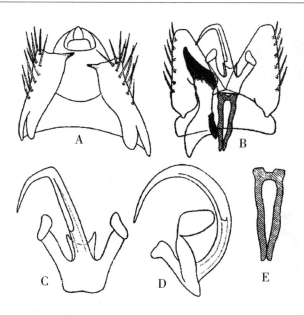

图 187　弯茎叶蝉 *Urganus chosenensis*（Matsumura）

A. 尾节侧瓣腹面观（pygofer side，ventral view）；B. 生殖瓣、下生殖板、阳基侧突、连索和阳茎背面观（valve，sub-
genital plate，style，connective and aedeagus，dorsal view）；C. 阳茎腹面观（aedeagus，ventral view）；D. 阳茎侧面观
（aedeagus，lateral view）；E. 连索（connective）

　　鉴别特征：头冠白色，前缘有 2 个三角形棕斑，中域有 2 个大横斑，近后缘有 2
个小窄横斑。前胸背板常有 4 条宽而不显著的纵带。前翅翅脉白色，翅室具有棕色
翅缘。头冠与前胸背板近等宽，前缘角状突出，中长大于前胸背板中长，单眼靠近复
眼，到复眼的距离约等于单眼直径。前胸背板前缘弧形突出，后缘中央微凹。小盾
片三角形，中长短于前胸背板中长。前翅有 3 个端前室。尾节侧瓣后腹缘锥状突出，
近后缘有许多大刚毛。下生殖板基部宽，端向渐窄，侧缘弧形突出，外侧缘有 1 列大
刚毛。连索环状，两侧臂端部愈合。阳基侧突端突基部宽，端向渐窄，指向外侧，肩
角不发达。阳茎基发达，阳茎干管状、背向强烈弯曲，阳茎口位于中部侧腹面。

　　采集记录：3♂6♀，长安石砭峪，1999.Ⅵ.17，李宇飞采。

　　分布：陕西（长安）；俄罗斯，蒙古，朝鲜。

Ⅲ. 二叉叶蝉族 Macrostelini Kirkaldy，1906

　　鉴别特征：体小到中型。头冠圆弧状或角状突出，单眼位于头冠前缘，前翅 2 个
端前室，外端前室消失。雄虫尾节侧瓣分布有许多大刚毛，后边缘常有许多的小刚
毛；下生殖板端部常呈指状；连索"Y"形或线形，与阳茎相关键（仅 *Yamatotettix* 愈
合）。

　　分布：古北区，东洋区，新北区，非洲区，澳洲区。秦岭地区分布 3 属 16 种。

分属检索表

96. 二室叶蝉属 *Balclutha* Kirkaldy, 1900

Gnathodus Fieber, 1866: 505 (nec Pander, 1856). **Type species**: *Cicada punctata* Fabricius, 1775.

Balclutha Kirkaldy, 1900: 243 (new name for *Gnathodus* Fieber, 1866).

Eugnathodus Baker, 1903: 1. **Type species**: *Gnathodus abdominalis* Van Duzee, 1892.

Nesosteles Kirkaldy, 1906: 343. **Type species**: *Nesosteles hebe* Kirkaldy, 1906.

Eusceloscopus Evans, 1941: 147. **Type species**: *Eusceloscopus yanchepensis* Evans, 1941.

Anomiana Distant, 1918: 109. **Type species**: *Anomiana longula* Distant, 1918.

Balcluthina Pruthi, 1930: 46. **Type species**: *Balcluthina viridis* Singh-Pruthi, 1930.

Agellus DeLong *et* Davidson, 1933: 210. **Type species**: *Eugnathodus neglecta* DeLong *et* Davidson, 1933.

属征：体长 2.30 ~ 4.50mm。头冠短，一般前后缘平行，向前弧形突出，个别种类中间略长；头冠与前胸背板等宽，部分种类略窄或微宽。额唇基窄，侧额缝伸达单眼；前唇基端向渐窄。单眼位于头冠前缘，到头冠中缝距离大于到复眼距离，背部可见。前胸背板前缘弧形凸出，侧缘较短，后缘平直或微凹。前翅端片发达，伸达第 2 端室，外端前室缺失，内端前室基部开放，共有 2 个端前室、4 个端室；后翅具有 3 个端室。后足第 1 跗节基部有明显的凹刻痕，透明状。雄虫尾节宽，后缘圆弧形，后腹缘常有突起，亚后缘密生羽状大刚毛。下生殖板三角形，端部指状伸出；外缘具有单列刚毛。阳基侧突端突发达，常侧向弯曲。连索"Y"形，主干长，两侧臂发达。阳茎杆状，背向弯曲；阳茎口位于近端部。

分布：世界广布。全世界已知 99 种，中国记录 28 种，秦岭地区分布 7 种。

分种检索表

1. 阳茎背腔强烈背向延伸，膨大；尾节后缘端部具 1 个爪状突 ······ 红脉二室叶蝉 *B. rubrinervis*

  阳茎背腔不膨大或分叉，延伸明显短于阳茎干长度 ······································· 2

2. 头冠明显窄于前胸背板 ··· 3

  头冠与前胸背板近等宽 ··· 5

3. 阳茎干非常长，细长如针 ··· 4

  阳茎干较短，端部伸长近尾节中部与阳茎基等齐 ·················· 斑翅二室叶蝉 *B. punctata*

4. 阳茎基部较长，渐细 ·· 长茎二室叶蝉 *B. sternalis*

　　　　阳茎基部小，骤细 ·· **多色二室叶蝉 B. versicolor**

5.　阳茎干较长，端部伸出尾节前缘；阳茎干基部急剧弯曲 ············· **白脉二室叶蝉 B. lucida**

　　　　阳茎干略短，端部不伸出尾节前缘 ······································· 6

6.　阳茎干中部弯曲强烈，呈直角 ······························ **三线二室叶蝉 B. trilineata**

　　　　阳茎干轻度弧形弯曲，阳茎背向略弯曲，端部远离基部 ········· **黑胸二室叶蝉 B. saltuella**

（191）白脉二室叶蝉 *Balclutha lucida*（**Butler**，**1877**）（图 188）

Jassus lucidus Butler, 1877：91.

Gnathodus laevis Melichar, 1903：209.

Nesosteles glauca Kirkaldy, 1906：344.

Eugnathodus floridana DeLong et Davidson, 1933：56.

Nesosteles marquesana Osborn, 1934：265.

Balclutha filum Linnavuori, 1960：342

Balclutha lucida：Knight, 1987：1183.

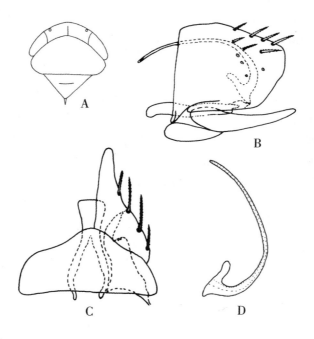

图 188　白脉二室叶蝉 *Balclutha lucida*（Butler）

A. 头胸部背面观（head and thorax, dorsal view）；B. 尾节侧面观（pygofer, lateral view）；C. 生殖瓣、下生殖板、阳基侧突、连索腹面观（valvae, subgenital plate, style, connective, ventral view）；D. 阳茎侧面观（aedeagus, lateral view）

　　鉴别特征：体长 2.60～3.60mm。体浅黄色，有时发青或污绿色。翅脉透明无斑。头冠圆弧突出，中长略微大于两侧复眼处长，与前胸背板等宽。单眼到复眼距离大于单眼直径。后足腿节毛序为 2 + 1 + 1。雄虫连索短小，主干与两侧臂等长；阳茎基发达，背腔细长上伸，干较粗，一致，背向急剧弯曲，阳茎口位于端部。雌虫第 7 节腹板后缘尾向略呈弧形突出。

分布：陕西(秦岭)、浙江、福建、台湾、广东、海南、广西；日本，菲律宾，印度尼西亚，北美洲，澳洲，非洲。

(192) 斑翅二室叶蝉 *Balclutha punctata* (**Fabricius, 1775**) (图 189)

Cicada punctata Fabricius, 1775: 687.

Cicada punctata Thunberg, 1784: 21.

Cicada tricolor Gmelin, 1789: 2108.

Eupteryx clypeata Curtis, 1837: pl. 640.

Cicadula spreta Zetterstedt, 1840: 298.

Typhlocyba vernalis Van Duzee, 1864: 306.

Typhlocyba rosea Provancher, 1872: 378 (nec Flör, 1861).

Typhlocyba jocosa Provancher, 1890: 300 (new name for *Typhlocyba rosea* Provancher, 1872).

Gnathodus confusus Gillette et Baker, 1895: 104.

Gnathodus manitou Gillette et Baker, 1895: 105.

Gnathodus medius Baker, 1896: 38.

Gnathodus occidentalis Baker, 1896: 41.

Gnathodus livingstoni Baker, 1896: 42.

Balclutha lineolata Horvath, 1904: 586.

Balclutha californica Davidson et DeLong, 1935: 102.

Balclutha punctata: Block, 1967: 7.

Balclutha arhenana Dlabola, 1967: 68.

Balclutha tiaowena Kuoh, 1981: 210.

Balclutha uncinata Kuoh, 1987: 126.

Balclutha punctata: Webb & Vilbaste, 1994: 64.

鉴别特征：体长 3.60~4.50mm，淡绿色到浅褐色。头冠前缘和单眼周围着生淡褐色斑纹，冠缝旁褐色短条纹；前胸背板中部具褐色纵带，两边着生 1 对不规则褐斑，靠近前缘散生着褐色小圆斑。小盾片基角和端区呈褐色或者橙色。前翅的爪区和亚端前室、第 3、4 端室散布着褐色斑纹；端片和第 1、2 端室透明。头冠明显窄于前胸背板，中长较两侧复眼处略长。单眼到复眼距离为单眼直径的 3 倍。后足腿节毛序为 2 + 2 + 1。雄虫尾节宽圆，后腹缘没有突起，较发达。下生殖板基部到端部渐细，且端突较短。连索细长，主干约为臂长的 1.50 倍。阳茎简单，干细长，基部宽，背向弯曲，端向渐细。

采集记录：1♂，宝鸡，1980.Ⅴ.08，向成龙、马宁采；2♂，凤县留凤关，1995.Ⅷ.17-19，张文珠、任立云采；1♂，火地塘，1984.Ⅷ.17，张雅林采。

分布：陕西（宝鸡、宁陕、安康）、河北、甘肃、新疆、台湾；蒙古，欧洲，北美洲，澳洲，非洲。

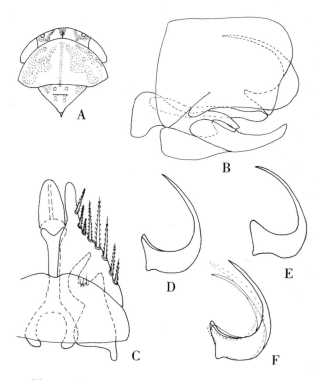

图 189　斑翅二室叶蝉 *Balclutha punctata*（Fabricius）

A. 头胸部背面观（head and thorax, dorsal view）；B. 尾节侧面观（pygofer, lateral view）；C. 生殖瓣、下生殖板、阳基侧突和连索腹面观（valvae, subgenital plate, style and connective, ventral view）；D—F. 阳茎侧面观（aedeagus, lateral view）

　　注：Webb *et* Vilbaste（1994）对东洋区该种类叶蝉进行研究后，发现其外形特征变化不大（除颜色和斑纹），且雄性生殖器很相似，很难对其进行准确的分类，所以提出了 *Balclutha punctata* complex 的物种团。根据我们对中国标本的研究，发现阳茎确实存在一些变化，如基部的形状、弯曲的弧度等，但仍然较难区分近似种。

（193）红脉二室叶蝉 *Balclutha rubrinervis*（**Matsumura, 1902**）（图 190）

Gnathodus rubrinervis Matsumura, 1902：357.

Gnathodus virdis Matsumura, 1902：359.

Balclutha rubrinervis：Matsumura, 1914：165.

Gnathodus rubrinervis Osborn, 1929：88.

鉴别特征: 体长 3.40~4.00mm。体黄色到黄绿色,着生红褐色斑纹。头冠较前胸背板略窄。后足腿节毛序为 2+2+1。雄虫尾节基部宽,尾向渐细,后腹缘 1 个角状突起。下生殖板基部宽,端部骤细,短。连索主干略微比臂长。阳茎背腔发达,基部膨大,阳茎干细短,背向弯曲。阳茎口位于端部。

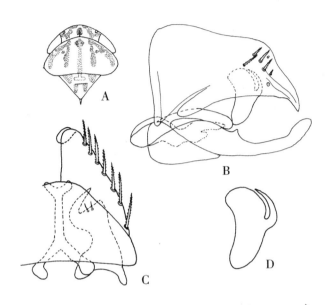

图 190　红脉二室叶蝉 *Balclutha rubrinervis*(Matsumura)

A. 头胸部背面观(head and thorax, dorsal view);B. 尾节侧面观(pygofer, lateral view);C. 生殖瓣、下生殖板、阳基侧突、连索腹面观(valve, subgenital plate, style, connective, ventral view);D. 阳茎侧面观(aedeagus, lateral view)

采集记录: 15♂14♀,周至楼观台,1983.Ⅺ.15,张雅林采;1♂,凤县双石铺,1980.Ⅴ.06,刘元采;1♂2♀,略阳柳树坪,713m,2004.Ⅶ.19,吕林采;4♂8♀,太白科协馆,1984.Ⅶ.12,柴勇辉采;3♂1♀,留坝,1995.Ⅷ.18-20,张文珠、任立云采;1♀,留坝,2004.Ⅷ.14,吕林采;14♂6♀,宁陕火地塘,1984.Ⅷ.17,张雅林采;1♂,南郑元坝,1280m,2004.Ⅶ.24,吕林采;1♂5♀,南郑元坝,1280m,2004.Ⅶ.23,吕林采。

分布: 陕西(周至、凤县、略阳、太白、留坝、宁陕、南郑、紫阳)、河北、山西、河南、甘肃、安徽、浙江、湖北、江西、湖南、福建、台湾、香港、海南、广西、贵州、云南、西藏;俄罗斯,韩国,日本,斯里兰卡,瓦努阿图。

(194)黑胸二室叶蝉 *Balclutha saltuella*(**Kirschbaum, 1868**)(图 191)

Jassus(*Thamnotettix*)*saltuella* Kirschbaum, 1868:86.

Gnathodus angustus Then, 1866:52.

Gnathodus zionoensis Matsumura, 1902:357.

Gnathodus intrusa Melichar, 1903:52.

Eugnathous lacteus Baker, 1903: 2.

Gnathodus quadriguttata Matsumura, 1908: 10.

Balclutha pectoralis Matsumura, 1915: 160.

Typhlocyba delicatula Distant, 1918: 104.

Empoanara lineolata Distant, 1918: 107.

Anomiana longulus Distant, 1918: 109.

Eugnathous minutus Osborn, 1929: 101.

Eugnathous ocellata Singh-Pruthi, 1930: 51.

Eugnathous neglecta var. *pallida* DeLong *et* Davidson, 1933: 56.

Balclutha pauxilla Lindberg, 1954: 231.

Balclutha incisa Linnavuori, 1960: 343.

Balclutha mixta: Heller & Linnavuori, 1968: 4.

Balclutha fuscomaculatus Dai, Li *et* Chen, 2004: 753.

Balclutha saltuella: Knight, 1987: 1182.

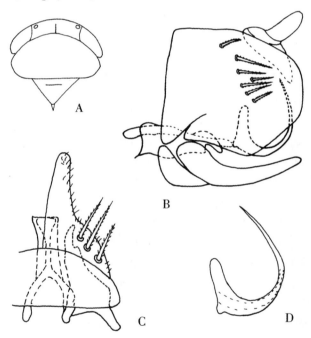

图 191　黑胸二室叶蝉 *Balclutha saltuella* (Kirschbaum)

A. 头胸部背面观（head and thorax, dorsal view）；B. 尾节侧面观（pygofer, lateral view）；C. 生殖瓣、下生殖板、阳基侧突、连索腹面观（valve, subgenital plate, style, connective, ventral view）；D. 阳茎侧面观（aedeagus, lateral view）

鉴别特征：体长 2.20~3.50mm。具淡黄色褐斑。额唇基区和头冠前缘烟褐色。单眼粉红色。头冠、前胸背板、小盾片、前翅有时着生淡褐色斑纹，但有变化。头冠和前胸背板约等长，单眼到复眼的距离等于单眼直径。后足腿节毛序为 2+1+1。雄虫尾节阔圆，后缘弧圆，后腹缘略微突出。下生殖板短，指状突为其长度的1/2。连索的主干和侧臂近等长。阳茎简单，干细短，背向弯曲，基部略大，中部较直。

　　采集记录：1♂，留坝，1995. Ⅷ. 20，张文珠、任立云采。

　　分布：陕西(留坝)、浙江、湖北、江西、湖南、福建、广东、海南、广西、四川、贵州、云南；俄罗斯，韩国，日本，印度，斯里兰卡，菲律宾，印度尼西亚，欧洲，北美洲，澳洲，非洲。

(195)长茎二室叶蝉 *Balclutha sternalis*（Distant, 1918）（图192）

Empoanara sternalis Distant, 1918：107.

Balclutha longa Kuoh, 1987：128.

Balclutha sternalis：Webb & Vilbaste, 1994：67.

　　鉴别特征：体长3.50～4.20mm，呈淡赭黄色、黄色、黄绿色，前翅翅脉与翅同色，有时呈红色。头胸部着生稻黄色到褐色的不规则斑纹。头冠明显小于前胸背板宽。后足腿节毛序为2+2+1。雄虫尾节宽，端后缘尖圆，后腹缘无突起。下生殖板基部宽，端部渐细，指突长。连索主干大于侧臂长。阳茎干长，端部细如丝，基部较长，端向渐细后，背向急剧弯曲和变细。

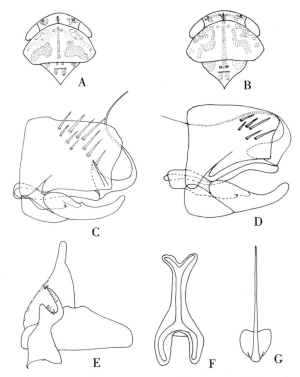

图192　长茎二室叶蝉 *Balclutha sternalis*（Distant）

A，B. 头胸部背面观（head and thorax, dorsal view）；C，D. 尾节侧面观（pygofer, lateral view）；E. 生殖瓣、下生殖板、阳茎侧突腹面观（valve, subgenital plate, style, ventral view）；F. 连索腹面观（connective, ventral view）；G. 阳茎背面观（aedeagus, dorsal view）

采集记录：2♂2♀，宝鸡，1998. V.08，向成龙、马宁采；1♀，凤县，1980. V.06，向龙城、马宁采；1♀，凤县，1984. V.07，赵小明采；1♂，宁陕旬阳坝，1998. VI.06，杨玲环采；1♂，南郑元坝，2004. VII. 23，吕林采；1♂1♀，南郑黎坪，800m，2004. VII.21，吕林采。

分布：陕西(宝鸡、宁陕、南郑、安康)、甘肃、浙江、湖北、湖南、广东、海南、四川、云南；俄罗斯，印度。

(196) 三线二室叶蝉 *Balclutha trilineata* **Linnavuori, 1960**(图 193)

Balclutha trilineata Linnavuori, 1960：336.

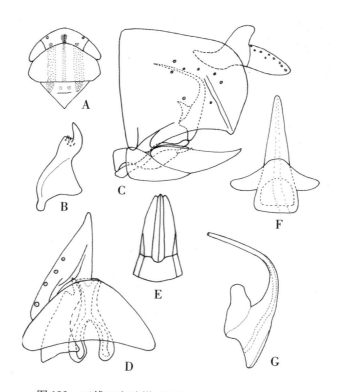

图 193　三线二室叶蝉 *Balclutha trilineata* Linnavuori

A. 头胸部背面观 (head and thorax, dorsal view)；B. 阳基侧突背面观 (style, dorsal view)；C. 尾节侧面观 (pygofer, lateral view)；D. 生殖瓣、下生殖板、阳基侧突和连索腹面观 (valve, subgenital plate, style and connective, ventral view)；E. 雌性生殖器腹面观 (female genitalia, ventral view)；F. 阳茎背面观 (aedeagus, dorsal view)；G. 阳茎侧面观 (aedeagus, lateral view)

鉴别特征：体长 3.00～3.30mm，呈黄绿色。头冠灰白色；前胸背板有 3 条浅绿色纵带；前翅爪区基部具 1 对褐斑，端前室和第 3、4 端室散生褐色斑点。头冠圆弧状突出，头顶略尖，中长略大于两侧复眼处长，较前胸背板窄。单眼到复眼距离等于单眼直径的2倍。后足腿节毛序为2+2+1。雄虫尾节后缘圆弧形，后腹缘突出。生殖瓣阔三角形。下生殖板长三角形，端向渐细，端部指突短。连索主干略短于两侧臂。阳茎干基部到中部渐细、较长，近中部背向陡折呈直角状，端向等宽。阳茎口位于端部。雌性生殖器第7腹板后缘弧形凹入，产卵瓣不超出尾节。

分布：陕西（秦岭）、湖南、福建、广东、海南、贵州；尼泊尔，马来西亚，非洲，加罗林群岛。

寄主：黑豆。

(197) 多色二室叶蝉 *Balclutha versicolor* **Vilbaste, 1968**（图194）

Balclutha versicolor Vilbaste, 1968：145.

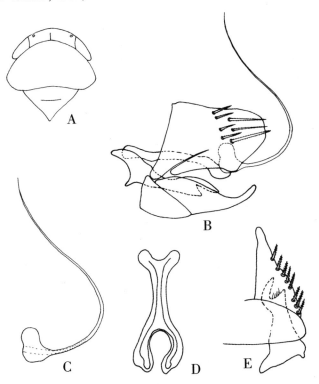

图194　多色二室叶蝉 *Balclutha versicolor* Vilbaste

A. 头胸部背面观（head and thorax, dorsal view）；B. 尾节侧面观（pygofer, lateral view）；C. 阳茎侧面观（aedeagus, lateral view）；D. 连索腹面观（connective, ventral view）；E. 生殖瓣、下生殖板、阳基侧突腹面观（valve, subgenital plate, style, ventral view）

鉴别特征：体长3.90~4.30mm，呈深绿色。头冠、前胸背板绿色，无杂斑；有时体呈淡黄色，散生许多麻形小斑点。头冠较前胸背板窄，头冠中长较复眼处长。后足腿节毛序为 2 + 2 + 1。雄虫外生殖器尾节宽，端后缘弧圆，后腹缘无突起。下生殖板指突短小。阳茎基部短小，阳茎干骤细如纤丝状。

采集记录：1♂，太白山蒿坪寺，Ⅷ.03，采集人不详；4♂7♀，留坝，1215m，2004.Ⅷ.03，吕林采；2♂，宁陕旬阳坝，1995.Ⅷ.27，张文珠、任立云采。

分布：陕西(太白山，留坝、宁陕)、河南、甘肃、新疆、浙江、湖北、福建、四川；俄罗斯。

97．拟叉叶蝉属 *Cicadulina* China，1926

Cicadulina China，1926：43. **Type species**：*Cicadulina zeae* China，1926.

属征：体长 2.50~3.60mm。体细小，通常呈淡黄褐色或暗橙黄色，有些暗色透明。头冠前缘具有 1 对圆形黑褐斑，前胸背板复眼后缘域有黑褐色条形斑纹，小盾片基角有橙斑，前后翅无色透明，有时爪缝为褐色。头冠圆弧突出，中长比复眼处略长，但略短于两单眼间距，宽度稍窄于前胸背板，几乎与前胸背板等长。单眼位于头冠前缘，靠近复眼，背面看不见。两复眼间距大于头冠中长。额唇基区光滑，颜面宽度略大于长度。侧唇基缝伸达单眼，唇基延长，两边略微凹入，但基部与端部等长。前胸背板光滑，没有侧脊。小盾片光滑，三角形。前翅具有 2 个端前室和 3 个端室。后翅具有 3 个端室。后足腿节端部毛序 2 + 2 + 1。

雄虫尾节侧瓣宽短，后缘圆弧状，背缘内生 1 个发达的突起，伸出尾节后缘(*C. fujiensis* Linnavouri 弱化变短)。后背缘有数根羽状大刚毛。生殖瓣长三角形。下生殖板侧缘中部明显凹入，端部呈指状，向上卷曲，外缘基部有数根大刚毛，排成 1 列。阳基侧突端突粗大，强烈侧向弯曲，亚端部粗糙纹理；侧叶非常发达。连索"Y"形。阳茎膨大成圆柱形，背向弯曲；部分种类近基部两侧常具有成对突起。阳茎口位于近端部腹缘。雌虫生殖前节后缘中叶发达指向尾部(仅缺失在 *C. tortilla*)。产卵瓣中后部呈黑褐色，易鉴别此属。

生物学：它是世界上最重要和有代表性的传毒介体昆虫之一，主要危害玉米和甘蔗，也危害禾谷类。

分布：广泛分布在热带和暖温带地区，包括 2 个亚属 *Cicadulina*（*Cicadulina*）和 *Cicadulina*（*Idyia*）。全世界已知 22 种，秦岭地区分布 1 种。

分种检索表

尾节附突发达，大部分具有亚端刺；阳茎基部无侧突，端部圆弧状 ……………………………………………………… 双点拟叉叶蝉 *C.*（*Cicadulina*）*bipunctata*
尾节附突弱化，无亚端刺；阳茎基部具有臂状侧突，端部尖 …… 斐济拟叉叶蝉 *C.*（*Idyia*）*fijiensis*

（198）双点拟叉叶蝉 *Cicadulina*（*Cicadulina*）*bipunctata*（Melichar，1904）（图 195）

Gnathodus bipunctata Melichar，1904：47.

Cicadula bipunctella Matsumura，1908：12.

Cicadulina zeae China，1926：43.

Cicadulina bipunctella bipunctella：Zakhvatkin，1946：157.

Cicadulina bipunctella zeae：Zakhvatkin，1946：157.

鉴别特征：体长 2.80～3.00mm。体细小，橙黄色，有些呈暗色且透明。雄虫尾节短，后缘圆弧。尾节侧叶有发达的附突，细长，超过尾节后缘，端部二叉状，亚端刺有斑结纹。刚毛发状具小微毛。有 1 个骨化较弱的或膜质的舌片状结构与阳茎基部相关键，端部生有小刺。生殖瓣长三角形。下生殖板侧缘中部明显凹入，端部窄，成指状突，骨化微弱，一般向上卷曲，沿外缘基部着生 1 列发状刚毛。阳基侧突端突粗大，平弯向侧缘，亚端部粗糙纹理；侧叶非常发达。连索"Y"形，长度与阳基侧突等长，端部分支短于主干，并相互靠近。阳茎"C"形背向弯曲，干膨大成圆柱形，端部似分叉，基部具有成对突起，侧缘多有小齿突，阳茎口位于干端腹部。

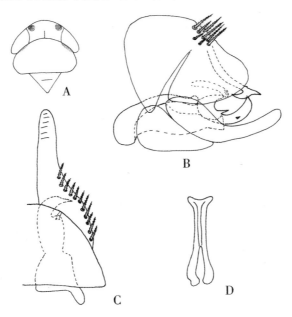

图 195　双点拟叉叶蝉 *Cicadulina*（*Cicadulina*）*bipunctata*（Melichar）

A. 头部背面观（head and thorax, dorsal view）；B. 尾节侧面观（pygofer, lateral view）；C. 生殖瓣、下生殖板、阳基侧突腹面观（valve, subgenital plate, style, ventral view）；D. 连索腹面观（connective, ventral view）

采集记录：3♂2♀，宁强平阳关，1980. X. 04，马宁采。

分布：陕西（宁强）、福建、台湾、广东、海南、广西、云南；日本，澳洲，非洲（北部）。

98．二叉叶蝉属 *Macrosteles* Fieber，1866

Macrosteles Fieber，1866：504．**Type species**：*Cicada sexnotata* Fallén，1806．

Cicadula Zetterstedt（in part），1840：296．

Acrostigmus Thomson，1869：76．**Type species**：*Cicada sexnotata* Fallén，1806：34．

Limotettix Sahlberg（in part），1871：247．

Euleimonios Kirkaldy（in part），1906：342．

Erotettix Haupt，1929：255．**Type species**：*Thamnotettix cyane* Boheman，1845：158．

属征：体黄色、褐色；头冠着生黑色斑点，无规则；头冠与前胸背板近等宽或略窄于前胸背板，前缘圆弧突出，中长较两侧复眼处长，与颜面角状相交。前翅端片发达，2 个端前室、外端前室退化。尾节分布许多大刚毛；连索"Y"形；阳茎干背向弯曲，端部突起或有或无，阳茎口位于端部或近端部腹面。尾节侧瓣具羽状大刚毛，后缘具 1 列梳状、短粗大刚毛，后腹缘常具瘤突；下生殖板外缘具 6 ~ 12 根羽状大刚毛，端部指状、膜质；生殖瓣阔三角形；阳基侧突端叶尖或钝或具刻纹；连索"Y"形，主干短于侧臂；阳茎端部成对端突，端突长或短，分离或相交，有时分叉，阳茎干光滑或长有小刺突，或在侧缘或背缘具耳突，阳茎孔位于端部或近端部腹面。

分布：世界广布。全世界已知 100 多种，中国分布 25 种，秦岭地区发现 9 种。

分种检索表

（199）褐斑二叉叶蝉 *Macrosteles brunneus* **Zhang，Lu *et* Kwon，2013**（图196）

Macrosteles brunneus Zhang，Lu *et* Kwon，2013：367.

鉴别特征：体长3.60～4.50mm。体黄色，头部具2对黑色圆斑，1对在前缘，另1对在后缘。前翅爪脉和横脉呈褐色。雄性腹部第2背片主干宽，"V"形，侧突长，茎短，短于主干宽的1/2。第2背突后面观伸达背片的1/2处，中部伸长达后缘。第1腹片具后突圆钝，长大于宽。第2腹突发达，后突长大约是基部宽的2.50倍，明显超过后缘。雄虫尾节宽，具模糊的后腹瘤突，具刺；阳茎干稍宽，光滑且笔直；端突中间交叉，端部弯曲。

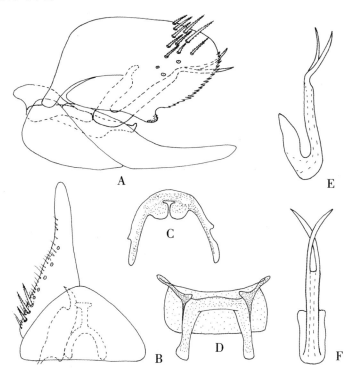

图196 褐斑二叉叶蝉 *Macrosteles brunneus* Zhang，Lu *et* knon

A.尾节侧面观（pygofer，lateral view）；B.生殖瓣、下生殖板、阳基侧突、连索腹面观（valve，subgenital plates，style and connective，ventral view）；C.第1腹内突（abdominal sternum 1 in male，dorsal anterior view）；D.第2、3腹内突（abdominal sternum 2 and 3 in male，dorsal view）；E.阳茎侧面观（aedeagus，lateral view）；F.阳茎后面观（aedeagus，posterior view）

采集记录：38♂42♀，宁陕旬阳坝，1995.Ⅶ.26，张文珠、任立云采。

分布：陕西(宁陕)、山西、河南、甘肃、湖北、湖南、广西、四川。

（200）冠状二叉叶蝉 *Macrosteles cristatus*（**Ribaut，1927**）（图 197）

Cicadula cristata Ribaut，1927：164.

Macrosteles cristatus：Wagner，1939：148.

Macrosreles latiaedeagus Dai，Li *et* Chen，2008：23.

鉴别特征：体长 3～4mm。体黄绿色。单眼淡黄色，头冠具 3 对不规则黑斑，复眼与单眼间有 1 黑色条纹，与头冠后缘黑斑相连。雄虫尾节宽圆，后缘生 1 列粗刚毛，后腹缘具瘤突；侧瓣密生羽状大刚毛。阳茎背向弯曲，干基部宽，近端部背缘隆起明显，端部有 1 对突起、分歧，基部侧缘有时锯齿状。阳茎口位于端部分叉处。腹内突较发达。

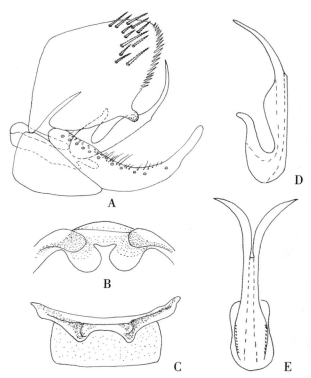

图 197　冠状二叉叶蝉 *Macrosteles cristatus*（Ribaut）

A. 尾节侧面观（pygofer，lateral view）；B. 第 1 腹内突（abdominal apodemes 1）；C. 第 2、3 腹内突（abdominal apodemes 2 and 3）；D. 阳茎侧面观（aedeagus，lateral view）；E. 阳茎后面观（aedeagus，posterior view）

采集记录：1♂，秦岭，1987.Ⅸ.10，柴勇辉采。

分布：陕西（秦岭）、吉林、河北、山西、甘肃、新疆；欧洲，美洲。

(201) 咕咃二叉叶蝉 *Macrosteles guttatus* (Matsumura, 1915) (图 198)

Cicadula guttatus Matsumura, 1915: 160.

Cicadula osborni Dorst, 1931: 45.

Acocephalus guttatus: 1936: 102.

Macrosteles guttatus: Esaki & Ito, 1954: 163.

Macrosteles heiseles Kuoh, 1981: 209.

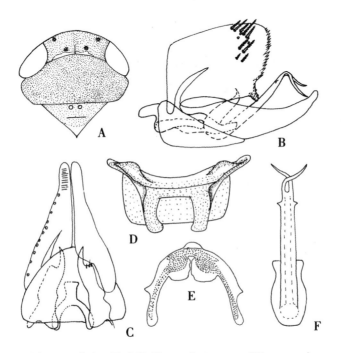

图 198 咕咃二叉叶蝉 *Macrosteles guttatus* (Matsumura)

A. 头胸部背面观 (head and thorax, dorsal view); B. 尾节侧面观 (pygofer, lateral view); C. 生殖瓣、下生殖板、阳基侧突、连索背腹面观 (valve, subgenital plate, style and connective); D. 第 2、3 腹内突 (abdominal apodemes 2 and 3); E. 第 1 腹内突 (abdominal apodemes 1); F. 阳茎后面观 (aedeagus, posterior view)

鉴别特征：体长 3.70mm。体黑色。头冠、前胸背板、小盾片和胸部腹面黑色，复眼黄褐色，单眼黄色；头冠近后缘有 1 对深黑色圆点；翅深褐色。头冠与前胸背板近等宽，前缘钝角突出，中长大于复眼处长；前翅长，超过腹末端，端片发达；单眼到复眼距离为单眼直径的 3 倍。雄虫尾节阔圆，后缘生 1 列梳状粗刚毛，后腹缘瘤突发达。下生殖板基部宽，到端部渐细，端部指突长。阳基侧突端叶发达，略微侧弯；端前叶发达，钝角突出，着生刚毛 3 根。连索"Y"形，主干短于侧臂。阳茎背向弯曲，干细长，较直，背面观近端部两侧各具 1 个大齿突，端部 1 对突起交叉，背折伸向后腹方。阳茎口位于端部分叉处。腹内突发达。

分布：陕西(秦岭)、宁夏、青海、四川、西藏；韩国，北美洲。

(202) 旋叶二叉叶蝉 *Macrosteles laevis* (Ribaut, 1927) (图 199)

Cicadula laevis Ribaut, 1927：162.

Macrosteles laevis：China, 1938：195.

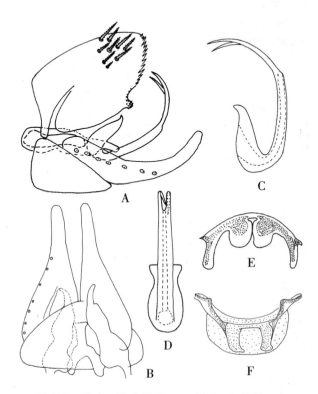

图 199　旋叶二叉叶蝉 *Macrosteles laevis* (Ribaut)

A. 尾节侧面观 (pygofer, lateral view)；B. 生殖瓣、下生殖板、阳基侧突、连索背腹面观 (valve, subgenital plate, style and connective, dorsoventral view)；C. 阳茎侧面观 (aedeagus, lateral view)；D. 阳茎后面观 (aedeagus, posterior view)；E. 第 1 腹内突 (abdominal apodemes 1)；F. 第 2、3 腹内突 (abdominal apodemes 2 and 3)

鉴别特征：体淡黄色。头冠有 3 对黑色圆斑，不相连；单眼红色，与复眼间有纵纹。头冠与前胸背板近等宽。单眼大，到复眼距离小于单眼直径。雄虫尾节阔圆，后缘生 1 列粗刚毛，后腹缘具有瘤突。下生殖板长，超过尾节，基部宽到端部渐细，指突长。阳茎简单，阳茎干细长，端部 1 对突起长而平行，背向弧形强烈弯曲，不相交。阳茎口位于端部分叉处。腹内突发达。

分布：陕西(秦岭)、黑龙江、吉林、辽宁、河北、山西、山东、新疆、湖北、海南、广西；俄罗斯，北美洲，澳洲。

（203）纳比二叉叶蝉 *Macrosteles nabiae* Kwon，2013（图200：J－S）

Macrosteles nabiae Kwon，2013：372.

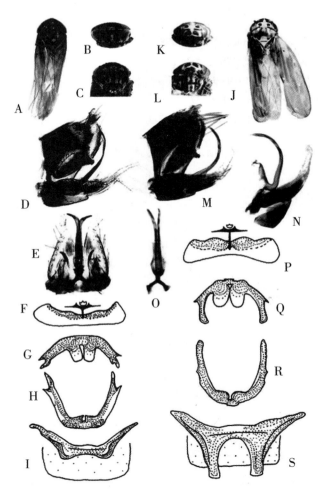

图200　A－I：林氏二叉叶蝉 *Macrosteles lindbergi* Dlabola
J－S：纳比二叉叶蝉 *Macrosteles nabiae* Kwon

A，J. 雄虫背面观（male habitus，dorsal view）；B，K. 头部背面观（head，dorsal view）；C，L. 颜面（face）；
D，M. 尾节侧面观（pygofer，lateral view）；E，N，O. 阳茎（aedeagus）；F，P. 端背片（abdominal tergites 1、2，dorsal view）；G，H，Q，R. 第1腹内突（abdominal apodemes 1）；I，S. 第2腹内突（abdominal apodemes 2）

鉴别特征：体长3～4mm，呈淡黄色；头部具3对黑斑点，不结合；单眼和复眼间具1个短的黑纵带。单眼红色，大，是复眼的0.50倍。雄虫腹部的第2端背片主干比较小，近水平，侧突常大于主干宽；茎细长，长约等于主干宽。第2背突伸达后背板的2/3处。第1胸片后突长稍大于宽。第2胸片后突长约为基部宽的1.50倍。雄虫阳茎具长端突，近平行，腹面观背向弯曲。

分布：陕西（秦岭）、黑龙江、山西、山东、新疆；韩国，日本。

（204）四点叶蝉 *Macrosteles quadrimaculatus*（Matsumura，1900）（图 201）

Cicadula quadrimaculata Matsumura，1900：398.

Cicadula masatonis Matsumura，1902：362.

Cicadula ishidae Matsumura，1910：125.

Macrosteles masatonis：Ishihara，1953：37.

Macrosteles quadrimaculatus：Esaki & Ito，1954：3.

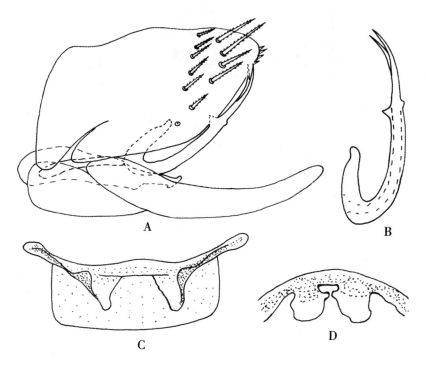

图 201　四点叶蝉 *Macrosteles quadrimaculatus*（Matsumura）
A. 尾节侧面观（pygofer，lateral view）；B. 阳茎侧面观（aedeagus，lateral view）；C. 第 2、3 腹内突背面观（abdominal apodemes 2 and 3，dorsal view）；D. 第 1 腹内突背前面观（abdominal apodemes 1，dorsoanterior view）

鉴别特征：体长 4mm。体淡黄色或黄绿色。头冠黄绿色，具 2 对黑色斑纹，其中 2 个位于头冠前缘与颜面交界处，另 2 个位于中域两侧，为斜向不规则形斑纹，单眼淡黄色。前翅淡黄色，各翅室具有淡灰色条纹，翅脉明显。雄虫尾节宽，后缘尖圆，生 1 列梳状刚毛，较短；后腹缘无突起，无瘤突。阳茎简单，干背向弯曲，近端部有小的横向突缘，端部 1 对突起交叉，背向弯曲较长。阳茎口位于分叉处。腹内突发达。

采集记录：1♂，太白山沙坡寺，1982.Ⅷ.03，采集人不详；1♂1♀，留坝，1215m，2004.Ⅶ.03，吕林、段亚妮诱；2♂2♀，留坝，1995.Ⅷ.20，张文珠、任立云采；1♂，旬阳坝，1995.Ⅷ.26，张文珠、任立云采；2♂，9♀，南郑元坝，1280m，2004.Ⅶ.21-23，吕林、段亚妮采；1♂，宁强金家坪，1984.Ⅶ.18，唐周怀采；3♂4♀，火地塘，1984.Ⅷ.17，张雅林采；1♂，石泉，1985.Ⅷ.20，采集人不详。

分布：陕西(太白山，留坝、南郑、石泉、旬阳、紫阳、宁强)、河北、甘肃、浙江、湖南、台湾、贵州；俄罗斯，朝鲜，韩国，日本。

(205) 四斑点叶蝉 *Macrosteles quadripunctulatus* (**Kirschbaum，1868**)(图 202)

Jassus (Thamnotettix) quadripunctulatus Kirschbaum, 1868：99.

Deltocephalus ramiger Zachvatkin, 1933：48.

Macrosteles quadripunctulatus：Ossiannilsson, 1983：640.

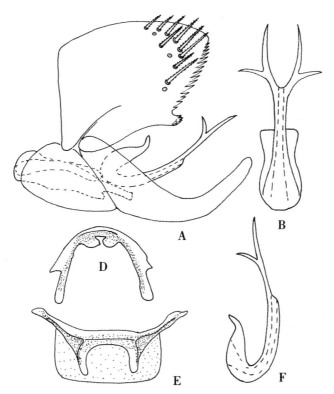

图 202　四斑点叶蝉 *Macrosteles quadripunctulatus* (Kirschbaum)

A.尾节侧面观 (pygofer, lateral view)；B.阳茎后面观 (aedeagus, posterior view)；C.阳茎侧面观 (aedeagus, lateral view)；D.第1腹内突背前面观 (abdominal apodemes 1, dorsoanterior view)；E.第2、3腹内突背面观 (abdominal apodemes 2 and 3, dorsal view)

鉴别特征：体黄绿色，头冠具有 2 对大圆斑，单眼红色，复眼与单眼间有 1 条黑色小纵斑。雄虫尾节后缘具梳状刚毛，后腹缘具瘤突；侧瓣密生羽状刚毛。阳茎端部有 1 对突起，突起上各有小侧支。阳茎口位于端部分叉处。腹内突发达。

分布：陕西(秦岭)、辽宁、山东、新疆；中东，中亚地区，欧洲。

(206) 细茎二叉叶蝉 *Macrosteles sordidipennis* (Stål, 1885)(图 203)

Thamnotettix sordidipennis Stål, 1885：194.

Cicadula sexnotata salina Reuter, 1886：211.

Macrotsteles (*Macrosteles*) *salina*：Beirne, 1952：221.

Macrosteles sordidipennis：Ossiannilsson, 1983：641.

鉴别特征：体长 3.10~3.50mm。体黄绿色。头部沿中线及后缘黄绿色。头冠、前胸背板和小盾片有黑斑。雄虫尾节阔，后缘尖，缘生 1 列梳状粗刚毛，后腹缘突起形成瘤突，侧瓣密生羽状刚毛。下生殖板长过尾节，基部宽，端向渐细，指突短。连索"Y"形，主干臂侧臂短。阳茎干背向弯曲，细且直，端部 1 对突起直、伸向后方，于中部交叉。阳茎口位于分叉处。腹内突发达，其第 2、3 腹内突明显很长。

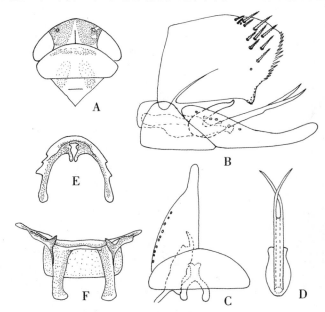

图 203　细端二叉叶蝉 *Macrosteles sordidipennis* (Stål)

A. 头胸背面观 (head, thorax, dorsal view)；B. 尾节侧面观 (pygofer, lateral view)；C. 生殖瓣、下生殖板、阳基侧突、连索腹面观 (valve, subgenital plates, style, connective, ventral view)；D. 阳茎后面观 (pygofer, posterior view)；E. 第 1 腹内突 (abdominal apodemes 1)；F. 第 2、3 腹内突 (abdominal apodemes 2 and 3)

分布：陕西(秦岭)、辽宁、河北、山东、青海、新疆；俄罗斯，蒙古，哈萨克斯坦，欧洲，澳洲。

(207) 曲纹二叉叶蝉 *Macrosteles striifrons* **Anufriev, 1978**(图 204)

Macrosteles orientalis Vilbaste, 1968: 555.

Macrosteles plicativus Dubovskij, 1970: 32.

Macrosteles striifrons Anufriev, 1978: 129.

鉴别特征：体黄色。头冠中部具 1 对黑色圆斑，前缘有黑褐色横曲纹 2 对。复眼与单眼间有 1 个不规则小斑。雄虫外生殖器尾节宽圆，后缘圆弧突出，缘生 1 列梳状的粗大的刚毛；后腹缘突出形成明显瘤突；侧瓣上密生羽状刚毛。生殖瓣阔三角形。下生殖板长，超出尾节，基部到端部渐细，指突长；侧缘具有 1 列羽状大刚毛。阳基侧突端前叶发达，呈直角状，着生数根小刚毛。连索"Y"形，主干比侧臂短。阳茎干背向弯曲，端部有 1 对突起，波浪形向后弯折，相互交叉，侧面观与阳茎干近平行。阳茎口位于端部分叉处。

采集记录：1♂，留坝，1995.Ⅶ.20，张文珠采；1♀，留坝，1995.Ⅷ.18，张文珠、任立云采；4♂6♀，汉中，1980.Ⅸ.26，刘绍友采。

分布：陕西(留坝、汉中、安康)、黑龙江、辽宁、山东、甘肃、新疆、安徽、浙江、湖北、江西、湖南、福建、台湾、广东、海南、香港、广西、四川、云南；东亚地区，中亚地区。

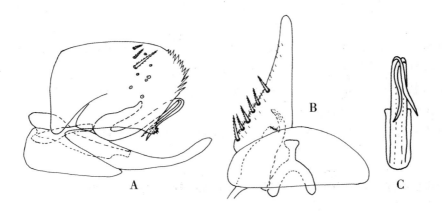

图 204　曲纹二叉叶蝉 *Macrosteles striifrons* Anufriev

A. 尾节侧面观 (pygofer, lateral view) ; B. 生殖瓣、下生殖板、阳基侧突、连索腹面观 (valve, subgenital plate, style, connective, ventral view) ; C. 阳茎后面观 (pygofer, posterior view)

Ⅳ. 网翅叶蝉族 Opsiini Emeljanov, 1962

鉴别特征：头冠前缘钝圆突出，单眼位于头冠前缘近复眼处，前胸背板前缘弧形突出，后缘中央凹入，前翅端前室基部开放。连索"Y"形，阳茎具2个阳茎干或1个阳茎干端部分叉，具2个阳茎口。

分布：世界广布。全世界已知21属，中国已知7属，秦岭地区分布3属4种。

说明：*Lampridus* Distant 由于外形与圆冠叶蝉族 Athysanini、带叶蝉族 Scaphoideini 非常相似，结合对中国、泰国、老挝等地标本的研究发现，该类群外部形态相同，但生殖器差异大，部分种类具有双阳茎干，符合 Opsiini 的特征，但有些种类仅有1个阳茎干，与 Athysanini 非常相似，所以对其归属有待进一步研究，暂未将其归入。

分属检索表

1. 前翅无菱形斑纹 ·· 2
   前翅有菱形斑纹 ·· 菱纹叶蝉属 *Hishimonus*
2. 阳茎基腹缘突起1个 ·· 圆纹叶蝉属 *Norva*
   阳茎基腹缘突起2对 ·· 拟菱纹叶蝉属 *Hishimonoides*

99. 拟菱纹叶蝉属 *Hishimonoides* Ishihara, 1965

Hishimonoides Ishihara, 1965：20. **Type species**：*Hishimonoides sellatiformis* Ishihara, 1965.

属征：头冠与前胸背板近等宽，单眼位于头冠前缘近复眼处，头冠前缘两单眼间有1个浅横槽，前胸背板中长为头冠中长的2倍，前缘弧形突出，后缘微凹，小盾片与前胸背板近等长，前翅端前室基部开放。连索"Y"形，阳茎具2个阳茎干和2个阳茎口，在阳茎基有2对腹突。

分布：古北区，东洋区。全世界已知10种，中国记载6种，秦岭地区分布1种。

(208) 弯茎拟菱纹叶蝉 *Hishimonoides recurvatis* Li, 1988（图 205）

Hishimonoides recurvatis Li, 1988：412.

鉴别特征：浅棕色。头冠、胸部背面和前翅具有橘黄色的细痕及不规则的棕色刻点。头冠灰白色，前缘有2个棕色斑点，两复眼间具有橘黄色的横条斑。前胸背板黑棕色，具有浅棕色的小斑，前缘常较后缘色淡。小盾片橘黄色，前半部常有不规则的黄棕色小斑，后缘端部略带褐色。尾节侧瓣近梯形，后背缘圆弧状，腹后缘有1个未伸达后背缘的剑状突起，近后缘有许多大刚毛。阳基侧突端突端缘呈圆弧状，亚端部肩角处凹入。阳茎基发达，阳茎干侧面观背向弯曲，近等宽；腹向的突起基部宽，近阳茎端部处分叉，端部的分叉长于基部长度，且各有突出的基部突起，端突不明；背向的突起基半部钝，分叉细，端部分歧。

采集记录： 2♂3♀，略阳两河口，2002.Ⅷ.19，尚素琴、魏琮采；1♀，留坝，1215m，2004.Ⅷ.03，吕林、段亚妮采；1♀，留坝，1998.Ⅶ.20，张文珠、任立云采；1♀，留坝庙台子，1995.Ⅶ.19，张文珠、任立云采；1♂，洋县，2002.Ⅷ.22，魏琮、尚素琴采；1♂，汉中，1980.Ⅸ.26，刘绍友采；1♂1♀，南郑元坝，1283m，2004.Ⅶ.23，吕林、段亚妮采。

分布： 陕西（略阳、留坝、洋县、汉中、南郑）、河南、甘肃、湖北、贵州。

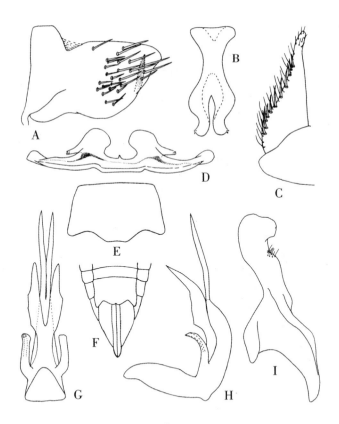

图205　弯茎拟菱纹叶蝉 *Hishimonoides recurvatis* Li

A.尾节侧瓣侧面观（pygofer side, lateral view）；B.连索（connective）；C.生殖瓣和下生殖板（vale and subgenital plates）；D.腹内突（abdomen apodemes）；E.雌虫第7腹板（female sternum 7）；F.雌虫腹部端部腹面观（apex of female abdomen, ventral view）；G.阳茎背面观（aedeagus, dorsal view）；H.阳茎侧面观（aedeagus, lateral view）；I.阳基侧突（style）

100. 菱纹叶蝉属 *Hishimonus* Ishihara, 1953

Hishimonus Ishihara, 1953: 38. **Type species**: *Acocephalus discigutta* Walker, 1857.

属征: 头冠前缘圆弧突出, 中长稍大于两侧复眼处, 单眼位于头冠前缘近复眼处, 头冠前缘两单眼间有 1 个浅横槽, 额唇基长大于宽, 前唇基长, 两侧缘端向稍宽, 前胸背板中长为头冠中长的 2 倍, 前缘圆弧突出, 后缘微凹, 小盾片三角形, 中长稍短于前胸背板, 前翅 3 个端前室, 内端前室基部开放, 端片发达, 前翅具有褐色斑, 后缘中部有 1 个大褐斑。尾节侧瓣具大刚毛, 下生殖板基部宽, 外缘圆弧突出, 端部指状突出, 连索"Y"形, 阳茎具 2 个阳茎干和 2 个阳茎口。

分布: 古北区, 东洋区, 非洲区, 澳洲区。世界已知 39 种, 中国记载 17 种, 秦岭地区分布 2 种。

分种检索表

阳茎端部阔圆或近平截, 阳茎干近中部侧缘凹入 ························· **凹缘菱纹叶蝉 *H. sellatus***

阳茎端部细, 阳茎干近基部腹缘各有 1 对突起 ·················· **侧刺菱纹叶蝉 *H. spiniferous***

(209) 凹缘菱纹叶蝉 *Hishimonus sellatus* (Uhler, 1896) (图 206)

Thamnotettix sellata Uhler, 1896: 59

Eutettix sellata: Matsumura, 1902: 381.

Hishimonus sellatus: Knight, 1970: 128.

鉴别特征: 体长 4.00 ~ 4.50mm。体淡黄绿色。头冠顶端和后缘各有 1 对斑点, 靠近凹槽的 1 对小斑及中线均为淡黄褐色; 复眼黑褐色, 单眼黄褐色; 颜面淡黄褐色, 触角黄褐色。前胸背板淡黄绿色, 前缘区有暗色斑, 中后部暗绿色; 小盾片黄绿色, 基角及端区黄褐色, 横刻痕不太明显。前翅灰白色, 翅脉黄褐色, 翅面散生褐色斑点和短纹, 菱形纹呈浅橙褐色, 以致菱形纹明显, 端区淡黑褐色, 具 4 个白斑。胸部腹板黄绿色有暗色斑; 足黄褐色, 胫刺基部有暗色斑; 腹部背面黑褐色, 腹面黄褐色。雄虫阳基侧突粗大; 连索主干长度超过臂长; 阳茎端叉宽短成片状, 端部膨大, 末端圆, 外缘中部显著切凹。

采集记录: 1♂, 汉中, 1980. IX. 26, 刘绍友采。

分布: 陕西(汉中)、辽宁、山东、江苏、安徽、浙江、湖北、江西、福建、台湾、广东、香港、四川、贵州; 俄罗斯, 日本, 印度, 斯里兰卡, 马来西亚。

寄主: 大豆, 绿豆, 虹豆, 芝麻, 草莓, 大麻, 芝麻, 茄, 桑, 泡桐, 榆树, 无花果, 刺梨, 枣, 蔷薇。

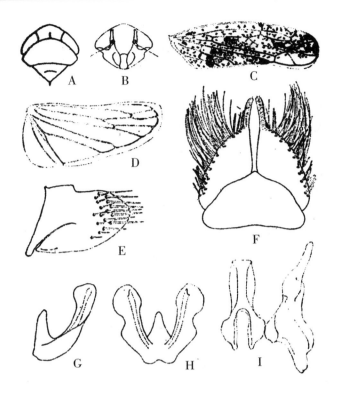

图 206　凹缘菱纹叶蝉 *Hishimonus sellatus*（Uhler）

A. 头胸部背面观（head and thorax, dorsal view）；B. 颜面（face）；C. 前翅（forewing）；D. 后翅（hindwing）；E. 尾节侧瓣侧面观（pygofer side, lateral view）；F. 生殖瓣和下生殖板（valve and subgenital plate）；G. 阳茎侧面观（aedeagus, lateral view）；H. 阳茎腹面观（aedeagus, ventral view）；I. 连索和阳基侧突（connective and style）

(210) 侧刺菱纹叶蝉 *Hishimonus spiniferous* **Kuoh，1976**（图 207）

Hishimonus spiniferous Kuoh，1976：435.

鉴别特征：体长 4.10～4.40mm。头部黄至淡黄褐色，在头顶前缘有 4 条红褐色至浅黑褐色横纹，相继成 1 条断续线，后缘有 1 对淡黑褐色点，中域有由淡黄褐或浅黑褐色网纹形成的不规则斑块，此斑块个体间显晦不一；颜面密布深黄褐色网纹，一般中央网纹少，色淡，呈现浅色中纵带，前唇基中央与端区、舌侧板中域及颊的基部，各有一些深浅不等的黄褐色网纹。前胸背板藁黄色，满布黄褐至深黄褐色网纹，中后部色渐晦暗；小盾板同为藁黄色，基侧角淡黄褐或深黄褐色，中域有大小不等的污黄褐色斑纹，中线及近端部横纹深黄褐色或淡黑褐色；前翅淡青白，翅脉及散布的短纹、斑点深黄褐或浅红褐色，菱形纹淡黄褐色，其缘、角具黑褐色斑块致菱纹显著，翅端部烟褐色，其中有 4 个小白圆点；后翅烟污色，半透明，脉烟褐色；胸部腹面及足黄褐色或棕褐色，胸部腹面及各足基节具有大小深浅不一的黑褐色斑块，前足、中足腿节中部与近基部具黑褐色环纹。腹部背面黑色，边区淡橙褐色至橙红色，雄虫腹面淡黑褐色，散布淡色斑点；雌虫淡黄褐色，无斑纹，尾节转深呈浅棕褐色。雄虫阳茎基"Y"形，主干粗短，长略大于宽，微短于两臂长；阳茎端叉长，向端部略细瘦，末端折转向前成钩状，生殖孔开口于后面近末端处，在阳茎端叉的近基部的腹面外侧，各生有1个长突，呈粗刺状，伸达阳茎端叉长3/5处；阳基侧突细长，末端超过阳茎端叉长的1/2，其端前片很不发达。

采集记录：1♂，庙台子，1995.Ⅷ.19，张文珠、任立云采；11♀，凤县双石铺，1995.Ⅷ.13-15，张文珠、任立云采；1♀，凤县留凤关，1995.Ⅷ.17，张文珠、任立云采；2♂6♀，略阳两河口，2002.Ⅷ.19，尚素琴、魏琮采；2♀，留坝，1995.Ⅷ.18-20，张文珠、任立云采；2♂2♀，洋县，2002.Ⅷ.22，尚素琴、魏琮采（灯诱）。

分布：陕西（凤县、略阳、留坝、洋县）、甘肃、湖北、四川、贵州、云南。

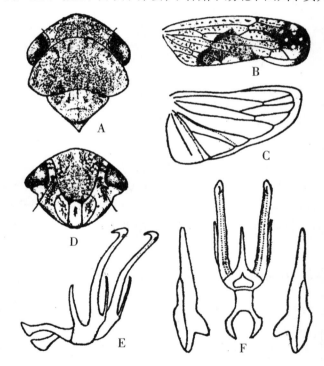

图207　侧刺菱纹叶蝉 *Hishimonus spiniferous* Kuoh

A.头胸部背面观（head and thorax, dorsal view）；B.前翅（forewing）；C.后翅（hindwing）；D.颜面（face）；E.尾节侧瓣侧面观（pygofer side, lateral view）；E.阳茎和连索侧面观（aedeagus and connective, lateral view）；F.阳茎、连索和阳基侧突背面观（aedeagus, connective and style, dorsal view）

101. 圆纹叶蝉属 *Norva* Emeljanov，1969

Norva Emeljanov，1969：1100. **Type species**：*Norva anufrievi* Emeljanov，1969.

属征：头冠宽短，较前胸背板宽，前缘弧形突出，中长稍大于两侧复眼处长；前胸背板中长显著大于头冠中长，小盾片三角形，中长稍短于前胸背板。前翅具 4 个端室、3 个端前室，内端前室基部开放，体背面有蠕虫形斑纹，前翅后半中部具倒形或半圆形褐色斑。雄虫连索近"Y"形，主干长；阳茎基宽大，双阳茎干，腹缘着生有 1 长突，阳茎口位于末端。

分布：东北亚地区。世界已知 2 种，中国记载 2 种，秦岭地区分布 1 种。

（211）齿突圆纹叶蝉 *Norva japonica* **Anufriev，1970**（图 208：E – G）

Norva japonica Anufriev, 1970：153.

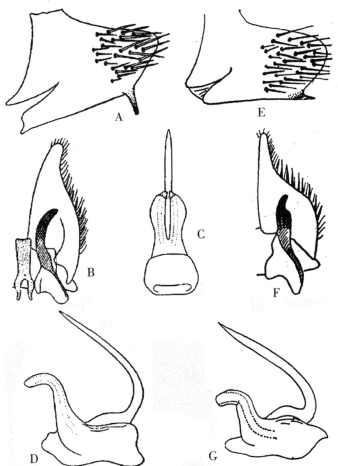

图 208　A – D. 安氏圆纹叶蝉 *Norva anufrievi* Emeljanov

A. 尾节侧瓣侧面观（pygofer side, lateral view）；B. 生殖瓣、下生殖板、阳茎侧突和连索（valve, subgenital plate, style and connective）；C. 阳茎背面观（aedeagus, dorsal view）；D. 阳茎侧面观（aedeagus, lateral view）；

E – G. 齿突圆纹叶蝉 *Norva japonica* Anufriev

E. 尾节侧瓣侧面观（pygofer side, lateral view）；F. 生殖瓣、下生殖板和阳基侧突（valve, subgenital plate and style）；G. 阳茎侧面观（aedeagus, lateral view）

鉴别特征：体色和外形与 *Norva anufrievi* Emeljanov 相似。雄虫尾节长大于宽，后缘呈圆弧状，后腹缘有 1 个向后的短突，近后缘有许多大刚毛。生殖瓣三角形。下生殖板窄长，端向渐窄，侧缘近端部凹入，外侧缘有 1 列大刚毛。连索近"Y"形，主干发达，较两侧臂长；阳基侧突端突短，向外侧略弯曲，肩角略发达。阳茎基宽大，成对阳茎干近端部背向折弯，腹缘着生有 1 个发达的长突，阳茎口位于末端。

分布：陕西（秦岭）、河南；日本。

Ⅴ. 普叶蝉族 Platymetopiini Haupt，1929

鉴别特征：头冠前缘角状突出，单眼位于头冠前缘靠近复眼，头冠与颜面角状相交，前唇基端向渐宽。前胸背板前缘弧形突出，后缘中央微凹，侧缘具脊起。雄虫尾节内侧缘有突起，连索"Y"形，两侧臂呈钝角或近直，阳茎干背向弯曲，阳茎口位于端部。

分布：世界广布。全世界已知 28 属，秦岭地区分布 3 属 3 种。

102. 普叶蝉属 *Platymetopius* Burmeister，1838

Jassus (*Platymetopius*) Burmeister，1838：16. **Type species**：*Cicada vittata* Fabricius，1775.

Mahalana Distant，1918b：64. **Type species**：*Mahalana fidelis* Distant，1918.

Eremitopius Lindberg，1927：29. **Type species**：*Eremitopius albus* Lindberg，1927.

属征：头冠前缘角状突出，单眼位于头冠前缘靠近复眼，头冠与颜面角状相交，前唇基端向渐宽。前胸背板前缘弧形突出，后缘中央微凹，侧缘具脊起。雄虫尾节内侧缘有突起，连索"Y"形，主干发达，长于两侧臂，阳茎干背向弯曲，近基部两侧具突起，阳茎口位于端部。

分布：古北区，东洋区。全世界已知 65 种，中国已知 3 种，秦岭地区分布 1 种。

(212) 朝鲜普叶蝉 *Platymetopius koreanus* Matsumura，1915（图 209）

Platymetopius koreanus Matsumura，1915：169.

鉴别特征：雄虫体长 5.60~6.00mm，雌虫体长 6.10~6.40mm。头冠淡黄色，中域着生橘黄色宽带纹。雄虫尾节侧瓣宽圆突出，端缘弧圆，侧瓣上具大刚毛，腹缘具长突；下生殖板端向渐窄，外缘具 1 列大刚毛；阳基侧突端部侧弯，弯曲处着生小刚毛；连索"Y"形，主干长大于侧臂长；阳茎具 1 对基突，长度超过阳茎干顶端，阳茎干管状背向"C"形弯曲。雌虫第 7 产卵瓣端缘中域深凹。

采集记录：1♂，凤县龙口镇，1995.Ⅷ.11，张文珠、任立云采；1♂，留坝，1980.Ⅶ.
10，马宁采。

分布：陕西（凤县、留坝）、山西、河南。

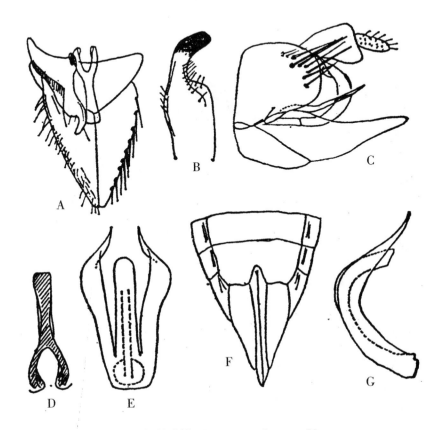

图 209　朝鲜普叶蝉 *Platymetopius koreanus* Matsumura

A. 生殖瓣、下生殖板、连索和阳基侧突（valve, subgenital plate, connective and style）；B. 阳基侧突端部（apex of style）；C. 尾节侧面观（pygofer, lateral view）；D. 连索（connective）；E. 阳茎腹面观（aedeagus, ventral view）；F. 雌虫腹部端部（female apex of badomen）；G. 阳茎侧面观（aedeagus, lateral view）

103. 纹翅叶蝉属 *Nakaharanus* Ishihara, 1953

Nakaharanus Ishihara, 1953：192. **Type species**：*Eutettix nakaharae* Matsumura, 1914.

属征：头冠较前胸背板窄，前缘弧形突出，中长较两侧复眼处长，前缘域中央有
1 个浅横凹痕，单眼位于头冠前缘靠近复眼，头冠与颜面圆弧相交，前唇基端向渐
宽。前胸背板前缘弧形突出，后缘中央微凹。前翅密布蠕虫形褐色短纹，端片较窄，
内端前室基部封闭。雄虫尾节侧瓣末端圆，腹缘着生突起，阳茎长管状，端部有成对
突起，连索"Y"形，阳茎口位于近端部腹缘。

分布：古北区，东洋区。全世界已知 4 种，我国记录 2 种，秦岭地区分布 1 种。

（213）葛纹翅叶蝉 *Nakaharanus maculosus* **Kuoh，1986**（图 210）

Nakaharanus maculosus Kuoh，1986：201.

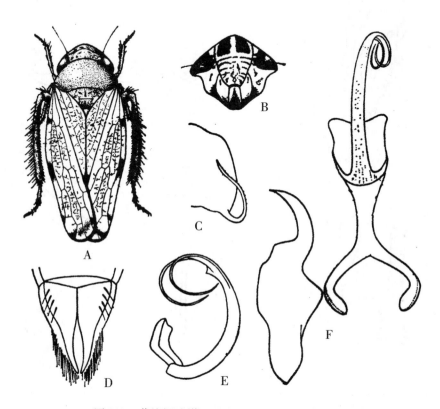

图 210　葛纹翅叶蝉 *Nakaharanus maculosus* Kuoh

A. 整体背面观（habitus, dorsal view）；B. 颜面（face）；C. 尾节侧瓣侧面观（pygofer side, lateral view）；D. 生殖瓣和下生殖板腹面观（valve and subgenital plate, ventral view）；E. 阳茎侧面观（aedeagus, lateral view）；F. 阳茎、连索和阳基侧突腹面观（aedeagus, connective and style, ventral view）

鉴别特征：体长 5.20mm。头冠向前成钝角突出，中长近于复眼间宽的 1/2，大于近复眼处长的 1.50 倍，在端部 1/3 处有 1 个横浅槽；单眼位于头部前缘，于复眼距中点的 2/5 处；额唇基区长略大于宽，前唇基向端部渐次扩大。前翅具有 4 个端室，3 个端前室，其中外端前室长约有中端前室的 1/2，内端前室略长于外端前室，端片狭窄。雄虫生殖节中基瓣十分短，略成角状向后突出；下生殖板端部狭细向外侧略弯曲，基半外侧具有 1 列 4 根刺毛；尾节腹面端缘生有 1 对长刺突，"S"形弯向背方，突起的后缘生有许多小齿，阳茎基宽"Y"形，阳茎端呈曲弧弯向背方，在近末端处有 1 个齿状突，末端具二叉刺，继续弯曲，阳茎基突出延伸成长方形片；阳基侧突中等大小，端部弯向外侧成粗刺状。头部和整个虫体腹面包括各足污黄白色略带褐泽，前胸背板与小盾片淡黄褐色，在头冠前缘有 1 横列 6 个黑点，中域有 4 个黄褐斑；额唇基基部 2 大块长方形斑、两侧区数条横纹，中域的一些不规则形短纹，前唇基基缘与中端部中域、颊区触角窝与端部及中域的一些斑纹均为黑褐色；前胸背板缘区色较浅，小盾片侧后缘具有 3 个污白点，中域有数条不规则形黄褐色纹；胸部腹面具有大块黑褐色斑，各足基节亦黑褐色，在各腿节上的 2 条宽带、中足胫节上的数条纵纹及后足胫刺基点为黑褐色；前翅污黄白色近于透明，其上散布许多黄褐色虫蛀形短纹，在前缘区有 4 块深黄褐色斑，翅端缘区 1 条横带与爪片末端为黄褐色。腹部腹面有褐斑，背面黑褐色。

采集记录：1♂，略阳两河口，2002. Ⅷ. 19，魏琮、尚素琴采；3♂4♀，太白保护区管理站，采集年份不详，Ⅷ. 14，灯诱；3♂5♀，太白山蒿坪寺南，采集年份不详，Ⅷ. 13，采集人不详；1♀，太白山，1981. Ⅷ. 14，周静若采；2♀，太白山，1981. Ⅷ. 13，周尧采；1♀，太白山蒿坪寺，1981. Ⅵ. 19，贺答汉采；1♀，太白山，1981. Ⅷ. 14，郑淑玲、徐秋园采；1♀，太白山蒿坪寺，1981. Ⅷ. 14，采集人不详；2♀，太白山拔仙台，1983. Ⅷ. 12，采集人不详；1♀，太白山梯子沟，1982. Ⅵ. 18，柴永辉采；1♀，太白山，1981. Ⅷ. 14，采集人不详；太白山蒿坪寺，1200m，1982. Ⅷ. 20，采集人不详。

分布：陕西（略阳，太白山）、河南、甘肃、湖北、贵州。

104. 叉突叶蝉属 *Neoreticulum* Dai，2009

Reticulum Dai，Li *et* Chen，2006：398（nec Schröder，Medioli & Scott，1989）. **Type species：***Reticulum transvitta* Dai，Li *et* Chen，2006.

Neoreticulum Dai，2009：68（new name for *Reticulum* Dai，Li *et* Chen，2006）.

属征：头冠和前胸背板黄色，常有棕色暗斑，前翅有各种棕色的蠕虫状斑纹。头冠与前胸背板等宽，中长较两侧复眼处长，近前缘有 1 个小横凹，单眼靠近复眼，到复眼的距离约为单眼直径的 2 倍，颜面前唇基端向渐宽。前胸背板前缘弧形突出，后缘中央微凹，小盾片横刻痕明显。前翅内端前室基部封闭，端片窄。尾节侧瓣后缘钝圆突出，后缘有许多大刚毛，背缘中部内侧有 1 个四分叉的内突；生殖瓣短，后缘中部向后突出，阳基侧突基部宽，端向渐窄，端突尖，侧向弯折；下生殖板基部宽，端向渐窄，侧缘弧形凹入，基半部有 1 列大刚毛；连索"Y"形，主干发达，较两侧臂长；阳茎干长，近端部腹向弯曲，近基部两侧 1 对片状突，伸达阳茎干中部，端缘平截，呈锯齿状，阳茎口位于端部。

分布：古北区，东洋区。全世界已知 4 种，中国记录 4 种，秦岭地区分布 1 种。

（214）二叉叉突叶蝉 *Neoreticulum transvittatum*（**Dai，Li** *et* **Chen，2006**）（图 211）

Reticulum transvittatum Dai，Li *et* Chen，2006：398.

Neoreticulum transvittatum：Dai，2009：68.

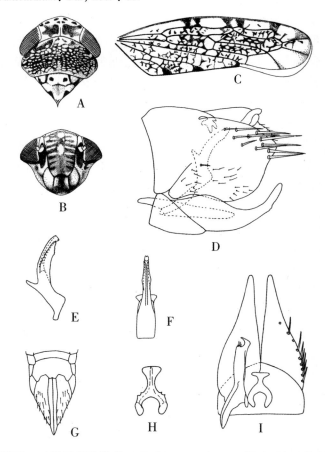

图 211　二叉叉突叶蝉 *Neoreticulum transvittatum*（Dai，Li *et* Chen）

A. 头胸部背面观（head and thorax, dorsal view）；B. 颜面（face）；C. 前翅（forewing）；D. 尾节侧面观（pygofer, lateral view）；E. 阳茎侧面观（aedeagus, lateral view）；F. 阳茎腹面观（aedeagus, ventral view）；G. 雌虫腹部端部腹面观（apex of female abdomen, ventral view）；H. 连索（connective）；I. 生殖瓣、下生殖板、阳基侧突和连索腹面观（valve, subgenital plate, style and connective, ventral view）

鉴别特征：头冠黄白色，冠面中域有 2 个不规则斑，前缘有小的模糊斑点，颜面棕黄色，额唇基端缘、前唇基褐色加深。前胸背板棕黄色，分布褐色不规则斑点。小盾片棕黄色，侧缘横刻痕两侧、近顶角两侧各有 1 个褐斑。前翅棕黄色，翅脉褐色，有许多不规则褐色斑纹，爪脉、前缘脉近侧缘褐色加深。尾节侧瓣后缘钝圆突出，后缘有许多大刚毛，背缘中部内侧有 1 个二分叉的内突；生殖瓣短，后缘中部向后突出，阳基侧突基部宽，端向渐窄，端突尖，侧向弯折；下生殖板基部宽，端向渐窄，侧缘弧形凹入，基半部有 1 列大刚毛；连索"Y"形，主干发达，较两侧臂长；阳茎干长，近端部腹向弯曲，近基部两侧具 1 对片状突，伸达阳茎干中部，端缘平截，呈锯齿状，阳茎口位于端部。

采集记录：2♂21♀，凤县双石铺，1995.Ⅷ.13-15，张文珠、任立云采；3♂12♀，凤县留凤关，1995.Ⅷ.17，张文珠、任立云采；1♂1♀，凤县，1980.Ⅴ.06，向龙成、马宁采；1♂，凤县，1980.Ⅷ，采集日期、采集人不详；1♂，凤县龙口镇，1995.Ⅷ.11，张文珠、任立云采；1♂，略阳两河口，2002.Ⅷ.19，魏琮、尚素琴采；1♂1♀，太白山，采集年份不详.Ⅷ.14，灯诱；2♂，洋县，2002.Ⅷ.22，魏琮、尚素琴采（灯诱）；1♂，宁陕旬阳坝，1995.Ⅷ.26，张文珠、任立云；1♀，宁陕旬阳坝，1998.Ⅵ.06，杨玲环；3♀，石泉，1980.Ⅳ.27，向龙成、马宁采。

分布：陕西（凤县、略阳、太白、洋县、宁陕、石泉）、河南、甘肃、湖北、贵州、云南。

注：*N. transvittatum* Dai，Li *et* Chen 的部分标本采自 *Malus pumila* Mill（Apple）和 *Crataegus*（Hawthorn）。

Ⅵ. 锥顶叶蝉族 Scaphytopiini Oman，1943

鉴别特征：头冠与前胸背板窄，前缘角状突出，中长大于 2 个复眼间宽，单眼位于头冠前侧缘，接近复眼，触角位与颜面下侧；颜面狭长，颊两侧缘向后延伸超过复眼，背面可见，额唇基狭长。

分布：世界广布。全世界已知 19 属，中国记载 7 属，秦岭地区分布 2 属 2 种。

105. 锥冠叶蝉属 *Varta* Distant，1908

Varta Distant，1908：320. **Type species**：*Varta rubrofasciata* Distant，1908.

Purpuranus Zachvatkin，1933：262. **Type species**：*Platymetopius rubrostriata* Horváth，1907.

属征：蓝绿色，具线状红色条纹。中等大小。前缘钝角状突出，中域凹入，中长约为复眼间宽的 1.50 倍，等于或略短于前胸背板，头冠与颜面相交处具脊，单眼大，位于头冠前缘靠近复眼；额唇基狭长，长是宽的 3 倍，两侧近平行，前唇基端向渐宽。前胸背板宽于前胸背板，宽是长的 2 倍。前翅端部近平截。雄虫尾节侧瓣腹面有 1 个骨化的突起，背部有 1 个膜质突起；生殖瓣三角形，后缘尖角状突出；下生殖板三角形，散生大量大刚毛；阳基侧突端前片较发达，端片具褶皱；连索两侧臂端部靠近；阳茎干波曲或平滑弯折，端部或近端部具突起，阳茎口位于端部。

分布：古北区，东洋区，澳洲区。全世界已知 7 种，中国记载 4 种，秦岭地区分布 1 种。

(215) 红颜锥冠叶蝉 *Varta rubrofasciata* Distant, 1908（图 212）

Varta rubrofasciata Distant, 1908: 321.

鉴别特征: 体长 4.90 ~ 6.00mm。蓝绿色, 具红色纵带。头冠具 2 条红纵带, 纵带间具 1 条黑细线, 前缘具 4 个深褐色线斑。前胸背板具 4 条红纵带, 2 条小盾片。前翅具红纵带。下生殖板后缘阔圆; 阳基侧突端片粗, 阳茎干侧扁, 波状, 腹面近基部突出, 近端部腹面具 1 个突起, 端部背缘具 1 条刀状脊。

分布: 陕西(秦岭)、台湾; 印度。

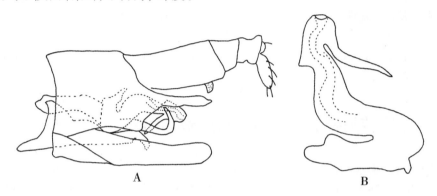

图 212　红颜锥冠叶蝉 *Varta rubrofasciata* Distant（仿 Viraktamath, 2004）
A. 雄虫生殖节和肛管(male genital segment and anal tube); B. 阳茎侧面观(aedeagus, lateral view)

106. 锥头叶蝉属 *Japananus* Ball, 1931

Japananus Ball, 1931: 218. **Type species:** *Platymetopius hyalinus* Osborn, 1900.

属征: 中型昆虫。黄白色至浅绿色, 前翅常有棕色横带。头冠较前胸背板窄, 向前锥状突出, 中域微凹, 与颜面角状相交, 具脊, 单眼位于头冠前缘靠近复眼; 前唇基端向渐宽。前翅外前端室方形, 内端前室基部开放。雄虫尾节侧瓣长大于宽, 无突起, 中后部具大量刚毛; 下生殖板端部变窄、膜质, 无刚毛; 阳基侧突细长, 具短的指状端突; 连索长, 近线状; 阳茎干成对, 近端部具突起, 阳茎口位于阳茎干近端部。

分布: 古北区, 东洋区, 新北区, 澳洲区。世界已知 4 种, 中国记载 3 种, 秦岭地区分布 1 种。

(216) 锥头叶蝉 *Japananus hyalinus*（Osborn, 1900）（图 213）

Platymetopius hyalinus Osborn, 1900: 501.

Platymetopius cinctus Matsumura, 1914：215.

Japananus hyalinus：Ball, 1931：218.

Japananus meridionalis Bonfils, 1981：298.

鉴别特征：前翅爪区翅脉通过横脉相连。阳茎干成对,近端部突起纤细,弯折；阳茎干端部发达,直。

采集记录：1♂,凤县留凤关,1995.Ⅷ.17,张文珠、任立云采；1♀,太白山,1981.Ⅷ.13,周尧采；1♂,西安,1982.Ⅶ.05,采集人不详；2♂1♀,宁陕,1984.Ⅷ.14-18,张雅林采。

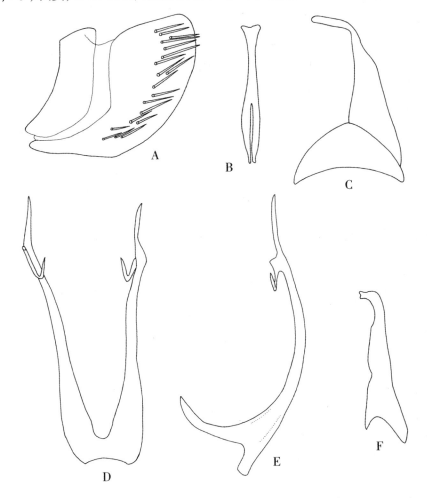

图213　锥头叶蝉 *Japananus hyalinus*（Osborn）

A.尾节侧瓣（pygofer, lateral view）；B.连索（connective）；C.生殖瓣和下生殖板（valve and subgenital plate）；D.阳茎背面观（aedeagus, dorsal view）；E.阳茎侧面观（aedeagus, lateral view）；F.阳基侧突（style）

分布：陕西(凤县、宁陕,太白山)、辽宁、湖北、江西、贵州；俄罗斯,韩国,日本,印度,欧洲,北美洲,澳洲,南美洲。

寄主：枫树。

Ⅶ. 刻纹叶蝉族 Goniagnathini Wagner, 1951

鉴别特征：体粗壮。头冠宽短，宽为中长的 3~5 倍，前缘弧圆，单眼位于头冠前侧缘冠面相交处，着生在头冠内侧；颜面宽短，额唇基区长度与基部宽度约相等，基部宽约是端部宽的 2 倍多，前唇基近端向渐宽。前胸背板侧面长，具脊，略短于头冠，中长约为头冠中长的 3 倍。前翅宽，其长度超过腹部末端，翅脉粗壮，4 端室、3 端前室、内端前室基部闭合或开放，端片膜质，狭长。下生殖板愈合，有的种下生殖板端部部分分离。阳茎对称，阳茎口位于近端部或端部，阳茎与连索愈合；连索臂相互靠近。雌虫第 7 腹板宽大于长，后缘波状，中部内凹或具缺刻中部片状突出。

分布：古北区，东洋区，非洲区，澳洲区。全世界已知 3 属，中国记载 2 属，秦岭山区分布 1 属 1 种。

107. 刻纹叶蝉属 *Goniagnathus* Fieber, 1866

Goniagnathus Fieber, 1866: 506. **Type species**: *Jassus brevis* Herrich-Schäffer, 1836.

属征：体具刻点和褶皱。雄虫尾节侧瓣端向渐窄，着生大刚毛，一些种在背缘生有突起；肛管小，侧缘近平行，高度骨化；下生殖板着生数根刚毛（有些种没有）；阳基侧突粗壮，端片加宽。

分布：古北区，东洋区，非洲区。秦岭地区发现 1 种。

(217) 皱刻纹叶蝉 *Goniagnathus* (*Epitephra*) *rugulosus* (Haupt, 1917)（图 214）

Athysanus rugulosus Haupt, 1917: 248.

Goniagnathus castaneus Kato, 1933: 7.

Goniagnathus rugulosus: Nast, 1972: 323.

鉴别特征：体长 4.40~5.30mm。全体灰白色至深褐色，散布暗色斑点和斑纹。颜面额唇基两侧生有多条深色横纹。头冠宽短，宽为中长的 3~4 倍。前胸背板侧面长，具脊，略窄于头冠，中长约为头冠中长的 3 倍。前翅宽内端前室基部闭合。尾节侧瓣宽短，宽大于长，后部着生数根大刚毛；生殖瓣、下生殖板愈合，长约为宽的 2 倍，侧缘波状，着生小刚毛，无大刚毛着生；阳基侧突双片状，外片大于内片；阳茎略呈弓形、无突起，基部背面有片状突起，阳茎口位于近端部。

分布：陕西（秦岭）、黑龙江、河北、山西、山东、河南、宁夏；俄罗斯，蒙古，韩国。

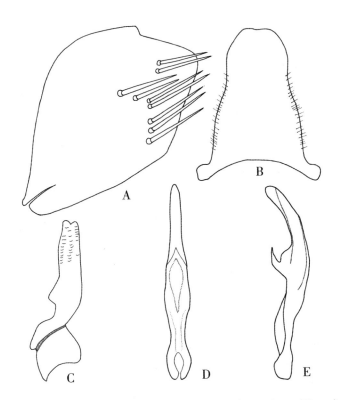

图 214　皱刻纹叶蝉 *Goniagnathus* （*Epitephra*） *rugulosus* （Haupt）

A. 尾节侧瓣（pygofer, lateral view）；B. 生殖瓣和下生殖板（valve and subgenital plate）；C. 阳基侧突（style）；D. 阳茎和连索背面观（aedeagus and connective, dorsal view）；E. 阳茎和连索侧面观（aedeagus and connective, lateral view）

Ⅷ. 叱叶蝉族 Chiasmini Distant, 1908

鉴别特征：体小至中型。头冠宽于或约等于前胸背板（除 Leofa）冠面从凹至凸，头冠与颜面圆弧相交，或侧观角状或片状，单眼位于头冠前缘略偏背面或完全在背面；前唇基端向渐窄或侧缘平行。前胸背板侧缘脊有或无。前翅短翅至大翅型，大翅型端片发达，常短翅型。尾节不具膜质基侧缝，连索"Y"形、"V"形或侧臂靠近且有一较长的主干，连索与阳茎关节相连；阳茎基与阳茎干常关节相连，阳茎简单，或有 1 个长附突与阳茎和连索相关节（Leofa 的一些种）。产卵器通常超过尾节；雌虫尾节长具几根（少于 10）大刚毛；第 1 产卵瓣相对直，背部刻点斑结状至淀粉粒状，通常至少在端部达背缘；第 2 产卵瓣背缘端部约 1/3 ~ 2/3 具斜的三角形小齿，有时中部急剧加宽。

分布：世界性分布。全世界已知16属360多种。中国已报道7属，秦岭地区分布4属7种。

分属检索表

1. 阳茎基与阳茎干愈合 ……………………………………………… **固拉瓦叶蝉属** *Gurawa*
   阳茎基与阳茎干相关节 ……………………………………………………………… 2
2. 尾节侧瓣狭长，沿近后缘有2~4个大刚毛 …………………………… **冠线叶蝉属** *Exitianus*
   尾节侧瓣有不规则排列的刚毛或没有刚毛 ……………………………………………… 3
3. 阳茎腹面有排刺 …………………………………………………… **黑尾叶蝉属** *Nephotettix*
   雄虫尾节侧瓣后腹缘有齿突，单排较细小 …………………………… **阿可叶蝉属** *Aconurella*

108. 固拉瓦叶蝉属 *Gurawa* Distant，1908

Gurawa Distant，1908：263. **Type species**：*Gurawa vexillum* Distant，1908.

属征：头冠前缘近角状突出，侧观片状，冠面中域凹陷，端部上翘，单眼靠近复眼；颜面宽约等于长，额唇基长，近基部具有1个凹陷。前胸背板四边直，宽大于长的两倍，侧缘具脊，具中纵脊，前胸略短于头冠中长，前缘、后缘均近平直。小盾片中域凹陷，端部尖，横刻痕长。前翅长于腹部，端区不存在，翅脉明显，爪脉弯折。雄虫尾节侧瓣没有大刚毛；生殖瓣三角形；下生殖板小，三角形；阳基侧突端前片角状，端片指状，长，侧折；连索线状，端部靠近，干长近等于臂长；阳茎背折，侧面观几乎呈"C"形，端部具"V"形刻痕，后面观端部膨大，端缘两侧具1个刺状突，中部具浅的"V"形刻痕，侧缘锯齿状。雌虫产卵瓣略微超过腹部。第1产卵瓣刻纹颗粒状，颗粒彼此分离，端腹面的刻纹不存在。第2产卵瓣端半部具斜三角形齿。

分布：中国，东洋区。全世界已知4种，中国记载2种，秦岭地区分布1种。

（218）小头固拉瓦叶蝉 *Gurawa minorcephala* Singh-Pruthi，1930（图215）

Gurawa minorcephala Singh-Pruthi，1930：29.

鉴别特征：体长4.00~4.70mm。呈深黄褐色。头冠有1条深褐色的宽的纵带，纵带基部两侧各有1个小褐点，复眼上方或下方具有褐色点；颜面黄褐色，额唇基散布深褐色小刻点。前胸背板中域近前缘具有深褐色横点。小盾片基角和侧缘具深褐色斑块。前翅深黄褐色，某些翅脉白色。腿和身体腹面深黄褐色。头冠中长短于复眼间宽；前唇基短于额唇基的一半，舌侧板没有到达唇基端部，颊超过前唇基。前翅具 5 个端室，3 个端前室，内端前室基部开放。雄虫尾节侧板长略大于宽，后半部渐细。

　　采集记录：2♂，凤县留凤关，1995.Ⅶ.17，张文珠、任立云采。

　　分布：陕西（凤县）、云南；印度。

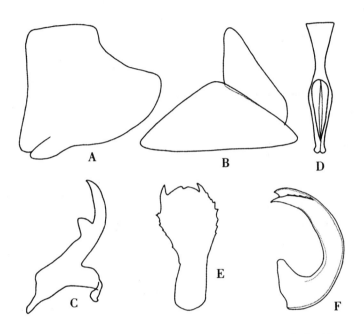

图 215　小头固拉瓦叶蝉 *Gurawa minorcephala* Singh-Pruthi
A. 尾节侧瓣（pygofer, lateral view）；B. 生殖瓣和下生殖板（valve and subgenital plate）；C. 阳基侧突（style）；
D. 连索（connective）；E. 阳茎腹面观（aedeagus, ventral view）；F. 阳茎侧面观（aedeagus, lateral view）

109. 阿可叶蝉属 *Aconurella* Ribaut，1948

Doratulina Matsumura, 1914, 1915（nec Melichar, 1903：198）. **Type species**：*Thamnotettix prolixa*
　　Lethierry, 1885.
Aconurella Ribaut, 1948：57（new name for *Doratulina* Matsumura, 1914）.

　　属征：中等大小。头冠前缘角状突出，与颜面圆弧相交，单眼位于头冠前缘，靠近复眼；颜面额唇基长略大于宽；前唇基端部端向渐窄。前胸背板中长约等并短于头冠中长。小盾片中长短于前胸背板。前翅大翅型至短翅型，大翅型具 4 个端室、2 个端前室。尾节侧瓣后缘常具齿状突起，背缘常具小刺；下生殖板基部宽，端向渐窄，后缘弧圆，侧缘内凹，具成行的大刚毛；阳基侧突基部宽，端向渐窄，端片短，端前片发达，端片与端前片近平行；连索主干和侧臂均较长；阳茎对称，简单，不具突起，阳茎基与阳茎干相关节。

　　分布：古北区。全世界已知 23 种，中国记载 4 种，秦岭地区分布 2 种。

分种检索表

雄虫尾节侧瓣端部背缘具有浓密的刺毛 ………………………………… **斯比阿可叶蝉 *A. sibirica***

雄虫尾节侧瓣端部背缘无刺毛或具有若有若无的小刺毛 ………………… **阿可叶蝉 *A. prolixa***

(219) 阿可叶蝉 *Aconurella prolixa*（**Lethierry，1885**）（图 216）

Thamnotettix prolixa Lethierry，1885b：102.

Thamnotettix prolixus Puton，1886b：82.

Aconura prolixa：Horváth，1903a：5.

Doratulina orientalis Matsumura，1914a：233.

Thamnotettix minutus Haupt，1917d：254.

Deltocephalus simplex Haupt，1927a：29（nec Van Duzee，1892）.

Thamnotettix sanguisuga Lindberg，1927c：88.

Cicadula indica Singh-Pruthi，1930a：54.

Deltocephalus obtusus Metcalf，1955a：266（new name for *Deltocephalus simplex* Haupt，1927）.

Aconurella orientalis：Nast，1972a：351.

Aconurella prolixa：Nast，1972a：351.

Chiasmus karachiensis Ahmed *et* Qadeer，1988 *in* Ahmed，Qadeer *et* Malik，1988a：13.

Chiasmus lobata Ahmed *et* Qadeer，1988 *in* Ahmed，Qadeer *et* Malik，1988a：14.

Aconurella neosolana Rama，Subba，Rao *et* Ramakrishnan，1990d：268.

　　鉴别特征：体长 2.80～3.90mm。呈黄绿色。头冠前缘有 1 个黑斑，复眼间有 2 条淡褐色横带，头部的斑纹有变化，直至消失；前唇基和额唇基黑色至淡黄绿色。前翅多为大翅型。雄虫尾侧瓣后半部着端向渐窄，着生稀疏的大刚毛，后腹缘有齿状突起，背缘着生若有若无的小刺毛；连索线状，侧臂大多长距离靠近，也有仅端部靠近。雌虫第 7 腹板后缘中部弧圆突出。

　　分布：陕西（秦岭）、新疆、江西、福建、台湾、广东、海南、广西、云南；日本，印度。

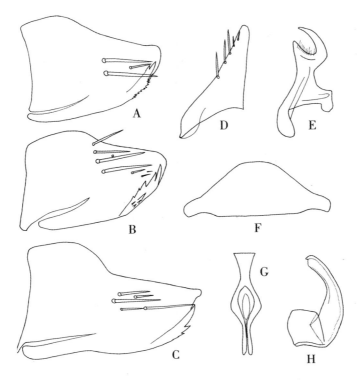

图 216　阿可叶蝉 Aconurella prolixa（Lethierry）

A－C.尾节侧瓣（pygofer, lateral view）；D.下生殖板（subgenital plate）；E.阳基侧突（style）；F.生殖瓣（valve）；
G.连索（connective）；H.阳茎侧面观（aedeagus, lateral view）

（220）斯比阿可叶蝉 *Aconurella sibirica*（**Lethierry**，**1888**）（图 217）

Aconura sibirica Lethierry，1888：252.

Aconura ogloblini Kusnezov，1928：48.

Aconurella sibirica：Vilbaste，1965：10.

鉴别特征：体长 3.50～3.90mm。呈浅绿色至深绿色，雄性色较深。头冠前缘有
3 个黑色点与黑色的颜面相连或不相连，冠面有深色斑块或没有，色斑有变化；颜面
大部分黑色，额唇基基部具黄褐色至深色横纹。短翅型前翅端室退化，端部弧圆。
长翅型露出腹部末端。雄虫尾侧瓣端部端向渐窄，后半部着生稀疏的大刚毛，后腹
缘有齿状突起，背缘密布刺毛；阳基侧突基端片约为端前片的 2 倍，端片与端前片近
平行；连索线状，侧臂端部靠近。

采集记录：1♂，城固，650m，2006.Ⅷ.06，杨美霞采。

分布：陕西（城固）、河北、天津、山西、山东；俄罗斯，蒙古。

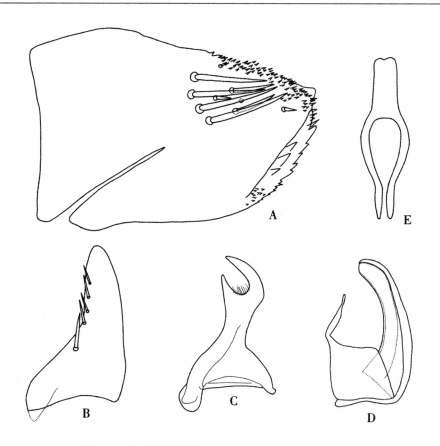

图 217 斯比阿可叶蝉 *Aconurella sibirica* (Lethierry)

A. 尾节侧瓣 (pygofer, lateral view)；B. 下生殖板 (subgenital plate)；C. 阳基侧突 (style)；D. 阳茎侧面观 (aedeagus, lateral view)；E. 连索 (connective)

110. 冠线叶蝉属 *Exitianus* Ball, 1929

Exitianus Ball, 1929: 5. **Type species**: *Jassus obscurinervis* Stål, 1855.

Mimodrylix Zachvatkin, 1935: 108. **Type species**: *Athysanus capicola* Stål, 1855.

属征：体较粗壮。头冠钝圆突出，与前胸背板等宽，常具黑色或褐色横带；颜面宽短，微隆起，前唇基两侧平行，近端部较窄。前胸背板较头冠长，前翅具端片。雄虫尾节侧瓣端缘具黑色刚毛；连索"Y"形；阳茎和阳茎基相关键，阳茎干宽扁微弯，末端尖突，中域有刺状突。

分布：世界广布。全世界已知 48 种，中国记载 2 种，秦岭地区分布 1 种。

（221）甘蔗叶蝉 *Exitianus indicus*（**Distant，1908**）（图218）

Athysanus indicus Distant，1908：344.

Athysanus atkinsoni Distant，1908：345.

Phrynomorphus indicus：Distant，1918：51.

Euscelis indicus：Lindberg & Zachvatkin，1936：15.

Exitianus indicus：Oman，1938：383.

Exitanus atkinsoni：Oman，1938：383.

鉴别特征：体长4.20～5.40mm。全体淡黄褐色。头冠在两复眼间有黑色横带，中线短为黑色，横带前有2个小黑斑；颜面额唇基区中央有1条黑色纵线纹，两侧有短横纹；复眼黑色，单眼棕红色。前胸背板前域较后部色淡。小盾片两基角处和基部中央有暗色斑纹；前翅、后翅均透明。胸部腹板和足淡黄色。腹部背面有黑褐色斑纹，一般雄虫黑色斑较大，色较深，雌虫则相反。

分布：陕西（秦岭）、吉林、河南、新疆、江苏、安徽、浙江、湖北、湖南、福建、台湾、广东、海南、广西、四川、贵州、云南；日本，印度，尼泊尔，孟加拉，斯里兰卡，菲律宾。

寄主：甘蔗，水稻，水芙蓉，茶，葛藤，禾本科杂草。

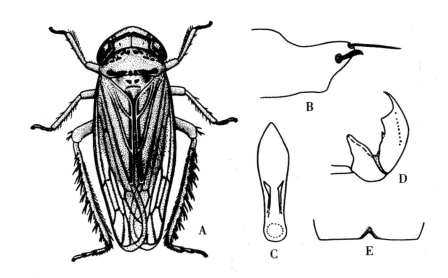

图218　甘蔗叶蝉 *Exitianus indicus*（Distant）

A. 整体背面观（habitus，dorsal view）；B. 雄虫尾节侧面观（male pygofer，lateral view）；C. 阳茎背面观（aedeagus，dorsal view）；D. 阳茎侧面观（aedeagus，lateral view）；E. 雌虫第7腹板（female sternum 7）

111. 黑尾叶蝉属 *Nephotettix* Matsumura, 1902

Nephotettix Matsumura, 1902: 356. **Type species**: *Selenocephalus cincticeps* Uhler, 1896.

属征: 体狭长, 扁平。头冠短, 前缘宽圆, 与颜面圆弧相交, 端域两复眼前缘间有 1 条横沟, 致头冠前缘稍向上曲折, 中域平坦, 单眼位于头冠前缘冠面交接处, 远离复眼; 颜面平坦, 前唇基两侧平行, 颊区外侧缘波曲。前胸背板中长大于头冠中长, 前缘圆弧突出, 后缘微凹。前翅端片发达, 具 3 个端前室。雄虫阳茎中部两侧有突起, 腹面中央有排刺; 连索"Y"形; 阳基侧突基部宽扁, 端部收狭变细而弯。该属由 Matsumura 于 1902 年建立, 过去常根据外形、体色进行鉴定, 但体色特征常有变化, 因而长期以来造成种类混乱, 目前根据雄性外生殖器作为主要鉴别特征。

分布: 东半球(亚洲、非洲)。全世界已知 14 种, 中国记载 4 种, 秦岭地区分布 3 种。

分种检索表

1. 头冠通常无黑色亚缘带 ………………………………………………………… **二点黑尾叶蝉** *N. virescens*
   头冠有黑色亚缘带 ………………………………………………………………………………………… 2
2. 前胸背板和小盾片前缘通常黑色。前翅中部沿爪缝具黑斑。阳茎具 8 对刺 ………………………
   ……………………………………………………………………………………… **二条黑尾叶蝉** *N. nigropictus*
   前胸背板和小盾片前缘非黑色。前翅中部无黑斑。阳茎具 5 对刺 ····· **黑尾叶蝉** *N. cincticeps*

(222) 黑尾叶蝉 *Nephotettix cincticeps* (Uhler, 1896) (图 219)

Selenocephalus cincticeps Uhler, 1896: 292.

Nephotettix apicalis cincticeps: Sasaki, 1897: 381.

Paramesus cincticeps: Matsumura, 1901: 209.

Nephotettix bipunctatus cincticeps: Esaki, 1932: 5.

Nephotettix cincticeps: Linnavuori, 1956: 137.

Nephotettix bipunctatus f. *cincticeps*: Kuoh, 1966: 149.

鉴别特征: 头冠黄绿色, 两复眼间沿前缘的横凹沟有 1 条黑横带, 横带后方的正中线黑色, 极细; 复眼黑褐色; 单眼黄绿色。雄虫额唇基区为黑色, 内有小黄点, 前唇基及颊区为淡黄绿色, 前唇基基部中央及颊区存在黑色斑纹、大小变化不等; 雌虫颜面为淡黄褐色, 额唇基基部两侧有数条淡褐色横纹, 两颊淡黄绿。前胸背板在雌雄两性均为黄绿色, 后半淡蓝绿色; 小盾板黄绿色; 前翅淡蓝绿色, 前缘淡黄绿色, 雄虫翅末 1/3 为黑色, 雌虫翅端部淡褐色, 与雄虫不同。胸、腹部腹面及腹部背面雄虫均为黑色, 仅环节边缘淡黄绿色; 雌虫腹面则为淡藁黄色, 腹部背面色黑; 各足均为藁黄色，仅爪黑色；而雄虫除具有黑色爪外，各足各节具有黑斑，多少、浓淡不等，各股节皆有黑色条纹。

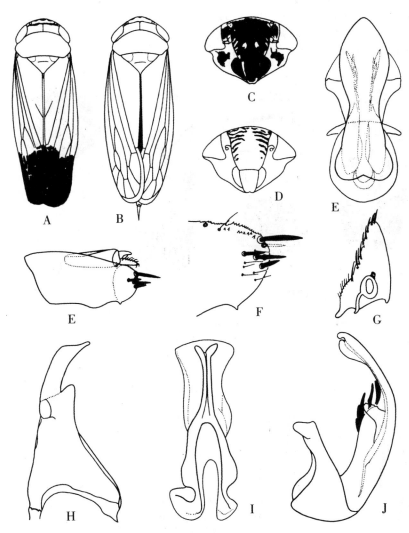

图 219　黑尾叶蝉 *Nephotettix cincticeps*（Uhler）

A. 雄虫整体背面观（male habitus，dorsal view）；B. 雌虫整体背面观（female habitus，dorsal view）；C. 雄虫颜面（male face）；D. 雌虫颜面（female face）；E. 尾节侧面观（pygofer，lateral view）；F. 尾节侧瓣端部（apex of pygofer side）；G. 下生殖板（subgenital plate）；H. 阳基侧突（style）；I. 连索（connective）；J. 阳茎侧面观（aedeagus，lateral view）

分布：陕西（秦岭），中国广布；古北区，东洋区。

寄主：水稻，小麦，玉米，高粱，茶，谷子，看麦娘，游草，白菜，荠菜，萝卜，茭白，甘蔗，稗草等。

（223）二条黑尾叶蝉 *Nephotettix nigropictus*（Stål，1870）（图 220）

Thamnotettix nigropicta Stål，1870：740.

Thamnotettix nigtomaculata Kirby，1891：379.

Nephotettix apicalis Melichar，1903：193.

Nephotettix nigropictus：Ghauri，1971：491.

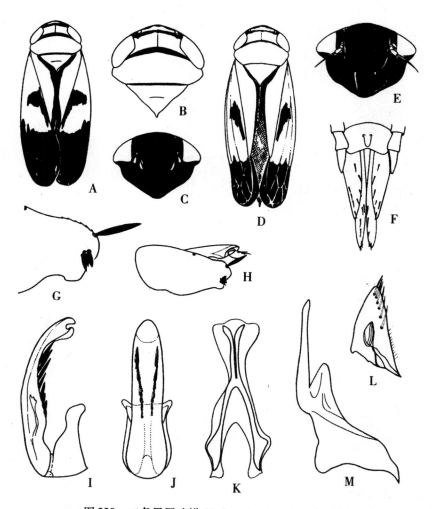

图 220　二条黑尾叶蝉 *Nephotettix nigropictus*（Stål）

A. 雄虫背面观（male habitus, dorsal view）；B. 雄虫头胸部背面观（male head and thorax, dorsal view）；C. 颜面（face）；D. 雌虫背面观（female habitus, dorsal view）；E. 雌虫颜面（female face），F. 雌虫腹部端部腹面观（apex of female abdomen, ventral view）；G. 尾节侧瓣端部（apex of pygofer, lateral view）；H. 尾节侧面观（pygofer, lateral view）；I. 阳茎侧面观（aedeagus, lateral view）；J. 阳茎腹面观（aedeagus, ventral view）；K. 连索（connective）；L. 下生殖板（subgenital plate）；M. 阳基侧突（style）

鉴别特征：体长 4～5mm。呈黄绿色，具有光泽。体形与二点黑尾叶蝉相似，唯头冠中央较短，头部前缘钝圆。雄虫头冠黄绿色，前缘及近前缘的横向凹沟及凹沟后的中线为黑色；颜面整个黑色，仅前唇基与额唇基的侧缘黄绿色，但黄绿色部分大小有变化；复眼黑褐色；单眼黄绿色。前胸背板前缘黑色，前部黄绿色，后部淡蓝绿色；小盾板黄绿色；前翅淡蓝绿色，爪片内缘与小盾板相接的边及沿两翅爪片接合缝的两侧翅缘黑色，翅端部 1/3 黑色，在爪片外侧于中部偏基方处有 1 个相当大的不规则形黑斑，末端且沿爪缝向翅端延伸，形成黑色条纹与翅端黑色部分相接。胸、腹部腹面及腹部背面全为黑色，仅环节边缘为淡黄绿色；各胸足的基节和股节的大部分为黑色，前足胫节及跗节也为黑色，后足胫节在每一个刺的基部具有黑点，各足其余部分均为淡藁黄色。雌虫黑色斑纹消减；颜面仅基部黑色；前翅没有斑点条纹，端部不是黑色，只呈极淡的紫色，前缘浅白色。

分布：陕西(秦岭)，中国广布；亚洲。

寄主：水稻，甘蔗，茭白，小麦，柑橘等。

(224) 二点黑尾叶蝉 *Nephotettix virescens*（**Distant，1908**）（图 221）

Cicada bipunctatus Fabricius，1803：379（nec Scopoli，1763）.

Thamnotettix bipunctata：Stål，1896：82.

Nephotettix bipunctatus：Matsumura，1902：379.

Selenocephalus virescens Distant，1908：291.

Nephtettis impicticeps：Ishihara，1964：40.

Nephotettix virescens：Ghauri，1971：489.

鉴别特征：头部与前胸背板等宽，略短于前胸背板，顶端突出，中央长于复眼到中线的距离，近前缘处有 1 条横凹沟。头冠色泽黄绿，前缘微淡白，中线极细呈褐黑色；复眼绿黑色；单眼黄色。颜面在典型的雄虫中，额唇基区及前唇基外侧的斑点为黑色，前唇基与两颊色淡黄绿，但颜面色泽变化不一，部分雄虫为藁黄或淡黄绿色，侧区具有较暗的横纹，常有黑斑大小变化的中间类型；雌虫颜面多无黑斑而具暗色横纹。前胸背板横宽，侧缘甚短，其前部为黄绿色，后半淡蓝绿；小盾板黄绿色，中央有 1 个黑色横刻痕；前翅淡蓝绿，前缘淡黄绿色，雄虫前翅端部 2/5 为黑色，中部稍偏基部处有 1 个黑色大斑，雌虫翅端部为淡黄褐色，中部黑点缺如。雄虫腹面在胸部腹板的侧区具有大黑斑，腹部背板、腹板几乎全为黑色，胸部与腹部的腹板的侧绿均具绿色边；雌虫胸、腹部腹面且全为藁黄色，偶尔具有不明显的小黑斑；雌雄虫足均为藁黄色。

分布：陕西(秦岭)，中国广布；亚洲。

寄主：水稻，甘蔗，茭白，小麦，谷子，柑橘等。

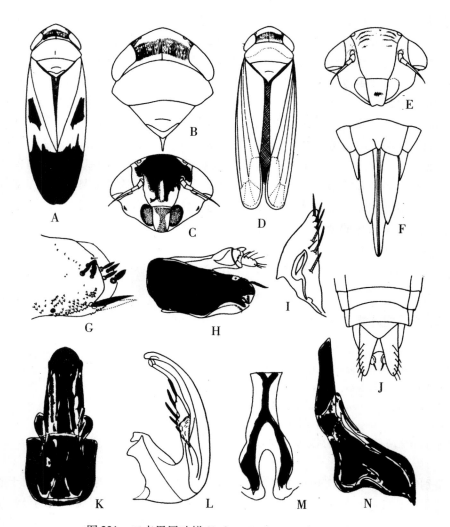

图 221　二点黑尾叶蝉 *Nephotettix virescens*（Distant）

A. 雄虫背面观（male habitus, dorsal view）；B. 雄虫头胸部背面观（male head and thorax, dorsal view）；C. 颜面（face）；D. 雌虫背面观（female habitus, dorsal view）；E. 雌虫颜面（female face）；F. 雌虫腹部端部腹面观（apex of female abdomen, ventral view）；G. 尾节侧瓣端部（apex of pygofer side）；H. 尾节侧面观（pygofer, lateral view）；I. 下生殖板（subgenital plate）；J. 尾节腹面观（pygofer, ventral view）；K. 阳茎腹面观（aedeagus, ventral view）；L. 阳茎侧面观（aedeagus, lateral view）；M. 连索（connective）；N. 阳基侧突（style）

Ⅸ. 菲氏叶蝉族 Fieberiellini Wagner, 1951

鉴别特征：体型中等大小。呈黄褐色或棕色。头冠近等于或大于前胸背板，前缘皮革质，与颜面圆弧相交，或角状，或有横皱纹。前唇基端向渐宽。前胸背板具侧脊。前翅端片阙如或退化。生殖瓣后缘微突出，不呈三角形；阳基侧突线状，肩角不突出；下生殖板大刚毛散生，排列无规则，或在侧缘，或亚侧缘侧缘排列成列；连索"T"形，或两侧臂显著分开，主干发达。

分布：古北区，东洋区，新北区。全世界已知 10 属，中国仅知 1 属，秦岭地区有分布。

112. 粗端叶蝉属 *Taurotettix* Haupt, 1929

Taurotettix Haupt, 1929: 259. **Type species**: *Thamnotettix becher* Fiber, 1885.
Callistrophia Emeljanov, 1962: 165. **Type species**: *Thamnotettix becher* Fiber, 1885.

属征：头冠较前胸背板宽，前缘圆角状突出，中长大于两侧复眼处长，冠缝明显，单眼缘生，靠近复眼；颜面阔，前胸背板侧缘短，前缘弧形突出，后缘中央微凹。小盾片三角形，盾间沟明显，中长短于前胸背板中长。前翅长方形，革片沿中端前室有褐色综带，具 4 个端室，3 个端前室，端片窄。尾节背缘有大刚毛，下生殖板侧缘弧形突出，中部有 1 列大刚毛；连索"Y"形，主干长；阳基侧突基部宽，端向渐窄，端部粗壮；阳茎干背向弯曲，端部有或无突起，阳茎口位于近端部腹面。

分布：古北区。秦岭地区发现 1 种。

(225) 优雅粗端叶蝉 *Taurotettix elegans* (Melichar, 1900) (图 222)

Thamnotettix elegans Melichar, 1900: 36.
Thamnotettix nigrovittatus Matsumura, 1915: 162.
Callistrophia elegans: Emeljanov, 1962: 171.
Taurotettix elegans: Emeljanov, 1977: 156.

鉴别特征：体纤细。头冠向前圆角状突出，冠面平坦。前翅中央有 1 条褐纵带。尾节侧瓣向后渐窄，背缘中部有数根大刚毛。下生殖板基部宽，端向渐窄，侧缘端向弧形弯曲，端缘突出。阳基侧突基部宽，端向收狭，端部突起粗壮，肩角不发达。连索"Y"形，主干发达，长度是侧臂的 1.50 倍。阳茎干背向弯曲，侧面观端向渐细，端部背缘陡然呈齿状突出，阳茎口位于腹面近端部。

采集记录：1♀，长安石砭峪，1999.Ⅵ.17，李宇飞采；1♀，宝鸡，1994.Ⅶ.21，张雅林采；1♀，凤县双石铺，1995.Ⅷ.13，张文珠、任立云采；3♂，2♀，留坝紫柏山，1600m，2004.Ⅷ.04，吕林、段亚妮采；1♂，宁陕火地塘，2000.Ⅶ.20，戴武、刘振江采；2♀，宁陕，1984.Ⅷ.17；1♂，宁陕火地塘，2004.Ⅶ.15，张傲采；1♂，宁陕火地塘，2004.Ⅶ.15-19，张凯采；1♂，宁陕火地塘，2004.Ⅶ.15-19，郭向昭采。

分布：陕西（长安、宝鸡、留坝、宁陕）、吉林、内蒙古、山西、新疆、云南；俄罗斯，蒙古，朝鲜。

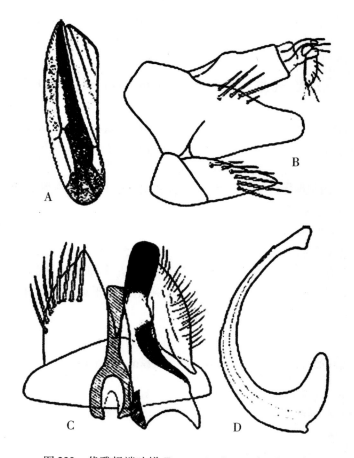

图 222　优雅粗端叶蝉 *Taurotettix elegans*（Melichar）

A. 前翅（forewing）；B. 尾节侧面观（pygofer, lateral view）；C. 生殖瓣、下生殖板、阳基侧突和连索（valve, subgenital plate, style and connective）；D. 阳茎侧面观（aedeagus, lateral view）

X．铲头叶蝉族 Hecalini Distant，1908

鉴别特征：体背腹扁平，颜面多少隆起；体色通常呈叶黄色至黄绿色，很少整体褐色或黑色，体背除铲头叶蝉属外常具特征性色纹斑纹。头部通常角状前伸（侧面观），呈锲片状；头冠宽阔，润泽光滑，前缘具脊；冠长不超过复眼间距离的 3 倍；前幕骨纤细，呈"Y"状；单眼裸露，着生于头冠前缘，位于复眼与侧唇基缝末端之间；触角短，位于复眼上角（颜面观）；触角窝浅，触角檐退化或缺失；唇基缝完整；侧唇基缝通过触角窝延伸到头冠边缘，末端远离复眼，止于单眼之前；颊区宽阔，侧缘波浪状弯曲，紧靠复眼下方具凹刻。前胸背板衣领状，前后缘近平行，侧缘通常具脊，背面光滑，无凹刻和隆脊。后足腿节刚毛式 2＋2＋1 或 2＋2＋1＋1＋1。翅两对，前翅皮质或革质，后翅膜质，翅脉完整，常有长翅型、短翅型。性二型现象比较常见。雄虫第 2 腹板内突发达，位于第 3 腹板内突之间，无背内突。

　　Davis（1975）、Zahniser 和 Webb（2004）认为前足腿节的刚毛式、后足的刺列式及其附垫数目、雌虫第 1 产卵瓣端部腹面的刻纹区（界限分明，近三角形）、背面亚缘刻纹斑结状或鳞片状（互不重叠）、第 2 产卵瓣背缘大刺存在或缺失、尾节是否密生大刚毛等特征也可作为为食草型叶蝉高级单元的分类特征，并且已经引起叶蝉分类者的注意。

　　分布：世界广布。秦岭地区发现 1 属 1 种。

113. 铲头叶蝉属 *Hecalus* Stål，1864

Hecalus Stål，1864：65. **Type species**：*Parabolocratus paykulli* Stål，1854.

Parabolocratus Fieber，1866：502. **Type species**：*Petalophala Paykulli* Stål，1854.

Thomsonia Signoret，1879a：51. **Type species**：*Hecalus kirschbaumii* Stål，1870

Columbanus Distant，1916：224. **Type species**：*Columbanus misranus* Distant，1916.

Linnavuoriella Evans，1966a：134. **Type species**：*Platymetopius arcuatus* Motschulsky，1859.

　　属征：体色通常呈叶黄色或叶绿色，少数褐色，无特征性斑纹。头冠前缘上下亚缘处沿头冠边缘各具 1 条黑色弧形纹于复眼间。前翅臀折、Cu_1 脉和 R_1 脉端部具 1 个小黑斑；雄虫前翅端部 1/3 常呈浅褐色，端室和亚端室具白斑。头冠三角形至宽圆形，略前伸，向下倾斜，呈铲状；头冠前缘常具棱脊；单眼通常紧靠复眼，有时位于复眼与侧唇基缝末端之间，但绝不紧靠侧唇基缝末端。前幕骨臂纤细、分叉。前胸背板等于或宽于头宽。前足腿节具 7~9 根 AV（anteroventral）小锥状刚毛，端刺 2 个，中间排刺 9 根，AM_1 刚毛存在；后足胫节扁，刺列 R_1：18~19，R_2：11~12，R_3：16~18，第 1 跗节有 7~8 个齿，5~6 个附垫及 2 个端侧刺；第 2 跗节有 4 个齿，2 个侧端刺；后足腿节端刺式 2-2-1。前翅皮质或皮革质；R 脉和 M 脉共柄，$M\text{-}Cu_2$ 脉缺失，臀脉 2 条；前缘区无反折脉，常有一些横脉，与前缘脉几乎呈直角；端片窄长，超过 M_{3+4} 末端。雄虫生殖瓣三角形，与尾节相关键。下生殖板略三角形，常具 1~7 根侧刚毛，端向渐窄。尾节侧瓣宽阔，端半部三角形，密生刚毛；具腹突。阳茎具 1~2 对端突；阳茎干腹面常黑色骨化；腹面扩大，具脊状突；阳茎孔顶生或亚端生于阳茎干腹面端部沟槽内；背腔发达，前腔退化；阳茎侧突三角形，背腹扁平，连索倒 "Y" 形。雌虫产卵瓣延伸出尾节末端，第 1 产卵瓣马刀状，腹向弯曲，端部渐细；第 2 产卵瓣弯刀状，中部微隆起，腹向弯曲，背缘基部 2/3 融合，端部背缘无齿突，内侧斑枯状；第 7 腹节腹板后缘中间具中突。

　　分布：世界广布。世界记载有 51 种，东洋区记录 36 种，中国已知 16 种，秦岭地区分布 1 种。

（226）褐脊铲头叶蝉 *Hecalus prasinus*（Matsumura，1905）

Parabolocrates［sic！］*prasinus* Matsumura，1905：48.

Parapblocratus dubiatus Bierman, 1910: 64.

Parapblocratus prasinus: Matsumura, 1912: 285.

Parapblocratus prasimus [sic!]: Matsumura, 1933: 628.

Hecalus prasinus: Kato, 1933: 28.

鉴别特征：体长 6.10~10.00mm。体黄绿色至绿黄色。头冠前缘棱脊淡黄白色。复眼黑或红褐色，单眼黄褐色。雄虫头冠长、前胸背板长与复眼间宽的比为 1.00:0.61:1.10；雌虫头冠长、前胸背板长与复眼间宽的比为 0.95:1.14:1.63。雄虫头冠三角形；雌虫弧圆，较宽阔，个体明显较大；单眼紧靠复眼。前翅皮质，透明。雄虫下生殖板基部宽阔，至端部渐狭窄，外缘具 4 根粗刚毛。尾节侧瓣宽阔，端部 1/2 密生短刚毛，端缘锐圆。阳茎端突 1 对，长度约是其阳茎干的 1/3；端突间有 1 个角状突；阳茎孔亚顶生于阳茎干腹面；背腔发达，腹腔退化；阳基侧突背腹扁平，基部宽阔，内缘凹陷，端部渐尖；连索片状，倒"U"形。雌虫第 7 腹节腹板中部有 1 个舌片状微突；产卵瓣伸出尾节的长度约等于其宽度的 1.10 倍。

采集记录：1♀，紫阳，1973.Ⅹ.07，路进生、张兴、裴敬献采。

分布：陕西(紫阳)、广西、云南；日本，泰国，菲律宾。

ⅩⅠ. 圆冠叶蝉族 Athysanini Van Duzee, 1892

鉴别特征：体小型或中型，较粗壮，体长，头冠圆弧或钝角状突出，与颜面圆弧相交，复眼大，单眼位于头冠前缘，距离复眼很近；颜面微隆起、较宽；小盾片三角形，中域横刻痕凹陷、明显；前翅端片较发达，具 4 个端室，3 个端前室。雄虫尾节较发达；生殖瓣三角形或半圆形；下生殖板基部宽，端向渐窄；连索"Y"或"U"形；阳茎基发达，阳茎干多为管状、带状，有或无端部突起；阳茎口 1 个，位于端部或近端部。

分布：世界广布。全世界已知 263 属，中国已报道 26 属，秦岭地区分布 10 属 15 种。

分属检索表

1. 头冠凹陷呈横沟状，前翅有大量的假脉 …………………………………………………… **东方叶蝉属 *Orientus***
   头冠平坦或微隆起 …………………………………………………………………………………… 2
2. 下生殖板外缘大刚毛无序排列 ……………………………………………………………… **饴叶蝉属 *Ophiola***
   下生殖板外缘大刚毛排成 1 列 …………………………………………………………………… 3
3. 阳茎干带状 ………………………………………………………………………………………… 4
   阳茎干不呈带状 …………………………………………………………………………………… 5
4. 阳茎端部深凹 ………………………………………………………………………… **殃叶蝉属 *Euscelis***
   阳茎端部不凹陷 ……………………………………………………………… **松村叶蝉属 *Matsumurella***

5.　尾节侧瓣腹缘有赤状突 ·· 竹叶蝉属 *Bambusana*
　　尾节侧瓣腹缘无齿状突 ·· 6
6.　阳茎附突位于基部 ·· 拟带叶蝉属 *Scaphoidella*
　　阳茎附突位于中部或端部 ··· 7
7.　阳茎中部背面有一发达延伸，管状 ······························ 背突叶蝉属 *Protensus*
　　阳茎无延伸或突起 ·· 8
8.　头冠较前胸背板宽 ·· 9
　　头冠等于或小于前胸背板宽 ··· 斑翅叶蝉属 *Mimotettix*
9.　阳茎干细长、端部分叉，延伸成 1 对突起 ····················· 纤细叶蝉属 *Laburrus*
　　阳茎粗壮，端部具两叉突，侧向延伸并内弯、尖端分叉 ············· 掌叶蝉属 *Handianus*

114. 松村叶蝉属 *Matsumurella* Ishihara，1953

Matsumurella Ishihara，1953：200. **Type species**：*Jassus kogotensis* Matsumurella，1914.

属征：头冠宽短，向前弧形突出，中长约等于两复眼间宽的 1/2，单眼位于头冠前缘与颜面交界处，颜面微突出，与头冠圆弧相交，额唇基中长大于两复眼间宽，前唇基侧缘平行；前胸背板较头冠宽，前缘圆弧突出，后缘中央微凹，中长约为头冠中长的 2 倍；小盾片中域横刻痕明显，近平直；前翅发达，具 4 个端室，外端前室较短；雄虫尾节发达，后缘有 1 簇刚毛；下生殖板外缘圆弧突出，两侧缘着生大量刚毛，无序排列；生殖瓣三角形；阳茎长，带状，侧面观呈"C"形，端部有分叉。

分布：古北区。目前，全世界现已知 12 种，中国分布 9 种，秦岭地区分布 2 种。

分种检索表

阳茎端部具 1 对突起 ··· 双突松村叶蝉 *M. expansa*
阳茎端部具 2 对突起 ··· 波缘松村叶蝉 *M. minor*

(227) 双突松村叶蝉 *Matsumurella expansa* Emeljanov，1972（图 223）

Matsumurella expansa Emeljanov，1972：236.

鉴别特征：雄虫体长 6.50～7.00mm，雌虫体长 7.10～7.80mm。雄虫尾节侧瓣端向渐细，背腹缘向后延伸形成长突，侧叶具数根大刚毛；生殖瓣阔，近三角形；下生殖板基部宽，端部内侧凹入，外缘着生数根大刚毛；连索"Y"形，主干短于侧臂；阳基侧突端突长；阳茎"C"形弯曲，干的端部具 1 对短突起，呈弧形向前伸出；雌虫生殖前节尾向突出，突起中部圆弧凹入。

采集记录：3♂，南五台，1979.Ⅶ，田畴、陈彤采；1♀，南五台，1980.Ⅵ，马宁采；

1♂，凤县，1988. Ⅶ.18-19，崔俊峰采；1♀，太白山蒿坪寺，1165m，1956. Ⅶ.19-22，周尧采；1♂2♀，火地塘，1984. Ⅶ.06，西北农学院采；1♂1♀，秦岭，1995. Ⅶ.24，刘军午、宋华海、孙其红采。

　　分布：陕西（长安、凤县、宁陕，太白山）、吉林、山西、河南、甘肃；蒙古。

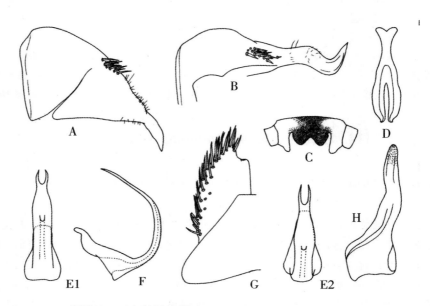

图 223　双突松村叶蝉 *Matsumurella expansa* Emeljanov

A. 雄虫尾节侧瓣侧面观（male pygofer side, lateral view）；B. 雄虫尾节侧瓣背面观（male pygofer side, dorsal view）；C. 雌虫第 7 腹节后缘（female sternite 7）；D. 连索（connective）；E. 阳茎腹面观（aedeagus, ventral view）；F. 阳茎侧面观（aedeagus, lateral view）；G. 生殖瓣和下生殖板（valve and subgenital plate）；H. 阳基侧突（style）

（228）波缘松村叶蝉 *Matsumurella minor* Emeljanov，1977（图 224）

Matsumurella minor Emeljanov, 1977：151.

　　鉴别特征：雄虫尾节侧瓣后背缘中部有 1 簇大刚毛，后腹缘延伸成长突，先向腹面再向背面折弯；下生殖板宽大，基部较宽，端向渐狭，侧缘亚端部瓣状突出，外缘着生许多大刚毛；连索"Y"形，主干粗壮，两侧臂发达；阳基侧突基部宽，端向渐狭；阳茎基宽大，阳茎干带状，向身体背面弯曲，干端部有 1 对向前方两侧延伸的小突起，阳茎亚端部突起长，侧面观几乎伸达阳茎基部，阳茎口位于阳茎端部。

　　采集记录：1♀，太白山中山寺，1500m，1982. Ⅶ.17，周静若、刘兰采；1♀，太白山大殿，2300m，1987. Ⅵ.30，西北农业大学采；1♂，宁陕火地塘，2000. Ⅶ.22，戴武、刘振江采；1♀，宁陕，1984. Ⅷ.17，西北农学院采；1♀，秦岭，1973. Ⅶ，张学忠采。

　　分布：陕西（太白、宁陕）、河南；蒙古。

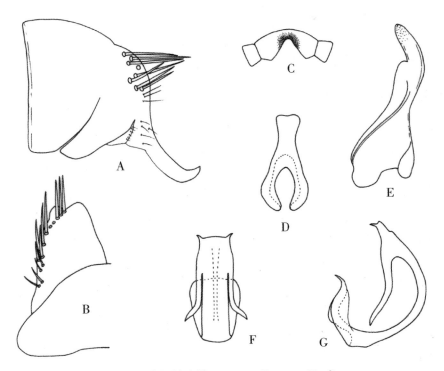

图 224　波缘松村叶蝉 *Matsumurella minor* Emeljanov

A. 雄虫尾节侧瓣侧面观（male pygofer side，lateral view）；B. 生殖瓣和下生殖板（valve and subgenital plate）；C. 雌虫第 7 腹节后缘（female sternite 7）；D. 连索（connective）；E. 阳基侧突（style）；F. 阳茎腹面观（aedeagus，ventral view）；G. 阳茎侧面观（aedeagus，lateral view）

115．拟带叶蝉属 *Scaphoidella* Vilbaste，1968

Scaphoidella Vilbaste，1968：133．**Type species**：*Scaphoidella arboricola* Vilbaste，1968．

　　属征：头冠中长较两侧复眼处长，但短于两复眼间宽，前缘圆弧突出，与颜面圆弧相交。复眼大，单眼位于头冠前缘靠近复眼，到复眼的距离等于或短于单眼直径，额唇基长，较两复眼间宽，前唇基端向渐宽。前胸背板较头冠宽，前缘弧形突出，后缘微凹，小盾片几乎等于头冠中长的 1.50 倍，横刻痕凹入。前翅半透明，翅脉黑或棕黑色，在大多数翅室有黑斑，端片发达，内端前室基部开放，具 4 个端室。尾节侧瓣长于宽，后缘经常有突起（除过 *ecaudata* 和 *wideaedeagus*），下生殖板长，外缘有 1 列或较多大刚毛。阳基侧突长，连索"Y"形，主干和两侧臂发达，阳茎基发达，腹缘有 1 对发达的突起，阳茎干较腹缘突起短，阳茎口位于端部。

　　分布：中国；俄罗斯。世界已知 6 种，中国记录 6 种，秦岭地区发现 1 种。

(229) 狭拟带叶蝉 *Scaphoidella stenopaea* Anufriev, 1977

Scaphoidella stenopaea Anufriev, 1977: 213.

Scaphoideus multipunctus Li et Dai, 2004: 282.

鉴别特征: 尾节侧瓣后缘无突起, 阳茎干直, 端部有 1 对突起, 阳基侧突端部突起略长。

采集记录: 1♂, 武功, 1982. Ⅵ. 31, 灯诱。

分布: 陕西(武功)、黑龙江、山东; 俄罗斯。

116. 背突叶蝉属 *Protensus* Zhang *et* Dai, 2001

Protensus Zhang *et* Dai, 2001: 93. **Type species**: *Protensus choui* Zhang *et* Dai, 2001.

属征: 头冠与前胸背板约等宽, 向前略呈圆弧状突出, 中央长度稍大于近复眼处长, 约为两复眼间宽的 1/2; 复眼较大, 为两复眼间距的 1/2; 单眼到复眼间距离约等于单眼直径; 额唇基狭长, 中长微大于两复眼间宽, 前唇基两侧缘平行; 前胸背板前缘弧形突出, 后缘中央凹入; 小盾片中域横刻痕明显, 弧形, 内陷; 前翅端片发达, 具 4 个端室, 内端前室基部开放, 外端前室小, 约为中端前室的 2/3; 尾节后背缘有 1 对附突, 侧瓣腹缘末端突出; 下生殖板长, 宽阔, 外缘弧形; 阳基侧突端向渐尖; 连索一般呈倒 "V" 形, 主干短、两侧臂发达; 阳茎基宽大, 阳茎干较短, 向身体腹面弯曲, 干中部向背面延伸形成 1 个很发达的突起, 阳茎干中后部有附突, 位于两侧, 成对或位于后缘、基部愈合形成 1 个双叉状附突; 阳茎口位于阳茎端部。

分布: 中国; 俄罗斯, 日本。秦岭地区发现 2 种。

分种检索表

阳茎有 1 对侧突着生在阳茎干近中部两侧, 突起基部远离, 端部较宽, 末端渐尖, 有 2 个突起······
·· 对柄背突叶蝉 *P. kiushiuensis*
阳茎有 1 个附突着生于阳茎干后缘中部, 突起端部分叉 ····················· 周氏背突叶蝉 *P. choui*

(230) 对柄背突叶蝉 *Protensus kiushiuensis* (Vilbaste, 1967)

Albicostella kiushiuensis Vilbaste, 1967: 44.

Protensus kiushiuensis: Zhang & Dai, 2001: 94.

鉴别特征: 体长 6.00~7.10mm。体呈浅棕红色。头冠橙黄色, 前缘与颜面交界处有 2 个黑色小斑, 呈 "八" 字形; 复眼黑色, 局部为红色; 单眼外围有红边; 颜面橙黄色, 两侧触角上方靠近复眼处各有 1 个黑点。前胸背板和小盾片均为浅棕黄色。

前翅棕黄色，半透明，前缘白边。头冠与前胸背板等宽，前缘弧形突出，略呈钝角状，中长稍大于近复眼处长，约为两复眼间宽的1/2；颜面与头冠以圆弧相交，额唇基中域平坦，中长约等于两复眼间宽，前唇基两侧缘平行。前胸背板中长约为头冠中长的1.50倍，前缘弧形突出，后缘中央凹入，侧缘具脊，下方有1条黑色纵带。小盾片短于前胸背板，中域横刻痕明显，弧形，内陷。前翅长，具4个端室，外端前室较短，约为中端前室长度的2/3。雌虫第7腹板中长为前1节的1.50倍，后缘略呈弧形凹入，尾节密生刚毛。雄虫尾节后背缘内侧有1对突起，较短，侧面观呈镰刀状，后腹缘也延伸成突起，向内侧相向延伸，再向后腹面折弯，后缘中部有许多大刚毛；下生殖板近梯形，端缘平截，端半部外缘有1列大刚毛，弧形排列；连索倒"V"形，两侧臂发达；阳基侧突较短，长于下生殖板的1/2，基部较宽，端向渐狭，近端部有一些小刚毛；阳茎基部较大，阳茎干弯向腹面，中部背向延伸成发达突起，略呈侧扁，中部两侧有1对长的阳茎附突背向弯曲，阳茎口位于阳茎端部。雄虫尾节附突无齿状缺刻，下生殖板端缘平截，与侧缘成直角。

采集记录：2♂1♀，城固，1980.Ⅳ.02-03，向龙成、马宁采；1♂，石泉，1980.Ⅳ.25，向龙成、马宁采。

分布：陕西（城固、石泉）；日本。

(231) 周氏背突叶蝉 *Protensus choui* Zhang et Dai, 2001（图225）

Protensus choui Zhang et Dai, 2001：95.

鉴别特征：体长6.50mm。体呈棕黄色。头冠橙黄色；复眼黑色，局部为红色；单眼外围有红边；颜面橙黄色。前胸背板和小盾片均为浅棕黄色。前翅棕黄色，半透明，前缘白色。头冠与前胸背板近等宽，略呈圆角状突出，中长稍大于近复眼处长，约为两复眼间宽的3/4，冠缝纤细，仅见基半段，单眼到复眼的距离等于单眼直径。颜面与头冠圆弧相交，额唇基中域平坦，中长约等于两复眼间宽，前唇基两侧缘平行。前胸背板中长约为头冠中长的1.50倍，前缘弧形突出，后缘中央凹入，侧缘具隆线，且下方有1条黑色纵带。小盾片比前胸背板短，中长约等于头冠中长，中域横刻痕弧形内陷。前翅长，端片较发达，具4个端室，外前端室窄短，约为中端前室长度的1/2。雄虫尾节侧瓣后缘中部有1簇刚毛，后背缘向背方延伸形成长突，端部向外侧弧形弯曲，后腹缘向后延伸成长突，先向内侧弯曲，再向后折弯；下生殖板宽大，基部较宽，外侧缘弧形弯曲，端缘横截，直，端部有几根刚毛；连索倒"V"形，两侧臂发达；阳基侧突较短，基部宽，端向渐狭，近端部急剧变狭，有数根小刚毛，末端尖；阳茎基宽大，阳茎干向体腹面弯曲，干中部向背面有1个发达延伸、管状、端部渐细，端半部后缘平直光滑，近中后部背面有1个双叉状突起，突起基部愈合，端部2个分叉，伸向背方，末端尖；阳茎口位于阳茎端部。

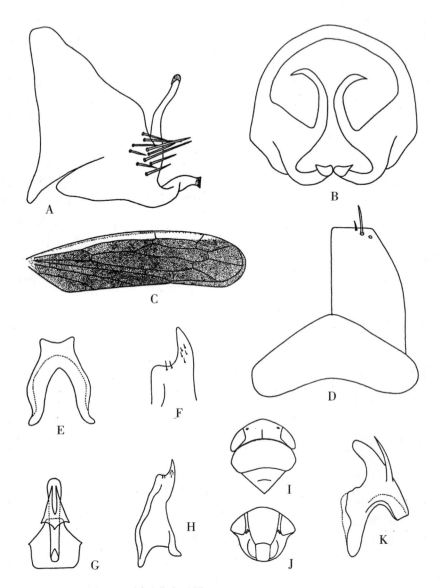

图 225　周氏背突叶蝉 *Protensus choui* Zhang et Dai

A. 雄虫尾节侧面观(male pygofer, lateral view)；B. 尾节后面观(pygofer, posterior view)；C. 前翅(forewing)；D. 生殖瓣和下生殖板(valve and subgenital plate)；E. 连索(connective)；F. 阳基侧突端部(apical part of style)；G. 阳茎背面观(aedeagus, dorsal view)；H. 阳基侧突(style)；I. 头冠(head)；J. 颜面(face)；K. 阳茎侧面观(aedeagus, lateral view)

　　采集记录：1♂，凤县，1980.Ⅷ，孙宏采(灯诱)。
　　分布：陕西(凤县)。

117. 殃叶蝉属 *Euscelis* Brulle，1832

Euscelis Brulle，1832：109. **Type species**：*Euscelis lineolata* Brulle，1832.

属征：头冠比前胸背板宽，向前钝角状突出，中长大于两侧近复眼处长，复眼大，单眼到复眼的距离稍大于单眼直径；颜面与头冠圆弧相交，额唇基较宽，前唇基两侧缘平行。前胸背板前缘弧形突出，后缘平直。小盾片中域横刻痕弧形，内陷。前翅端片发达，具4个端室，外端前室小。雄虫尾节侧瓣较长，有1对突起；下生殖板基部宽，端向渐窄，两侧缘直；连索"Y"形，两侧臂发达；阳基侧突基部宽，端部细；阳茎基宽大，阳茎干宽扁，带状，端部中央凹陷，两侧有1对伸向体前方的小突起；阳茎口位于腹面近端部。

分布：全北区。全世界已知45种，中国记载2种，秦岭地区分布1种。

(232) 浅刻殃叶蝉 *Euscelis distinguendus*（Kirschbaum，1858）

Athysanus distinguendus Kirschbaum，1858：8.
Euscelis distinguendus：Blote，1927：35.

鉴别特征：体长3.70~4.10mm。头冠灰黄色，前缘有2对黑斑，中域有1对横条斑，向两侧延伸，与前缘两侧的1对斑点相接，伸达复眼，后缘有1对中间呈黄色的黑斑；颜面棕褐色，仅颊区黄色，额唇基有许多黄色横纹，前唇基两侧缘黄色。前胸背板前缘有1排黑斑，中后部有3对黑色的纵带，间以黄色。前翅沿翅脉密布棕色小点。头冠较前胸背板稍宽，向前弧形突出，中长大于两侧近复眼处长，约等于两复眼间宽的1/2，复眼大，单眼到复眼的距离稍大于单眼直径；颜面与头冠圆弧相交，额唇基较宽，中长等于两复眼间宽，前唇基两侧缘平行。前胸背板中长约等于头冠中长的2倍，前缘弧形突出，后缘平直。小盾片中长约等于头冠中长，中域横刻痕弧形，内陷。前翅端片发达，具4个端室，外端前室小，约为中端前室长的1/2。雄虫尾节侧瓣后背缘有1簇大刚毛，后缘有1簇小刚毛，后腹缘向腹面延伸形成1个突起；下生殖板基部宽，端向渐窄，两侧缘直，外缘有1列大刚毛；连索"Y"形，两侧臂发达；阳基侧突基部宽，端部细；阳茎基宽大，阳茎干宽扁，带状，端部中央凹陷，两侧有1对伸向体前方的小突起，几乎伸达端部凹陷处；阳茎口位于腹面近端部。

采集记录：1♀，太白山大殿，1996.Ⅷ.14，西北农业大学采。

分布：陕西(太白山)、宁夏；古北区。

118. 纤细叶蝉属 *Laburrus* Ribaut, 1942

Laburrus Ribaut, 1942: 268. **Type species**: *Athysanus limbatus* Ferrari, 1882.

属征: 体宽, 较粗壮。头冠比前胸背板宽, 前缘钝圆突出, 中央长度微大于两侧复眼处; 额唇基从上部可见, 颜面较宽, 宽大于中长, 前唇基两侧缘平行。前胸背板前缘弧形突出, 后缘中央凹入, 小盾片横刻痕明显, 凹陷。前翅端片发达, 具4个端室。雄虫尾节侧瓣无附突; 下生殖板侧缘具成排刚毛; 连索"Y"形; 阳基侧突粗壮, 中间突起渐细, 端部指状; 阳茎基发达, 阳茎干长而细; 阳茎口位于腹面近末端。

分布: 古北区。中国已知1种, 秦岭地区分布1种。

(233) 叉突纤细叶蝉 *Laburrus impictifrons* (Boheman, 1852)

Deltocephalus impictifrons Boheman, 1852: 119.

Athysanus impictifrons: Sahlberg, 1871: 275.

Laburrus impictifrons: Vilbaste, 1968: 145.

鉴别特征: 头冠比前胸背板宽, 前缘钝圆突出, 中央长度微大于两侧复眼处; 阳茎干基部粗, 端向渐细, 端部有1对两侧分歧的突起。

采集记录: 1♂2♀, 长安石砭峪, 1999. Ⅵ. 17, 李宇飞采; 1♂3♀, 宝鸡, 1965. Ⅷ. 18, 周尧、路进生采; 7♂, 宝鸡, 1994. Ⅶ. 21, 张雅林采; 1♀, 宝鸡, 1995. Ⅶ. 28, 杨志华采; 1♀, 宝鸡, 1995. Ⅶ. 28, 卫玲采; 2♂3♀, 太白山蒿坪寺, 1982. Ⅶ. 18, 赵晓明采; 3♂3♀, 太白山蒿坪寺, 1982. Ⅶ. 15-18, 周静若、刘兰采; 2♂, 太白山蒿坪寺, 1982. Ⅶ. 27, 王民灿、柴勇辉采; 29♀, 太白山蒿坪寺, 1997. Ⅷ. 13-14, 西北农业大学采。

分布: 陕西、吉林、山西、宁夏、甘肃; 古北区。

119. 掌叶蝉属 *Handianus* Ribaut, 1942

Handianus Ribaut, 1942: 265. **Type species**: *Jassus procerus* Herrich-Schäffer, 1835: 10.

属征: 体粗壮, 头比前胸宽, 头冠向前圆弧突出, 中长略大于两侧近复眼处长, 小于两复眼间宽之半; 复眼大, 单眼靠近复眼, 之间的距离大于单眼直径; 额唇基宽短, 中长略短于两复眼间宽, 前唇基两侧平行, 端缘平切, 颊的外侧于复眼下缘内凹, 前胸背板前缘弧形突出, 后缘微凹, 中长约为头冠中长的2倍。中胸小盾片横刻痕明显, 弯向前方, 中长约等于前胸背板中长。前翅端片狭窄, 内端前室基部开放, 外端前室短, 约为中端前室的1/2。雄虫尾节侧瓣后腹缘向后延伸, 侧面观端部尖细；下生殖板宽大，基部较宽，端向渐狭，外侧缘和端缘弧形，具许多不成列的刚毛；连索似"V"或"U"形，主干粗壮且与阳茎的连接处较宽，两侧臂发达；阳基侧突长，基半部较宽，端半部较狭，端部向外侧弯曲，渐尖；阳茎干粗短，端向渐细，端部形成1对突起，向两侧延伸并向前折弯，突起末端两叉状；阳茎口位于阳茎干端部。

分布：世界广布。全世界已知24种，中国已知6种，秦岭地区分布3种。

分种检索表（♂）

1. 头冠部有1条或1对黑色横带··· 横带掌叶蝉 *H.*（*Usuironus*）*limbicosta*
   头冠部有1对或3个圆斑 ··· 2
2. 头冠部有1对黑斑；附突1支长，指向阳茎基部；1支短，侧向钩状弯曲··························
   ·· **双斑掌叶蝉** *H.*（*U.*）*limbifer*
   头冠部有3个黑斑呈"品"字形分布；附突1支伸向阳茎干，端部钩状弯曲，1支腹向弯曲 ···
   ··· **曲冠斑掌叶蝉** *H.*（*U.*）*maculaticeps*

（234）横带掌叶蝉 *Handianus*（*Usuironus*）*limbicosta*（Jacobi, 1944）（图 226）

Athysanus limbicosta Jacobi, 1944：53.

Usuironus limbifer：Ishihara, 1953：43.

Handianus（*Usuironus*）*limbicosta*：Anufriev, 1979：167.

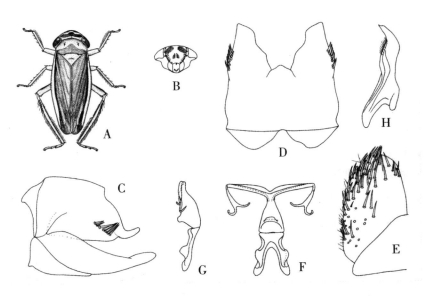

图 226　横带掌叶蝉 *Handianus*（*Usuironus*）*limbicosta*（Jacobi）

A. 成虫背面观（adult, dorsal view）；B. 颜面（face）；C. 雄虫尾节侧面观（male pygofer, lateral view）；D. 雄虫尾节上半部背面观（upper part of male pygofer, dorsal view）；E. 生殖瓣和下生殖板腹面观（valve and subgenital plate, ventral view）；F. 阳茎和连索背面观（aedeagus and connective, dorsal view）；G. 阳茎和连索侧面观（aedeagus and connective, lateral view）；H. 阳基侧突（style）

鉴别特征：体淡棕褐色。头冠在两复眼间具 1 条黑褐色横带，中央向前微突出，颜面基缘有 1 黑色横带，额唇基基部和中域各有 1 对"八"字形黑斑，侧缘具黑色肌痕，前唇基基半部有 1 个黑色纵斑，端部有 1 个倒"八"字形黑褐斑。前胸背板后半部褐色加深。小盾片中域有 1 对"八"字形褐斑。前翅淡褐色，前缘白色半透明。雄虫尾节侧瓣后腹缘向后延伸、扁平，侧面观端向渐细，背面观基部较宽、端向渐狭、端部斜截、内缘中部凹入，尾节侧瓣后部下方靠腹缘有 1 列大刚毛。生殖瓣三角形。下生殖板宽大，基部较宽，端向渐狭，外侧缘和端缘弧形，具许多不成列的刚毛。连索"U"形，主干粗壮，两侧臂发达，与阳茎的连接处较宽。阳基侧突长，基半部较宽，端半部较狭，端部向外侧伸出、尖细，外缘近端部 2/5 处有 1 簇小刚毛。阳茎干粗短，端向渐细，端部向两侧平伸，并向前折弯形成 1 对附突，附突端部分叉并侧向呈半弧形弯曲；阳茎口位于干端部。

采集记录：2♂，太白山点兵场，1700m，1982. Ⅶ. 15，周静若、刘兰采；1♂，太白山蒿坪寺，1200m，1982. Ⅶ. 15，周静若、刘兰采；1♂，镇巴苗圃，1973. Ⅴ. 29-30，田畴、袁锋采；2♀，宁强，1984. Ⅶ. 19，唐周怀采。

分布：陕西（太白山，镇巴、紫阳、宁强）、吉林、甘肃、河南、浙江、江西、湖北、湖南、福建、贵州；俄罗斯，蒙古，韩国，日本，非洲。

(235) 双斑掌叶蝉 *Handianus*（*Usuironus*）*limbifer*（**Matsumura，1902**）（图 227）

Athysanus limbifer Matsumura，1902：373.

Usuironus limbifer：Ishihara，1954：267.

Handianus（*Usuironus*）*limbifer*：Anufriev，1979：167.

鉴别特征：体黄褐色。头冠黄色，复眼黑褐色，单眼无色透明，两侧紧靠单眼、复眼处各有 1 个大黑斑；颜面黄色，额唇基基缘有 1 对大黑斑，中部有 1 对"八"字形黑斑，两侧褐色肌痕明显，前唇基端部褐色。前胸背板基半部褐色。前翅黄褐色，翅前缘和翅脉淡黄色。部分雌虫头冠中域 1 对大黑斑前有 1 对小黑斑，前翅棕褐色。雄虫尾节侧瓣后腹缘向后延伸，扁平，侧面观端向渐细，背面观基部较宽，端向渐尖，内缘较直，尾节侧瓣后部下方靠腹缘有 1 根大刚毛。生殖瓣三角形。下生殖板宽大，基部较宽，端向渐狭，外侧缘和端缘弧形，具许多不成列的刚毛。连索"U"形，主干粗壮，2 个侧臂发达，与阳茎的连接处较宽。阳基侧突长，基半部较宽，短半部较狭，端部向外侧伸出，尖细，外缘近端部 2/5 处有 1 簇小刚毛。阳茎干粗短，端向渐细，端部向两侧平伸，并向前折弯形成 1 对附突，附突端部分叉成 2 支，1 支指向阳茎基，1 支侧向钩状弯曲；阳茎口位于阳茎干端部。雌虫第 7 腹板中长为前 1 节的 2 倍多，后缘呈"W"形深凹。

采集记录：1♂5♀，太白山蒿坪寺，1200m，1982.Ⅶ.14，周静若、刘兰采。

分布：陕西（太白山）、黑龙江、吉林、河南、宁夏、甘肃；俄罗斯，韩国，日本。

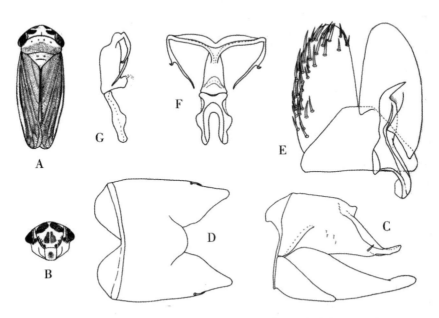

图227　双斑掌叶蝉 *Handianus*（*Usuironus*）*limbifer*（Matsumura）

A. 成虫背面观（adult, dorsal view）；B. 颜面（face）；C. 雄虫尾节侧面观（male pygofer, lateral view）；D. 雄虫尾节上半部背面观（upper part of male pygofer, dorsal view）；E. 生殖瓣、阳基侧突和下生殖板（valve, style and subgenital plate）；F. 阳茎和连索背面观（aedeagus and connective, dorsal view）；G. 阳茎和连索侧面观（aedeagus and connective, lateral view）

（236）冠斑掌叶蝉 *Handianus*（*Usuironus*）*maculaticeps*（**Reuter，1885**）（图228）

Athysanus maculaticeps Reuter, 1885a：34.

Handianus maculaticeps：Linnavuori，1953：112.

鉴别特征：头冠黄色，中域有3个大黑斑，呈"品"字形分布，颜面黄色，与头冠交界处有1对倒"八"字形褐色小斑，前唇基基部有1对大黑斑，中部有1对"八"字形黑斑，两侧褐色肌痕明显。前胸背板和小盾片黄色。前翅棕黄色，翅前缘黄色。雄虫尾节侧瓣后腹缘向后延伸、扁平，侧面观端向渐细，背面观窄长，两侧缘直、近平行。生殖瓣三角形。下生殖板宽大，基部较宽，端向渐狭，外侧缘和端缘弧形，具许多不成列的刚毛。连索"U"形，主干粗壮，两侧臂发达，与阳茎的连接处较宽。阳基侧突长，基半部较宽，短半部较狭，端部向外侧伸出、尖细，外缘近端部2/5处有1簇小刚毛。阳茎干粗短，端向渐细，端部向两侧平伸，并向前折弯形成1对附突，附突端部分叉成2个分支，其中1支指向阳茎干，且尖端背向钩状弯曲，另1支腹向弯曲；阳茎口位于阳茎干端部。

　　分布：陕西（秦岭）、内蒙古；俄罗斯，蒙古，哈萨克斯坦，非洲。

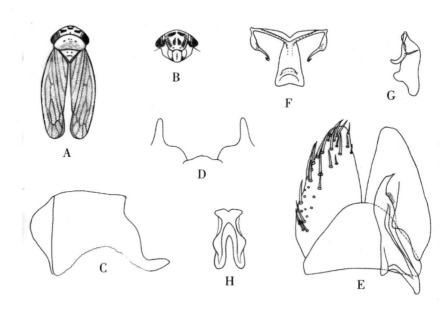

　　　　图 228　　冠斑掌叶蝉 *Handianus*（*Usuironus*）*maculaticeps*（Reuter）

A. 成虫背面观（adult, dorsal view）；B. 颜面（face）；C. 雄虫尾节侧瓣侧面观（male pygofer side, lateral view）；D. 雄虫尾节侧瓣端部背面观（apical part of male pygofer side, dorsal view）；E. 生殖瓣、下生殖板和阳基侧突（valve, style and subgenital plate）；F. 阳茎背面观（aedeagus, dorsal view）；G. 阳茎侧面观（aedeagus, lateral view）；H. 连索（connective）

120. 竹叶蝉属 *Bambusana* Anufriev，1969

Bambusana Anufriev, 1969：403. **Type species**：*Thamnotettix bambusae* Matsumura, 1914.

　　属征：头冠与前胸背板等宽，呈钝圆角突出，中长稍大于近复眼处长，复眼大，单眼位于头冠前缘，到复眼之距等于单眼直径；颜面额唇基中域平坦、窄长，与头冠以圆弧相交，中长稍大于两复眼间宽，前唇基两侧缘平行。前胸背板中长约为头冠中长的1.50倍，前缘弧形突出，后缘中央凹入。小盾片比前胸背板短，中长约等于头冠中长，中域横刻痕明显、弧形、内陷。前翅长，端片较发达，4 端室，外前端室窄短。雄虫尾节较长，腹缘深度骨化，形成突起；下生殖板宽大，基部较宽，侧缘弧形，外缘着生有 1 列大刚毛；连索倒"Y"形，主干近等于侧臂长；阳基侧突窄长，基部宽，端向渐狭，末端尖，向侧面弯曲，近端部着生 1 列小刚毛；阳茎基部宽大，阳茎干管状；阳茎口位于端部或次末端。

　　分布：中国；俄罗斯，日本。世界已知 4 种，中国记录 3 种，秦岭地区分布 1 种。

（237）佛坪竹叶蝉 *Bambusana fopingensis* **Dai** *et* **Zhang，2006**（图 229）

Bambusana fopingensis Dai *et* Zhang，2006：63.

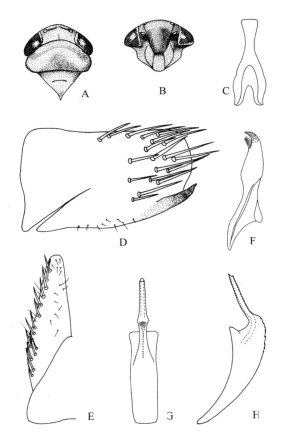

图 229　佛坪竹叶蝉 *Bambusana fopingensis* Dai *et* Zhang

A. 头部背面观（head，dorsal view）；B. 颜面（face）；c. 连索（connective）；D. 雄虫尾节侧瓣侧面观（male pygofer side，lateral view）；E. 生殖瓣和下生殖板（valve and subgenital plate）；F. 阳基侧突（style）；G. 阳茎腹面观（aedeagus，ventral view）；H. 阳茎侧面观（aedeagus，lateral view）

　　鉴别特征： 体长 5.30mm。体棕黄色。头冠棕红色，两复眼间有 1 条红褐色条带，复眼棕黑色，单眼透明，颜面额唇基基部棕黄色，端部棕黑色，触角下方黑色，前唇基棕黄色，前胸背板前缘暗红色，小盾片中域横刻痕黑色。头冠与前胸背板等宽，略呈钝角状突出，中长稍大于近复眼处长，约为两复眼间宽的 1/2，复眼大，单眼位于头冠前缘，到复眼的距离等于单眼直径；颜面与头冠以圆弧相交，额唇基中域平坦、窄长，中长稍大于两复眼间宽，前唇基两侧缘平行。前胸背板中长约为头冠中长的 1.50 倍，前缘弧形突出，后缘中央凹入。小盾片中长约等于头冠中长，中域横刻痕明显、弧形、内陷。前翅长，端片较发达，具4个端室，外前端室窄短，约为中端前室长度的2/3，内端前室基部开放。雄虫尾节长方形，腹缘深度骨化，后腹缘向后延伸形成1对突起，后缘中部有许多大刚毛，无序排列，腹缘有一些小刚毛；下生殖板宽大，基部较宽，侧缘逐渐向端缘圆弧弯曲，外缘着生有1列大刚毛；连索倒"Y"形，主干近等于侧臂长；阳基侧突窄长，基部宽，端向渐狭，末端尖，向侧面弯曲，近端部着生1列小刚毛；阳茎基部宽大，阳茎干管状，近基部两侧有1对角状突起，基干部腹面有许多小齿，阳茎口位于阳茎腹面次末端。

采集记录：1♂，佛坪凉风垭，1900～2100m，1998.Ⅶ.24，陈军采（IZAS）。

分布：陕西（佛坪）。

121. 东方叶蝉属 *Orientus* DeLong, 1938

Orientus DeLong, 1938：217. **Type species**：*Phlepsius ishidae* Matsumura, 1902.

属征：头冠较前胸背板窄，前缘圆弧突出，中域有1条明显横沟，中长约等于两侧复眼处长；颜面额唇基窄而长，前唇基端向渐宽。前胸背板比头冠宽，前缘弧形突出，后缘近平直。小盾片横刻痕明显、凹陷。前翅长且窄，有大量的假脉，端片发达，内端前室基部开放，外端前室仅为中端前室的1/2长。雄虫尾节侧瓣后缘内表面有附突；下生殖板基部较窄，狭长，侧缘中部凹入；连索"V"形；阳茎基大，阳茎干短且背向弯曲；阳茎口位于端部。

分布：中国；俄罗斯，韩国，日本，菲律宾，北美洲。世界现仅知4种，秦岭地区分布1种。

(238) 广文东方叶蝉 *Orientus ishidae* (Matsumura, 1902)

Phlepsius ishidae Matsumura, 1902：382.
Orientus ishidae：DeLong, 1938：217.

鉴别特征：雄虫尾节内突长，下生殖板端部膜质指状区长，大于下生殖板的1/2，阳基侧突有1个较发达的侧瓣，阳茎端部向两侧角状突出。

采集记录：1♀，南五台，1957.Ⅷ，王荣德采；1♀，南五台，1957.Ⅷ，李尚贤、冉瑞碧采；1♂，凤县，1981.Ⅶ，灯诱；2♀，凤县，1980.Ⅷ，孙宏采；1♀，凤县留凤关，1995.Ⅷ.17，张文珠、任立云采。

分布：陕西（长安、凤县）；俄罗斯，朝鲜，日本，菲律宾，南美洲。

122. 斑翅叶蝉属 *Mimotettix* Matsumura, 1914

Mimotettix Matsumura, 1914: 197. **Type species**: *Mimotettix kawamurae* Matsumura, 1914.

属征: 体棕黄色到棕黑色。头冠前缘 2 条黄色横带间有 1 条黑色的横带, 颜面靠近头冠处有 1 条黑色的横带。前翅棕色在爪区及翅端部有白色斑点。头冠前缘钝圆突出, 中长长于两侧复眼处但短于 2 个复眼间宽, 单眼位于头冠前缘靠近复眼, 到复眼的距离等于单眼的直径, 头冠于颜面圆弧相交。颜面平坦, 长大于宽, 前唇基端向渐宽。前胸背板较头冠宽, 前缘圆弧突出, 后缘微凹。小盾片与头冠近等长, 横刻痕明显。前翅具 4 个端室、3 个端前室, 内端前室基部开放。雄虫尾节较长, 后背缘有大量大刚毛; 下生殖板基部宽, 端向渐窄, 侧缘有 1 列大刚毛。连索“Y”形, 阳茎长, 干基部粗壮, 端部渐细, 有 1 个腹向折弯的细长突起, 末端尖细; 阳茎口位于端部。

分布: 东洋区, 非洲区。秦岭地区发现 2 种。

(239) 片脊斑翅叶蝉 *Mimotettix spinosus* Li et Xing, 2010 (图 230)

Mimotettix spinosus Li *et* Xing, 2010: 378.

鉴别特征: 体长 5.20~5.40mm。头冠向前钝圆突出, 与颜面圆弧相交, 冠缝明显, 中长大于两侧近复眼处长, 约等于两复眼间宽的 3/4, 复眼大, 到复眼的距离等于单眼直径; 颜面额唇基较宽, 中长大于两复眼间宽, 前唇基端部宽。前胸背板较头冠宽, 中长约等于头冠中长的 1.20 倍, 前缘弧形突出, 后缘微凹。小盾片长约等于头冠中长, 中域横刻痕弧形、内陷。前翅具 4 个端室, 外端前室窄短, 约为中端前室的 2/3。雌虫第 7 腹节腹板后缘近平直。

雄虫尾节侧瓣后缘圆角状突出, 腹后缘有 1 块弯向背前方的突起, 尾节侧瓣中域有许多大刚毛。阳基侧突基部宽大, 端部尖细, 向两侧弯曲; 下生殖板沿腹侧缘有 1 列大刚毛, 侧缘中部到端部有许多细长刚毛。连索“Y”形, 主干发达, 长约为两侧臂的 1.50 倍。阳茎干粗壮, 背向弯曲, 近端部腹向弯曲, 背缘中部有 1 对三角形的片状脊起、侧扁, 端部腹面有 1 个长的突起, 长度约为阳茎干的 2/3, 阳茎口位于端部。

采集记录: 1♂, 太白山蒿坪寺, 1200m, 1982. V. 18, 采集人不详。

分布: 陕西(太白山)、贵州。

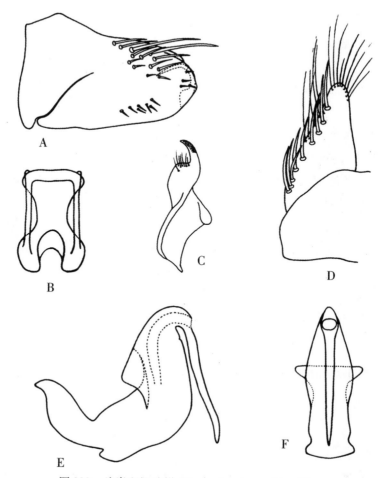

图 230　片脊斑翅叶蝉 *Mimotettix spinosus* Li *et* Xing

A. 雄虫尾节侧瓣侧面观(male pygofer side, lateral view)；B. 连索(connective)；C. 阳基侧突(style)；D. 生殖瓣和下生殖板(valve and subgenital plate)；E. 阳茎侧面观(aedeagus, lateral view)；F. 阳茎腹面观(aedeagus, ventral view)

(240) 黑纹斑翅叶蝉 *Mimotettix alboguttulatus* (Melichar, 1903)

Thamnotettix alboguttulatus Melichar, 1903: 184.

Paralimnus albomaculatus Distant, 1908: 397.

Mimotettix kawamurae Matsumura, 1914: 194.

Paralimnus lefroyi Distant, 1918: 63.

Mimotettix albomaculatus: Webb & Heller, 1990: 7.

Mimotettix lefroyi: Webb & Heller, 1990: 7.

Mimotettix apicalis Li *et* Wang, 2005: 798.

鉴别特征：本种与 *M. curticeps* 相似，但本种阳茎端部突起较短。

分布：陕西（秦岭）、河南、甘肃、湖北、湖南、台湾、海南、贵州。

123. 饴叶蝉属 *Ophiola* Edwards, 1922

Ophiola Edwards, 1922：206. **Type species**：*Cicada striatula* Fallén, 1806.

属征：头冠较前胸背板宽，向前钝圆突出，中长大于两复眼间宽，单眼位于头冠前侧缘，到复眼的距离约为单眼直径的 2 倍；颜面与头冠圆弧相交，额唇基较宽，中长约等于两复眼间宽，前唇基端部渐狭。前胸背板前缘突出，后缘微凹，具横皱纹。小盾片横刻痕弧形、内陷，几乎伸达两侧缘。前翅端片发达，具 4 个端室，中端前室长为外端前室的 2 倍。雄虫尾节侧瓣端部尖，内弯，端半部有粗刚毛；连索"Y"形，主干长；下生殖板上的刚毛沿侧缘无规则排列；阳基侧突短；阳茎基背面与 1 个叶状突融为一体，阳茎干扁，端部两分叉；阳茎口位于腹面。

分布：古北区。世界已知 12 种，中国已知 4 种，秦岭地区分布 1 种。

(241) 尖突饴叶蝉 *Ophiola cornicula* (Marshall, 1866)

Iassus（？）*corniculus* Marshall, 1866：119.

Jassus orichalceus Thomson, 1869：64.

Limotettix（*Ophiola*）*intractabilis* Kontkanen, 1949a：87.

Ophiola cornicula：Ossianilsson, 1983：756.

鉴别特征：虫体黑色或棕黑色，头冠有亮的蠕虫状斑，阳茎干两侧缘各有 1 个向前的齿突。

采集记录：1♂，长安石砭峪，1999. Ⅵ. 17，李宇飞采；1♀，太白山蒿坪寺，1982. Ⅸ. 10，西北农学院采；1♀，太白，1981. Ⅷ. 14，西北农学院采；1♀，宁陕火地塘，1984. Ⅷ，西北农学院采。

分布：陕西（长安、太白、宁陕）、黑龙江、河南、甘肃、湖南、贵州；古北区。

Ⅻ. 带叶蝉族 Scaphoideini Oman, 1943

鉴别特征：头冠前缘角状突出，中长大于两复眼间宽，单眼位于头冠前侧缘，接近复眼。颜面颊发达，两侧缘向后延伸超过复眼，背面可见。前翅长，端片发达，外端前室小，中端前室收狭，基部较端部宽，内端前室基部开放，前缘脉斜插，前缘靠近外端前室有一些反折的小脉。尾节侧瓣有大刚毛，下生殖板狭长，端部变细，呈线状突出，侧缘有或无刚毛，连索"Y"形，阳茎有成对的阳茎侧突，阳茎干小，位于生殖荚的背缘，阳茎口位于端部。

分布：世界广布。全世界已知 13 属，中国记载 1 属，秦岭地区分布 1 属 9 种。

124．带叶蝉属 *Scaphoideus* Uhler，1889

Scaphoideus Uhler，1889：33．**Type species**：*Jassus immistus* Say，1831．

Ussa Distant，1918：68．**Type species**：*Hussa insignis* Distant，1918．

Bolanus Distant，1918：89．**Type species**：*Bolanus baeticus* Distant，1918．

Angenus DeLong *et* Knull，1971：54．**Type species**：nom. nud.

　　属征：头冠窄于前胸背板，前缘角状突出，中长大于两复眼间宽，单眼位于头冠前侧缘，接近复眼。前翅长，端片发达，外端前室小，中端前室收狭，基部较端部宽，内端前室基部开放，前缘脉斜插，前缘靠近外端前室有一些反折的小脉。尾节侧瓣有成簇的大刚毛，下生殖板狭长，端部变细，呈线状突出，侧缘有或无刚毛，连索 "Y" 形，阳茎有成对的阳茎侧突，阳茎干小，位于生殖荚的背缘，通常与阳茎侧突和连索不相连，阳茎侧突与连索相连，阳茎口位于端部。

　　分布：古北区，东洋区，新北区，非洲区，澳洲区。世界已知 13 属 128 种，中国记载 1 属，秦岭地区分布 1 属 9 种。

(242) 白条带叶蝉 *Scaphoideus albovittatus* Matsumura，1914（图版：8，9）

Scaphoideus albovittatus Matsumura，1914：224．

　　鉴别特征：体长 4.50 ~ 6.10mm。体连翅均匀伸长。头（包括复眼）微窄于前胸背板。头冠突出，头长明显大于复眼间宽，头宽是复眼间宽的 1.40 倍，与颜面交界处圆弧状，头冠光滑具革质斑块。复眼较大，单眼位于头冠前缘，与复眼距离大于单眼直径。唇基端部较宽，颜面在复眼下方微切入。前胸背板略短于头，前缘钝突，后缘微微内凹。小盾片与头近长，横刻痕微弯。前翅半透明，具明显端片，外端前室顶端尖，端前内室基部闭合，两横脉连接外端前室与前缘间，外端前室下游不具类似横脉。体色浅棕，带有白色纵带贯穿头冠至前翅近末端。头冠顶端具黑色小圆斑，单眼边具 1 对黑色不规则黑斑。额唇基黄白，前缘与头冠接缝处具 1 条黑色细条纹，触角窝具 1 条较粗黑色缘线，唇基和舌侧板黄白，颜浅黄，触角下方具黑色斑纹。小盾片侧面棕色，中央具有 2 个橙色小圆斑。前翅半透明具棕色翅脉，基部和顶部颜色加深至黑色。

　　雄虫尾节侧瓣长，后缘渐细，端部具数列较长大刚毛，亚端部至中部散生较短刚毛。下生殖板短小，长约为尾节的 1/2，基部加宽，并具 2 ~ 3 根刚毛排成 1 列，基部至中部边缘着生细刚毛。阳基侧突基部较宽，具可识别肩角；端前突短小，侧向弯曲。连索前臂近乎平行；1 对连索突起宽度基本一致，近端部 1/3 处渐变细，端部尖细；侧面观弯曲。阳茎粗壮，阳茎干侧面观长于阳茎腔，顶端变窄且背向弯曲；生殖孔位于腹面亚端部。雌虫第 7 腹板较宽，前缘平直，后缘中部有 1 处深陷，深陷边缘略黑。第 1 产卵瓣侧面观背向弯曲，背部边缘凹入，端半部具网状刻痕，近端部变宽，至端部渐窄。第 2 产卵瓣侧面观，基部宽大，至端部骤变窄；端部尖细，端半部背缘具多个三角齿。第 3 产卵瓣侧面观基半部窄，端半部宽大，端部明显三角形延伸。

Scaphoideus albovittatus Matsumura 是东亚常见种。从中国北方到南方采集到的标本（山东、陕西、湖北和广西）表现出体色和雄性生殖器的变异。山东标本阳茎干更细，连索突起较直；陕西标本与山东标本相似，阳茎干腹面略凸出。然而湖北标本与山东和陕西标本比较，阳茎干更粗壮，连索突起腹向略弯，阳茎又比广西标本细。从北方至南方，尾节侧瓣越来越细，阳茎干越来越粗壮，阳茎突起越来越腹向弯曲。

采集记录： 2♂，洋县，2002.Ⅷ.22，魏琮、尚素琴采。

分布： 陕西（洋县）、河北、山东、河南、湖北、湖南、海南、广西、四川、贵州、云南、西藏；俄罗斯，韩国，日本。

（243）白背带叶蝉 *Scaphoideus kumamotonis* **Matsumura，1914**（图版 10：B，G，L；图版 11）

Scaphoideus kumamotonis Matsumura，1914：224.

鉴别特征： 体长 4.20 ~ 5.10mm。该种外形与 *S. coniceus* 相似，前翅 3 条横脉位于外端前室与前缘间，基部横脉由外端前室下游伸出。雄虫尾节侧瓣细长，后缘钝圆且散布数根短刚毛，亚端部具两簇长毛。下生殖板三角形，侧缘具细毛，基部较宽且具 2 ~ 3 根刚毛，端部钝圆。阳基侧突较小，肩角发达；端前突均匀伸长且侧向弯曲，端部骤然变细呈尖角，腹外侧具小齿，侧叶及腹面具数根刚毛。连索臂短于连索茎，呈"Y"形；连索突起基部愈合而后平行，每个突起基部至端部 1/2 处略宽，端部 1/2 后渐变细变尖。阳茎腔发达，阳茎干笔直，侧面观扁平，顶端向后弯曲且具 1 对长侧突侧向基向弯曲，近端部具 2 条平行脊沿腹面延伸。雌虫第 7 腹板末端中间突起，中部具 1 处凹痕，凹痕边缘略着黑色。其他特征与 *S. albovittatus* Matsumura 相似。

采集记录： 1♂，太白科协馆，1984.Ⅶ.12，柴勇辉采。

分布： 陕西（太白）、河南、安徽、浙江、湖北、江西、湖南、广西、四川、贵州、云南、西藏；日本。

（244）侧突带叶蝉 *Scaphoideus coliateralis* **Li，2011**（图 231）

Scaphoideus coliateralis Li，*in* Li，Dai *et* Xing，2011：252.

鉴别特征：体长 4.80～5.20mm。前胸背板宽于头宽。头冠前缘角状突出，复眼间宽与头长近长，头长小于复眼处长的 2 倍。前胸背板与头长的等长，前缘钝圆，后缘微凹入；小盾片长于前胸背板，侧缘微弧形，横刻痕中央与端部微端向弯曲。身体浅褐色。头冠白，亚前缘具黑色横纹，横纹中域加宽且后缘具小角状凹入，中后域具褐色横带，横带前缘中部钝圆突出，后缘冠缝两侧角状突出。颜面浅黄，端域具 3 条黑色横纹。前胸背板前缘与后缘具色棕红横带，前缘横带两侧具褐色半圆斑；小盾片白，基侧域具 1 对深褐色大斑，基半中域具褐色梯形斑，顶角侧缘着色。前翅灰白半透明，翅面具褐色不规则斑。雄虫尾节侧瓣背缘端部近平截陷入，端缘平截具长刚毛，中后域具较短刚毛。下生殖板基半部侧缘近平行，近端部渐窄且外缘具褶皱，近基部 1/3 具斜排刚毛。阳基侧突基部较宽，肩角半圆突出；端前突起细长，端向渐细且侧向弯曲，近基部具小半圆突起。连索"Y"形，臂长大于主干，两臂端部微膨大；连索突起平行延伸，近端部膨大形成两叉突起。阳茎"U"形，阳茎腔发达；阳茎干端向渐细。

分布：陕西（秦岭）。

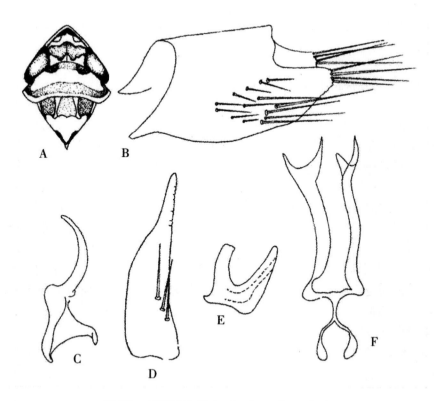

图 231　侧突带叶蝉 *Scaphoideus coliateralis* Li

A. 头部背面观（head, dorsal view）；B. 尾节侧瓣侧面观（pygofer, lateral view）；C. 阳基侧突（style）；D. 下生殖板（subgenital plate）；E. 阳茎侧面观（aedeagus, lateral view）；F. 连索和阳基侧突（connective and style）

(245) 齿茎带叶蝉 *Scaphoideus dentaedeagus* **Li et Wang, 2002**（图版 12：D，H，L；图版 13）

Scaphoideus dentaedeagus Li et Wang, 2002：106.

　　鉴别特征：体长 5.50～6.00mm。体色淡棕色。头冠黄白，近前缘具 1 条黑色缘线，中域具宽横橙带，横带中部微凸出。颜面灰白，端部 4 根深棕色横纹。前胸背板棕灰，前缘具橙色横纹，两侧深褐，中域具宽的棕色横纹；小盾片基半橙色，2 个基角具白斑，顶角两侧深褐。前翅半透明，端部褐色，翅脉深棕。体纤长，头冠略窄于前胸背板。头冠前缘角状突出，复眼间宽是头长的 1.10 倍，头长约为复眼处长的 1.60 倍，头宽约为复眼间宽的 2.10 倍。额唇基两侧缘与触角窝处凹陷；前唇基较宽，宽度约为长的 2/3，两侧缘近平行。前胸背板略宽于头冠，长度约为头长的 1.30 倍；小盾片与前胸背板近长，两侧缘中部微陷，横刻痕微呈弧状突出。前翅半透明，两横脉自外端前室侧缘近基部发出，斜向翅基部。雄虫尾节侧瓣长约为宽的 2.50 倍，末端两列长刚毛排成 1 排，近腹缘夹杂长刚毛与短刚毛。下生殖板细长，亚基部变细后平行延伸，端部钝圆，近末端侧缘及端缘具细长刚毛。阳基侧突小，肩角不明显，端前突起侧向近 60°弯曲，端部尖细。连索"Y"形，主干短于两臂，主干中部扁平隆起；1 对连索突平行延伸，至中部侧向扭曲，端部渐细，侧面观亚端部腹向弯曲，端部尖。阳茎干粗壮，侧面观"U"形，端部略背向弯曲。

　　分布：陕西（秦岭）、甘肃、浙江、湖北、湖南、福建、广西、云南。

(246) 阔横带叶蝉 *Scaphoideus festivus* **Matsumura, 1902**（图版 14：B，F，J；图版 15）

Scaphoideus festivus Matsummura, 1902：384.
Scaphoideus pristidens Kirkaldy, 1906：333.

　　鉴别特征：体长 4.20～5.90mm。体细长。头窄于前胸背板。头冠前缘钝圆突出，头长与复眼间宽近长且约为复眼处长的 1.70 倍，头宽约为复眼间宽 2.20 倍。颜面前唇基基部至端部逐渐变宽。前胸背板略宽于头冠，约为头长的 1.10 倍；小盾片与前胸背板近长，横刻痕弧状突出。前翅端片明显，外端前室下游斜向伸出两条横脉，亚基部斜亦伸出 1 条横脉。体色淡棕。头冠灰白，亚前缘具深褐线，与前缘平行，中域具橙色横带，中部尖状突起。颜面棕白，顶部具 3 根深棕细横纹，触角窝下方具深棕斑。前胸背板灰白，前缘中部具橙色斑，两端深棕，后域具极宽棕色横带；小盾片基半部棕橙色，端半部灰白。前翅灰白透明，翅脉棕色。雄虫尾节侧瓣后缘突出，端部具数根长刚毛，后域侧缘具长短不一的刚毛。下生殖板三角形，端部钝圆，亚基部侧缘具数根刚毛。阳基侧突细长，肩角钝圆，端前突起长，至端部逐渐变细，亚端部具 1 个小波浪突起。连索"V"形，主干不明显；连索突极细，1/2 处突然急剧加大，至端部呈三角形。阳茎粗壮，阳茎干腹面观竖直，端部中间凹陷，侧面观端部背向角状突出。

　　采集记录: 1♂, 太白山蒿坪寺, 1170m, 2002. Ⅶ. 14, 戴武采; 1♂, 宁陕火地塘, 1994. Ⅷ. 16, 张雅林采。

　　分布: 陕西(太白山, 宁陕)、黑龙江、北京、河北、天津、山西、河南、宁夏、浙江、湖北、江西、湖南、福建、台湾、广东、海南、广西、四川、云南、贵州; 韩国, 日本, 印度, 斯里兰卡。

(247) 黑瓣带叶蝉 *Scaphoideus nigrivalveus* Li *et* Wang, 2005(图版 16: A, E, I; 图版 17)

Scaphoideus nigrivalveus Li *et* Wang, *in* Li, Wang *et* Liang, 2005: 130.

　　鉴别特征: 体长 5.50～5.80mm。头窄于前胸背板。头冠前缘三角形突出, 端部钝, 复眼间宽约为头长的 1.10 倍, 约为复眼处长的 1.80 倍, 头宽约为复眼间宽的 2.20倍。颜面前唇基较宽, 两侧缘平行。前胸背板宽于头部且约为头长的 1.30 的倍; 小盾片与前胸背板近长, 横刻痕微弧状, 中部微凹。前翅外端前室自基部斜伸出 2 条横纹。头冠灰白, 前域具 1 条与前缘平行的黑线, 中域具 1 条宽橙横带, 横带前缘三角形突出。颜面棕白, 额唇基基部具 4 根深棕色横纹, 触角窝下方具深棕斑。前胸背板灰棕, 前缘中部具 1 个长方形橙斑; 小盾片基半橙色, 基角灰白, 端半白色, 近前端具 1 条深棕色横纹。前翅半透明, 翅脉深棕色。雄虫尾节侧瓣较长, 端部三角形突出, 具 2 排长刚毛排成 1 列, 中后域具数根长短不一的刚毛。下生殖板细长, 亚端部外缘微波浪突出。阳基侧突细长, 基部较宽, 肩角圆形突出, 端前突细长侧向弯曲。连索主干略长与两臂; 1 对连索突平行延伸, 端部聚拢后侧向弯曲, 侧面观略背向弯曲。阳茎侧面观呈"V"形, 阳茎腔明显; 阳茎干亚基部微三角形突出, 端部背向弯曲。

　　采集记录: 1♂, 凤县双石铺, 1995. Ⅷ. 15, 张文珠、任立云采; 1♂, 太白黄柏塬, 2010. Ⅷ. 16, 董爱平采。

　　分布: 陕西(凤县、太白)、内蒙古、河南、湖北、湖南、贵州。

(248) 红色带叶蝉 *Scaphoideus rufilineatus* Li, 1990(图版 16: C, G, K; 图版 18)

Scaphoideus rufilineatus Li, 1990: 99.

　　鉴别特征: 体长 4.20～4.70mm。体色淡棕。头冠黄白, 亚前缘 1 条橙色细纹与前缘平行, 复眼间具 1 条橙色横带与细纹连接。颜面黄白, 前缘具棕色缘线, 触角窝上方具小横棕斑, 下方着深褐色。前胸背板灰白, 前域与中域各具 1 条宽橙横带; 小盾片基半橙黄, 基角灰白, 端半黄白。前翅半透明, 翅脉棕色。头略窄于前胸背板。头冠前缘弧状突出, 复眼间距约为头长的 1.20 倍, 约为复眼处长的 1.70 倍, 头宽约为复眼间宽的 1.40 倍。颜面与复眼交界接近平直；前唇基基部凹陷，亚端部微膨大。前胸背板略宽于头，长度约为头长的 1.40 倍；小盾片与前胸背板近长，侧缘与近前缘微凹陷，横刻痕弧形弯曲。前翅外端前室自基部依次斜向伸出 2 条横纹。雄虫尾节侧瓣背缘与端部斜向连接，端部钝圆且具 2 排长刚毛，中后域具长短不一的刚毛。下生殖板细长三角形，长度约为尾节侧瓣 2/3，端部如刀状且为侧向弯曲，亚基部具 3 根长刚毛。阳基侧突约为下生殖板长度 1/2，肩角尖角突出；端前突侧向弯曲，端部尖细，亚端部具小的突起。连索酒杯形，两臂与主干近长；1 对连索突侧缘平行，近端部 1/3 处膨大与尖端形成三角形。阳茎呈"V"形，阳茎腔明显；阳茎干基部至中部逐渐变窄，中部两侧各伸出 1 个三角形突起，与尖端形成箭头型，背面近端部陷入。

采集记录：1♂，凤县双石铺，1995.Ⅶ.15，张文珠、任立云采；2♀，凤县双石铺，1995.Ⅶ.15，张文珠、任立云采。

分布：陕西（凤县）、山西、河南、湖北、四川、贵州、云南。

(249) 刺板带叶蝉 *Scaphoideus spiniplateus* Li et Wang, 2002（图版 19）

Scaphoideus spiniplateus Li et Wang, 2002：109.

鉴别特征：体长 6.00～6.20mm。该种外形与 *S. conicaplateus* 相似，只是本种头冠前缘突出更明显，头长长于复眼间宽。雄虫尾节侧瓣较长，长约为宽的 2.50 倍。下生殖板细长，长度约为尾节侧瓣的 2/3，基部膨大，亚基部骤细后平行延伸，内缘中部具 1 个平行突起。阳基侧突小，肩角小三角形突起；端前突短且侧向弯曲，端部尖，基部具数根短刚毛。连索主干粗壮，两臂短于主干；1 对连索突起腹向突出且背向弯曲，端部尖细。阳茎侧面观船型，基部具 1 个腹向突起，突起具 2 瓣；阳茎干端部膨大形成勺型，侧面观背向弯曲。

采集记录：1♂1♀，朱雀森林公园，2007.Ⅶ.22-25，戴武采。

分布：陕西（户县）、湖北、贵州、云南。

(250) 多色带叶蝉 *Scaphoideus varius* Vilbaste, 1968（图版 20）

Scaphoideus varius Vilbaste, 1968：132.

鉴别特征：体长 5.20～6.00mm，头宽 1.50mm。体色斑纹与 *S. liui* 相似。雄虫尾节侧瓣短，长略大于宽，背缘末端陷入，端部具腹向指状突起，中后域具长短不一的刚毛。下生殖板与尾节侧瓣近长，长度约为基部最宽处的 3.40 倍，侧缘近端部波浪形且具细毛，端部钝圆。生殖瓣三角形，侧缘弧形。阳基侧突细长，与连索连接臂极长，肩角钝圆；端前突不较短且侧向弯曲。连索两臂靠拢且长于主干；连索突剑形，靠在一起，端部尖，侧面观笔直延伸。阳茎腔近三角形，两侧凹陷；阳茎干基部具1对侧向延伸的细长突起，近基部1/3处变宽，端部三角形渐尖。

采集记录：1♂1♀，朱雀森林公园，2007.Ⅶ.22-25，戴武采；1♂，太白保护区管理站，采集年份不详.Ⅷ.14，西北农林科技大学采；1♀，太白山蒿坪寺，1982.Ⅷ.22，西北农学院采；1♀，太白山，1200m，1982.Ⅶ.18，康海成采；1♀，宁陕关口，1984.Ⅷ.15，李玥仁采。

分布：陕西（户县、宁陕，太白山）、河南、浙江、台湾、贵州。

二、角蝉科 Membracidae

袁向群　袁锋　胡凯

（西北农林科技大学植保资源与病虫害治理教育部重点实验室，
西北农林科技大学昆虫博物馆，陕西杨凌 712100）

鉴别特征：体小到中型，头后口式，触角刚毛状。头顶有或无向上的突起。前胸背板通常向后延伸的后突起盖在小盾片和腹部上方，有的前胸背板上有上肩角，有的有前角突，有的有中背突。中胸背板无盾侧沟。小盾片通常被遮盖或退化，如果露出可见，则后顶端圆，尖锐或有缺切；背面有脊或无脊。前翅M脉的基部愈合到Cu脉上，横脉r常存在；爪片逐渐变狭，顶端尖锐或斜截。前足转节和腿节不愈合；后足胫节有3列或更少列的小基兜毛。雄虫尾节一般有分开的侧板。雌性、雄虫尾节一般无向后的突起。

前胸背板的上肩角、中背突、后突起，前角突为一级外长物。这些一级外长物的突起还可再生出二级突起，进而再生出三级突起，形成由简单到复杂的体系。有前社会行为，是研究生物进化的好材料。角蝉全为植食性，刺吸寄主的汁液，分泌蜜露污染植物叶片，产卵时刺伤植物组织，传播植物病害，对经济作物造成一定程度的危害。

分类：角蝉科包括12个亚科，中国只有露盾角蝉亚科和隐盾角蝉亚科，露盾角蝉亚科在东西半球均有分布，隐盾角蝉亚科分布于东半球。陕西秦岭及周边地区的角蝉均属露盾角蝉亚科，共15属41种，其中陕西秦岭地区有38种。

分属检索表

1. 前胸背板有从背盘部向上高耸呈柱状的中背突；从中背突顶端向两侧伸出的侧支简单，无向前的再分支 ……………………………………… **矛角蝉属** *Leptobelus*
   前胸背板上没有中背突，但有由前胸背板向后延伸的后突起………………………… 2

125. 矛角蝉属 *Leptobelus* Stål，1866

Leptobelus Stål，1866：90. **Type species**：*Centrotus dama* Germar，1935 = *Leptobelus dama*（Germar，1935）.

　　属征：体大型。前胸背板有向上高耸的中背突，呈柱形，从其顶端向两侧伸出侧支，侧支直且无分支，顶端尖锐；从中背突顶端向后生出后支，后支基部远离小盾片，直或倾斜向下，顶端尖锐，超出前翅臀角，离开或接触前翅后缘。肩角发达。小盾片完全露出，基部常隆起，顶端有缺切。前翅狭长，基部革质，端部膜质，透明；具 2 个盘室，5 个端室。后翅具 4 个端室。足正常。

分布: 全世界记载 8 种,秦岭地区分布 1 种。

(251) 中北矛角蝉 *leptobelus boreosinensis* **Yuan *et* Chou, 1988**(图 232)

Leptobelus gazelle boreosinensis Yuan *et* Chou, 1988: 74.

鉴别特征: 前胸背板有从背盘部向上高耸呈柱状的中背突;从前胸背板高耸的中背突顶端向两侧伸出的侧支简单,无向前的再分支;前胸背板上高耸呈柱状的中背突顶端与向两侧伸出的侧支基部基本等高,无明显的突顶露出;中背突前面平均高 3mm,最狭处平均 1mm,显得粗矮;雌性平均体长 8.90mm,肩角间宽 2.80mm,侧支间宽 6mm,体显得较小。

采集记录: 1 ♀,佛坪,890m,1999. Ⅵ. 21,采集人不详;1 ♂,佛坪凉风垭,1750m,1999. Ⅵ. 28,采集人不详。

分布: 陕西(佛坪)、北京、甘肃、新疆、湖北、湖南。

寄主: 苹果 *Malus pumila* Miller (Rosaceae),山楂 *Crataegus pinnatifida* Bunge (Rosaceae)。

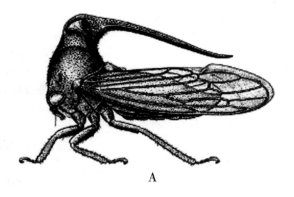

A

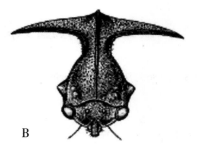

B

图 232　中北矛角蝉 *Leptobelus boreosinensis* Yuan *et* Chou(仿袁锋)

A. 雌体侧面观;B. 头胸前面观

126. 钩冠角蝉属 *Hypsolyrium* Schmidt, 1926

Hypsolyrium Schmidt, 1926: 22. **Type species**: *Hypsauchenia uncinata* Stål, 1869 = *Hypsolyrium unci-natum* (Stål, 1869).

属征：体中大型。前胸背板具有从中前部生出的前角突，侧扁，向上而微向前高耸，顶端尖而向后弯成小钩，不分叉。后突起从前胸背板后缘生出，盖在小盾片和前翅后缘上，有三角形的亚端结。小盾片两侧露出。肩角发达。前翅端长，外缘斜，端半部翅室多，脉序半网型。后翅具 4 个端室。

分布：全世界已知 7 种，均分布于亚洲，中国已知 7 种，秦岭地区分布 1 种。

(252) 贵州钩冠角蝉 *Hypsolyrium guizhouensis* Chou *et* Yuan, 1980（图 233）

Hypsolyrium guizhouensis Chou *et* Yuan, 1980: 48.

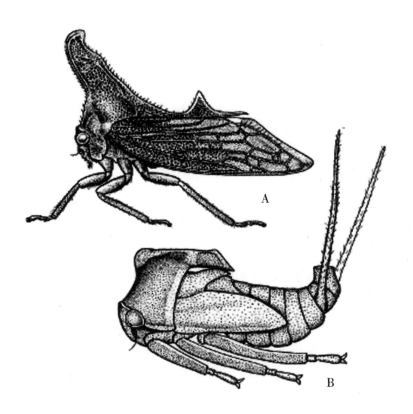

图 233　贵州钩冠角蝉 *Hypsolyrium guizhouensis* Chou *et* Yuan（仿袁锋）

A. 雌体侧面观；B. 第 5 龄若虫

鉴别特征：体长 9mm，翅展 18mm。前胸背板上没有中背突，但均有由前胸背板向后延伸的后突起；前胸背板具有从背盘中前部生出的前角突；前角突顶端不分叉，侧扁，向后弯曲成小钩状；后突起有明显的亚端结；后突起上无大齿。

分布：陕西（汉中）、四川、贵州。

寄主：油桐 *Aleurites fordii* Hemsl.（Euphobiaceae），向日葵 *Helianthus annus* Linn.（Compositae）。

127. 犀角蝉属 *Jingkara* Chou，1964

Jingkara Chou，1964. 5：442. **Type species**：*Jingkara hyalipunctata* Chou，1964.

Notohypsa Cook，1964. 10：222. **Type species**：*Notohypsa capeneri* Cook，1964.

属征：体中型。前胸背板向上伸出宽而侧扁的前角突，微向前方倾斜，末端向后伸，分成 2 个子叶状的瓣。后突起基部向背面弯曲，中后部有 1 个近半圆形侧扁的亚端结，端部细，顶尖锐，伸达前翅臀角。前翅狭长，外缘平截，端半部翅室多而网状。后翅有 4 个端室。足正常，第 3 跗节最长。雌雄基本同型，雄性略小。

分布：中国已知 1 种，分布于秦岭以南。

(253) 犀角蝉 *Jingkara hyalipunctata* Chou，1964（图 234）

Jingkara hyalipunctara Chou，1964. 5：449.

Notohypsa capeneri Cook，1964. 10：222.

鉴别特征：体长 5.80~6.20mm。前胸背板上没有中背突，但有由前胸背板向后延伸的后突起；前胸背板具有从背盘中前部生出的前角突；前角突顶端分叉；后突起基部拱起，小盾片完全露出；前角突分成 2 个子叶状的瓣；后突起基部向背面波状弯曲，背缘有齿，中后部有 1 个近半圆形侧扁的亚端结，端部细，顶部细，顶尖锐，伸达前翅臀角；前翅褐色，基部 1/3 革质，有刻点，近端部和后缘区有不规则大小不同的斑点，近臀角的几个特别明显，端半部翅室多且呈网状。

分布：陕西（太白、华阴、留坝）、河南、湖北、江西、福建、四川、贵州、云南。

寄主：荛花 *Wikstroemia* sp.（Thymelaeaceae），刺槐 *Robinia pseudoacacia* Linn.（Leguminosae），麻栎 *Quercus acutissima* Carr.（Fagaceae），胡枝子 *Lespedeza bicolor* Turca.（Leguminosae），小白酒草（小飞蓬）*Conyza canadensis*（L.）Cronq.（Compositae）。

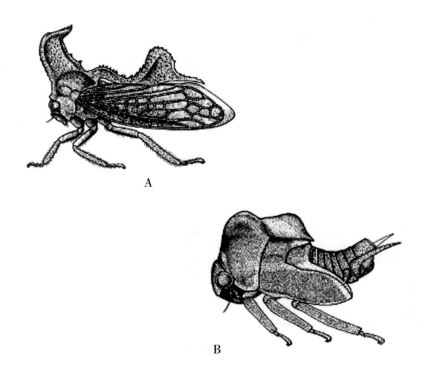

图 234　犀角蝉 *Jingkara hyalipunctata* Chou(仿袁锋)

A. 雌体侧面观；B. 第 5 龄若虫

128. 截角蝉属 *Truncatocornum* Yuan *et* Tian, 1995

Truncatocornum Yuan *et* Tian, 1995：235. **Type species**：*Truncatocornum nigrum* Yuan *et* Tian, 1995.

属征：体中型。头顶宽是高的 2 倍。前胸斜面向后略倾斜。上肩角发达，伸向外上方，背腹扁，顶端截而凹入，形成 2 齿。后突起从前胸背板后缘生出，在小盾片上方拱起，端部 2/3 处接触小盾片顶端，顶端尖细，达不到前翅臀角；背面、侧面与腹面具 4 条脊，无侧瓣。肩角发达。小盾片完全露出，顶端有缺切。前翅具 2 个盘室，5 个端室。后翅具 4 个端室。

分布：全世界已知 2 种，秦岭地区分布 1 种。

(254) **黑截角蝉** *Truncatocornum nigrum* Yuan *et* Tian, 1995(图 235)

Truncatocornum nigrum Yuan *et* Tian, 1995：236.

鉴别特征：体长 7.40～9.50mm。体黑色。前胸背板上没有中背突，仅有从前胸背板后缘或后部生出的后突起；后足转节内侧无齿突；上肩角发达；后突起从前胸背板后部或后缘生出，基部远离小盾片；上肩角顶端平截；后突起端部不膨大；上肩角顶端中凹，形成 2 齿，后齿长而尖锐；后突起端部略膨大。

分布：陕西（留坝）。

寄主：麻栎 *Quercus acutissima* Carr.（Fagaceae）。

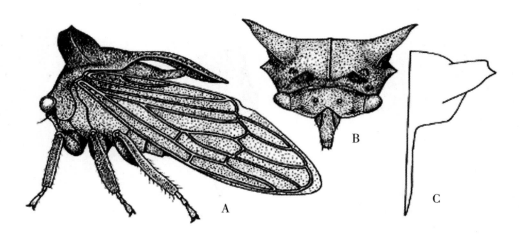

图 235　黑截角蝉 *Truncatocornum nigrum* Yuan et Tian（仿袁锋）
A. 雌性侧面观；B. 头胸前面观；C. 前胸背板背面观

129. 弓角蝉属 *Arcuatocornum* Yuan *et* Tian, 1995

Arcuatocornum Yuan et Tian, 1995：238. **Type species**：*Arcuatocornum acutum* Yuan et Tian, 1995.

属征：体中型。头宽大于高。前胸斜面向后倾斜，胝大。上肩角短，背腹扁，伸向外上方，顶端尖锐，非截状。后突起从前胸背板后缘生出，在小盾片上方拱起，2/3 处接触小盾片顶端；后半向两侧扩张；背、侧与腹部具 4 条脊，无侧瓣；顶端伸达不到前翅臀角。肩角发达。小盾片完全露出，顶端有缺切。具 2 个盘室，5 个端室。后翅具 4 个端室。

分布：全世界已知 2 种，均分布于中国秦岭山区。

分种检索表

上肩角伸向外上方，短，三角形；前胸背板和前翅面上无密生刚毛 ···················· **弓角蝉** *A. acutum*

上肩角基部 1/3 向上直伸，端部 2/3 向外伸；前胸背板和前翅面上具密生刚毛 ·····················
·· **毛弓角蝉** *A. pilosum*

(255) 弓角蝉 *Arcuatocornum acutum* **Yuan** *et* **Tian，1995**（图 236）

Arcuatocornum acutum Yuan *et* Tian，1995：238.

鉴别特征：体长 8.70～9.60mm。前胸背板上没有中背突，仅有从前胸背板后缘或后部生出的后突起；后足转节内侧无齿突；上肩角短，背腹扁，伸向外上方；后突起从前胸背板后部或后缘生出，基部远离小盾片；后突起的下瓣为龙骨状的腹脊。后突起端部明显膨大；前胸背板和前翅面上无密生刚毛。

分布：陕西(周至)。

寄主：麻栎 *Quercus acutissima* Carr.（Fagaceae）。

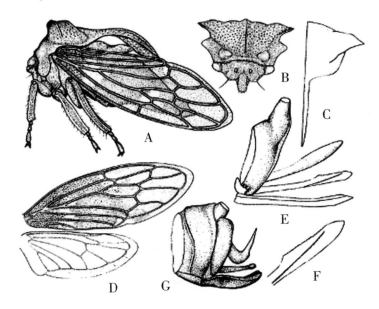

图 236　弓角蝉 *Arcuatocornum acutum* Yuan *et* Tian(仿袁锋)
A. 雌虫侧面观；B. 头胸部前面观；C. 前胸背板背面观；D. 前后翅；E. 雌性外生殖器；
F. 第 2 产卵瓣端部；G. 雄性外生殖器

(256) 毛弓角蝉 *Arcuatocornum pilosum* **Yuan** *et* **Tian，1995**（图 237）

Arcuatocornum pilosum Yuan *et* Tian，1995：239.

鉴别特征：体长 8.70～8.80mm。前胸背板上没有中背突，仅有从前胸背板后缘或后部生出的后突起；后足转节内侧无齿突；上肩角发达，基部 1/3 向上伸，端部 2/3 向外伸，顶尖锐，略向下弯曲。后突起从前胸背板后部或后缘生出，基部远离小盾片，后突起的下瓣为龙骨状的腹脊，上肩角尖锐，端部非截形；后突起端部明显膨大；前胸背板和前翅面上具密生刚毛；上肩角长约等于其基部间的距离；后突起基部明显拱起，端部向两侧扩张。

分布：陕西（太白）。

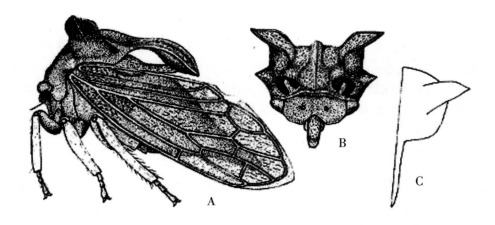

图 237　毛弓角蝉 *Arcuatocornum pilosum* Yuan *et* Tian（仿袁锋）
A. 雌虫侧面观；B. 头胸部前面观；C. 前胸背板背面观

130. 圆角蝉属 *Gargara* Amyot *et* Serville，1843

Gargara Amyot *et* Serville，1843：538. **Type species**：*Membracis genistae* Fabricius，1775 ＝ *Gargara genistae*（Fabricius，1775）.

Maerops Buckton，1903：257. **Type species**：*Maerops mixtus* Buckton，1903.

属征：体小到中型。前胸背板背盘部隆圆或平。肩角三角形，端钝。后突起从前胸背板后缘向后伸出，紧贴在小盾片和腹部上方，顶端一般伸达前翅臀角，向后渐细，有明显的背脊，背面无抑扁处，一般无齿突，只有个别种背面基部有齿突。小盾片仅两侧露出，端部有深的缺切。前翅长约为宽的 2.50 倍，基部革质，有刻点，具 5 个端室，2 个盘室，端膜较宽，无明显的翅痣。后翅无色透明，具 3 个端室。足正常，后足转节内侧无齿突；胫节有 3 列基兜毛。后足跗节最长。

分布：全世界已知 170 多种，秦岭地区分布 3 种。

分种检索表

1. 前胸斜面垂直，中部凸圆；后突起不伸达前翅臀角处，前翅淡黄褐色透明；额唇基 1/2 伸出头顶下缘，端缘平截或略呈弧形，侧瓣延伸到中瓣端部 1/3 处 ········ **太白圆角蝉 *G. taibaiensis***
   前胸斜面明显倾斜，中部稍平坦 ··· 2
2. 前胸斜面前缘呈平台状向头顶上方伸出；后突起伸达前翅臀角或稍短；前翅透明，中部有 2 条或深或浅的不规则横带，但有时无横带；额唇基 2/3 伸出头顶下缘，长大于宽，端缘平截或略呈弧形，侧瓣延伸至中瓣端部 1/4 处 ······························· **横带圆角蝉 *G. katoi***
   前胸斜面前缘不向头顶上方伸出；后突起伸达前翅臀角处，有时伸达前翅第 5 端室中部；前翅无色透明或有浅黄色不规则晕斑；额唇基长宽约相等，1/2 伸出头顶下缘，端缘平截，略呈弧形，侧瓣延伸到中瓣端部 1/3 处 ······························· **黑圆角蝉 *G. genistae***

(257) 太白圆角蝉 *Gargara taibaiensis* **Yuan *et* Li，2002**（图 238）

Gargara taibaiensis Yuan *et* Li，2002：237.

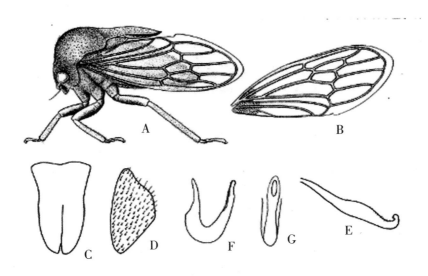

图 238　太白圆角蝉 *Gargara taibaiensis* Yuan *et* Li（仿袁锋）
A. 雄性侧面观；B. 前翅；C. 下生殖板；D. 生殖侧板；E. 阳基侧突；F. 阳茎；G. 阳茎后面观

鉴别特征：体长 2.20 ~ 6.50mm。前胸背板上没有中背突，仅有从前胸背板后缘或后部生出的后突起；后足转节内侧无齿突；前胸背板仅有肩角和向后直伸的后突起，肩角发达；前胸背板后突起呈屋脊状，基部背面不抑扁；前胸斜面垂直，中部凸圆；后突起不伸达前翅臀角处，前翅呈淡黄褐色且透明；额唇基 1/2 伸出头顶下缘，端缘平截或略呈弧形，侧瓣延伸到中瓣端部 1/3 处。

分布：陕西（太白）、宁夏。

寄主：枹栎 *Quercus glandulifera* Blume（Fagaceae）。

(258)横带圆角蝉 *Gargara katoi* Metcalf *et* Wade，1965(图 239)

Gargara fasciata Kato，1930：295(nec Melichar，1903)．

Gargara katoi Metcalf *et* Wade，1965：335．

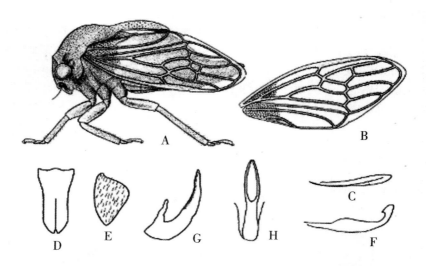

图 239　横带圆角蝉 *Gargara katoi* Metcalf *et* Wade(仿袁锋)
A.雌性侧面观；B.前翅；C.第 2 产卵瓣；D.雄虫下生殖板；E.生殖侧板；F.阳基侧突；G.阳茎；H.阳茎后面观

鉴别特征：体长 4.60~6.20mm。前胸背板上没有中背突，仅有从前胸背板后缘或后部生出的后突起；后足转节内侧无齿突；前胸背板仅有肩角和向后直伸的后突起，肩角发达；前胸背板后突起呈屋脊状，基部背面不抑扁；前胸斜面明显倾斜，中部稍平坦；前胸斜面前缘呈平台状向头顶上方伸出；后突起伸达前翅臀角或稍短；前翅透明，中部有 2 条或深或浅的不规则横带，但有时无横带；额唇基 2/3 伸出头顶下缘，长大于宽，端缘平截或略呈弧形，侧瓣延伸至中瓣端部 1/4 处。

分布：陕西(秦岭、渭南、镇安)、黑龙江、吉林、辽宁、河南、宁夏、山东、湖北、台湾、广东、四川；日本。

寄主：山胡椒 *Aglaia odorata* Lour.(Meliaceae)，紫穗槐 *Amorpha fruticosa* Linn.(Leguminosae)，麻栎 *Quercus acutissima* Carr.(Fagaceae)，板栗 *Castanea mollissima* Blume(Fagaceae)，黄蒿 *Artemisia scoparia* Waldst et Kitag(Compositae)。

(259)黑圆角蝉 *Gargara genistae* (Fabricius，1775)(图 240)

Membracis genistae Fabricius，1775：677．

Cicada genistae：Goeze，1778：148．

Centrotus genistae：Fabricius，1803：3.

Smilia genistae：Germar，1833：177.

Oxyrhachis genistae：Burmeister，1835：133.

Gargara genistae：Amyot & Serville，1843：538.

Tricentrus genistae：Matsumura，1920：343.

Gargara bicolor Funkhouser，1927：9.

Gargara albopleura Funkhouser，1940：145.

鉴别特征：体长 3.90～5.50mm。前胸背板上没有中背突，仅有从前胸背板后缘或后部生出的后突起；后足转节内侧无齿突；前胸背板仅有肩角和向后直伸的后突起，肩角发达；前胸背板后突起呈屋脊状，基部背面不抑扁；前胸斜面明显倾斜，中部稍平坦；前胸斜面前缘不向头顶上方伸出；后突起伸达前翅臀角处，有时伸达前翅第 5 端室中部；前翅无色透明或有浅黄色不规则晕斑；额唇基长宽约相等，1/2 伸出头顶下缘，端缘平截，略呈弧形，侧瓣延伸到中瓣端部 1/3 处。

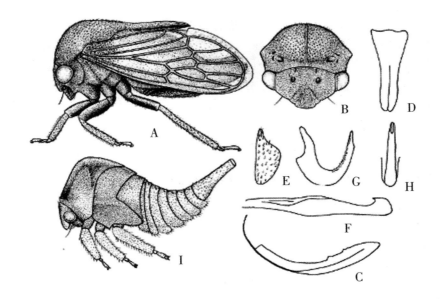

图 240　黑圆角蝉 *Gargara genistae*（Fabricius）（仿袁锋）

A. 雌性侧面观；B. 头胸前面观；C. 第 2 产卵瓣；D. 雄虫下生殖板；E. 生殖侧板；F. 阳基侧突；G. 阳茎；H. 阳茎后面观；I. 第 5 龄若虫

分布：陕西（秦岭），中国广布（除青海外）。国外分布于东半球各国，已传入美国东部一些州。

寄主：刺槐 *Robinia pseudoacacia* Linn.（Leguminosae），槐树 *Sophora japonica* Linn.（Leguminosae），酸枣 *Ziziphus jujuba* var. *spinosa*（Bunge）Hu（Rhamnaceae），枸杞 *Lycium chinense* Mill.（Solanaceae），宁夏枸杞 *Lycium barbarrum* Linn.（Solanaceae），桑

树 *Marus alba* Linn.（Maraceae），柿树 *Diospyros kaki* Linn. F.（Ebenaceae），柑橘 *Citrus reticulata* Blanco（Rutaceae），苜蓿 *Medicago sativa* Linn.（Leguminosae），大豆 *Glycine max*（Linn.）Merr.（Leguminosae），三叶锦鸡儿 *Caragana sinica*（Buchoz）Rehd.（Leguminosae），直立黄芪（沙打旺）*Asteragalus adsurgens* Pall.（Leguminosae），大麻 *Cannabis sativa* Linn.（Cannabiaceae），黄蒿 *Artemisia scoparia* Waldst *et* Kitag（Compositae），胡颓子 *Elaeagnus pungens* Thub.（Elaeagnaceae），烟草 *Nicotiana tabacum* Linn.（Solanaceae），棉花 *Gossypium hirsutum* Linn.（Malvaceae）。

131. 卡圆角蝉属 *Kotogargara* Matsumura，1938

Kotogargara Matsumura，1938：153. **Type species**：*Kotogargara botelensis* Matsumura，1938.
Gargara（*Kotogargara*）：Anufriev，1981：167.

属征：体微小型至小型。前胸背板仅有肩角和后突起。前胸背板背盘部隆圆或低平。肩角发达，钝三角形。后突起从前胸背板后缘向后直伸，盖在小盾片和腹部上，平直，基部 1/2 ~ 4/5 宽而扁平，呈抑扁型，中脊起不明显，端部突然变细，略呈四棱锥形；顶端一般伸达前翅臀角处。小盾片两侧露出，顶端有深缺切。前翅长约为宽的 2.50 倍，5 个端室，2 个盘室；无翅痣；后翅无色透明，具 3 个端室。胸部侧面无齿突。足正常，非叶状；后足转节内侧无齿突；后足胫节有 3 列基兜毛；后足跗节最长。

分布：世界仅知 3 种，秦岭地区分布 1 种。

（260）微卡圆角蝉 *Kotogargara parvula*（Lindberg，1927）（图 241）

Gargara parvula Lindberg，1927：27.
Gargara alini Funkhouser，1940：114.
Kotogargara alini：Jacobi，1944：34.
Gargara（*Kotogargara*）*parvula*：Anufriev，1981：167.
Kotogargara alini yunnanensis Yuan *et* Chou，1992：210.
Kotogargara parvula：Yuan & Chou，2002：243.

鉴别特征：体长 2.90 ~ 3.90mm。前胸背板上没有中背突，仅有从前胸背板后缘或后部生出的后突起；后足转节内侧无齿突；前胸背板仅有肩角和向后直伸的后突起，肩角发达；前胸背板后突起基部背面 1/2 ~ 4/5 抑扁，中脊起不明显；前翅翅脉上散生若干小结瘤；前翅有 1 条横带或无横带；前胸背盘部和后突起上没有很粗大的刻点散生，后突起全长与小盾片和腹部紧贴；额唇基侧瓣和中瓣端缘在 1 条线上，平截或略呈弧形；前胸斜面中部凸出，胝明显凹陷；前翅盘室处有 1 条或深或浅的褐色横带；翅脉上散生 20 多个小结瘤。

　　分布：陕西（秦岭）、黑龙江、北京、河北、山西、河南、福建、四川、云南；俄罗斯。

　　寄主：胡颓子 *Elaeagnus pungens* Thub.（Elaeagnaceae），荛花 *Wikstroemia* sp.（Thymelaeaceae），狼牙刺 *Sophoraviciifolia* Hance（Leguminosae）。

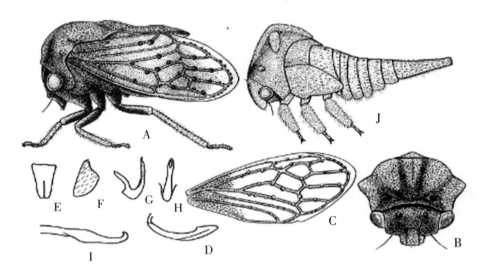

图 241　微卡圆角蝉 *Kotogargara parvula*（Lindberg）（仿袁锋）

A. 雌性侧面观；B. 头胸部前面观；C. 前翅；D. 第 2 产卵瓣；E. 雄虫下生殖板；F. 生殖侧板；G. 阳茎；H. 阳茎后面观；I. 阳茎侧突；J. 第 5 龄若虫

132. 脊角蝉属 *Machaerotypus* Uhler, 1896

Machaerotypus Uhler, 1896：428. **Type species**：*Machaerotypus sellatus* Uhler, 1896.

　　属征：体小到中型。暗褐色，一些种有鲜艳的红色斑纹，上肩角不发达，仅呈脊起状。后突起从前背板后缘生出，向后延伸，呈屋脊状，盖在小盾片和前翅后缘上，顶端伸达或超过前翅臀角，基部不拱起。小盾片两侧露出。肩角三角形，向外超过脊起状的上肩角。前翅不透明或半透明，具 5 个端室，2 个盘室，端膜发达。后翅具 3 个端室。足正常，后足转节内侧无齿突。

　　分布：主要分布于亚洲，个别种分布于欧洲。世界记载 10 种，中国已知 8 种，秦岭地区分布 5 种。

分种检索表

1. 前胸背板黄褐色到棕色，多细毛，无光泽，无橘红色斑；后突起侧面观基部略凹，中部微微弧形拱起；前翅底色白色 ·· **西伯利亚脊角蝉 *M. sibiricus***

前胸背板少毛，有光泽，黑色，有鲜明的橘红色斑纹；前胸背板背面橘红色部分呈"Y"形；前翅和足完全黑色；后突起全为橘红色，无黑色横带 ·· 2

2. 体小，体长5.00～5.80mm；雌性5.80mm×1.80mm，雄性5.00mm×1.80mm ····················
·· **小红脊角蝉 M. rubromarginatus**
体较大，体长在6.50mm以上 ·· 3

3. 前翅革质区外有白色透明横带 ···································· **太白红脊角蝉 M. taibaiensis**
前翅革质区外无白色透明横带 ··· 4

4. 前胸背板的橘红色"Y"形斑上侧臂细，仅存在于肩角上；前胸斜面中脊黑色 ····················
·· **延安红脊角蝉 M. yan-anensis**
前胸背板的橘红色"Y"形斑上侧臂粗大，由上肩角向内侧扩大呈半圆形；前胸斜面中脊通常多少带橘红色 ·· **苹果红脊角蝉 M. mali**

（261）西伯利亚脊角蝉 *Machaerotypus sibiricus*（Lethierry，1876）（图242）

Gargara sibirica Lethierry，1876：8.

Machaerotypus sellatus Uhler，1896：284.

Tricentrus sibiricus：Melichar，1900：44.

Centrotus sibiritus：Matsumura，1912：16.

Maurya brevicornis Funkhouser，1921：49.

Machaerotypus sibiricus：Kato，1940：148.

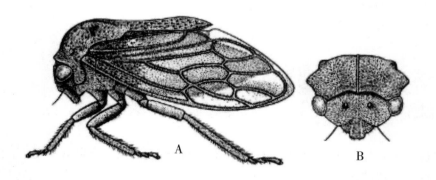

图242　西伯利亚脊角蝉 *Machaerotypus sibirius*（Lethierry）（仿袁锋）
A.雄性侧面观；B.头胸部前面观

　　鉴别特征：体长5.80～6.00mm。前胸背板上没有中背突，仅有从前胸背板后缘或后部生出的后突起；后足转节内侧无齿突；上肩角呈脊起状；前胸背板后突起从后缘生出，向后直伸，紧贴在小盾片与前翅后缘上，基部不远离小盾片；后突起上无明显高耸侧扁的背结；上肩角不发达，仅呈半圆形或钝角形的脊起；前胸背板黄褐色到棕色，多细毛，无光泽，无橘红色斑；后突起侧面观基部略凹，中部微微弧形拱起；前翅底色白色。

分布: 陕西(留坝)、黑龙江、北京、山西、四川;俄罗斯,朝鲜,日本,欧洲。

(262) 小红脊角蝉 *Machaerotypus rubromarginatus* Kato,1940(图243)

Machaerotypus rubromarginatus Kato,1940:3.

鉴别特征: 体长5.00~5.80mm。体小,前胸背板上没有中背突,仅有从前胸背板后缘或后部生出的后突起;后足转节内侧无齿突;上肩角呈脊起状;前胸背板后突起从后缘生出,向后直伸,紧贴在小盾片与前翅后缘上,基部不远离小盾片;后突起上无明显高耸侧扁的背结;上肩角不发达,仅呈半圆形或钝角形的脊起;前胸背板少毛,有光泽,黑色,有鲜明的橘红色斑纹;前胸背板背面橘红色部分呈"Y"形;前翅和足完全黑色;后突起全为橘红色,无黑色横带。

分布: 陕西(秦岭)、辽宁。

寄主: 树莓 *Rubus phoennicolasius* Raxim(Rosaceae)。

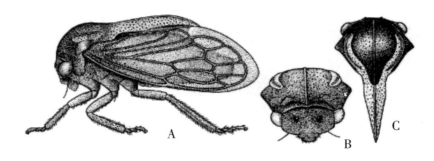

图243 小红脊角蝉 *Machaerotypus rubromarginatus* Kato(仿袁锋)
A.雌性侧面观;B.头胸部前面观;C.头胸部背面观

(263) 太白红脊角蝉 *Machaerotypus taibaiensis* Yuan,2002(图244)

Machaerotypus taibaiensis Yuan,2002:257.

鉴别特征: 体长6.30~7.00mm。前胸背板上没有中背突,仅有从前胸背板后缘或后部生出的后突起;后足转节内侧无齿突;上肩角呈脊起状;前胸背板后突起从后缘生出,向后直伸,紧贴在小盾片与前翅后缘上,基部不远离小盾片;后突起上无明显高耸侧扁的背结;上肩角不发达,仅呈半圆形或钝角形的脊起;前胸背板少毛,有光泽,黑色,有鲜明的橘红色斑纹;前胸背板背面橘红色部分呈"Y"形;前翅和足完全黑色;后突起全为橘红色,无黑色横带;前翅革质区外有白色透明横带。

分布: 陕西(太白)。

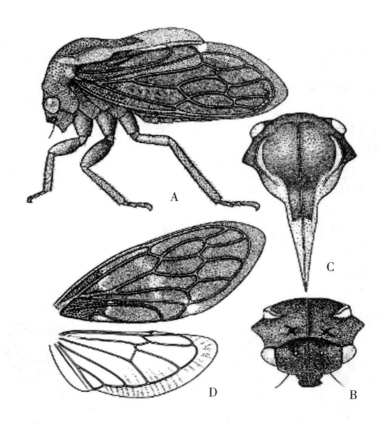

图 244　太白红脊角蝉 *Machaerotypus taibaiensis* Yuan（仿袁锋）
A. 雌性侧面观；B. 头胸部前面观；C. 头胸部背面观；D. 前后翅

（264）延安红脊角蝉 *Machaerotypus yan-anensis* Chou *et* Yuan，1981（图 245）

Machaerotypus yan-anensis Chou *et* Yuan，1981：106.

鉴别特征：体长 7.00～7.60mm。前胸背板上没有中背突，仅有从前胸背板后缘或后部生出的后突起；后足转节内侧无齿突；上肩角呈脊起状；前胸背板后突起从后缘生出，向后直伸，紧贴在小盾片与前翅后缘上，基部不远离小盾片；后突起上无明显高耸侧扁的背结；上肩角不发达，仅呈半圆形或钝角形的脊起；前胸背板少毛，有光泽，黑色，有鲜明的橘红色斑纹；前胸背板背面橘红色部分呈"Y"形；前翅和足完全黑色；后突起全为橘红色，无黑色横带；前翅革质区外无白色透明横带；前胸背板的橘红色"Y"形斑上侧臂细，仅存在于肩角上；前胸斜面中脊黑色。

分布：陕西（甘泉）。

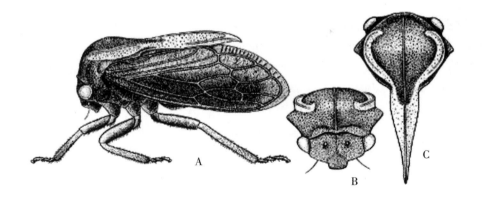

图 245　延安红脊角蝉 *Machaerotypus yan- anensis* Chou *et* Yuan（仿袁锋）

A. 雌性侧面观；B. 头胸部前面观；C. 头胸部背面观

（265）苹果红脊角蝉 *Machaerotypus mali* Chou *et* Yuan，1981（图 246）

Machaerotypus mali Chou *et* Yuan，1981：105.

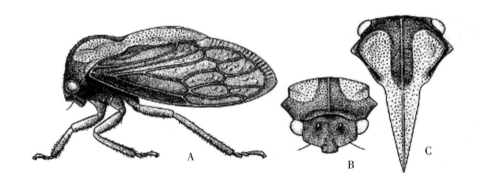

图 246　苹果红脊角蝉 *Machaerotypus mali* Chou *et* Yuan（仿袁锋）

A. 雌性侧面观；B. 头胸部前面观；C. 头胸部背面观

鉴别特征：体长 6.80～7.80mm。前胸背板上没有中背突，仅有从前胸背板后缘或后部生出的后突起；后足转节内侧无齿突；上肩角呈脊起状；前胸背板后突起从后缘生出，向后直伸，紧贴在小盾片与前翅后缘上，基部不远离小盾片；后突起上无明显高耸侧扁的背结；上肩角不发达，仅呈半圆形或钝角形的脊起；前胸背板少毛，有光泽，黑色，有鲜明的橘红色斑纹；前胸背板背面橘红色部分呈"Y"形；前翅和足完全黑色；后突起全为橘红色，无黑色横带；前翅革质区外无白色透明横带；前胸背板的橘红色"Y"形斑上侧臂粗大，由上肩角向内侧扩大呈半圆形；前胸斜面中脊通常或多或少带有橘红色。

分布：陕西（凤县、留坝）。

寄主：苹果 *Malus pumila* Miller（Rosaceae），杏树 *Prunus armeniaca* Linn.（Rosa-ceae），胡桃 *Juglans regia* Linn.（Juglandaceae），小叶锦鸡儿 *Caragana microphylia* Lam.（Leguminosae），旱柳 *Salix matsudana* Koitz.（Salicaceae），花椒 *Zenthoxylon bungeanum* Maxim（Rutaceae）。

133．耳角蝉属 *Maurya* Distant，1916

Maurya Distant，1916：326. **Type species**：*Centrotus gibbosulus* Walker，1870 ＝ *Maurya walkeri*（Atkin-son，1886）.

Tsunozemia Kato，1940：152. **Type species**：*Tsunozemia mojiensis* Kato，1940.

属征：体小型。前胸背板的上肩角发达，短而粗壮，伸向外上方，顶尖，短于两基间的距离。后突起从前胸背板后缘生出，向后延伸，屋脊状，盖在小盾片和前翅后缘上，顶端伸达前翅臀角；背面无明显的基背结、中背结或亚背结，一些种的个别个体在后突起的基部有齿突，但不稳定。小盾片两侧露出。肩角粗大，三角形，端钝。前翅宽，呈透明或半透明，具 5 个端室，2 或 3 个盘室。后翅 3 个端室。足正常，后足转节内侧无齿突。

分布：古北区，东洋区。秦岭地区有 3 种。

分种检索表

1. 前翅翅脉和后突起上有小结瘤；上肩角发达，伸向外前方；后突起中部最高，有的个体后突起基部有 1 个齿突 ⋯⋯⋯⋯⋯⋯⋯⋯⋯⋯⋯⋯⋯⋯⋯⋯⋯ **瘤耳角蝉** *M. paradoxa*
   前翅翅脉和后突起上无小结瘤；复眼和单眼非红色⋯⋯⋯⋯⋯⋯⋯⋯⋯⋯⋯⋯⋯⋯⋯ 2
2. 背盘部后部中央有 1 个齿突；背盘部中央齿突顶端圆形；额唇基中瓣端平截 ⋯⋯⋯⋯⋯⋯
   ⋯⋯⋯⋯⋯⋯⋯⋯⋯⋯⋯⋯⋯⋯⋯⋯ **圆齿耳角蝉** *M. rotundidenticula*
   后突起基部无齿突；头顶中央无细纵脊；后突起中部或中后部隆起；雌虫体长小于 5.60mm；上肩角短，水平状外伸；后突起中后部最高 ⋯⋯⋯⋯⋯⋯⋯⋯ **秦岭耳角蝉** *M. qinlingensis*

（266）瘤耳角蝉 *Maurya paradoxa*（Lethierry，1876）（图 247）

Gargara paradoxa Lethierry，1876：80.

Tricentrus paradoxus：Melichar，1900：44.

Centrotus mojiensis Matsumura，1912：17.

Tricentrus punctatus Kato，1928：7.

Otaris mojiensis：Goding，1934：478.

Maurya nodosa Funkhouser，1940：145.

Tsunozemia mojiensis：Kato，1940：152.

Maurya paradoxa：Funkhouser，1950：207.

Tricentrus mojiensis：Funkhouser，1950：211.

Tsunozemia paradoxa：Anufrief *et al*.，1988：27.

鉴别特征：体长 6.80～7.20mm。前胸背板上没有中背突，仅有从前胸背板后缘或后部生出的后突起；后足转节内侧无齿突；前胸背板后突起从后缘生出，向后直伸，紧贴在小盾片与前翅后缘上，基部不远离小盾片；后突起上无明显高耸侧扁的背结；上肩角发达，呈明显伸向外上方的角状突起；前胸背板后部中央无明显的齿突；后突起呈屋脊状，盖在小盾片上，小盾片仅两侧露出；上肩角伸向外上方，头胸前面观不似猫头状；前翅翅脉和后突起上有小结瘤；后突起中部最高，有的个体后突起基部有 1 个齿突。

分布：陕西（秦岭）、黑龙江、辽宁、北京、甘肃、山东、湖北、台湾；俄罗斯，朝鲜，日本，印度。

寄主：山楂 *Crataegus pinnatifida* Bunge（Rosaceae），胡桃 *Juglans regia* Linn.（Juglandaceae），华山松 *Pinus armandii* Franch.（Pinaceae）。

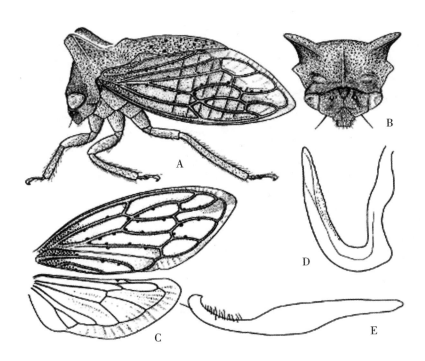

图 247　瘤耳角蝉 *Maurya paradoxa*（Lethierry）（仿袁锋）
A. 雌性侧面观；B. 头胸部前面观；C. 前后翅；D. 阳茎；E. 阳茎侧突

（267）圆齿耳角蝉 *Maurya rotundidenticula* Yuan，1988（图 248）

Maurya rotundidenticula Yuan，1988：263.

　　鉴别特征：体长 6.40mm。前胸背板上没有中背突，仅有从前胸背板后缘或后部生出的后突起；后足转节内侧无齿突；前胸背板后突起从后缘生出，向后直伸，紧贴在小盾片与前翅后缘上，基部不远离小盾片；后突起上无明显高耸侧扁的背结；上肩角发达，呈明显伸向外上方的角状突起；后突起屋脊状，盖在小盾片上，小盾片仅两侧露出；上肩角伸向外上方，头胸前面观不似猫头状；前翅翅脉和后突起上无小结瘤；复眼和单眼非红色；体长在 5mm 以上；背盘部后部中央有 1 个齿突，顶端圆形；额唇基中瓣端平截；单眼间距稍大于到复眼的距离。

　　分布：陕西（宁强）。

　　寄主：苹果 *Malus pumila* Miller（Rosaceae）。

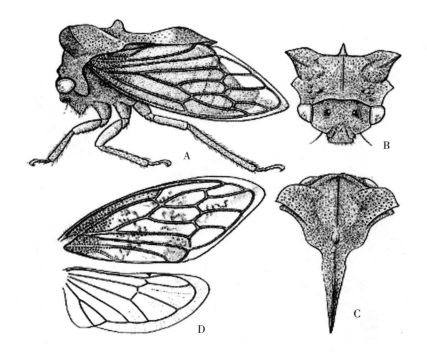

图 248　圆齿耳角蝉 *Maurya rotundidenticula* Yuan（仿袁锋）

A. 雄性侧面观；B. 头胸部前面观；C. 头胸部背面观；D. 前后翅

（268）秦岭耳角蝉 *Maurya qinlingensis* Yuan，1988（图 249）

Maurya qinlingensis Yuan，1988：260.

鉴别特征：雄虫体长5.60~6.80mm。前胸背板上没有中背突，仅有从前胸背板后缘或后部生出的后突起；后足转节内侧无齿突；前胸背板后突起从后缘生出，向后直伸，紧贴在小盾片与前翅后缘上，基部不远离小盾片；后突起上无明显高耸侧扁的背结；上肩角发达，呈明显伸向外上方的角状突起；前胸背板后部中央无明显的齿突；后突起屋脊状，盖在小盾片上，小盾片仅两侧露出；上肩角伸向外上方，头胸前面观不似猫头状；前翅翅脉和后突起上无小结瘤；复眼和单眼非红色；后突起基部无齿突；头顶中央无细纵脊；后突起中部或中后部隆起，中后部最高。雌虫体长5.60~6.10mm；上肩角短，水平状外伸。

采集记录：1♀1♂，周至厚畛子，1320~1350m，1999.Ⅵ.23，采集人不详；1♀1♂，佛坪凉风垭，1750~2150m，1999.Ⅵ.28，采集人不详。

分布：陕西（长安、周至、太白、华阴、佛坪、宁陕）、辽宁、北京、河北、甘肃、四川。

寄主：落叶松 *Pinus gmelinii*（Rupr.）Rupr.（Pinaceae），胡颓子 *Elaeagnus pungens* Thub.（Elaeagnaceae）。

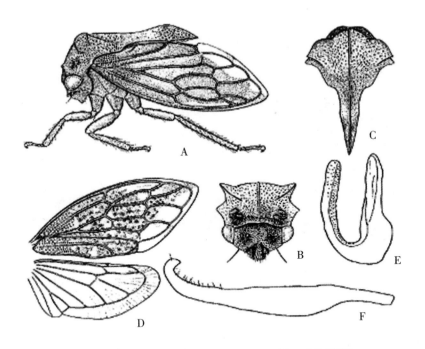

图249　秦岭耳角蝉 *Maurya qinlingensis* Yuan（仿袁锋）
A.雌性侧面观；B.头胸部前面观；C.头胸部背面观；D.前后翅；E.阳茎；F.阳基侧突

134. 竖角蝉属 *Erecticornia* Yuan *et* Tian, 1997

Erecticornia Yuan *et* Tian, 1997：185. **Type species**：*Erecticornia castanopinnae* Yuan *et* Tian, 1997.

属征：体中到大型。褐色或黑色。前胸背板多刻点，背被柔细毛。前胸斜面凸圆，上肩角粗短，直立或近直立，顶端尖锐向后弯曲，头胸前面观酷似猫头状。后突起从前胸背板后缘向后延伸，屋脊状，盖在小盾片和前翅后缘上，端部逐渐变尖，顶尖锐，伸达前翅臀角，小盾片两侧露出较宽。肩角发达，三角形。前翅具 5 个端室，2 个盘室。后翅具 3 个端室。足正常，后足转节内侧无齿。雌产卵瓣长，伸达或伸出前翅顶角之外。

分布：已知 4 种，中国均有分布。秦岭地区分布 2 种。

分种检索表

上肩角向上近直伸，顶端略向外上方，顶端间距约等于两肩角顶端间距 ········· **太白竖角蝉** *E. taibaiensis*
上肩角向上直伸，其顶端间的距离明显小于两肩角顶端间的距离；前翅缘膜与翅主区同色；体黑色；额唇基顶端圆弧形；产卵器不伸出前翅顶端 ···························· **栗翅竖角蝉** *E. castanopinnae*

(269) 太白竖角蝉 *Erecticornia taibaiensis* **Yuan et Tian, 1997**（图 250）

Erecticornia taibaiensis Yuan et Tian, 1997：187.

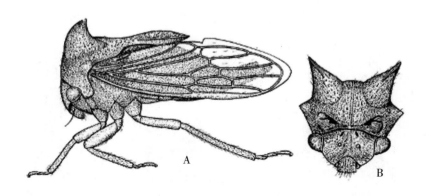

图 250　太白竖角蝉 *Erecticornia taibaiensis* Yuan et Tian（仿袁锋）
A. 雌性侧面观；B. 头胸部前面观

鉴别特征：体长 10.10mm。前胸背板上没有中背突，仅有从前胸背板后缘或后部生出的后突起；后足转节内侧无齿突；前胸背板后突起从后缘生出，向后直伸，紧贴在小盾片与前翅后缘上，基部不远离小盾片；后突起上无明显高耸侧扁的背结；上肩角发达，呈明显伸向外上方的角状突起；前胸背板后部中央无明显的齿突；后突起屋脊状，盖在小盾片上，小盾片仅两侧露出；头胸前面酷似猫头状；上肩角向上近直伸，顶端略向外上方，其顶端间的距离约等于两肩角顶端间距离。

分布：陕西（太白）、甘肃。

（270）栗翅竖角蝉 *Erecticornia castanopinnae* Yuan *et* Tian，1997（图 251）

Erecticornia castanopinnae Yuan *et* Tian，1997：186.

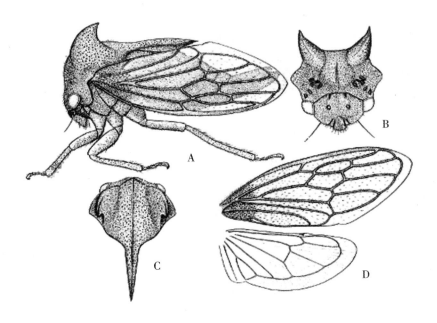

图 251 栗翅竖角蝉 *Erecticornia castanopinnae* Yuan *et* Tian（仿袁锋）
A. 雌性侧面观；B. 头胸部前面观；C. 头胸部背面观；D. 前翅与后翅

鉴别特征：体长 10.40mm。体黑色。前胸背板上没有中背突，仅有从前胸背板后缘或后部生出的后突起；后足转节内侧无齿突；前胸背板后突起从后缘生出，向后直伸，紧贴在小盾片与前翅后缘上，基部不远离小盾片；后突起上无明显高耸侧扁的背结；前胸背板后部中央无明显的齿突；后突起屋脊状，盖在小盾片上，小盾片仅两侧露出；上肩角直立或近直立，头胸前面酷似猫头状；上肩角向上直伸，其顶端间的距离明显小于两肩角顶端端间的距离；前翅缘膜与翅主区同色；额唇基顶端圆弧形；产卵器不伸出前翅顶端。

分布：陕西（太白）、山西、河南。

寄主：板栗 *Castanea mollissima* Blume（Fagaceae）。

135. 锯角蝉属 *Pantaleon* Distant，1916

Pantaleon Distant，1916：327. **Type species：** *Pantaleon montifer* （Walker，1851） = *Centrotus montifer* Walker，1851.

Eupantaleon Kato, 1928：33. **Type species**：*Eupantaleon bufo* Kato, 1928.

属征：体中到大型。体褐色到暗褐色，前胸背板有发达的上肩角，伸向外上方，长约等于其基部间的距离，有明显分叉的齿突。后突起从前胸背板后缘向后延伸，紧贴小盾片和前翅后缘上，有侧扁高耸呈三角形或半圆形的中背结；顶部突然变细，顶尖锐，伸出前翅臀角。肩角发达，三角形。小盾片两侧露出窄狭。前翅半透明，具5个端室，2个盘室。后翅具3个端室。足正常，后足转节内侧无齿。

分布：全世界记载7种，均分布在亚洲，秦岭地区发现1种。

(271) 背峰锯角蝉 *Pantaleon dorsalis*（**Matsumura, 1912**）（图 252）

Centrotus dorsalis Matsumura, 1912a：18.

Pantaleon dorsalis：Funkhouser, 1921：47.

Pantaleon brunneus Funkhouser, 1921：45.

Antialcidas dorsalis：Goding, 1934：477.

Antialcidas brunneus：Goding, 1934：477.

鉴别特征：体长6~7mm。前胸背板上没有中背突，仅有从前胸背板后缘或后部生出的后突起；后足转节内侧无齿突；前胸背板后突起从后缘生出，向后直伸，紧贴在小盾片与前翅后缘上，基部不远离小盾片；前胸背板后突起上有明显高耸侧扁的背结；上肩角发达，有分叉的齿突；体黑褐色或褐色；后突起端部呈直刺；雌虫颜面非黑色；后突起上肩结的峰顶不前倾，前缘近垂直；前翅第3~5端室端部的白斑圆形大而明显(特别是雄性)；雌虫两上肩角顶端间的距离窄于4.50mm；雄虫阳基端部逐渐变细，阳基侧突基部膨大无齿。

采集记录：2♀1♂，周至厚畛子，1320~1350m，1993. Ⅵ.23-25；1♀，留坝庙台子，1470m，1999. Ⅵ.23。

分布：陕西(周至、太白、留坝)、河北、甘肃、山东、江苏、安徽、浙江、湖北、江西、福建、台湾、广东、广西；日本。

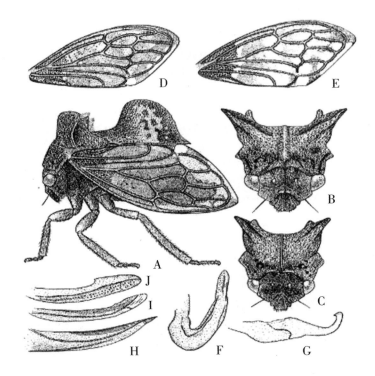

图 252　背峰锯角蝉 *Pantaleon dorsalis*（Matsumura）（仿袁锋）

A. 雌性侧面观；B. 雌性头胸部前面观；C. 雄性头胸部前面观；D. 雄性前翅；E. 雌性前翅；F. 阳茎；
G. 阳基侧突；H. 第 1 产卵瓣；I. 第 2 产卵瓣；J. 第 3 产卵瓣

136. 无齿角蝉属 *Nondenticentrus* Yuan *et* Chou，1992

Nondenticentrus Yuan *et* Chou，1992：195. **Type species**：*Nondenticentrus flavipes* Yuan *et* Chou，1992.

属征：体中到大型。前胸背板的上肩角发达，伸向外上方，长超过基部间的距离。后突起从前胸背板后缘生出，长、直或稍呈波状，但基部下缘向上凹，与小盾片不全接触，有缝隙，小盾片大部分外露。肩角发达。前翅狭长，外缘倾斜，顶端略尖，具 5 个端室，2 个盘室。后翅具 3 个端室。后足转节内侧无齿。

分布：全世界已知 21 种，仅分布于中国，秦岭地区分布 6 种。

分种检索表

1. 体非黑色；体金黄色 ···························· **金黄无齿角蝉 *N. aureus***
   体黑色或漆黑色；足整个褐色或深褐色 ························· 2
2. 上肩角长，端部极向后弯曲 ·············· **弯刺无齿角蝉 *N. curvispineus***
   上肩角端部不是极向后弯曲 ··································· 3

3.　前胸背板深褐色……………………………………………… **刀角无齿角蝉 N. scalpellicornis**
　　前胸背板黑色或深黑色 ……………………………………………………………………… 4
4.　后突起顶端伸达或稍超过前翅臀角；胸部及腹基部两侧有白毛斑，透翅可见；小盾片基部两侧
　　有白毛斑 ……………………………………………… **拟黑无齿角蝉 N. paramelanicus**
　　后突起顶端远伸出前翅臀角；上肩角端部不转折；上肩角大于两基间的距离 ……………… 5
5.　前胸斜面高大于宽；每个单眼上方无凸脊 ……………………… **秦岭无齿角蝉 N. qinlingensis**
　　前胸斜面宽大于高；每个单眼上方有凸脊；额唇基侧瓣伸达中瓣 1/2 处；上肩角基部略宽扁，
　　长为两基间距离的 1.50 倍 ……………………………………… **钩角无齿角蝉 N. ancistricornis**

（272）金黄无齿角蝉 *Nondenticentrus aureus* **Yuan et Zhang，1998**（图 253）

Nondenticentrus aureus Yuan et Zhang，1998：173.

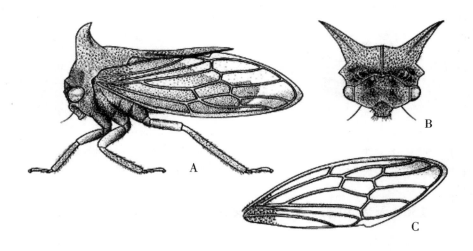

图 253　金黄无齿角蝉 *Nondenticentrus aureus* Yuan et Zhang（仿袁锋）
A. 雌性侧面观；B. 头胸部前面观；C. 前翅

　　鉴别特征：体长 6.10～6.70mm。体金黄色。前胸背板上没有中背突，仅有从前
胸背板后缘或后部生出的后突起；后足转节内侧无齿突；前胸背板后突起从后缘生
出，向后直伸，紧贴在小盾片与前翅后缘上，基部不远离小盾片；后突起上无明显高
耸侧扁的背结；上肩角发达，呈明显伸向外上方的角状突起；前胸背板后部中央无明
显的齿突；后突起长，直或波形，基部下缘略向上凹，与小盾片间有缝隙，小盾片大
部分露出。

　　分布：陕西（太白）、福建。

(273) 弯刺无齿角蝉 *Nondenticentrus curvispineus* Chou *et* Yuan, 1992 (图 254)

Nondenticentrus curvispineus Chou *et* Yuan, 1992: 198.

　　鉴别特征：体长 6.60～8.40mm。前胸背板上没有中背突，仅有从前胸背板后缘或后部生出的后突起；后足转节内侧无齿突；前胸背板后突起从后缘生出，向后直伸，紧贴在小盾片与前翅后缘上，基部不远离小盾片；后突起上无明显高耸侧扁的背结；上肩角发达，呈明显伸向外上方的角状突起；前胸背板后部中央无明显的齿突；后突起长，直或波形，基部下缘略向上凹，与小盾片间有缝隙，小盾片大部分露出；体黑色或漆黑色；足整个褐色或深褐色；上肩角长，端部极向后弯曲。

　　分布：陕西(太白山)、甘肃、四川、云南。

　　寄主：胡颓子 *Elaeagnus pungens* Thub. (Elaeagnaceae)。

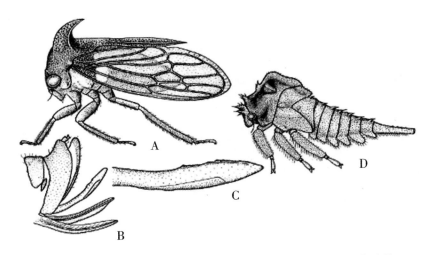

图 254　弯刺无齿角蝉 *Nondenticentrus curvispineus* Chou *et* Yuan(仿袁锋)
A. 雌性侧面观；B. 雌性外生殖器；C. 第 2 产卵瓣端部；D. 第 5 龄若虫

(274) 刀角无齿角蝉 *Nondenticentrus scalpellicornis* Yuan *et* Zhang, 2002 (图 255)

Nondenticentrus scalpellicornis Yuan *et* Zhang, 2002: 324.

　　鉴别特征：体长 8.20～10.10mm。前胸背板上没有中背突，仅有从前胸背板后缘或后部生出的后突起；后足转节内侧无齿突；前胸背板后突起从后缘生出，向后直伸，紧贴在小盾片与前翅后缘上，基部不远离小盾片；后突起上无明显高耸侧扁的背结；上肩角发达，呈明显伸向外上方的角状突起；前胸背板后部中央无明显的齿突；后突起长，直或波形，基部下缘略向上凹，与小盾片间有缝隙，小盾片大部分露出；体黑色或漆黑色；足褐色或深褐色；上肩角端部不是极向后弯曲；前胸背板深褐色。

分布: 陕西(太白、宁陕)、四川。

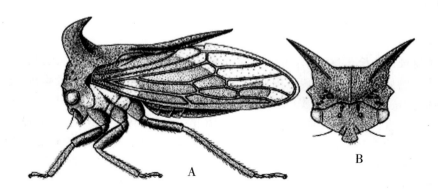

图255　刀角无齿角蝉 *Nondenticentrus scalpellicornis* Yuan *et* Zhang(仿袁锋)
A.雌性侧面观；B.头胸部前面观

(275)拟黑无齿角蝉 *Nondenticentrus paramelanicus* Zhang *et* Yuan, 1998(图256)

Nondenticentrus paramelanicus Zhang *et* Yuan, 1998: 248.

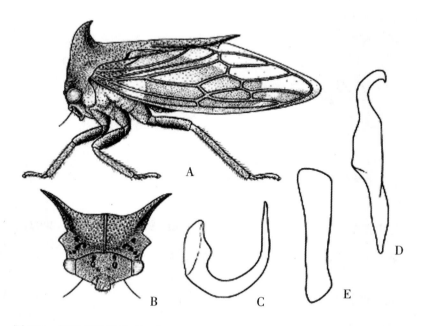

图256　拟黑无齿角蝉 *Nondenticentrus paramelanicus* Zhang *et* Yuan(仿袁锋)
A.雌性侧面观；B.头胸部前面观；C.阳茎；D.阳基侧突；E.下生殖板左半边

鉴别特征: 体长 5.20~7.00mm。前胸背板上没有中背突, 仅有从前胸背板后缘或后部生出的后突起；后足转节内侧无齿突；前胸背板后突起从后缘生出，向后直伸，紧贴在小盾片与前翅后缘上，基部不远离小盾片；后突起上无明显高耸侧扁的背结；上肩角发达，呈明显伸向外上方的角状突起；前胸背板后部中央无明显的齿突；后突起长，直或波形，基部下缘略向上凹，与小盾片间有缝隙，小盾片大部分露出；体黑色或漆黑色；足褐色或深褐色；上肩角端部不是极向后弯曲；前胸背板黑色或深黑色；后突起顶端伸达或稍超过前翅臀角；胸部及腹基部两侧有白毛斑，透翅可见；小盾片基部两侧有白毛斑。

分布：陕西（太白、宁陕）、甘肃。

(276) 秦岭无齿角蝉 *Nondenticentrus qinlingensis* **Yuan et Zhang, 1998**（图 257）

Nondenticentrus qinlingensis Yuan et Zhang, 1998：171.

鉴别特征：体长 8.10～8.40mm。前胸背板上没有中背突，仅有从前胸背板后缘或后部生出的后突起；后足转节内侧无齿突；前胸背板后突起从后缘生出，向后直伸，紧贴在小盾片与前翅后缘上，基部不远离小盾片；后突起上无明显高耸侧扁的背结；上肩角发达，呈明显伸向外上方的角状突起；前胸背板后部中央无明显的齿突；后突起长，直或波形，基部下缘略向上凹，与小盾片间有缝隙，小盾片大部分露出；体黑色或漆黑色；足全部褐色或深褐色；上肩角端部不是极向后弯曲；前胸背板黑色或深黑色；后突起顶端远伸出前翅臀角；上肩角端部不转折；上肩角长大于两基间的距离；前胸斜面高大于宽；每个单眼上方无凸脊。

分布：陕西（秦岭）、甘肃。

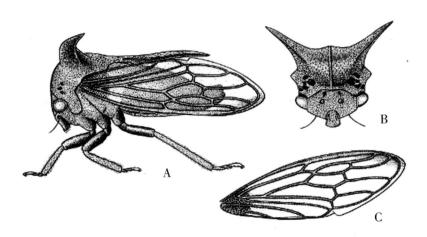

图 257　秦岭无齿角蝉 *Nondenticentrus qinlingensis* Yuan et Zhang（仿袁锋）
A.雌性侧面观；B.头胸部前面观；C.前翅

（277）钩角无齿角蝉 *Nondenticentrus ancistricornis* **Yuan** *et* **Zhang，2002**（图258）

Nondenticentrus ancistricornis Yuan et Zhang, 2002: 323.

鉴别特征：体长10.60~10.90mm。前胸背板上没有中背突，仅有从前胸背板后缘或后部生出的后突起；后足转节内侧无齿突；前胸背板后突起从后缘生出，向后直伸，紧贴在小盾片与前翅后缘上，基部不远离小盾片；后突起上无明显高耸侧扁的背结；上肩角发达，呈明显伸向外上方的角状突起；前胸背板后部中央无明显的齿突；后突起长，直或波形，基部下缘略向上凹，与小盾片间有缝隙，小盾片大部分露出；体黑色或漆黑色；足整个褐色或深褐色；上肩角端部不是极向后弯曲；前胸背板黑色或深黑色；后突起顶端远伸出前翅臀角；上肩角端部不转折；上肩角长大于两基间的距离；前胸斜面宽大于高；每个单眼上方有凸脊；额唇基侧瓣伸达中瓣1/2处；上肩角基部略宽扁，长为两基间距离的1.50倍。

分布：陕西（凤县）、湖南、贵州。

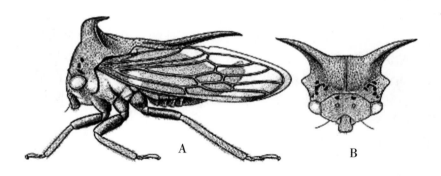

图258　钩角无齿角蝉 *Nondenticentrus ancistricornis* Yuan et Zhang（仿袁锋）
A. 雌性侧面观；B. 头胸部前面观

137. 蒺刺角蝉属 *Tribulocentrus* Chou *et* Yuan，1982

Tribulocentrus Chou et Yuan, 1982: 173. **Type species**: *Tribulocentrus zhenbaensis* Chou et Yuan, 1982.

属征：体小型。头顶近梯形，宽大于高。前胸背板有稠密刻点，前胸斜面近垂直。肩角三角形，端钝。上肩角发达，伸向外上方。后突起从前胸背板后缘生出，屋脊状，贴在小盾片和前翅后缘上，逐渐变细，末端尖锐，伸达前翅臀角。前胸背板中后部有1个直立的刺状突起，高度超过上肩角。小盾片仅两侧露出。前翅近三角形，基部革质，有刻点和细毛；前翅具2个盘室，5个端室。后翅具3个端室。后足转节内侧无齿。

分布：世界记述1种，分布于中国陕西、甘肃秦岭地区。

(278) 镇巴蒺刺角蝉 *Tribulocentrus zhenbaensis* Chou *et* Yuan, 1982 (图259)

Tribulocentrus zhenbaensis Chou *et* Yuan, 1982: 173.

鉴别特征: 体长6.50mm。前胸背板上没有中背突，仅有从前胸背板后缘或后部生出的后突起；前胸背板后突起从后缘生出，向后直伸，紧贴在小盾片与前翅后缘上，基部不远离小盾片；后突起上无明显高耸侧扁的背结；上肩角发达，呈明显伸向外上方的角状突起；前胸背板黑色，中后部有1个直立刺状的突起，高出上肩角。

分布: 陕西（镇巴）、甘肃。

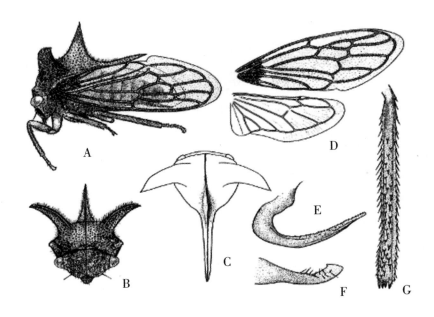

图259　镇巴蒺刺角蝉 *Tribulocentrus zhenbaensis* Chou *et* Yuan（仿袁锋）

A. 雄性体侧面；B. 头胸部前面观；C. 头胸部背面观；D. 前后翅；E. 阳茎；F. 阳基侧突；G. 后足胫节（示基兜毛和端距）

138. 秃角蝉属 *Centrotoscelus* Funkhouser, 1914

Centrotoscelus Funkhouser, 1914: 72. **Type species**: *Centrotoscelus typus* Funkhouser, 1914.

属征: 前胸背板上有三角形的肩角，端钝。雌性和雄性均无上肩角。后突起从前胸背板后缘向后直伸，向后渐细尖，顶端伸达前翅臀角附近，腹面、小盾片与背部紧贴。小盾片仅两侧露出，顶端有深缺切。前翅长约为宽的 2.50 倍，具 5 个端室，2 个盘室，端膜较宽。后翅无色透明，具 3 个端室。胸部侧面无齿突。足正常，胫节不扩大；后足转节内侧有齿状突起；胫节有 3 列基兜毛；后足跗节最长。

　　分布：中国分布 19 种，秦岭地区发现 1 种。

(279) 细长秃角蝉 *Centrotoscelus longus* Yuan *et* Li，2002（图 260）

Centrotoscelus longus Yuan *et* Li，2002：333.

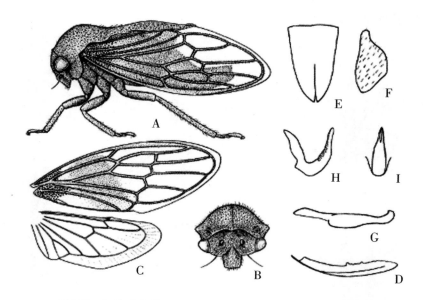

图 260　细长秃角蝉 *Centrotoscelus longus* Yuan *et* Li（仿袁锋）

A. 雌性侧面观；B. 头胸部前面观；C. 前后翅；D. 第 2 产卵瓣；E. 雄虫下生殖板；F. 生殖侧板；G. 阳基侧突；H. 阳茎；I. 阳茎后面观

　　鉴别特征：体长 5.50～6.20mm。黄褐色至漆黑色。前胸背板上没有中背突，仅有从前胸背板后缘或后部生出的后突起；后足转节内侧有齿突；雌雄两性均无上肩角；额唇基 2/3 以上伸出头顶下缘；额唇基侧瓣明显，宽一般为中瓣的 1/2；额唇基侧瓣和中瓣之间以很宽的光滑区带隔开，额唇基稍隆起；额唇基侧瓣伸达中瓣端部 1/3 处，中瓣端缘略呈弧形；前翅无色透明，有时基部有宽的褐色斜带；后突起细长，刚伸出前翅臀角。

　　采集记录：1♀，宁陕平河梁，2020m，1998.Ⅶ.29，采集人不详。

　　分布：陕西（宁陕）、北京、甘肃、贵州、云南。

　　寄主：胡颓子 *Elaeagnus pungens* Thub.（Elaeagnaceae）。

139．三刺角蝉属 *Tricentrus* Stål，1866

Tricentrus Stål，1866：89．**Type species**：*Centrotus fairmairei* Stål，1859 = *Tricentrus fairmairei*（Stål，1859）．

Otaris Buckton，1903：249．**Type species**：*Otaris auritus* Buckton，1903．

Taloipa Buckton，1905：334．**Type species**：*Taloipa tinctoria* Buckton，1905．

属征：体背面观近三角形，一般体长大于宽。前胸背板上有发达的上肩角，少数仅雌性有上肩角，而雄性无上肩角，呈明显的性二型现象；上肩角多呈刺状，顶尖，伸向侧上方，但有的伸向前上方，有的端部向后弯曲。肩角发达，三角形，端钝或尖。后突起由前胸背板后缘向后直伸，盖在小盾片和前翅后缘上，逐渐变细，顶多尖锐，伸达前翅臀角或超出，向下弯或稍向上斜翘，有背脊和侧脊。小盾片两侧露出。前翅长不到宽的 2 倍；具 5 个端室，2 个盘室，Sc 脉近端部粗；端膜宽或狭。后翅具 3 个端室。足正常，不扩大呈叶状。后足转节内侧有齿突。后足跗节最长。

分布：东洋区。秦岭地区有 12 种。

分种检索表

1. 雌虫第 9 腹节背板后上角短管状，从背面观可见肛管开口 ···································· 2
   雌虫第 9 腹节背板后上角弯刺状或乳突状，从背面观看不见肛管开口 ················· 10
2. 额唇基中瓣与侧瓣融合 ··· 3
   额唇基中瓣与侧瓣分开 ··· 6
3. 额唇基中侧瓣完全融合；额唇基与头顶下缘不在 1 条弧线上；上肩角短，不向前伸；前翅基部革质区褐色，其外有 2 条透明的白色横带和 2 条黄褐色横带，端部黄褐色 ·························· ·· 油茶三刺角蝉 *T. camelloleifer*
   额唇基中瓣与侧瓣部分融合 ··· 4
4. 额唇基与头顶下缘在 1 条直线上；上肩角刺状，端部不平截；上肩角粗，顶端钝；上肩角宽，伸向侧上方，其长等于两基间距离，背腹扁平；后突起微弧形，顶端下弯 ······················· ·· 福建三刺角蝉 *T. fukienensis*
   额唇基侧瓣伸出头顶下缘；雌虫第 9 腹节后上角管状结构短 ······························· 5
5. 额唇基中瓣 1/2 以上伸出头顶下缘；上肩角伸向侧上方；足亮黄褐色；上肩角伸向侧上方，向后弯曲，其长等于两基间距离；后足胫节黄色 ····················· 褐三刺角蝉 *T. brunneus*
   额唇基中瓣 1/2 伸出头顶下缘；前胸背板黑色；足黄褐色；上肩角较短，顶端尖，其长小于两基间距离；后突起黑色，但中部红褐色 ··············· 白胸三刺角蝉 *T. allabens*

6. 额唇基侧瓣伸出头顶下缘之长大于头顶下缘至中瓣顶端的1/3；体长小于5.50mm，小型或中小型；前翅上无2条褐色横带；后突起中部稍隆起 ····················· 周至三刺角蝉 **T. zhouzhiensis**

　　额唇基侧瓣伸出头顶下缘之长小于头顶下缘至中瓣顶端1/3；上肩角不向前伸 ··············· 7

7. 上肩角向两侧平伸；前翅端膜非全暗褐色 ··· 8

　　上肩角伸向侧上方 ·· 9

8. 上肩角很短，其长小于两基间距离的1/4，向外不伸过肩角；上肩角三角形，顶尖，向后弯；后突起狭长，顶端尖，微下弯，伸过前翅臀角 ················· 圆三刺角蝉 **T. gargaraformis**

　　上肩角向外伸超过肩角；前胸背板黑色；后突起基部扁平，稍下凹，伸过前翅臀角············· ··· 秦岭三刺角蝉 **T. qinlinggensis**

9. 前胸背板黑色；上肩角短狭，端钝；后突起基部抑平，1/3 处隆起，端部2/3 直，顶钝，微上翘；前翅淡褐色，翅脉粗而暗褐色 ··········· 路氏三刺角蝉 **T. lui**

　　前胸背板褐色或黄色；前翅有2条白色横带，其外各有1条褐色横带；上肩角粗短，其长等于两基间距离 ··· 油桐三刺角蝉 **T. aleuritis**

10. 雌虫第9腹节背板后上角呈弯刺状；前翅端室和端膜非完全淡褐色；上肩角与后突起粗壮；前翅端部与中域色一致；上肩角向外伸出肩角；后突起端部细尖；后突起端部直或稍下弯；后突起顶端直；上肩角短，其长小于或等于两基间距离的1/2；上肩角向两侧平伸，向后弯曲；胸部两侧有白毛斑；前翅1/2 端室外端膜褐色·············· 拟基三刺角蝉 **T. pseudobasalis**

　　雌虫第9腹节背板后上角呈乳头状 ··· 11

11. 体粗壮，中大型，体长大于6.20mm；前胸背板不向前伸出头外；前翅端部和中域色一致；前胸背板黑色；额唇基1/2 以上伸出头顶下缘；上肩角短于两基间距离；前翅翅脉粗，黑褐色 ······ ··· 暗脉三刺角蝉 **T. fuscovenationis**

　　上肩角长于两基间距离，顶端极向后弯曲；上肩角长大于两基间距离的2倍；后突起纤细，顶端黑色，伸过前翅臀角 ····························· 强三刺角蝉 **T. forticornis**

(280) 油茶三刺角蝉 Tricentrus camelloleifer Yuan et Cui, 1997(图 261)

Tricentrus camelloleifer Yuan et Cui, 1997: 97.

　　鉴别特征：体长6.10mm。体中型，粗壮。前胸背板上没有中背突，仅有从前胸背板后缘或后部生出的后突起；后足转节内侧有齿突；雌雄两性均有上肩角，肩角发达；上肩角端尖，呈刺状；后突起长，两侧缘平直或稍凹，有明显的中脊；头和前胸背板被毛和刻点，一般无金属光泽；雌虫第9腹节背板后上角短管状，从背面观可见肛管开口；额唇基中侧瓣完全融合；额唇基与头顶下缘不在1条弧线上；上肩角短，不向前伸；前翅基部革质区褐色，其外有2条透明的白色横带和2条黄褐色横带，端部黄褐色。

　　分布：陕西(镇安)、江西。

　　寄主：油茶 Camellia oleifera Abel. (Theaceae)。

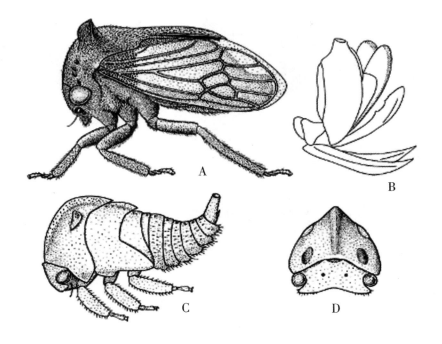

图 261　油茶三刺角蝉 *Tricentrus camelloleifer* Yuan et Cui（仿袁锋）
A. 雌性侧面观；B. 外生殖器；C. 第 5 龄若虫；D. 若虫头胸部前面观

(281) 褐三刺角蝉 *Tricentrus brunneus* **Funkhouser，1918**（图 262）

Tricentrus brunneus Funkhouser, 1918：7.

鉴别特征：体长 5.60~6.80mm，暗褐色至黑色。体中型。前胸背板上没有中背突，仅有从前胸背板后缘或后部生出的后突起；后足转节内侧有齿突；雌雄两性均有上肩角，肩角发达；上肩角端尖，呈刺状；后突起长，两侧缘平直或稍凹，有明显的中脊；头和前胸背板被毛和刻点，一般无金属光泽；雌虫第 9 腹节背板后上角短管状，从背面观可见肛管开口；额唇基中侧瓣部分融合；1/2 以上伸出头顶下缘；上肩角伸向侧上方，向后弯曲，其长等于两基间距离；足亮黄褐色；后足胫节黄色。

采集记录：1♀，佛坪，950m，1998.Ⅶ.23，采集人不详。

分布：陕西（佛坪）、甘肃、山东、广西、贵州、云南；越南，马来西亚，新加坡，印度尼西亚。

寄主：构树 *Broussonetia papyrifera*（Linn.）Vent.（Maraceae），刺槐 *Robinia pseudoacacia* Linn.（Leguminosae），胡颓子 *Elaeagnus pungens* Thub.（Elaeagnaceae）。

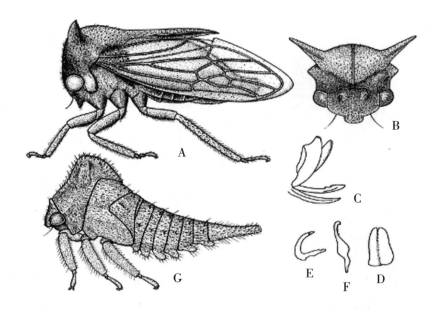

图 262　褐三刺角蝉 *Tricentrus brunneus* Funkhouser（仿袁锋）

A. 雌性侧面观；B. 头胸部前面观；C. 外生殖器；D. 雄虫下生殖板；E. 阳茎；F. 阳基侧突；G. 第 5 龄若虫

（282）白胸三刺角蝉 *Tricentrus allabens* Distant，1916（图 263）

Tricentrus allabens Distant，1916：166.

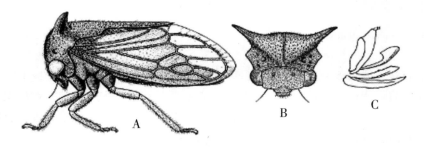

图 263　白胸三刺角蝉 *Tricetntrus allabens* Distant（仿袁锋）

A. 雌性侧面观；B. 头胸部前面观；C. 外生殖器

鉴别特征： 体长 6mm。体中小型。前胸背板上没有中背突，仅有从前胸背板后缘或后部生出的后突起；后足转节内侧有齿突；雌雄两性均有上肩角，肩角发达；上肩角端尖，呈刺状；后突起长，两侧缘平直或稍凹，有明显的中脊；头和前胸背板被毛和刻点，一般无金属光泽；雌虫第 9 腹节背板后上角短管状，从背面观可见肛管开口；额唇基中侧瓣部分融合，1/2 伸出头顶下缘；前胸背板黑色；足黄褐色；上肩角较短，顶端尖，其长小于两基间距离；后突起黑色，中部红褐色。

分布： 陕西（秦岭）、江苏、浙江、台湾、西藏；缅甸，印度，马来西亚，印度尼西亚。

(283) 福建三刺角蝉 *Tricentrus fukienensis* Funkhouser, 1935（图 264）

Tricentrus fukienensis Funkhouser, 1935：81.

鉴别特征：体长 4.40～5.70mm。体呈褐色。体中小型。前胸背板上没有中背突，仅有从前胸背板后缘或后部生出的后突起；后足转节内侧有齿突；雌雄两性均有上肩角，肩角发达；上肩角端尖，呈刺状；后突起长，两侧缘平直或稍凹，有明显的中脊；头和前胸背板被毛和刻点，一般无金属光泽；雌性第 9 腹节背板后上角短管状，从背面观可见肛管开口；额唇基中瓣与侧瓣分开；额唇基与头顶下缘在 1 条直线上；上肩角宽，顶端钝，伸向侧上方，其长等于两基间距离，背腹扁平；后突起微弧形，顶端下弯。

分布：陕西（城固）、湖南、福建、广东、海南、云南；越南，巴基斯坦。

寄主：油桐 *Aleurites fordii* Hemsl.（Euphorbiaceae）。

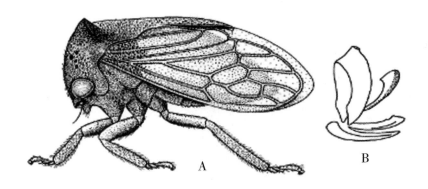

图 264　福建三刺角蝉 *Tricentrus fukienensis* Funkhouser（仿袁锋）
A. 雌性侧面观；B. 外生殖器

(284) 周至三刺角蝉 *Tricentrus zhouzhiensis* Yuan et Fan, 2002（图 265）

Tricentrus zhouzhiensis Yuan et Fan, 2002：436.

鉴别特征：体长 5.10mm。体小型。褐色。前胸背板上没有中背突，仅有从前胸背板后缘或后部生出的后突起；后足转节内侧有齿突；雌雄两性均有上肩角，肩角发达；上肩角端尖，呈刺状；后突起长，两侧缘平直或稍凹，有明显的中脊；头和前胸背板被毛和刻点，一般无金属光泽；雌性第 9 腹节背板后上角短管状，从背面观可见肛管开口；额唇基中瓣与侧瓣分开；额唇基侧瓣伸出头顶下缘；额唇基侧瓣伸出头顶下缘之长大于头顶下缘至中瓣顶端 1/3；前翅上无 2 条褐色横带；后突起中部稍隆起。

分布：陕西（周至）。

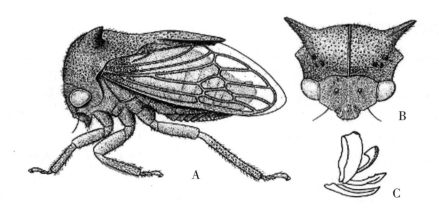

图 265　周至三刺角蝉 *Tricentrus zhouzhiensis* Yuan *et* Fan（仿袁锋）
A. 雌性侧面观；B. 头胸部前面观；C. 外生殖器

（285）圆三刺角蝉 *Tricentrus gargaraformis* Kato，1928（图 266）

Tricentrus gargaraformis Kato，1928：9.

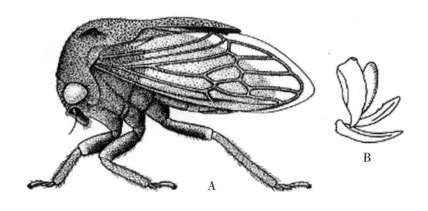

图 266　圆三刺角蝉 *Tricentrus gargaraformis* Kato（仿袁锋）
A. 雌性侧面观；B. 外生殖器

　　鉴别特征：体长 4.90～6.00mm。体中小型。前翅端膜非全暗褐色。前胸背板上没有中背突，仅有从前胸背板后缘或后部生出的后突起；后足转节内侧有齿突；雌雄两性均有上肩角，肩角发达；上肩角端尖，平伸；后突起长，两侧缘平直或稍凹，有明显的中脊；头和前胸背板被毛和刻点，一般无金属光泽；雌性第 9 腹节背板后上角短管状，从背面观可见肛管开口；额唇基中瓣与侧瓣分开；额唇基侧瓣伸出头顶下缘；额唇基侧瓣伸出头顶下缘之长小于头顶下缘至中瓣顶端 1/3；上肩角很短，向两侧平伸，向外不伸过肩角，其长小于两基间距离的 1/4，顶尖，向后弯。后突起狭长，顶端尖，微下弯，伸过前翅臀角。

　　分布：陕西（秦岭）、台湾；日本。

(286) 秦岭三刺角蝉 *Tricentrus qinlingensis* **Yuan *et* Fan, 2002**（图 267）

Tricentrus qinlingensis Yuan *et* Fan, 2002：422.

　　鉴别特征：体长 6.30mm。体中型。黑色。前胸背板上没有中背突，仅有从前胸背板后缘或后部生出的后突起；后足转节内侧有齿突；雌雄两性均有上肩角，肩角发达；上肩角端尖，呈刺状；后突起长，两侧缘平直或稍凹，有明显的中脊；头和前胸背板被毛和刻点，一般无金属光泽；雌性第 9 腹节背板后上角短管状，从背面观可见肛管开口；额唇基中瓣与侧瓣分开；额唇基侧瓣伸出头顶下缘；额唇基侧瓣伸出头顶下缘之长小于头顶下缘至中瓣顶端 1/3；上肩角向两侧平伸超过肩角；前翅端膜非全暗褐色；前胸背板黑色；后突起基部扁平，稍下凹，伸过前翅臀角。

　　分布：陕西（周至、太白）。

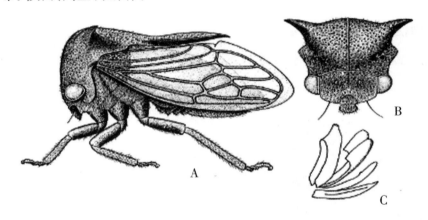

图 267　秦岭三刺角蝉 *Tricentrus qinlingensis* Yuan *et* Fan（仿袁锋）
A. 雌性侧面观；B. 头胸部前面观；C. 外生殖器

(287) 路氏三刺角蝉 *Tricentrus lui* **Yuan *et* Fan, 2002**（图 268）

Tricentrus lui Yuan *et* Fan, 2002：425.

　　鉴别特征：体长 5.70mm。体中型。前胸背板上没有中背突，仅有从前胸背板后缘或后部生出的后突起；后足转节内侧有齿突；肩角发达；上肩角短狭，端尖，呈刺状，伸向侧上方；后突起基部抑平，1/3 处隆起，端部 2/3 直，顶钝；头和前胸背板被毛和刻点，一般无金属光泽；雌性第 9 腹节背板后上角短管状，从背面观可见肛管开口；额唇基中瓣与侧瓣分开；额唇基侧瓣伸出头顶下缘；伸出头顶下缘之长小于头顶下缘至中瓣顶端1/3；前胸背板黑色；前翅淡褐色，翅脉粗而呈暗褐色。

分布: 陕西（太白山）。

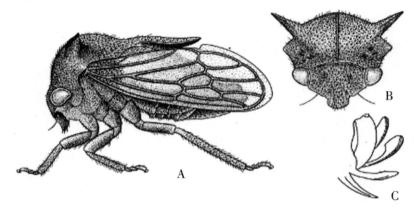

图268　路氏三刺角蝉 *Tricentrus lui* Yuan et Fan（仿袁锋）
A.雌性侧面观；B.头胸部前面观；C.外生殖器

(288) 油桐三刺角蝉 *Tricentrus aleuritis* Chou，1975（图269）

Tricentrus aleuritis Chou，1975：426.

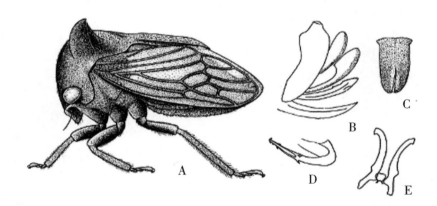

图269　油桐三刺角蝉 *Tricentrus aleuritis* Chou（仿袁锋）
A.雌性侧面观；B.外生殖器；C.雄虫下生殖板；D.阳茎；E.阳基侧突

鉴别特征: 体长5.70~6.60mm。体中小型。前胸背板上没有中背突，有从前胸背板后缘或后部生出的后突起；后足转节内侧有齿突；肩角发达；上肩角端尖，呈刺状；后突起长，两侧缘平直或稍凹，有明显的中脊；头和前胸背板被毛和刻点，一般无金属光泽；雌性第9腹节背板后上角短管状，从背面观可见肛管开口；额唇基中瓣与侧瓣分开；额唇基侧瓣伸出头顶下缘；伸出头顶下缘之长小于头顶下缘至中瓣顶端1/3；上肩角发达，粗短，其长等于两基间距离，伸向侧上方；前胸背板褐色或黄色；前翅有 2 条白色横带，其外各有 1 条褐色横带。

采集记录：1♀，佛坪，890m，1999.Ⅵ.26，采集人不详。

分布：陕西（佛坪）、福建、广西、四川。

寄主：油桐 *Aleurites fordii* Hemsl.（Euphorbiaceae），榆树 *Ulmus pumila* Linn.（Ulmaceae）。

（289）拟基三刺角蝉 *Tricentrus pseudobasalis* Yuan *et* Fan，2002（图 270）

Tricentrus pseudobasalis Yuan *et* Fan，2002：474.

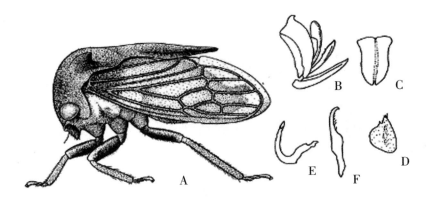

图 270　拟基三刺角蝉 *Tricentrus pseudobasalis* Yuan *et* Fan（仿袁锋）
A. 雌性侧面观；B. 外生殖器；C. 雄虫下生殖板；D. 生殖侧板；E. 阳茎；F. 阳基侧突

鉴别特征：体长 4.70～5.30mm。体小型。栗褐色。前胸背板上没有中背突，有从前胸背板后缘或后部生出的后突起；后足转节内侧有齿突；肩角发达；上肩角端尖，呈刺状，向两侧平伸，极向后弯曲，其长小于或等于两基间距离的1/2；后突起粗，三棱形，中脊起明显，顶端细尖，黑色，伸过前翅臀角；雌性第 9 腹节背板后上角弯刺状或乳突状，从背面观看不见肛管开口；前翅端室和端膜非完全淡褐色；前翅端部与中域色一致；胸部两侧有白毛斑；前翅端室外 1/2 端膜褐色。

分布：陕西（宁强）、湖南、福建、广西。

寄主：红桑 *Morus rubra* Linn.（Maraceae）。

(290) 暗脉三刺角蝉 *Tricentrus fuscovenationis* Yuan *et* Fan, 2002 (图 271)

Tricentrus fuscovenationis Yuan *et* Fan, 2002: 446.

鉴别特征: 体长 6.30mm。体中型。黑色。前胸背板上没有中背突,仅有从前胸背板后缘或后部生出的后突起;后足转节内侧有齿突;肩角发达;上肩角端尖,呈刺状;后突起长,两侧缘平直或稍凹,有明显的中脊;雌性第 9 腹节背板后上角弯刺状或乳突状,从背面观看不见肛管开口;体粗壮,中大型,体长大于 6.20mm;前胸背板不向前伸出头外;前翅端部和中域色一致;前胸背板黑色;额唇基 1/2 以上伸出头顶下缘;上肩角短于两基间距离;前翅翅脉粗,黑褐色。

分布: 陕西(周至)。

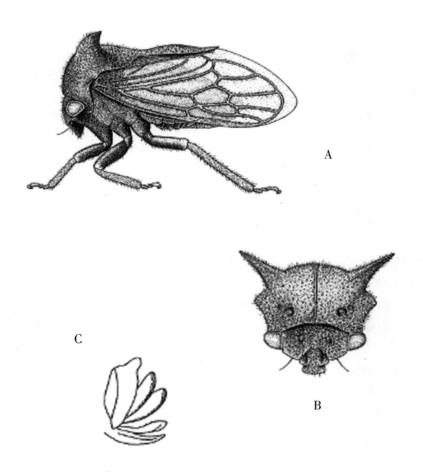

图 271　暗脉三刺角蝉 *Tricentrus fuscovenationis* Yuan *et* Fan(仿袁锋)
A. 雌性侧面观;B. 头胸部前面观;C. 外生殖器

(291) 强三刺角蝉 *Tricentrus forticornis* Funkhouser, 1929(图 272)

Tricentrus forticornis Funkhouser, 1929: 118.

　　鉴别特征: 体长 7.20 ~ 8.90mm。体大中型。黑色。前胸背板上没有中背突,有从前胸背板后缘或后部生出的后突起;后足转节内侧有齿突;雌雄两性均有上肩角,肩角小,三角形,顶端尖;上肩角端尖,三棱状,顶端尖,后弯,其长大于两基间距离的 2 倍;后突起纤细,长,中脊起明显,褐色,顶端尖,黑色,伸过前翅臀角,约达腹部末端;雌性第 9 腹节背板后上角弯刺状或乳突状,从背面观看不见肛管开口。

　　分布: 陕西(秦岭地区)、四川、西藏;菲律宾。

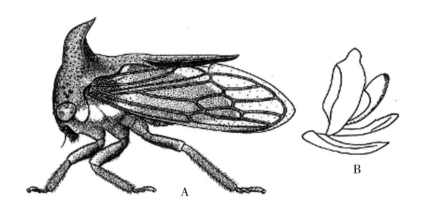

图 272　强三刺角蝉 *Tricentrus forticornis* Funkhouser(仿袁锋)
A. 雌性侧面观; B. 外生殖器

参考文献

Abdul-Nour, H. 2001. Notes on the genus *Eurhadina* Haupt in Lebanon, with description of the male of *E. angulata* Linnavuori (Hemiptera: Auchenorrhycha: Cicadomorpha: Cicadellidae: Typhlocybinae). *Reichenbachia*, 33(18): 137-139.

Ahmed, M. 1970. Some species of *Typhlocyba* Germar (Typhlocybinae: Cicadellidae) occurring in West Pakistan. *Pakistan Journal of Science*, 22(5/6): 269-276.

Ahmed, M. 1985. Typhlocybinae of Pakistan. Fauna of the sub-family Typhlocybinae (Cicadellidae: Homoptera: Insecta) *Pakistan, Islamabad: Pakistan Agricultural Research Council*. 1-XI, 279 pp.

Anufriev, G. A. 1918. The Cicadellidae of the [soviet] Maritime Territory [in Russian]. *Horae Societatis Entomologicae Unionis Woveticae*, 60: 1-216.

Anufriev, G. A. 1973. The genus *Empoasca* Walsh, 1864 (Homoptera: Cicadellidae: Typhlocybinae) in the Soviet Maritime Territory. *Annales Zoologici*, 30(18): 537-558.

Anufriev, G. A. 1978. Les cicadellidaes de le Territoire Maritime. *Horae Societatis Entomologicae Unionis Soveticae.* 60: 1-215 (In Russian).

Anufriev, G. A. 1979. Notes on Some A. Jacobi's species of Auchnorrhynchous insects described from North-East China. *Reichenbachia*, 17(19): 163-170.

Anufriev, G. A. , Emelyanov, A. F. 1988. The Suborder Cicadinea (Auchenorrhyncha) -cicads. *In*: Ler, P. A. (ed.), Keys to the Identification of Insects of the Soviet Far East. Vol. 2, Homoptera and Heteroptera. *Nauka, Leningrad*, 1-495.

Balduf, W. V. 1934. The taxonomic value of ovipositors in some Empoasca species. *Annals of the Entomological Society of America*, 27: 293-310.

Cai, P. 1992. A new genus and species of Ledridae (Homoptera: Cicadelloidea). *Entomotaxonomia*, 14: 266-268. [蔡平. 1992. 耳叶蝉科一新属新种(同翅目：叶蝉总科). 昆虫分类学报，14(4): 266-268.]

Cai, P. , Jiang, J. F. 2000. Two new species of the genus *Midoria* Kato from China (Homoptera: Cicadellidae: Ledrinae). *Acta Entomologica Sinica*, 43: 413-416. [蔡平，江佳富. 2000. 肖点耳叶蝉属二新种(同翅目：叶蝉科：耳叶蝉亚科). 昆虫学报，43(4): 413-416.]

Cai, P. , Kuoh, C. L. 1993. Four New Species of *Eurhadina* Haupt from China (Homoptera: Cicadelloidea: Typhlocybidae). *Journal of Anhui Agricultural University*, 20 (3): 222-227. [蔡平，葛钟麟. 1993. 雅小叶蝉属四新种. 安徽农业大学学报，20(3): 222-227.]

Cai, P. , Kuoh, C. L. 1995. A new record genus and five new species of Cicadellidae from china(Homoptera: Cicadelloidea). Acta Entomologica Sinica, 38(4): 460-465.

Cai, P. , Kuoh, C. L. 1995, Homoptera: Ledridae, Cicadellidae, Iassidae and Coelidiidae. 86-94. *In*: Wu, H. (ed.). *Insects of Baishanzu Moutain, eastern China.* China Forestry Pulishing House, Beijing. 1-586. [蔡平，葛钟麟. 1995. 同翅目：耳叶蝉科. 86-94. 见：吴鸿主编，华东百山祖昆虫. 北京：林业出版社，586.]

Cai, P. , He, J. H. 1995. Homoptera: Cicadellidae, pp: 95-100. In: Wu, H. (ed): *Insects of Baishanzu from Eastern China.* BChina Forestry Pulishing House, Beijing. 1-586. [蔡平、何俊华. 1995. 同翅目：叶蝉科. 95-100. 见：吴鸿 主编：华东百山祖昆虫. 北京：中国林业出版社，586.]

Cai, P. , Shen, X. C. 1998. New species of family Cicadellidae from Mt. Funiu in Henan (Homoptera: Cicadelloidea). 37-52; 242-250. *In*: Shen, X C (ed.). Fauna and Taxonomy of Insects in Henan: Vol. 2. Beijing: China Agriculture Press: 1-386. [蔡平，申效诚. 1998. 河南省叶蝉科新种记述(同翅目：叶蝉总科). 37-52; 242-250. 见：申效诚(主编). 河南昆虫分类区系研究(第二卷). 北京：中国农业出版社，1-386.]

Cai, P. , Shen X. C. 1999. Nine New Speices of Cidadellidae From Bao Tianman Nature Reserve (Homoptera: Cicadellidae). 24-35. In: Shen X-C, Pei H-C. The Fauna and Taxonomy of Insects in Henan. Vol. 4, Insects of the Mountains Funiu and Dabie Regions. China agricultural Sci-tech press, Beijing. 1-415. [蔡平，申效诚，1999. 宝天曼叶蝉九新种(同翅目：叶蝉科). 24-35. 见：申效诚，裴海潮(主编). 河南昆虫分类区系研究(第四卷)伏牛山南坡及大别山区昆虫. 北京：中国农业科技出版社，1-415.]

Cao, Y., Yang, M. and Zhang, Y. 2014. Review of the leafhopper genus *Singapora* Mahmood (Hemiptera: Cicadellidae: Typhlocybinae: Erythroneurini). *Zootaxa*, 3774(4): 333-350.

Chen, X. S., Li, Z. Z. 1998. Three new species of the genus Sophonia from China. Zoological Research 19(1): 65-70. [陈祥盛, 李子忠. 1998. 中国拟隐脉叶蝉属3新种记述. 动物学研究, 19(1): 65-70.]

Cheng, X. Y., Li, Z. Z. 2005. A new genus and three new species of Penthimiinae (Homoptera, Cicadellidae) from China. *Acta Zootaxonomica Sinica*, 30 (2), 379-383.

China, W. E. 1925. The Ethiopian species of *Macropsis* Lewis (Pediopsis Auct.) (Homoptera: Bythoscopidae). *Eos.*, 1: 361-374.

Chou, I. 1964. A new genus and a new species of Membracidae (Homoptera: Auchenorrhyncha) *Acta Entomologica Sinica*, 13(3): 449-454. [周尧. 1964. 角蝉科一新属一新种. 昆虫学报, 13(3), 449-454.]

Chou, I. 1975. Two species of Membracidae on Aleurites from Sichuan. *Acta Entomologica Sinica*, 18 (4): 425-427. [周尧. 1975. 四川为害油桐的角蝉科两新种. 昆虫学报, 18(4): 425-427].

Chou, I., Yuan, F. 1980. Notes of the tribe Hypsauchenini. *Entomotaxonomia*, 2(1): 47-52. [周尧, 袁锋. 1980. 中国高冠角蝉族的记述. 昆虫分类学报, 2(1): 47-52.]

Chou, I., Yuan, F. 1981. A Discussion on the genus *Machaerotypus* with descriptions of new spceies from China. *Entomotaxonomia*, 3(2): 103-110. [周尧, 袁锋. 1981. 脊角蝉属的讨论及其中国种记述. 昆虫分类学报, 3(2): 103-110.]

Chou, I., Yuan, F. 1982. Description of three new genera and three new species of Membracidae from China. *Entomotaxonomia*, 4(3): 173-178. [周尧, 袁锋. 1982 中国角蝉科三新属三新种记述. 昆虫分类学报, 4(3): 173-178.]

Chou, I., Zhang, Y. L. 1985. On the tribe Zyginellini from China (Homoptera: Cicadellidae: Typhlocybinae). *Entomotaxonomia*, 7(4): 287-300. [周尧, 张雅林. 1985. 中国塔叶蝉族分类(同翅目: 叶蝉科: 小叶蝉亚科). 昆虫分类学报. 7(4): 287-300.]

Chou, I., Zhang, Y. L. 1987. A taxonomic study of the genus *Alebroides* Mats. from China (Homoptera, Cicadellidae, Typhlocybinae). *Entomotaxonomia*, 9(4): 289-302 [周尧, 张雅林, 1987. 中国长柄叶蝉属分类 (同翅目: 叶蝉科: 小叶蝉亚科). 昆虫分类学报, 9(4): 289-302].

Dai, R., Li, H. 2013. Five new species and a new record of Genus *Oncopsis* from China (Hemiptera: Cicadellidae: Macropsinae). *Entomologica Fennica*, 24(21): 9-20.

Dai, W., Zhang, Y. 2009. The Genus *Pediopsoides* Matsumura (Hemiptera, Cicadellidae, Macropsini) from Mainland China, with description of two new species. *Zootaxa*, 2134: 23-35.

Distant, W. L. 1908. The Fauna of British India, Including Ceylon and Burma, Vol. IV (Homoptera). London: *Taylor and Francis*, 1-501.

Distant, W. L. 1918. Rhynchota. Homoptera: Appendix. Heteroptera: Addenda. Fauna of British India. 7: 7: i-viii, 1-210, 90 illus.

Dlabola, J. 1958. A reclassification of palaearctic Typhlocybinae (Homopt., Auchenorrh.). *Acta Societatis Entomologicae Cechosloveniae*, 55(1): 44-57.

Dworakowska, I. 1969. On the genera *Zyginella* Löw and *Limassolla* Dlabola (Cicadellidae : Typhlocybinae). *Bulletin de l' Academie polonaise des Sciences. Serie des Sciences Biologiques*, 17(7) : 433-438.

Dworakowska, I. 1970a. On some East Palaearctic and Oriental Typhlocybini (Homopterous: Cicadellidae: Typhlocybinae). *Bulletin de l' Academie Polonaise des Sciences. Serie des Sciences Biologiques*, 18 (4): 211-217.

Dworakowska, I. 1970b. On some genera of Typhlocybini and Empoascini (Auchenorrhyhcha: Cicadellidae: Typhlocybinae). *Bulletin de l' Academie Polonaise des Sciences. Serie des Sciences Biologiques*, 18(11): 707-716.

Dworakowska, I., 1970c. On the genera *Asianidia* Zachv. and *Singapora* Mahm. with the description of two new genera (Auchenorrhyncha: Cicadellidae: Typhlocybinae). *Bulletin de l'Academie Polonaise des Sciences. (Serie des Sciences Biologiques)*, 18(12): 759-765.

Dworakowska, I. 1971. *Dayus takagii* sp. n. and Some other Empoascini (Auchenorrhyncha: Cicadellidae: Typhlocybinae). *Bulletin de l' Academie Polonaise des Sciences. Serie des Sciences Biologiques*, 19(7-8): 501-509.

Dworakowska, I. 1972a. Revision of the genus *Aguriahana* Dist. (Auchenorrhyncha: Cicadellidae: Typhlocybinae). *Bull. Ent. Pol*, 11(2): 273-321.

Dworakowska, I. 1972b. On some East Asiatic species of the genus *Empoasca* Walsh (Auchenorrhyncha: Cicadellidae: Typhlocybinae). *Bulletin de l' Academie Polonaise des Sciences. Serie des Sciences Biologiques*, 20 (1): 17-24.

Dworakowska, I. 1972c. On some Oriental and Ethiopian genera of Empoascini (Auchenorrhyncha: Cicadellidae: Typhlocybinae). *Bulletin de l' Academie Polonaise des Sciences. Serie des Sciences Biologiques*, 20 (1): 25-34.

Dworakowska, I. 1973. *Baguoidea rufa* (Mel) and some other Empoascini (Auchenorrhyncha: Cicadellidae). *Bulletin de l' Academie Polonaise des Sciences. Serie des Sciences Biologiques*, 21(1): 49-58.

Dworakowska, I. 1976a. Two new species of *Empoasca* Walsh (Auchenorrhyncha: Cicadellidae: Typhlocybinae). *Bulletin de l' Academie Polonaise des Sciences. Serie des Sciences Biologiques*, 24(3): 151-159.

Dworakowska, I. 1976b. Some Alebrini of Western Hemisphere (Insecta: Auchenorrhyncha: Cicadellidae: Typhlocybinae). *Entomologische Abhandlungen und Berichte aus dem Staatlichen Museum fur Tierkunde in Dresden*, 56(1): 1-30.

Dworakowska, I. 1982. Empoascini of Japan, Korea and north-east part of China (Homoptera: Auchenorrhyncha: Cicadellidae: Typhlocybinae). *Reichenbachia*, 20(1): 33-57.

Dworakowska, I. 1994. A review of the genera *Apheliona* Kirk and *Znana* gen. nov. (Auchenorrhyncha: Cicadellidae: Typhlocybinae). *Oriental Insects*, 28: 243-308.

Dworakowska, I. 1997. A review of the genus *Alebroides* Matsumura, with description of *Shumka* gen. nov. (Homoptera: Auchenorrhyncha: Cicadellidae). *Oriental Insects*, 31: 241-407.

Dworakowska, I., Viraktamath, C. A. 1975. On some Typhlocybinae from India (Auchenorrhyncha: Cicadellidae). *Bulletin de l'Academie Polonaise des Sciences. (Serie des Sciences Biologiques)*. 23(8):

521-530.

Evans, J. W. 1936. Australian leafhoppers (Jassoidea: Homptera). Part 4. (Ledridae, Ulopidae, and Euscelidae, Paradorydiini). *Royal Society of Tasmania Papers and Proceedings*, 37-50, pls. 14-16.

Evans, J. W. 1938. A contribution to the study of the Jassoidea (Homoptera). *Papers & Proceedings of the Royal Society of Tasmania*, 11: 19-55, 11pls.

Fabricius, J. C. 1803. *Rhyngota*, Systema Rhyngotorum, secundum ordines, genera, species, adiectis synonymis, locis, observationibus, decriptionibus. 314 pp.

Fieber, F. X. 1866a. Neue Gattungen und Arten in Homoptern (Cicadina Bur.). *Verhandlungen der Kaiserlich-Koniglichen Zoologisch-botanischen Gesellschaft in Wien*, 16: 497-516, pl. 7.

Fieber, F. X. 1872. Katalog der Europäischen Cicadinen, nach Originalen mit Benutzung der neuesten Literatur. Ⅰ-Ⅳ: 1-19.

Fu, X., Zhang, Y. L. 2015. Description of two new species and a new combination for the leafhopper genus *Reticuluma* (Hemiptera: Cicadellidae: Deltocephalinae: Penthimiini) from China. *Zootaxa*, 3931 (2): 253-260.

Gao, M., Zhang, Y. L. 2013. Review of the leafhopper genus Oniella Matsumura (Hemiptera: Cicadellidae), with description of a new species from China. *Zootaxa*, 3693, 36-48.

Gao, M., Dai, W. and Zhang, Y. L. 2014. Two new Nirvanini genera from China (Hemiptera: Cicadellidae). *Zootaxa*, 3841, 491-500.

Germar, E. F. 1817. [Homoptera] Reise nach Dalmatien und in das Gebiet Von Ragusa. 323pp., figs. 280-282.

Germar, E. F. 1833. Conspectus generum Cicadariarum. *Revue Entomologique (Silbermann)*, 1: 174-184.

Hamilton, K. G. A. 1980. Contributions to the study of the world Macropsini (Rhynchota: Homoptera: Cicadellidae). *Canadian Entomologist*, 112, 875-932.

Haupt, H. 1929. Neueinteilung der Homoptera-Cicadellinae nach phylogenetisch zu – wertenden Merkmalen. *Zoologische Jahrbuecher Systematik*, 58: 173.

Huang, K. W., Viraktamath, C. A. 1993. The Macropsinae leafhoppers (Homoptera: Cicadellidae) of Taiwan. *Chinese Journal Entomology*, 13: 361-373.

Huang, M., Zhang, Y. L. 1999. Eight New Species of *Eurhadina* Haupt (Homoptera: Cicadellidae: Typhlocybinae) from China. *Entomotaxonomia*, 21(4): 246-256. [黄敏, 张雅林. 1999. 中国雅小叶蝉属8新种 (同翅目: 叶蝉科: 小叶蝉亚科). 昆虫分类学报, 21(4): 246-256.]

Huang, M., Zhang, Y. L. 2005. Two New Leafhopper Species of *Bolanusoides* Distant (Hemiptera: Cicadellidae: Typhlocybinae: Typhlocybini) from China. *Proceedings of the Entomological Society of Washington*, 107(2): 428-431.

Huang, M., Zhang, Y. L. 2009. Five new leafhopper species of the genus *Typhlocyba* Germar (Hemiptera: Cicadellidae: Typhlocybinae) from China. *Zootaxa*, 1972: 44-52.

Huang, M., Zhang, Y. L. 2011. New species and new records of the leafhopper genus Aguriahana Distant (Hemiptera : Cicadellidae : Typhlocybinae) from China. *Zootaxa*, 2830: 39-54.

Ishihara, T. 1953. A tentative check list of the supperfamily Cicadelloidea of Japan(Homoptera). *Scientific*

Reports of the Matsuyama Agricultural College, 11: 1- 72, 17pls.

Ishihara, T. 1954. Revision of two Japanese genera of the Deltocephalinae(Insecta: Hemiptera) . *Zoological Magazine* Tokyo. 63: 243-245, figs. 1-2.

Jacobi, A. 1943. Zur Kenntnis der Insekten von Mandschukuo, 12. Beitrag. Eine Homopterenfauna der Mandschurei (Homoptera: Fulgoroidea Cercopoidea, and Jassidoidea) *Arbeiten über Morphologische und Taxonomische Entomologie*, Berlin Dahlem 10; 21-31.

Jacobi, A. 1944. Die Zikadenfauna der Provinz Fukien in Südchina und ihre tiergeographischen Beziehungen. *Mitteilungen der Munchener Entomologischen Gesellschaft*, 34: 5-66.

Kato, M. 1931. Japanese Ledrinae. *Zoological Society of Japan*, 43: 431-440, figs. 1-10.

Kato, M. 1932. Notes on some Homoptera from South Mauchuria, collected by Mr. Yukimichi Kikuchi. *Konty. Insects*, 5: 216-229, pl. Ⅷ.

Kato, M. 1933a. Notes on some Manchuian Homoptera, collected by Mr. K. Kikuchi. *Entomological world*. 1: 1-12.

Kato, M. 1933b. Notes on Japanese Homoptera, with Descriptions of One New Genus and some *New Species*. *Entomological World*, 1: 452-471.

Kirkaldy, G. W. 1900. Bibliographical and nomenclatorial notes on the Rhynchota. No. 1. *Entomologist*, 33: 238-243.

Kirkaldy, G. W. 1907. Leafhoppers supplement (Hemiptera) . Hawaii. Bullintin of the Hawaiian Sugar Planters Association, 3: 1-186, pls. 1-20.

Knight, W. J. 1983. The Cicadellidae of S. E. Asia – Present knowledge and obstacles to identification. Proceedings of 1st International Workshop on leafhoppers and planthoppers of Economic Importance, London. 197-224.

Knight, W. J. , Nielson, M. W. 1986. The higher classification of the Cicadellidae. *Tymbal Auchenorrhyncha Newsletter*. 8: 10-14.

Kuoh, C. L. 1966. *Economic insect fauna of China. Vol. 10. Homoptera: Cicadellidae*. Science Press, Beijing, 307pp. [葛钟麟. 1966. 中国经济昆虫志: (第十册, 同翅目: 叶蝉科). 北京: 科学出版社, 307]

Kuoh, C. L. 1973. Two new species of Pseudonirvana (Homoptera: Nirvanidae) . *Acta Entomological Sinica*. 16(2): 180-184. [葛钟麟. 1973. 拟隐脉叶蝉属 2 新种记述. 昆虫学报, 16(2): 180-184.]

Kuoh, C. L. 1984. Six new species of the genus *Petalocephala* (Homoptera: Ledridae) . *Entomotaxonomia*, 6: 271-278. [葛钟麟. 1984. 片头叶蝉属六新种(同翅目: 耳叶蝉科). 昆虫分类学报, 6(4): 271-278.]

Kuoh, C. L. 1985. New Species of *Drabescus* and a New Allied Genus (Homoptera: Iassidae) . *Acta Zoologica Sinica*. 31(4): 377-383. [葛钟麟. 1985. 胫槽叶蝉属新种及一近缘新属, 动物学报, 31(4): 377-383.]

Kuoh, C. L. 1987. Homoptera: Cicadelloidea. pp. 107-132. *In*: Zhang S. M. (ed.). Agricultual insects, spiders, plant diseases and weeds of Xizang. Lhasa: The Tibet people's publishing house, 1-463pp. [葛钟麟. 1987. 叶蝉总科: 107-132. 见: 章士美(主编): 西藏农业病虫及杂草. 第一册. 拉

萨: 西藏人民出版社, 463.]

Kuoh, C. L. 1991. A new leafhopper injurious to tea (Homoptera: Cicadellidae). *Acta Entomologica Sinica*, 34 (2), 206-207.

Kuoh, C. L. 1992. Homoptera: Cicadelloidea. 243-316. *In*: Chen S (ed.). Insects of the Hengduan Mountains Region: Vol. 1. Beijing: Science Press: 1-865. [葛钟麟. 1992. 同翅目: 叶蝉总科: 耳叶蝉亚科. 243-316. 见: 陈世骧. 横断山区昆虫: 第一册. 北京: 科学出版社, 1-865.]

Kwon, Y. J. 1985. Classification of the Leafhopper-Pests of the Subfamily Idiocerinae from Korea. *The Korean Journal of Entomology*, 15 (1), 61-73.

Kwon, Y. L., Lee, C. E. 1979. Some new genera and species of Cicadellidae of Korea (Homoptera: Auchenorrhyncha) Nature and Life in Southeast Asia. *Kyungpook Joural of Biological Sciences*. 9: 49-61.

Li, H., Dai, R. and Li, Z. 2012. *Oncopsis nigrofaciala* sp. nov., a new Macropsinae species (Hemiptera: Cicadellidae) from China. *Entomotaxonomia*, 34(3): 520-526.

Li, J. D., Li, Z. Z. 2010. A new species of genus *Drabescoides* (Hemiptera: Cicadellidae). *Sichuang journal of Zoology*, 29(1): 31-32. [李建达, 李子忠. 2010. 阔颈叶蝉属一新种记述(半翅目: 叶蝉科). 四川动物, 29(1): 31-32.]

Li, Z. Z. 1994. A new genus and three new species of Evacanthini from China (Homoptera: Cicadellidae). Acta *Zootaxonomica Sinica*, 19, 465-470. [李子忠. 1994. 横脊叶蝉科-新属三新种(同翅目: 叶蝉总科). 动物分类学报, 465-470.]

Li, Z. Z., Chen, X. S. 1999. *Nirvanini of China (Homoptera, Cicadellidae)*. Guiyang: Guizhou Science and Technology Press (in Chinese), 149 pp. [李子忠, 陈祥盛. 1999. 中国隐脉叶蝉(同翅目: 叶蝉科). 贵阳: 贵州科技出版社, 149.]

Li, Z. Z., Wang, L. M. 1995. Two newgenera and three new species of Evacanthinae (Homoptera: Cicadelloidea) from China. *Entomotaxonomia*, 17 (3), 189-196. [李子忠, 汪廉敏. 1995. 中国横脊叶蝉亚科二新属三新种(同翅目: 叶蝉科). 昆虫分类学报, 17(3): 189-196.]

Li, Z. Z., Wang, L. M. 1996. Five new species of *Evacanthinae* (Homoptera: Cicadelloidea) from China. *Entomotaxonomia*, 18 (2), 94-100. [李子忠, 汪廉敏. 1996. 横脊叶蝉亚科五新种(同翅目: 叶蝉科). 昆虫分类学报, 18(2): 94-100.]

Li, Z. Z., Wang, L. M. 1996. The Evacanthinae of China (Homoptera: Cicadellidae). Guiyang: Guizhou Science and Technology Publishing House. 1-134. [李子忠, 汪廉敏. 1996. 中国横脊叶蝉. 贵阳: 贵州科技出版社, 134.]

Linné, C. 1758. II. Hemiptera. Systema Naturae, per regna tria naturae, secundum classes, ordines, genera, species, cum characteribus, differentiis, synonymis, locis. Ed. 10, rev. 1: 1-824.

Liu, Y., Qin, D. Z., Fletcher, M. J. and Zhang, Y. L. 2011. Review of *Empoasca (Matsumurasca)* Anufriev (Hemiptera: Cicadellidae: Typhlocybinae: Empoascini), with description of three new species from China. *Zootaxa*, 3003: 22-42.

Liu, Z. J. 2009. Description of a new species of the genus *Oncopsis* (Homoptera: Cicadellidae: Macropsinae) from Mt. Taibai, Shaanxi Province, China. *Forest Pests and Disease*, 28(5): 15-16.

Liu, Z. J., Zhang, Y. L. 2003. Description of two new species of Macropsinae (Homoptera: Cicadellidae) from China. *Entomotaxonomia*, 25(3): 181-185.

Lower, F. 1952. A revision of Australian species previously referred to the genus *Empoasca* (Cicadellidae: Homoptera). *Proceedings of the Linnean Society of New South Wales*, 76: 190-221.

Lu, L., Zhang, Y. L. 2014. Taxonomy of the Oriental leafhopper genus *Fistulatus* (Hemiptera: Cicadellidae: Deltocephalinae), with description of a new species from China. *Zootaxa*, 3838 (2): 247-250.

Matsumura, S. 1907. Die Cicadinen Japans. *Annotationes Zoologicae Japonenses*, 6: 83-116.

Matsumura, S. 1912a. Die Cicadiene Japans II. *Annotationes Zoologicae Japonenses*, 8: 15-51.

Matsumura, S. 1912b. Die Acocephalinen und Bythoscopinen Japans. *Journal of the College of Agriculture*, 4: 279-325.

Matsumura, S. 1914. Die Jassinen und einige neue Acocephalinen Japans. *Journal of the College of Agriculture*, 5: 165-240, figs. 1-12.

Matsumura, S. 1915. Neue Cicadinen Koreas. *Transactions of the Sapporo Natural History Society*, 5: 154-184; pl. I, fig. 15.

Matsumura, S. 1940. Homopterous insects collected at Kotosho (Botel Tabago) Formosa by Mr. Tadao Kano. *Insecta Matsumurana*, 15: 34-51.

Melichar, L. 1902. Homopterenaus West China, Persien, und demSud-Ussuri- Gebiete. *Annuaire du Musée Zoologique del' Académie des Sciences de Russie, St. Pétersbourg*, 7, 76-146.

Melichar, L. 1903. Homopteren-Fauna von Ceylon. Berlin, 248pp, 6 pls.

Melichar, L. 1904. Neue Homopteren aus süd-schoa, Galla und den Somal-länden. *Verhandlungen Zoologisch-Botanischen Gesellschaft In Wien*, 54: 25-48.

Metcalf, Z. P. 1955. New names in the Homoptera. Journal of the Washington Acadeny of Science, 45 (8): 262-268.

Metcalf, Z. P. 1962. General Catalogue of Homoptera. Fascicle VI, Cicadelloidea, Part 3, Gyponidae. Published by United States Department of Agriculture, 1-227.

Metcalf, Z. P. 1967. General Catalogue of the Homoptera. Fascicle VI. Cicadelloidea, Part 10. Section I - III. Euscelidae. Washington D C. 2695pp.

Metcalf, Z. P. 1968. General Catalogue of the Homoptera Fascicle VI. Cicadelloidea Part 17 Cicadellidae. Washington, D. C. 1513pp.

Nast, J. 1937. Eine neue Art aus der Gattung Empoasca Walsh aus Polen (Homoptera). *Annales Musei Zoologici Polonici*, 13: 25-27.

Nast, J. 1972. Palaearctic Auchenorrhyncha (Homoptera) an annotated check list. Polish Scientific Publishers, Warszawa. 550pp.

Oshanin, V. T. 1912. *Katalog der paläarktischen Hemipteren (Heteroptera, Homoptera Auchenorhyncha und Psylloideae)*. R. Friedländer&Sohn, Berlin, 187 pp.

Qin, D. Z., Liu, Y. and Zhang, Y. L. 2010. A taxonomic study of Chinese Empoascini (Hemiptera: Cicadellidae: Typhlocybinae) (I). *Zootaxa*, 2481: 52-60.

Qin, D. Z., Liu, Y. and Zhang, Y. L. 2011. A taxonomic study of Chinese Empoascini (Hemiptera: Cicadellidae: Typhlocybinae) (II). *Zootaxa*, 2923: 48-58.

Qin, D. Z. , Zhang, Y. L. 2003. Taxonomic study of *Nikkotettix* (Homoptera: Cicadellidae: Typhlocybinae: Empoascini) —new record from China. *Entomotaxonomia*, 25 (1): 25-30. [秦道正, 张雅林. 2003. 中国新纪录属: 尼小叶蝉属 *Nikkotettix* 分类 (同翅目: 叶蝉科: 小叶蝉亚科). 昆虫分类学报, 25(1): 25-30.]

Qin, D. Z. , Zhang, Y. L. 2004. Taxonomic study on *Ishiharella* (Homoptera: Cicadellidae: Typhlocybinae) with descriptions of three new species from China. *Entomotaxonomia*, 26 (2): 114-120. [秦道正, 张雅林, 2004. 石原叶蝉属分类并记中国三新种 (同翅目: 叶蝉科: 小叶蝉亚科). 昆虫分类学报, 26 (2): 114-120.]

Qin, D. Z. , Zhang, Y. L. 2008. The leafhopper subgenus *Empoasca (Matsumurasca)* from China (Hemiptera: Cicadellidae: Typhlocybinae: Empoascini) with descriptions of three new species. *Zootaxa*, 1817: 18-26.

Qin, D. Z. , Zhang, Y. L. 2011. Taxonomic study of the typhlocybine leafhopper genus *Alebroides* Matsumura (Hemiptera: Cicadellidae) in China. *Zootaxa*, 2987: 31-44.

Ribout, H. H. 1952. Homoptères Auchenorhynques. Ⅱ (Jassidae). Faune de France. 57: 1-474.

Shang, S. Q. , Zhang, Y. L. 2003. Taxonomic study on *Drabescoides* (Homoptera: Cicadellidae: Selenocephalinae) from China. *Entomotaxonomia*, 25(4): 257-259.

Sharma, B. 1977. A new species of genus Farynala Dworakowska 1970. from India (Homoptera: Cicadellidae: Typhlocybinae). *Entomon* (India), 2(2): 241-242.

Singh-Pruthi, H. 1930, Studies on Indian Jassidae(Homoptera). Part Ⅰ. Introduction and description of some new genera and species. Memoirs of the Indian Museum. 11: 1-68, pls. 1-5.

Sohi, A. S. , Dworakowska, I. 1979. New species of *Alebroides* Matsumura from India and Tibet (Auchenorrhyncha: Cicadellidae: Typhlocybinae). Entomon, 4(4): 367-372.

Stål, C. 1854. Nya Hemiptera. *Öfversigt af Kongl. Vetenskaps-Akadmiens förhandlingar*, 11: 231-255.

Stål, C. 1864, Hemiptera nonnulla nova vel minus cognita. *Annales de la Société Entomologique de France*. 4: 47-68.

Stål, C. 1870, Hemiptera insularum Philippinarum. Bidrag till Philippinska oarnes Hemiptr-fauna. Ofversigt af Kongl. *Vetenskaps-Akademiens Förhadlingar*, 27: 607-776, pls. 7-9.

Uhler, P. R. 1896. Summary of the Hemiptera of Japan presented to the United States National Museum by Professor Mitzukuri. *Proceedings of the United States National Museum*. 19: 255-297.

Vilbaste, J. 1968. Cicadellidae fauna of the Primoskii Krai Territory [in Russian]. Izdatel' stvo Valgus, Talin. 195pp.

Viraktamath, C. A. 1998. Revision of the leafhopper tribe Paraboloponini (Hemiptera: Cicadellidae: Selenocephalinae) in the Indian subcontinent. *Bulletin of the Natural History Museum (Entomology)*, 67 (2): 1-207.

Walker, F. 1858. List of the specimens of Homopterous insects in the collection of the British Museum, Supplement. 307pp.

Walker, F. 1869. Catalogue of the Homopterous insects collected in the Indian Archipelago by Mr. A. R. Wallace, with descriptions of new species. *Journal of the Linnean Society(Zoology)*, 10: 276-330.

Webb, M. D. 1981. The Asian, Australasian and Pacific Paraboloponinae(Homoptera: Cicadellidae). *Bulletin of the British Museum (Natural History)(Entomology)*, 43: 39-76.

Webb, M D. 1994, Bhatia Distant, 1908 (Insecta: Homoptera): proposed confirmation of Eutettix? Olivaceus Melichar, 1903 as the type species. *Bulletin of Zoological Nomenclature*, 51: 116-117.

Wei, C., Zhang Y. L. 2003. A new species of the genus *Placidus* (Homoptera: Cicadellidae: Stegelytrinae) from Nepal. *Entomotaxonomia*, 25: 91-94.

Yang, M., Li, Z. 2000, A taxonomic study on *Kolla* from China (Homoptera: Cicadellidae). *Acta Entomologica Sinica*, 43(4): 403-412.

Young, D. A. 1977. Taxonomic study of the Cieadellinae (Homoptera: Cicadellidae), Part2: New World Cicadellini and the genus Cicadlla. *N. C. Technical Bulletin North Carolina Agricultural Experiment Station* (USA), 1977, 239-1135.

Yuan, F. 1988. Studies on classification the genus *Maurya* from China (Homoptera: Membracidae). *Entomotaxonomia*, 10(3-4): 255-267. [袁锋. 1988. 中国耳角蝉属分类研究 (同翅目: 角蝉科). 昆虫分类学报, 10(3-4): 255-267.]

Yuan, F., Chou, I. 1983. Notes of the genus *Antialcidas* and *Pantaleon* from China (Homoptera: Membracidae). *Entomotaxonomia*, 5(2): 133-144. [袁锋, 周尧. 1983. 结角蝉属与锯角蝉属中国种记述. 昆虫分类学报, 5(2): 133-144].

Yuan, F., Chou, I. 2002. *Fauna Sinica Insect Vol. 28 Homoptera Membracoidea Aetalionidae Membracidae*. Science Press, Beijing, 1-590. [周尧, 袁锋. 2002. 中国动物志 昆虫纲 第二十八卷 同翅目 角蝉总科 犁胸蝉科 角蝉科. 北京: 科学出版社, 1-590.]

Yuan, F., Tian, R. G. 1993. Finding of Oxyrhachinae in China and description of a new species (Homptera: Membracidae). *Entomotaxonomia*, 15(3): 173-177. [袁锋, 田润刚. 1993. 隐盾角蝉亚科 Oxyrhachinae 在中国的发现及一新种记述. 昆虫分类学报, 15(3): 173-177.]

Yuan, F., Tian, R. G. 1995. Two new genera and four new species of leptocentrini Distant (Homoptera: Membracidae). *Entomotaxonomia*, 17(4): 235-241. [袁锋, 田润刚. 1995. 弧角蝉族二新属四新种. 昆虫分类学报, 17(4): 235-241.]

Yuan, F., Fan, X. L, Cui, Z. X and Xu, Q. Y. 1997. Studies on systematics of tribe Tricentrini (Homoptera: Membracidae: Centortinae) I. descriptions of eight new species of the genus *Tricentrus* from China. *Entomotaxonomia*, 19(2): 15-27. [袁锋, 范晓凌, 崔志新, 徐秋园. 1997. 三刺角蝉族 Tricentrini 系统学研究 I. 三刺角蝉属 *TricenlrusTricentrus* 中国八新种(同翅目: 角蝉科: 露盾角蝉亚科)[J]. 昆虫分类学报, 19(2): 15-27.]

Yuan, F., Tian, R-G. and Xu, Q-Y. 1997. A new genus and four new species of Membracidae (Homoptera) from China. *Entomotaxonomia*, 19(3): 185-190. [袁锋, 田润刚, 徐秋园. 中国角蝉科一新属四新种. 昆虫分类学报, 19(3): 185-190.]

Yuan, F., Fan, X. L. 1995. A new species of the genus Centrochares Stål (Homoptera: Membracidae). *Entomotaxonomia*, 17(2): 103-105. [袁锋, 范骁玲. 1995. 中国雅角蝉一新种. 昆虫分类学报, 17(2): 103-105.]

Zachvatkin, A. A. 1953. Faunistic notes on Eupterygidae (Homoptera: Cicadina) from Central Asia. Empoascinae. *Sbornik Nauchnykh trudov*. Collection of Scientific Works. Moscow: St. Moscow University Press, 237-245.

Zeng, Y. 2005. A new species of the genus Maurya Distant (Hemiptera: Membracidae) from China. Entomotaxonomia, 27(4): 266-268.

Zhang, B, Viraktamath, C. A. 2010. New species of macropsine leafhopper Genus *Pedionis* Hamilton (Hemiptera, Cicadellidae) from China, with a key to Chinese species. *Zootaxa*, 2484: 53-61.

Zhang, W. Z. , Zhang, Y. L. 1998. On Chinese Species of the Genus *Bhatia* Distant (Homoptera: Cicadellidae). *Entomotaxonomia*, 20(3): 177-181. [张文珠, 张雅林. 1998. 中国沟顶叶蝉属种类记述. 昆虫分类学报, 20(3): 177-181.]

Zhang, Y. L. 1990. A taxonomic study of Chinese Cicadellidae (Homoptera). Tianze Eldonejo, Yangling, Shaanxi, 218 pp. [in Chinese, 张雅林. 1990, 中国叶蝉分类研究. 杨凌: 天则出版社, 218.]

Zhang, Y. L. , Chou, I. 1988. Four new species of the genus *Limassolla* Dlabola (Homoptera: Cicadellidae: Typhlocybinae). *Entomotaxonomia*, 10 (3-4): 248-254. [张雅林, 周尧. 1988. 零叶蝉属四新种(同翅目: 叶蝉科: 小叶蝉亚科). 昆虫分类学报, 10(3-4): 248-254.]

Zhang, Y. L. , Huang, M. 2005. Taxonomic study on the genus Amurta from China (Hemiptera: Cicadellidae: Typhlocybinae). The Canadian Entomologists, 137: 410-415.

Zhang, Y. L. , Huang, M. 2007. Taxonomic study on genus Warodia Dworakowska (Hemiptera: Cicadellidae: Typhlocybinae) with description of 6 new species. *Proceedings of the Entomological Society of Washington*, 109(4): 886-896.

Zhang, Y. L. , Liu, Y. and Qin, D. Z. 2008. *Empoasca (Empoasca) paraparvipenis* n. sp. and some new records of the subgenus from China (Hemiptera: Cicadellidae: Typhlocybinae: Empoascini). *Zootaxa*, 1949: 63-68.

Zhang, Y. L. , Liu, Y. and Qin, D. Z. 2010. Review of Empoasca (Distantasca) Dworakowska (Hemiptera: Cicadellidae: Typhlocybinae: Empoascini) with description of two new species from China. Zootaxa, 2497: 37-61.

Zhang, Y. L. , Webb, M. D. 1996, A Revised Classification of the Asian and Pacific Selenocephaline Leafhoppers (Homoptera: Cicadellidae). *Bulletin of the Natural History Museum (Entomology)*, 65 (1): 1-103.

Zhang, Y. L. , Zhang, W. Z. and Chen, B. 1997. Selenocephaline Leafhoppers (Homoptera: Cicadellidae) from Mt. Funiushan in Henan Province. *Entomotaxonomia* , 19 (4): 235-245 [张雅林, 张文珠, 陈波. 1997. 河南伏牛山缘脊叶蝉亚科种类记述. 昆虫分类学报, 19(4): 235-245.]

Zhang, Y. L. , Zhang, X. M. and Wei, C. 2010. Review of the genus *Boundarus* Li & Wang (Hemiptera: Cicadellidae: Evacanthinae) from China, with description of two new species. *Zootaxa*, 63-68.

Zhang, Y. Z. , Yuan, F. 1998. Three new species of *Nondenticentrus* (Homoptera: Membracidae) from China. *Entomotaxonomia*, 20(4): 248-252. [张亚州, 袁锋. 1998. 中国无齿角蝉属三新种 (同翅目: 角蝉科). 昆虫分类学报, 20(4): 248-252.]

第二章　沫蝉总科 Cercopoidea

梁爱萍

（中国科学院动物研究所，北京100101）

鉴别特征:体小至中等偏大型。体色多比较鲜艳，体表多密被短的绒毛，有时具明显的刻点。头较前胸背板窄；头冠近三角形，前缘尖或较阔圆，常具唇基端。单眼2个，位于头顶背面。复眼近圆形。后唇基通常膨大，中央有时具纵沟或纵脊。触角3节，鞭节芒状。喙3节。前胸背板六边形，通常宽大于长，前缘直或略向前凸出，前、后侧缘通常等长。小盾片三角形，中央多浅凹陷，有时特化成刺突。前翅革质，通常具短的 Sc 脉，静止时左右翅形成屋脊状。后翅前缘基部呈三角状突出。后足胫节外侧具1~2根顶端黑色的短刺，后足胫节及跗节端部具成排的刺。沫蝉总科昆虫均为植食性昆虫，它们以刺吸式口器汲取寄主植物木质部的营养及水分。成虫善跳跃。沫蝉的若虫通常生活在其寄主植物的叶片及枝干上，也有生活于近地表的土壤中，若虫分泌白色的泡沫状物，将身体隐藏于泡沫内。巢沫蝉科 Machaerotidae 的若虫则隐藏在其营造的位于其寄主植物茎干上的钙质管状物内。沫蝉总科与角蝉总科（Membracoidea）的种类外形近似，但后者后足胫节内外缘有几列细刺，其端部无刺列，可资区别。

分类:陕西秦岭地区分布3科11属16种。

分科检索表

1. 成虫小盾片大而长，或成棘状突起；前翅具明显的膜质端区；若虫营钙质管状物为巢 …………………………………………………………………………… **巢沫蝉科 Machaerotidae**
   成虫小盾片较短，不成棘状突起；前翅无膜质端区；若虫隐藏在唾沫似的分泌液中 ……… 2
2. 复眼长宽略等；前胸背板前缘直或近平直，后缘直或微凹 ………………… **沫蝉科 Cercopidae**
   复眼长大于宽；前胸背板前缘在复眼之间突出呈角状，后缘凹入呈角状 ………………………………………………………………………… **尖胸沫蝉科 Aphrophoridae**

一、尖胸沫蝉科 Aphrophoridae

鉴别特征:体小至中等偏大型。体色较暗。体表密被或仅有稀疏绒毛，有或无明显的刻点。头顶具或无中纵脊。唇基端与后唇基之间分界明显。触角脊薄片状，或厚并具沟。触角鞭节基部膨大,隐匿于梗节内或露出梗节之外,背面具锥形感器、板形感器及腔锥感器。前胸背板具或无中纵脊。喙短或长,顶端伸至前足基节间或后足基节之后。雄虫下生殖板通常大,从腹面盖住生殖刺突及阳茎干。后者胫节外侧有刺2根,偶为1根或3～6根。

分类:世界已知800多种,中国记录100多种,陕西秦岭地区分布6属11种。

分属检索表

1. 体表刻点细小不明显;喙较短,喙端伸于中足转节之间 ……………………………… 2
   体表具粗大而明显的刻点;喙长,喙端伸抵后足转节之后 …………………………… 3
2. 头前伸成头突,其长大于前胸背板;后足胫节外侧刺2根 …………… **象沫蝉属 *Philagra***
   头不前伸成头突,其长小于前胸背板;后足胫节外侧刺1根 ……… **榆沫蝉属 *Cnemidanomia***
3. 后足胫节外刺3～6根………………………………………………… **华沫蝉属 *Sinophora***
   后足胫节外侧刺2根 ………………………………………………………………………… 4
4. 腹面观雄虫下生殖板完全盖住生殖刺突及阳茎干 ………………… **尖胸沫蝉属 *Aphrophora***
   腹面观雄虫下生殖板不完全盖住生殖刺突及阳茎干 ……………………………………… 5
5. 雄虫下生殖板较宽(顶端除外);生殖刺突与尖胸沫蝉属 *Aphrophora* 的种类相似;阳茎干很短,与尖胸沫蝉属 *Aphrophora* 的种类近似 …………………………… **连脊沫蝉属 *Aphropsis***
   雄虫下生殖板较狭长;生殖刺突与歧脊沫蝉属 *Jembrana* 的种类相似;阳茎干较长,具明显的颈部,与歧脊沫蝉属 *Jembrana* 的种类近似 …………………… **秦沫蝉属 *Qinophora***

1. 榆沫蝉属 *Cnemidanomia* Kusnezov, 1932

Cnemidanomia Kusnezov, 1932:163. **Type species**:*Cnemidanomia ussuriensis* Kusnezov, 1932.

Takagia Matsumura, 1942:83. **Type species**:*Ptyelus lugubris* Lethierry, 1876.

属征:体中偏大型。体表无明显的刻点。头明显长,略长于前胸背板的1/2;头顶窄于前胸背板,前端上翘,后端胝斑明显低陷。唇基端纵向较长,约为头顶长的1/2;横向窄;无中纵脊。复眼明显短小。单眼靠近头冠后缘,间距略小于单复眼间距。颜面较长,表面无明显刻点,无中纵脊。触角脊细长,无沟;触角鞭节基部隐匿于梗节内,表面具8～9根短而细的锥形感器和10余个腔锥感器。喙3节,较短,端部伸于中足基节间。前胸背板中后部明显隆起并具中脊线,前端胝斑及前端中央明显低陷;前侧缘长,明显长于复眼水平斜向的直径。小盾片较大而长,中部浅凹陷。前翅狭长,长约宽的3.50倍。后翅端室3个。后足胫节中央之后外侧具顶端黑色的侧刺1根,后足第2跗分节端刺退化为2根。

分布:中国;俄罗斯,韩国。秦岭地区发现1种。

（1）榆沫蝉 *Cnemidanomia lugubris*（Lethierry，1876）（图 273）

Ptyelus lugubris Lethierry，1876a：78.

Aphrophora lugubris：Puton，1899：99.

Cercopis lugubris：Lallemand，1912：60.

Cnemidanomia ussuriensis Kusnezov，1932：164.

Takagia lugubris：Matsumura，1942：84.

Ptyelus colonus Jacobi，1943：25.

Cnemidanomia lugubris：Anufriev & Emeljanov，1968：1329.

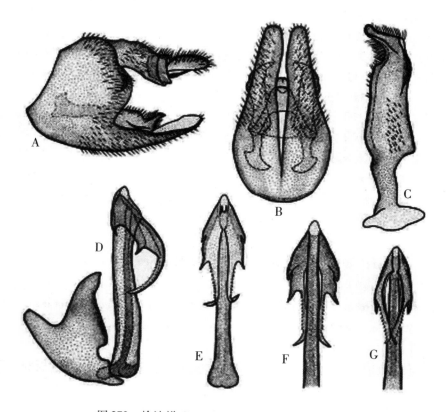

图 273　榆沫蝉 *Cnemidanomia lugubris*（Lethierry）

A. 雄虫生殖英侧面观（male genital segments，lateral view）；B. 雄虫生殖英腹面观（male genital segments，ventral view）；C. 生殖刺突侧腹面观（genital style，lateroventral view）；D. 阳茎干侧面观（aedeagal shaft，lateral view）；E. 阳茎干尾面观（aedeagal shaft，caudal view）；F. G. 阳茎干端部（apex of aedeagal shaft）

鉴别特征：体较大，体长 9.50～12.90mm。头顶浅黄色（分布于吉林的种群头顶为暗黑色），前缘和后缘及复眼内侧的头冠部分暗黑色；唇基端暗黑色，前缘浅黄色。触角脊腹面浅黄色，触角基节及梗节暗黄色。后唇基顶端及两侧区浅黄色，中央区黑色，横脊线浅黄色；前唇基黑色，基部 1/2 中央及侧缘浅黄色。颊黑色，复眼内侧的 1 个带状区浅黄色。颊黑色，侧缘基部 1/2 浅黄色。喙暗黑色，其基节和第 2 节的腹面及侧面浅黄色。前胸背板黑色，前端胝斑浅黄色，后部盘区夹杂部分暗黄色斑点。小盾片黑色，前缘中央、侧缘基部 1/2 及顶端浅黄色。前翅暗黑色，翅表密被不规则的浅黄色斑，前缘中部前后各有 1 条伸向革片中部的短的浅黄色带。前胸和中胸腹面暗黑色并不规则夹杂浅黄色。后胸腹面浅黄色，夹杂暗黑色。前足和中足基节及转节暗黑色并夹杂少许浅黄色；腿节、胫节及跗节暗黄色，腿节外侧面、胫节基部、端跗节端部及爪（爪刺除外）暗黑色。后足暗黄色，腿节背面及胫节（端部 2/3 腹面和侧面除外）暗黑色。腹节暗黑色，各节后缘浅黄色。生殖节暗黑色，腹面浅黄色。雄虫尾节侧面观较短，后缘中部具 1 个突起。下生殖板长，基部与尾节完全愈合，左右生殖板贴近，从腹面盖住生殖刺突及阳茎干；腹面观基部宽，自基部 2/3 向端部渐收窄。生殖刺突长，基部 1/4 较细，中央 1/2 部分明显宽，侧面观顶端齿状，上缘顶端内侧掘开。阳茎干较长，管状，顶端两侧各具 1 个下垂的突起，侧面观该突起的基部 1/2 明显宽，伸向体后下方，下缘基部及近中部各具 1 个短的刺突；突起的端部 1/2 细长，刺突状，表面具众多微刺，顶端刺状；生殖孔位于阳茎干顶端背后方。

采集记录：1♀，宁陕火地塘保护区，2011.Ⅵ.29，采集人不详。

分布：陕西（宁陕）、黑龙江、吉林、河北、湖北；俄罗斯，韩国。

寄主：白榆，黄榆，垂榆，大果榆，榆叶梅 *Amygdalus triloba*（Lindl.）Ricker，山楂 *Crataegus pinnatifida* Bunge 等。

2. 象沫蝉属 *Philagra* Stål，1863

Chalepus Walker，1851：731（nec Thunberg，1805）. **Type species**：*Chalepus hastatus* Walker，1851. *Philagra* Stål，1863：593. **Type species**：*Philagra douglasi* Stål，1863.

属征：体小至中偏大型。体较狭长，体表无明显刻点。头在复眼之前向前上方突出成头突，其长度略等于或长于前胸背板与小盾片之和，头突的背、侧及腹面有或没有纵脊。唇基端随头顶前伸长而大，其纵向长度大于基部最宽处横向长度，无或具中纵脊。单眼彼此远离，单眼间距大于单、复眼间距。触角鞭节膨大的基部隐藏于梗节内，表面着生 2 根锥形感器及 10 余个腔锥感器。触角脊叶状，无檐沟。颜面纵向长，表面平坦无刻点，有或没有中脊，其两侧及前、中胸侧板常常具倒"V"形黄白色斑纹。喙短，末端伸于中足基节之间。前胸背板平坦，无中脊；前缘较圆，前侧缘短，后缘深凹入。前翅革质，翅表脉纹不明显；前缘弓形弯曲，顶角尖。后足胫节外侧具刺 2 根，后足第 2 跗节二叶状，其内侧叶长于外侧叶。雄虫尾节侧面观短，向体后方突出；肛节及肛突大而长。下生殖板大而长，二板左右接近，从腹面完全覆盖住生殖刺突及阳茎干；板的基部宽阔，向端部收窄，末端钩状，弯向背前方。生殖刺突基半部膨大，端半部狭长、弯曲，顶端叉状。阳茎干管状，狭长，侧面观弯向背前方，端部常具2根沿茎干外侧下垂的刺突，生殖孔位于茎干端部后上方。

分布：中国；朝鲜，日本，印度，澳大利亚。秦岭地区发现2种。

分种检索表

头突较短，短于前胸背板及小盾片长度之和；头突腹面两侧及前胸侧板、中胸侧板具1个倒"V"形黄色斑纹 ·· **白纹象沫蝉 *P. albinotata***
头突长，明显长于前胸背板及小盾片长度之和；头突腹面两侧及前胸侧板、中胸侧板无倒"V"形黄色斑纹 ·· **四斑象沫蝉 *P. quadrimaculata***

（2）白纹象沫蝉 *Philagra albinotata* Uhler，1896（图274）

Philagra albinotata Uhler，1896：286.

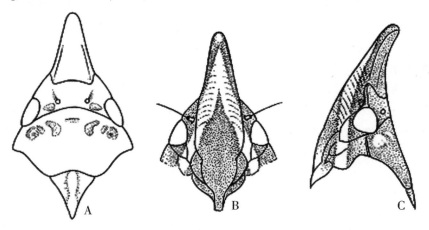

图274　白纹象沫蝉 *Philagra albinotata* Uhler
A. 头部、前胸背板及小盾片背面观（head，pronotum and scutellum，dorsal view）；B. 头部腹面观（head，ventral view）；C. 头部、前胸背板及小盾片侧面观（head，pronotum and scutellum，lateral view）

鉴别特征：体长11.00～13.50mm。体较短小。体棕褐色，头突背面及其腹面端半部色深、近暗黑色，头突腹面自端部具1个伸至前胞侧板、中胸侧板的倒"V"形黄色斑纹，小盾片顶端黄色，前翅前缘区中部之后有1条自前缘向爪片缝顶端方向伸出的短的黄色斜带。头突较细长，近等于前胸背板及小盾片长度之和，向体前上方较平缓地伸出；头突背面及后唇基无中纵脊。

采集记录：1♀，南五台，1979.Ⅵ.17，周尧、陈彤采；1♀，华山，1962.Ⅷ.21，杨集昆采。

分布：陕西（长安、华阴）、北京、江苏、安徽、浙江、湖北、湖南、福建、广西、四川、贵州、云南；日本。

(3) 四斑象沫蝉 *Philagra quadrimaculata* Schmidt, 1920 (图 275)

Philagra quadrimaculata Schmidt, 1920: 125.

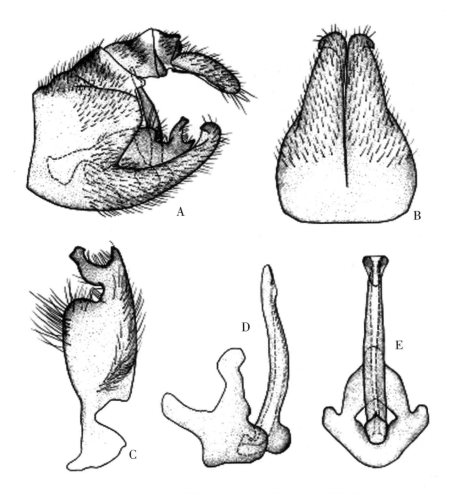

图 275　四斑象沫蝉 *Philagra quadrimaculata* Schmidt

A. 雄虫生殖节侧面观 (male genital capsule, lateral view)；B. 雄虫生殖节腹面观 (male genital capsule, ventral view)；C. 生殖刺突侧腹面观 (genital style, lateroventral view)；D. 阳茎干侧面观 (aedeagal shaft, lateral view)；E. 阳茎干尾面观 (aedeagal shaft, caudal view)

鉴别特征： 体长 11.80 ~ 15.40mm。体较大且狭长。体暗褐色，头突背面及其腹面端半部色深、近黑色；颜面褐色，其两侧及前、中胸侧板无倒"V"形黄白色斑纹。前翅爪片缝中央 1 小的圆形斑及前缘区中部之后 1 条自前缘向爪片缝顶端方向伸出的短的斜带黄色，前者有时很小或者消失。胸节腹面、足及腹节黄褐色。足的爪、前足和中足的第 2 跗节与第 3 跗节、后足胫节外侧刺与端刺的刺尖及后足第 1 跗节与第 2 跗节端刺的刺尖黑色。头突细长并向体前上方弧形伸出，其两侧近平行，长大于前胸背板与小盾片之和，其背面、侧面及腹面无纵脊。唇基端及颜面无中脊。雄虫尾节侧面观向体后方突出，侧面观后缘与下生殖板上缘之间的夹角尖；肛节及肛突大而长。下生殖板大而长，二板左右接近，从腹面完全盖住生殖刺突及阳茎干；板的基部宽阔，向端部收窄，末端钩状，弯向背前方。生殖刺突大，侧面观背缘近端部深凹入，顶端明显掘开，叉状，上齿明显大而长。阳茎干管状，细长，侧面观弯向体背前方，端部无明显的刺突。

采集记录：4♂6♀，太白山蒿坪寺，1200m，1984. Ⅸ. 20，梁爱萍采；3♀，华阴华阳，1600m，1978. Ⅷ. 13，金根桃采；1♂，宁陕火地塘，1900m，1979. Ⅶ. 23，韩寅恒采；1♀，陕西，1936. Ⅵ. 12，E. Suenson 采。

分布：陕西(太白山，华阴、宁陕)、安徽、浙江、湖北、江西、福建、广东、广西、四川、西藏。

3. 尖胸沫蝉属 *Aphrophora* Germar，1821

Aphrophora Germar，1821：48. **Type species**：*Cercopis alni* Fallén，1805.

Miphora Matsumura，1940：37. **Type species**：*Miphora arisanella* Matsumura，1940.

Atuphora Matsumura，1942：48，104. **Type species**：*Aphrophora stictica* Matsumura，1903.

Boniphora Matsumura，1942：48，104. **Type species**：*Aphrophora bicolor* Matsumura，1907.

Europhora Matsumura，1942：51，104. **Type species**：*Aphrophora alpina* Melichar，1900.

Formophora Matsumura，1942：52，103. **Type species**：*Aphrophora arisana* Matsumura，1940.

Obiphora Matsumura，1942：62，104. **Type species**：*Aphrophora intermedia* Uhler，1896.

Petaphora Matsumura，1942：69，104. **Type species**：*Aphrophora maritima* Matsumura，1903.

Sagophora Matsumura，1942：74，103. **Type species**：*Aphrophora tsuruana* Matsumura，1907.

Tilophora Matsumura，1942：88，104. **Type species**：*Aphrophora flavipes* Uhler，1896.

Trigophora Matsumura，1942：91，104. **Type species**：*Cercopis alni* Fallén，1805.

Tukaphora Matsumura，1942：94. **Type species**：*Tukaphora sinalca* Matsumura，1942.

鉴别特征：体小到中型。体表具明显、较粗大的刻点，并被短的绒毛。头部短而宽，长小于前胸背板的1/2，前缘常较尖，中央有明显的中纵脊；背面观复眼最宽处微宽于前胸背板。唇基端纵向短，横向狭长，近矩形，其宽约长的2倍，其长约整个头顶长的1/3。头顶在单复眼之间近头冠后缘具明显的横向胝斑。单眼相互接近，单眼间距约单眼、复眼间距的1/2。触角檐叶状，无檐沟。触角鞭节基部膨大，明显露于梗节之外，其表面通常具3个板形感器及多个小型的腔锥感器。颜面较扁平，密布粗大刻点，中央具纵脊，两侧有明显的横脊线。喙长，顶端伸达后足基节间。前胸背板宽大，近六边形，表面密布粗大刻点，具明显的中纵脊；中部之前侧区中央具2块斜向复眼内缘的较大的长形胝斑区；中后部明显背向隆起；前缘呈钝角向前突出；前侧缘十分短，短于复眼沿头顶侧缘方向直径的1/3；后侧缘明显长；后缘头部向浅突出。前翅长约为宽的2.50倍，表面密布粗大刻点，前缘弧形，翅表脉纹凸出、明显，翅端较阔圆。后足胫节外侧刺 2 根。雄虫尾节宽大，后缘中央具明显的锥形突起；肛节及肛突大而长。下生殖板较大，短于尾节，从腹面完全覆盖住生殖刺突及阳茎干；板的基部与尾节完全愈合，左右板基部常愈合，在端部分开。下生殖板大而长，顶端足形，端缘明显宽。阳茎干十分短小；生殖孔位于阳茎干顶端。

分布：古北区，东洋区，新北区。秦岭地区发现 4 种。

分种检索表

1. 前翅具 2 个白色斑点，1 个在外缘近端部、较大，另外 1 个在该斑的内侧，明显小 …………
   …………………………………………………… 四斑尖胸沫蝉 **A. quadriguttata**
   前翅色斑不如上述 ……………………………………………………………… 2
2. 前翅暗褐色，中央之前 1 条自前缘向小盾片顶端方向斜向伸出的横带乳白色，翅端区灰白色
   …………………………………………………… 小白带尖胸沫蝉 **A. obliqua**
   前翅色斑不如上述 ……………………………………………………………… 3
3. 体较宽，头顶较宽；雄虫下生殖板腹面观顶端较宽；生殖刺突侧腹面观端部较窄 …………
   …………………………………………………… 毋忘尖胸沫蝉 **A. memorabilis**
   体狭长，头顶尖；雄虫下生殖板腹面观顶端较窄；生殖刺突侧腹面观端部明显宽 …………
   …………………………………………………… 柳尖胸沫蝉 **A. pectoralis**

(4) 毋忘尖胸沫蝉 *Aphrophora memorabilis* **Walker, 1858**（图 276）

Aphrophora memorabilis Walker, 1858：186.
Cercopis memorabilis：Lallemand, 1912：61.

鉴别特征：体较大且宽，体长 11～13mm。体黄褐色。复眼灰黑色，单眼水红色。前翅基部 1/3 处有 1 条白色斜带，其两侧黑褐色，白带后侧的脉纹上有 5 个排成 1 斜列的黑色短纹，M 脉近基部及 Cu_1 脉近端部各有 1 条黑色短纹，翅端部灰白色。体腹面黄褐色；颜面刻点、喙端节及足的爪暗褐色；后足胫节外侧刺与端刺的刺尖及后足第 1、2 跗节端刺的刺尖黑色。腹节腹板盘区有时棕褐色。本种分布较广，其体色变化较大，体背有时草黄色，近翅基及翅端的白色带不显或无，翅表只有中部之前脉纹上排成一斜列的 5 个黑色短纹及 M 脉近基部与 Cu_1 脉近端部的各 1 条黑色短纹。

采集记录：3♀，南五台，1980.Ⅷ.28，王素梅采。

分布：陕西（长安）、江苏、安徽、浙江、湖北、江西、湖南、福建、台湾、广东、广西、四川、贵州、云南；日本。

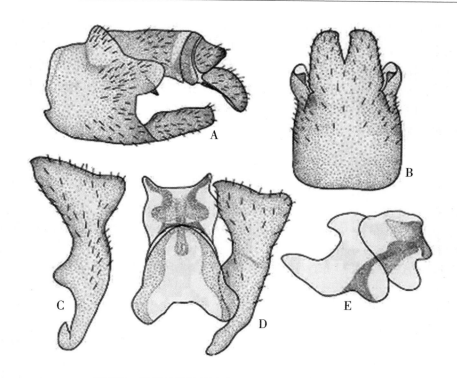

图 276　毋忘尖胸沫蝉 *Aphrophora memorabilis* Walker

A. 雄虫生殖节侧面观（male genital capsule, lateral view）；B. 雄虫生殖节腹面观（male genital capsule, ventral view）；C. 生殖刺突侧腹面观（genital style, lateroventral view）；D. 阳茎干及生殖刺突腹面观（aedeagal shaft and genital style, ventral view）；E. 阳茎干侧面观（aedeagal shaft, lateral view）

（5）小白带尖胸沫蝉 *Aphrophora obliqua* Uhler，1896

Aphrophora obliqua Uhler, 1896：288.

Cercopis obliqua：Lallemand, 1912：61.

Trigophora obliqua：Matsumura, 1942：92.

Trigophora lushanensis Matsumura, 1942：92.

Trigophora hakonensis Matsumura, 1942：93.

Aphrophora hakonensis：Nast, 1972：169.

Aphrophora oshodensis：Nast, 1972：170.

鉴别特征：体长 8.00 ~ 9.20mm。体较细小。头顶及前胸背板前半部黄褐色，前胸背板后半部暗褐色。小盾片褐色，其侧缘黄褐色。复眼灰色或浅黑色，单眼水红色。触角第 1、2 节黄褐色，第 3 节褐色。后唇基（侧区除外）黄褐色、后唇基侧区、前唇基、喙基片、颊叶及触角窝褐色。喙基节黄褐色，端节漆黑色。前翅暗褐色，中央之前 1 条自前缘向小盾片顶端方向斜向伸出的横带乳白色，翅端区灰白色。前胸和中胸的侧板、腹板及前足、中足褐色至暗褐色，后胸侧板、腹板及后足黄褐色，后足胫节外侧刺与端刺的刺尖及后足第1、2跗节端刺的刺尖黑色。腹节红褐色。

采集记录：3♀，太白山，南五台，1980.Ⅷ.27，赵秀芳采；1♂，华阴，500m，1978.Ⅶ.23，金根桃采。

分布：陕西（太白山、长安、华阴）、河南、甘肃、安徽、浙江、湖北、江西、福建、广西、四川、贵州；日本。

(6) 柳尖胸沫蝉 *Aphrophora pectoralis* Matsumura, 1903（图 277）

Aphrophra［sic！］*pectoralis* Matsumura, 1903：34.

Aphrophora costalis Matsumura, 1903：36.

Omalophora pectoralis：Matsumura, 1942：67.

Omalophora costalis：Matsumura, 1942：68.

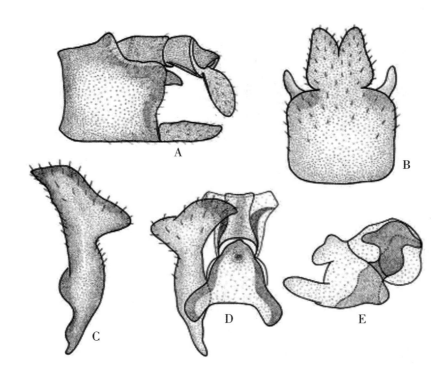

图 277　柳尖胸沫蝉 *Aphrophora pectoralis* Matsumura

A. 雄虫生殖节侧面观（male genital capsule, lateral view）；B. 雄虫生殖节腹面观（male genital capsule, ventral view）；C. 生殖刺突侧腹面观（genital style, lateroventral view）；D. 阳茎干及生殖刺突腹面观（aedeagal shaft and genital style, ventral view）；E. 阳茎干侧面观（aedeagal shaft, lateral view）

鉴别特征：体长 8~12mm。体较狭长，体黄褐色，体表密布黑色小刻点及灰白色短绒毛。头冠前端较尖，唇基端（中纵脊除外）暗褐色，复眼暗褐色，单眼淡红色。

前胸背板前端的胝斑区黄色。小盾片中部有时暗褐色。前翅黄褐色，中央之前 1 条自前缘向小盾片顶端方向伸出的斜向横带暗褐色，爪片缝末端外侧革片上具 1 黄白色小斑点。腹部腹面黑褐色。

采集记录：1♂，宁陕火地塘，1984. Ⅵ. 30，采集人不详；1♀，秦岭，1962. Ⅷ. 06，李法圣采。

分布：陕西(宁陕，秦岭)、黑龙江、吉林、河北、内蒙古、河南、甘肃、新疆、福建、四川；日本。

寄主：柳树，刺槐，杨树，新疆杨树，桑树，柞树，桃树，苹果，葡萄，枣，板栗等。

(7)四斑尖胸沫蝉 *Aphrophora quadriguttata* **Melichar，1902**(图 278)

Aphrophora quadriguttata Melichar，1902：108.

Cercopis quadriguttata：Lallemand，1912：61.

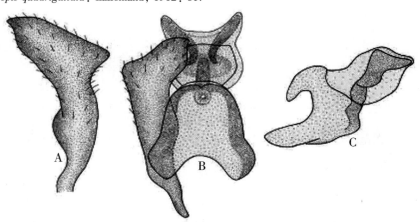

图 278　四斑尖胸沫蝉 *Aphrophora quadriguttata* Melichar

A. 雄虫生殖刺突侧腹面观(male genital style，lateroventral view)；B. 阳茎干及生殖刺突腹面观(aedeagal shaft and genital style，ventral view)；C. 阳茎干侧面观(aedeagal shaft，lateral view)

鉴别特征：体长 9 ~ 11mm。体中型，体褐色。唇基端黄褐色，前缘深褐色。头顶及前胸背板表面的胝斑黄褐色。单眼鲜红色(存活时)。后唇基大部及前唇基中央黄褐色。前足和中足的腿节的中部和端部以及胫节的基部黄褐色。前翅褐色，外缘近端部有 1 个较大的白色斑，该斑的内侧有 1 个白色小点；爪片 A_1 脉中段之后的小部分明显黑色。

采集记录：10♂11♀，太白山蒿坪寺，1200m，1984. Ⅸ. 20-22，梁爱萍采；1♂，华山，1962. Ⅷ. 22，李法圣采；1♂，宁陕，1600m，1979. Ⅷ. 04，韩寅恒采；1♀，陕西，具体采集地点不详，1973. Ⅶ. 07，张学忠采。

分布：陕西(太白山，华阴、宁陕)、河南、甘肃、湖北、江西、重庆、四川。

4. 连脊沫蝉属 *Aphropsis* Metcalf *et* Horton, 1934

Aphropsis Metcalf *et* Horton, 1934: 409. **Type species**: *Aphropsis* gigantea Metcalf *et* Horton, 1934.

属征: 体中到大型。体表密被粗大刻点及短的绒毛。头短而阔, 短于前胸背板长的 1/2, 具明显的中脊。唇基端横向狭长, 其纵长约为整个头顶长度的 1/3。单眼彼此接近, 单眼间距约为单眼、复眼间距的 1/2。触角檐短而厚, 具浅的檐沟。触角鞭节基部膨大, 露于梗节之外。颜面较扁平, 表面密布粗大刻点, 具中脊, 两侧有明显的横脊线。喙长, 端部伸达后足基节。前胸背板宽大, 近六边形, 表面密布粗大刻点, 前端有 2 个大型的胝, 具中脊; 前缘呈钝角向前突出, 前侧缘短, 后缘向前浅凹入。前翅密布粗大刻点, 翅表脉纹凸起明显。后足胫节外侧刺 2 根。

分布: 中国。秦岭地区发现 1 种。

(8) 大连脊沫蝉 *Aphropsis gigantea* Metcalf *et* Horton, 1934 (图 279)

Aphropsis gigantea Metcalf *et* Horton, 1934: 409.

鉴别特征: 体长 16.40 ~ 20.20mm。体大型, 头顶浅黑色, 其前缘、后缘、中脊及单眼与复眼之间的胝黄褐色。复眼灰黑色或黑色, 单眼水红色。触角基节黄褐色。颜面黄褐色, 后唇基表面的刻点、前唇基的侧区、喙基片中上部的中央及颊叶在复眼内侧的部分(包括触角窝)均暗褐色。喙黄褐色, 其端节的端半部黑褐色。前胸背板前半部黄褐色, 背表刻点暗褐色; 后半部铁锈色。小盾片暗褐色。前翅暗褐色, 翅脉铁锈色并不规则夹杂黄褐色。胸节腹面黄色, 前胸和中胸侧板杂有黑色, 中胸腹板内侧黑色。足黄褐色, 爪、腿节端部、前足与中足胫节基部及端部的各 1 条环带以及后足胫节端部、前足与中足的第 1 跗节及后足第 3 跗节的端部均黑褐色。后足胫节外侧刺与端刺的刺尖及后足第 1、2 跗节端刺的刺尖黑色。腹节腹板中央及雄虫下生殖板黑褐色。体背面及后唇基表面的刻点大而密。触角檐短厚, 檐沟浅而不显。前翅脉纹凸出明显。雄虫下生殖板大而长, 基部内侧 2/3 与尾节愈合; 左右生殖板明显分开, 板的内缘在近端部掘开, 其顶端明显窄。阳茎干非常短小。本种是尖胸沫蝉科目前我国已知种类中体型最大的物种, 其前胸背板前半部黄褐色, 雄虫下生殖板的形状特异, 易于识别。本种与分布于我国南方的暗黑连脊沫蝉 *A. nigrina* Jacobi 外形较近似, 但本种体明显大, 触角檐较短厚, 檐沟不明显; 前胸背板前半部黄褐色, 后半部铁锈色; 雄虫下生殖板明显大而长, 可资区别。

采集记录: 4♂2♀, 太白山蒿坪寺, 1200m, 1984. IX. 21, 梁爱萍采。

分布: 陕西(太白山)、山西、安徽、浙江、湖北、江西、湖南、福建、重庆、四川、贵州、云南。

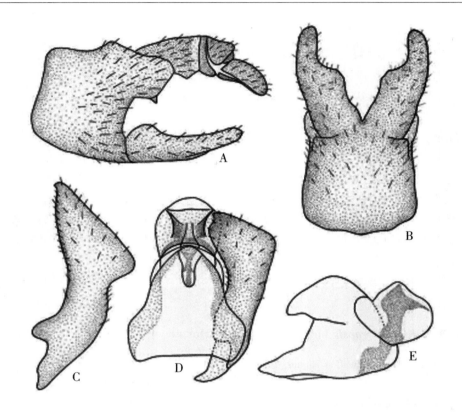

图 279　大连脊沫蝉 *Aphropsis gigantea* Metcalf *et* Horton

A. 雄虫生殖节侧面观（male genital capsule, lateral view）；B. 雄虫生殖节腹面观（male genital capsule, ventral view）；C. 生殖刺突侧腹面观（genital style, lateroventral view）；D. 阳茎干及生殖刺突腹面观（aedeagal shaft and genital style, ventral view）；E. 阳茎干侧面观（aedeagal shaft, lateral view）

5. 秦沫蝉属 *Qinophora* Chou *et* Liang, 1987

Qinophora Chou *et* Liang, 1987：29. **Type species**：*Qinophora sinica* Chou *et* Liang, 1987.

属征：体较大型。头较长，窄于前胸背板，中央具纵脊。唇基端横向狭长，其宽约为长的 2 倍，侧缘、后缘内陷。单眼相近，单眼间距约为其与邻近复眼距离的 1/2。触角檐较厚，无檐沟。触角鞭节基部膨大，露出于梗节之外。颜面中度膨大，表面着生有粗大的刻点，具中纵脊，两侧侧横脊线较明显。喙长，顶端伸达后足基节间。前胸背板较大，背面被粗大的刻点，前端胼胝区明显，具中纵脊；前缘在复眼之间向前呈角状突出，前侧缘较长。小盾片较大，中央浅凹陷，具横皱。前翅半透明，翅表密被较粗大的刻点，翅脉明显，外缘近翅尖的翅室大且明显。后足胫节外侧刺 2 根。

分布：中国；印度。秦岭地区发现 1 种。

(9) 中华秦沫蝉 *Qinophora sinica* **Chou** *et* **Liang，1987**（图 280）

Qinophora sinica Chou *et* Liang，1987：29.

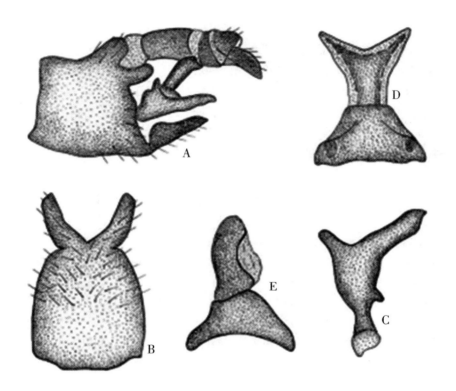

图 280　中华秦沫蝉 *Qinophora sinica* Chou *et* Liang

A. 雄虫生殖节侧面观（male genital capsule, lateral view）；B. 雄虫生殖节腹面观（male genital capsule, ventral view）；C. 雄虫生殖刺突侧腹面观（genital style, lateroventral view）；D. 阳茎干腹面观（aedeagal shaft, ventral view）；E. 阳茎干侧面观（aedeagal shaft, lateral view）

　　鉴别特征：体长 14.60～15.70mm。较大型的种类，体背大部黑褐色，被较粗大的刻点及不规则的黄褐色斑纹。头冠背面黄褐色，唇基端前侧区（有时为整个唇基端）、复眼与唇基端之间的侧缘区中部、复眼内侧的胝斑及单眼之后的头冠侧缘均黑褐色；头冠腹面黑褐色，触角、触角檐、颜面顶端 1 条"T"形纹及后唇基与前唇基交接处 1 条短而窄的横带均淡黄色；头冠前缘钝圆。颜面中央有时具 1 条淡黄色的纵向窄带。喙褐黄色，其顶端黑褐色。前胸背板前端 1/3 部分黄褐色，散布黑褐色刻点，胝凹大且明显；后端 2/3 部分黑褐色，其侧区中央各有 1 条不达后侧缘的淡黄色纵向条纹，背面观近呈"八"字形排列；中隆脊前 1/2 明显、黑褐色，后1/2 不显、淡黄色，二者汇合处淡黄色纵带向左、右两侧前方分叉成"Y"形。小盾片黑褐色，其末端及侧缘前 1/2 淡黄色。前翅黑褐色，前缘中部前后各具 1 个近长卵形斑、爪片末端之外革片内缘上 1 个小的窄斑淡黄白色。前胸腹板、中胸腹板黑褐色，中胸侧区中部各有 1 条短的淡黄色纵带；后胸腹板淡黄色。足黄褐色，前足及中足腿节及胫节上各 2 条环带及后足腿节上 1 条环带黑褐色。腹节包括生殖节腹面棕褐色。雄虫尾节侧面观较高，上缘较短，下缘较长；腹面观长大于宽，前端略窄，后端稍宽。下生殖板狭长，腹面观伸向侧后方，从腹面不完全覆盖住生殖刺突及阳茎干。生殖刺突叉状，其上端叉突短而小，下端叉突大而长。阳茎干短而宽，端部向两侧伸展，腹面观近"V"形。

采集记录：1♀，太白山，1981.Ⅷ.14，吴际云采；1♀，太白山沙坡寺，1982.Ⅶ.14，采集人不详；1♀，太白山蒿坪寺，1200m，1982.Ⅸ.18，采集人不详；1 头，宁陕，1984.Ⅷ.17，采集人不详；2♀，宁陕火地塘，1984.Ⅷ，胡纲采。

分布：陕西（太白山，宁陕）、浙江、湖北、四川、贵州。

6. 华沫蝉属 *Sinophora* Melichar，1902

Sinophora Melichar，1902：113. **Type species**：*Sinophora maculosa* Melichar，1902.

Pentacantha Lallemand，1922：64（nec Stål，1871）. **Type species**：*Pentacantha brunnea* Lallemand，1922.

Pentacanthoides Metcalf，1952：228（new name for *Pentacantha* Lallemand，1922）.

属征：体中型。近长椭圆形。体色多为黄褐色或草黄色，头顶、颜面、前胸背板及前翅翅表密布较粗大的褐色刻点及短的灰色绒毛；颜面侧区、前胸背板后半部及中央的纵带、小盾片、胸节侧面及喙端节背面常暗黑色；前翅近半透明；前足、中足的腿节及胫节常各具 2 条较宽的暗黑色环带。头部较长，窄于前胸背板；头顶前侧缘较长，明显长于复眼背面观直径，稍长于或近等于唇基端前缘，具中纵脊；唇基端较小，横向长，宽约长的 3 倍。单眼较靠近头冠后缘，单眼彼此接近，间距约为其与相邻复眼间距离的 1/2。触角鞭节基部膨大，露出梗节端部之外。颜面膨大，具不明显的中纵脊。喙长，顶端伸抵后者基节间。前胸背板较大，前缘中央向前方呈尖角突出；前侧缘较长，中纵脊不明显。前翅较长，半透明，翅端较尖。后足胫节外刺具刺 3~6 根，刺的数量在不同种、同种的不同个体及同一个体的左右胫节之间常常有变异。雄虫尾节侧面观较宽大，肛节及肛突大而长；下生殖板十分短小，指形，左右生殖板远离，从腹面不盖住生殖刺突及阳茎干；生殖刺突宽大，尾向伸展，几乎与肛突等长，腹面观可见；阳茎干大型，上部两侧多具刺突，近横置。

分布：东亚。秦岭地区发现 2 种。

分种检索表

雄虫生殖刺突大而长，端缘宽阔，近三角形，末端齿状；阳茎干较长，中部向两侧膨大，侧缘无刺突···**陕西华沫蝉 *S. shaanxiensis***

雄虫生殖刺突短小，端缘短；阳茎干较短，基部向侧面明显膨大，侧缘下端刺突状 ···············

···**疣胸华沫蝉 *S. submacula***

（10）陕西华沫蝉 *Sinophora shaanxiensis* **Chou *et* Liang，1986**（图281）

Sinophora shaanxiensis Chou *et* Liang, 1986：101.

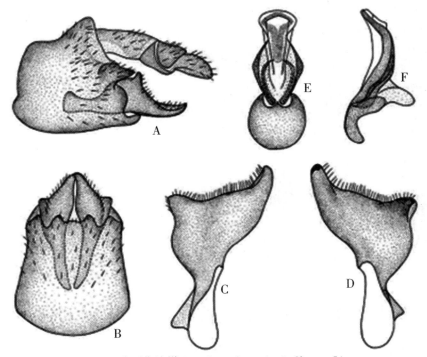

图 281　陕西华沫蝉 *Sinophora shaanxiensis* Chou *et* Liang

A. 雄虫生殖节侧面观（male genital capsule, lateral view）；B. 雄虫生殖节腹面观（male genital capsule, ventral view）；C. 雄虫生殖刺突腹面观（genital style, ventral view）；D. 雄虫生殖刺突背面观（genital style, dorsal view）；E. 阳茎干腹面观（aedeagal shaft, ventral view）；F. 阳茎干侧面观（aedeagal shaft, lateral view）

　　鉴别特征：体长 11～12mm。体型及体色与疣胸华沫蝉 *Sinophora submacula* Metcalf *et* Horton（见下文）近似。后足胫节外侧刺 4＋4 根。雄虫尾节较长，侧面观背缘中央略凹陷，后缘中部向体后方呈齿状突出。肛节及肛突大而长。下生殖板极短小，左右分开，板端对峙；二板间骨化的腹缘中部有 1 条狭窄的纵向膜质带相连。生殖刺突薄片状，近三角形，背缘及腹缘末端齿状；刺突的内表面近端缘有 1 个微齿。阳茎干较长，顶端环形，中部向两侧膨大，侧缘无刺突。

　　采集记录：1♂，太白山大殿，2200m，1956.Ⅶ.26，周尧采；2♂，太白山大殿，2200m，1956.Ⅶ.26，周尧采；1♂，宁陕火地塘，1984.Ⅶ.15，冯纪年采。

分布: 陕西(太白山,宁陕)。

(11)疣胸华沫蝉 *Sinophora submacula* Metcalf *et* Horton, 1934(图 282)

Sinophora submacula Metcalf *et* Horton, 1934:407.

Sinophora chuzenjiana Matsumura, 1942:77.

Sinophora hasegawai Matsumura, 1942:77.

Sinophora hoshiana Matsumura, 1942:79.

Sinophora iwateana Matsumura, 1942:79.

Sinophora japonica Matsumura, 1942:80.

Sinophora koreana Matsumura, 1942:80.

Sinophora mitakeana Matsumura, 1942:81.

Sinophora nigroscutellata Matsumura, 1942:81.

Sinophora (s. str.) *submacula*:Anufriev, 1972:387.

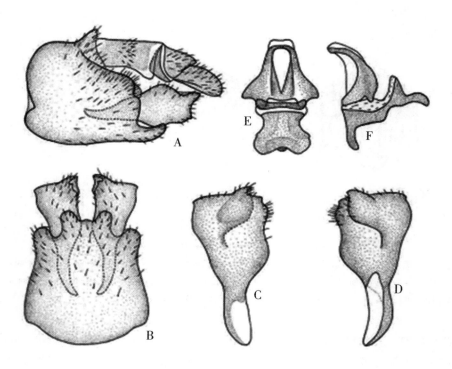

图 282　疣胸华沫蝉 *Sinophora submacula* Metcalf *et* Horton

A. 雄虫生殖节侧面观(male genital capsule, lateral view);　B. 雄虫生殖节腹面观(male genital capsule, ventral view);　C. 雄虫生殖刺突腹面观(genital style, ventral view);　D. 雄虫生殖刺突背面观(genital style, dorsal view);
E. 阳茎干腹面观(aedeagal shaft, ventral view);　F. 阳茎干侧面观(aedeagal shaft, lateral view)

鉴别特征: 体长 11～12mm。体草黄色,头顶、前胸背板及前翅翅表密被较粗大的褐色刻点;前胸背板后半部及中央的纵带、小盾片、颜面侧区、胸节侧面及喙端节背面近暗黑色；后唇基与前唇基相交处 1 横带及前唇基中央浅黄色；足黄褐色，前足及中足的腿节与胫节各有 2 条较宽的暗黑色环带；腹部深黄褐色。头顶较短，中纵脊较明显。颜面较平坦。前胸背板中纵脊明显。小盾片中央具横向皱褶线。后足胫节外侧刺 3~6 根。雄虫尾节侧面观较大且长，肛节及肛突大而长。下生殖板较大而长，腹面观指头状，左右远离。生殖刺突短而粗，背面观顶端内侧有一片状突起，突起末端齿状。阳茎干较短，基部向侧面明显膨大，侧缘最下端刺突状。本种分布地区范围广，各个种群之间在形态特征上存在一定差异。Matsumura（1942）依据采集自日本及朝鲜等地的标本描记了华沫蝉属 *Sinophora* 的多个新种，但根据 Anufriev（1972）的研究结果，这些种类中的大多数均系 *Sinophora submacula* Metcalf *et* Horton 的同物异名。

采集记录：1♂1♀，宁陕火地塘，2011. Ⅵ. 28。

分布：陕西（宁陕）、辽宁、山西、四川；朝鲜，日本。

二、沫蝉科 Cercopidae

鉴别特征：体小到大型。体色多鲜艳。体表密被短的绒毛，无明显的刻点。头窄于或显著窄于前胸背板。复眼长宽略等。颜面常膨大，具或不具中纵脊，后唇基有时具中纵沟。前胸背板前缘直或近平直，后缘直或微凹入。小盾片较短，不成棘状突起。前翅无膜质端区，翅端区内的脉纹多而密，常呈网状。后足胫节外侧刺 1~2 根。若虫通常隐匿于唾沫似的白色泡沫液中。

分类：世界广布。陕西秦岭地区发现 4 属 4 种。

分属检索表

1. 后足胫节外侧刺 2 根；颜面隆起近半球形，无中纵沟；雄虫生殖节无侧基片；下生殖板末端非刺状······**凤沫蝉属 *Paphnutius***

   后足胫节外侧刺 1 根；颜面非半球形，具中纵沟；雄虫生殖节具侧基片；下生殖板末端刺状······························2

2. 头顶具中纵脊 ······**脊冠沫蝉属 *Kanozata***

   头顶无中纵脊 ······3

3. 后翅 Rs 脉和 M 脉退化并与 R 脉在翅的近中部并接，翅端具闭合端室 2 个；m-cu 脉在 Cu_{1a}/Cu_{1b} 分支点之前与 Cu_{1a} 脉相连 ······**曙沫蝉属 *Eoscarta***

   后翅 Rs 脉、M 脉及 R 脉正常，翅端具闭合端室 4 个；m-cu 脉在 Cu_{1a}/Cu_{1b} 分支点之后与 Cu_{1a} 脉相连 ······**拟沫蝉属 *Paracercopis***

7. 凤沫蝉属 *Paphnutius* Distant, 1916

Paphnutius Distant, 1916: 200. **Type species**: *Paphnutius ostentus* Distant, 1916.

Pseudaufidus Schmidt, 1920: 112. **Type species**: *Pseudaufidus tonkinensis* Schmidt, 1920.

Tanuphis Jacobi, 1921: 32. **Type species**: *Tanuphis rufifrons* Jacobi, 1921.

Tadascarta Matsumura, 1940: 70. **Type species**: *Caloscarta formosana* Kato, 1929.

属征: 体长 4.40~8.00mm。体小型、狭长, 背面观前翅两侧近平行。体黑色, 密被短的绒毛, 头(包括颜面)、前翅基部、喙基节、后胸侧板及腹板、前足及中足腿节的基半部以及后足基节与胫节通常血红色或黄褐色。头较长, 比前胸背板窄, 其长与宽略等, 前缘圆形; 头顶具明显的中脊。颜面膨大呈半球形, 其长大于阔; 后唇基中央无凹沟。单眼极接近, 单眼间距远小于单眼、复眼间距。喙短, 伸达中足基节处。前胸背板宽约长的 2 倍, 前缘平直, 后缘凹陷, 前侧缘直且上折, 前侧、后侧缘间的夹角尖; 盘区略隆起, 有细小刻点及横皱纹。小盾片长宽略相等, 中域凹陷。前翅狭长, 近端部变阔, 长约为宽的 3 倍, 前缘基半部上折形成檐槽, 翅表密被细小刻点。后翅具 cu-m 脉, Cu_{1a} 与 Cu_{1b} 的分支点接近翅端部而远在枝杈 $m-cu/Cu_1$ 之后, 具闭合端室 4 个, 第 1 个端室狭长, 第 3 个端室长且大, 第 2 个及第 4 个端室较短, 第 4 个端室大于第 2 个端室(在产自我国台湾的 3 个种中第 4 端室均小于第 2 个端室)。后足胫节外侧刺 2 根。雄虫尾节短而阔, 侧缘具侧突; 肛节及肛突短而小。下生殖板短阔, 其端部无刺突; 两板紧依, 从腹面盖住生殖刺突及阳茎干; 下生殖板基部无侧基片。生殖刺突狭长, 其基部 2/3 较阔, 近端部收窄, 顶端较尖, 常近喙状; 阳茎干较长, 弯向背面, 其基部杆状, 中上部片状, 无端突。

分布: 东洋区。秦岭地区发现 1 种。

寄主: 玉米(在中国南部地区如贵州的部分地区, 野外采集观察资料), 珍漆树。

(12) 红头凤沫蝉 *Paphnutius ruficeps* (Melichar, 1915)(图 283)

Callitettix ruficeps Melichar, 1915: 8.

Pseudaufidus tonkinensis Schmidt, 1920: 113.

Tanuphis rufifrons Jacobi, 1921: 33.

Pseudaufidus rufifrons: Haupt, 1924: 303.

Paphnutius ruficeps: Jacobi, 1944: 23.

Paphnutius rufifrons: Lallemand, 1949: 37.

Paphnutius tonkinensis: Lallemand, 1949: 37.

鉴别特征: 体长 5~7mm。体狭长, 两侧近平行。头(包括颜面)血红色, 触角基节黑色, 头顶在复眼内侧的部分有时黑色, 后唇基两侧有时夹杂暗褐色。复眼黑色,单眼血红色或红褐色。喙基节黄褐色或草黄色，端节黑色。前胸背板及小盾片黑色具光泽，有时前胸背板侧缘或侧缘区黄褐色或红褐色。前翅黑色或黑褐色，翅基血红色。后翅灰白色、透明，脉纹深褐色，翅基及基部脉纹浅红色。胸节腹面及足黑色，后胸侧板及腹板、前足及中足腿节的基半部（有时为中足腿节全部）及后足基节、转节与腿节均血红色或黄褐色。腹节黑色，各节的侧缘、后缘红褐色。头较长，其长与宽略等，前缘较圆；头顶有明显的中脊。颜面膨大呈半球形并略向前方突出。前胸背板前侧缘直且上折，后侧缘凹陷，前侧、后侧缘间的夹角尖。小盾片中央凹陷。前翅狭长，外缘基半部上折形成檐槽。后翅 Cu_{1a} 与 Cu_{1b} 的分支点略靠前，第 4 端室大于第 2 端室。后足胫节外侧具强刺 2 根。雄虫尾节侧面观后缘中央具 1 毛簇。下生殖板较短，长大于尾节长的 1/2。生殖刺突狭长。阳茎干侧面观基部宽，向顶端渐收窄；腹面观顶端向两侧膨大；生殖孔位于茎干顶端背上方。本种头（包括颜面）血红色，与产自印度大吉岭及西藏的小凤沫蝉 *P. ostentus* Distant 外形较近似，但本种前翅基部血红色，可资区别。本种前翅基部血红色，与产自台湾的拟红头凤沫蝉 *P. basirubrus*（Kato）外形亦较近似，但本种头顶及后唇基一致血红色，可资区别。

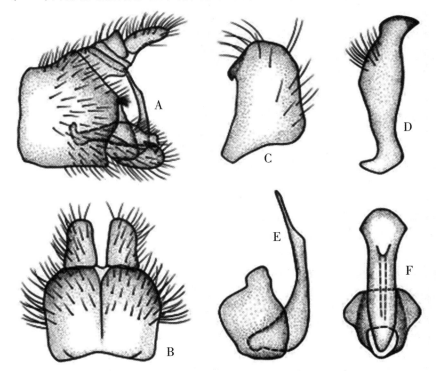

图 283　红头凤沫蝉 *Paphnutius ruficeps*（Melichar）

A. 雄虫生殖节侧面观（male genital capsule，lateral view）；B. 雄虫生殖节腹面观（male genital capsule，ventral view）；C. 下生殖板腹面观（subgenital plate，ventral view）；D. 生殖刺突侧腹面观（genital style，lateroventral view）；E. 阳茎干侧面观（aedeagal shaft，lateral view）；F. 阳茎干后面观（aedeagal shaft，posterior view）

采集记录：3♂5♀，太白山，1983. Ⅴ. 12。

分布：陕西（太白山）、浙江、湖北、江西、湖南、福建、广东、广西、四川、贵州、云南、西藏；越南，印度。

寄主：泡桐树，玉米，漆树，珍漆树。

8. 曙沫蝉属 *Eoscarta* Breddin，1902

Eoscarta Breddin，1902：58. **Type species**：*Eoscarta eos* Breddin，1902.

Eoscartoides Matsumura，1940：38，69；1942：100. **Type species**：*Eoscartoides elongatus* Matsumura，1940.

Eoscartopsis Matsumura，1940：38. **Type species**：*Monecphora assimilis* Uhler，1896.

属征：体中小型。头较前胸背板窄，向前下方强烈下倾。头顶在单眼之间的部分明显凸出。单眼彼此接近，单眼间距约为单眼、复眼间距的 1/2。触角檐较长，弧形。后唇基隆起，中央具纵沟，侧面瘦窄，侧横脊线不明显。喙短，顶端伸抵中足基节间。前胸背板宽，其中前部向前下方强烈下倾，中央有极弱而不显的纵脊，前缘直，后缘向前微凹入，前侧缘较长，弧形，上折。小盾片三角形，其基部两侧、中央盘区及顶端浅凹陷。后翅 M 脉与 Rs 脉退化并在翅中部之前与 R 脉并接，端部具闭合端室 2 个。后足胫节外侧刺 1 根。雄虫下生殖板长，其端部具刺突；具侧基片；阳茎干细长、管状，侧面观其基部向后伸出，再弯向背面，指向身体的背前方向。

分布：古北区，东洋区。秦岭地区发现 1 种。

（13）褐色曙沫蝉 *Eoscarta assimilis*（Uhler，1896）（图 284）

Monecphora assimilis Uhler，1896：285.

Cercopis（*Callitettix*）*fusca* Melichar，1902：104.

Rhinaulax assimilis：Matsumura，1903：18.

Rhinaulax apicalis Matsumura，1903：19.

Callitettix fusca：Oshanin，1906：22.

Eoscarta（*Rhinaulax*）*assimilis*：Matsumura，1916：418.

Eoscarta assimilis：Matsumura，1920：362.

Eoscarta fusca：Jacobi，1921：32.

Paracercopis fusca：Schmidt，1925：5.

Eoscartopsis assimilis：Matsumura，1940：70.

Eoscarta（*Euthiaeoscarta*）*assimilis*：Lallemand，1949：46，47.

Paracercopis assimilis：Kwon & Lee，1979：10.

鉴别特征：体长 6.50～9.00mm。体较小，头（包括颜面）、前胸背板前端及小盾片黑褐色，前胸背板中后部褐黄色。复眼灰黑色，单眼淡黄白色。喙黄褐色。前翅褐黄色，端部玫瑰红色，中部之前有时有 1 条由灰白色绒毛组成的横带。胸节腹面及足黑褐色，后胸侧板、腹板及后足黄褐色。腹节黑褐色。雄虫尾节短，肛节及肛突短小。下生殖板腹面观较狭长，末端刺突较短，短于下生殖板基部的膨大部分。生殖刺突较长，基部窄，向端部渐宽，侧面观顶端背缘具 1 个明显的指状突。阳茎干管状，较长并较粗，顶端微膨大，生殖孔位于阳茎干近端部背面。本种的分布地区范围较广，不同地区的个体在体型、体色及大小等方面存在着一定的种间变异。例如，成虫的体背及腹面有时均黄褐色。

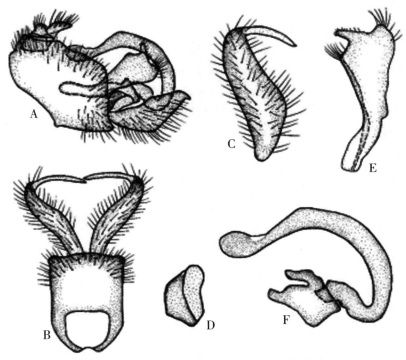

图 284　褐色曙沫蝉 *Eoscarta assimilis*（Uhler）

A. 雄虫生殖节侧面观（male genital capsule，lateral view）；B. 雄虫生殖节腹面观（male genital capsule，ventral view）；C. 下生殖板腹面观（subgenital plate，ventral view）；D. 侧基片侧腹面观（lateral plate，lateroventral view）；E. 生殖刺突侧腹面观（genital style，lateroventral view）；F. 阳茎干侧面观（aedeagal shaft，lateral view）

分布：陕西（秦岭）、黑龙江、吉林、河北、江苏、安徽、浙江、湖北、江西、福建、台湾、广东、广西、重庆、四川、贵州；俄罗斯，朝鲜，日本。

寄主：白杨、柳、玉米等禾本科植物。

9. 脊冠沫蝉属 *Kanozata* Matsumura，1940

Kanozata Matsumura，1940：67. **Type species**：*Kanozata arisana* Matsumura，1940.

　　属征：体小型。体狭长，被短的绒毛，成虫体长 5.50～7.50mm。体色多暗黄褐色，具暗褐色或浅黑色斑点，前翅有时近半透明。头部较前胸背板窄，向前下方伸出；头顶较长，中央具明显的中纵脊。单眼相互靠近，间距小于其与邻近复眼之间的距离。唇基端背面观近梯形。后唇基隆起，侧面瘦窄，中央具较宽且长的纵沟。触角鞭节基部膨大，伸于梗节端部之外。喙短，顶端抵于中足基节间。前胸背板六边形，中部及后部背向隆起，前侧缘较长，长于复眼纵向直径。小盾片长度与宽度近等，中央浅凹陷，具不明显的横向皱褶，顶端低陷。前翅长，长为宽的 2.80～3.00 倍；背面观侧缘近平行，翅表密被细小的刻点，端室 5 个。后翅具端室 4 个，Cu_1 分叉，Cu_{1a} 和 Cu_{1b} 较长地共柄，MCu 脉远在 Cu_{1a}/Cu_{1b} 分支点之前与 Cu_{1a} 相连。后足胫节外侧刺 2 根。雄虫尾节明显长，侧面观底长大于高，肛突前的背缘部分明显短；尾节腹面观纵向明显长；腹面观下生殖板短于尾节纵向长度；具侧基片；阳茎干极细长，杆状，侧面观基部（约占阳茎干总长的 1/4）尾向伸展，然后弯向背面并头向伸展，顶端微微上跷，背面被脂肪体；生殖孔位于阳茎干顶端背面。

　　分布：东洋区。秦岭地区发现 1 种。

(14) 周氏脊冠沫蝉 *Kanozata choui*（Yuan *et* Wu，1992）（图 285）

Stenaulophrys Choui [sic!] Yuan *et* Wu，1992：227.

Kanozata choui：Liang & Webb，2002：732.

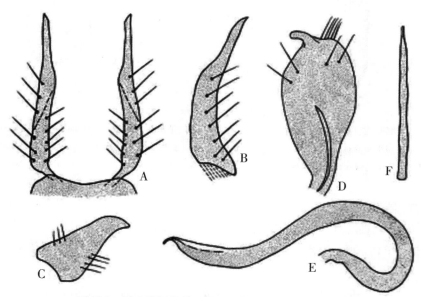

图 285　周氏脊冠沫蝉 *Kanozata choui*（Yuan *et* Wu）

A. 雄虫下生殖板腹面观（male subgenital plate，ventral view）；B. 雄虫下生殖板侧腹面观（male subgenital plate，lateroventral view）；C. 生殖刺突侧腹面观（genital style，lateroventral view）；D. 侧基片侧腹面观（lateral plate，lateroventral view）E. 阳茎干侧面观（aedeagal shaft，lateral view）；F. 阳茎干背面观（aedeagal shaft，dorsal view）

鉴别特征：体长 5.50 ~ 7.20mm。小型种，体浅黄褐色。复眼黑色，单眼红色。前翅 R 脉中后部与缘脉之间夹杂红色，R 脉中后部及端区翅脉红色。体腹面及足浅黄色，爪黑色。腹部腹板浅红黄色，两侧及背面褐色。有时整个虫体颜色较深，前翅翅表、足及腹部散布着许多褐色斑。头顶前缘较宽圆；头顶中脊明显。单眼间距为其到相邻复眼距离的 1/2。唇基端宽为长的 2.50 倍，其长为头顶长的 1/3。前胸背板前缘略向前凸，后缘及后侧缘稍向内凹，前侧缘短于后侧缘。前翅长为宽的 3 倍，顶端钝圆；M 脉和 Cu 脉直，在基部 1/3 结合；R 脉在中部分叉；R 脉外支与缘脉间有 5 ~ 7 条横脉。雄虫尾节较长。第 8 腹节腹板形成 1 个盾形瓣。下生殖板极狭长、针矛状，其基部膨大部分较长，端部的刺突较短且粗壮，指向体后方。侧基片较大，基部宽，自基部向端部渐收窄，侧面观近三角形。生殖刺突较长且大，中上部膨大，顶端具 1 个指形突起。阳茎干侧面观较宽而长，中部及近端部稍宽，近基部向体背面弯曲的部分较窄、近等宽，顶端具有 1 个短而尖的指向体前下方的钩状突起。

采集记录：1♂，宝鸡，1965.Ⅷ.18，周尧、路进生采；1♂2♀，太白山，1981.Ⅷ.13，采集人不详；1♂1♀，宁陕火地塘，1984.Ⅷ.17，张雅林采。

分布：陕西(宝鸡、宁陕，太白山)、云南、西藏；越南，泰国，印度。

10. 拟沫蝉属 *Paracercopis* Schmidt，1925

Paracercopis Schmidt，1925：4. **Type species**：*Cercopis*（*Callitettix*）*seminigra* Melichar，1902.

Esakius Ôuchi，1943：498. **Type species**：*Esakius sinensis* Ôuchi，1943.

属征：体中偏小型。体型较短阔，近宽卵圆形，体表密被短的绒毛，体长 6.80 ~ 10.80mm。体通常黑色，前翅全部或前 2/5 部分红色、暗红色或砖黄色，翅端缘常夹杂玫瑰红色，有时翅中部之前具 1 条窄的暗褐色或灰白色横带。头部较短而宽，明显窄于前胸背板，向体前下方伸出；头顶在复眼之前的部分横向凹陷，后段背向隆起。单眼相互接近，靠近头顶后缘。后唇基隆起，侧面瘦窄，中央具中纵沟（雄虫中明显，雌虫中不很明显）。喙短，顶端不超出中足基节。前胸背板较宽大。小盾片中央浅凹陷，顶端低凹。前翅长约宽的 2.50 倍，翅表密被细小的刻点。后翅端室 4 个，CuA$_1$ 及 CuA$_2$ 共短柄，CuA$_1$ 与 CuA$_2$ 远在 cu-m 与 CuA$_1$ 交接处分叉。后足胫节外侧刺 1 根。雄虫尾节侧面观上宽下窄，肛节及肛突较短小。下生殖板纵长，末端明显收窄成短的刺突；具侧基片。生殖刺突纵长，端部 2/3 较基部 1/3 明显宽，侧面观背缘中部常呈角状突起，端部长且宽，端缘明显向内凹。阳茎干管状，较长，弯向体背上方；生殖孔位于其端部内侧背面。

分布：中国；缅甸，印度。秦岭地区发现 1 种。

（15）浙江拟沫蝉 *Paracercopis chekiangensis*（Ôuchi，1943）comb. nov.（图 286）

Esakius chekiangensis Ôuchi，1943：499.

Paracercopis atricapilla：Liang，1993（1992）：445（misidentification）.

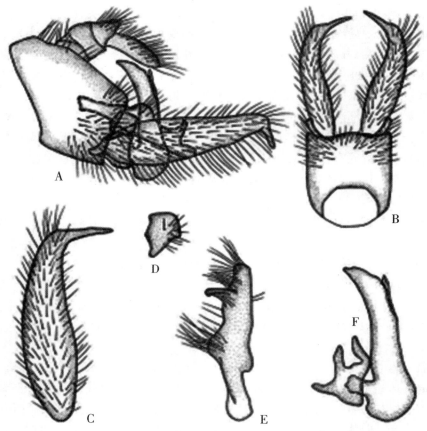

图 286　浙江拟沫蝉 *Paracercopis chekiangensis*（Ôuchi）

A. 雄虫生殖节侧面观（male genital capsule, lateral view）；B. 雄虫生殖节腹面观（male genital capsule, ventral view）；C. 下生殖板腹面观（subgenital plate, ventral view）；D. 侧基片侧腹面观（lateral plate, lateroventral view）；E. 生殖刺突侧腹面观（genital style, lateroventral view）；F. 阳茎干侧面观（aedeagal shaft, lateral view）

鉴别特征：体长 6.80~9.00mm。体较小，近卵圆形。体暗红褐色，前翅褐黄色，外缘及端部带有玫瑰红色，中央之前 1 条横带呈暗褐色。雄虫尾节侧面观较短，后缘近中央向后突出。下生殖板长，明显长于尾节，顶端收窄成刺状。生殖刺突较长，侧面观背缘在近基部 1/3 处向上突出，端缘掘开，背缘具 1 个刺突。阳茎干侧面观短粗，稍向体前方倾斜，基部较宽，向端部渐收窄；生殖孔位于阳茎干近顶端后背缘。

采集记录：1♂1♀，宁陕火地塘，1620m，1979.Ⅶ.27-30，韩寅恒采；1♂，宁陕，1600m，1979.Ⅷ.04，韩寅恒采；1♂1♀，具体采集地点不详，1973.Ⅷ.27，张学

忠采。

分布：陕西(宁陕)、甘肃、浙江、湖北、福建、四川。

注：Liang (1993)将本种作为 *P. atricapilla* (Distant, 1908)的同物异名。经过对保存于英国自然历史博物馆(The Natural History Museum, London)的 *P. atricapilla* (Distant, 1908)模式标本的比较研究发现，*Esakius chekiangensis* Ôuchi 与 *P. atricapilla* 在雄性外生殖器结构上存在较明显的差异，是一个有效种，其地位应予以恢复。

三、巢沫蝉科 Machaerotidae

鉴别特征：体多为小至中型。体长多在5~10mm之间。体色多为黄褐色，褐色或黑色，多数种类中胸小盾片两侧具白色或黄白色的侧条纹。成虫小盾片大而长，平坦或形成棘状突起。前翅具明显的膜质端区。后足胫节外侧刺2根。若虫隐匿于其营造的钙质管状物中。

分布：古北区，东洋区，非洲区。世界已知100多种，中国记录14种，陕西秦岭地区发现1属1种。

11. 巢沫蝉属 *Taihorina* Schumacher, 1915

Taihorina Schumacher, 1915：84. **Type species**：*Taihorina geisha* Schumacher, 1915.

Aphromachaerota Lallemand, 1951：84. **Type species**：*Aphromachaerota adusta* Lallemand, 1951.

Trichophyes Lallemand, 1951：85. **Type species**：*Trichophyes batangana* Lallemand, 1951.

属征：体小到中型。较短粗。头部非常小，显著窄于前胸背板，向体前下方伸出。后唇基延伸至头顶背面。复眼横向短，纵向长，横径显著小于纵径。单眼相互靠近，单眼间距明显短于其与邻近复眼间的距离。触角檐短，侧面观叶状。后唇基大，强烈隆起；前唇基小。喙较短，顶端伸达中足基节之后、后足基节之前。前胸背板宽大，长宽近等，背面具细小的刻点，中央部分及中后部强烈背向隆起，前侧区低；背板中部之前向体前下方及体侧下方强烈倾斜；前侧缘明显长，前缘及后缘呈角状前伸。小盾片大而长，楔形，较平坦。前翅较短宽，长约为宽的2倍，半透明，翅表密被细小的刻点，脉纹不明显。后足腿节短，胫节外侧刺2根。雄虫尾节侧面观窄，纵向高，尾节端叶向下延伸，背面着生小的角形突起；肛节较大，肛突较长。下生殖板较长，从腹面盖住生殖刺突及阳茎干。生殖刺突长，侧面观中部向下方明显膨大。阳茎干较长，管状；生殖孔位于阳茎干近顶端背上方。

分布：古北区，东洋区。秦岭地区发现1种。

(16) 栗巢沫蝉 *Taihorina geisha* **Schumacher**, **1915**(图 287)

Taihorina geisha Schumacher, 1915：85.

Neuromachaerota becquarti Liu, 1942：5.

Taihorina tomon Matsumura, 1942：82.

Hindola robusta Jacobi, 1944：24.

Hindola geisha Maa, 1947：8.

Aphromachaerota adusta Lallemand, 1951：84.

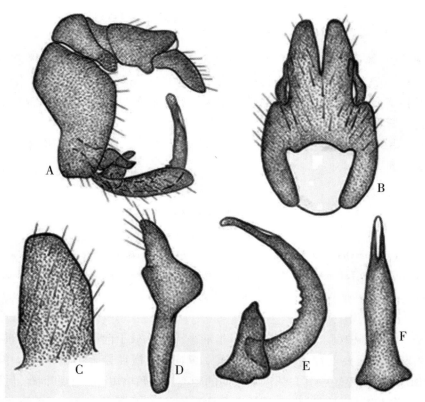

图 287　栗巢沫蝉 *Taihorina geisha* Schumacher

A. 雄虫生殖节侧面观(male genital capsule, lateral view)；B. 雄虫生殖节腹面观(male genital capsule, ventral view)；C. 下生殖板腹面观(subgenital plate, ventral view)；D. 生殖刺突侧腹面观(genital style, lateroventral view)；E. 阳茎干侧面观(aedeagal shaft, lateral view)；F. 阳茎干尾面观(aedeagal shaft, caudal view)

鉴别特征:体长 5.00~7.50mm。体较小，粗短，头部、前胸背板、小盾片及体腹面淡绿色(干标本呈草黄色)，小盾片端部杂有锈褐色；腹面淡褐色。复眼暗褐色，单眼暗红色。中胸腹板(外侧除外)及喙端节背面浅黑色。前翅暗褐色，翅基部分锈褐色，翅中央有 1 个较宽的灰白色横带区，翅表散布黑色小斑点，革片的外缘上具约30 个黑色斑点。后翅膜质，无色透明。足腿节及胫节表面有锈色小斑点，胫节侧面及后足腿节腹面杂有暗褐色条纹。后足胫节侧刺及端刺刺尖及第 1、2 跗节端刺刺尖均黑色。雄虫尾节侧面观窄，纵向高，尾节端叶向下延伸，背面着生小的角形突起；肛节较大，肛突较长。下生殖板较长，从腹面盖住生殖刺突及阳茎干。生殖刺突长，侧面观中部向下方明显膨大，顶端着生刚毛。阳茎干较长，管状，基部明显宽，自基部向端部渐收窄，顶端较细，其内缘近中部以下着生少量微刺；生殖孔位于阳茎干近顶端背上方。

采集记录： 1♂1♀，宁陕火地塘，2013.Ⅶ.12。

分布： 陕西 (宁陕)、吉林、辽宁、江苏、安徽、湖北、福建、四川、贵州；朝鲜。

寄主： 板栗 *Castanea mollissima*，槲树 *Quercus dentata* Thunb，日本蓝橡树 *Q. glauca* Thunb.（Fagaceae）。

第三章　蝉总科 Cicadoidea

蝉科 Cicadidae

王旭　王思玥　魏琮

（西北农林科技大学昆虫博物馆，杨凌 712100）

鉴别特征： 体粗壮中大型。头部有 3 个单眼，呈三角形排列；触角短小，鬃状；前胸背板短阔，具内片和外片，小于且不延伸超过中胸背板；中胸背板特别发达，后方具有 "X" 形隆起；腹部具有腹瓣；翅膜质，脉纹粗；前足开掘式；雄虫腹部第 1 节两侧有发音器。

蝉科 Cicadidae 隶属于半翅目 Hemiptera 头喙亚目 Auchenorrhyncha 蝉次目 Cicadomorpha 蝉总科 Cicadoidea。Moulds（2005）将蝉总科划分为螽蝉科 Tettigarctidae 和蝉科 Cicadidae 2 个科，其中螽蝉科仅包括 1 个现存属、2 个现存种（均仅分布于澳大利亚），蝉科则包括除螽蝉科以外的所有的现存种。

生物学： 蝉科昆虫具有典型的刺吸式口器，取食植物的枝干和根部汁液，引起树叶枯萎、落花、落果、枯枝等，其中一些种类还可通过传播植物病毒病造成更为严重的危害，因此许多种类都为农林业生产的重要害虫。

分类： 全世界已知约 3026 种（Sanborn，2013），中国已知约 210 种（Chou *et al.*，1997），陕西秦岭地区发现 3 亚科 17 属 22 种。

分亚科分属检索表

（一）副蝉亚科 Tettigadinae

鉴别特征:副蝉亚科昆虫无背瓣，雌雄中胸背板前缘两侧有 1 对盘状的副发音器，可与前翅臀室基部的叶状突起摩擦发音。

分类:主要分布在新热带区，特别是南美南部。世界已知 30 多种，古北区仅知 1

属 1 种，分布在中国陕西和宁夏，为稀有种类。

1. 枯蝉属 *Subpsaltria* Chen，1943

Subpsaltria yangi Chen，1943：51. **Type species**：*Subpsaltria yangi* Chen，1943.

属征：头冠（包括复眼）狭于中胸背板基部。前胸背板明显长于头部，两侧倾斜，后角叶状扩张。中胸背板隆起，前侧角具盘状副发音器官。雄虫下生殖板很长，呈舟形，明显伸出腹末。前翅、后翅半透明，翅面有横皱纹；前翅 8 个端室，后翅 6 个端室。

分类：古北区。秦岭地区发现 1 种。

(1) 枯蝉 *Subpsaltria yangi* Chen，1943（图版 21）

Subpsaltria yangi Chen，1943：51.

Subpsaltria sienyangensis Chen，1943：51.

鉴别特征：体黑色，被有浅黄色透明细毛；头部小、三角形，头冠明显窄于中胸背板基部；单眼浅红色，复眼灰褐色；前胸背板梯形，前端明显变窄，中央纵纹和斜沟红褐色；中胸背板黑色；前后翅半透明，翅面上有规则排列的波形横皱纹，翅脉黄褐色，沿脉纹有褐色斑纹；足褐色至深褐色；雄虫腹部长于头胸部之和，无背瓣，鼓膜大、外露；腹瓣小，长靴状，左右远离；基节刺大，呈叶状，长达腹瓣后缘；尾节无端刺，抱钩左右合并，呈长槽状，凹面朝下，阳具鞘细长，末端呈叶状分叉。

采集记录：1♂，凤县，1989.Ⅶ.15。

分布：陕西（韩城、铜川、延安、武功、凤县、咸阳）、宁夏。

寄主：斑子麻黄 *Ephedra lepidosperma* C. Y. Cheng（Ephedraceae），酸枣 *Ziziphus jujuba* Mill. var. *spinosa*（Bunge）Hu ex H. F. Chow（Rhamnaceae）。

(二) 姬蝉亚科 Cicadettinae

鉴别特征：姬蝉亚科昆虫有腹瓣，但无背瓣；后胸背板在背面观部分可见（哑蝉属 *Karenia* 除外）。

分类：世界性分布，但主要分布于南半球的热带、亚热带地区。世界已知 14 族 200 余属 1800 多种，我国已知该 5 族 17 属 58 种，陕西秦岭地区发现 6 属 9 种。

2. 哑蝉属 *Karenia* Distant, 1888

Karenia Distant, 1888: 457. **Type species**: *Karenia ravida* Distant, 1888.
Sinosena Chen, 1943: 45. **Type species**: *Karenia caelatata* Distant, 1890.

属征: 体中型。头冠(包括复眼)窄于中胸背板基部; 单眼区黑色。后唇基突出; 喙管长并超过后足基节。前胸背板(包含外片)明显宽于头部; 外片前侧缘具有 1 对齿突; 中胸背板略窄于外片。前胸背板中央具有 1 对条纹, 并在近外片处相接; 中胸背板具有 6 条黑色条纹(1 对近中线的斑纹、1 对侧斑纹及"X"形隆起两前臂内侧的 1 对黑色圆斑)。"X"形隆起狭长, 后端中央有缺刻。翅透明; 前翅端室 8 个, 第 2、3、5、7 和 8 端室基横脉处有烟褐色斑点, 第 1~8 端室纵脉端部各有 1 个烟褐色斑点, 且 M 脉和 CuA 脉与基部接近但并不愈合; 后翅端室 6 个。鼓膜发声器及背瓣缺失。雄虫腹瓣小, 且左右分离。前足腿节具有 2 个明显的刺及 1 个较小的端刺。尾节上叶发达, 端部阔圆弧形; 抱钩基部宽大, 侧缘明显扩展; 钩叶端部具有侧刺; 阳茎基部向后弯曲。

分布: 中国; 缅甸。秦岭地区发现 1 种。

注: 哑蝉属的分类地位自建立以来一直存在着争议。周尧等(1997)将哑蝉属归入翅蝉亚科, Moulds(2005)则将其归为姬蝉亚科。其正确性有待进一步研究。

(2) 合哑蝉 *Karenia caelatata* Distant, 1890 (图版 22)

Karenia caelatata Distant, 1890: 91.

鉴别特征: 头部黄绿色、较窄; 后唇基突出, 中央具有 1 条细长黑色纵向的条纹; 单眼浅红色或白色, 复眼深褐色; 胸部黄绿色, 内片中央具有 1 对后方合并的纵向黑色条带, 中胸背板有两对倒锥形深褐色斑纹, 两侧具有 1 对深褐色斑纹, 长度约为中胸背板长度的 1/2; 前翅 2、3、5、7、8 端室基横脉处的斑点及 1~8 端室纵脉端部的斑点均为浅褐色; 腹部与胸部等长, 中央有 1 条前窄后宽的黑色纵带, 两侧也具有较短的深褐色条带; 无鼓膜发音器和背瓣; 雄虫腹瓣小, 延伸至第 3 腹节后缘; 足绿色; 尾节抱钩基部膨大且呈球状, 钩叶被 1 条中央的缢裂分为了两部分, 侧面边缘基部突出, 且两侧具有向外弯曲的侧刺; 阳茎细长, 近基部处向后弯曲, 且边缘呈锯齿状, 阳茎基片端部有 2 个细长的突起。

采集记录: 2♂, 凤县, 2012. Ⅶ. 25, 姜碌采; 4♂, 留坝庙台子, 1350m, 1998. Ⅶ. 19-22; 3♂2♀, 佛坪, 870~1000m, 1998. Ⅶ. 22-23; 8♂10♀, 宁陕火地塘, 2012. Ⅷ. 20, 杨欢采。

分布：陕西(凤县、留坝、佛坪、宁陕)、山西、河南、湖北、湖南、福建、广西、四川。

3. 指蝉属 *Kosemia* Mastsumura, 1927

Kosemia Matsumura, 1927: 55. **Type species**: *Cicadetta sachalinensis* Matsumura, 1917.

Leptopsalta Kato, 1928b: 185. **Type species**: *Melampsalta radiator* Uhler, 1896.

Karapsalta Matsumura, 1931: 1233. **Type species**: *Cicadetta sachalinensis* Matsumura, 1917.

属征：体小到中型。头冠(包括复眼)约与中胸背板基部等宽；两侧单眼间的距离等于其到相邻复眼间的距离。喙管长度超过中足基节。前胸外片向外扩张，后侧角向侧后方扩张。前翅 M 和 CuA 脉在基室处愈合或分离。前足股节具有 3 根强刺。雄虫腹瓣稍向内倾斜，内后缘圆弧形，彼此靠近但不接触，后缘不超过第 2 节腹板。雄性腹部近圆柱形，背部不隆起；第 8 节腹板等于或稍短于第 7 节腹板。雌性腹部圆锥形，第 7节腹板后缘中央有 1 个非常深的缺刻，深达第 7 节腹板长度的 4/5。雄虫尾节腹面观近卵圆形；尾节端刺尖；尾节上叶发达，侧面观呈三角形，端部钝圆；尾节基叶较发达，侧面观呈角状突出，近基部略向尾节内侧折叠；抱钩中叶似鸭喙管状，端部侧面观略向上弯曲，腹面观抱钩中叶中央稍隆起，不发达且明显小于肛刺。抱钩较发达，指状，端部多钝圆，基部靠近然后左右分离。阳茎弓形，具有腹撑；伪阳基侧突源自阳具鞘背面靠近基部的地方且长于阳具鞘；射精管管状、细长，几乎透明，末端止于阳具鞘；阳茎基片在背面观可见两个朝端部的突起。雌性尾节端刺短而尖，超过肛刺；产卵鞘等于或稍超过尾节端刺。

分布：中国；俄罗斯，蒙古，韩国，日本。秦岭地区发现 4 种。

分种检索表

1. 头顶红褐色；中胸背板栗色或褐色 ………………………………………………… 2
   头顶黑色；中胸背板黑色或具有异色的斑纹 ……………………………………… 3
2. 腹部背板栗色，背板后缘赭色；抱钩基半部彼此靠近，端半部不弯曲 ……………
   …………………………………………………………… 栗色指蝉 *K. castaneous*
   腹部背板黑色，背板后缘黄色；抱钩基半部彼此靠近，端半部向两侧弯曲 …………
   …………………………………………………………… 关中指蝉 *K. guanzhongensis*
3. 前胸背板侧缘淡砖红色；前翅前缘脉显著弓形，砖红色 ………… 褐指蝉 *K. fuscoclavalis*
   前胸背板侧缘黑色或淡黄绿色；前翅前缘脉直或稍显弓形，橄榄色或亮棕色 …………
   …………………………………………………………… 雅氏指蝉 *K. yamashitai*

(3) 雅氏指蝉 *Kosemia yamashitai* (Esaki *et* Ishihara, 1950)(图版 23)

Melampsalta yamashitai Esaki *et* Ishihara, 1950: 40.

Cicadetta yamashitai: Metcalf, 1963: 394.

Leptopsalta yamashitai: Chou *et al.*, 1997: 51.

Kosemia yamashitai: Sanborn, 2013: 525.

鉴别特征：体黑色，被有金色的软毛。头冠稍窄于中胸背板基部；单眼淡橘红色，复眼棕色；前胸背板黑色，其边缘尤其后缘均呈棕色，其两侧被有金色软毛；前胸背板中央有1个倒"Y"形斑，黑色或淡棕色；中胸背板除棕色"X"形隆起外均为黑色；前后翅透明，翅脉暗棕色，前翅 M 脉和 CuA 脉仅在基室处靠近但不愈合；雄虫腹瓣暗棕色，基部略黑色；腹瓣内缘圆弧形，后缘略呈圆弧形；基刺小，呈暗棕色；腹部长度约等于头胸部之和，腹部背板和腹部腹板几乎黑色，被有金色和亮棕色刚毛；腹板中央后缘具有1列黑色半圆形斑点；足黑色；雄虫尾节端刺较短，基部较阔，端部逐渐变细；尾节上叶基部略向内下凹，侧面观呈圆弧状突出；抱钩中叶小，黑色，侧面观可见其端部稍向上弯曲，腹面观而言，抱钩中叶中央稍隆起，不发达且明显小于肛刺；抱握器黑红色，基部略显黑色，指状、端部多钝圆，基部左右靠近然后彼此远离。

采集记录：1♂，凤县，1974.Ⅴ.28，谷知相采；1♂，凤县，1974.Ⅶ，谢丽萍采；1♂，太白山，2100m，1983.Ⅵ.10；1♂，宁陕，1984.Ⅵ。

分布：陕西（凤县、宁陕、太白山）、山西、宁夏、甘肃、湖北。

（4）栗色指蝉 *Kosemia castaneous* Qi, Hayashi *et* Wei, 2015（图版24，25）

Kosemia castaneous Qi, Hayashi *et* Wei, 2015: 451.

鉴别特征：雄性体背面大体栗色，前胸背板和后唇基基部具有黑色斑纹；头冠红褐色，被有灰色的毛，稍窄于中胸背板基部；单眼淡橘红色，复眼深褐色；后唇基浅棕色，边缘淡橘红色，后唇基基部有2个大型黑斑，左右分离；后唇基横脊细长、黑色，被有灰色的软毛；前唇基浅棕色；喙棕色，端部黑褐色；颊和轴节间片棕色，被有浓密的银白色软毛；前胸背板漆黑色，其外片棕色，中央的纵带后缘扩展、棕色；中胸背板栗色，中央具有1个倒"M"形斑纹，浅棕色（中胸背板在1头标本中完全暗棕色，另外1头标本则完全为浅棕色）；"X"形隆起呈浅棕色；前翅前缘脉淡砖红色，基部近2/3的翅脉浅棕色，端部1/3的翅脉橄榄色，基膜血红色；前翅 M 脉和 CuA 脉在基室处彼此靠近端部愈合；后翅翅脉橄榄色，2A 脉两侧具有淡淡的烟褐色斑，很狭窄，直达翅脉端部；后翅3A 脉和轭区基部淡橘红色；雄性腹部稍长于头、胸部之和；腹部背面栗色、有光泽，第3~7节背板后缘和第8节背板的后半部赭黄色；腹部腹面淡红棕色，被有稀疏的银色短毛，第8节腹板显著短于第7节腹板，末端钝圆；雄虫腹瓣棕色，被有稀疏的银白色短毛；腹瓣内缘钝圆弧形，后缘略向内倾斜，圆弧形；基节刺小，浅棕色；足多为浅棕色，被有金色的短毛；基节的纵带、转节上的 1 或 2 个斑点均黑色；股节上的 2 条纵带和斑点红棕色；前足股节具有 3 根黑色强刺，主刺非常倾斜，副刺只有主刺的一半长，近直立，端刺为第 1 根刺的 1/3 长，略倾斜，在其附近分化出 1 个微刺；雄虫尾节淡金黄色；尾节上叶发达，侧面观呈锐角突出，端部较钝；尾节基叶侧面观呈角状，略突出；抱钩中叶小，端部边缘黑色；抱握器不发达，暗红色，指状，端部多钝圆，基半部左右靠近，端半部近乎直立。雌性虫体长于雄性，被有浓密的金色短毛。头顶赭红色（在 1 头副模中头顶为浅棕色）；复眼黑色或黑褐色；后唇基棕色。前胸背板边缘淡红色；中央纵带淡红色，其前后缘均扩展。中胸背板和"X"形隆起金棕色；前翅前缘脉暗红色。雌性腹瓣很小、橘红色，侧缘略倾斜；基刺小、淡红色，三角形。雌性腹部背面暗红色，第 7 节腹板后半部和第 8 节腹板的大部分砖红色；第 8 腹板后缘被有浓密的金色短毛；第 9 节腹板砖红色，中央有 1 条暗红色的"Y"形斑纹，直达尾节端刺；腹部腹面砖红色，被有浓密的金色短毛；第 7 节腹板后缘中央具有 1 个非常深的缺刻，深达第 7 节腹板的 4/5 长度；有 1 对黑色斜斑位于第 7 节腹板缺刻两侧。尾节端刺黑色、尖细，明显超过肛刺；产卵鞘黑色，明显长于尾节端刺。其他形态特征和雄性相似。该种与褐指蝉 K. fuscoclavalis（Chen，1943）非常近似，但可通过以下特征与后者区分：头顶红褐色或赭色；中胸背板和腹部背面为栗色或暗褐色；腹部背板后缘赭黄色；腹部稍长于头、胸部之和；雄性抱握器在基部靠近，端部近乎直立。

采集记录：1♂，凤县，1974.Ⅵ.02，田畴采；1♀，凤县，1989.Ⅶ，许昕采；1♀，太白，1990.Ⅶ.18，雷仲仁采。

分布：陕西（凤县、太白）。

(5) 褐指蝉 *Kosemia fuscoclavalis*（Chen，1943）（图版 26）

Melampsalta fuscoclavalis Chen, 1943：39.

Melampsalta fuscoclavalis chungnanshana Chen, 1943：40.

Cicadetta fuscoclavalis：Metcalf, 1963：315.

Leptopsalta fuscoclavalis：Chou et al., 1997：52.

Kosemia fuscoclavalis：Sanborn, 2013：524.

鉴别特征：体黑色，被银白色的短毛。头冠窄于中胸背板基部；复眼深褐色，单眼淡红色；前胸背板黑色，其边缘和中央纵带淡砖红色；中胸背板黑色，中央 2 个三角形淡砖红色斑；前翅显著宽阔，其前缘脉明显呈弓形；前翅 M 脉和 CuA 脉仅在基室处靠近但不愈合；后翅 2A 脉两侧具有很细的烟褐色斑，3A 脉和轭区基部同样具有烟褐色斑；雄虫腹瓣呈淡赭红色或淡砖红色，被有稀疏的银白色短毛；腹瓣内缘钝圆，后缘圆弧形；基刺小，淡砖红色；腹部约与头胸部等长，朝尾部渐细；腹板黑色，具淡赭黄色斑点；腹板砖红色，被有稀疏的银白色短毛；足赭红色；雄虫尾节端刺较长，末端逐渐变细；尾节上叶略向外凸起，远离尾节端刺；抱钩中叶小，侧面观可见其端部稍向上弯曲，腹面观中央稍隆起，不发达，且明显小于肛刺；抱握器较发达，暗红色，指状，端部多钝圆，基部左右靠近然后彼此远离。

　　采集记录：1♂，终南山，1936. V . 01，采集人不详。

　　分布：陕西（终南山）、西藏。

（6）关中指蝉 *Kosemia guanzhongensis* **Qi**，**Hayashi** *et* **Wei**，**2015**（图版27，28）

Kosemia guanzhongensis Qi，Hayashi *et* Wei，2015：451.

　　鉴别特征：虫体小，圆柱形，被有金色的软毛。头冠稍窄于中胸背板基部；头顶淡红棕色，有一些暗色斑点；单眼淡红色（两头副模标本为淡黄色），复眼棕色；后唇基黑色，两侧缘呈棕色，中央黑色纵沟和横脊的颜色在一些副模中略淡，后唇基基部有2个大型黑斑，有些标本中为全黑色；前唇基暗棕色或黑色，两侧被有稀疏的金色软毛；喙基部棕色，端部暗棕色或黑色；触角棕黑色或黑色；颊和轴节间片棕色或黑色，被有浓密的金色长毛；前胸背板亮黑色，外片和中央纵带均呈淡棕色；前胸背板中央纵带前缘稍微扩展，但后半部扩展较宽，其内包含1个棕黑色或黑色斑点；前胸背板外片略呈圆弧形状略向两侧扩展，其侧后角同样明显突出；中胸背板淡棕色，其中央两对倒锥形栗色斑；"X"形隆起浅棕色，其前臂内侧处具有1对暗棕色或黑色的斑点。前后翅透明，翅脉淡赭黄色，端部颜色逐渐变深；前翅 M 脉和 CuA 脉仅在基室处靠近但不愈合，基膜淡橘红色；后翅2A 脉两侧具有较细的淡烟褐色条带，直达翅脉端部；后翅3A 脉和轭区基部同样具有烟褐色；雄虫腹瓣呈淡棕色，被有稀疏的银白色短毛；腹瓣圆弧形，其端半部略上翘，不达腹腔末端，故不能完全盖住腹腔；基节刺小，呈浅棕色。雄性腹部长度稍长于头部与胸部之和，腹部背面几乎亮黑色。腹部第2～7节背板后缘和第8背板的后半部分均为黄色或淡黄棕色，且第8背板后缘逐渐减小；腹部腹面主要为黑色，被有浓密的金色短刚毛；第2节腹板淡橘黄色，第3～6节腹板后缘和上侧片以及第7～8节腹板的后半部分均为淡黄色；第8节腹板明显短于第7节腹板；足浅棕色，被有浓密的金色刚毛；基节的条带、转节的1或2个斑点、股节上的两条长纵带，均为黑色；前足股节具有3根黑色强刺，均稍前倾，基部黑色而端部亮红色，从主刺到端刺逐渐减小，在端刺的前缘分化出1根微刺，中后足颜色与前足相比，色泽略淡；雄虫尾节几乎浅棕色，其背缘基部处黑色；尾节端刺较短且基部较阔，至端部逐渐变钝细；尾节上叶侧面观约为直角状突出，端部较钝；尾节基叶侧面观呈宽角状略突出；抱钩中叶小，端部侧面观略向上弯曲，腹面观而言，抱钩中叶中央稍隆起，不发达且明显小于肛刺。抱握器较发达，指状，端部多钝圆，基部靠近然后左右明显分离，向前侧方弯曲。雌性体长略长于雄性；触角基片呈淡红棕色；复眼呈淡棕色；喙暗棕色；腹瓣很小、淡棕色，后缘圆弧形；基节刺浅棕色，呈宽三角形，端部尖细；腹部背板几乎为黑色，第7节背板后缘和第8节背板后半部分呈淡黄色，第9节背板淡黄色，其背侧面有1个"Y"形黑斑，端部直达尾节端刺末端；腹部腹板为淡赭黄色，被有浓密的金色刚毛；每节腹板中后缘具有1

个黑色大斑点；第 7 节腹板后缘中央有 1 个非常深的缺刻，深达第 7 节腹板的 4/5 长度，2 个大的黑色斜斑位于缺刻的两侧；尾节端刺短而尖细，超过肛刺；产卵鞘棕黑色，稍长于尾节端刺。其他形态特征和雄性相似。

采集记录：1♂，杨凌，1990. Ⅶ. 29，雷仲仁采；3♂，杨凌，1990. Ⅶ. 19，雷仲仁采；1♂，武功，1933. Ⅶ，杨玲环采；1♂，武功，1988. Ⅵ. 03；1♂，杨凌，1991. Ⅵ，采集人未知；1♀，太白，1990. Ⅶ. 20，采集人不详；1♀，杨凌，1991. Ⅵ；1♀，周至，1996. Ⅶ. 23，张翠轩采。

分布：陕西（周至、太白、杨凌、武功）。

寄主：未知。

4. 姬蝉属 *Cicadetta* Kolenati，1857

Cicadetta Kolenati, 1857: 417. **Type species**: *Cicada montana* Scopoli, 1772.

Heptaglena Horváth, 1911: 607. **Type species**: *Heptaglena libanotica* Horváth, 1911.

Oligoglena Horváth, 1912: 606. **Type species**: *Heptaglena libanotica* Horváth, 1911.

属征：体型小。前翅 M 脉和 CuA 在基室处愈合。雄虫尾节端刺不太发达，端部较钝；尾节基叶片状突出；抱钩中叶舌片状，整体或端部略上翘，大于肛刺。阳茎的伪阳基侧突非常长，明显超过阳具鞘、外露，长度约为其长度的 2 倍。

分布：广泛分布于除新热带区和澳大利亚外的各大动物区。秦岭地区发现 1 种。

(7) 山西姬蝉 *Cicadetta shansiensis*（**Esaki** *et* **Ishihara**，**1950**）（图版 29）

Melampsalta shansiensis Esaki *et* Ishihara, 1950: 43.

Cicadetta shansiensis: Metcalf, 1963: 380.

鉴别特征：体小型，黑色，被有银白色短毛。头宽约等于中胸背板基部；单眼浅红色，复眼深褐色；前胸背板黑色，中央纵带和前后缘褐色；中胸背板黑色，有时中央有 1 对模糊的褐色细纵纹；前后翅透明，前翅 M-Cu$_1$ 脉在基室处愈合，2A、3A 脉两侧具有很淡的污黄褐色斑；腹部稍长于头胸部；腹部背板黑色，第 3～7 节背板后缘和第 8 节背板后半部均为黄褐色；腹部腹板为黄褐色，各节腹板中央近基部有 1 个大的黑色斑；雄虫腹瓣褐色，基部黑色，后缘钝弧形，达腹部第 2 腹板后缘；基节刺很小，三角刺状；足褐色；雄虫尾节暗褐色，端刺发达、基部较宽，至末端渐细，顶端钝弧形；尾节上叶发达、片状，末端钝弧形、突出；尾节下叶指状；抱钩中叶舌片状，约和肛刺大小相等；抱握器短，基部较宽扁、黑褐色，末端突然变细，钩状剧烈侧弯，端部亮棕色，骨化。

采集记录：1♂，南五台，1993. Ⅶ. 07；1♂，周至田峪，1951. Ⅵ. 05；1♂，1♂，周至厚畛子，1020m，2012. Ⅴ. 15，李庆龙采；2♂，太白山蒿坪寺，1956.

Ⅶ.21；1♂，太白山蒿坪寺，1981.Ⅵ.13，李永辉采；1♂，太白山蒿坪寺，1982.Ⅴ.21，王紫采；1♂，1♀，太白山蒿坪寺，1982.Ⅵ.1-4；太白山蒿坪寺，1996.Ⅶ.23，张峰采；3♂，太白，1990.Ⅶ.19，雷仲仁采；1♀，宁陕县，1981.Ⅵ.15；1♂，洛南县，1989.Ⅴ.15，王天珍采。

分布：陕西（长安、周至、太白、宁陕、洛南）、北京、河北、山西、甘肃、山东、浙江、湖北、四川。

5. 蟪蝉属 *Tettigetta* Kolenati，1857

Tettigetta Kolenati，1857：417. **Type species**：*Cicada prasina* Pallas，1773.

属征：体小型。前胸背板外片不扩张；侧后角稍扩展。前翅 M-Cu$_1$ 脉在基室处总是愈合。腹部圆柱形，背中面不隆起；腹部大，第 8 节腹板等于或稍短于第 7 节腹板；腹瓣多圆弧形。尾节端刺末端较小，但不尖锐；肛刺较发达，约和抱钩中叶大小相等；抱钩钩状弯曲。

分布：东洋区（北部），古北区。秦岭地区发现 1 种。

(8) 韩国草蟪蝉 *Tettigetta isshikii*（Kato，1926）（图版 30）

Mogannia hebes Matsumura，1917：205（nec Walker，1858）.

Melampsalta pellosoma Kato，1925：41（nec Uhler，1861）.

Melampsalta isshikii Kato，1926a：175.

Melampsalta isshikii var. *flavicosta* Kato，1927b：283.

Leptopsalta radiator Mori，1931：20.

Cicadetta isshikii：Metcalf，1963：320.

Cicadetta pellosoma Metcalf，1963：367（nec Uhler，1861）.

Tettigetta isshikii：Lee，2008：459.

Tettigetta isshikii：Puissant & Sueur，2010：557.

鉴别特征：体较小，黑色至黄褐色，被有银白色和金黄色短毛。头冠约等于中胸背板基部；单眼浅红色，复眼褐色；前胸背板黑色，无斑纹或中央纵带和前后缘黄褐色；中胸背板黑色，中央有 1 对黄褐色或褐色纵纹；前后翅透明，前翅 M-Cu$_1$ 脉在基室处愈合，2A、3A 脉两侧具有很淡的污黄褐色斑；腹部长于头胸部；背板黑褐色，腹板黄褐色，各节腹板中央有 1 个大的黑褐色斑；雄虫腹瓣黄白色或淡黄色，后缘圆弧形或半圆形，达第 2 腹节后缘；基节刺小，三角片状；足斑纹暗褐色，被有浓密的银白色和金黄色短毛；雄虫尾节褐色，端刺发达，基部较宽，至末端渐细，顶端钝弧形；尾节上叶发达、钝圆形，片状突出；尾节下叶指状，近基部向内稍膨大突出；抱钩中叶舌片状，约和肛刺大小相等；抱握器短，基部较宽扁，末端突然变细，钩状侧弯，端部黑褐色，稍骨化。

采集记录：1♂，南五台，1959.Ⅶ；1♂，周至楼观台，1954.Ⅶ.04，孔一玫采；1♂，凤县，1988.Ⅶ，刘胜利采；1♀，凤县，1988.Ⅶ.20；太白山营头，1956.Ⅶ.19；1♂，太白山，1990.Ⅶ.18。

分布：陕西（长安、周至、凤县，太白山）、吉林、辽宁、北京、河北、宁夏、山东。

寄主：未知。

6. 红蝉属 *Huechys* Amyot *et* Audinet-Serville，1843

Huechys Amyot *et* Audinet-Serville，1843：464. **Type species**：*Cicada sanguinea* de Geer，1773.

属征：体中型，多为红色。头冠稍宽于或约等于中胸背板基部，后唇基侧偏而突出，中央具纵沟，与头顶颜色常不同，界限明显。前胸背板侧缘不明显，短于中胸背板，腹部长于中胸背板。前翅不透明或半透明，一般有 8 个端室（大红蝉为 9 个端室），后翅半透明或透明，有 6 个端室；前翅 M 脉和 CuA 脉在基室处明显分离。足多为黑色（大红蝉的足为红色或暗红色），密被有黑色长毛和短毛；前足股节具有 3 根强刺，其中主刺和端刺前倾，而副刺则近乎直立；雄性无背瓣，鼓膜具有 3～4 条长脊；腹瓣外缘截直，内后缘呈肾形。

分布：东洋区。秦岭地区发现 1 种。

(9) 红蝉 *Huechys sanguine*（de Geer，1773）（图版 31）

Cicada sanguinea de Geer，1773：221.

Tettigonia sanguinolenta Fabricius，1775：681.

Tettigonia philaemata Fabricius，1803：42.

Huechys sanguinea：Amyot & Audinet-Serville，1843：465.

Huechys sanguinea var. *philaemata* Kato，1925：39.

Huechys sanguinea philaemata albifascia Kato，1927a：37.

Huechys sanguinea ab. *albifascia* Kato，1930：68.

Huechys philaemata ab. *albifascia* Kato，1956：120.

Huechys（*Huechys*）*sanguinea*：Metcalf，1963：25.

鉴别特征：体中等。头胸部黑色，腹部红色；头胸部密被黑色长毛，腹部被黄褐色或淡红色短毛；头冠稍宽于中胸背板基部，复眼黑色，单眼血红色；中胸背板为红色，其中央有 1 条非常宽的黑色纵带；前翅黑褐色、不透明，结线不明显，翅脉黑色；后翅淡褐色，半透明，翅脉黑褐色；另一种为褐翅型类型，即前翅褐色，不透明，后翅淡褐色，半透明；雄性腹部长于头胸部，第 1 节背板及第 2 节背板的前缘黑色或黑褐色，其余红色或橘红色；腹部腹板红色或橘红色，被有稀疏的淡红色短毛；雄虫腹瓣黑褐色，腹瓣侧缘截形，内后缘近乎肾形；基节刺小，呈三角片状；雄虫尾节红色，端突短而钝，近端部边缘为黑色；尾节上叶大、片状，近端部略呈黑褐色，圆弧状突出；尾节下叶小；抱钩中叶较发达，略呈三角状突出，端部钝弧形；抱握器长黑红色、三角刺状，基部靠近而端部剪刀状近直角状分叉。

采集记录：2♂1♀，城固，1980.Ⅶ.06，马宁采；1♂，城固，1981.Ⅵ.29，刘绍友、赵德金采；1♂1♀，城固，1981.Ⅵ.29，赵德金采。

分布：陕西（城固）、江苏、浙江、江西、湖南、福建、台湾、广东、海南、香港、广西、四川、贵州、云南；泰国，缅甸，印度，菲律宾，马来西亚。

7. 碧蝉属 *Hea* Distant，1906

Hea Distant，1906b：121. **Type species**：*Hea fasciata* Distant，1906.
Kinoshitaia Ouchi，1938：106. **Type species**：*Kinoshitaia sinensis* Ouchi，1938.

属征：头部短而阔，头冠约与中胸背板基部等宽，复眼在前胸背板前侧角外上方突出；喙管达中足基节。前胸背板长于头长，短于中胸背板长度。前翅、后翅透明，前翅有褐色斑纹或无此斑纹，有8个端室，后翅有6个端室。腹部长于头部胸部。具尾节上叶；尾节基叶较发达，呈宽指状，侧扁；抱钩中叶较发达，整体略上翘，端部骨化，呈钩状下弯，约与肛刺大小相等；抱钩为1对厚片状突起，近端部稍骨化。

分布：东洋区。秦岭地区发现1种。

（10）周氏碧蝉 *Hea choui* Lei，1992（图版32）

Hea choui Lei，1992：4.

鉴别特征：体较小，被有较密的银白色长毛和短毛。头冠稍宽于中胸背板基部；单眼浅红色，复眼灰褐色；前胸背板黄绿色，中央有1个长颈花瓶状浅黄绿色纵带，其后缘有1对紧密靠近的小黑斑；中胸背板黄绿色，两侧1对大型倒圆锥形斑，中央前端1对小型斑纹及"X"形隆起前的1个正锥形斑纹均为黑色；前翅、后翅透明，前翅基半部及端半部的中央有2个大型褐色条状斑；腹部近圆柱形，长于头胸部；腹部第2～7节背板两侧橘黄色至橘红色，各节背板中央有1条黄绿色纵带，纵带两侧各节背板各有1个近方形黑斑；腹部腹板黄绿色，各节腹板中央有1个黑色大斑；雄虫腹瓣纵位、窄小，呈筒靴状，不达第2腹板后缘；基节刺小，三角片状；足黄绿色，前足股节具有4根黑色强刺，均稍微倾斜；雄虫尾节端刺基部较宽，端半部呈宽指状，末端钝弧形；尾节上叶不太发达、片状，端部圆弧形突出；尾节下叶较发达，呈宽指状，侧扁；抱钩中叶较发达，略上翘，端部骨化，呈钩状下弯，约与肛刺大小相等；抱握器为1对厚片状突起，近端部稍骨化。

采集记录：1♂，宁陕火地塘，2008. Ⅷ. 06。

分布：陕西（宁陕）、江西、湖南、福建、广西。

寄主：未知。

（三）蝉亚科 Cicadinae

鉴别特征：蝉亚科昆虫雄性具有鼓膜发音器，腹瓣大，盖住腹腔，形状各异，均有背瓣，完全或部分盖住鼓膜。

分类：东洋区。世界已知 51 属 270 余种，陕西秦岭地区发现 10 属 12 种。

8. 草蝉属 *Mogannia* Amyot *et* Serville，1843

Mogannia Amyot et Serville，1843：467. **Type species**：*Mogannia illustrata* Amyot et Serville，1843.

Cephaloxys Signoret，1847：294. **Type species**：*Cephaloxys viridis* Signoret，1847.

属征：体小型，粗短。头背面观三角形，窄于中胸背板基部，等于或稍长于前胸背板；后唇基呈锥状向前凸出，其上无横纹。前胸背板背面观梯形，宽于头，前窄后宽；内片两侧对称的各有两条斜沟；外片侧缘无刺突，但特别发达，延伸至前胸侧腹面，并紧贴其上，侧后角稍扩张；腹部稍膨大，稍长于头部到"X"形隆起间的距离；背瓣小，鼓膜大部分外露；雄虫腹瓣小，横位，亚端部大多向中央扩张，侧缘特别倾斜，左右分离，相离较近，不超过第 2 腹板后缘；前足股节通常具 3 根刺突；前后翅透明，前翅端室 8 个，后翅端室 6 个。雄虫尾节钩状突很短，扁平状，不明显；抱钩腹面观左右彼此分离，抱钩上叶长，侧突较圆；阳具鞘基部两侧有明显的突起（除瑞丽草蝉 *M. ruiliensis*）；阳具鞘管状，细长，末端有刺突。

分布：东洋区，古北区。秦岭地区发现 1 种。

（11）绿草蝉 *Mogannia hebes*（**Walker，1858**）（图版 33）

Cephaloxys hebes Walker，1858：38.

Mogannia spurcata Walker，1858：27.

Mogannia hebes：Stål，1862：483.

Mogannia flavescens Kato，1925，34.

Mogannia delta Kato，1925：37.

Mogannia ritozana Matsumura，1927：53.

Mogannia katonis Matsumura，1927：54.

Mogannia subfusca Kato，1928a：32.

鉴别特征：体绿色，被金黄色毛；单眼浅橙黄色，复眼黑褐色；前胸背板浅褐色，周缘绿色，中央纵带黄绿色，两侧有黑褐色界限；中胸背板有 2 对倒圆锥形黑斑；前后翅透明，前翅基半部浅黄色，无斑纹；腹部稍长于头胸部，背板黄绿色或黄褐色，两侧有不规则黑斑；腹板绿色或黄褐色；背瓣小、三角形；腹瓣短，长茄状，横位，伸至第 2 腹节前缘；足绿色或黄绿色；雄虫尾节端刺较短，上叶细长，横"S"形；抱钩左右分离；阳具鞘末端具 5 根刺。

采集记录：2♂，城固，1980.Ⅶ.06，马宁采。

分布：陕西（城固、宁强）、浙江、福建、海南、广西、重庆、四川；朝鲜，日本。

9. 蟪蛄属 *Platypleura* Amyot *et* Serville，1843

Platypleura Amyot *et* Serville，1843：465. **Type species**：*Cicada stridula* Linnaeus，1758.

Poecilopsaltria Stål，1866：2. **Type species**：*Tettigonia octoguttata* Fabricius，1798.

Dasypsaltria Haupt，1917：303. **Type species**：*Dasypsaltria maera* Haupt，1917.

Neoplatypleura Kato，1926b：238. **Type species**：*Cicada nobilis* Germar，1830.

Systophlochius Villet，1989：52. **Type species**：*Platypleura techowi* Schumacher，1913.

属征：体粗短，被长毛。头冠等于或稍宽于中胸背板基部，头部相当阔、短，复眼前方平截。前胸背板侧缘扩张。腹部短，宽锥形，约等于头胸部；背瓣大，完全盖住鼓膜，腹瓣横阔，多呈弯月形，左右内角靠近或接触。前翅基半部密被斑纹，不透明，端半部除斑点外半透明，结线明显；后翅 6 个端室。

分布：东洋区，古北区（南部），非洲区。秦岭地区发现 1 种。

（12）蟪蛄 *Platypleura kaempferi*（**Fabricius，1794**）（图版 34）

Tettigonia kaempferi Fabricius，1794：23.

Cicada kaempferi：Walker，1850：17.

Platypleura kaempferi：Butler，1874：189.

Platypleura tsuchidai Kato，1936：758.

Platypleura retracta Liu，1940：74.

鉴别特征：体中型，粗短，密被银白色短毛。头冠明显窄于前胸背板，约与中胸背板基部等宽或稍宽；前胸背板、中胸背板橄榄绿色，中胸背板具有 4 个倒圆锥形黑斑；前翅基半部不透明，污褐色或灰褐色，基室黑褐色，前缘膜处有 2 个暗色斑，前翅具 3 条横带；径室端部和第 8 个端室各有一半透明斑；端室纵脉端部及外缘也有不规则暗褐色斑点；后翅外缘无色透明，其余深褐色，不透明；腹部稍短于头胸部，背面黑色，各节后缘橄榄绿色，腹面黑色，被白色蜡粉；腹瓣横位，弯月形，内角重叠，不超过第 2 腹节；雄虫尾节小，无明显上叶；抱钩左右合并，包住管状阳茎鞘；阳茎基部有 1 对锥形突起，端部平截。

采集记录：55♂20♀，周至黑河，2014.Ⅶ.19；1♂，周至竹峪，1951.Ⅶ.01；26♂18♀，周至竹峪，2014.Ⅶ.18；3♂3♀，周至楼观台，1954.Ⅶ.03；4♂2♀，凤县，2014.Ⅵ.01；1♀，眉县汤峪，1951.Ⅶ.10；13♂4♀，眉县汤峪，2014.Ⅶ.21；2♂，太白县，1990.Ⅷ.05；18♂，太白县，2014.Ⅶ.28；3♂，太白山蒿坪寺，2014.Ⅵ.27；20♂，佛坪，2014.Ⅶ.16；1♂，宁陕火地塘，1985.Ⅷ.30；7♀，宁陕火地塘，2014.Ⅶ.26。

分布：陕西（周至、凤县、眉县、太白、佛坪、宁陕）、辽宁、北京、河北、天津、山西、河南、宁夏、甘肃、山东、上海、江苏、安徽、浙江、湖北、江西、湖南、福建、台湾、广东、广西、四川、重庆、贵州、云南。

10. 毛蟪蛄属 *Suisha* Kato，1928

Suisha Kato，1928b：183．**Type species**：*Dasypsaltria formosana* Kato，1927.

属征：体粗短，多毛。头冠约与中胸背板基部等宽，头长明显小于复眼间宽，头顶稍突出。前胸背板侧缘钝角形或圆弧形突出。前翅不透明或半透明，前缘膜显著扩张且弯曲；后翅具6个端室。腹部短于头胸部；腹瓣横位，后缘圆弧形。

分布：中国；朝鲜，日本。秦岭地区发现1种。

(13) 毛蟪蛄 *Suisha coreana*（**Matsumura，1927**）（图版35）

Pycna coreana Matsumura，1927：46.

Dasypsaltria coreana Kato，1927b：274.

Suisha coreana：Kato，1928b：184.

鉴别特征：头胸部橄榄绿色；头冠稍宽于中胸背板基部；复眼间具黑色宽横带；前胸背板中央具"I"形纹黑色；中胸背板具4个倒圆锥形黑色斑；前翅基半部具黄褐色大斑，其上有2条暗褐色横带，不透明，第1~3中室端部及第1~4端室基部的不规则斜斑及各纵脉端部的2个斑点均为黑色；腹部稍短于头胸部，背板黑色，后缘橄榄绿色，腹板黑色；背瓣灰褐色，前缘橄榄绿色；腹瓣近半圆形，后缘灰绿色，基半部灰黑色，内角重叠，达第3腹节；雄虫尾节很小，顶端锐角形；抱钩合并，端部伸出较长，端半部不构成圆环形，呈"双指"并列状；阳具鞘基部粗，端部细，背中央稍凹。

采集记录：3♂，周至楼观台，1951.Ⅵ.03；1♂2♀，周至楼观台，1973.Ⅸ.21。

分布：陕西（周至）、甘肃、江苏、浙江、湖南；朝鲜，日本。

11. 寒蝉属 *Meimuna* Distant, 1905

Meimuna Distant, 1905a: 67. **Type species**: *Dundubia tripurasura* Distant, 1881.

属征: 体中型,稍细。头部稍宽于中胸背板基部;后唇基向前膨大突出;喙管端部达后足基节。前胸背板明显短于中胸背板,外片外缘不发达,前侧缘具齿状突起。雄性腹部倒圆锥形,稍长于头胸部;背瓣盖住大部分鼓膜;腹瓣长,彼此分离,端部圆形或尖形。

分布: 东洋区。秦岭地区发现2种。

分种检索表

腹瓣宽大,绿色,达第5腹节后缘 ··· 蒙古寒蝉 *M. mongolica*
腹瓣小,黑色,达第4腹节 ·· 松寒蝉 *M. opalifera*

(14) 蒙古寒蝉 *Meimuna mongolica*(Distant, 1881)(图版36)

Cosmopsaltria mongolica Distant, 1881: 638.
Meimuna mongolica: Distant, 1906a: 66.
Meimuna suigensis Matsumura, 1927: 50.
Meimuna chosensis Matsumura, 1927: 52.
Meimuna heijonis Matsumura, 1927: 52.
Meimuna santoshonis Matsumura, 1927: 52.
Meimuna gallosi Matsumura, 1927: 52.

鉴别特征: 体中型。头冠绿色,稍宽于中胸背板;单眼和复眼均为红褐色;前胸背板内片绿色,后缘黑色,中央1对黑色纵带;外片绿色,侧后缘有2对黑色斑纹;中胸背板具5条黑色斑纹;翅透明,前翅第2、3端室基横脉处有暗褐色斑点;雄性腹部长于头胸部,密被白色蜡粉,背板黄绿色,有不规则的褐色或黑褐色斑纹,每节后缘绿色;腹板褐色;背瓣绿色,长圆形,完全盖住鼓膜;雄虫腹瓣绿色、宽大,内缘基半部较宽,端半部叉状向两侧分开,外缘直,达第5节腹板后缘;足绿色,稀被白色长毛和白色蜡粉;雄虫尾节暗褐色,钩叶长弯钩状,彼此靠近,内侧平行,外侧近端部膨大,向外弯曲。

采集记录: 1♂1♀,南五台,1980.Ⅷ,张雅林采;1♂,南五台,1980.Ⅷ,王旭采;1♂1♀,太白山,1990.Ⅶ.20;1♂,宁陕火地塘,1984.Ⅷ.14;3♂1♀,宁陕火地塘,1984.Ⅷ.17。

分布: 陕西(长安、宁陕)、辽宁、北京、河北、内蒙古、河南、江苏、安徽、浙江、江西、湖南、福建、广东、广西；蒙古，韩国，越南。

(15) 松寒蝉 *Meimuna opalifera*（**Walker，1850**）（图版 37）

Dundubia opalifera Walker, 1850: 56.

Cosmopsaltria opalifera: Distant, 1892: 56.

Meimuna opalifera: Distant, 1906a: 66.

Meimuna opalifera var. *formosana* Kato, 1925: 22.

Meimuna longipennis Kato, 1938: 19.

鉴别特征：体中型。被金黄色短毛，头部橄榄绿色，稍宽于中胸背板基部；前胸背板赭内片绿色，后缘黑色，中央 1 对沙漏形黑色纵纹；外片后侧缘具 1 对黑色斑纹；翅透明，前翅第 2、3 端室基横脉处有烟褐色斑；腹部明显长于头胸部，背板大体黑色，第 2~6 节后缘赭绿色；背瓣大，呈圆形，黑色；雄虫腹瓣颜色多变，整体赭绿色到整体黑色，基部宽大，近端部突然收缩，呈三角形，顶端尖，指向外侧，达第 4 节腹板；足赭绿色；雄虫尾节黑色，较宽；抱钩黑色，呈宽锚状，端部三角形膨大；上叶短，钝圆形。

采集记录：1♂，留坝，1983. Ⅷ. 13，赵德金采；2♂3♀，佛坪凉风垭，1900~2100m，1998. Ⅶ. 24；16♂10♀，佛坪，870~1000m，1998. Ⅶ. 23-25；1♂，宁陕火地塘，2012. Ⅶ. 30，杨欢采；3♀，宁陕火地塘，2012. Ⅷ，杨欢采。

分布：陕西（留坝、佛坪、宁陕、安康）、河北、河南、山东、安徽、浙江、湖北、江西、湖南、福建、台湾、澳门、广东、广西、贵州；韩国，日本。

12. 日宁蝉属 *Yezoterpnosia* Matsumura，1917

Yezoterpnosia Matsumura, 1917: 201. **Type species**: *Cicada nigricosta* Motschulsky, 1866.

属征：体中型。前胸背板前侧缘具齿状突起。前翅第 1 端室基脉等于或长于第 1 端室纵脉的 1/2。雄性腹板没有瘤状突起和臼状突起；第 3 节腹板宽，宽于中胸背板后缘；背瓣小，退化；腹瓣宽大于长，彼此分离，达到或超过第 2 节腹板后缘。尾节钩叶不分叉；尾节上叶不尖锐。

分布：中国；俄罗斯，日本。秦岭地区发现 2 种。

分种检索表

前翅第 2、3、5、7 端室基横脉及各端室纵脉端部有烟褐色斑纹 ………… 黑瓣日宁蝉 *Y. nigricosta*

前翅无缘斑和晕斑 …………………………………………………………… 小黑日宁蝉 *Y. obscura*

(16) 黑瓣日宁蝉 *Yezoterpnosia nigricosta* (De Motschulsky, 1866) (图版 38)

Cicada nigricosta De Motschulsky, 1866: 184.

Terpnosia nigricosta: Distant, 1892: 138.

Yezoterpnosia nigricosta: Matsumura, 1917: 202.

Yezoterpnosia sapporensis Kato, 1925: 28.

Terpnosia nigricosta sapporensis Kato, 1930: 66.

鉴别特征: 体大型。头冠褐色,窄于中胸背板基部;单眼红色,复眼褐色;前胸背板内片赭绿色,周缘黑色,中央 1 对黑色纵纹;外片褐色,后角 2 对斑纹;中胸背板赭绿色,具 5 条黑色纵纹;翅透明,前翅第 2、3、5、7 端室基横脉处及各纵脉端部有烟褐色斑点;雄性腹部大于头胸部的 1.50 倍,中央膨大;背板褐色,第 2 节背板中央红褐色,第 6、7 节背板两侧有黑色斑点,第 8 节背板黑色;腹板黄褐色,第 6、7 节腹板颜色稍深;背瓣小,半圆形,大体黑色,鼓膜大部分外露;雄虫腹瓣黑色,近三角形,后缘达第 2 节腹板基部;足大体黄褐色,带有不规则的黑色斑点;雄虫尾节较大、黑色;抱钩片状,钩叶愈合,圆筒形;基叶端部稍弯曲;阳茎管状,特别细长,伸出尾节,端部分叉。

采集记录: 2♂,周至县,1982. V. 31,魏建华采;29♂2♀,太白山蒿坪寺,1982. V. 25;1♂1♀,太白山中山寺,1983. VI. 19;1♂1♀,秦岭,1973. V. 09,路进生采。

分布: 陕西(周至、凤县,太白山)、湖北;俄罗斯,日本。

(17) 小黑日宁蝉 *Yezoterpnosia obscura* (Kato, 1938) (图版 39)

Terpnosia obscura Kato, 1938: 17.

Yezoterpnosia obscura: Sanborn, 2013: 355.

鉴别特征: 体中型。头冠黑色,与中胸背板基部等宽,后缘有 1 对模糊的暗褐色斑纹;前胸背板与头部等长,内片黑色,外片赭绿色,后角和侧缘有 2 对黑色大斑;中胸背板黑色,约与前胸背板等长,中央具不明显的暗褐色斑纹;翅透明,前翅仅第 2、3 端室基横脉处有烟褐色斑点;腹部背板黑褐色,第 3~6 节背板两侧具黄褐色斑纹,第 7~8 节完全黑色,第 8 节后缘密被白色短毛;背板黑色、半圆形,不完全盖住鼓膜;雄虫腹瓣鳞片状,左右分离,基半部黑褐色,端半部赭绿色;雄虫尾节卵圆形,抱钩愈合,呈片状,颜色不均一;阳茎长,从抱钩腹侧面伸出,端部分叉;基叶不发达,靠近尾节内壁。

采集记录: 41♂13♀,洋县两河口,2011. IV. 27,钟海英采。

分布: 陕西(洋县)、江苏、江西、福建。

13. 真宁蝉属 *Euterpnosia* Matsumura，1917

Euterpnosia Matsumura，1917：202. **Type species**：*Euterpnosia chibensis* Matsumura，1917.

　　属征：体细长，头冠宽于中胸背板基部。前胸背板后角稍扩张。腹部明显长于头胸部；第3、4节腹板无瘤状突起，但第4腹节两侧有臼状突起；背瓣小，呈宽而短的狭片状，边缘上翻；雄虫腹瓣小，左右分离。翅透明，前翅8个端室，后翅6个端室。雄虫尾节后方狭窄，抱钩小且合并；阳茎管状，细长。

　　分布：东洋区。秦岭地区发现1种。

(18) 真宁蝉 *Euterpnosia chibensis* Matsumura，1917（图版40）

Euterpnosia chibensis Matsumura，1917：203.
Euterpnosia chibensis chibensis Hayashi，1984：50.

　　鉴别特征：体中型，细长。头冠绿色或绿褐色，宽于中胸背板基部；单眼红色，复眼深褐色；前胸背板短，内片绿色或绿褐色，中央1对黑色纵纹；外片绿色，后缘褐色，后角处具黑褐色斑纹；中胸背板绿色或绿褐色，具5条黑色纵纹；翅透明，翅脉暗褐色至黑色，前翅淡烟褐色，翅室中央有隐约可见的暗色纹；腹部明显长于头胸部，背板褐色或绿褐色，有不规则的黑色大斑；腹板褐色，第1、2节腹板黑褐色，被白色蜡粉，第7腹板黑褐色，后端颜色加深；背瓣小，外缘黑色，后下缘翻卷；雄虫腹瓣小，外侧倾斜，使鼓膜外露，后缘不达第2腹板后缘；雄虫尾节深褐色；无上叶；抱钩片状，抱钩小，基部宽，钩叶愈合，整体呈倒"T"形；基叶发达，端部宽、突起，端部1/3内侧有小突起；阳茎管状，细长，从抱钩腹面伸出。

　　采集记录：1♂，太白鹦鸽，1998.Ⅳ.02。
　　分布：陕西（太白）、广西、云南；日本。

14. 马蝉属 *Platylomia* Stål，1870

Platylomia Stål，1870：708. **Type species**：*Cicada flavida* Guérin-Méneville，1834.

　　属征：体大型，稀被银色短毛和白色蜡粉。头冠宽于中胸背板基部；复眼突出，远离前胸背板前侧角；后唇基发达，向前大幅度突出；喙管端部伸达或超过后足基节。前胸背板明显短于中胸背板；外片扩张，侧缘具齿状突起。前足股节具有2根长刺和1根短刺；翅透明，一般具有斑纹；前翅有8个端室，后翅有6个端室；前翅M

脉和 CuA 脉在基室融合或分离。雄性腹部圆柱形，明显长于头胸部；背瓣基本盖住鼓膜；腹瓣长，外侧弯曲，基部益缩，端部圆形或尖细。尾节抱钩基部圆球形，钩叶发达，分开或在中间接触，端部光滑弯曲或具有三角形突起。

分布：东洋区。秦岭地区发现 1 种。

(19) 陕西马蝉 *Platylomia shaanxiensis* Wang et Wei，2014（图版 41）

Platylomia shaanxiensis Wang et Wei，2014：137.

鉴别特征：体大型，头部黑色，宽于中胸背板基部。单眼红色，复眼暗褐色头顶后缘中央 1 对大斑及两侧有 1 对较小的不规则斑纹（后缘达复眼处）赭色。舌侧片黑色；后唇基稍向前突起，中央纵纹黑色，中央斑纹及靠近额唇基缝处斑点均为赭色，两侧有 8～9 个横沟；前唇基黑色。喙黄绿色，端部暗褐色，达后足基节。前胸背板内片赭绿色，具有以下黑褐色斑纹：1 对中央纵纹，起始于前胸背板前缘，延伸至外片，基部和端部均加粗且扩张；1 对斜斑，起始于中沟中央，延伸至侧沟后缘；中沟、侧沟和内片外缘处的弯曲斑纹；外片赭色，后缘黑色，后角处具有 1 对黑色斑点，前侧缘具有齿状突起。中胸背板赭色，具有以下黑色斑纹：中央矛状斑，端部 1/3 处膨大呈菱形；盾侧缝处 1 对倒圆锥形斑纹，端部与下方的 1 对大圆斑愈合在一起；圆锥形斑纹两侧，1 对极短的斑纹，长度约为中央纵斑的 1/4；外侧 1 对极宽的纵斑，前缘达中胸背板前缘，后缘达 "X" 形隆起前臂，前端有时与短斑纹愈合。"X" 形隆起赭色，中央有 1 个不明显的黑色小斑点，前角 1 对黑斑；盾片凹陷处 1 对黑色斑点。翅透明，基室淡赭绿色，前翅第 2、3、5、7 翅室基横脉及纵脉端部有明显的烟褐色斑点；翅脉深褐色，前缘脉和 R 脉赭色；后翅翅轭灰绿色。雄性腹部倒圆锥形，背板大体黑色，第 2 节背板中央有 3 个红棕色的圆斑，呈三角形排列；腹板大体赭色，第 2、4、7 节腹板侧缘有大的黑色斑点。背瓣小，黑色，完全盖住鼓膜。雄虫腹瓣赭色，互相远离，端部尖，超过第 5 节腹板。前足大体黑色，基节、转节、股节和跗节有赭绿色的斑点，股节主刺尖、倾斜，副刺圆锥形，端刺最短；中足、后足基节黑色，中足、后足转节黑色，中央有大的赭色斑纹，中足、后足黑色，侧缘有赭色斑纹，中足、后足胫节赭色，有不规则的黑色斑纹，中足、后足跗节赭色。雄虫尾节球形，被少量短毛；钩叶宽，彼此分开，内缘直，端部稍向外分开，外缘 3/4 益缩，使得末端变尖；阳茎圆柱形，长且细，端部变尖，从抱钩腹侧伸出。

采集记录：6♂，洋县，2011.Ⅳ.28，罗昌庆采。

分布：陕西（洋县）。

15. 透翅蝉属 *Hyalessa* China，1925

Hyalessa China，1925：474. **Type species**：*Hyalessa ronshana* China，1925.

Sonata Lee，2010：20. **Type species**：*Oncotympana fuscata* Distant，1905.

属征：体小到大型，头冠宽于前胸背板。中胸背板外片长度约为内片长度的1/4～1/3；前侧缘不具齿状突起。翅透明，前翅8个端室，后翅6个端室；大部分种类中，前翅第2、3、5、7翅室基横脉及各纵脉端部有明显的褐色斑点。雄性腹部短于头胸部，第3腹节明显宽于中胸背板；背瓣球形，侧缘膨胀伸出体外，完全盖住鼓膜；腹瓣宽大于长，侧缘圆形，内角重叠或接触。尾节钩叶大，彼此从基部分离或相靠近；阳茎粗，端部弯曲，带有1对硬化的侧突和1对膜质的囊状突。

分布：古北区，东洋区。秦岭地区发现1种。

(20) 斑透翅蝉 *Hyalessa maculaticollis*（De Motschulsky，1866）（图版42）

Cicada maculaticollis De Motschulsky，1866：185.

Pomponia maculaticollis：Distant，1888：296.

Oncotympana maculaticollis：Distant，1905b：559.

Oncotympana fuscata Distant，1905b：558.

Oncotympana coreana Kishida，1929：109.

Oncotympana coreanus Kato，1925：27.

Oncotympana maculaticollis fuscata Hayashi，1984：57.

Oncotympana nigrodorsalis Lee，1995：35，81.

Ancotympana［sic！］*maculaticollis* Lee，1995：36（nec De Motschulsky，1866）.

Oncotympana coreana var. *nigrodorsalis* Lee，1995：37.

Sonata maculaticollis：Lee，2010：20.

Sonata fuscata：Lee，2010：20.

Hyalessa maculaticollis：Wang，Hayashi & Wei，2014：25.

鉴别特征：体大而粗壮，头冠绿色，稍窄于中胸背板基部；单眼红色，复眼褐色；前胸背板内片杂色，中央1对黑色宽纵纹；外片绿黄色，后缘黑色，波浪状，后角有2对黑色斑纹；中胸背板黑色，有6对较明显的绿色斑点；翅透明，前翅第2、3、5、7端室基横脉处及各纵脉端部有烟褐色斑点；腹部短于头胸部，背板黑色，第3、4节背板常被白色蜡粉，第2～4节背板后缘褐色，两侧常有对称的褐色斑纹；腹板黑色或绿褐色，两侧带有绿色或黑色的斑纹；背瓣大，球状突出，完全盖住鼓膜，颜色多变；雄虫腹瓣横位，内角重叠，有灰绿色、褐色、纯黑色或杂色；足绿色，具不规则的黑色斑纹；雄虫尾节上叶钝圆形，端部稍伸出尾节；钩叶长阔片状，左右平行靠近，骨化程度很高；阳茎管状，较粗，端部有两对突起，1 对囊状，1 对硬化，两对突起中央区域具有横纹。

采集记录：2♂1♀，南五台，1951. Ⅶ. 25；2♂7♀，南五台，1957. Ⅷ. 26；1♂，南五台，1959. Ⅶ. 13；1♀，南五台，1980. Ⅶ. 13，袁锋采；3♀，南五台，1980. Ⅸ. 27，赵香芳采；2♂，南五台，2014. Ⅷ. 14，王旭采；1♂，周至，2014. Ⅶ. 20；1♂，凤县，1974. Ⅶ. 06；1♂，凤县，1974. Ⅷ；1♂，凤县，1980. Ⅷ；1♂，凤县，1989. Ⅶ；3♂，太白山，1951. Ⅷ. 14；1♀，太白山，1951. Ⅷ. 17；1♂2♀，太白山，1956. Ⅶ. 20；2♂12♀，太白山，1981. Ⅷ. 12-14；1♂1♀，太白山，1982. Ⅶ. 15；1♂5♀，太白山，1982. Ⅷ. 04；1♀，太白山，1982. Ⅸ. 10；1♂，太白山，1983. Ⅷ. 07；1♂，太白山，1992. Ⅷ. 20；1♂1♀，670m，太白山，2013. Ⅷ. 24，祁胜平、张瑛、侯泽海采；1♀，华山，1951. Ⅸ. 05；37♂4♀，华山，2014. Ⅶ. 29，王旭、李庆龙采；4♀，留坝，1983. Ⅷ. 13，赵德金采；4♂2♀，佛坪，1990. Ⅶ. 01，高小军、姜宏、王应伦采；1♂2♀，佛坪，1990. Ⅶ. 30，王美南、姜宏、王应伦采；1♂3♀，佛坪，2014. Ⅶ. 16，刘云祥、侯泽海采；1♂1♀，宁陕火地塘，2008. Ⅷ. 05，魏琮采；4♂1♀，宁陕火地塘，2012. Ⅷ，杨欢采；20♂14♀，汤峪，2014. Ⅷ. 02，刘云祥、侯泽海采；7♂3♀，汤峪，2014. Ⅷ. 18，李庆龙、王旭采；1♀，商洛，1973. Ⅶ. 07，田畴采；2♂，商洛，1973. Ⅶ. 30，田畴采；3♀，商洛，1999. Ⅷ. 15；1♂，秦岭翠华山，1951. Ⅶ. 23；1♂，秦岭沙坡寺，1951. Ⅷ. 14；1♀，秦岭田峪，1951. Ⅸ. 17；1♀，秦岭田峪，1951. Ⅸ. 26；1♀，秦岭田峪，1981. Ⅸ. 16。

分布：陕西（长安、周至、凤县、华阴、留坝、佛坪、宁陕、商洛，太白山）、辽宁、北京、河北、河南、甘肃、新疆、山东、江苏、安徽、浙江、湖北、江西、湖南、台湾、四川、贵州；俄罗斯，朝鲜，日本。

16. 螇蝉属 *Auritibicen* Lee，2015

Auritibicen Lee，2015：241. **Type species**：*Tibicen intermedius* Mori，1931.

Subsolanus Moulds，2015：229. **Type species**：*Cicada bihamatus* Motschulsky，1861.

属征：体中到大型，体粗壮。头冠稍宽于中胸背板基部；两侧单眼至复眼间距大于两侧单眼间距的 2 倍。前胸背板明显长于头部，侧缘扩张，不具齿状突。中胸背板黑色或赭色，中央具有"W"形斑纹。雄性腹部明显长于头胸部；上侧片向附侧面弯折；第 2 腹节宽于头部（包括复眼）；背瓣稍隆起，完全盖住鼓膜；腹瓣纵位，内缘彼此分开、靠近或重叠。翅透明；前翅 8 个端室，后翅 6 个端室；前翅基室阔，M 脉和 CuA 脉不合并；后翅 RP 和 M 脉基部愈合。雄虫尾节筒状，端刺宽圆形，无尾节上叶；抱钩合并为宽片状向下弯曲，端部圆形或平截；尾节基叶稍发达，侧面观与尾节紧密贴在一起；阳具鞘管状。

分布：亚洲。秦岭地区发现 1 种。

(21) 蟪蝉 *Auritibicen* sp. （图版 43，44）

　　采集记录：8♂6♀，华山，2014. Ⅶ. 29，王旭采。

　　分布：陕西（华阴）。

　　寄主：刺槐 *Robinia pseudoacacia* Linn.（Leguminosae），核桃 *Juglans regia*（Juglandaceae）。

17. 蚱蝉属 *Cryptotympana* Stål，1861

Cryptotympana Stål，1861：613. **Type species**：*Tettigonia pustulata* Fabricius，1787.

　　属征：体大型。黑色，具光泽，形态单一。头冠短而宽，前方稍呈截形，稍宽于中胸背板基部；喙管管较短，达中足基节。前胸背板侧缘倾斜，中胸背板发达而隆起；后胸腹板中央有 1 个锥状突起，且向后延伸。雄性腹部粗短，约与头胸部等长；背瓣大、稍隆起，完全盖住鼓膜；腹瓣较宽，内缘接触。前翅、后翅透明，前翅基部常有不透明斑。雄虫尾节具端刺，两侧钝圆；抱钩完全愈合成曲棍状，粗而长，向下弯曲，末端钝圆；阳具鞘管状，端部有各种刺突、囊突或某一个侧面膜质等变化。雌性产卵鞘不伸出或稍伸出腹末。

　　分布：东洋区。秦岭地区发现 1 种。

(22) 蚱蝉 *Cryptotympana atrata*（Fabricius，1775）（图版 45）

Tettigonia atrata Fabricius，1775：681.

Tettigonia pustulata Fabricius，1787：266.

Cicada nigra Olivier，1790：750.

Fidicina bubo：Walker，1850：82.

Fidicina atrata Walker，1850：89.

Cryptotympana atrata：Stål，1861：613.

Cryptotympana sinensis Distant，1887：415.

Cryptotympana dubia Haupt，1917：229.

Cryptotympana coreana Kato，1925：13.

Cryptotympana santoshonis Matsumura，1927：49.

Cryptotympana wenchewensis Ouchi，1938：82.

Cryptotympana pustulata castanea Liu，1940：82.

Cryptotympana pustulata fukiensis Liu，1940：82.

鉴别特征：体大型，漆黑色，密被金黄色短毛。头冠稍宽于中胸背板基部；复眼深褐色，单眼浅红色；前胸背板黑色，无斑纹，中央有"I"形隆起；中胸背板前缘中部有"W"形刻纹；前后翅透明，基部 1/4～1/3 黑褐色，基室黑色；前翅比体长，基半部脉纹红褐色，端半部及后翅脉纹黑褐色；腹部约与头胸部等长，背板黑色，侧腹缘黄褐色；背瓣大，被黑色绒毛；腹瓣铁铲形，黑褐色，达第 2 腹节后缘或稍突出；雄虫尾节较大，背面黑色，两侧黄褐色；抱钩合并成粗棒状，端部较细、钝圆、下弯；阳具鞘舌状、弓形，端囊呈钩状。

采集记录：3♂1♀，汤峪，2014.Ⅷ.18，王旭采；1♂1♀，太白山，1990.Ⅶ；7♂11♀，佛坪大佛山，2014.Ⅶ.16，刘云祥、侯泽海采；2♂，宁陕火地塘，1984.Ⅷ.15，孙军友采。

分布：陕西（蓝田、眉县、佛坪、宁陕，太白山）、河北、山东、浙江、湖北、湖南、福建、台湾、广东、海南、广西、四川、云南；越南，老挝。

参考文献

周尧，雷仲仁，李莉，陆晓林，姚渭. 1997. 中国蝉科志（同翅目：蝉总科）. 香港：天则出版社，1-380. Chou, I., Lei, Z., Li, L., Lu, X. and Yao, W. 1997. The Cicadidae of China (Homoptera：Cicadoidea). Tianze Eldoneio, Hong Kong, 1-380.

湖南省林业厅. 1992. 湖南森林昆虫图鉴. 长沙：湖南科学技术出版社，4-105.

Amyot, C. J. B, Audinet-Serville, J. G. 1843. Homoptères. Homoptera Latr. In：*Histoire naturelle des insectes*，*hémiptères*. Paris：Librairie Encyclopédique de Roret, 1-676.

Butler, A. G. 1874. Monographic list of the homopterous insects of the genus Platypleura. *Cistula Entomologica*，1，183-198.

Chen, K. F. 1943. New genera and species of Chinese cicadas with synonymical and nomenclatorial notes. *Journal of the New York Entomological Society*，51：19-52.

China, W. E. 1925. The Hemiptera collected by Prof. J. W. Gregory's expedition to Yunnan, with synonymic notes on allied species. *Annals and Magazine of Natural History*，16：449-485.

De Geer, C. 1773. Mémoires pour serv. à l histoire des insectes. Tom. Ⅲ，5ᵉ *mem. des cigales*，Stockholm，151-228.

Distant, W. L. 1881. Descriptions of new species belonging to the homopterous family Cicadidae. *Transactions of the Royal Entomological Society of London*，627-648.

Distant, W. L. 1887. LX. Descriptions of two new species of Cicadidae. *Journal of Natural History*，20，415-417.

Distant, W. L. 1888. Viaggio di Leonardo Fea in Birmania E Regioni Vicine. Ⅷ. *Enumeration of the Cicadidae Collection by Mr. L Fea in Burma and Tenasserim*，Annali del Museo Civico di Storia naturale di Genova，6：453-459.

Distant, W. L. 1890. Description of Chinese species of the homopterous family Cicadidae. *Entomologist*，23：90-91.

Distant, W. L. 1892. *A monograph of Oriental Cicadidae*. West：Newman and Company：1-158.

Distant, W. L. 1905a. Rhynchotal notes ⅩⅩⅨ. *Annals and Magazine of Natural History*, 15: 58-70.

Distant, W. L 1905b. Rhynchotal notes ⅩⅩⅩⅥ. *Annals and Magazine of Natural History*, 16: 553-567.

Distant, W. L. 1906a. A synonymic catalogue of Homoptera, part 1. Cicadidae. *British Museum of Natural History*, London, 1-207.

Distant, W. L. 1906b. Description of a new genus and species of Cicadidae from China. *Entomologist*, 39: 121-122. Esaki, T. and Ishihara, T. 1950. Hemiptera of Shansi, North China. Hemiptera. Homoptera. *Mushi*, 21: 39-48.

Fabricius, J. C. 1775. *Systema Entomologiae, sistens insectorum classes, ordines, genera, species, adiectis synonymis, locis, descriptionibus, observationibus.* Korte, Flensburg & Leipzig, 1-832. Fabricius, J. C. 1787. Ryngota. *Mantissa insectorum sistens species nuper detectas adjectis synonymis, observationibus, descriptionibus, emendationibus*, 2: 260-275.

Fabricius, J. C. 1794. Ryngota. *Entomologia systematica emendata et aucta. Secundum classes, ordines, genera, species adjectis synonimis, locis, observationibus, descriptionibus*, 4: 1-472.

Fabricius, J. C. 1803. *Systema Rhyngotorum: secundum ordines, genera, species, adiectis synonymis, locis, observationibus, descriptionibus.* C. Reichard, 6: 33-42.

Haupt, H. 1917. Neue paläarktische Homoptera nebst Bemerkungenüber einige schon bekannte. *Wiener entomologische Zeitung*, 36: 229-262.

Hayashi, M. 1984. A review of the Japanese Cicadidae. *Cicada*, 5: 25-75.

Hill, K. B. R., Marshall, D. C., Moulds, M. S. and Simon, C. 2015. Molecular phylogenetics, diversification, and systematics of *Tibicen Latreille* 1825 and allied cicadas of the tribe Cryptotympanini, with three new genera and emphasis on species from the U. S. A. and Canada (Hemiptera: Auchenorrhyncha: Cicadidae). *Zootaxa*, 3985(2): 219-251.

Horváth, G. 1911. Hemiptera nova vel minus cognita e regione palaearctica. *Annales Musei Nationalis Hungarici, Budapest*Ⅸ, 573-610.

Horváth, G. 1912. Miscellanea Hemipterologica. *Annales Musei Nationalis Hungarici*, 10: 599-609.

Kato, M. 1925. Japanese Cicadidae, with descriptions of new species. *Transactions of the Natural History Society of Formosa*, 15: 1-47.

Kato, M. 1926a. Japanese Cicadidae, with descriptions of four new species. *Formosa Natural History Society Transactions*, 16: 171-176.

Kato, M. 1926b. A new genus of Cicadidae. *Formosa Natural History Society Transactions*, 16: 238.

Kato, M. 1927a. A catalogue of Japanese Cicadidae, with descriptions of new genus, species and others. *Formosa Natural History Society Transactions*, 17: 19-41.

Kato, M. 1927b. Descriptions of some new Japanese and exotic Cicadidae. *Formosa Natural History Society Transactions*, 17: 274-283.

Kato, M. 1928a. Descriptions of one new genus and some new species of the Japanese Rhynchota-Homoptera. *Formosa Natural History Society Transactions*, 18: 29-37.

Kato, M. 1928b. Descriptions of two new genera of Japanese Cicadidae and corredtions of some species. *Insect World*, 32: 182-188.

Kato, M. 1930. Notes on the distribution of Cicadidae in Japanese Empire. *Bulletin of the Biogeographical Society of Japan*, 2: 36-76.

Kato , M. 1936. Notes on Cicadidae. *The Entomological World (Tokyo)*, 4: 758-765.

Kato, M. 1938. A revised catalogue of Japanese Cicadidae. *Cicadidae Museum Bulletin*, 1: 1-50.

Kato, M. 1956. The biology of the Cicadas. *Bulletin of the Cicadidae Museum*, 1-319.

Kirkaldy, G. W. 1909. Notes on the Cicadidae of the Heude Museum, Shanghai. *Notes d'Entomologie Chinoise*, 9: 177-183.

Kishida, K. 1929. Cicadas from Ranan, N. E. Corea. *Lansania*, 1: 109 (In Japanese).

Kolenati, F. 1857. Homoptera Latreille. Leach. Gulaerostria Zetterstedt. *Bulletin de la Société Impériele des Naturalistes Moscuo*, *Section Biologique*, 30: 399-444.

Lee, Y. J. 1995. *The cicadas of Korea*. Seoul: Jonah Publications, 1-157.

Lee, Y. J. 2008. Revised synonymic list of Cicadidae (Insecta: Hemiptera) from the Korean Peninsula, with the description of a new species and some taxonomic remarks. *Proceedings of the Biological Society of Washington*, 121: 445-467.

Lee, Y. J. 2010. Cicadas (Insecta: Hemiptera: Cicadidae) of Mindanao, Philippines, with the description of a new genus and a new species. *Zootaxa*, 2351: 14-28.

Lee, Y. J. 2012. A review of the cicada genus Semia Matsumura (Hemiptera: Cicadidae: Cicadini). *Journal of Asia-Pacific Entomology*, 15: 427-430.

Lee, Y. J. 2015. Description of a new genus, *Auritibicen* gen. nov. , of Cryptotympanini (Hemiptera: Cicadidae) with redescriptions of *Auritibicen pekinensis* (Haupt, 1924) comb. nov. and *Auritibicen slocumi* (Chen, 1943) comb. nov. from China and a key to the species of *Auritibicen*. *Zootaxa*, 3980 (2): 241-254.

Lei, Z. R. 1992. *Illustrated handbook of Hunan forest insects*. Forestry Department of Hunan province, 4-105. Liu, K. C. 1940. New Oriental Cicadidae in the Museum of Comparative Zoology. *Harvard University and Museum of Comparative Zoology Bullein*, 87: 73-117.

Matsumura, S. 1917. A list of the Japanese and Formosan Cicadidae, with descriptions of new species and genera. *Transactions of the Sapporo Natural History Society*, 6: 186-212.

Matsumura, S. 1927. New species of Cicadidae from the Japanese Empire. *Insecta Matsumurana*, 2: 46-58.

Matsumura, S. 1931. 6000 *illustrated insects of Japan-Empire*. Tōkō shoin, 1-1689.

Metcalf, Z. P. 1963. General catalogue of the Homoptera, fascicle Ⅷ, Cicadoidea, part 1. Cicadidae. section I. Tibiceninae. *North Carolina State College*, *Raleigh*, 1-585.

Mori, T. 1931. Cicadidae of Korea. *Journal of Chosen Natural History Society*, 12: 10-24 (in Japanese).

Motschulsky, V. I. 1866. Catalogue des insectes reçus du Japon. *Bulletin de la Société Impériale des Naturalistes de Moscou*, 39: 163-200.

Olivier, G. 1790. Hémiptères, Section 1. *Encyclopedie methodique histoire naturelle insects*, 4: 1-331.

Ouchi, Y. 1938. Contributiones ad cognitionem insectrum Asiae Orientalis. V. A preliminary note on some Chinese cicadas with two new genera. *Journal of the Shanghai Science Institute*, 4: 75-111.

Puissant, S. , Sueur, J. 2010. A hotspot for Mediterranean cicadas (Insecta: Hemiptera: Cicadidae): new genera, species and songs from southern Spain. *Systematics and Biodiversity*. 8: 555-574.

Qi, S. , Hayashi, M. and Wei, C. 2015. A review of the cicada genus Kosemia Matsumura (Hemiptera: Cicadidae). *Zootaxa*, 3911(4), 451-492.

Sanborn, A. F. 2013. *Catalogue of the Cicadoidea* (*Hemiptera: Auchenorrhyncha*). Academic Press, USA, 1-1001.

Signoret, M. V. 1847. Description de deux cigales de Java, du genre Cicada. *Annales de la Société ento-mologique de France*, 1847, 297-299.

Stål, C. 1861. Genera nonnulla nova Cicadinorum. *Annales de la Société entomologique de France*, 1: 613-622.

Stål, C. 1862. Synonymiska och systematiska anteckningar öfver Hemiptera. *Öfversigt af Svenska Veten-skaps-Akademiens Förhandlingar*, 19: 479-504.

Stål, C. 1866. Hemiptera Homoptera Latr. *Hemiptera africana*, 4: 1-276.

Stål, C. 1870. Hemiptera insularum Philippinarum. -Bidrag till Philippinska öarnes Hemipter-fauna. *Öfversigt af Kongliga Svenska Vetenskaps-Akademiens Förhandlingar*, 27: 607-776.

Villet, M. 1989. New taxa of South African platypleurine cicadas (Homoptera: Cicadidae). *Journal of the Entomological Society of Southern Africa*, 52: 51-70.

Walker, F. 1850. *List of the specimens of homopterous insects in the collection of the British Museum.* London, Order of the Trustees, 1-260.

Walker, F. 1858. *List of the specimens of homopterous insects in the collection of the British Museum. Supplement.* Order of the Trustees: 1-368.

Wang, X., Hayashi, M. and Wei, C. 2014. On cicadas of *Hyalessa maculaticollis* complex (Hemiptera, Cicadidae) of China. *ZooKeys*, 369: 25-41.

Wang, X., Wei, C. 2014. Review of the cicada genus *Platylomia Stål* (Hemiptera: Cicadidae) from China, with description and bioacoustics of a new species from Mts. Qinling. *Zootaxa*, 3811: 137-145.

第四章　蜡蝉总科 Fulgoroidea

鉴别特征：体小到大型。单眼 2 个，着生在复眼和触角之间；触角基部远离，着生在头两侧复眼下方，梗节膨大似球状，其上有发达的感器；前翅前缘基部有肩板，爪区 2 条脉端部愈合成"Y"形；足胫节有 2～7 个大的侧刺和 1 列端刺。

分类：世界有 18～21 科，包括 1500 属 9000 余种；中国已知 16 个科，陕西秦岭地区发现 12 科 57 属 69 种。

分科检索表

1. 后足第 1 跗节略小，顶端有 1 列小刺 ………………………………………………… 2
   后足第 2 跗节略小，顶端无刺或每侧仅有 1 个刺 ………………………………… 8
2. 爪脉上有颗粒，脉 1～2 条 ………………………… **脉蜡蝉科 Meenopliidae**
   爪脉上无颗粒 ……………………………………………………………………… 3
3. 后翅臀区多横脉，脉网纹状；有的头明显延长 ………………… **蜡蝉科 Fulgoridae**
   后翅臀区翅脉非网状 ……………………………………………………………… 4
4. 下唇端节长宽约相等 ………………………………………… **袖蜡蝉科 Derbidae**
   下唇端节长远大于宽 ……………………………………………………………… 5

一、象蜡蝉科 Dictyopharidae

宋志顺　　梁爱萍

（中国科学院动物研究所，北京 100101）

鉴别特征：体多为中型或小型。头的比例较大，通常向前延伸形成明显的头突，呈圆锥或圆柱形。顶通常比复眼的短径宽，随头突而延长，常具中脊。额长，具中脊和亚侧脊，亚侧脊伸达至眼前方或额唇脊缝。唇基中域隆起，具中脊；前唇基端部向后超过前足基节。复眼呈半圆球形或椭圆形，长翅型种类具 1 对侧单眼，无中单眼。触角小而不明显，柄节颈状，梗节圆球形或卵形，鞭节线状。前胸背板一般短阔，颈状，后缘呈圆弧形或成角度凹入；具中脊，有的具亚侧脊，复眼后方有 2 条明显的侧缘脊。中胸背板具中脊和侧脊；侧脊直且平行，或者朝中脊弯曲会聚。多数种类具肩板。长翅型的前翅多为膜质，翅脉显著，呈脊状；亚前缘脉与胫脉愈合，在近端部亚前缘脉分出弯向前缘形成明显的翅痔区；中脉可以与亚前缘脉与胫脉基部愈合形成 1 个明显的共柄，但中国无此类群；多数种类在前翅端部 1/3 多不规则的横脉形成网状，纵脉间具 1 至数条褶缝；爪缝通常到达后缘。后翅大，脉纹不太规则，端区通常具横脉而呈网状，但臀区脉纹不成网状。足多中等长度，但有些属的前足腿节或胫节或二者加阔；后足胫节通常有 4~7 个侧刺，端部具 6~8 端刺；后足跗节第 2 节大，端部有 1 列端刺。雄虫阳茎构造复杂，大小变化多样。阳茎干基部骨化，圆柱形，背向常伸出 1 对骨片与尾节的侧缘相连；端部膨胀出 1~4 对膜质囊状的阳茎干突，有的突起着生有骨化的小刺、长刺或齿状刺。内阳茎常从阳茎干内伸出 1 对膜质或骨化的阳茎突，但也有的种类阳茎突短并未伸出阳茎干。连索与内阳茎连接，伸出 1 个长骨片与阳基侧突的基部相连。阳基侧突侧面观顶缘与背缘在端部形成 1 个角状的顶背缘突；背缘在中部具 1 个钩状的背缘突。肛节侧面观常为近三角形，背面观多为长椭圆形、圆形或长四边形。

分类：世界性分布。世界已知 720 余种，我国仅记录 13 属 20 余种，陕西秦岭地区记录 3 属 4 种。

分属检索表

1. 前足腿节加宽，近末端具 1 个大钝刺；后足胫节具 8 个端刺 …………… **鼻象蜡蝉属 *Saigona***
   前足腿节不加宽，近末端具 1 列小刺或无刺；后足胫节具 7 个端刺 ………………………… 2
2. 前翅翅痣区不显著，前端 1/3 多横脉，呈复杂网格状；内阳茎具长的阳茎突 …………………
   …………………………………………………………………………… **象蜡蝉属 *Dictyophara***
   前翅翅痣区明显，翅脉规则，不呈复杂网状；阳茎突短，不伸出阳茎干 …………………………
   ………………………………………………………………………… **彩象蜡蝉属 *Raivuna***

1. 鼻象蜡蝉属 *Saigona* Matsumura，1910

Saigona Matsumura，1910：110. **Type species**：*Dictyophora*［sic！］*ishidae* Matsumura，1910（= *Almana ussuriensis* Lethierry）.

Neoputala Distant，1914：412. **Type species**：*Neoputala lewisi* Distant，1914.

Piela Lallemand，1942：72. **Type species**：*Piela singularis* Lallemand，1942.

属征：体黄褐色或栗褐色，头顶和双颊散布浅黄色或淡褐色斑点；额均一的浅黄色或淡褐色；前胸背板、中胸背板黄褐色，间或有深色斑块；翅透明，略呈烟熏色，翅痣区深褐色。头长而宽，明显延伸圆柱形。头顶侧缘脊在复眼前方略呈波浪形弯曲，后缘略内凹；中脊模糊，仅在基部两眼间锐利；后头部分明显高于前胸背板。额宽，侧缘脊状近平行，后缘内凹；具中脊和亚侧脊。后唇基中域隆起，中脊明显。喙细长，伸达后足基节。前胸背板宽，前缘凸出呈弓形，后缘强烈成角度内凹；中脊锐利，亚侧脊模糊仅前方略隆起。中胸背板具纵脊 3 条，中脊有时模糊，两侧脊锐利并弯曲朝前方会聚。前翅翅痣区宽，呈斜长方形，内有 1~3 条横脉。足中等长，前足腿节末端扩张侧扁，近端部有 1 个明显钝刺；后足胫节有 5~6 个侧刺，后足刺式 8-(9~12)-(9~12)。阳茎干瘦长，端部具 1 对膜质囊状的阳茎干突。

分布：中国；俄罗斯，朝鲜，韩国，日本，越南。秦岭地区发现 2 种。

分种检索表

头突短，头长小于前胸背板和中胸背板长度之和 ·················· **黑唇鼻象蜡蝉** *S. fuscoclypeata*

头突长，头长大于或几乎等于前胸背板和中胸背板长度之和 ··········· **中华鼻象蜡蝉** *S. sinicola*

(1) 黑唇鼻象蜡蝉 *Saigona fuscoclypeata* **Liang** *et* **Song，2006**（图版 46：A）

Saigona fuscoclypeata Liang *et* Song，2006：39.

鉴别特征：本种与河南鼻蜡蝉 *S. henanensis* Liang *et* Song，2006 外形相似，但可从以下特征区分：额亚侧脊伸达复眼前缘，未及额唇基线；阳茎突长，仅向背方弯曲，而非螺旋形。

采集记录：1♂，宁陕大水沟，1500～1760m，1999. Ⅵ. 30，袁德成采；4♂3♀，宁陕火地塘，1515m，2013. Ⅶ. 11，宋志顺采。

分布：陕西（宁陕）、甘肃、湖北。

(2) 中华鼻象蜡蝉 *Saigona sinicola* **Liang** *et* **Song，2006**（图版 46：B）

Saigona sinicola Liang *et* Song，2006：46.

鉴别特征：本种与粗头鼻象蜡蝉 *S. robusta* Liang *et* Song，2006 外形相似，但可以从以下特征区分：阳基侧突的顶缘突起粗大；背部、腹阳茎干突端部均生有细刺。

采集记录：1♀，终南山，1936. Ⅴ. 06，采集人不详；1♂，华山，1936. Ⅵ. 10，采集人不详；1♂，佛坪凉风垭，1800～2100m，1999. Ⅵ. 28，贺同利采。

分布：陕西（长安、华阴、佛坪）、湖北。

2. 象蜡蝉属 *Dictyophara* Germar，1833

Dictyophara Germar，1833：175. **Type species**：*Fulgora europaea* L.，1767.

Pseudophana Burmester，1835：159. **Type species**：*Fulgora europaea* L.，1767.

Avephora Bierman，1910：123. **Type species**：*Avephora pasteuriana* Bierman，1910.

属征：体色几乎均为绿色或草绿色，无明显橘红色条带或斑。头突明显，但形状、大小多变化，延伸成圆柱形或近圆锥形，有时明显向上翘起。头顶侧缘脊近平行或朝前会聚，末端呈圆头形，绝非箭头形，后缘略内凹；中脊完整或仅在基部两眼间锐利。额宽，侧缘脊状，后缘内凹；具中脊和亚侧脊，亚侧脊伸至额唇基缝。后唇基中域隆起，中脊明显。喙细长，伸达后足基节。前胸背板横宽，前缘凸出呈弓形，后缘呈弧形内凹；中脊锐利，亚侧脊完整或仅前方明显。中胸背板具纵脊3条，两侧脊锐利近平行。前翅半透明，翅痣区不显著，内有分叉的小横脉；前端1/3多横脉，形成复杂的网格状。足中等长，前足腿节末端不扩张，近端部或具多个小刺；后足胫节有5~7根侧刺，后足刺式7-(15~20)-(14~19)。雄虫阳茎干基部和两侧骨化，背面、腹面膜质；背面端部伸出1对膜质囊状的阳茎干突，短小，指向后方；腹面端部伸出1对球状膜质囊状的阳茎干突，四周生有许多骨化的长刺；两侧呈"U"形凹槽，阳茎突从凹槽伸出，末端尖锐，骨化。尾节侧面观狭长，后缘中央略隆起，但不形成明显的突起。肛节宽大，肛刺突粗长。阳基侧突宽大，顶缘宽圆，顶背缘突短而尖锐，内侧生有许多刺状毛。

分布：古北区。秦岭地区发现1种。

(3) 东北象蜡蝉 *Dictyophara nekkana* Matsumura，1940（图版46：C）

Dictyophora［sic！］*nekkana* Matsumura，1940：17.

Dictyophara nekkana：Metcalf，1946：171.

Dictyophara kaszabi Dlabola，1967：137.

鉴别特征：本种与朝鲜象蜡蝉 *D. koreana* Matsumura，1915 相近，但可以从以下特征区别：头突明显更长；头突侧缘脊轻微朝前会聚，而后者会聚明显；前胸背板侧脊完整，几乎伸达后缘，而后者仅在前端明显。本种与欧洲象蜡蝉 *D. europaea*（L.，1767）的不同之处在于：头突明显向上翘起，长度更长；前翅前端多横脉，翅脉呈复杂的网格状。

采集记录：2♀，华阴，450m，1972.Ⅷ.09，王书永采。

分布：陕西（华阴）、黑龙江、吉林、辽宁、北京、河北、天津、内蒙古、山西、甘肃、山东；蒙古，俄罗斯，朝鲜。

3. 彩象蜡蝉属 *Raivuna* Fennah，1978

Raivuna Fennah，1978：175. **Type species**：*Raivuna micida* Fennah，1978.

属征：体大部分为黄褐色或黄绿色；额亚侧脊间多具橙色条带，其间中脊为浅绿色；前胸背板中脊为浅绿色，两侧常为橙色近三角形条带，亚侧脊区域为浅绿色长条，两侧为长四边形橙色斑，侧缘仍为浅绿色；中胸背板为棕褐色，纵脊为浅绿色或淡黄色；足淡黄褐色，但基节为深褐色，腿节和胫节两侧常具2列深褐色条纹。头突长，头长明显大于或接近前胸背板和中胸背板长度之和，向前伸成圆柱形，有时明显向上翘。头顶侧缘脊近平行或略朝前会聚，末端近三角形，后缘适度内凹；中脊仅在基部两眼间明显，剩余部分模糊或不可见，侧缘强烈脊状或不锐利。额宽，侧缘脊状，后缘内凹；

具中脊和侧脊，亚侧脊伸至复眼之间，但不到额唇基线。后唇基中域隆起，中脊明显。喙细长，伸达后足基节。前胸背板横宽，中脊锐利，无亚侧脊或仅前部略明显。中胸背板具纵脊 3 条，两侧脊近平行。前翅透明或略呈烟雾色，有时具明显的褐斑；翅痣明显。足中等长，前足腿节末端不扩张，近端部或具多个小刺；后足胫节有 4~5 个侧刺，后足刺式 7-(14~22)-(12~18)。雄虫阳茎干基部和两侧骨化，基部或端部生有许多骨化的长刺；阳茎突短，不伸出阳茎干。尾节侧面观后缘近平直或形成明显的突起。肛节宽大，肛刺突粗长。阳基侧突宽大，内侧生有许多刺状毛。

　　分布：古北区，东洋区。秦岭地区发现 1 种。

（4）中华彩象蜡蝉 *Raivuna sinica*（**Walker**，**1851**）（图版 46：D）

Dictyophara［sic！］*sinica* Walker，1851：321.

Dictyophara［sic！］*inscripta* Walker，1851：322.

Dictyophara［sic！］*insculpta* Walker，1858：67.

Raivuna sinica：Fennah，1978：256.

　　鉴别特征：本种与伯瑞彩象蜡蝉 *R. patruelis*（Stål，1859）的区别为尾节后缘无明显突起，末端呈三角形阳茎干基部圆柱形，腹面端部伸出 2 对阳茎干突，仅端部具长刺。

　　采集记录：1 ♀，宁陕寨沟村，1041m，2013.Ⅶ.15，宋志顺采。

　　分布：陕西（宁陕）、北京、河北、天津、上海、江西、海南、香港、重庆；朝鲜，日本，老挝，泰国。

二、菱蜡蝉科 Cixiidae

王满强[1]　　王应伦[2]

（1. 陕西省商洛市植保植检站，陕西商洛 726000；

2. 西北农林科技大学昆虫博物馆，陕西杨凌 712100）

　　鉴别特征：体小型，体略狭长，常扁平。头不向前延长，窄于前胸背板。头顶前缘平截或弓形突出，侧脊轻微或片状隆起。额平坦或隆起，通常长大于宽；中脊明显或弱，上部常分叉，侧脊略微或片装隆起；额和唇基连在一起呈椭圆形或长菱形。唇基常呈三角形。复眼位于头两侧；单眼 3 个。触角短，着生于复眼下方；柄节宽短，圆柱形；梗节膨大，圆球形或椭球形，上面着生着乳头状的感觉器；鞭节髭状，基部略膨大。前胸背板通常很短，衣领状，两侧下斜，具中脊和围眼脊，后缘钝角或锐角凹入；中胸背板大，菱形，扁平或稍鼓起，常有 3~5 条纵脊。前翅膜质，前缘区狭，无横脉；有翅痣；亚前缘脉与径脉在基部合并；径脉与中脉分支少，形成极简单的网状；爪缝明显；2 个爪脉在近端部合并，呈"Y"形。后翅亚前缘脉与径脉有长距离愈合，通常径脉2个分支，中脉3个分支。

分类：世界已知181属2112种，中国分布有27属178种，陕西秦岭地区记录2属4种。

分属检索表

头顶很狭，侧脊叶状隆起，成"V"形深狭槽状，亚端脊向前愈合成尖锐角；后足第1跗节端刺6个，阳茎鞭节背向弯曲 ················· **冠脊菱蜡蝉属 *Oecleopsis***

头顶宽，平坦或适度凹陷，非深狭槽状，亚端脊扁平弓状或向前聚合和头顶前缘脊中部接触；后足第1跗节端刺7~8个，阳茎鞭节弯向左侧 ················· **瑞脊菱蜡蝉属 *Reptalus***

4. 瑞脊菱蜡蝉属 *Reptalus* Emeljanov, 1971

Reptalus Emeljanov, 1971: 621. **Type species**: *Cixius quinquecostatus* Dufour, 1893.

属征：头顶呈长方形、较扁平，亚端脊弓状，以2条纵脊和头顶前缘相连，中脊仅基部明显。颜面中单眼小而清晰。前胸背板短，很窄，中脊和侧脊明显，后缘中部角度状凹入。中胸背板具5条明显的纵脊。后足第1跗节有成排的端刺7~8个，第2跗节有成排的端刺7~10个；第2跗节除两侧端刺外其余端刺具膜质齿或2~3个很细的刚毛状刺。雄虫尾节后侧缘波浪状，左右不对称。抱器左右亦不对称，端部复杂，其内侧面具典型的、大的回折突起；左抱器常具长指状突起。阳茎鞘右侧基部具1个大刺突，其基部常伴生1个小刺。

分布：古北区，东洋区，新北区，非洲区。秦岭地区发现1种。

(5) 四带瑞脊菱蜡蝉 *Reptalus quadricinctus* (**Matsumura, 1914**)（图版47：A - B）

Oliarus quadricinctus Matsumura, 1914: 419.

Oliarus trifasciatus Metcalf, 1954: 605.

Reptalus quadricinctus: Anufriev & Emeljanov, 1988: 464.

鉴别特征：雄虫体连翅长5.00~5.30mm，雌虫体连翅长5.60~6.20mm。体深褐色，头顶呈五角形，边缘浅褐色，近前缘处有1个横脊，两侧线外斜，后缘明显凹入成角度状。额与唇基连成一体，呈橄榄形，侧缘与中脊淡赭色。复眼圆形，黑褐色。前胸很窄，黑色，边缘脊起，中脊及缘脊浅赭色。前翅近透明，浅褐色，翅基部和端部褐色，近中部和近端部具有2条褐色宽横带，翅脉淡黄色，密被黑色小颗粒，翅痣狭三角形，褐色。后足胫节外侧具有3个刺。

采集记录：1♀，太白山蒿坪寺，1982.Ⅴ.11，冯纪年采；37♂31♀，佛坪，1990.Ⅷ.01，王应伦、王美南采；1♂1♀，石泉，1981.Ⅵ.13，向龙成采。

分布：陕西（太白山，佛坪、宁陕、石泉、宁强）、吉林、甘肃、安徽、浙江、湖北、湖南、福建；俄罗斯，日本。

5. 冠脊菱蜡蝉属 *Oecleopsis* Emeljanov，1971

Oecleopsis Emeljanov，1971：621. **Type species**：*Oliarus artemisiae* Matsumura，1914.

属征：头明显窄于前胸背板，头顶很狭，侧脊叶状隆起，使头顶成"V"形深狭槽状，亚端脊向前愈合成尖锐角，和前缘脊中不接触。颜面成拉长的菱形。额常黑色，无斑点或斑纹，中脊端部分叉宽度在窄头顶的种类中和头顶前缘脊等宽，在较宽头顶的种类中相当于头顶前缘脊宽的1/2。中单眼小而清晰。前胸黑色，脊和边缘黄色。中胸有5条明显的纵脊。前翅狭长，长约为宽的3.00～3.60倍，前缘脉、爪缝（CuP）无颗粒；翅痣发达，三角形；Sc+R脉分叉在CuA脉分叉的后端，RA脉不分支，RP脉3分支，MA脉3分支，MP脉2分支，Cu脉2分支；r-m脉位于M脉第1分叉的基部；端室10～11个。后足胫节端刺6个，外侧具4个刺。雄虫肛节不对称，后缘钝圆，向下弯曲；肛节左侧缘平直或略凸出，右侧缘近端部有1个大缺口。尾节侧瓣三角形，左右对称或近似对称。抱器端部有横向的齿状突，腹面观呈"T"形。阳茎鞭节沿背向弯曲，端部有1个或多个刺突，常有1～2个亚端刺，阳茎鞘右侧在近阳茎顶处常有1个刺。雌性前生殖腹板后缘中部凹陷。肛节小，矩形。第1产卵瓣非常短，基部宽，端部尖细；第2产卵瓣退化；第3产卵瓣发达，基部联生。

分布：东洋区。秦岭地区发现3种。

分种检索表

1. 阳茎鞭节端刺不分叉 ………………………………………………… **锥冠脊菱蜡蝉** *O. spinosus*
   阳茎鞭节端刺二分叉 ……………………………………………………………………… 2
2. 阳茎鞭节端刺分叉的右支长约为左支长的1.50倍，右支粗约为左支粗的2倍，亚端刺2个，阳茎鞘右侧刺短 ……………………………………… **武夷冠脊菱蜡蝉** *O. wuyiensis*
   阳茎鞭节端刺分叉的左支退化，仅为1个小凸起，亚端刺2个，阳茎鞘右侧刺短 ……………
   ……………………………………………………………… **天台冠脊菱蜡蝉** *O. tiantaiensis*

(6) 锥冠脊菱蜡蝉 *Oecleopsis spinosus* Guo，Wang *et* Feng，2009（图版47：C–D）

Oecleopsis spinosus Guo，Wang *et* Feng，2009：54.

鉴别特征：体长6.00～7.10mm。头顶黑色，中脊仅在基部1/2明显，外侧缘具有 1 个黄色圆斑；额深褐色，中脊和侧脊黄色；喙深褐色，伸达后足基节。复眼淡黑褐色。前翅浅黄色，半透明，长是宽的 3.20 倍，翅脉黄色，颗粒褐色无毛。足腿节褐色，胫节和跗节黄色；后足胫节外侧具有 3 个刺。本种与中华冠脊菱蜡蝉 *Oecleopsis sinicus* (Jacobi, 1944)相似，与后者的主要区别是：1)阳茎鞭节端刺不分叉，成锥状，弯曲指向右下方；2)背面的亚端刺基部膨大，端部尖细，弯曲指向左前方，腹面亚端刺也是基部特别膨大，从中部猛然缢缩并逐渐变细变尖，弯曲指向左下方；3)阳茎鞘右侧在近阳茎顶处刺相对于后者更短小。

采集记录：1♂，佛坪，1991.Ⅷ.01，王应伦、姜红采；1♂，佛坪，1991.Ⅷ.01，王应伦、姜红采；1♀，佛坪，1990.Ⅷ.02，王应伦、王美南采。

分布：陕西(佛坪)。

(7)武夷冠脊菱蜡蝉 *Oecleopsis wuyiensis* Guo，Wang *et* Feng，2009(图版 47：E–F)

Oecleopsis wuyiensis Guo，Wang *et* Feng，2009：56.

鉴别特征：体长 5.50 ~ 7.30mm。头、胸及腹部黑褐色，脊起及边缘黄色。头顶外侧具有 1 黄色圆斑，额黑色。复眼黑褐色。前翅浅黄色，半透明，长是宽的 3 倍，翅脉黄色，翅面颗粒与翅脉同色色，前缘脉和爪缝无颗粒，翅痣黄色至褐色。腿节褐色，胫节和跗节黄色；后足胫节外侧具有 3 个刺。本种与中华冠脊菱蜡蝉 *Oecleopsis sinicus* (Jacobi, 1944)相似，与后者的主要区别是：阳茎鞭节端刺分叉不对称，分叉右支长而粗，左支细小，右支长约为左支的 1.80 倍；背面的 1 个较长的亚端刺，逐渐变尖，弯曲，指向头上方；腹面具 1 个锥状亚端刺，向左前下方弯曲。

采集记录：2♂，佛坪，1990.Ⅷ.02-04，王应伦、高小军采；1♂，佛坪，1990.Ⅷ.02，王应伦、姜红采。

分布：陕西(佛坪)、河南、湖南、福建。

(8)天台冠脊菱蜡蝉 *Oecleopsis tiantaiensis* Guo，Wang *et* Feng，2009(图版 47：G–H)

Oecleopsis tiantaiensis Guo，Wang *et* Feng，2009：54.

鉴别特征：体长 5.80 ~ 7.20mm。头、胸及腹部黑褐色，脊起及边缘黄色。头顶外侧具有 1 个黄色圆斑，额黑色。复眼灰褐色。前翅淡黄色，半透明，长是宽的 3.00 ~ 3.10 倍，翅脉黄褐色，颗粒褐色，前缘脉和爪缝无颗粒，翅痣黄色到褐色。腿节褐色，胫节和跗节黄色；后足胫节外侧具有 3 个刺。本种与中华冠脊菱蜡蝉 *Oecleopsis sinicus* (Jacobi, 1944)相似，与后者的主要区别是：1)阳茎鞭节端刺分叉的左支退化，仅为 1 个小凸起；背面亚端刺基部宽大，中部猛然缢缩，逐渐变尖，弯曲，指向头上方；2)腹面亚端刺较长，锥状，弯曲，指向左前下方；3)阳茎鞘右侧在近阳茎顶处刺短小。

　　采集记录：1♂3♀，佛坪自然保护区，1990. Ⅷ. 02，王应伦、姜红采；2♂21♀，汉中天台，1980. Ⅷ，魏建华采。

　　分布：陕西(佛坪、汉中)。

三、颖蜡蝉科 Achilidae

王满强[1]　王应伦[2]

（1. 陕西省商洛市植保植检站，陕西商洛 726000；
2. 西北农林科技大学昆虫博物馆，陕西杨凌 712100）

　　鉴别特征：颖蜡蝉科 Achilidae 是半翅目 Hemiptera 蜡蝉总科 Fulgoroidea 中 1 个较小的类群。中型种类，体扁平，休息时前翅爪区以后部分左右互相重叠。头通常小，狭而短，极少突出成明显的头突。复眼常大，腹面有明显的凹入。触角小，柄节极短，梗节球形或卵形，鞭节中等长。前胸背板短，颈状；后缘凹入成角度，有时长而有 3 条脊线。中胸背板大或很大，菱形，有 3 条脊线，前缘强度向前突出。肩板通常大。前翅通常大翅型，基部 2/3 明显加厚，端部 1/3 明显不同，在爪片外向后扩大并互相重叠，略与半翅目相似；后翅相当大，脉纹较简单。足细而短；后足胫节稍长，有 1 个或 1 个以上的短刺；后足跗节第 2 节大，端部有 1 列短小而强的刺。雄性生殖器退化相当严重，生殖板小，阳茎有基鞘，内阳茎小。

　　分类：世界已知 100 属 300 多种，中国记录 20 余种，陕西秦岭地区发现 2 属 4 种。

分属检索表

头顶不突出或稍突出，但不超过复眼的 1/2；后足胫节外侧无刺 …………… **马颖蜡蝉属 *Magadha***
头顶向前突出的部分超过复眼的 1/2；后足胫节外侧有 1 个刺 ………… **卡颖蜡蝉属 *Caristianus***

6. 马颖蜡蝉属 *Magadha* Distant, 1906

Magadha Distant, 1906：290. **Type species**：*Cixius flavisigna* Walker, 185：348.

　　属征：头窄于前胸背板，顶短，后缘凹陷呈波曲状，侧缘明显呈脊状，中域凹陷，有中脊但仅达顶的 2/3(自基部)，额长，长为宽的 2 倍，中脊明显，侧缘呈钝片状脊。前胸背板前缘呈圆锥突出，后缘凹入呈钝角状，有纵脊 3 条；中胸背板亦有纵脊 3 条，在其中域前面 1/3 处有 1 个横胝。前翅狭长，外缘圆形，后缘近爪片处内凹，基部 2/3 处的脉为纵脉，在接近外缘处有 1 列规则的横脉。后翅较前翅宽大。足长度适中，后足胫节外侧无刺，基跗节延长。

分布：中国；印度，孟加拉国。秦岭地区分布 2 种。

(9) 陕西马颖蜡蝉 *Magadha shaanxiensis* **Chou et Wang, 1985**（图版 48：A－C）

Magadha shaanxiensis Chou et Wang, 1985：200.

鉴别特征：体长 5mm。头顶基部宽度为中线长度的 1~2 倍，侧缘中部和两基角处分别具有 1 个褐色小斑，近前缘中线两侧分别具有 1 条褐色细纵纹。额侧缘各具 7 个深褐色小斑，基部的斑最大，近端部 2/3 散布有深褐色点粒，中脊明显隆起；唇基中脊隆起，近基部具深褐色斑纹 2 条；喙伸达后足基节。触角下方具 1 个淡黄色大斑；复眼黑色，圆形，单眼血红色。前胸背板前缘略呈弧形，后缘弧形凹入，具纵脊 3 条，侧域具 4 个深褐色小斑；中胸背板发达，中线长度为头顶和前胸背板长度之和的 2 倍，具纵脊 3 条，中域近基部 2/3 处为深褐色条斑。前翅淡褐色，近透明，翅痣褐色，纵脉具褐色颗粒，外缘色深，外缘室各具 1 个淡色小圆斑；端横脉乳白色，前缘脉分别 10 个褐色小斑和 2 个大褐色条斑，翅基部及爪片色深，具不规则斑点；后翅淡褐色，脉纹褐色。腹部褐色，其节间黄色。足淡褐色，腿节和胫节各具褐色小斑，后足胫节侧有刺 1 个，端部有小刺 7 个。

采集记录：1♀，周至楼观台；1962.Ⅷ.17，杨集昆采；1♂4♀，周至楼观台，1962.Ⅷ.10，1962.Ⅷ.13，1962.Ⅷ.16，杨集昆采。

分布：陕西（周至）。

(10) 太白马颖蜡蝉 *Magadha taibaishanensis* **Wang, 1989**（图版 49）

Magadha taibaishanensis Wang, 1989：95.

鉴别特征：体长 7mm。头褐色，头顶中域凹陷，基部宽度为中线的 1.40 倍；额黑褐色至褐色，狭长；喙深褐色，伸达后足基节；颊较狭，深褐色，中部黄褐色。复眼黑褐色，椭圆形，单眼淡红色。触角柄节黄色，梗节褐色，具淡色点粒。前胸背板灰褐色，前缘弧形突出两复眼之间，后缘内凹呈角状，具 3 条脊，侧脊后半部向外斜，略呈弧形，中脊与侧脊之间具 1 个淡褐点，腹侧域具 1 条黑褐色宽带；中胸背板具脊 3 条，侧脊近平直，中域近后缘 2/3 处为黑褐色，在此区域的中脊两侧分别有 1 个淡红色小圆点。肩板淡褐色。前翅狭长，爪片明显扩大，色略深，前缘域近中部和近端部具有 2 个灰白色条斑；翅脉黑褐色。足淡褐色，后足胫节端部具黑色小刺 7 个。腹部黑褐色，肛节褐色。

采集记录：1♀，太白山，1984.Ⅷ.06，陈彤采。

分布：陕西（太白）。

7. 卡颖蜡蝉属 *Caristianus* Distant，1916

Caristisnus Distant，1916：63. **Type species**：*Caristisnus indicus* Distant，1916.

属征：头包括复眼明显比前胸背板窄。头顶略倾斜，其中线处长，大约是基部宽的 1.30 倍，约一半突出复眼前方；中域明显凹陷，具中脊，其端部不明显；前缘脊起，明显突出，侧缘强脊状，后缘波状凹入。额侧面观略突出，在中线的长大约是宽的 1.80 倍，基部最宽处大约是端部的 3 倍，端部截形，中脊明显。唇基大约是额长的 1/2，侧缘脊状，有中脊。单眼几乎接触复眼，复眼下缘明显凹入。触角梗节近似球状。前胸背板短，在复眼之后的长度大约等于中线长度，中域前缘截形，后缘角状凹入，具 3 条纵脊，复眼与肩板之间有 2 条不完整的纵脊。中胸背板的长度大于头顶与前胸背板之和，有 3 条纵脊。前翅长为宽 3 倍，前缘略突出，Sc＋R 脉在基部 1/4 处分叉，M 脉分叉在结线外，Cu_1 脉分叉位于爪片的端部；翅痣之后有 7 个端室。爪片伸达翅中部之后，其后缘扩大。后翅短于前翅，但较前翅宽，在端域有 2 条横脉。足细长。后足胫节中部外侧有 1 个刺；基跗节较长。

分布：中国；印度，斯里兰卡。秦岭地区发现 2 种。

(11) 佛坪卡颖蜡蝉 *Caristianus fopingensis* Chou，Yuan *et* Wang，1994（图版 48：D－G）

Caristianus fopingensis Chou，Yuan *et* Wang，1994：40.

鉴别特征：体长 4.70mm，翅展 8.40mm。头乳黄色，头顶呈长方形，前缘钝圆，侧缘在中部外方，基部内外方分别有 1 个褐色横纹，后缘波状凹入，在中线之长度约是基部宽度的 1.20 倍。额端部狭，基部扩大，呈狭三角形，中线之长大约是基部宽的 1.50 倍，中域紫褐色，下部两侧角有 1 个极小的乳白色斑，中脊在下部 1/4 明显，侧缘强脊片状，其外方有 5 条黑褐色横斑纹；唇基中域隆起，基中部有 1 个紫褐色倒"T"形大斑；喙较长，超过中足基节。复眼黑褐色，下缘有 1 个黑色"U"形缺刻；单眼乳黄色，略带红色。前胸、中胸具 3 条纵脊；前胸背板适度地短，中胸背板中线之长大约是头与前胸背板之和的 1.90 倍。前翅狭长，前缘在中部有 1 条前狭后宽的乳黄色波状带，爪片后缘突出，外缘弧形。后翅较前翅宽，淡紫褐色。后足基跗节的长度大约是其余两节的 2 倍。腹部各节端缘有黄褐色细横纹；肛节基部宽，端部略窄，端缘呈圆弧形凹入。

采集记录：3♂2♀，佛坪，1990.Ⅷ.01，王应伦、王美楠采。

分布：陕西（佛坪）。

(12) 紫阳卡颖蜡蝉 *Caristianus ziyangensis* Chou, Yuan *et* Wang, 1994(图版48：H－I)

Caristianus ziyangensis Chou, Yuan *et* Wang, 1994：41.

鉴别特征：体长4.50mm，翅展10mm。头顶呈长方形，中线处长约是基部宽的1.20倍，后缘呈波状凹入，中脊明显。额端部尖，基部宽，呈狭三角形，中域下部1/2乳黄色，上部1/2紫褐色，中脊明显，侧缘强脊片状，在中上部处有两细两粗的黑褐色横纹，中脊明显，侧缘强脊片状。唇基中域隆起，中脊显著，侧缘脊状。喙超过中足基节。复眼红褐色，椭圆形，下缘有1个近似半圆形缺刻；单眼淡黄褐色，周围红色。前胸、中胸有3条纵脊；前胸背板短，中胸背板中线处长约是头顶与前胸背板之和的1.62倍。前翅狭长；爪片后缘扩大，外缘钝圆；前缘在中部有1条前狭后宽的乳白色波状带，在此带后方沿顶角外缘有7个乳白色小斑，其中前4个相对较大而明显。后翅较前翅宽，脉纹黑褐色，外缘红色。后足基跗节的长度大约是其余2节的1.90倍。腹部腹面各节端缘有黄色细横纹。肛节基部宽，端部略窄，端缘呈"V"形凹陷。尾节背面短，腹面长，腹中突基部宽，近端部渐窄，末端尖锐；外侧缘弧形，内侧缘较直。

采集记录：1♀，略阳，1984.Ⅷ.04，唐周怀采。

分类：陕西(略阳、紫阳)、云南。

四、脉蜡蝉科 Meenopliidae

王满强[1]　　王应伦[2]

(1. 陕西省商洛市植保植检站，陕西商洛 726000；

2. 西北农林科技大学昆虫博物馆，陕西杨凌 712100)

鉴别特征：脉蜡蝉科 Meenopliidae 是半翅目 Hemiptera 蜡蝉总科 Fulgoroidea 中1个较小的类群，体小型，极狭。头小，顶与额通常阔，侧脊线强度突起；额有或无中纵脊；下唇末节长。常有中单眼。前胸背板短，宽于头部，脊线明显或消失；中胸盾片大，菱形，有1或3条纵脊；肩板大。前翅通常多为大翅型，休息时呈屋脊状放置，脉相同菱蜡蝉科，爪片脉纹上有颗粒。腹部狭，第6~8节有蜡孔。该科与菱蜡蝉科十分相似，主要区别在于爪脉有颗粒。

分类：世界已知11属80余种，中国记录十多种，陕西秦岭地区发现1属1种。

8. 粒脉蜡蝉属 *Nisia* Melichar, 1903

Nisia Melichar, 1903：53. **Type species**：*Meenoplus atrovenosa* Lethierry, 1888.

属征：头包括复眼窄于前胸背板，顶和额连成一体，无明显的分界，侧缘呈脊状，并近于平行；唇基仅具中脊，无侧脊；喙的端节小。前胸背板短，后缘凹入呈钝角状，具中脊；中胸背板具3条纵脊。前翅狭长，纵脉在亚端线外较直且较粗壮，其中在端域的第2条和第4条的端部呈叉状；两爪脉在爪片近端部合并，第1爪脉上具颗粒状突起。后翅较前翅短而略狭。后足胫节具有1个刺。

分布：古北区，东洋区，非洲区，澳洲区。秦岭地区发现1种。

(13) 雪白粒脉蜡蝉 *Nisia atrovenosa* (**Lethierry, 1888**)（图版 50）

Meenoplus atrovenosa Lethierry, 1888：466.

Nisia atrovenosa：Melichar, 1903：53.

鉴别特征：体长 2mm，翅展 8mm。头及前胸背板淡褐色。头顶到额两侧呈脊状突起，侧脊内侧有褐色颗粒状突起，中域浅褐色并呈凹陷状。唇基中域隆起，中脊明显。复眼圆形，深褐色。触角浅褐色，梗节明显膨大，为柄节长度的3倍。前胸背板极短，后缘凹入呈钝角；中胸背板褐色。腹部浅褐色。前翅淡褐色，半透明，基部窄，端部宽，外缘弧形；翅脉褐色。后翅灰白色，半透明，翅脉浅褐色。足淡褐色。

采集记录：1♂1♀，佛坪龙草坪，1980.Ⅷ，魏延华采。

分布：陕西（佛坪）、江苏、浙江、湖南、江西、福建、台湾、广东、四川、贵州；朝鲜，日本，印度，斯里兰卡，菲律宾，新加坡，印度尼西亚，巴基斯坦，欧洲，非洲，澳洲。

五、袖蜡蝉科 Derbidae

王满强[1]　　王应伦[2]

（1. 陕西省商洛市植保植检站，陕西商洛 726000；

2. 西北农林科技大学昆虫博物馆，陕西杨凌 712100）

鉴别特征：袖蜡蝉科 Derbidae 隶属于半翅目 Hemiptera、蜡蝉总科 Fulgoroidea。多为小到中型，它区别于蜡蝉总科其他科的主要特征为：头部侧扁，额狭，通常基部汇合；翅薄而易碎，前翅狭长，翅脉多呈梳状。

分类：主要分布于热带及亚热带地区，我国大部分省区均有分布，其中以南方各省区分布的种类居多。世界已知 100 余属 900 多种，中国记录 50 多种，陕西秦岭地区发现 5 属 5 种。

寄主：多生活于棕榈类、芭蕉类及禾本科植物上，刺吸植物汁液而夺取植物营养，分泌露水样蜜露使植物发霉，有些种类可传播病害，是一类重要的农林害虫。

分属检索表

9. 寡室袖蜡蝉属 *Vekunta* Distant，1906

Temesa Melichar，1903：40. **Type species**：*Temesa tenella* Melichar，1903.

Vekunta Distant，1906a：8（new name for *Temesa* Melichar，1903）.

属征：头顶近四边形，基部通常凹入，基宽大于端宽及中长，中域凹陷，两侧及端部有感觉窝；额为长四边形，两侧脊明显脊起，无中脊；头顶与额间有 1 条横脊分开，侧面观呈角状凸出；后唇基 3 条纵脊明显脊起；触角短，梨形；触角下突小；单眼存在。前胸背板具侧脊，两侧不角状凸出。前翅狭，长大于宽的 3 倍，翅基部前缘脉前区宽，亚前缘室短，R 与 M 脉有相接或具一小段愈合后分开，M 脉具 2 室，沿 C 脉和第 1 爪脉生有蜡孔。后翅略短于前翅，M 脉 2 分支，Cu_1 脉 3 分支。后足刺式 7-6-6。雄虫肛管基部叉状；生殖刺突外侧中部明显具 1 个纵脊。

分布：东洋区。秦岭地区发现 1 种。

（14）兰屿寡室袖蜡蝉 *Vekunta kotoshoni* Matsumura，1940（图版 51：A – B）

Vekunta kotoshonis Matsumura，1940：47.

鉴别特征：体长 6.00 ~ 6.50mm，翅展 6.70 ~ 7.00mm。体黄褐色。顶和额的脊起灰黑色。前胸背板黄色，中胸背板褐色，中胸侧板两侧各 1 个黑色圆斑。前翅污白色，前缘和内缘有 1 个黑褐色宽带，翅脉灰白色；后翅白色，翅脉褐色。顶基部宽是中线长的 1.50 倍，端部略狭于基部。额中脊是端部最宽处的 2.30 倍。前翅长是翅面最宽处的 3.30 倍，R 脉和 M 脉有 1 段小距离汇合。

采集记录：2♂，太白，1981.Ⅷ.13，采集人不详。

分布：陕西（秦岭）、北京、台湾、四川。

10. 红袖蜡蝉属 *Diostrombus* Uhler，1896

Diostrombus Uhler，1896，19：283. **Type species**：*Diostrombus politus* Uhler，1896.
Drona Distant，1906a：305. **Type species**：*Drona carnosa* Distant，1906.
Camma Distant，1907：404. **Type species**：*Camma dilatata* Distant，1907.

属征：头部（包括复眼）比前胸背板狭；头顶狭长，近三角形，侧脊发达，并向前突出于复眼之前；额狭，额侧脊分离，近平行，并与顶的侧脊相连；唇基大，后唇基具 3 条纵脊，有时两侧脊不显著；喙粗壮；单眼退化；触角短小，柱状，柄节长大于宽，鞭节着生点位于柄节近端部。前胸背板狭，后缘深深凹入；中胸背板大，适度隆起，有时具纵脊。前翅宽大，从近中部向基部渐窄，端部常平截，径室狭长，中室 6～7 个；后翅短而狭，长约为前翅的 1/3，端部尖，M 脉 2 分支，Cu_1 脉 2 分支，臀叶大，发音器发达。足中等长，后足胫节无刺，后足刺式 4-8-(8～9)。

分布：世界广布。秦岭地区发现 1 种。

（15）红袖蜡蝉 *Diostrombus politus* Uhler，1896（图版 51：C – D）

Diostrombus politus Uhler，1896：283.

鉴别特征：体长 4mm，翅展 18mm。体橘红色。喙第 2 节浅褐色，第 3 节黑褐色，呈瘤状。复眼腹面极度切入，向前突出达触角窝的背缘，触角第 2 节长是宽的 1.80 倍。前胸背板后院两侧黄色；中胸背板中域隆起且光亮，后缘黄白色。前翅淡黄褐色，半透明，翅脉黑褐色；长是宽的 3.45 倍，具 7 个中室，第 1 中室分支，Cu_1 分支，Cu_{1a} 和中室有一小段汇合；后翅臀叶大，后翅淡黄褐色，端部 1/3 黑色，窄短，不到前翅的 1/3，前缘近中部具 1 个褐色圆斑，具发达的臀瓣，M 脉在近端部分支。足细长，前中足胫节褐色，后足胫节黄褐色。雄虫抱器发达，呈钳状，端部 1/2 褐色，末端黑褐色。

采集记录：1♂，山阳，2013. Ⅷ. 17，王满强采；1♂，宁强，1984. Ⅶ. 29，采集人不详。

分布：陕西（山阳、宁强）、辽宁、甘肃、浙江、福建、台湾、海南、四川、贵州、云南；朝鲜，韩国，日本。

寄主：水稻、栗、麦、甘蔗、高粱、玉米、稗、芦等禾本科植物，柑橘，柚子。

11. 长袖蜡蝉属 *Zoraida* Kirkaldy，1900

Derbe（*Thracia*）Westwood，1840：84. **Type species**：*Derbe sinuosa* Boheman，1838.

Thracia：Westwood，1841：10.

Zoraida Kirkaldy，1900：242（new name for *Thracia* Westwood，1840）.

属征：头包括复眼比前胸背板狭；头顶三角形；额侧脊汇合成 1 条线或分离，或者中部向下有 1 个小沟，向端部渐张开，侧面观额侧脊弧形近平直；后唇基比额短；触角长于额，柱状或扁平；复眼腹缘深凹；无单眼。前胸背板后缘中部凹入，具纵脊 3 条，侧脊不明显；前翅狭长，具 5 中室，Ms_1 分支，具 3～6 条中脉分支达后缘，Cu_1 分支；后翅短，M 脉简单，Cu_1 分 3 支。后足刺式 5 -（5～6）-（5～6）。雄虫尾节腹缘端部具中腹突。雌性生殖器正常。

分布：古北区，东洋区，非洲区，澳洲区。秦岭地区发现 1 种。

(16) 湖北长袖蜡蝉 *Zoraida hubeiensis* **Chou** *et* **Huang，1985**（图版 51：E－F）

Zoraida hubeiensis Chou et Huang，1985：57.

鉴别特征：体长 7mm，翅展 37mm。体淡褐色。头顶、颜面浅黄色；复眼深褐色。中胸背板淡褐色，纵脊淡黄色。前翅半透明，沿前缘从基部到顶角有 1 条深褐色纵带；翅脉褐色，但前缘褐色纵带内翅脉红色。后翅淡褐色，近透明，脉淡褐色。足细长，黄褐色。腹部背面褐色具黄色小斑点，腹面黄褐色。额两侧脊汇合；触角第 2 节约与额等长，柱形。中胸背板具 3 条纵脊。前翅狭长，M 脉 8 个分支，Ms_1 与 Cu 脉共有 5 个分支到达后缘。后翅窄，短于前翅的 1/2。后足刺式 5-7-6。

采集记录：2♀，太白山蒿坪寺，2009.Ⅷ.21，花保祯采。

分布：陕西（太白山）、湖北、广西。

12．幂袖蜡蝉属 *Mysidioides* Matsumura，1905

Mysidioides Matsumura，1905：60. **Type species**：*Otiocerus sapporoensis* Matsumura，1900.

Neocyclometopum Muir，1913：61. **Type species**：*Neocyclometopum sordidum* Muir，1913.

属征：头向前延伸，略超过复眼，端部平截；额两侧脊基部汇合，近端部分离，侧脊正面具小窝；唇基狭，约与额等长；触角短，略扁，触角下突发达。前胸背板侧脊及侧缘叶状。前翅基部狭，近端部加宽，M 与 R 脉在翅中部分离，M 脉 5 个分支，端部横脉连成亚端线。后翅长约为前翅的 2/3。后足刺式 4-5-5。

分布：中国；朝鲜，日本，印度，菲律宾。秦岭地区发现 1 种。

(17) 札幌幂袖蜡蝉 *Mysidioides sapporoensis*（**Matsumura，1900**）（图版 51：G－H）

Otiocerus sapporoensis Matsumura，1900：209.

Mysidioides sapporoensis：Matsumura，1905：125.

鉴别特征：体长 4mm，翅展 18mm。体黄褐色。头向前伸出略超过复眼；额两侧脊基部汇合，近端部分离；唇基约等于额长；触角短，触角下突发达。前胸背板狭，侧脊和侧缘叶状；中胸背板大，菱形。前翅灰白色，基半部具 3～5 个褐色小斑；M 与 R 脉在翅面近中部分离，M 脉 5 个分支，端部横脉连接成亚端线。后翅白色，三角形，稍短于前翅。雄虫抱器超过肛节，腹缘在中部加宽，内侧有 1 个小的圆突起，近端部渐细，呈圆锥状，向内弯曲。肛节阔，从基部向端部渐狭，端部中央深凹，形如 2 个刺。

采集记录：1♀，太白，1981. Ⅷ. 14，采集人不详。

分布：陕西（太白）、黑龙江、台湾；俄罗斯，朝鲜，日本。

13. 广袖蜡蝉属 *Rhotana* Walker，1857

Rhotana Walker，1857：160. **Type species**：*Rhotana latipennis* Walker，1857.
Genestia Stål，1858：450. **Type species**：*Genestia vitriceps* Stål，1858.
Decora Bierman，1910：19. **Type species**：*Decora pavo* Bierman，1910.

属征：头包括复眼明显比前胸背板窄，顶狭，三角形，侧缘强脊状，与额侧缘脊的连接处呈圆弧形；额脊通常基部汇合，或完全分离；触角短，触角下突通常非常发达，有时退化；喙管通常不超过后足基节。前胸背板复眼与肩板之间的侧脊发达，偶尔退化。前翅通常透明或半透明，前缘室 5 个，前缘及部分亚前缘脉有时强烈波状；Sc + R 的分叉点通常位于翅中部之前；基中室阔，M 脉与 Sc + R 通常在基中室中部或端部分离；Cu_1 与 Ms_1 以横脉相连，Ms_1 在基半部分支，Ms_1 或 Ms_{1a} 与 M 之间有 1 条横脉，Ms_1 基部形成 1 个三角形或不规则的四边形小室；Ms_2 不分支，Cu 基部和中部有时具有蜡孔。后翅 M 脉简单，Cu_1 脉 3 个分支，后足刺式 4-5-4。

分布：东洋区，澳洲区。秦岭地区发现 1 种。

（18）台湾广袖蜡蝉 *Rhotana formosana* Matsumura，1914（图版 51：I－J）

Rhotana formosana Matsumura，1914：295.

鉴别特征：体长 6.00～6.50mm。体淡黄褐色。头顶、唇基、触角淡黄色；复眼黑褐色。头小，额额侧脊下部汇合；触角下突发达。前胸背板短，黄白色；中胸背板淡褐色，中域隆起，具 3 条纵脊。前翅宽大，暗褐色半透明，大部分脉纹红色；基部大半部分有暗褐色斑区，端部 1/4 沿亚端线横脉具有 1 个黑褐色横带，带的末端与翅基部的暗色区域相连；前缘波形，长约为宽的 1.70 倍；M 与 Sc + R 于基中室近基部分叉；Ms₁ 与 M 主干之间有 1 条横脉连接，Ms₁ 基部形成 1 个三角形小室。后翅浅灰色，M-Cu₁ 横脉之间有深色斑。足淡黄色。腹部淡褐色。

采集记录：2♂，佛坪，1990. Ⅷ. 21，王应伦、王美南采。

分布：陕西(佛坪)、福建、台湾。

六、广蜡蝉科 Ricaniidae

王满强[1]　　王应伦[2]

(1. 陕西省商洛市植保植检站，陕西商洛 726000；

2. 西北农林科技大学昆虫博物馆，陕西杨凌 712100)

鉴别特征：广蜡蝉科 Ricaniidae 是半翅目 Hemiptera 蜡蝉总科 Fulgoroidea 中较小的类群之一。体中至大型，前翅宽大呈三角形，形似蛾，静止时翅覆于体背呈屋脊状。头宽广，与前胸背板等宽或近等宽，头顶宽短，边缘具脊，唇基比额窄，呈三角形，一般只有 1 条中纵脊；触角柄节短，第 2 节常近球形，鞭节短。前胸背板短，具中脊线；中胸背板很大，隆起，有 3 条脊线；肩板发达。前翅大，广三角形，端缘和后缘近等长，前缘多横脉，但不分叉，爪脉无颗粒；后翅小，翅脉简单，只有肘脉有较多的分支，横脉较少。后足第 1 跗节很短，短于第 2、3 跗节之和，端部无刺。该科与蛾蜡蝉科十分相似，主要区别在于体翅色多为黑褐色，爪片无颗粒。

生物学：是一类重要的经济作物害虫，为害茶树及苹果、柿、山楂等多种果树。

分类：古北区，东洋区，非洲区，澳洲区。世界已知 41 属 400 余种，中国记录 30 多种，陕西秦岭地区发现 3 属 4 种。

14. 疏广蜡蝉属 *Euricania* Melichar，1898

Euricania Melichar, 1898：393. **Type species**：*Pochzia ocellus* Walker, 1851.

属征：头和前胸背板等阔，顶短而阔；额宽大于长，有明显的中脊线和短的亚侧脊线；唇基只有 1 条中脊线。前胸背板很短，有中脊线；中胸背板很长，有 5 条脊线；亚侧左右各 2 条，内侧 1 条前端向内弯曲，在近前缘接近中脊线；外侧 1 条前段不太明显，后端与内侧 1 条合并成"Y"形。前翅广三角形，翅角圆，从基室发出 3 条纵脉；第 1 纵脉为 R₁ + R₅，在翅中部前分叉，第 2 条 M 与第 3 条 Cu 纵脉短，从基室下角分出，R₅ 与 M 间有横脉相连；纵脉分支较少，横脉在基半部极少，中部以后横脉连成 2 条横线，里面 1 条常弯曲成弧形。后翅短，中部以外有 2 条横脉，有些纵脉近端部分叉。后足胫节有 2 个侧刺。

分布：古北区，东洋区，澳洲区。秦岭地区发现1种。

(19) 透明疏广蜡蝉 *Euricania clara* Kato, 1932（图版52：A）

Euricania clara Kato, 1932：228.

鉴别特征：体长5~6mm，翅展19~23mm。体栗褐色，中胸背板颜色深，近黑褐色。前翅略带黄褐色，透明，翅脉均为褐色；前缘通常具褐色宽带，在此带近中部有1明显的黄褐色斑，近端部1/4处具1个不甚清晰的黄褐色短带；外缘及后缘褐色细纹（有的个体在外缘端部具1条褐色狭带纹）；翅面近基部中央有1个不明显的褐色小斑，在中部和近端部具有横脉组成的细中横线和外横线。后翅透明，翅脉褐色，翅的边缘围有褐色细纹。后足胫节外侧近端部有2个侧刺。

采集记录：1♂，户县涝峪，1951.Ⅶ.08，采集人不详；1♂2♀，商洛商州，2014.Ⅶ.23，王满强采。

分布：陕西（户县、商州）；日本。

15. 宽广蜡蝉属 *Pochazia* Amyot *et* Serville, 1843

Pochazia Amyot et Serville, 1843：528. **Type species**：*Falta fasciata* Fabricius, 1803.

属征：头包括复眼与前胸背板等宽，头顶短而阔，阔与长，具中脊和亚侧脊。额长大于宽，具中脊和侧脊，中脊通常明显。唇基无缘脊，大多无中脊，一些种类具或长或短的中脊。前胸背板窄，具中脊，中脊两侧常有明显的刻点。中胸背板大，具3条纵脊，中脊长而直，侧脊在中部分叉，外侧分叉常断裂，内侧分叉向中间倾斜，在端部靠近。前翅阔大，近三角形，外缘比内缘长；纵脉多分叉，前缘域的横脉及端部的纵脉排列整齐而紧密；靠近端部具有2条横脉组成的端横线，将翅端部分成许多长方形的端室和亚端室，通常端室比亚端室短。

分布：古北区，东洋区，新热带区，非洲区，澳洲区。秦岭地区发现1种。

(20) 电光宽广蜡蝉 *Pochzia zizzata* Chou *et* Lu, 1977（图版52：B）

Pochzia zizzata Chou et Lu, 1977：316.

鉴别特征：体长6~8mm，翅展20~24mm。体烟褐色，头部、胸部的腹面及足颜色稍淡。额中脊不完整，侧脊明显呈弧形弯曲指向唇基。前胸背板前缘隆起，具中脊，两侧各有1个刻点；中胸背板狭长，具3条纵脊，中脊直，侧脊在中部前分叉，其内叉在端部近乎相连。前翅大，三角形，黑色不透明，前缘近端部1/3处有1个透明三角形白斑，2/3 处有 1 条两度弯曲半透明横带，略呈"U"形，其前端与后端均不达翅的前缘与后缘；后翅中部具 1 条直的半透明中横带，翅褶处色浅近透明。后足胫节外侧具 2 个侧刺，有的个体具 2 个大刺和 1 个小刺。

采集记录：1♂1♀，长安石砭峪，1999. Ⅵ. 17，李宇飞采；3♀，周至厚畛子，1999. Ⅵ. 24，姚建采；8♂7♀，凤县，1981. Ⅵ. 05，采集人不详；8♀3♂，太白山七里梁，1990. Ⅶ. 19，王应伦采；20♂25♀，太白山，1200~1400m，1990. Ⅶ. 19，王应伦采；5♂6♀，太白山蒿坪寺，1200m，1981. Ⅶ. 05，周静若、刘兰采；3♂4♀，太白山下白云，1600m，1981. Ⅵ. 09，采集人不详。

分布：陕西(长安、周至、凤县，太白山)、甘肃、新疆、湖北、福建。

16. 广蜡蝉属 *Ricania* Germar, 1818

Ricania Germar, 1818：221. **Type species**：*Cercopis fenestrata* Fabricius, 1775.

属征：顶宽而短，不凸起，有 1 条中纵脊线；额宽大于长，很少长宽相等，有脊线 3 条，有时不太明显；唇基凸起，有中脊线。前胸背板与头同宽，狭，有中脊线；中胸背板大，隆起，有纵脊线 3 条，侧脊线在前方具 2 个分叉。前翅大，三角形；从基部分出 5 条脉纹，R_1 和 R_2 分别生出，很少从共干出来；M 有 2 个分支；Cu 接近爪片。后翅臀区仅有 1 条脉纹。后足胫节有 2 个刺。

分布：古北区，东洋区，新热带区，非洲区，澳洲区。秦岭地区发现 2 种。

(21) 八点广蜡蝉 *Ricania speculum* (**Walker, 1851**) (图版 52：C)

Flatoides speculum Walker, 1851：406.

Flatoides perforatus Walker, 1851：407.

Ricania malaya Stål, 1854：247.

Ricania speculum：Atknson, 1886：54.

鉴别特征：体长 6.00~7.50mm，翅展 16~18mm。体黑褐色。头胸部黑褐色至烟褐色，有些个体后胸、腹基节及足为黄褐色。头宽约等于前胸背板；额具中脊和侧脊，但不明显；唇基具中脊。前胸背板具中脊，两侧具明显点刻；中胸背板具纵脊 3 条，中脊长且直，侧脊近中部向前分叉，两内叉内斜在端部几乎汇合，外叉较短。前翅近端部 2/5 处有 1 个半圆形透明斑，该斑外下方有 1 个较大的不规则透明斑，内下方有 1 个较小的长远形透明斑，近前缘顶角处有 1 个很小的狭长透明斑；翅外缘有 2 个较大的透明斑，其中前斑形状不规则，后斑长圆形，内有 1 个小褐斑(有的个体该小斑消失，而有的个体该斑较大，将后斑分成 2 个)；翅面上散布白色蜡粉。后翅黑褐色半透明，中室端部有 1 个小透明斑。少数个体在近前缘处还有 1 个狭长的小透明斑，外缘端半步有 1 列小透明斑。后足胫节外侧具 2 个刺。

生物学：据观察，在陕西杨凌 1 年发生 1 代，以卵越冬。若虫在 5 月间孵化，群集在嫩枝上为害，其腹部末端腹有灰白色波状弯曲的蜡丝，约在 7 月中旬羽化为成虫，不久即可交配产卵。每雌虫能产卵 4 ~ 5 次，每次产卵间隔 6 ~ 7 天，7 月下旬至 8 月上中旬为产卵盛期，8 月中旬后进入产卵末期，每雌虫共约产卵 140 至 150 粒。1935 年至 1936 至在浙江一带曾严重为害柑橘，造成重大损失。

采集记录：3♂4♀，周至楼观台，1982.Ⅷ.26；1♀，周至楼观台，1987.Ⅷ.20，灯诱；1♂，凤县，1988.Ⅶ.18；1♀，凤县，1983.Ⅷ.21，路进生采；1♂2♀，太白山蒿坪寺，1982.Ⅶ.15，周静若、刘兰采；1♂，太白山中山寺，1982.Ⅶ.17，周静若、刘兰采；2♂1♀，太白，1990.Ⅶ.20，王应伦采；1♂，华山，1000m，1972.Ⅷ.10，王书永采；1♀，宁陕，1985.Ⅷ.28，姜娟采；1♂，宁陕，1984.Ⅷ.16，采集人不详；1♂，宁陕火地塘，1990.Ⅸ.04，采集人不详；1♂，山阳漫川关，1973.Ⅷ.15，田畴、曾天印、阮满胜采；1♂，商南稻田村，1973.Ⅷ.07，田畴、曾田印、阮满胜采。

分布：陕西（周至、凤县、华阴、宁陕、山阳、商南、紫阳，太白山）、河南、上海、江苏、浙江、湖北、湖南、福建、台湾、广东、广西、四川、贵州、云南；越南，印度，尼泊尔，菲律宾，斯里兰卡，印度尼西亚。

寄主：洋槐，吴茱萸，苹果，桃，李，梅，杏，樱桃，枣，柑橘，桑，茶，油茶，板栗，油桐，苦楝，棉，柿，苎麻，黄麻，大豆，玫瑰，迎春花，蜡梅，杨，柳，桂，咖啡，可可，蕨，洋葱等。

(22) 柿广蜡蝉 *Ricania sublimbata* Jacbi, 1915（图版 52：D）

Ricania sublimbata Jacbi, 1915: 303.

鉴别特征：体长 8.50 ~ 10.00mm，翅展 24 ~ 36mm。头胸背面黑褐色，腹面深褐色；腹部基部黄褐色，其余各节深褐色，尾器黑色，头、胸及前翅表面多被黄绿色蜡粉。额中脊长而明显，无侧脊；唇基具中脊。前胸背板具中脊，两侧刻点明显；中胸背板纵脊 3 条，中脊长且直，侧脊在中部向方伸出分叉，外支短，内支长，斜向内侧，端部相互靠近。前翅前缘、外缘深褐色，向中域和后缘色渐变淡；前缘近端部 1/3 处稍凹入，此处有 1 个三角形或半圆形淡褐色斑。后翅暗黑褐色，半透明，前缘基部色浅，后缘域有 2 条淡色纵纹，脉纹黑褐色，脉纹边缘有灰白色蜡粉。后足胫节外侧有 2 个刺。

生物学：据研究，陕西杨凌地区的柿广翅蜡蝉 1 年发生 2 代，以卵越冬。越冬代卵 4 月下旬开始孵化，5 月中旬为孵化盛期。第一代若虫发生于 5 月上旬至 7 月中旬，成虫发生于 6 月中旬至 10 月上旬，6 月中旬成虫陆续出现，6 月下旬至 7 月中旬为羽化盛期，成虫寿命为 30 至 45 天。6 月底至 7 月初成虫开始交尾，7 月上旬至 7 月中旬为雌虫产卵期，卵聚产。第二代若虫发生于 7 月中旬至 9 月中旬，成虫发生于

9月上旬至10月中旬，9月上旬至10月上旬交配，10月上旬至10月中旬产卵，以卵滞育越冬，自然条件下翌年5月上旬开始孵化。

采集记录：1♂1♀，商洛商州，2015. Ⅵ. 28，王满强采。

分布：陕西（商州、杨凌）、黑龙江、山东、福建、台湾、广东。

寄主：桑树 *Morus alba* L.，吴茱萸 *Evodia rutaecarpa*（Juss.）Benth.，柿 *Diospyros kaki* L. f.，蝴蝶荚迷 *Viburnum plicatum* Thunb. Var. *tomentosum*（Thunb.）Miq.，锦带花 *Weigela florida*（Bunge）A. DC.，女贞 *Ligustrum lucidum* Ait.，盐肤木 *Rhus chinensis* Mill.，栓皮栎 *Quercus variabilis* Bl.，国槐 *Sophora japonica*，合欢 *Albizzia julibrissin*，枣树 *Zizi pus jujube*，广玉兰 *Magnolia grandiflora*，马褂木 *Liriodendron chinense*，银杏 *Ginkgo bi loba*，火棘 *Pyracantha fortuneana*，榆树 *Ulmus pumila*，苦楝 *Melia azedaeach*，绣球 *V. macrocephalum* 等。

七、蛾蜡蝉科 Flatidae

王应伦　彭凌飞　孟瑞　王梦琳　张雅林
（西北农林科技大学植保资源与病虫害治理教育部重点实验室，
西北农林科技大学昆虫博物馆，陕西杨凌 712100）

鉴别特征：体中到大型，美丽，蛾形的种类，体翅多黄、绿、白色，也有一些暗色的种类。头比前背板狭。顶通常短阔，少数长过于宽；前缘平截，有时圆锥形突出。额长过于宽，或长宽略等，侧缘不成角度，侧脊通常明显，中脊线有或没有。单眼2个，位于额的侧脊线外。触角鞭节不分节。前胸短阔，前缘波状或圆形向前突出，后缘圆弧形凹入；中脊线和亚目中脊线有或无。中胸盾片大，后角没有沟或细线划开；中脊线有或没有。后足转节向腹面尖出；后足胫节有1~3个侧刺；第1跗节短，第2跗节小或很小，每侧各具有1根刺。前翅宽大；前缘区宽，前缘脉向前分出很多横脉；径脉。中脉等主脉分支很密；多横脉，断区有些横脉连成1~2条亚端线；爪缝明显；爪片尖而闭或钝而开式，有颗粒；爪脉分离或近末端愈合。后翅宽大，肘脉多分支。横脉少，臀区发达，无横脉，均不呈网状。静止时翅通常放置成屋脊状，少数种类平置在腹部上。雄虫阳茎有基鞘。

分类：世界已知212属1000余种，中国记录40余种，陕西秦岭地区分布2属2种。

分属检索表

头顶前缘圆略向前突出，额具中脊；中胸背板具3条纵脊，前翅臀角呈直角，通常在爪片端部无马蹄形黑色大斑；后足胫节具2个侧刺 ………………………………… **碧蛾蜡蝉属 *Geisha***

头顶略呈圆锥形向前突出，额无中脊；中胸背板具5条纵脊，前翅臀角较尖锐，通常在爪片端部具

马蹄形黑色大斑；后足胫节具 1 个侧刺 ……………………………………… **缘蛾蜡蝉属 _Salurnis_**

17. 碧蛾蜡蝉属 _Geisha_ Kirkaldy，1900

Geisha Kirkaldy，1900：296. **Type species**：_Poceiloptera distinctissima_ Walker，1858.

属征：体小，额长，前后缘宽相同，中部有 1 条纵脊；触角短，伸达颊边缘。前胸背板向前突伸达复眼前沿，无中脊；中胸背板有 3 条纵脊。前翅短，前缘弧状，顶角阔圆，臀角直角，前缘室宽于前缘膜，翅面密布横脉。后足胫节刺 2 个。

分布：东洋区。秦岭地区发现 1 种。

(23) 秦岭碧蛾蜡蝉 _Geisha qinlingensis_ Wang，Che _et_ Yuan，2005（图版 53）

Geisha qinlingensis Wang，Che _et_ Yuan，2005：182.

鉴别特征：体长 13.60～14.62mm，翅展 26.00～31.56mm。体色黄绿色。头顶短，几乎被前胸背板前缘盖住，前缘圆，中部凸出；后缘较平直；额黄褐色，具中脊；中域具蜂巢状刻纹。唇基弧状略突，乳白色，有斜向刻纹。喙淡黄褐色，伸至中足基节。前胸背板前缘弧形，伸达两复眼中部；中脊乳白色，粗壮；中胸背板具 3 条纵脊；前翅前缘域较宽，顶角阔圆，端缘平截，从顶角经过外缘至爪片末端有淡黑褐色的斑点，位于外缘的斑点小，模糊不清，爪片外方的大，明显，呈条带状，有 7～8 个。后翅灰白色。该种与二叉碧蛾蜡蝉 _Geisha bifurcata_ Wang，Che _et_ Yuan 较为近似，主要区别是：本种体形大；前翅 Cu 脉二分叉，均直接伸向端缘，不与 M_2 脉接触；肛节中部膨大呈圆球形，尾节后缘中央明显凹入，易与后者区别。

采集记录：1♂，长安翠华山，1951.Ⅶ.28，周尧采；1♀，户县涝峪，1951.Ⅶ.07，周尧采。

分布：陕西(长安、户县)。

18. 缘蛾蜡蝉属 _Salurnis_ Stål，1870

Salurnis Stål，1870：773. **Type species**：_Salurnis granulosa_ Stål，1870.

属征：该属种类体绿色或淡黄绿色。头包括复眼窄与前胸背板，头前缘略锥状突出，顶无脊，后缘横脊被前胸背板前缘盖盖住，仅可见到侧缘脊。前胸背板前前缘近圆锥形突出，稍伸过头顶的基部，中脊弱或无。中胸背板具 5 条长纵脊。前翅与后翅等宽，端部扩大，前缘弧形，外缘近平截状，顶角阔圆，臀角呈尖角状突出，翅脉

Sc + R 和 M 脉基部共柄，翅面横脉很多，最显著的特征是爪片后缝缘的小室黑色或黑褐色，通常在爪片端部的黑斑大，近马蹄形。沿前缘、外缘、缝缘脉纹间的斑点大小及颜色深浅等在种间有一定的差异。后足胫节近端部具外侧刺 1 个。

　　分布：东洋区。秦岭地区发现 1 种。

(24) 褐缘蛾蜡蝉 *Salurnis marginella*（Guérin-Méneville，1829）（图版 54）

Ricania marginella Guérin-Méneville，1829：58.

Poeciloptera fimbriolata Stål，1854：247.

Salurnis kershawi Kirkaldy，1913：21.

Salurnis formoanus Jacobi，1915：171.

Salurnis marginella：Metcalf，1957：196.

　　鉴别特征：体长 7mm，翅展 18mm。体色翠绿或浅绿（干标本有时褪色成黄色），额、触角、复眼、足和前翅翅缘褐色，单眼水红色。前胸和中胸具橙色或红色纵条纹，腹部侧扁，常附白色蜡粉。头前缘角度为 110°~125°；额无中脊。前胸背板前缘波状，中脊弱；中胸背板具 5 条纵脊，中脊弱，左右 2 条侧脊弯曲。该种与红带缘蛾蜡蝉 *S. lastendis* Medler 较为近似，但其头顶前缘钝角状，约呈 120°，后足刺式为 1：7/8：8/9。

　　采集记录：4♂5♀，周至，2007.Ⅵ.28，彭凌飞采。

　　分布：陕西（周至）、河南、江苏、安徽、湖北、江西、湖南、福建、台湾、广东、海南、澳门、广西、重庆、四川；越南，印度，马来西亚，印度尼西亚。

　　寄主：咖啡，茶，油茶，柑橘，油梨，迎春花。

八、瓢蜡蝉科 Issidae

王应伦　彭凌飞　孟瑞　王梦琳　张雅林

（西北农林科技大学植保资源与病虫害治理教育部重点实验室，
西北农林科技大学昆虫博物馆，陕西杨凌 712100）

　　鉴别特征：瓢蜡蝉科是蜡蝉总科 Fulgoroidea 中较大的一个科。体中型或小型，近半球形，前翅隆起，革质，外形似瓢虫或尖胸沫蝉。头包括复眼略窄于或约等于前胸背板，头顶平截或锥状突出。额宽或长，具中脊和亚中脊或无。唇基常微隆起，无侧脊。侧单眼位于额的侧脊线外。触角小，鞭节不分节。喙的末节很长。前胸背板短，前缘弧形突出，具中脊或无。中胸背板短，近三角形，前缘平直或微凹入。前翅长达腹部的端部，革质或角质，通常隆起，有的具蜡质光泽；前缘基部强度弯曲；无前缘区，或前缘区很狭而无横脉；有些种类爪缝不明显；爪片上无颗粒，爪脉正常到达爪片末端。足正常，少数种类叶状扩大。后足胫节具 1~5 个侧刺。雄虫阳茎发达，常具 1 对腹突，阳茎基近端部分瓣。抱器背突常具 1 个大的侧齿。雌虫第 3 产卵瓣中域微隆起，端缘膜质。第 1 产卵瓣腹端角具 3 个大齿，端缘具 2~5 个侧齿。第 7 腹节后缘近平直，或凹入或突出。

分布：世界已知 180 属 961 种，中国记录 194 种，陕西秦岭地区发现 2 属 2 种。

分属检索表

额斜，向前突出，呈鼻状；前翅长且窄，端缘圆，无前缘下板；后翅端部横脉多，翅脉明显网状；前足腿节叶状扩大 ···························· **鼻瓢蜡蝉属** *Narinosus*

额平，不向前突出；前翅宽短，端缘截，具前缘下板；后翅端部横脉少，翅脉不呈网状；前足腿节叶状扩大···························· **巨齿瓢蜡蝉属** *Dentatissus*

19. 巨齿瓢蜡蝉属 *Dentatissus* Chen, Zhang *et* Chang, 2014

Dentatissus Chen, Zhang *et* Chang, 2014：140. **Type species**：*Sivaloka damnosa* Chou *et* Lu, 1985.

属征：头顶近梯形，宽大于长，中域明显凹陷，侧缘脊起，前缘微角状凸出，后缘角状凹入。额具中脊，侧缘具疣突，中域略隆起，额宽约为长的 2 倍，端缘与基缘略凹入。唇基隆起，光滑无脊；喙达后足转节。前胸背板前缘明显凸出，后缘近平直，具中脊，中域具 2 个小凹陷。中胸背板侧缘中部各具 1 个小凹陷。前翅长大于宽，外缘截形，具爪缝，纵脉明显，端部 2/3 具密的横脉，沿外缘具明显的亚端围脉；后翅略短于前翅，呈 3 瓣，纵脉明显，背瓣具横脉。后足胫节具 2 个侧刺，后足刺式10-10-2。雄虫肛节背面观近长卵圆形。尾节后缘微凸出。阳茎浅"U"形，有 2 对突起。抱器近三角形，近背部具 1 个大的钩状突起。雌虫肛节背面观近椭圆形。第 3 产卵瓣近方形，中域略隆起。第 1 产卵瓣腹端角具 3 个齿。第 7 腹节中部明显突出。

分布：中国。秦岭地区发现 1 种。

(25) 恶性巨齿瓢蜡蝉 *Dentatissus damnosus*（Chou *et* Lu, 1985）（图版 55：A，B）

Sivaloka damnosus Chou *et* Lu, 1985：120.
Kodaianella macheta Zhang *et* Chen, 2010：64.
Kodaianella damnosa：Genzdilov, 2013b：43.
Dentatissus damnosus：Chen, Zhang & Chang, 2014：143.

鉴别特征：体连翅长 4.50mm。头顶宽，近长方形，两后侧角处宽为中线处长的 2.10 倍。额粗糙，中域微隆起，在近基部处明显扩大，具中脊，近侧脊处具疣突，额长为最宽处的 0.80 倍，最宽处为基部宽的 1.80 倍。前翅近方形，长为最宽处的 1.60 倍，Sc 脉与 R 脉在近基部处分开，Sc 脉长，M 脉 4 分支，Cu 脉不分支，Y 脉未超出爪片；后翅略小于前翅长，分 3 瓣，背瓣具横脉，中瓣具横脉，3A 不分支。后足胫节具 2 个侧刺，后足刺式9-10-2。雄虫肛节背面观卵圆形。尾节侧面观后缘近端部凸出，基部略突出。阳茎浅"U"形，端部裂开，近中部具 1 个对长的剑状突起物，近基部具 1 对指向两侧的钩突。抱器后缘弧形弯曲，背缘近端部突出，突出下方具 1 个长刺状的突起；尾向观突出的端部尖锐并向腹向翻折。雌虫第 7 腹节中部明显向后突出，突出部分的端缘中部深凹入。

采集记录：1♂1♀，太白山蒿坪寺，1981. Ⅷ. 13，周静若采。

分布：陕西(太白山，杨凌)、辽宁、北京、山西、山东、江苏、安徽、湖北、贵州、云南。

寄主：苹果，梨，杜梨，贴梗海棠，槐树，核桃树，山楂树。

20. 鼻瓢蜡蝉属 *Narinosus* Gnezdilov *et* Wilson，2005

Narinosus Gnezdilov *et* Wilson，2005：23. **Type species**：*Narinosus nativus* Gnezdilov *et* Wilson，2005.

属征：头包括复眼窄于前胸背板。头顶近四边形。额侧面观向下延伸鼻状微突出，上端缘直。唇基光滑无脊。喙达后足转节。前胸背板和中胸盾片具中脊。前翅长且窄，端缘圆，无前缘下板，纵脉明显。后翅翅脉明显网状，端部缺刻深；臀瓣小且无翅脉。前足腿节叶状扩大。后足胫节端部具 2 个侧刺，有时基部具 1 个小的侧刺。雄虫肛节基部至端部明显扩大。尾节侧面观后缘微凸出。阳茎浅"U"形，中部具 1 对腹突。抱器近三角形，尾腹角强凸出。

分布：中国。秦岭地区发现 1 种。

(26) 鼻瓢蜡蝉 *Narinosus nativus* Gnezdilov *et* Wilson，2005(图版55：C，D)

Narinosus nativus Gnezdilov *et* Wilson，2005：24.

鉴别特征：体长 5.50～7.00mm。头顶近长方形，两后侧角宽约为中线处长的 2.30 倍。额布满小疣突，颊具黑褐色斑点延伸至额，最宽处为上端缘宽的1.50倍，中线处长为最宽处的 1.80 倍。前足腿节叶状扩大，后足胫节侧缘具 3 个侧刺，1 个位于基部，2 个位于端部；后足胫节刺式9-(12，13)-2。雄虫肛节背面观基部窄端部扩大，侧顶角突出成角状，顶缘微凸出，肛孔位于肛节的基半部。尾节侧面观后缘突出。阳茎浅"U"形，在腹面近中部的具 1 对剑状突起。抱器后缘近中部深凹入，具 1 个剑状的突起；抱器背突细长。雌虫肛节近卵圆形，顶缘凹入，肛孔位于肛节的基半部。第 7 腹节中部较两端凹，但后缘中部微凸。

采集记录：1♂（CAU），华山，1962. Ⅷ. 21，杨集昆采；2♀，秦岭甘井，1951. Ⅶ. 10，周尧采。

分布：陕西（华阴、秦岭）、河北、山东、湖北。

九、颜蜡蝉科 Eurybrachidae

王应伦　彭凌飞　孟瑞　王梦琳　张雅林

（西北农林科技大学植保资源与病虫害治理教育部重点实验室，
西北农林科技大学昆虫博物馆，陕西杨凌 712100）

鉴别特征：多为中型、美丽、蛾形昆虫。头顶很宽，宽为长的 2 倍以上或更多；头连复眼与前胸背板等宽或超过前胸背板，有些种类略窄于前胸背板；额宽大于长，侧缘向外常扩张成角度，无中脊，或具微弱的中脊；唇基隆起，通常无脊；有的种类复眼下方有形状各异的突起；触角鞭节不分节。前胸背板短，一般无脊，后缘几乎平直或轻微凹入。中胸背板短，阔三角形。肩板大。前翅休憩时不放置成屋脊状，端部不加宽或略微加宽，端缘通常圆，如斜，则后角比顶角更明显，基室小，无前缘域，或前缘域极狭。后翅通常与前翅等宽或更宽。后足转节可平面活动，胫节具 4～10 个侧刺，第 1 跗节长于后两节的长度之和，通常具 5 个端刺，第 2 跗节端部圆或钝，无刺。腹部背腹扁平。雌性生殖器发达，第 3 产卵瓣大，多覆盖蜡腺。

分布：东洋区，非洲区，澳洲区。世界已知 30 属 200 余种，中国记录十多种，陕西秦岭地区分布 1 属 2 种。

21. 珞颜蜡蝉属 *Loxocephala* Schaum，1850

Loxocephala Schaum，1850：71. **Type species**：*Lystra aeruginosa* Hope，1840.

属征：头连复眼几乎与前胸背板等宽；顶近长方形，宽是长的 2 倍以上，前缘弧形；具单眼；复眼下方有 1 个较小的刺状突起；触角梗节短圆柱形；额平斜，宽约为长的 1.50 倍或更多，无中脊，前缘脊在近中部处愈合，侧缘在近中部角状突出；唇基显著隆起；喙短，略超过中足基节。前翅略微隆起或几乎扁平，多纵脉和横脉，横脉在端半部相互连接并延伸至基部，M 脉的首次分支超过 Sc + R 脉，爪片端部开式，PCu 脉和 A₁ 脉在近中部处愈合；后翅明显宽于前翅，扇形。后足胫节具 4～6 个侧刺。

分类：中国；印度，越南，孟加拉国。世界已知 17 种，中国记录 13 种，秦岭地区发现 2 种。

分种检索表

前翅前缘基部 1/3 至爪片末端的白色斑点稀疏或不明显；雄虫肛节侧面观背缘几乎直；阳茎腹面观基部具大约 7 个明显骨化的皱褶 ………………………………………… **褶皱珞颜蜡蝉 _L. rugosa_**

前翅前缘基部 1/3 至爪片末端的白色斑点密集，明显；雄虫肛节侧面观背缘端部 1/2 明显斜；阳茎腹面基部光滑，无皱褶 ………………………………………………… **中华珞颜蜡蝉 _L. sinica_**

(27) 褶皱珞颜蜡蝉 _Loxocephala rugosa_ **Wang _et_ Wang, 2013**（图版 56）

Loxocephala rugosa Wang _et_ Wang, 2013：176.

鉴别特征：体长 12.00～12.50mm。前翅雄虫黄褐色，雌虫灰白色，长是宽的 2.40 倍，端缘圆，爪片区域颜色深，呈暗褐色或暗黄褐色，从前缘 1/3 处至爪片的末端散布有约 20 个左右不明显的白点，端半部散布约 35 个均匀分布的黑点；后翅灰白色，端域褐色，散布有小黑点。

采集记录：1♂1♀，太白山中山寺，1400m，1981.Ⅵ.08-10，陕西太白山昆虫考察组采。

分布：陕西（太白山）。

(28) 中华珞颜蜡蝉 _Loxocephala sinica_ **Chou _et_ Huang, 1985**（图版 57）

Loxocephala sinica Chou _et_ Huang, 1985：36.

鉴别特征：体长 8～9mm，翅展 21～29mm。头顶和颜面绿色，或为绿褐色、褐色、红褐色，头、胸的其他部分均为褐色，有的个体前胸背板背向腹面部分血红色。前翅褐色，前缘基部 1/3 为绿色长斑，此斑在有的个体中较小或完全消失；以前缘基部 1/3 向爪片末端为界，界内翅面较均匀分布有许多细小的白点，界外则散有 30 多个大小不等的圆形黑斑。后翅白色，顶角浅褐色，其内有数个褐色到黑褐色的斑点。

采集记录：1♀，南五台，1975.Ⅷ，武玉润采；1♀，南五台，1957.Ⅷ.06，米糖尧采；1♀，秦岭涝峪，1951.Ⅶ.07，采集人不详；1♀，宝鸡，1965.Ⅷ.18，周尧、路进生采；1♀，凤县，1977.Ⅷ.05，采集人不详；1♀，凤县，1982.Ⅵ，王明采；1♀，凤县，采集日期不详，杜思海采；1♀，太白山，1981.Ⅷ.13，吴际云采；1♀，太白山，1981.Ⅶ.16，郭宁远采；1♀，太白山大殿，2200m，1957.Ⅶ.26-28，周尧采；1♀，太白山沙坡寺，1982.Ⅶ.03，采集人不详；1♀，太白山中山寺，1400m，1981.Ⅵ.08，太白山昆虫考察组采；1♀，太白山蒿坪寺，1200m，1981.Ⅵ.17，太白山昆虫考察组采；1♀，太白山，1990.Ⅶ.19，王应伦采；8♀，太白山，1990.Ⅶ.20，王应伦采；1♀，太白山蒿坪寺，2011.Ⅷ.14-18，杜潇采；1♀，秦岭华山，1957.Ⅵ.16，采集人不详；1♀，秦岭，1961.Ⅷ.09，杨集昆采；1♀，秦岭，1962.Ⅷ.07，杨集昆采；2♀，留坝庙台子，1980.Ⅶ，魏建华采；1♀，佛坪龙草坪，1986.Ⅷ.08，卢付学采（灯诱）；1♀，佛坪龙草坪，1986.Ⅷ.09，邢瑞采；1♀，佛坪龙草坪，1986.Ⅷ.20，张毅采；1♀，佛坪龙草坪，1986.Ⅷ.25，毛浩龙采；1♀，佛坪龙草坪，1986.Ⅷ.27，冯伟采；1♀，佛坪龙草坪，1986.Ⅷ.27，胡芳采；1♀，佛坪龙草坪，1986.Ⅷ.27，王建军采（灯诱）；1♂，佛坪龙草坪，1260m，1998.Ⅵ.04，杨玲环采；1♂，宁陕火地塘，1985.Ⅵ.21，刘兰采；1♀，宁陕火地塘，1993.Ⅷ.29，采集人不详；1♀，宁陕火地塘林场，2005.Ⅶ.10-15，刘恒采；1♀，宁陕火地塘林场，2005.Ⅶ.10-15，李坚采。

分布：陕西（长安、户县、宝鸡、凤县、华阴、留坝、佛坪、宁陕、汉中，太白山）。

十、扁蜡蝉科 Tropiduchidae

秦道正　门秋雷　徐思龙

（西北农林科技大学植保资源与病虫害治理教育部重点实验室，
西北农林科技大学昆虫博物馆，陕西杨凌 712100）

鉴别特征：扁蜡蝉科 Tropiduchidae 是半翅目 Hemiptera 蜡蝉总科 Fulgoroidea 中 1 个较小的类群，体小至中型、扁平；它区别于蜡蝉总科其它科的主要特征在于其前胸背板前缘明显突出，后缘角状凹入，小盾片与中胸背板之间有 1 条横沟或细线。

生物学：大多数种类是重要的农林业害虫，多为害双子叶植物、棕榈、杂草及蕨类植物。

分类：分布于热带及亚热带地区。世界已知 100 多属 400 多种，中国记录 30 余种，陕西秦岭地区发现 5 属 5 种。

分属检索表

1. 唇基上具 1 个圆锥形突起 ·················· 笠扁蜡蝉属 *Trypetimorpha*
   唇基上无突起 ··· 2
2. 顶无中脊 ································· 傲扁蜡蝉属 *Ommatissus*
   顶具中脊 ··· 3
3. 额具 1 个中脊 ······························ 拟条扁蜡蝉属 *Catullioides*
   额具 3 个中脊 ·· 4
4. 前翅透明，翅端部横脉分布不呈网状 ·················· 斧扁蜡蝉属 *Zema*
   前翅不透明，翅端部横脉分布呈网状 ·················· 鳖扁蜡蝉属 *Cixiopsis*

22. 傲扁蜡蝉属 *Ommatissus* Fieber, 1872

Ommatissus Fieber, 1872. **Type species**：*Ommatissus binotatus* Fieber, 1872.

属征：顶中部凹陷，前缘角状突出于复眼，侧缘突起呈脊状，无中脊；额长大于宽，具 1 中脊，无侧脊。前胸、中胸侧脊均在中脊前端汇合。前翅具 r-m 和 m-cu 横脉，形成结线；臀区发达，达到或略超过前翅中部。雄虫肛管及肛刺突短。生殖刺突叶状，长是宽的至少 2 倍，端部钝圆或尖，侧面观背缘基部角状突出。阳茎长、管状。阳茎基基部连接肛管，其背缘、腹缘或中部多具长短不等的突起。雌性外生殖器的第 1 产卵瓣锯状，背缘具 8～32 个齿，排列成 5 排；腹缘具 5～15 个齿；在侧缘着生 1 排斜向齿突，一般不多于 15 个。第 2 产卵瓣退化，基部宽，端部尖并具 3 个短突起。第 3 产卵瓣膜状，端部不具齿。

分布：东洋区，古北区。秦岭地区发现 1 种。

(29) 罗浮傲扁蜡蝉 *Ommatissus lofouensis* Fieber, 1876（图 288）

Ommatissus lofouensis Fieber, 1876：174.

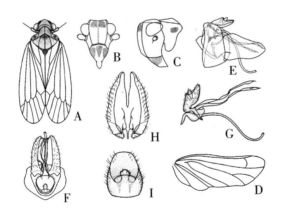

图 288　罗浮傲扁蜡蝉 *Ommatissus lofouensis* Fieber, 1876

A. 整体背面观（habitus, dorsal view）；B. 额（frons）；C. 头及前胸背板侧面观（head and pronotum, lateral view）；D. 后翅（hind wing）；E. 雄性生殖器侧面观（male genitalia, lateral view）；F. 雄性生殖器背面观（male genitalia, dorsal view）；G. 肛节及阳茎侧面观（anal segment and aedeagus, lateral view）；H. 生殖刺突背面观（genital styles, dorsal view）；I. 肛节背面观（anal segment, dorsal view）

鉴别特征：体小型。体土黄色至棕色，腹部深棕色，颜面近基部具 2 个半月形棕色斑；顶前缘角状不具中脊，额在复眼间加宽，具中脊；翅透明不具刻点，Sc + R、M、Cu 脉均在近端部 1/3 处分叉，由 r-m 和 m-cu 脉分隔出 7 个端室，翅狭长且末端钝圆。雄虫肛节短，侧面管腹缘呈"S"状；生殖刺突基部愈合，端部钝圆，阳茎基具1对带状突起，阳茎管状，细长。

采集记录：1♀，南五台，1980. Ⅸ，李孟楼采；1♂，南五台，1980. Ⅷ，花蕾采；2♀，南五台，1980. Ⅷ，周静若采；1♂，南五台，1980. Ⅷ，杨永乐采；1♀，周至楼观台，1973. Ⅸ. 27-29，周尧、殷梅生、王素梅采。

分布：陕西(长安、周至)、天津、山西、福建、四川；日本。

23. 笠扁蜡蝉属 *Trypetimorpha* Costa, 1862

Trypetimorpha Costa, 1862: 60. **Type species**: *Trypetimorpha fenestrata* Costa, 1862.

属征：头顶突出，超过复眼，中域凹陷，中脊有、无或不完全；额中脊及侧脊显著突起；唇基上具1个圆锥状突起。前胸背板后缘凹入呈"V"形，侧脊汇合于中脊前端；中胸背板侧脊不连于中脊前端，宽明显大于长。长翅型个体和短翅型个体前翅略不同，其共有特征为：外缘圆弧状，纵脉3条，Sc + R 与 C 脉间多横脉，具2长中室。雄虫肛节短；生殖刺突近三角形，背缘近中部和近基部各具1个角状突，外侧着生1个钩状突；阳茎圆筒状，略弯曲，内具2个阳茎针；阳茎基突起发达。雌性肛节短；第1产卵瓣锯状，背腹缘均具齿；第2产卵瓣小，五边形；第3产卵瓣近平行四边形，端部无齿。

分布：古北区，东洋区，非洲区，澳洲区。秦岭地区发现1种。

(30) 比笠扁蜡蝉 *Trypetimorpha biermani* (**Dammerman, 1910**) (图 289)

Trichoduchus biermani Dammerman, 1910: 29.
Trichoduchus biermani Muir, 1913: 255 (nec Dammerman, 1910).
Trichoduchus china Wu, 1935: 105 (new name for *Trichoduchus biermani* Muir, 1913).
Trypetimorpha formosana Ishihara, 1954: 1.
Trypetimorpha china: Asche & Wilson, 1989: 130.
Trypetimorpha biermani: Huang & Bourgoin, 1993: 609.

鉴别特征：体小型；身体暗褐色，头胸部散布暗色斑，后唇基具1个锥状突起；顶前缘三角形，基部宽裕端部，无中脊，额基部宽于端部，于复眼间加宽，具1个中脊，中脊两侧具2对褐色斑块；翅边缘具散射状斑，翅中具3个圆形透明斑，纵脉3条，形成2个长中室，由众多横脉分割成数个小翅室；雄虫肛节短，肛刺突不对称；生殖刺突三角形，阳茎"S"形且外有阳茎鞘包被。

采集记录：2♀，佛坪，1990. Ⅷ. 02，王应伦、王美南采。

分布：陕西(佛坪)、山西、山东、安徽、台湾；印度，菲律宾，马来西亚。

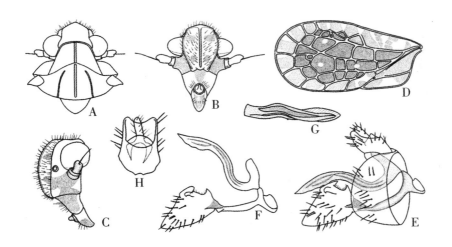

图 289　比笠扁蜡蝉 *Trypetimorpha biermani*（Demmerman，1910）

A. 头胸部背面观（head and thorax，dorsal view）；B. 额（frons）；C. 头侧面观（head，lateral view）；D. 前翅（fore wing）；
E. 雄性生殖器侧面观（male genitalia，lateral view）；F. 阳茎、生殖刺突及连索侧面观（aedeagus，genital styles and connective，lateral view）；G. 阳茎侧面观（aedeagus，lateral view）；H. 肛节背面观（anal segment，dorsal view）

24. 鳖扁蜡蝉属 *Cixiopsis* Matsumura，1900

Cixiopsis Matsumura，1900：205. **Type species**：*Cixiopsis punctatus* Matsumura，1900.

属征：顶突出于复眼前方，宽大于长，具中脊，额具 3 个脊，于基部交汇；前胸背板侧脊汇合于中脊前端；中胸背板近菱形，侧脊不在中脊前端汇合。前翅不透明，略似瓢虫翅，前缘区具 2～3 条短横脉，Sc + R_1 及 Cu_1 脉在基半部简单，端室少于 9 个，横脉多，呈网状，无明显结线，臀区长度为翅长的 2/3。后足胫节具 4 个侧刺。雄虫肛节短；阳茎基发达，包被阳茎大部，端部平直或具缺刻，侧面具突起；生殖刺突叶状，背缘或腹缘具数量不等的突起；阳茎细长，不分叉。

分布：东洋区。秦岭地区发现 1 种。

(31) 鳖扁蜡蝉 *Cixiopsis punctatus* Matsumura，1900（图 290）

Cixiopsis punctatus Matsumura，1900：205.

鉴别特征：体小型。头胸黑色，散布有黑色凹点；顶前缘钝角状，具中脊；额近长方形，具 1 个中脊和 2 个侧脊；长翅型前翅透明，短翅型前翅淡褐色不透明，具纵脉 3 条，其间具不规则横脉，分布呈网状。雄虫肛节极短，有 2/3 嵌入尾节内；生殖刺突叶状，中部加宽，具 1 个向后伸展的刺状突起，阳茎基发达，呈斧状，阳茎管状细长包被其中。

　　采集记录：1♂，南五台，1957.Ⅷ，魏勇良采；1♀，佛坪，1990.Ⅷ.02，王应伦、王美南采。

　　分布：陕西（长安、佛坪）、黑龙江、福建、广西、四川；日本。

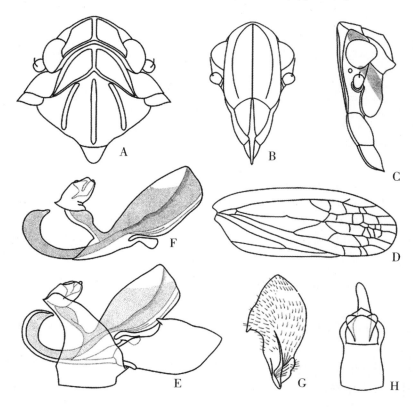

图 290　鳖扁蜡蝉 *Cixiopsis punctatus* Matsumura，1900

A. 头胸部背面观（head and thorax，dorsal view）；B. 额（frons）；C. 头及前胸背板侧面观（head and pronotum，lateral view）；D. 前翅（fore wing）；E. 雄性生殖器侧面观（male genitalia，lateral view）；F. 肛节及阳茎侧面观（anal segment and aedeagus，lateral view）；G. 生殖刺突左侧面观（genital styles，left lateral view）；H. 肛节背面观（anal segment，dorsal view）

25. 斧扁蜡蝉属 *Zema* Fennah，1956

Zema Fennah，1956：441. **Type species**：*Zeme gressitti* Fennah，1956.

　　属征：顶宽大于长，端向渐狭，前缘呈钝角状，略超过复眼，具中脊。额长大于宽，基缘钝圆，具 3 条脊。后唇基的长度约为额的 2/3，具稀疏的刺毛。前胸背板窄于中胸背板，侧脊汇合于中脊前端。中胸背板宽略大于长，侧脊与中脊不在端部汇合。前翅透明，长是宽的近 3 倍，在结线处最宽；Sc + R₁、Cu 及 M 脉伸达结线处，结线较平直；近端部的横脉构成7~9个端室及4个亚端室；臀脉长度超过翅长的一半。后足胫节具4~5个侧刺并具8个端刺，第1跗节具8~9个端刺。雄虫肛管短，约1/2嵌入尾节，肛刺突不伸出或略伸出于肛节末端；尾节侧面观近三角形；生殖刺突短、阔，伸向背前方，具1个头向的腹缘突起和1个尾向的背缘突起；阳茎长，管状，分叉。连索长、管状，基部宽且分叉；阳茎基斧状，突起对称或不对称，至少包被基部1/2。

　　分布：东洋区。秦岭地区发现1种。

(32) 斧扁蜡蝉 *Zema gressitti* Fennah，1956（图291）

Zema gressitti Fennah，1956：441.

　　鉴别特征：体小型。头胸黑色，散布有黑色凹点；顶前缘钝角状，具中脊；额近长方形，具1个中脊和2个侧脊；长翅型前翅透明，短翅型前翅淡褐色不透明，具纵脉3条，其间具不规则横脉，分布呈网状。雄虫肛节极短，有2/3嵌入尾节内；生殖刺突叶状，中部加宽，具1个向后伸展的刺状突起，阳茎基发达呈斧状，阳茎管状细长包被其中。

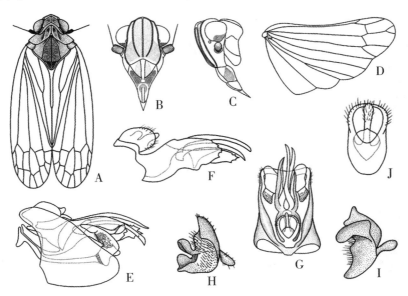

图291　斧扁蜡蝉 *Zema gressitti* Fennah，1956

A. 雄虫成虫背面观（male adult, dorsal view）；B. 额（frons）；C. 头及前胸背板侧面观（head and pronotum, lateral view）；D. 后翅（hind wing）；E. 雄性生殖器侧面观（male genitalia, lateral view）；F. 阳茎及肛节侧面观（aedeagus and anal segment, lateral view）；G. 雄性生殖器背面观（male genitalia, dorsal view）；H. 生殖刺突背面观（genital styles, dorsal view）；I. 生殖刺突腹面观（genital styles, ventral view）；J. 肛节背面观（anal segment, dorsal view）

　　采集记录：3♂，凤县，1974.Ⅵ.08，高敏采；3♀，留坝，1980.Ⅹ.06，马宁采；1♀，镇

巴苗圃，1973. V. 29，田畴、袁峰采；1♀，城固，1980. VII. 06，向成龙、马宁采；1♀，南郑元坝1981. VI. 13，向成龙、马宁采；7♂8♀，镇安县，1975. VI. 03，采集人不详。

　　分布：陕西（凤县、留坝、镇巴、城固、南郑、镇安、紫阳、西乡）、甘肃、湖北、广西、四川、云南、西藏；尼泊尔。

26. 拟条扁蜡蝉属 *Catullioides* Bierman，1910

Catullioides Bierman，1910：21. **Type species**：*Catullioides rubrolineata* Bierman，1910.

　　属征：顶宽大于长，短于前胸背板与中胸背板之和，具中脊；额长大于宽，略倾斜，中脊宽。前胸背板宽大于长，3 脊在前缘汇合。中胸背板宽大于长，侧脊近基部平行，在1/2处渐弯曲并与中脊在前端交汇。前翅长为宽的 2 倍以上，翅面具纵向暗带，具结线，结线端部不与前缘相接，前缘区具数量不等的横脉，具端室及亚端室。雄虫肛管长，肛刺突相对较小；生殖刺突长，腹缘平直，背缘有角状突起，近中部侧面具 1 个钩状突；阳茎大，略背向弯曲，端部具多个骨化程度较强的突出物。

　　分布：东洋区，非洲区。秦岭地区发现 1 种。

（33）白斑拟条扁蜡蝉 *Catullioides albosignatus*（Distant，1906）（图 292）

Barunoides albosignatus，Distant，1906：284.
Catullioides albosignatus：Fennah，1970：81.

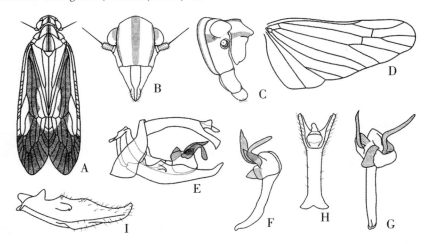

图 292　白斑拟条扁蜡蝉 *Catullioides albosignatus*（Distant，1906）

A. 雄虫背面观（male adult, dorsal view）；B. 额（frons）；C. 头、前胸背板侧面观（head and pronotum, lateral view）；D. 后翅（hind wing）；E. 雄性生殖器侧面观（male genitalia, lateral view）；F. 阳茎右侧面观（aedeagus, right lateral view）；G. 阳茎背面观（aedeagus, dorsal view）；H. 肛节背面观（anal segment, dorsal view）；I. 生殖刺突左侧面观（genital styles, left lateral view）

　　鉴别特征：体小型。额黄色具红色中脊和侧脊，翅暗色具白色斑；顶前缘弧形，后缘凹入，具1中脊，额前缘圆弧状，中脊和侧缘略突起，复眼间加宽；前翅结线位于翅近端部2/5处，形成15个端室和6个亚端室。雄虫肛节长，几乎达到生殖刺突末端，生殖刺突细长，端部尖锐，背缘和侧缘各具1个突起，阳茎柱状，端部膨大，具4个各骨化突起。

　　采集记录：1♀，石泉，1985.Ⅷ.20，邵金鱼采。

　　分布：陕西（石泉）、安徽、浙江、湖南、福建、台湾、海南、云南；日本，印度尼西亚。

十一、蜡蝉科 Fulgoridae

秦道正　　门秋雷　　徐思龙

（西北农林科技大学植保资源与病虫害治理教育部重点实验室，

西北农林科技大学昆虫博物馆，陕西杨凌 712100）

　　鉴别特征：蜡蝉科 Fulgoridae 隶属于半翅目 Hemiptera 蜡蝉总科 Fulgoroidea，虫体多为中到大型，主要分布于热带及亚热带地区，我国主要分布在南方各省区。该科区别于蜡蝉总科其它科的主要特征为多数种类头部有突起，复眼大而突出；前翅爪片明显，后翅的臀区与轭区强度网状；后足第2跗节端部有1排刺，雄性生殖突大而复杂，阳茎复杂，插入器有管状或膜质扩张。

　　生物学：一些种类是林木果树及农作物的重要害虫。

　　分类：世界已知120属700余种，中国记录30余种，陕西秦岭地区发现1属1种。

27. 斑衣蜡蝉属 *Lycorma* Stål, 1863

Lycorma Stål, 1863：232. **Type species**：*Aphana imperialis* White, 1846.

　　属征：头包括复眼窄于前胸背板，额长大于宽，端部较狭，近唇基处阔，但不比唇基阔，有两条较凸出的纵脊，有时在底部消失，额与顶前方相连处延伸出1个短小的头突，并向上折转，覆盖部分顶。顶不比眼阔，后角不突出，基部截行。前胸背板有1个较细的中脊线，两侧各有1个小凹陷，两侧脊明显，弯曲伸达后缘。前翅基半部分无横脉，爪片区有少数，端部1/3横脉较稠密。两爪脉较粗壮，爪脉与后肘脉不合并，都伸达臀角且具分支，分支仅伸达缝缘或更远。后翅较前翅短阔，后缘波状。后足胫节常有4~5个侧刺。

　　分布：古北区，东洋区。陕西秦岭地区发现1种。

（34）斑衣蜡蝉 *Lycorma delicatula*（White，1845）（图版 58）

Aphaena delicatula White，1845：37.
Lycorma delicatula：Stål，1863：234.

鉴别特征：胸褐赭色；复眼黑褐色；触角橙黄色；前翅基部 2/3 淡褐色或青褐色，散布较多黑色斑点，端部 1/3 黑色，翅脉白色；后翅基半部红色，散布 6～10 个褐色小斑点，中域有 1 个近三角形白色或蓝白色区域，端部为褐色半圆形区域，翅脉黑色。足黑褐色。腹黑褐色，常覆有白色蜡粉，节间膜多呈橙黄色，雌虫第 9 腹板血红色。顶平坦近矩形，两侧缘强度脊状，略呈弧形，后缘浅脊状；额较平坦，有 2 条近平行纵脊，中部以下消失，侧缘强度脊状，后缘弧形凹入，端部与顶相连处延伸呈 1 个向后折的短头突，呈三角形，常伸达顶中部。前胸背板横阔，中胸背板近三角形，两后侧缘脊状，有 3 条较细的纵脊，中脊切直，两侧纵脊略弧形。前翅长卵形，前翅超出腹部部分约为体连翅长的 1/2；后翅短阔，呈不等边三角形。雄虫尾节环状对称，侧面观近呈梯形，后缘略突，腹缘平直，末端略向尾向延伸；肛管适中，侧面观近三角形，末端不超过生殖刺突末端，端缘较平直，腹缘微凹；背面观肛管两侧缘略弧形突出，端缘凹陷，肛上板短阔，顶端尖锐，肛下板长卵形；生殖刺突较骨化，侧面观近三角形，端缘圆形，外表面近背缘中部处有 1 个钩状凸起，下方有 1 膜质透明的近三角形区域，腹面观在基部相连接；阳茎基几乎全部膜质，延伸出 5 对阳茎叶，阳茎基鞘圆柱形，阳茎基突约为阳茎基鞘的 8.50 倍长，阳茎基突骨化，钩状，端部 1/3 露出，较膨大，向后反折，布满刺状小突起，交配中易断落；连索棒状；连接桥不明显。雌性外生殖器有 3 对产卵瓣，第 1 产卵瓣较骨化，端部有 4 个齿；第 2 产卵瓣骨化不完全，基半部愈合，其余部分分离，端部 1/4 接触；第 3 产卵瓣，覆许多较长短刚毛，基部与第 2 产卵瓣相连接，侧面观多呈卵圆形，常 3 裂，近背缘 1/5 常全分裂，外缘近背向 1/3 处有 1 个前裂口。肛管与雄虫相似。

采集记录：10♀4♂，太白山蒿坪寺，2011.Ⅷ.14-17，孟亚楠采。

分布：陕西（太白）、河北、山西、河南、山东、江苏、安徽、浙江、台湾、广东、云南；日本，韩国，越南，印度。

十二、飞虱科 Delphacidae

秦道正　董爱平　王树叶

（西北农林科技大学植保资源与病虫害治理教育部重点实验室，
西北农林科技大学昆虫博物馆，陕西杨凌 712100）

鉴别特征：飞虱科 Delphacidae 是半翅目 Hemiptera 蜡蝉总科 Fulgoroidea 中种类最多的类群，它区别于蜡蝉总科其他各科的关键特征在于其后足胫节末端有 1 个大且能活动的距。

　　生物学：是一类重要的植食性害虫和植物病毒传播介体，通过刺吸和产卵危害，特别是传播植物病毒病对农作物常造成严重危害。

　　分类：广布于世界各大动物地理区。世界已知 150 余属 1500 余种，中国记录 100 多种，陕西秦岭地区共记述 30 属 35 种。

分属检索表（♂）

1. 后足胫距厚，向内的一面凹陷，后缘无齿；阳茎与臀节腹面紧密连接 ···························· 2
   后足胫距厚或片状，后者向内的一面凹陷，通常后缘具齿（若无齿则阳茎不与臀节腹面紧密
   连接）·· 6
2. 头顶三角形 ··· 匙顶飞虱属 *Tropidocephala*
   头顶方形或近方形 ··· 3
3. 触角第 1 节矢形，中央具纵脊 ······································ 偏角飞虱属 *Neobelocera*
   触角第 1 节圆柱形或圆筒形 ·· 4
4. 头顶基宽大于中央长度近 2 倍以上 ································ 短头飞虱属 *Epeurysa*
   头顶基宽不大于或稍大于中长 ··· 5
5. 膈下方至尾节腹缘间无凹陷 ··· 竹飞虱属 *Bambusiphaga*
   膈下方至尾节腹缘间具深凹陷 ·· 劳里飞虱属 *Lauriana*
6. 前足胫节扩张，呈叶状 ··· 片足飞虱属 *Peliades*
   前足胫节正常，若扁平，则不扩张呈叶状 ··· 7
7. 头顶中侧脊在头顶端部不相连接，继续延伸至额区相遇，即额中脊在额上分叉 ·········· 8
   头顶中侧脊在端缘前或在端缘连接，即额中脊单一或在额的最基部分叉 ·········· 15
8. 触角第 1 节扁平，呈三角形 ··· 扁角飞虱属 *Perkinsiella*
   触角第 1 节不呈扁平三角形 ·· 9
9. 前足、中足腿节和胫节扁平，但胫节不扩展呈叶状 ·········· 纹翅飞虱属 *Cemus*
   前足、中足腿节和胫节不扁平 ··· 10
10. 雄虫臀节无刺状突起 ··· 11
    雄虫臀节具刺状突起 ··· 12
11. 阳茎端部逆生 1～2 根鞭节 ··· 叉飞虱属 *Garaga*
    阳茎端部向背方突出，但不延伸成鞭节 ····················· 小褐飞虱属 *Muellerianella*
12. 阳茎端半部弯曲呈镰刀状；雄虫尾节无腹中突 ·············· 镰飞虱属 *Falcotoya*
    阳茎不弯曲呈镰刀状；雄虫尾节有腹中突 ··· 13
13. 雄虫臀节衣领状；阳茎端部逆生有鞭节 ······················· 新叉飞虱属 *Neodicranotropis*
    雄虫臀节环状；阳茎端部无逆生鞭节 ··· 14
14. 雄虫臀节具一长一短 2 根刺状突起；阳基侧突端部斜方形，其上方具突起 ···········
    ··· 斑飞虱属 *Euides*
    雄虫臀节具 1 根长的刺状突起；阳基侧突端部细长尖锐，其上方无突起 ·················
    ··· 单突飞虱属 *Monospinodelphax*
15. 后足基跗节外侧具小刺 ·· 褐飞虱属 *Nilaparvata*

28. 短头飞虱属 *Epeurysa* Matsumura, 1900

Epeurysa Matsumura, 1900：261. **Type species**：*Epeurysa nawaii* Matsumura, 1900.

属征：头顶宽短，基宽常大于中长的 2 倍以上，端部稍扩张，中侧脊起自侧缘中偏基部，先横向延伸与"Y"形脊臂连接后再折向前至头顶端缘汇合。额宽，最宽处位于中部，基部钝圆，中脊在额基部分叉。触角圆筒形，伸达或稍伸出额唇基缝。前胸背板大，长于头顶，侧脊不伸达后缘。后足刺式 5-6-4。雄虫尾节环状，具臀刺突。常有 3 个腹中突或无。阳茎具阳茎基，该基突端部具一半明显结节，并由此伸出 1 个端肢。阳茎管状，端部向下弯曲。膈膜质，膈孔开放，致膈面左右分离。阳基侧突内基角具粗壮指状突起。

分布：古北区，东洋区。秦岭地区发现 1 种。

(35) 短头飞虱 *Epeurysa nawaii* Matsumura, 1900 (图版 59)

Epeurysa nawaii Matsumura, 1900：261.
Epeurysa nawae Matsumura, 1917：381.

鉴别特征：体色有深浅变化，褐色、灰黄褐色至暗褐色，翅斑有或不明显。雄性生殖节黑褐色，阳基侧突黑色。雄性臀突发达，臀刺突乳头状；尾节侧观腹缘明显长于背缘，背侧角不突出，腹面观腹中突中间的 1 个短柱形，顶端钝圆，略膨大，两侧的突起略低，侧面观顶端尖；阳茎细长，朝向左后方，端部 1/4 弯向腹面，顶钝，阳茎基突较阳茎细，其端部形成 1 个缺环形结节，再延伸成 1 根更细的端肢，后面观先伸向腹面，再偏左，背面观阳茎基突近结节的最宽处，其宽度与端肢长度比为 1.00：1.40；阳基侧突中等长度，基角向后延伸呈 1 个指状突起，内缘近中部还具 1 个突起。

采集记录：1♂2♀，太白山蒿坪寺，1984. Ⅶ. 12，柴勇辉采；3♂，留坝，2004. Ⅷ. 03，段亚妮采；2♂，佛坪凉风垭，1700m，2008. Ⅹ. 02，肖斌采；1♂，佛坪，900m，2008. Ⅹ. 01，肖斌采。

分布：陕西（太白、留坝、佛坪、西乡）、河南、甘肃、江苏、安徽、浙江、江西、湖南、湖北、福建、台湾、广东、海南、广西、四川、贵州、云南；俄罗斯，日本，斯里兰卡。

29. 竹飞虱属 *Bambusiphaga* Huang *et* Ding, 1979

Bambusiphaga Huang *et* Ding, 1979：170. **Type species**：*Bambusiphaga nigropunctata* Huang *et* Ding, 1979.

属征：体细长，头顶包括复眼窄于前胸背板。头顶近方形，端缘弧形，中侧脊起自侧缘近端部处，在头顶端部相连接。额长方形，侧脊近平行。触角圆柱形，不伸达额唇基缝，第 2 节长于第 1 节的 3 倍。前胸背板与头顶近等长，侧脊伸达后缘。中胸背板侧脊伸达小盾片末端。前翅横脉位于中至偏端部。后足刺式 5-6-4，胫距端部具 1 小齿。雄虫臀节呈环状，臀刺突单一或无。尾节椭圆形，有或无腹中突。阳茎管状。阳基侧突简单。

分布：东洋区。秦岭地区发现 1 种。

(36) 太白竹飞虱 *Bambusiphaga taibaishana* Qin, Liu *et* Lin, 2012 (图 293；图版 60)

Bambusiphaga taibaishana Qin, Liu *et* Lin, 2012：777.

鉴别特征：体黄白色至黄褐色。复眼红色至红褐色，单眼红褐色，触角第 1 节大部黑色，其腹面黄褐色，第 2 节大部黄褐色，端部黑色。前胸背板侧脊内前缘黄白色，基向近侧缘有 2 个大的灰黑色斑，中胸背板黑褐色，小盾片端部黄白色。前翅半透明，基部 1/3 黑褐色，其余黄白色，后翅黄白色。雄性腹部背面黑色，侧缘橙黄色，腹面黑褐色，各节后缘黄褐色。前中足黄白色至黄褐色，后足黄褐色，胫节、跗节刺黑色。雄虫尾节、阳基侧突和臀刺突黑褐色。雌性体黄色，产卵器黄褐色。雄虫臀节后面观长，有单个腹中突，侧观尾节后缘波曲，背端角盾圆，腹面观端腹缘深凹，中部钝圆突出。阳茎基半部阔，管状，近基部腹缘弯曲，端向变直，端半部背缘裂开，端向收狭，端部有 2 个刺状突，右边的突起短，基部略扩展，左边的突起长。阳基侧突长，到达臀节腹缘，基部阔端向收狭，端部汇聚。肛突环状，后面观腹缘左侧有 1 个长突，基部阔，端向收狭，端部 2/5 几乎平直等宽，端部略向右边弯曲，侧面观突起弯曲，端向收狭。

采集记录：1♂，太白山蒿坪寺，2011. Ⅷ. 15，1430m，秦道正、刘婷婷采；13♂ 4♀，采集信息同上。

分布：陕西(太白山)。

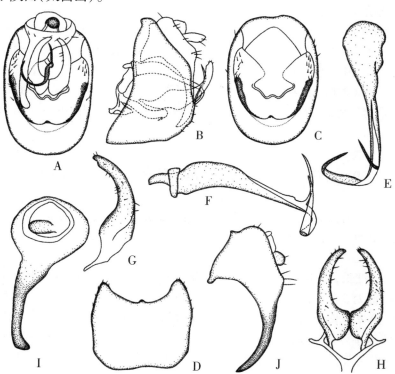

图 293 太白竹飞虱 *Bambusiphaga taibaishana* Qin, Liu *et* Lin, 2012

A. 雄性外生殖器后面观 (male genitalia, posterior view)；B. 雄性外生殖器左侧面观 (male genitalia, left lateral view)；C. 尾节后面观(male pygofer, posterior view)；D. 尾节腹面观(male pygofer, ventral view)；E. 阳茎后面观(aedeagus, posterior view)；F. 阳茎左侧面观(aedeagus, left lateral view)；G. 右阳基侧突后面观(right style, posterior view)；H. 阳基侧突后面观(styles, posterior view)；I. 臀节后面观(anal segment, posterior view)；J. 臀节左侧面观(anal segment, left lateral view)

30. 偏角飞虱属 *Neobelocera* Ding *et* Yang，1986

Neobelocera Ding *et* Yang，1986：420. **Type species**：*Neobelocera asymmetrica* Ding *et* Yang，1986.

属征：头部包括复眼宽于前胸背板；头顶梯形，端缘截形，基宽大于中长，中侧脊起自侧缘顶端，横向延伸与"Y"形脊两臂围成1个小室，"Y"形脊主干长且清晰。额近六边形，以复眼近下角处最宽，中脊在基端分叉。后唇基中脊隆起，侧观端部呈圆弧状弯曲。触角第1节扁平，中央具隆起纵脊，端侧角左右不对称，第2节长卵形，长于第1节。前胸背板短于头顶，侧脊弧弯达后缘。中胸背板中脊伸达小盾片端部。后足刺式5-6-4或5-7-4。后足胫距厚，向里的一面凹陷，仅端部具1齿。雄虫臀节小，臀刺突无或腹缘中部有短突。腹中突有或无。阳茎管状，长，端部具突起。膈膜质，左右分离。阳基侧突长，近平行延伸。

分布：东洋区。秦岭地区发现1种。

(37) 汉阴偏角飞虱 *Neobelocera hanyinensis* Qin *et* Yuan，1998（图294；图版61）

Neobelocera hanyinensis Qin *et* Yuan，1998：168.

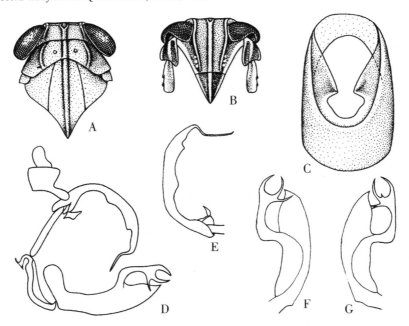

图294　汉阴偏角飞虱 *Neobelocera hanyinensis* Qin *et* Yuan，1998

A. 成虫背面观（adult, dorsal view）；B. 额（frons）；C. 尾节后面观（male pygofer, posterior view）；D. 臀节、阳茎和阳基侧突，侧面观（anal segment, aedeagus and style, left lateral view）；E. 阳茎左侧面观（aedeagus, left lateral view）；F. 左阳基侧突侧面观（left style, left lateral view）；G. 右阳基侧突侧面观（right style, left lateral view）

鉴别特征：头顶、前胸背板、侧脊间及中胸背板污黄褐色，前胸背板侧区色略深，各脊均呈淡黄褐色，头顶"Y"形脊、前胸背板3条脊及中胸背板中脊的两侧均有较清晰的黑褐色条纹；额污黄褐色，颊及后唇基淡黑褐色，各脊色淡黄褐，额中脊两侧及侧脊内侧有黑褐色条纹，颊近额侧脊区有3个淡色小圆斑，排列成1纵列；触角第1节黑褐色，中央及两侧缘各有1个淡黄色纵条，第2节污黄褐色，正面观自基部背缘至端部下缘有1条暗褐色斜纹，胸部腹面包括各足基节大部分黑褐色，足的其余部分污黄褐色，各足胫节近基部、端部及中足、后足腿节近端部有少许暗褐色小斑纹，各足腿节基半部色较深。雄虫臀节短环状，无臀刺突，尾节深褐色，后开口长大于宽，侧面观后缘强烈拱凸；膈左右远离，膈孔开放；阳茎狭长，侧扁，端部2/5骤细；阳基侧突大，顶尖，侧面具突起，左右不队称，左阳基侧突侧面突起端部分3支，右阳基侧突则分5支。

采集记录：1♂，安康汉阴，1997.Ⅸ.05，秦道正采；6♀，采集信息同上。

分布：陕西（安康）。

31. 匙顶飞虱属 *Tropidocephala* Stål，1853

Tropidocephala Stål，1853：266. **Type species**：*Tropidocephala flaviceps* Stål，1853.

Nephropsia Costa，1862：76. **Type species**：*Fulgora elegans* Costa，1834.

Conicoda Matsumura，1900：258. **Type species**：*Conicoda graminea* Matsumura，1900.

Orchesma Melichar，1903：94. **Type species**：*Orchesma marginepunctata* Distang，1906.

Ectopiopterygodelphax Kiraldy，1906：412. **Type species**：*Ectopiopterygodelphax eximius* Kirkaldy，1906.

Smara Distant，1906：478. **Type species**：*Smara festiva* Distant，1906.

属征：头部包括复眼明显窄于前胸背板，大部分种类头顶中长大于基宽。头顶明显或显著伸出于复眼前方，3条脊，中脊单一，贯穿整个头顶，侧脊隆起向前收狭，致头顶呈匙形。额以近中部处最宽，侧观多少向端部倾斜，侧脊不完全与头顶侧脊相连接，多数种中脊在基端分叉。触角短，圆柱形，第2节约为第1节的2倍。一般不伸达额端部；前胸背板侧脊伸达后缘。后足胫距厚，后缘无齿。雄虫臀节较大。尾节侧缘有或无突起，通常具腹中突。阳茎基明显，阳茎细，向腹面弯曲。阳茎基基部宽，中部凹陷，有很长的端突或基腹突，阳茎附着于臀节内。膈膜质。阳基侧突长，基角具长的突起。

分布：古北区，东洋区，非洲区，澳洲区。秦岭地区发现1种。

(38) 二刺匙顶飞虱 *Tropidocephala brunnipennis* Signoret，1860（图版62）

Tropidocephala brunnipennis Signoret，1860：185.

Conicoda graminea Matsumura，1900：259.

Ectopiopterygodelphax eximius Kirkaldy，1906：142.

鉴别特征：头顶与前胸背板、中胸背板淡黄褐略带绿色或为黄绿色；额与头顶同色，但端部瘪凹部分及颊和唇基黑褐色；触角污黄或第 2 节微有绿色，第 1 节端缘与第 2 节由基部斜向中部的条纹黑褐色。胸部腹面黑褐色，各足基节淡黑褐，后足腿节浅褐色，足其余各节浅污黄色。前翅基部 2/3 烟褐色，中部黄褐色，端部黑褐色，在端室端部各有 1 个淡色透明斑，另在横脉前有 3 个黑褐色瘤突横成 1 列，其中中瘤最大。腹部黑褐色，但各腹板后缘及背板侧缘藜黄色。雌虫与雄虫色相似，唯胸部腹面藜黄色，各骨板具淡黑褐色斑，胸足及腹部藜黄色，前翅色较浅。雄虫臀节和臀突较长；尾节后面观卵圆形，后开口长大于宽，具侧刺突和狭细的腹中突；阳茎及阳茎基腹向弯曲；阳基侧突宽扁，外缘自基部向端部骤加宽，致外端角宽圆突出，而后骤狭，基角及内缘近中部各有 1 个刺状突起。

采集记录：1♀，太白山蒿坪寺，1200m，1982. Ⅷ. 03，采集人不详。

分布：陕西（太白山）、甘肃、江苏、安徽、浙江、江西、湖南、福建、台湾、广东、海南、广西、四川、贵州、云南；韩国，日本，印度，菲律宾，斯里兰卡，印度尼西亚，马来西亚，欧洲，非洲，澳洲。

32. 劳里飞虱属 *Lauriana* Ren *et* Qin, 2014

Lauriana Ren *et* Qin, 2014：84. **Type species**：*Lauriana senticosa* Ren *et* Qin, 2014.

属征：体细长、褐色、头包括复眼窄于前胸背板。头顶方形，中长略大于基部宽度，前缘略波曲，伸出复眼前缘，中侧脊起自侧缘近中部，在头顶前缘汇聚，"Y"形脊中干不清晰。额中脊单一。触角圆筒状，长，几乎达前唇基端部，第 2 节短于第 3 节。喙伸达后足基节。前胸背板中长与头顶中长近相等，侧脊不伸达后缘。中胸背板长于头顶和前胸背板长度之和。前翅长，端部盾圆，横脉位于前翅中部。后足刺式 5-6-4，后足胫距后缘无齿。雄虫尾节侧观长大于宽，背端角盾圆，后面观尾节侧腹缘不对称，有 1 个腹中突。阳茎基不对称，近基部有 1 个细长突起，阳茎管状，呈"N"形，端部膜质，有较多刺和齿。阳基侧突长，端向岔开。膈孔开放，其下方的尾节腹缘深凹。臀节小，环状，无突起。

分布：东洋区。秦岭地区发现 1 种。

（39）端刺劳里飞虱 *Lauriana senticosa* Ren *et* Qin, 2014（图 295；图版 63）

Lauriana senticosa Ren *et* Qin, 2014：85.

鉴别特征：雄虫体褐色。头顶、额、颊及前唇基端部黄色。复眼红褐色，单眼黑红色。触角基节腹面污黄色，背面黑色，端节黑褐色。后唇基基部及前胸背板复眼下前侧缘黑色。喙黄色，端部黑色。前胸背板侧脊间前缘污黄色，基向褐至黑褐色，前、中胸背板侧基角黄褐色。前翅半透明。腹部背面中部褐色，余为黄色。足黄色，各足胫节具黑色纵条斑。雄虫尾节大部、阳基侧突和腹中突黑色。雌性体色同雄性，产卵瓣黑色。雄虫尾节窄，后缘波曲，腹缘明显长于背缘，后面观后开口长大于宽，有1个刺状腹中突，弯向左侧。膈孔开放，侧缘膜质不规则，近基部三角状突出，表面有瘤突。阳基侧突长，后面观基部阔，汇聚，端向收狭向内弯曲，端部汇聚，略扩展，端部背缘略凹入，内端角指状，侧观阳基侧突仅基部有1个三角瓣状突起。阳茎基发达，不对称，近基部背面有1个细长突起，阳茎强烈弯曲，整体呈"N"形，基腹面还有1个阔的突起，端部二分叉，阳茎端部膜质，具多数刺及齿状突。肛突腹缘中部有1个小的齿状突。

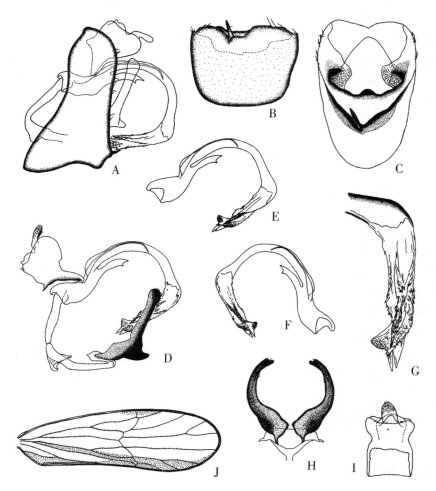

图 295　端刺劳里飞虱 *Lauriana senticosa* Ren et Qin, 2014

A. 雄性外生殖器后面观（male genitalia, posterior view）；B. 尾节腹面观（male pygofer, ventral view）；C. 尾节后面观（male pygofer, posterior view）；D. 臀节、悬片、阳茎和阳基侧突侧面观（anal segment, suspensorium, aedeagus and style, left lateral view）；E. 阳茎左侧面观（aedeagus, left lateral view）；F. 阳茎右侧面观（aedeagus, right lateral view）；G. 阳茎端部左侧面观（apex of aedeagus, left lateral view）；H. 阳基侧突后面观（styles, posterior view）；I. 臀节后面观（anal segment, posterior view）；J. 前翅（fore wing）

采集记录：1♂7♀，宝鸡通天河，2015.Ⅷ.26，秦道正采。

分布：陕西(宝鸡)、四川。

33．小褐飞虱属 *Muellerianella* Wagner，1963

Muellerianella Wagner，1963：168. **Type species**：*Delphax fairmairei* Perri，1857.

属征：头部包括复眼窄于前胸背板，头顶近方形，端缘平截，中侧脊不在头顶处连接，"Y"形脊主干不明显。额以中部稍上方处最宽，中脊在复眼中部水平处分叉。前胸背板短于头顶，侧脊不伸达后缘，中胸背板中脊不伸达中胸小盾片末端；触角柱状，伸过额唇基缝，第2节长度是第1节的1.50倍。后足刺式5-7-4，后足胫距具齿20枚。雄虫臀节圆筒形，无臀刺突；尾节侧面观后缘向内凹陷，背侧角明显伸出；阳茎管状，弯曲，侧扁，背部具大齿，顶端凹陷呈槽状；膈窄，背缘凹陷；阳基侧突长，端部稍岔离。

分布：古北区。秦岭地区发现1种。

(40) 拟小褐飞虱 *Muellerianella extrusa*（**Scott，1871**）（图版64）

Liburnia extrusa Scott，1987：194.

Muellerianella extrusa：Sooij，1981：572.

鉴别特征：长翅型体褐色，但额中脊基部及端部两侧、颊斜脊内侧、唇基中脊两侧，前胸背板、中胸背板侧区，后胸侧板及腹部背面暗褐或黑褐色。前翅淡黄褐色、透明，端缘色较深。短翅型体淡黄色，但前中胸背板侧脊外侧及腹背两侧区暗褐色，致体背形成2条深色宽纵带，有些个体腹部稍红棕色。雄虫尾节黄褐色，膈色深，臀突和阳基侧突沥青黑色。雄虫臀节短筒形，端侧角不突出；尾节后面观后开口长稍大于宽，腹缘浅凹，侧面观背缘深凹入，致背侧角明显突出；膈窄，背缘中部弧凹；阳茎宽扁，中部拱曲呈弧形，背面观左刺向上弯曲，位于近端部，右刺位于近中部，长三角形，中刺最长(有的个体退化)位于近基部，与背缘平行；悬片环状、椭圆形；阳基侧突顶向稍扩展，内缘中偏下方凹缩，外缘波曲，端缘斜，外端角钝圆，内端角短而尖。

采集记录：1♂1♀，太白，2007.Ⅷ.27，秦道正采；2♂，太白山蒿坪寺，2011.Ⅷ.10，刘婷婷采。

分布：陕西(太白)、吉林、甘肃、江苏、台湾；欧洲。

34. 白脊飞虱属 *Unkanodes* Fennah，1956

Unkanodes Fennah，1956：474. **Type species**：*Unkanodes sapporona* Matsumura，1935.

属征：头包括复眼窄于前胸背板，头顶近方形，中侧脊起自侧缘中偏下方，在头顶端缘互相靠拢；"Y"形脊基部弱；额以复眼下缘处最宽，中脊在基部分叉；前胸背板侧脊不达后缘，中胸背板长于中胸背板与头顶中长之和；触角圆柱形，伸达额唇基缝，第2节约为第1节的1.50倍。后足刺式5-7-4，胫距具缘齿20枚左右。雄虫臀节大，环状，端侧角远离，具1对臀刺突；尾节后面观后开口宽大于长，无腹中突，侧面观后缘中部有叶状突起；膈突位于隔背缘；悬片椭圆形，在腹面不连接；阳茎管状，中偏端部具大齿；阳基侧突长，岔离扭曲。

分布：古北区，东洋区。秦岭地区发现1种。

(41) 白脊飞虱 *Unkanodes sapporona* (Matsumura，1935) (图版65)

Unkana sapporona Matsumura，1935：74.
Unkanodes sapporona：Fennah，1956：474.

鉴别特征：有深浅色型。浅色型体黄褐色或橘黄色，头顶至小盾片末端有1黄白色中纵带；前翅无翅斑。深色型体背淡色，背中带侧区淡红褐色至暗褐色，额、触角和胸足黄褐色，有的个体头顶端部两侧脊间及额和唇基脊侧具黑褐色条纹；后胸背板和腹部黑褐色；前翅爪片和端区 M_3 脉至后缘暗褐色，端脉暗褐色。雄虫臀节环状，端缘宽短，端侧角各伸出1根弯向腹面的刺突；尾节侧面观背侧角圆，向后突出，后缘中偏下具1个大的突起，指向后背方，后面观后开口宽大于长，侧缘基部强烈隆起，腹缘凹；阳茎管状，端部1/3渐细，左侧面中偏端部可见8个大小不等的刺突；悬片腹臂长，围成椭圆形空间，背柄短；膈中等宽，膈突伸入膈孔，端部向背方弯曲，顶端分叉，膈孔大，长方形或新月形，宽大于长；阳基侧突长，岔离，端部1/4窄且扭曲，外端角具小齿，内缘近端部1/4有1小突起。

采集记录：1♂，黑河国家森林公园，2009.Ⅸ.24，蒋朝忠采；2♂4♀，武功，1983.Ⅵ.28，灯诱，采集人不祥。

分布：陕西(周至、武功)、黑龙江、吉林、辽宁、甘肃、河北、河南、江苏、山东、安徽、浙江、湖北、江西、湖南、福建、台湾、广东、广西、海南、四川、贵州、云南、西藏；俄罗斯，韩国，日本。

35. 芳飞虱属 *Fangdelphax* Ding，2006

Fangdelphax Ding，2006：569. **Type species**：*Fangdelphax gongshanensis* Ding，2006.

属征：头包括复眼窄于前胸背板，头顶中长稍大于基宽，中侧脊在头顶连接；"Y"形脊柄部不明显，额以中部为最宽，中脊单一或在基部分叉；前胸背板侧脊直，不伸达后缘，中胸背板侧脊直；触角柱状，伸达额唇基缝。后足刺式5-7-4，后足胫距具齿 30 枚左右。雄虫臀节呈拱门状，1 对较长的臀刺突从端侧角两侧伸出；尾节后面观以中部最宽，后侧缘拱凸；无腹中突；膈较宽，中域近膈孔背缘具钩状突起；阳茎管状，弯曲；悬片宽长片状，背缘向前弯折；阳基侧突长，岔离，端部变狭。

分布：东洋区。秦岭地区发现 1 种。

(42) 贡山芳飞虱 *Fangdelphax gongshanensis* Ding，2006（图版 66）

Fangdelphax gongshanensis Ding，2006：569.

鉴别特征：头顶基膈室浅棕色，端部两侧脊间及额和颊黑褐色，唇基暗褐色，触角黄褐色；前胸、中胸背板中域和侧区浅棕色，侧脊外复眼下方及胸部侧板和各足基节黑色，足其余各节黄褐色。前翅（短翅型）黑色。腹部包括雄虫尾节黑色，尾节后开口边缘和内缘及臀节浅棕色。雄虫臀节呈拱门状，侧面观后端角腹向伸出 1 根粗壮刺突；尾节后开口宽稍大于长，侧面观背侧角不明显，后缘拱出；膈宽大，背缘中部宽凹，膈面中部具钩状突起；阳茎管状，端部 1/3 细，向腹面近直角弯曲；悬片背柄宽长，稍向背面加宽，背缘弧凹，并向前弯折；阳基侧突长，彼此分离，侧面观基部粗短，端部细长，二者呈钝角状弯曲，端部外缘切凹，致顶端细尖。

采集记录：1♂2♀，太白山蒿坪寺，2011.Ⅷ.15，秦道正、刘婷婷采。

分布：陕西（太白山）、云南。

36. 派罗飞虱属 *Paradelphacodes* Wagner，1963

Paradelphacodes Wagner，1963：169. **Type species**：*Delphax paludosa* Flör，1861.

属征：头部包括复眼窄于前胸背板。头顶中长与基宽近相等，端缘圆，中侧脊在头顶端部连接，"Y"形脊主干不明显；额长为最宽处 2.30 倍左右，以近中部处最宽，中脊在额的基部分叉；触角圆筒形，伸达后唇基中部，第 1 节长大于宽，第 2 节为第 1 节的 2 倍左右；前胸背板侧脊不伸达后缘；中胸背板中脊不伸达小盾片末端。后足刺式5-7-4，后足胫距具缘齿。雄虫臀节端侧角伸出 1 对粗壮的臀刺突；尾节后面观后开口宽大于长，无腹中突，背侧角不突出；膈宽，背缘中部呈"V"形凹陷；阳茎管状，稍弯曲，端半部具齿列；悬片环形；阳基侧突中等长，内缘稍凹，端部圆或方形。

分布：古北区，东洋区。秦岭地区发现1种。

（43）沼泽派罗飞虱 *Paradelphacodes paludosa*（Flör，1861）（图版67）

Delphax paludosa Flör, 1861：82.
Paradelphacodes paludosa：Wagner, 1963：169.

鉴别特征：雄性体稍暗或深褐色，具油状光泽。触角第1节端部和第2节基部黑褐色。前翅淡黄褐色，透明，无翅斑。腹部黑褐色。雌虫体形较大，体色同雄虫。雄虫臀节呈衣领状，具1对粗短的臀刺突；尾节后开口近菱形，侧面观后缘向后拱凸；膈背缘中部凹陷呈宽"V"字形；阳茎管状、弯曲，自侧面近中部延伸至端缘有多数排列近弧形的微齿；悬片环状、具柄；阳基侧突端半部宽，基半部狭，侧面观内缘基半部凹陷，端缘宽斜，略凹，致外端角明显尖出。

采集记录：5♂2♀，太白，2010.Ⅷ.13，董爱平采(灯诱)。

分布：陕西(太白)、黑龙江、吉林、宁夏、甘肃、河北、山东、河南、湖北、江苏、安徽、浙江、江西；俄罗斯，韩国，日本，欧洲。

37. 东洋飞虱属 *Orientoya* Chen et Ding, 2001

Orientoya Chen et Ding, 2001：326. **Type species**：*Orientoya orientalis* Chen et Ding, 2001.

属征：体小型。头顶方形，包括复眼窄于前胸背板，中长大于前胸背板，基宽稍大于中长，端缘截形，中侧脊在头顶连接，"Y"形脊明显；额中脊在基部分叉，额以单眼处最宽；触角圆柱形，伸达额唇基缝，第2节约为第1节的2倍。前胸背板侧脊不达后缘。后足刺式5-7-4，后足胫距具缘齿13~19枚。雄虫臀节向内陷入尾节背窝内，具1对臀刺突；尾节后面观，背侧角向下翻折；膈窄，背缘中部呈宽片状隆起，端缘凹，膈孔背缘角状切入；阳茎长，管状，端部分叉；悬片环状；阳基侧突长，岔离，端部收狭。

分布：东洋区。秦岭地区发现1种。

（44）东洋飞虱 *Orientoya orientalis* Chen et Ding, 2001（图版68）

Orientoya orientalis Chen et Ding, 2001：327.

鉴别特征：短翅型雄虫褐色，但前翅端部、腹背中部、尾节、阳基侧突和膈沥青黑色。长翅型雄虫黄褐色，前翅淡黄褐透明，无翅斑。腹部包括尾节大体黑褐色。雄虫臀节陷于尾节内，端侧角各向腹面伸出 1 根短刺突；尾节后开口宽大于长，略扁圆，腹缘匀凹，侧面观腹缘长于背缘，背侧角圆，稍突出，后缘浅凹，腹后角突出，顶端圆，腹面观前缘宽凹，底平直；膈背缘中突"M"形，膈孔背缘呈角状切入膈腹；阳茎长管状，向背面拱曲，侧面观端部膜质，腹端角延伸成刺状，顶端尖；悬片环状，椭圆形；阳基侧突狭长，内基角宽圆突出，顶端尖，稍侧弯，侧面观近直角弯曲，后向背侧方伸出。

采集记录：1♂（短翅型），西乡，1998.Ⅷ.20，秦道正采。

分布：陕西（西乡）、江苏、浙江、贵州。

38. 古北飞虱属 *Javesella* Fennah, 1963

Javesella Fennah, 1963：15. **Type species**：*Fulgora pellucida* Fabricius, 1794.
Weidnerianella Wagner, 1963：170. *Delphacodes pellucida* Fabricius, 1794.

属征：体粗壮。头顶方形，端缘近平截，中长与基宽近相等，两侧缘近平行，中侧脊在头顶端缘连接。"Y"形脊主干弱或消失。额中脊在基端分叉，侧脊微拱；触角圆筒形，伸达额唇基缝。前胸背板与头顶中长近相等，侧脊不伸达后缘。后足刺式 5-7-4，具缘齿 17～20 枚。雄虫臀节呈衣领状，具 1 对臀刺突；尾节后面观，膈背缘呈宽"V"形；阳茎管状，弯曲或从基部分出 2 支；阳基侧突长，两度弯曲，端部收狭，强烈岔离。

分布：古北区，新北区。秦岭地区发现 1 种。

(45) 疑古北飞虱 *Javesella dubia* (**Kirschbaum, 1868**)（图版 69）

Delphax dubia Kirschbaum, 1868：26.
Javesella dubia：Le Quesne, 1964：57.

鉴别特征：有深浅色型。长翅型雄虫头顶褐色，或头顶端部两侧脊间黑色，脊和基膈室褐色；额、颊和唇基褐色、暗褐至黑色，各脊色较浅；触角褐色；前胸背板黄褐色至褐色，复眼后方有黑斑；中胸背板黑色，小盾片端部和后侧缘黄褐色；胸部腹板、各足基节黑色，足其余各节大体褐色。前翅淡黄褐色、透明，脉和翅缘淡褐色，无翅斑。腹部黑色。雄虫尾节和臀突黑色，臀节褐色。短翅型雄虫体黄褐或褐色，仅腹部和生殖节黑色，部分个体头顶褐色，额、唇基和颊黑色，前胸背板在复眼后方有少许黑褐色斑，中胸背板大部褐色至黑色，前翅淡褐色，颜色均一。雌虫体、翅淡褐色，产卵器暗栗色。雄虫臀节短，侧面观臀刺突先向后背方延伸再向腹面弯曲呈钩状；尾节侧面观后缘几乎平直；阳茎端部分叉，叉深约等于阳茎宽度的 3 倍；阳基侧突同属征。

采集记录：2♂，太白，2007.Ⅷ.27，秦道正采；2♂，宁陕火地塘，2010.Ⅶ.05，秦道正采。

分布：陕西（太白、宁陕）、黑龙江、吉林、内蒙古、甘肃、新疆；俄罗斯，欧洲。

39. 纹翅飞虱属 *Cemus* Fennah，1964

Cemus Fennah，1964：147. **Type species**：*Cemus leviculus* Fennah，1964.

属征：体黄褐色至黑褐色。头顶中长短于基宽，端缘平截，"Y"形脊明显；额近六边形，中脊在中偏基部分叉，额端部窄于后唇基基部。触角圆筒形，几乎伸达后唇基端部，第2节为第1节长的2倍左右。前胸背板稍侧脊不伸达后缘。前中足腿节和胫节扁平，但不扩展成叶状。后足刺式5-7-4，距后缘具齿。雄虫臀节短，环状，各自伸出1根较细的刺突；尾节后面观后开口小，具腹中突；膈宽，背缘中部呈"V"形或凹陷。阳茎管状，长，稍弯曲，端部背面逆生有鞭节；悬片"Y"形；阳基侧突较窄，向端部逐渐变细，或向侧面翻转。

分布：东洋区，非洲区。秦岭地区发现1种。

(46) 黑斑纹翅飞虱 *Cemus nigropunctatus*（**Matsumura，1940**）（图版70）

Jamiphax nigropunctatus Matsumura，1940：36.

Peliades nigroclypeata Kuoh，1982：72.

Cemus nigropunctatus：Yang，1989：135.

鉴别特征：头顶和前胸背板、中胸背板中域黄褐色，各脊色浅，前胸背板、中胸背板侧脊外复眼下方暗褐色；额和颊暗褐，具淡色小圆斑；唇基黑色；触角第1节背面及第2节基部黑色，第1节腹面中域及第2节除基部外为黄褐色；胸部腹板和侧板黑色；各黑至淡黑色，具黄褐色斑纹；距背面黑色。前翅淡黄几乎透明，翅脉上密布黑褐色颗粒状突起，翅斑及端区后缘的弧形带及沿 R_1 脉的条纹为暗黄褐色；短翅型前翅色同长翅型，唯端部无带纹，仅在各脉间具浅黑褐色条纹。腹部黑褐色，背面散生的小点及各腹板后缘黄褐。尾节后开口两侧缘具黄白色新月形带纹。雌虫体色同雄虫，但前胸背板、中胸背板中域色更浅，各腹板大半黄褐色，产卵器黄褐色，两侧区暗黄褐色。雄虫臀节呈环状，陷入尾节背窝内，侧面观端侧角各向后延伸成1个短而尖的刺突；尾节后开口小，后面观背侧角呈角状突出，具1个锥形腹中突，侧面观背缘、腹缘近等长；膈宽，黑色，背缘中部呈"V"形切凹；阳茎管状，中部略上拱，端部背面逆生1根鞭节，抵近阳茎基端，另在腹缘近端部有1个小的突起；悬片"Y"

形，柄宽；阳基侧突小，端部向内骤然收细，向侧方后翻转。

采集记录：1♂，杨凌，2007. Ⅷ.05，宿东采。

分布：陕西（杨凌、武功）、吉林、河北、甘肃、江苏、安徽、浙江、江西、湖南、福建、台湾、广东、海南、广西、四川、贵州、云南；韩国，日本。

40. 单突飞虱属 *Monospinodelphax* Ding，2006

Monospinodelphax Ding，2006：347. **Type species**：*Indozuriel dantur* Kuoh，1980.

属征：头部包括复眼窄于前胸背板，头顶中长与基宽相等，端缘平截，中侧脊在头顶端缘不汇合。"Y"形脊清晰。额中脊在中偏基部分叉，额以近中部为最宽，端部窄于后唇基基部。触角圆筒形，伸出额唇基缝；前胸背板侧脊伸达后缘，中胸背板3条脊平行，中脊伸达小盾片末端。后足刺式5-7-4，距后缘具齿。雄虫臀节中部具1根细长的刺状突起，各基侧角有1个小的齿突；尾节后面观后开口腹缘中部浅凹或拱凸，两侧深度剜陷，中部有1对并拢的柱状突起；膈很宽，背缘中部呈"U"形凹陷，阳茎短，宽扁；悬片"Y"形，细长；阳基侧突细长，端部较尖且内弯。

分布：东洋区。秦岭地区发现1种。

(47) 单突飞虱 *Monospinodelphax dantur*（Kuoh，1980）（图版71）

Indozuriel dantur Kuoh，1980：195.

鉴别特征：体淡褐色或黄褐色。头部、胸部各脊黄白色，中胸背板和唇基的中脊颜色尤为明显；头顶端部两侧脊间、额侧脊内缘、颊和唇基淡黑或暗栗色；触角第1节基部黄褐，端部黑褐色，第2节基部黑褐色，余黄褐色至暗褐色。前翅淡黄褐色、透明，端区近后缘具黑褐色弧形斑纹，端部具暗褐色斑点和条纹，翅斑黑色。腹部黑色，有的个体端部2~3节红棕色；雄性生殖节黑色，臀突黄白色。短翅型雄虫前翅端部有三角形黑色大斑，爪片后缘和端缘除中部外为黄白色，余同长翅型雄虫。雌虫色略浅，第1载瓣片黄褐色。雄虫臀节呈环状，端缘中部向后伸出1根细长的突起，另在下侧角各有1粗齿；尾节后面观宽大于长，腹缘中部浅凹，两侧隆起，具1对并列的突起，侧缘腹缘交界处深刻凹，侧面观腹缘长于背缘，腹侧角明显突出，腹中突尖角形，后缘在阳基侧突基部明显凹入；膈宽大，背缘中部凹缺呈"U"形；阳茎宽扁，长三角形，基腹面延伸；悬片细长，"Y"形，主干长于侧岔；阳基侧突细长，自基部向端部岔开，自近端部再向内弯曲，端向渐细，顶端尖锐。

采集记录：1♂1♀，紫阳，1983. Ⅷ.15，路进生采。

分布：陕西（紫阳）、河北、江苏、安徽、浙江、湖北、江西、湖南、福建、台湾、广东、广西、海南、云南；韩国。

41. 褐飞虱属 *Nilaparvata* Distant, 1906

Nilaparvata Distant, 1906: 473. **Type species**: *Delphax lugens* Stål, 1854.

Hikona Matsumura, 1935: 139. **Type species**: *Hikona formosana* Matsumura, 1935.

属征: 头部包括复眼窄于前胸背板, 头顶中长与基宽近相等, 端缘平截, 中侧脊在头顶端部或额基部连接, "Y"形脊明显; 额近长方形, 以中部或近端部最宽。端部稍窄于后唇基基部; 触角圆柱形, 稍伸出额唇基缝; 前胸背板侧脊不伸达后缘。后足刺式5-7-4, 基跗节具小刺, 后足胫距后缘具齿30枚左右。本属雄性生殖器的各部分构造变化较大, 属的主要鉴别特征是后足第1跗节具侧刺。

分布: 东洋区, 新热带区, 非洲区, 澳洲区。秦岭地区发现3种。

分种检索表

1. 尾节后开口腹缘无突起 ……………………………………………… 褐飞虱 *N. lugens*
   尾节后开口腹缘具突起 ………………………………………………………………… 2
2. 尾节后开口腹中突大, 三角形, 边缘具齿 ……………………… 拟褐飞虱 *N. bakeri*
   尾节后开口腹中突小, 圆头形 ………………………………… 伪褐飞虱 *N. muiri*

(48) 褐飞虱 *Nilaparvata lugens* (Stål, 1854) (图版72)

Delphax lugens Stål, 1854: 11.

Kalpa arculeata Distant, 1906: 474.

Delphax oryzae Matsumura, 1910: 115.

Nilaparvata lugens: Muir & Giffard, 1924: 16.

Nilaparvata oryzae Takano *et* Yanagihara, 1933: 120.

Hikona formosana Matsumura, 1935: 139.

鉴别特征: 有深浅两种色型, 褐色至黑褐色, 具明显的油状光泽, 前翅透明, 端脉和翅斑暗褐至黑褐色。雄虫臀节陷入尾节凹陷内, 端侧角各伸出1根长的刺突; 尾节后面观后开口宽大于长, 侧缘、腹缘完整无突起; 膈宽, 中域骨化, 背缘中部均匀弧凹; 阳茎长, 呈管状, 端部1/3收狭并弯向背方, 顶端尖, 性孔位于中偏端方一侧, 其下方具5个微齿; 悬片柄狭长, 腹面环状, 椭圆形; 阳基侧突发达, 内缘近基部刻陷, 内端角向内前方伸出, 呈1狭长的尖角。雌虫第1载瓣片内缘基部有1个大的半圆形突起。

采集记录: 65♂70♀, 凤县, 1995. Ⅵ, 田润刚采; 3♂2♀, 太白, 1981. Ⅷ. 15,

吴阳云等采；22♂43♀，1997. Ⅷ.05，佛坪，秦道正采；1♂，宁陕，1985. Ⅶ.28，采集人不详；2♂，火地塘，1985. Ⅷ.30，唐周怀采；1♂1♀，石泉，1985. Ⅷ.20，邵金鱼采1♂，商南，1973. Ⅶ.08-10，田畴、曾田印、阮满胜采。

分布：陕西(凤县、太白、佛坪、宁陕、石泉、商南、紫阳、西乡)、吉林、辽宁、北京、天津、河北、山西、山东、河南、宁夏、甘肃、江苏、上海、安徽、浙江、湖北、江西、湖南、福建、台湾、广东、海南、香港、澳门、广西、重庆、四川、贵州、云南、西藏；俄罗斯，韩国，日本，太平洋岛屿，澳洲。

(49) 拟褐飞虱 *Nilaparvata bakeri* (Muir, 1917)(图版73)

Delphacodes bakeri Muir, 1917：336.

Nilaparvata bakeri：Muir, 1922：351.

鉴别特征：有深浅色型，褐色或暗褐色至黑褐色，具强烈油状光泽；前翅黄褐透明，横脉近后缘和端脉色深暗，从侧面观端区后缘有1条弧形暗褐色带，翅斑黑褐色。雄虫臀节小，端侧角各向腹面伸出1根粗短的臀刺突；尾节后面观后开口宽大于长，具3个突起，腹中突大，三角形；两侧边缘锯齿状，腹侧突较小，位于侧缘、腹缘交界处，侧面观背侧角宽圆，后缘在腹中突上方有1个瘤状突起；膈较宽，背缘凹；阳茎管状，端部1/3下弯，具几个背齿和腹齿，性孔位于末端；悬片前面观宽四方形，背缘平直，腹缘深凹，左右腹侧突不等长；阳基侧突发达，近中部缢缩，端部分叉，内叉窄，其末端腹向尖出，外叉基部宽，向顶端渐变细。雌虫第1载瓣片内缘基部凹陷，形成2个突起，基端的1个狭窄，另1个拱凸，圆弧形。

采集记录：2♂，杨凌，1998. Ⅷ.25，秦道正采；9♂，石泉，1997. Ⅷ.25，秦道正采。

分布：陕西(石泉)、吉林、河南、江苏、安徽、浙江、江西、湖南、湖北、福建、台湾、广东、海南、广西、四川、云南、贵州；韩国，日本，泰国，印度，菲律宾，印度尼西亚，马来西亚。

(50) 伪褐飞虱 *Nilaparvata muiri* China, 1925(图版74)

Nilaparvata muiri China, 1925：480.

鉴别特征：有深浅色型，体黄褐色至暗褐色或黑褐色，无显著油状光泽；头部、胸部各脊色浅；触角第1节端部和第2节基部有暗褐色环斑；前翅淡灰黄褐色，透明，端脉和翅斑暗褐色。雄虫臀节拱门状，臀刺突缺如，两侧缘基端呈钩状弯曲；尾节后面观后开口宽大于长，腹缘具中突和侧突，侧面观背侧角截形，微凹，腹中突明显伸出，其上方有长圆形突起；膈较宽，背缘两侧向中部斜切；阳茎管状、波曲；腹面观端半部扩展，两侧缘具细齿列，顶端呈1个鸟喙状突起；悬片前面观背柄部尖锥形，腹面侧支左右不对称；阳基侧突中部缢缩，端部分叉，中偏上方有1个短刺突。雌虫第1载瓣片内缘基部凹陷，基部有1个亚三角形突起。

采集记录：3♂，西乡县，1998.Ⅷ.20，秦道正采。

分布：陕西（西乡）、吉林、河南、江苏、安徽、浙江、湖北、江西、湖南、福建、台湾、广东、海南、广西、四川、贵州、云南；韩国，日本，越南。

42. 扁角飞虱属 *Perkinsiella* Kirkaldy, 1903

Perkinsiella Kirkaldy, 1903：179. **Type species**：*Perkinsiella saccharicida* Kirkaldy, 1903.

属征：体较大。头顶包括复眼与前胸背板近等宽，中长小于基宽，中侧脊不在头顶端部连接，"Y"形脊明显。额中脊在单眼水平线上分叉，端部与后唇基基部近等宽；触角几伸达后唇基端部，第1节三角形，第2节卵圆形。前胸背板侧脊不伸达后缘。后足刺式5-7-4，后足胫距大，后缘具齿33枚左右。雄虫臀节小，具1对臀刺突；腹缘具1对腹中突；阳茎管状，长，弯曲，具齿或端部逆生突起；悬片"Y"形；阳基侧突种间变化较大。

分布：东洋区，非洲区，澳洲区。秦岭地区发现2种。

分种检索表

阳基侧突端部细长，端部扭转 ································· **中华扁角飞虱 *P. sinensis***

阳基侧突端部宽阔，端部不扭转 ······················· **甘蔗扁角飞虱 *P. saccharicida***

(51) 甘蔗扁角飞虱 *Perkinsiella saccharicida* Kirkaldy, 1903（图版75）

Perkinsiella saccharicida Kirkaldy, 1903：179.

鉴别特征：头顶、前中胸背板中域淡黄褐色，头顶端半部色略深暗，前中胸背板侧区复眼下方暗褐色；额基半部及后唇基暗褐至淡褐色，额端半部及颊区淡黄褐色；触角暗黄褐色，第1节背面大部分及腹面端部黑褐色；前足基节中偏基部黑褐色，前足和中足之间的骨片酱褐色，中足基部有1个黑褐色斑点，后胸侧板黑褐色，与后唇基相连接成半环状，各足腿节上具暗褐色细条纹，胫节上有暗褐色环状纹或斑点，胸部腹面和足其余部分淡黄褐色。前翅淡黄色，端区第5、6端室或稍向两侧扩张具暗褐色宽纵条，端区顶端具淡色斑，翅脉上的颗粒小而密，暗褐色，各端脉顶端具暗褐色斑点，爪片后缘污黄色；后翅灰黄，翅脉黑褐色。腹部黑褐色，背面有橙黄色斑，腹面各节后缘和侧角淡黄褐色。雌虫体色较浅，腹部腹面黄褐色有暗褐色斑点，产卵器暗褐色，余同长翅型雄虫。短翅型雌虫色同长翅型雌虫，前翅无暗褐色斑纹，但翅斑明显，黑褐色。雄虫臀节后面观较短，侧面观长大于宽，臀刺突从基后角伸出，弯向后背方；尾节后面观后开口宽大于长，腹缘中部具1对长刺突，侧面观腹缘长于背缘，阳茎长管状，稍弯曲，左侧具2齿，右侧1齿，位于近中部；悬片"Y"形，柄长；阳基侧突宽扁，近长方形，具内端角、外端角，外端角长于内端角。

采集记录：1♀，紫阳，1973. Ⅷ.10，路进生、张兴采。

分布：陕西（紫阳）、安徽、福建、台湾、广东、广西、海南、贵州、云南；日本，马来西亚，印度尼西亚，欧洲，非洲，北美洲，澳洲。

（52）中华扁角飞虱 *Perkinsiella sinensis* **Kirkaldy**，1907（图版76）

Perkinsiella sinensis Kirkaldy，1907：138.

鉴别特征：头顶端半暗褐色，基半和前胸、中胸背板中域淡黄褐色，前胸背板、中胸背板侧脊外方略暗褐色；额基半部暗褐色，端半部及颊淡黄褐色；后唇基黑色，前足基节中偏基部、中足基节基部、前中足基节间骨片及后胸侧板黑褐色，彼此相连成半环形；触角第1节背面近端部大部黑褐色，基部及侧缘黄褐色，腹面端缘及基部黑褐色，中部大部分污褐色，第2节暗褐色；胸部各足腿节上有黑褐色纵条纹，基节及胫节上有黑褐或暗褐色斑点，前中足跗节和后足端跗节暗褐色，其余淡黄褐色。前翅淡黄褐色、透明，端区有烟褐色纵条纹，各端脉顶端具暗褐色斑。腹部黑褐色。雌虫腹背黑褐色，有黄褐色斑，腹面黄褐色，有黑褐色斑，载瓣片黄褐色，产卵器暗褐色。雄虫臀节较短，端侧角各向腹面伸出1根较粗壮刺突；尾节后开口长大致等于宽，具1对细长腹中突，侧面观腹缘明显长于背缘；阳茎较短、管状，背缘中偏基部两侧各具1枚粗壮刺突，性孔大，位于端背面；悬片"Y"形，相背连接，背叉较宽而长，腹叉短而细；膈孔背缘角状，两基角侧方各有1明显的小突起；阳基侧突较细，自基部向上岔离，端部细，先向后再向侧方扭转。

采集记录：1♂2♀，紫阳汉江岸，1973. Ⅷ.14-16，路进生、张兴、裴敬献采；1♂，紫阳，1973. Ⅷ.10-18，路进生、张兴、裴敬献采。

分布：陕西（紫阳）、安徽、浙江、江西、台湾、广东、广西；日本，印度，印度尼西亚，澳洲。

43. 美伽飞虱属 *Megadelphax* **Wagner**，1963

Megadelphax Wagner，1963：167. **Type species**：*Delphax sordidula* Stål，1853.

属征：体中型。头顶包括复眼窄于前胸背板，中长稍大于基宽或近相等，端缘平截，中侧脊在头顶端部连接，"Y"形脊主干模糊；额以复眼下缘处最宽，中脊在额的最基部分叉，额端部窄于后唇基基部；触角圆柱形，伸达额唇基缝；前胸背板短于头顶，侧脊不伸达后缘；中胸背板中脊不伸达小盾片末端；后足刺式5-7-4，后足胫距后缘具齿。雄虫臀节呈环状或衣领状，具1对臀刺突；无腹中突；膈很宽，背缘中部呈"V"形凹陷，具膈突；阳茎管状，稍弯曲，端部具齿；悬片环形，背柄短；阳基侧突短，彼此岔离，不伸达膈背缘。

　　分布：古北区。秦岭地区发现1种。

(53) 坎氏美伽飞虱 *Megadelphax kangauzi* Anufriev, 1970（图版77）

Megadelphax kangauzi Anufriev, 1970：18.

　　鉴别特征：头顶中长稍大于基宽，端半部侧脊和中侧脊间及端室黑色，各脊及基膈室黄白色，基膈室内有黄褐色斑纹；额、唇基各脊黄褐色，其余为黑色；触角黄褐色，第1节长为端宽的1.40倍，第2节为第1节长的2.50倍。前胸背板、中胸背板、腹部、各足基节及后足腿节基半部黑褐色；腹部背板中部具黑褐色斑，侧缘及腹部红褐色。生殖节黑色，背缘、侧缘及臀节和臀突黄白色。雌虫头顶端半部、额和唇基黑色，前胸背板、中胸背板侧区具黑褐色斑，其余部分黄白色。雄虫臀节环状，臀刺突粗齿状，尖端相向。尾节侧面观腹缘长于背缘，后缘较平直，背、腹角宽圆；后面观腹缘中部弧凹。膈宽大，背缘宽"V"形，腹缘上方有1个突起，顶端圆。阳基侧突小，岔离，伸至膈长的1/2；侧面观外缘拱凸，内缘凹曲，顶端钝头状，端缘具微齿。阳茎管状、弧弯，侧面观端半部背缘、腹缘具齿列。

　　采集记录：2♂1♀，周至厚畛子，1998.Ⅵ.03，杨玲环采；6♂1♀，户县朱雀森林公园，2007.Ⅶ.22-25，戴武、秦道正采；长翅型：6♂，太白山骆驼寺，2006.Ⅶ.09，秦道正采；6♂1♀，宁陕火地塘，2010.Ⅶ.05，董爱平采。

　　分布：陕西（周至、户县、太白、宁陕）、内蒙古、甘肃；俄罗斯。

44. 带背飞虱属 *Himeunka* Matsumura *et* Ishihara, 1945

Himeunka Matsumura *et* Ishihara, 1945：70. **Type species**：*Unkanan tateyamaella* Matsumura, 1935.

Unkana Matsumura, 1935：132（nec Distant）. **Type species**：*Unkana hakonensis* Matsumura, 1935.

Unkanella Esaki *et* Ishihara, 1943：20（new name for Unkana Matsumura, 1935）.

　　属征：体小型。从头顶至中胸小盾片处有淡色中纵带；头顶长方形，中侧脊在头顶连结，"Y"形脊基部不明显；额以近端部处最宽，中脊在基端分叉。触角圆筒形，第2节长于第1节的2倍，未达或达额唇基缝。前胸背板宽于头部包括复眼，短于头顶长度，侧脊伸达后缘。后足刺式 5-7-4，后缘具齿 20 枚左右。雄虫臀节小，具两对不等长的臀刺突；阳茎长，管状，基部粗，端部收狭，具细小齿列；悬片环状；膈背缘中部隆起；阳基侧突短，几乎伸达膈背缘处，有明显的内端角、外端角。

分布：东洋区。秦岭地区发现 1 种。

（54）带背飞虱 *Himeunka tateyamaella*（**Matsumura，1935**）（图版 78）

Unkanan tateyamaella Matsumura, 1935：135.

Himeunka tateyamaella：Matsumura *et* Ishihara, 1945：71.

Sogatellana semicircular Yang, 1989：196.

鉴别特征：体黄褐色或橙黄色。头顶自中侧脊间向后贯穿前胸背板中域及中胸背板侧脊间有 1 条宽的黄白色或污黄白色中纵带。前翅几乎透明，爪片后缘黄白色，端区近后缘有烟污色纵斑。腹部背面黄褐至暗褐色；雄虫尾节基缘浅暗褐色。深色型个体前中胸背板侧区和雄虫尾节腹面为栗壳色，腹部黑褐色。雌虫体黄褐色，体背中纵带黄白色，侧区黄褐色，个别虫体呈橘红色，腹部背面具暗色斑，前翅端区近后缘的烟污色纵条模糊。雄虫臀节呈衣领状，端侧角各伸出 1 根细短刺突，在该刺突前还各有 1 根弧形弯曲的长刺突；尾节后开口卵圆形，长稍大于宽，侧面观腹缘长于背缘，背侧角圆，腹后角明显突出；膈中域隆起形成膈突，致膈背缘中央突出，膈突周缘及表面有齿，侧面观向后突出成片状；阳茎管状，基部阔，端向收狭，背缘及侧面生有齿列；悬片腹面环状，椭圆形，背柄宽，侧角稍突出；阳基侧突宽短，片状，于近端部缢缩，内端角尖出，外端角宽圆。

采集记录：2♂，佛坪，1997.Ⅷ.03，秦道正采。

分布：陕西（佛坪）、安徽、浙江、江西、湖南、福建、广东、海南、广西、贵州；日本。

45．白背飞虱属 *Sogatella* Fennah，1963

Sogatella Fennah, 1963：71. **Type species**：*Delphax furcifera* Horváth, 1899.

Chloriona（*Sogatella*）Fennah, 1956：471. **Type species**：*Delphax furcifera* Horváth, 1899.

Sogatodes Fennah, 1963：71. **Type species**：*Sogatodes molinus* Fennah, 1963.

属征：体中型，细长。头部包括复眼窄于前胸背板，中长大于基宽，端缘平截，"*Y*"形脊主干不明显。中侧脊在头顶端部或额基部相遇；额以端部 1/3 处最宽，端部窄于后唇基基部。触角圆柱形，伸达或稍超出额端部。前胸背板短于头顶，侧脊不伸达后缘。后足刺式 5-7-4，后足胫距后缘具齿 20 枚左右。雄虫臀节小，衣领状，端侧角稍宽离，具 1 对臀刺突；尾节腹缘具 1 个小的腹中突；膈背缘中部圆凹，圆凹处呈半弧形骨化区；阳茎管状，侧扁，基部1/3向背面弯曲并加宽，端部细且下弯，具2排齿列；悬片矩形，中部有1个卵圆形小孔；阳基侧突较宽扁，近中部收缩，端部叉状。

分布：古北区，东洋区，新北区，新热带区，非洲区，澳洲区。秦岭地区发现3种。

分种检索表

1. 前翅具翅斑；雄虫阳基侧突内外端角近等长 ……………………………… 白背飞虱 *S. furcifera*
   前翅无翅斑；雄虫阳基侧突外端角长于内端角 …………………………………………… 2
2. 阳基侧突外端角背缘中部稍隆起 ………………………………………… 稗飞虱 *S. vibix*
   阳基侧突外端角向端部变细 ………………………………… 烟翅白背飞虱 *S. kolophon*

(55) 白背飞虱 *Sogatella furcifera* (Horváth，1899) (图版79)

Delphax furcifera Horváth, 1899：372.

Sogata kyusyuensis Matsumura et Ishihara, 1945：65.

Sogatella furcifera：Fennah, 1963：50.

鉴别特征：头顶、前胸和中胸背板中域黄白或姜黄色，前胸背板复眼下方有1个暗褐色斑，中胸背板侧区黑或淡黑色。雄虫头顶端半两侧脊间、额、颊和唇基黑色，雌虫灰黄褐色；触角淡褐色。雄虫胸部腹面及腹部大部分为黑褐色，雌雄灰黄褐色，仅中胸腹板及腹部背面有黑褐色斑。各胸足除基节外均为污黄色。前翅淡黄褐色，几乎透明，翅端或具烟污色晕斑，翅斑黑褐色。短翅型体色同长翅型。雄虫臀节端侧角各向腹部伸出1根中等粗长的刺状突；尾节后开口宽约等于长，具1个小锥形腹中突；膈背缘中部具1个宽"U"形突起；阳茎顶端强烈收狭，向腹面弯曲，腹侧观左侧齿列具18枚齿，右侧12~14枚，二齿列基部分离；悬片长方形，中部孔长椭圆形；阳基侧突基部阔，向端部骤狭，端部叉状，外叉宽，顶端钝圆，内叉较窄，顶端尖，二叉长度大致相等。

采集记录：23♂15♀，长安南五台，1980.Ⅷ.27-29，袁锋采；8♂7♀，长安南五台，1980.Ⅷ.28，周静若采；53♂40♀，太白山拔仙台，1983.Ⅷ.12，陕西省太白山昆虫考察组采；11♂7♀，太白山蒿坪寺，1983.Ⅷ.12，陕西省太白山昆虫考察组采；3♂1♀，太白，2010.Ⅷ.13，董爱平采；3♂5♀，太白黄柏塬，2010.Ⅷ.15-16，董爱平采；12♂7♀，太白，1981.Ⅷ.14，西北农学院采；2♂1♀，留坝庙台子，1350m，1998.Ⅶ.19-21；22♂17♀，佛坪，1997.Ⅷ.03，秦道正采；1♀，佛坪，1980.Ⅷ，魏建华采；2♂1♀，宁陕火地塘，1984.Ⅷ，西北农学院采；2♂2♀，宁陕，1984.Ⅷ，西北农学院采；1♂1♀，石泉，1985.Ⅷ.20，邵金鱼采；2♀，商南，1973.Ⅷ.08-10，田畴、曾田印、阮满胜采；1♀，商南，1983.Ⅷ，李小林采。

分布：陕西（长安、周至、太白、留坝、佛坪、汉中、宁陕、石泉、商南、紫阳）、黑龙江、吉林、辽宁、北京、河北、天津、内蒙古、山西、河南、宁夏、甘肃、青海、山东、上海、江苏、安徽、浙江、湖北、江西、湖南、福建、台湾、广东、海南、香港、澳门、广西、重庆、四川、贵州、云南、西藏；蒙古，韩国，日本，越南，泰国，印度，尼泊尔，斯里兰卡，菲律宾，巴基斯坦，马来西亚，印度尼西亚，沙特阿拉伯，非洲，澳洲。

(56) 稗飞虱 *Sogatella vibix*（**Haupt，1927**）（图版 80）

Liburnia vibix Haupt, 1927: 13.

Delphacodes longifurcifera Esaki *et* Ishihara, 1947: 41.

Delphacodes paniciola Ishihara, 1949: 51.

Sogatella catoptron Fennah, 1963: 54.

Sogatella parkolophon Linnavuori, 1973: 108.

Sogatella diachenhea Kuoh, 1977: 441.

Sogatella vibix: Wilson & Asche, 1990: 22.

鉴别特征：雄虫体藁黄色或黄白色。前胸背板近复眼后缘及中胸背板侧区暗褐色；颊黑褐色；胸部侧板和腹部大部黑褐色，胸足基节上有浅色斑。雌虫颊淡黄褐色，中胸背板侧区褐色，腹部腹面黄褐色，背面暗褐色。前翅淡黄褐色几乎透明，爪片后缘黄白色，无翅斑；后翅黄白色。短翅型雌虫体黄色，中胸背板侧区和产卵器黄褐色。雄虫臀节端侧角彼此接近，各向腹面伸出 1 根刺突；尾节后开口宽约等于长，腹缘中部具 1 微小的隆起；阳茎如白背飞虱，但右侧齿数较少，顶端下弯不明显；悬片中部膨凸，孔洞位于近中部；阳基侧突宽扁，近中部缢缩，内端角细短，外端角宽而长，自基部向中部扩宽后再向顶端渐细，致其背缘中部稍隆起。

采集记录：2♂，长安南五台，1980.Ⅷ.27-28，袁锋采；1♂，长安南五台，1980.Ⅷ.27，周静若采；1♀，太白山蒿坪寺，1982.Ⅸ.10，西北农学院采；1♀，留坝闸口石，1800～1900m，1998.Ⅶ.20；1♀，留坝大洪渠，2500m，1998.Ⅶ.20；3♂，佛坪，1997.Ⅷ.03，秦道正采；1♀，汉中，1980.Ⅷ，魏建华采。

分布：陕西（长安、周至、太白、留坝、佛坪、汉中、紫阳）、吉林、辽宁、河北、甘肃、河南、山东、江苏、安徽、浙江、湖南、湖北、江西、福建、台湾、广东、广西、海南、四川、贵州、云南；蒙古，俄罗斯，韩国，日本，越南，老挝，泰国，柬埔寨，印度，菲律宾，马来西亚，新加坡，印度尼西亚，巴基斯坦，阿富汗，土耳其，伊朗，伊拉克，约旦，黎巴嫩，以色列，沙特阿拉伯，欧洲，非洲，澳洲。

(57) 烟翅白背飞虱 *Sogatella kolophon*（**Kirkaldy，1907**）（图版 81）

Delphax kolophon Kirkaldy, 1907: 157.

Sogatella kolophon：Fennah，1964：58.

Sogatella derelicta Fennah，1963：62.

Sogatella chenhea Kuoh，1977：440.

Opiconsiva insularis Distant，1917：303.

Sogata meridiana Beamer，1952：111.

Delphacodes elegantissima Ishihara，1952：45.

鉴别特征：雄虫头顶、前胸及中胸背板中域姜黄或污黄色；前胸背板复眼下方、中胸背板侧区色较暗；额和颊暗黄褐色；唇基、触角和翅基片黄褐色；胸足基节、胸部侧板、腹部除各节后缘外均为黑褐色；前中足略暗褐色，后足藁黄色；尾节黑褐色。雌虫橘黄色，中胸背板侧区橙褐色，腹背基部浅暗褐色。前翅淡黄褐、透明，脉与翅面同色，爪片后缘黄白色，端区膜片后半烟污色，无翅斑。雄性生殖节如稗飞虱，但悬片背脊角尖出，阳基侧突外端角向顶端渐狭，背缘较直，内端角细短；阳茎较短，顶端钝，左齿列具齿 15～22 枚，右齿列具齿 5～8 枚。

采集记录：9♂，黑河国家森林公园，2009. IX. 24，蒋朝忠采；4♂，佛坪岳坝，2009. IX. 28，蒋朝忠采。

分布：陕西（周至、佛坪）、江苏、安徽、浙江、江西、福建、台湾、广东、海南、广西、四川、贵州、云南、西藏；日本，韩国，老挝，柬埔寨，泰国，印度，斯里兰卡，菲律宾，马来西亚，印度尼西亚，非洲，北美洲，澳洲。

46. 镰飞虱属 *Falcotoya* Fennah，1969

Falcotoya Fennah，1969：39. **Type species**：*Falcotoya aurinia* Fennah，1969.

属征：体中小型，前翅透明。头顶包括复眼与前胸背板近等宽，中长与基宽近相等，端缘平截，"Y"形脊主干不明显。额中脊在额的最基部分叉或在单眼水平处分叉，额端部窄于后唇基基部；触角圆筒形，伸达额唇基缝；前胸背板侧脊不伸达后缘。后足刺式 5-7-4，后足胫距后缘具齿 18 枚左右。雄虫臀节较短，呈衣领状或环状，端侧角具 1 对细长臀刺突；尾节背侧角向后伸出，无腹中突；膈较窄，背缘中部呈叶状突起；阳茎管状，端半部弯曲呈镰刀形，端部具小齿；悬片环形；阳基侧突中等长，彼此分离，内缘稍弧曲，基部中向形成 1 叶状突起，端缘宽。

分布：古北区，东洋区，新北区，非洲区。秦岭地区发现 1 种。

(58) 琴镰飞虱 *Falcotoya lyaeformis*（**Matsumura，1900**）（图版 82）

Liburnia lyaeformis Matsumura，1900：267.

Falcotoya lyaeformis：Fennah，1969：40.

鉴别特征：头顶端半脊间、额、唇基和颊褐色，基膈室和前胸背板黄褐色，各脊淡黄色；触角淡褐色，胸足淡黄褐色；中胸背板侧脊外方具黑褐色宽纵条斑；胸足腹板、各足基节及胸部侧板暗褐色。前翅黄白色透明，翅脉及其上的小颗粒状突起淡褐色，无翅斑。胸部暗褐色，各节后缘黄褐色；雄虫生殖节暗褐色，阳基侧突内缘黑色。雄虫臀节呈衣领状，端侧角各伸出 1 根粗长且弯曲的刺突，侧面观侧叶狭长，顶端斜截，臀刺突基部宽扁，端部弯曲；尾节后开口宽约等于长，侧面观背侧角向后伸出；膈背缘两侧向中部斜切，中部具 1 个宽的叶状突，端缘中部略凹；阳茎背缘圆拱，端部弯曲部分长于基部，具许多小齿；阳基侧突岔离，中等长度，端向渐宽，以端缘为最宽，内端角尖出，外端角圆，基部向内弯曲呈 1 个突起。

采集记录：2♂，西乡，2009.Ⅷ.25，秦道正采。

分布：陕西（西乡）、江苏、浙江、福建、贵州；韩国，日本，北美洲，澳洲。

47．新叉飞虱属 *Neodicranotropis* Yang，1989

Neodicranotropis Yang，1989：118. **Type species**：*Neodicranotropis tungyaanensis* Yang，1989.

属征：体中型。头部包括复眼窄于前胸背板，头顶中长短于基宽，端缘平截，中侧脊在头顶不连接，"Y"形脊明显或模糊。额中脊在单眼水平线处分叉，额端部窄于后唇基基部。触角圆筒形，稍伸出额唇基缝。前胸背板侧脊不伸达后缘。后足刺式 5-7-4，后足胫距后缘具齿 22 枚以上。雄虫臀节短，呈衣领状，端侧角宽离，具 1 对短小的臀刺突；尾节后面观，后开口长稍短于宽，具 1 个大的腹中突；膈较宽，背缘中部稍凹陷；阳茎管状，稍弯曲，端部逆生鞭节；悬片"Y"形；阳基侧突中等长，稍分离，端部分叉。

分布：东洋区。秦岭地区发现 1 种。

(59) 东眼山新叉飞虱 *Neodicranotropis tungyaanensis* **Yang**，**1989**（图版 83）

Neodicranotropis tungyaanensis Yang，1989：119.

鉴别特征：体褐色至暗褐色，额具几对淡色斑，腹部黑褐色，有褐色斑纹相杂，雄性生殖节黑褐色。前翅淡褐色、透明，脉色深暗，短翅型个体在端区中部具三角形黑褐色斑。雄虫臀节后面观左右分离，臀刺突短粗，各自从侧缘基部伸出；尾节后开口宽稍大于长，腹中突向端部略加宽，端缘中部突出，两侧凹陷；膈较宽，中部透明，两侧黑色骨化，背缘中部稍切凹，具 1 个小的三角形突起；阳茎管状，中部稍拱曲，顶端逆生 3 根长形突起，1 根位于背缘，另 2 根位于腹缘两侧；悬片大，柄部宽长，背叉短细；阳基侧突后面观端向收狭，内缘凹，外缘凸，侧面观端部分叉，基角明显突出。

分布：陕西（秦岭）、浙江、台湾。

48. 叉飞虱属 *Garaga* Anufriev，1977

Garaga Anufriev，1977：867. **Type species**：*Liburnia nagaragawana* Matsumura，1900.

属征：头部包括复眼稍窄于前胸背板，头顶中长短于基宽，端缘平截，中侧脊不在头顶端缘连接，"Y"形脊明显。额以近中部处最宽，中脊在近复眼中部水平稍下方分叉，额端部窄于后唇基基部；触角圆筒形，伸过额唇基缝；前胸背板侧脊不伸达后缘；中胸背板中脊不伸达小盾片末端，后足刺式 5-7-4，后足胫距后缘具齿 30 枚左右。雄虫臀节较短，环状，无臀刺突；尾节后面观后开口长短于宽，具 2 对腹中突；膈背缘波曲，中部切凹，膈侧面观呈锥形向后拱出；阳茎管状，长，端部逆生鞭节；悬片"Y"形，腹柄很短；阳基侧突中等长，端部分叉，彼此分离。

分布：古北区，东洋区。秦岭地区发现 1 种。

(60) 荻叉飞虱 *Garaga miscanthi* Ding et al.，1994（图版 84）

Garaga miscanthi Ding et al.，1994：12.

鉴别特征：体黄褐色，前胸及中胸背板各脊浅黄色，额和颊具淡色小圆斑；触角第 1 节端部和第 2 节基部黑色，后胸侧板黑褐色。前翅淡黄微褐，端区近后缘有 1 黑褐色宽条斑或新月形斑，沿 R_1 和 Rs 脉具黑褐色纵条纹，短翅型前翅脉纹与翅面同色，端部具 1 黑褐色大斑。腹部雄虫黑褐色，雌虫黄褐或带黑褐色斑。雄虫臀节呈环状；尾节后开口宽大于长，具 2 对腹中突，中间的 1 对小，基部愈合，顶端尖圆，两侧的 1 对宽长，端部稍内弯，侧面观腹中突明显向后突出；膈较宽，背中部宽隆，侧面观膈面中域呈尖锥形向后突出；阳茎长、管状，背向弯曲，端部逆生 2 根重叠的鞭节，上面的 1 根细长，下面的 1 根向端部骤加宽，端部有 4～7 个突起（不同地区及个体间有变异）；悬片"Y"形，柄宽短；阳基侧突细长，端部分叉。

采集记录：7♂（短翅型），洋县，1997.Ⅷ.08，秦道正采。

分布：陕西（洋县）、吉林、河北、甘肃、江苏、安徽、浙江、湖北、江西、湖南、福建；日本。

49. 灰飞虱属 *Laodelphax* Fennah，1963

Laodelphax Fennah，1963：15. **Type species**：*Delphacodes striatella* Fallén，1826.
Callidelphax Wagner，1963：167. **Type species**：*Delphacodes striatella* Fallén，1926.

属征：头部包括复眼窄于前胸背板，头顶近方形，中长与基宽近相等，端缘平截，中侧脊在头顶端缘连接，"Y"形脊清晰。额中脊在最基部分叉，额的端部与后唇基基部近相等；触角圆柱形，稍伸出额唇基缝。前胸背板侧脊不伸达后缘。后足刺式5-7-4，后足胫距后缘具齿。雄虫臀节短，环状，端侧角各伸出1对臀刺突；尾节侧面观侧缘缺刻深，后面观侧缘基部高度向后突出，无腹中突；膈宽；阳茎管状，基部宽扁，端部尖；悬片环形；阳基侧突短。

分布：古北区，东洋区。秦岭地区发现1种。

（61）灰飞虱 *Laodelphax striatellus*（**Fallén**, **1826**）（图版85）

Delphacodes striatellus Fallén, 1826：75.

Laodelphax striatellus：Fennah, 1963：15.

Liburnia nipponica Matsumura, 1900：262.

鉴别特征：大体黄褐色至黑色。头顶端半两侧脊间，额、颊、唇基和胸部侧板黑色；头顶基膈室、前胸背板、中胸翅基片、额和唇基脊、触角及足黄褐色。雄虫中胸背板黑色，仅小盾片末端和后侧缘黄褐色；雌虫中胸背板中域淡黄色，两侧具黑褐色宽纵带。雄虫腹部黑色，雌虫腹部背面暗褐色，腹面淡黄褐色。前翅淡黄褐透明，脉与翅面同色。雄虫臀节短，端侧角各向腹面伸出1根短刺突，尾节后面观后开口宽大于长，侧缘凹缺，背侧角稍向中部伸出，侧面观腹缘明显长于背缘；膈宽，背缘中部隆起，膈面色深而骨化，中域拱凸，侧面观明显突出，超出尾节后缘；阳茎侧扁、管状，弧形弯曲，基部3/4阔，端部1/4骤向背面收狭，再向顶端变尖细，性孔位于端部1/4腹面；悬片长卵形，腹面窄，背面具背柄与臀节相连；阳基侧突小，后面观似鸟形。

采集记录：7♂，紫阳，1973.Ⅷ.12，路进生采。

分布：陕西（紫阳），中国广布；菲律宾，印度尼西亚，东亚，欧洲，非洲（北部）。

50. 欧尼飞虱属 *Onidodelphax* Yang, 1989

Onidodelphax Yang, 1989：154. **Type species**：*Onidodelphax serratus* Yang, 1989.

属征：体小型。头部包括复眼窄于前胸背板，头顶中长与基宽近相等，端缘平截，中侧脊在头顶端缘连接，"Y"形脊清晰。额中脊不分叉，额端部窄于后唇基基部；触角圆筒形，伸出额唇基缝。前胸背板侧脊不伸达后缘；后足刺式5-7-4，后足胫距后缘具齿14枚左右。雄虫臀节短，环状，端侧角不突出，无臀刺突；尾节后面观后开口长稍大于宽，无腹中突；膈背缘中部呈"V"形凹陷；阳茎管状，端部下弯；悬片环形；阳基侧突中等长，端部稍岔离。

分布：东洋区。秦岭地区发现 1 种。

(62) 锯茎欧尼飞虱 *Onidodelphax serratus* Yang，1989（图版 86）

Onidodelphax serratus Yang, 1989：15.

鉴别特征：黄褐色或橘红色，前胸背板色略浅，雄虫腹部背面淡黑色。前翅灰黄色，近后缘部分多少带烟污色，脉与翅面同色，无翅斑。雄虫臀节短小，端侧角宽离，侧面观背侧角突起粗短；尾节侧面观腹缘与背缘等长，后面观背侧角尖；膈背缘两侧呈"Y"形斜切；阳茎管状，基部 1/3 阔，端部 2/3 细，腹向弯曲，在弯曲处左侧具 1 短刺，右侧具 1 长刺，后者侧面观一侧缘具 3 齿，后面观呈三岔状；悬片环形；阳基侧突狭长，近平行伸出，后面观外缘波曲，内缘凹，具内端角、外端角，端缘斜截。

分布：陕西（秦岭）、福建、台湾、云南。

51. 绿飞虱属 *Chloriona* Fieber，1866

Chloriona Fieber, 1866：519. **Type species**：*Delphax unicolor* Herrich-Schäffer, 1835.

属征：新鲜标本稍带绿色。头部包括复眼窄于前胸背板，基宽大于中长或近相等，端缘平截，中侧脊在头顶端缘汇合并突出于端缘；复眼较大，额中脊单一，端部稍窄于后唇基基部；触角圆柱形，伸出额唇基缝。前胸背板侧脊不伸达后缘；中胸背板宽大，长于头顶与前胸背板之和。后足刺式 5-7-4，后足胫距后缘具齿小而密，20～30 枚。雄性外生殖器臀节有或无臀刺突；尾节后面观后开口长短于宽，扁圆形，无腹中突；膈宽且较窄，向后拱；阳茎管状，稍上弯，端部具齿；悬片环形；阳基侧突狭长，彼此高度岔离。

分布：古北区，东洋区。秦岭地区发现 1 种。

(63) 芦苇绿飞虱 *Chloriona tateyamana* Matsumura，1935（图版 87）

Chloriona tateyamana Matsumura, 1935：138.

鉴别特征：体淡黄绿至绿色，带有铬黄或蓝色光泽。头顶灰黄褐色，前胸背板、中胸背板色较暗。前翅黄白色、透明，具黑色微毛。腹部绿色，各节后缘和侧区铬黄色，也有腹部背面为黑褐色，腹面黄色。雄虫尾节和臀节黑褐色，臀突黄色；阳基侧突基部 2/3 黑褐色，端部 1/3 淡褐色。短翅型雌虫绿色略带黄色，或腹部黄色，其余部分绿色，产卵器深褐色。前翅短，伸达腹部第 4 节。雄虫臀节短；尾节后开，呈横卵圆形；膈宽、较骨化，背缘中部均匀拱凸；阳茎粗短，管状，具排列不规则的微齿，背面观基半部向两侧扩张成翼状，性孔位于端部；悬片腹面环形，背柄短，两侧角状突出，背缘中部拱；阳基侧突自基部强烈岔离，狭长，内缘、外缘近平行，端角稍伸出。

分布：陕西（秦岭）、黑龙江、辽宁、河北、甘肃、河南、山东、上海、江苏、安徽、台湾；蒙古，俄罗斯，韩国。

52. 片足飞虱属 *Peliades* Jacobi, 1928

Platybrachys Bierman, 1910：41. **Type species**：*Platybrachys platypoda* Bierman, 1910.

Peliades Jacobi, 1928：43. **Type species**：*Platyhrachys platypoda* Bierman, 1910.

属征：头部包括复眼窄于前胸背板，头顶中长短于基宽，端缘平截，中侧脊在头顶端缘不连接，"Y"形脊清晰；额以复眼下缘处最宽，中脊在近中部或中偏端部处分叉，额端部窄于后唇基基部；触角圆筒形，几伸达后唇基端部；前胸背板侧脊不伸达后缘。前足胫节扩展成叶状。后足刺式 5-7-4，后足胫距后缘具齿超过 20 枚。雄虫臀节衣环状，端侧角延伸或不延伸成刺突；尾节后面观，后开口长短于宽，具腹中突；膈较宽，背缘中部呈"V"形凹陷；阳茎管状，长，端部形成鞭节；悬片"Y"形，柄长于臂；阳基侧突细长，端部岔离。

分布：古北区，东洋区，澳洲区。秦岭地区发现 1 种。

(64) 觸口片足飞虱 *Peliades chuhkouensis* Yang, 1989（图版 88）

Peliades chuhkouensis Yang, 1989：121；Ding, 2006：331.

鉴别特征：头顶、额、唇基和触角黄褐色；颊黑色。前胸和中胸背板浅黄褐色至黄褐色；中胸背板侧区黑色；各胸足除前中足跗节、腿节和胫节暗褐至黑色外，其余为浅黄褐色。腹部暗褐至黑色，尾节背半部浅黄白色。雄虫臀节中等，端侧角不突出；尾节侧面观腹缘长于背缘，后面观后开口宽大于长，具腹中突，其中部凹入，另两侧各有 1 个小突起；阳茎细长，略弯曲，端部逆生 1 根鞭节，到达阳茎中部，其顶端分出 2 个细长的支突，左侧的 1 个弯向左侧，右侧的 1 个弯转向下；悬片"Y"形；阳基侧突细长，端半部岔离，顶端再向内稍微弯曲。

分布：陕西（秦岭）、台湾。

53. 斑飞虱属 *Euides* Fieber, 1866

Euides Fieber, 1866：519. **Type species**：*Delphax basilinea* Germar, 1821.

Euidella Puton, 1866: 72. **Type species**: *Euidella basilinea* Oshanin, 1912.

属征：体大型。头顶中长约等于基宽，端缘圆，中侧脊不在头顶端缘连接，"Y"形脊明显；额中脊在复眼中部水平处分叉，额端部窄于后唇基基部；触角圆柱形，伸近后唇基端部；前胸背板宽于头部包括复眼，侧脊不伸达后缘；后足刺式5-7-4，后足胫距后缘具齿小而密，约40枚。雄虫臀节环状，具一长一短臀刺突；有腹中突；膈窄，中部有1对小突起；阳茎管状，弯曲，端部具齿列和齿突；悬片环形；阳基侧突大，岔离，内缘凹，端部膨大呈斜四方形。

分布：古北区。秦岭地区发现1种。

(65) 大斑飞虱 *Euides speciosa* (**Boheman**, **1866**) (图版89)

Delphax speciosa Boheman, 1845: 59.

Euides speciosa: Fieber, 1866: 519.

Euidella caspiana Dlabola, 1961: 269.

鉴别特征：雄性体黄褐色，额、颊、唇基及中胸背板侧脊外方污黄褐或暗褐色，额和颊有一些浅色小圆斑，中胸背板中域黄色。前翅革片基半部有1个长三角形黑褐色大斑，沿横脉和端区背缘有1枚宽大的黑褐色弧形斑，另沿 R_1 和 Rs 的端部具暗褐色条纹。腹部及生殖节黑褐色。雌虫黄褐色，腹部背面具黑褐斑，前翅斑纹较雄虫为浅。雄虫臀节环状，侧面观长刺突基部宽扁；尾节后开，宽大于长，具腹中突，侧面观呈三角形；膈中等，背缘平直，膈面中偏上方有1对小突起；阳茎基部管状，端部近长方形，腹向弯曲，左侧下缘具8齿排成1斜列，另在背缘弯曲处有1个齿状突起；阳基侧突发达，端部扩展呈四方形，端缘宽直，内缘凹，近端部有1个小刺状突起。

分布：陕西（秦岭）、吉林、河北、江苏、上海；俄罗斯，韩国，日本，欧洲。

54. 长跗飞虱属 *Kakuna* Matsumura, 1935

Kakuna Matsumura, 1935: 76. **Type species**: *Kakuna kuwayamai* Matsumura, 1935.

Parametopina Yang, 1989: 308. **Type species**: *Parametopina yashaniae* Yang, 1989.

属征：体大型。头部包括复眼窄于前胸背板，头顶中长稍短于基宽或近相等，端缘平截，中侧脊在头顶端部连接，"Y"形脊明显；额中脊在额的最基部分叉，以中部处最宽；触角圆筒形，伸达后唇基中部；前胸背板侧脊不伸达后缘，中胸背板长于头顶和前胸背板之和。后足刺式5-7-4或5-9(8)-4，后足胫距后缘具齿小而密，另具端齿1枚。雄虫臀节较短，环状，无臀刺突；尾节后面观，后开口长大于宽，无腹中突；膈较窄，膈背缘中部具1对分叉状突起；阳茎长，管状，端部具刺状突起；悬片环形，有背柄；阳基侧端部内弯。

分布：东洋区。秦岭地区发现1种。

(66) 太白长跗飞虱 *Kakuna taibaiensis* **Ren et Qin, 2014**（图296；图版90）

Kakuna taibaiensis Ren *et* Qin, 2014：121.

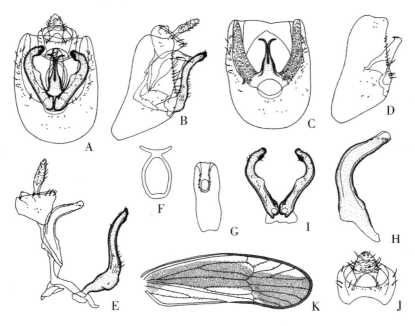

图296　太白长跗飞虱 *Kakuna taibaiensis* Ren *et* Qin

A. 雄性外生殖器后面观（male genitalia, posterior view）；B. 雄性外生殖器左侧面观（male genitalia, left lateral view）；C. 尾节后面观（male pygofer, posterior view）；D. 尾节左侧面观（male pygofer, left lateral view）；E. 臀节、悬片，阳茎和阳基侧突侧面观（anal segment, suspensorium, aedeagus and style, left lateral view）；F. 悬片（suspensorium）；G. 阳茎后面观（aedeagus, posterior view）；H. 阳茎左侧面观（aedeagus, left lateral view）；I. 阳基侧突后面观（styles, posterior view）；J. 臀节后面观（anal segment, posterior view）；K. 前翅（forewing）

鉴别特征：体褐色。单眼红褐色，复眼黑色，体背面有1条乳白色纵斑，自"Y"形脊主干延伸至前翅中部。前翅黄褐色，自基部延伸达翅端部有1条明显的黑色纵斑，翅面有黄褐色颗粒。腹部黑褐色，前中足胫节褐色，后足黄褐色，胫节和跗节端刺黑色。雄虫臀节深陷尾节背面内。尾节侧面观腹缘长于背缘，侧端角钝圆突出，后面观尾节长大于宽，腹缘浅凹，腹中突无。膈窄，背中突很发达，柱状，基部阔，汇聚，至端部分叉。阳基侧突长，延伸达臀节水平处，后面观基部汇聚，尔后岔离，端部2/5再向中部聚拢，端部钝圆，内缘中部扩展，有齿。阳茎管状，侧观弯曲，基部略扩展，近端部背面至端腹面有小齿，性孔位于端部膜质区背面。

采集记录：1♂（正模），太白，2010.Ⅷ.13，董爱平采。

分布：陕西（太白）。

55. 缪氏飞虱属 *Muirodelphax* Wagner，1963

Muirodelphax Wagner，1963：169. **Type species**：*Delphacodes aubei* Perris，1857.
Kosswigianell Wagner，1963：170. **Type species**：*Delphacodes exigua* Boheman，1847.

属征：体中小型。头部包括复眼窄于前胸背板，头顶中长稍大于基宽，端缘圆，中侧脊在头顶端部连接，"Y"形脊明显；额中脊单一或在最基部分叉，额端部窄于后唇基基部；触角圆筒形；前胸背板侧脊不伸达后缘。后足刺式5-7-4，后足胫距后缘具齿约10多枚。雄虫臀节短，环状，无臀刺突；尾节后面观后开口长宽近相等，无腹中突；膈很宽，背缘呈"V"形凹陷；阳茎管状，弯曲，端部两侧具齿列。阳基侧突小，伸达膈长之半，端部岔离。

分布：古北区。秦岭地区发现1种。

(67) 具条缪氏飞虱 *Muirodelphax nigrostriata*（**Kusnezov，1929**）（图版91）

Liburnia nigrostriata Kusnezov，1929：163.
Muirodelphax litoralis Vilbaste，1968：30.
Muirodelphax nigrostriata：Anufriev，1977：864.

鉴别特征：长翅型雄虫体黑色；头顶基膈室，前足、中足除基节外各节及后足褐色；头顶"Y"形脊黄褐或黄白色；触角褐色，第1节端部暗褐色。前胸背板各脊黄白色，中胸背板各脊褐色或暗褐色。前翅黄褐色，翅脉褐色，翅斑暗褐色。雌虫第1载瓣片侧叶及臀节黄白色，产卵器鞘褐色。短翅型雄虫体黑褐色，头顶基膈室、前胸背板侧脊间赭黄色，中胸背板赭黄或暗褐色，头、胸部各脊均为污黄褐色，体背由各中脊和前翅爪片后缘形成1条淡色中纵斑；触角污赭黄色，第1节端部暗黑色，足除基节外为污赭黄色，带暗色条纹；前翅淡赭黄色；深色型个体腹板各节后缘、背中线及背板上的淡色斑为污赭黄色。雄性生殖节黑色，背缘污赭色，臀节黄褐色，臀突黑褐色，阳基侧突黑褐色，小，伸达膈长之半；尾节后面观近长卵圆形，侧面观似瓶状；膈黑褐色，背腹向长度超过生殖节高度之半；阳茎褐色，管状，弯曲，端部两侧缘具齿列。

采集记录：1♂（长翅型），太白山蒿坪寺，2006.Ⅶ.09，秦道正采；3♂，太白，2007.Ⅷ.27，秦道正采。

分布：陕西（太白）、吉林、内蒙古、甘肃；俄罗斯。

56. 淡脊飞虱属 *Neuterthron* Ding, 2006

Neuterthron Ding, 2006：443. **Type species**：*Neuterthron hamuliferum* Ding, 2006.

属征：头部包括复眼窄于前胸背板，头顶中长短于基宽，端缘平截，中侧脊在头顶端缘连接，"Y"形脊主干不明显；额中长为最宽处的 2 倍，中脊在最基部分叉，额端部稍窄于后唇基基部；触角圆筒形，伸达额唇基缝；前胸背板侧脊不伸达后缘。后足刺式5-7-4，后足胫距后缘具齿稀疏，约 10 枚。雄虫臀节小，陷入尾节背陷内，具 1 对短小的臀刺突；无腹中突；膈窄，中部呈"V"形凹陷，膈突明显，具齿；阳茎管状，弯曲，具刺突；悬片环形；阳基侧突细长，稍岔离，伸达臀节。

分布：东洋区。秦岭地区发现 1 种。

(68) 截形淡脊飞虱 *Neuterthron truncatulum* Qin, 2007（图 297；图版 92）

Neuterthron truncatulum Qin, 2007：62.

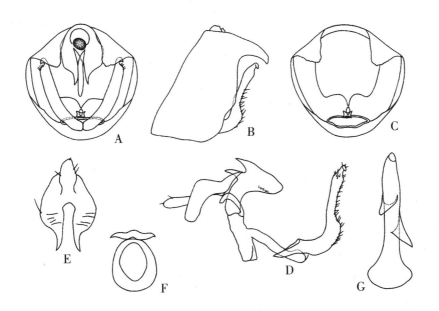

图 297　截形淡脊飞虱 *Neuterthron truncatulum* Qin

A. 雄性外生殖器后面观（male genitalia, posterior view）；B. 雄性外生殖器左侧面观（male genitalia, left lateral view）；C. 尾节后面观（male pygofer, posterior view）；D. 臀节、悬片阳茎和阳基侧突，左侧面观（anal segment, suspensorium, aedeagus and style, left lateral view）；E. 臀节后面观（anal segment, posterior view）；F. 悬片（suspensorium）；G. 阳茎背面观（aedeagus, dorsal view）

　　鉴别特征：雄虫沿体中线具黄白色或污白色纵斑。头顶黄褐色，近侧面具黑褐色条斑并延伸至额端部。复眼、颊、前翅及腹部黑色；颊区有 3 个黄褐色圆斑。触角黄褐色。前胸背板黑色，后侧角污褐色。中胸背版黑色。腹部各节侧缘有不规则污色斑纹。尾节黑色，阳基侧突黑褐色。短翅型翅具光泽，翅面具颗粒。前足腿节、中足腿节及后足腿节基半部黑褐色。一些标本触角基节和端节基半部污褐色，端半部黄褐色。雄性肛突深陷于尾节内，有 1 对刺状臀刺突，端向收狭，顶端尖锐。尾节后面观侧端角强烈向腹面弯折，端部具不规则的齿，侧观背侧角延伸，端部弯向腹面。膈背缘中部凹入，侧缘上拱，端腹面具 1 个突起，侧观超过尾节后缘，端部斜截。阳基侧突窄，后面观中等岔离，端部钩状。阳茎管状，端半部扩展，弯曲向腹面，近端部左侧具 1 列小齿，背面还具 2 个大齿。膈孔背缘中部略凹入，侧缘略凸出，腹面几平直。悬片腹面环状，背面有 1 个背片。

　　采集记录：5♂3♀（短翅型），户县朱雀森林公园，2007.Ⅶ.22-25，秦道正采；2♀（长翅型），户县朱雀森林公园，2007.Ⅶ.22-25，秦道正采；53♂，太白山蒿坪寺，2006.Ⅶ.09-11，秦道正采。

　　分布：陕西（户县，太白山）。

57. 大褐飞虱属 *Changeondelphax* Kwon, 1982

Changeondelphax Kwon, 1982：2. **Type species**：*Euidella velitchkovskyi* Melichar, 1913.

　　属征：头部包括复眼窄于前胸背板，头顶中长稍大于基宽或近相等，端缘稍拱，中侧脊在头顶端缘汇合，"Y"形脊明显；额以中部处最宽，中脊在额的最基部分叉，额端部等于或稍窄于后唇基基部；触角圆筒形，几乎达后唇基端部；前胸背板侧脊不伸达后缘。后足刺式 5-8-4，后足胫距后缘具齿 20～30 枚。雄虫臀节衣领状，端侧角宽离，具 1 对长的臀刺突；尾节后面观，后开口宽大于长，腹缘中部凹，无腹中突；膈宽，沿中线隆起成脊，两侧坡形，呈屋顶状；阳茎管状，多少弯曲，端部具齿或端半部具齿列；悬片环形，背柄长，腹环呈椭圆形，在阳茎基部腹面连结；阳基侧突大，彼此强烈岔离，端部收狭，外缘近端部有 1 个三角形突起。

　　分布：古北区。秦岭地区发现 1 种。

(69) 大褐飞虱 *Changeondelphax velitchkovskyi* (**Melichar, 1913**)（图版 93）

Euidella velitchkovskyi Melichar, 1913：6.

Changeondelphax velitchkovskyi：Kwon, 1982：2.

Toya sapporonis Matsumura, 1935：78.

Calligypona oriens Dlabola, 1961：587.

鉴别特征：大体褐色。触角第 1 节端缘和第 2 节基部、前中胸腹板、前中足基节及前胸背板侧缘区均黑褐色。前翅淡褐色、透明。腹部和雄虫尾节大部黑褐色，臀节黄褐色。雌虫胸部腹面和腹部黄褐色，其余体色同雄虫。雄虫短翅型前翅褐色，前翅伸达腹部末端，中翅型前翅稍伸出腹部末端。雄虫臀节具 1 对粗壮臀刺突，伸向腹面；尾节侧面观腹缘长于背缘，背侧角不伸出，后面观后开口宽圆，腹缘中部浅凹；膈较宽，背缘中部隆起，具发达中纵脊；侧面观明显向后突出呈片状；阳茎长、管状，略弯曲，性孔位于端部，附近具许多小刺；阳基侧突彼此强烈岔离，后面观外缘波曲，端部骤狭，顶端尖，侧面观基半部宽，端半部明显变窄，并向顶端渐收狭，外缘近端部有 1 个小三角形突起。

采集记录：1♀，凤县，1988. Ⅶ，冯文涛采。

分布：陕西(凤县)、黑龙江、吉林、辽宁、河北、内蒙古、河南、宁夏、甘肃、江苏、安徽；俄罗斯，韩国，日本。

参考文献

Amyot, C. J. B. , Audinet-Serville, J. G. 1843. Homoptères. Homoptera Latr. In：Histoire naturelle des insectes, hémiptères. Paris：Librairie Encyclopédique de Roret: 1-676.

Anufriev, G. A. 2009. Cicadina. p. 52-69. *In*：Russian Academy of Sciences, Far Eastern Branch, Institute of biology and soil Science (ed). Insects of Lazovsky Nature Reserve. Vladivostok Dalnauka (Russia).

Anufriev, G. A. , Emeljanov, A. F. 1988. *Suborder Cicadinea* (Achenorrhyncha). pp441-465. *In*：Ler, P. A. (Ed), *keys to the insects of the far East of the USSR, Volume 2 Homoptera and Hesteroptera*. Nauka Publishing House, Leningrad.

Asche, M. , Wilson, M. R. 1989. The palm-feeding planthopper genus *Ommatissus* (Homoptera：Fulgoroidae：Tropiduchidae). *Systematic Entomology*, 14：127-147.

Atkinson, E. T. 1886. Notes on Indian Rhynchota, No. 5. *Journal and Proceedings of the Asiatic Society of Bengal*, 55：12-83.

Bai, K. R. , Guo, H. W. and Feng, J. N. 2015. A new species in the genus *Reptalus* Emeljanov, 1971 (Hemiptera：Cixiidae：Pentastirini) from China. *Entomotaxonomia*, 37(1)：31-42.

Bierman, C. J. H. 1910. Homopteren aus Niederlandisch Ost-Indien. II herausgegeben von D. MacGillavry und K. W. Dammerman. *Notes of the Leyden Museum*, 33：19-21.

Bourgoin, T. 2015. FLOW (Fulgoromorpha Lists on The Web)：a world knowledge base dedicated to Fulgoromorpha. Version 8, updated [2015. 5. 28]. http://hemiptera-databases. org/flow/.

Chen, X. S. , Zhang, Z. G. and Chang, Z. M. 2014. *Issidae and Caliscelidae* (Hemiptera：*Fulgoroidea*) *from China*. Guizhou Science and Technology Publishing House, Guiyang. 242 pp. [陈祥盛, 张争光, 常志敏. 2014. 中国瓢蜡蝉和短翅蜡蝉(半翅目：蜡蝉总科). 贵州：科技出版社, 242.]

Chou, I. , Lu, J. S. 1977. On the Chinese Ricaniidae with descriptions of eight new species. *Acta Entomologica Sinica*, 20 (3)：314-322. [周尧, 路进生. 1977. 中国广翅蜡蝉科附八新种. 昆虫学报, 20(3)：314-322.]

Chou, I. , Wang, S. Z. 1985. Notes on the *Magadha* From China (Homoptera: Achilidae). *Entomotaxonomia*,7(3): 199-203. [周尧，王思政. 1985. 马颖蜡蝉属 Magadha 中国种类记述. 同翅目: 颖蜡蝉科. 昆虫分类学报, 7(3): 199-203.]

Chou, I. , Li J. S. , Huang, J. and Wang S. Z. 1985. *Economic Insect Fauna of China. Fasc.* 36, *Homoptera Fulgoroidea. Fauna Editorial Board Committee*, *Academia Sinica*, *Science Press*, Beijing, China, 152 pp. [周尧，路进生，黄菊，王思政. 1985. 中国经济昆虫志. 第36册. 同翅目: 蜡蝉总科. 北京: 科学出版社, 152.]

Chou, I. , Wang, S. Z. and Huang, J. 1985. On the Chinese Fulgoroidea with descriptions of new species. *Entomotaxonomia*, 7(1): 29-38. [周尧，王思政，黄桔. 1985. 中国蜡蝉总科新种记述. 昆虫分类学报, 7(1): 29-38.]

Chou, I. ,Yuan, F. and Wang, Y. L. 1994. Descriptions of the Chinese species of the Genus *Caristianus* Distant(Homoptera: Achilidae). *Entomotaxonomia*, 16(1):38-49. [周尧，袁锋，王应伦. 1994. 卡颖蜡蝉属 Caristianus Distant 中国种类记述. 昆虫分类学报, 16(1):38-49.]

Ding, J. H. , Zhang, F. M. 1994. Delphacidae Fauna of Northeast China. Homoptera Fulgoroidea. China Agricultural Science Press. 150 pp. [丁锦华，张富满. 1994. 东北飞虱志. 中国农业科技出版社, 150.]

Ding, J. H. 2006. *Fauna Sinica. Insecta Vol.* 45. *Homoptera Delphacidae*. Editorial Committee of Fauna Sinica. Chinese Academy of Science. Beijing: Science Press. 776 pp. [丁锦华. 2006. 中国动物志. 昆虫纲. 第45卷. 同翅目: 飞虱科. 北京: 科学出版社, 776.]

Distant, W. L. 1906a. Preoccupied generic names in the Homopterous Family Fulgoridae. *Entomologist*, 39: 8.

Distant, W. L. 1906b. The Fauna of British India, Including Ceylon and Burma. Rhynchota 3 (Heteroptera: Homoptera). Taylor & Francis, London, 175-491.

Distant, W. L. 1907. A contribution to a knowledge of the entomology of South Africa. *Insecta Transvaaliensia*, 8: 181-204.

Distant, W. L. 1916. Rhynchota. Vol. VI. Heteroptera-Homoptera:appendix. *The Fauna of British India, including Ceylon and Burma*. London, 17-133.

Emeljanov, A. F. 1971. New genera of leafhoppers of the families Cixiidae and Issidae (Homoptera: Auchenorrhyncha) ; J]. *Entomologicheskoe Obozrenie*, 50(3), 50: 619-627. *Entomologist*, 33: 238-243.

Fennah, R. G. 1950. A generic revision of Achilidae. *Bulletin British Museum (Natural History) Entomology*, 1(1): 103-104.

Fennah, R. G. 1952. On the generic classification of Derbidae (Homoptera: Fulgoroidea) with description of new Neotropical species. *Transactions Royal Entomological Society*, 103: 109-170.

Fennah, R. G. 1956. Fulgoroidea from Southern China. *Proceedings of the California Academy of Sciences*, 28(13): 441-527.

Fennah, R. G. 1970. The Tropiduchidae collected by the Noona Dan Expedition in the Philippines and Bismarck Archipelago (Insect: Homoptera: Fulgoroidea). *Steenstrupia*, 1: 61-82.

Germar, E. F. 1818. Bemerkungen über einige Gattungen der Cicadarien. *Magazin der Entomologie*, 3: 177-227.

Gnezdilov, V. M. 2013a. Modern classification and distribution of the family Issidae Spinola (Homoptera:

Auchenorrhyncha：Fulgoroidea）. *Entomologicheskoe obozrenie*, 92(4)：724-738. English translation published in *Entomological Review*, 94(5)：687-697.

Gnezdilov, V. M. 2013b. On the genera *Sivaloka* Distant, 1906 and Kodaianella Fennah, 1956（Hemiptera：Fulgoroidea：Issidae）. *Deutsche Entomologische Zeitschrift*, 60(1)：41-44.

Gnezdilov, V. M. , Wilson M. R. 2005. New genera and species of the tribe Parahiraciini（Hemiptera：Fulgoroidea：Issidae）. *Acta Entomologica Slovenica*, 13(1)：21-28.

Guérin-Ménerville, F. E. 1829. Homoptera. Plates from Iconographie régnes animal de G. Cuvier. 1829, pl. 58-59.

Guo, H. W. , Wang Y. L. , and Feng, J. N. 2009. Taxonomic study of the genus *Oecleopsis* Emeljanov, 1971（Hemiptera：Fulgoromorpha：Cixiidae：Pentastirini）, with descriptions of three new species from China. *Zootaxa*, 2172：45-58.

Guo, H. W. , Wang, Y. L. 2007. Taxonomic Study on the Genus *Reptalus*（Hemiptera：Cixiidae：Pentastirini）from China with Description of a new Specie. *Entomotaxonomia*. 29(4)：275-280. ［郭宏伟, 王应伦. 2007. 中国瑞脊菱蜡蝉属 *Reptalus* 分类与一新种记述. 昆虫分类学报, 29(4)：275-280. ］

Huang, J., Bourgoin, T. 1993. The planthopper genus *Trypetimorpha*：systematics and phylogenetic relationship（Homoptera：Fulgoroidea：Tropiduchidae）. *Journal Natural History*, 27：609-629.

Jacobi, A. 1915. Kritische Bemerkungen über die Flatinae（Rhynchota Hmoptera）. *Deutsche entmologische Zeitschrift*, 157-158.

Jacobi, A. 1915. Kritische Bemerkungen über die Ricaniinae（Rhynchota Homoptera）. *Deutsche entmologische Zeitschrift*, 299-314.

Kato , M. 1932. Notes on some Homoptera from south Machuria, collected by Mr. Yukinmich. *Kontyû*, 5(5)：216-229.

Kirkaldy, G. W. 1900. Bibliographical and nomenclatorial notes on the Rhynchota. No. 1.

Kirkaldy, G. W. 1900. Miscellanea Rhynchotalia. *Entomologist*, 33：296-297.

Kuoh, C. L., Ding, J. H. , Tian, L. X. and Hwang, C. L. 1983. Economic Insect Fauna of China. Fasc. 27, Homoptera Delphacidae. Fauna Editorial Board Committee, Academia Sinica, Science Press, Beijing, China, 166pp. ［葛钟麟, 丁锦华, 田立新, 黄其林. 1983. 中国经济昆虫志. 第27册. 同翅目：飞虱科. 北京：科学出版社, 166 页. ］

Lethierry, L. F. 1888. Liste des Hemiptères recueillis à Sumatra et dans l'ile de Nias par M. E. Modigliani. *Annali del Museo civico di Storia Naturale di Genova*, 6：460-470.

Liang, A. P. 2001. Taxonomic notes on Oriental and Easter Palaearctic Fulgoroidea（Hemiptera）. *Journal of the Kansas Entomological Society*, 73(4)：235-237.

Liang, A. P. 2005. Occurrence of the latero-subapical labial sensillum in *Borysthenes maculata and Andes marmorata*（Hemiptera：Fulgoromorpha：Cixiidae）. *Journal of Entomological Science*, 40(4)：428-437.

Liang, A. P. , Jiang, G. M. 2005. *Dictyophara nekkana* Matsumura（Hemiptera：Fulgoroidea：Dictyopharidae）：discovery of Syntypes, Lectotype designation, and new distributional records. *Journal of the Kansas Entomological Society*, 78(2)：118-123.

Liang, A. P. , Song, Z. S. 2006. Revision of the Oriental and eastern Palaearctic planthopper genus *Saigona* Matsumura, 1910（Hemiptera：Fulgoroidea：Dictyopharidae）, with descriptions of five new species. *Zootaxa*, 1333: 25-54.

Matsumura, S. 1905. *Descriptions and illustrations of the species*. 1000 Insects of Japan, 2: 42-70.

Matsumura, S. 1914. Die Cixiinen Jepans. *Annotationes Zoologicae Japanensis*, 8:393-434.

Matsumura, S. 1940. Homopterous insects collected at Kotosho (Botel Tobago) Formosa, by Mr. Tadao Kano. *Insecta Matsumurana*, Sapporo 15: 34-51.

Matsumura, S. 1940. New species of Dictyophoridae (Homoptera) from Manchoukuo and the neighbouring countries. *Insecta Matsumurana*, 15(1-2): 14-20.

Medler, J. T. 1987. Types of Flatidae (homoptera) XI. Taxonomic notes on Kirkalday types in the Bishop Museum, with illustrations of the geitalia of male lectotypes. Bishaop *Museum Occasional Papers*, 27: 115-125.

Medler, J. T. 1992. Revision of the tribe Phyllyphantini in the Oriental Region, with descriptions of New Genera and new species (Homoptera: Flatidae). *Oriental Insects*, 26: 1-38.

Melichar, L. 1903. Homoptera-Fauna von Celon. Verlag von Felix L. Dames, Berlin, 1-248, pls. 1-6.

Melichar, L. 1912. Monographie der Dictyophorinen (Homoptera). *Abhandlungen der K. K. Zoologisch-Botanischen Gesellschaft in Wien*, 7(1): 1-221.

Melichar, L. 1898. Vorläufige Beschreibungen neue Ricaniiden. *Verhandlungen der kaiserlichkoniglichen Zoologisch-Botanischen Gessellschaft in Wien*, 48:384-400.

Metacalf, Z. P. 1954. Some new species of Homoptera (Family Coxoodae and Membrachidae). *Beträge zur Entmologie*, 4(5-6):604-613.

Metcalf, Z. P. 1956. *General Catalogue of the Homoptera. Fascicle* IV *Fulgoroidea. Part 18 Eurybrachidae and Gengidae*. North Carolina State College: Raleigh N. C., U. S. A. 81pp.

Metcalf, Z. P. 1957. *General Catalogue of the Homoptera. Fascicle* IV *Fulgoroidea*. Part 13 Flatidae and Hypochonelidae. North Carolina State College: Raleigh N. C., U. S. A. 565pp.

Muir, F. A. G. 1913. On some new Fulgoroidea. *Proceedings of the Hawaiian Entomological Society*, 2: 267.

Muir, F. A. G. 1914. On some new Derbidae from Formosa and Japan. *Proceedings of the Hawaiian Entomological Society*, 3(1): 42-52.

Muir, F. A. G. 1913. On some new species of leafhoppers. Part II. -Derbidae. *Bulletin of the Hawaiian Sugar Planters Association Division of Entomology*, 12: 28-92.

Muir, F. A. G. 1928. Notes on some African Derbidae (Homoptera). II. *Annals and Magazine of Natural History*, (Ser. 10) 1: 498-525.

Peng, L. F., Zhang, Y. L. and Wang Y. L. 2009. A taxonomic study on the genus *Salurnis* Stål from China (Hemiptera: Flatidae), with description of two new record species. *Acta Zootaxonomica Sinica*, 34 (4): 878-884. [彭凌飞, 张雅林, 王应伦. 2009. 中国缘蛾蜡蝉属分类与二新纪录种(半翅目, 蛾蜡蝉科). 动物分类学报, 34(4): 878-884.]

Qin, D. Z., Liu, T. T. and Lin, Y. F. 2012. A new species in the *Bambusiphaga* fascia group (Hemiptera: Fulgoroidea: Delphacidae) from Shaanxi, China, with a key to all species in the group. *Acta Zootaxonomica Sinica*, 37(4): 777-780. [秦道正, 刘婷婷, 林裕芳. 2012. 中国带纹竹飞虱种团一新种并附该种团种检索表. 动物分类学报, 37(4): 777-780.]

Rahman, M. A., Kwon, Y. J. and Suh, S. J. 2012. Taxonomic revision of the tribe Zoraidini (Hemiptera: Fulgoromorpha: Derbidae) from Korea. *Entomological Research*, 42: 227-242.

Ren, F. J. , Xie, Q. , Qiao, L. and Qin, D. Z. 2014. *Kakuna taibaiensis* sp. n. and a newly recorded species of *Dicranotropis* (Hemiptera: Fulgoroidea: Delphacidae) from China. *ZooKeys*, 444: 119-130.

Ren, F. J. , Zheng L. F. , Huang, Y. X. and Qin, D. Z. 2014. Lauriana Ren & Qin, a new genus of the tribe Tropidocephalini (Hemiptera: Fulgoromorpha: Delphacidae) from China. *Zootaxa*, 3784(1): 84-88.

Schaum, H. R. 1850. Fulgorellae. *Allgemeine Encyklop die der Wissenschaften und Kunste*, Erster Section A-G. , 51: 58-73.

Song, Z. S. , Liang, A. P. 2008. The Palaearctic Planthopper Genus *Dictyophara* Germar, 1833 (Hemiptera: Fulgoroidea: Dictyopharidae) in China. *Annales Zoologici*, 58(3): 537-549.

Song, Z. S. , Liang, A. P. 2012. *Dictyotenguna choui*, a new genus and species of Dictyopharinae (Hemiptera: Fulgoromorpha: Dictyopharidae) from China. *Entomotaxonomia*, 34(2): 207-214.

Song, Z. S. , Szwedo, J. , Wang, R. R. and Liang. A. P. 2016. Systematic revision of Aluntiini Emeljanov (Hemiptera: Fulgoromorpha: Dictyopharidae: Dictyopharinae): reclassification, phylogenetic analysis, and biogeography. *Zoological Journal of the Linnean Society*, 176(2): 349-398.

Stål, C. 1854. Nya Hemiptera. *Öfversigt af Kongliga Svenska Vetenskaps-Akadamiens Förhandlingar*, 11 (8): 231-255.

Stål, C. 1856. Hemiptera fran Kafferlandet. *Öfversigt af Kongliga Svenska Vetenskaps-Akademiens Förhandingar*, 12: 89-100.

Stål, C. 1858. Hemipterologiska bidrag. *Öfversigt af Kongliga Svenska Vetenskaps-Akademiens Förhandlingar*, 15: 433-454.

Stål, C. 1863. Beitrag zür Kenntnis der Fulgoriden. Stettiner Entomologische Zeitung. *Herausgegeben von dem entomologischen Vereine zu Stettin*, 24, 230-251.

Stål, C. 1870. Hemiptera insularum Philippinerum. Bidrag till Philippinska öarnes Hemipter-fauna. *Öfversigt af Kongliga Svenska Vetenskaps-Akadamiens Förhandlingar*, 27: 607-776; pls 7-9.

Uhler, P. R. 1896. Summary of the Hemiptera of Japan presented to the United States National Museum by Professor Mitzukuri. *Proceedings of the United States National Museum*, *Washington*, 19: 255-297.

Van Stalle, J. 1991. Taxonomy of Indo-Malayan Pentastirini (Homoptera: Cixiidae). *Bulletin de l'Institut Royal des Sciences Naturelles de Belgique*, 61: 5-101.

Walker, F. 1851. *List of the specimens of Homopterous Insects in the collection of the British Museum*. British Museum, London, 2: 261-636.

Walker, F. 1857. Catalogue of the Homopterous insects collected at Sarawak, Borneo, by Mr. A. R. Wallace, with descriptions of new species. *Journal of the Proceedings of the Linnean Society*, 1: 141-175.

Wang, J. C. , Ding, J. H. 1996. Delphacidae Fauna of Gansu Province, China. Homoptera Fulgoroidea. Gansu Science and Technology Press, 162 pp. 〔王金川, 丁锦华. 1996. 甘肃飞虱志. 甘肃科学技术出版社, 150. 〕

Wang, M. L. , Wang, Y. L. 2013. Review of the genus *Loxocephala* Schaum, 1850 (Hemiptera: Fulgoromorpha: Eurybrachidae) with description of three new species from China. *Zootaxa*, 3664(2): 176-198.

Wang, S. Z. , Huang, J. , Song, J. Z. , Xuan, L. F. and Wang, F. X. 1995. Studies on systematics of genus *Trypetimorpha* in the world. II. A review of species of genus *Trypetimorpha*. Acta *Agriculturae Boreali-Sinica*, 10(suppl.): 148-152. [王思政, 黄菊, 宋皂吉. 1995. 世界笠扁蜡蝉属系统分类的研究 II. 笠扁蜡蝉属的种类评述. 华北农学报, 10(增刊): 148-152.]

Wang, Y. L., Che Y. L. and Yuan X. Q. 2005. A Taxonomic Study on the Genus *Geisha* Kirkaldy (Hemiptera: Flatidae) from China. *Entomotaxonomia*, 27(3): 179-186. [王应伦, 车艳丽, 袁向群. 中国碧蛾蜡蝉属的分类研究 (半翅目: 蛾蜡蝉科). 昆虫分类学报, 27(3): 179-186.]

Westwood, J. O. 1840. Observations on the genus *Derbe* of Fabricius. *Proceedings of the Linnean Society of London*, 1: 82-85.

Westwood, J. O. 1841. Observations on the genus *Derbe* of Fabricius. *Transactions of the Linnean Society of London*, 19: 1-18.

Wu, H. X., Liang A. P. and Jiang G. M. 2005. The tribe Otiocerini in China with descriptions of five new species (Hemiptera: Fulgoroidea: Derbidae). *Oriental Insects*, 39: 281-294.

Wu, C. F. 1941. *Catalogus Insectorum Sinensium*. Library of the Institute of Zoolgy National Acadermy of Peiping, 6: 262-263.

Wu, H. X., Liang, A. P. 2001. Descriptions of three new species of *Vekunta* Distant (Homoptera: Derbidae). *Acta Zootaxonomica Sinica*, 26(4): 511-517. [吴海霞, 梁爱萍. 2001. 寡室袖蜡蝉属三新种 (同翅目: 袖蜡蝉科). 动物分类学报, 26(4): 511-517.]

Yang, C. T., Wu, R. H. 1994. Derbidae of Taiwan (Homoptera: Fulgoroidea). *Taiwan: Zhengchung Press*, 230pp.

Yang, C. T. 1989. *Delphacidae of Taiwan* (Ⅱ). (*Homoptera: Fulgoroidea*), Taiwan Museum Special Publication Series, National Science Council, Taipei, Taiwan. No. 6, 334 pp.

Yang, J. T., Yang, C. T. 1986. Delphacidae of Taiwan (1). *Asiracinae and the tribe Tropidocephalini* (*Homoptera: Fulgoroidea*), Taiwan Museum Special Publication Series, No. 6, 1-79.

Zelazny, B., Webb, M. D. 2011. Revision of the planthopper tribe Rhotanini (Hemiptera: Auchenorrhyncha: Derbidae). *Zootaxa*, 3071: 1-307.

Zelazny, B. 1981. The Philippine species of Rhotanini (Homoptera: Derbidae) and their distribution outside the Philippines. *Pacific Insects*, 23(3-4): 213-285.

Zhang, Z. G., Chen, X. S. 2010. Taxonomic study of the genus *Kodaianella* Fennah (Hemiptera: Fulgoromorpha: Issidae). *Zootaxa*, 2654: 61-68.

Zhang, Z. G., Chen, X. S. 2012. A review of the genus *Thabena* Stål (Hemiptera: Fulgoromorpha: Issidae) from China with description of one new species. *Entomotaxonomia*, 34(2): 227-232.

第五章　木虱总科 Psylloidea

罗心宇　李法圣　彩万志

(中国农业大学昆虫学系, 北京 100193)

木虱总科 Psylloidea 属于半翅目 Hemiptera 胸喙亚目 Sternorrhyncha, 区别于该亚目另外 3 个总科的主要特征在于其后足基节非常发达, 扭转成不对称状并远大于后胸侧板，其纵向的发扩展推动着后胸侧缝完全上下颠倒。目前全世界已知木虱种类超过 4000 种，中国已知 1000 种左右。木虱总科昆虫为植食性，通过刺吸式口器吸食寄主植物（绝大多数为双子叶植物，鲜见单子叶植物）的韧皮部汁液，并且具备严格的寄主专一性。单个木虱种类的寄主范围极少超过 1 属，绝不超过 1 科。本志记录秦岭地区木虱 5 科 17 属 45 种。

分科检索表

1. 颊完全不隆起成颊锥，或至多有颊内侧瘤发育成类似颊锥状。触角窝所在平面与头顶所在平面大约垂直 ·· 2
   颊整体发育成各种形状的颊锥，触角窝所在平面以较小的角度下倾于头顶所在平面 ········· 3
2. 触角第 4~9 节端部各具 1 个感觉孔（在象木虱亚科 Rhinocolinae 中第 5 或 7 节上的常有退化，但不同时）后足基节关节开口处外壁具 1 个突出的圆瘤 ················· **斑木虱科 Aphalaridae**
   触角仅第 4、6、8、9 节的端部各具 1 个感觉孔。后足基节关节开口处外壁不具突出的圆瘤 ·· **扁木虱科 Liviidae**
3. 颊锥端部具颊锥鞭状毛 ··· **木虱科 Psyllidae**
   颊锥端部不具颊锥鞭状毛 ··· 4
4. 前翅 R、M、Cu 三脉不共柄 ··································· **丽木虱科 Calophyidae**
   前翅 R、M、Cu 三脉共柄 ···································· **个木虱科 Triozidae**

一、斑木虱科 Aphalaridae

鉴别特征：颊不发育成颊锥。额完全暴露。触角窝所在平面与头顶所在平面基本垂直。触角第 4~9 节端部各具 1 枚感觉孔，其中第 5 和 7 节上的有时分别多少退化。中胸侧板上的基转片内凸位于前缘；前侧片沟膜质，完全开裂。后足胫节无基齿；端距较多，大小相近，间距均匀，组成 1 个开放的冠状。前翅有翅痣，宽窄不一；臀裂紧邻 Cu_{1b} 脉的端部。雄虫载肛突常具长指状或狭窄的后叶。阳茎基节内侧中段具深或浅的褶皱。

分类：世界广布。陕西秦岭地区发现 3 属 10 种。

分属检索表

1. 雄虫载肛突不具后叶 ·································· **隆脉木虱属 Agonoscena**
   雄虫载肛突具后叶 ··· 2
2. 头顶与颊边界清晰。唇基长，向前伸达与头顶前缘平齐。··········· **斑木虱属 Aphalara**
   头顶与颊边界不清晰。唇基较短，向前最多伸达与复眼前缘平齐 ····· **边木虱属 Craspedolepta**

1. 隆脉木虱属 *Agonoscena* Enderlein，1914

Agonoscena Enderlein，1914：234. **Type species**：*Psylla targionii* Lichtenstein，1874.

　　属征：中缝后半部常有所愈合。头顶与颊分界不明显。颊无任何隆起痕迹，颊侧瘤完全退化。触角表面褶皱退化较严重，一般仅端部2、3节具完整的褶皱。触角第4~9节端部各具1枚感觉孔，其中第5和7节的较小。唇基腹面观端部中央凹陷，两侧角突出。前胸侧缝背端发源于背板侧面中央，前侧片与后侧片约等宽。前翅C＋Sc脉有时加宽，内缘不清晰；翅刺一般为较粗大的丘状，部分种类排列为蜂窝状；端部近边缘处一般具褐色的色带，并沿各纵脉向端部延伸。雄虫载肛突简单，无后叶；阳基侧突后缘生有1枚"侧臂"，端齿位于主体的内侧；阳茎基节中段内侧面具较浅且均匀的褶皱。雌虫产卵瓣腹瓣近端部下缘多少呈锯齿状。

　　分布：古北区，东洋区（北部）。秦岭地区发现1种。

（1）黄连木隆脉木虱 *Agonoscena cyphonopistae* Li，1994（图298）

Agonoscena cyphonopistae Li，1994：5.

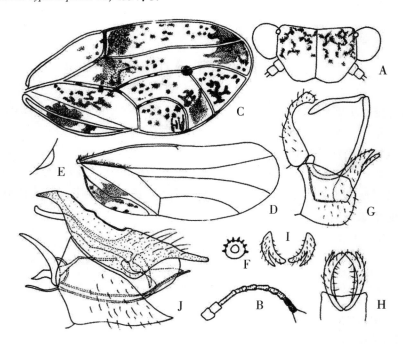

图298　黄连木隆脉木虱 *Agonoscena cyphonopistae* Li

A. 头部正面观；B. 触角；C. 前翅；D. 后翅；E. 后基突；F. 后足胫节端部；G. 雄性生殖节侧面观；H. 阳基侧突后面观；I. 阳基侧突端部背面观；J. 雌性生殖节侧面观

鉴别特征：前翅宽圆，具大块的黑褐色斑纹。雄虫阳基侧突较细长，端部尖锐。雌虫产卵瓣侧瓣向上偏转，从侧面看盖住部分的载肛突。

采集记录：16♂17♀，略阳象山，720m，1985.Ⅶ.27，李法圣采。

分布：陕西（略阳）、山东。

寄主：黄连木 *Pistacia chinensis* Bunge（漆树科 Anacardiaceae）。

2. 斑木虱属 *Aphalara* Förster，1848

Aphalara Förster，1848：89. **Type species**：*Chermes calthea* Linnaeus，1761.

Rumicita Gegechkori，1981：695. **Type species**：*Rumicita grandicula* Gegechkori，1981.

属征：头顶前内角多少向前突出，与颊分界明显。唇基极长，侧视向前伸达与头顶前缘平齐。前胸侧缝发源于前胸背板侧面中部。前翅翅刺小圆颗粒状，绝不排列为蜂窝状。雄虫载肛突后叶下方具细长的侧臂；阳基侧突具指状突，内侧无粗糙面；射精管骨化末端长短一般，不加厚。雌虫载肛突端半部侧面不具短锥状刚毛。

分布：全北区，东洋区。秦岭地区发现1种。

（2）萹蓄斑木虱 *Aphalara polygoni* Förster，1848（图299）

Aphalara polygoni Förster，1848：90.

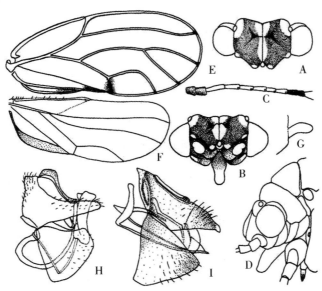

图299　萹蓄斑木虱 *Aphalara polygoni* Förster

A. 头部正面观；B. 头部腹面观；C. 触角；D. 头部及前胸侧面观；E. 前翅；F. 后翅；G. 后基突；H. 雄性生殖节侧面观；I. 雌性生殖节侧面观

鉴别特征：头顶前侧角呈瘤状突出。前翅仅 Cu_{1b} 脉附近及 a_1 室中具少许褐色斑纹。雄虫阳基侧突后端角突出较强烈。雌虫环肛孔环外环后缘扩展为多列。

采集记录：1♂，太白山，1981. Ⅷ. 14；1♀，太白山，1982. Ⅷ. 03。

分布：陕西（太白山）、黑龙江、吉林、北京、河北、内蒙古、山西、宁夏、甘肃、青海、四川、西藏；北美洲。

寄主：多种蓼属植物 *Polygonum* sp.（蓼科 Polygonaceae）。

3. 边木虱属 *Craspedolepta* Enderlein, 1921

Craspedolepta Enderlein, 1921: 118. **Type species**: *Aphalara artemisiae* Förster, 1848.

属征：头顶与颊分界不明显。唇基长短不一，但总体较短，侧视向前绝不伸达头顶前缘。前胸侧缝发源于前胸背板侧面中部。前翅翅刺形态多样，有些种类排列为蜂窝状。雄虫载肛突后叶下方的侧臂宽短；阳基侧突具指状突，内侧一般具或大或小的粗糙面；射精管骨化末端长显著延长，基部加厚。雌虫载肛突端半部侧面具短锥状刚毛。

分布：全北区，东洋区。秦岭地区发现 8 种。

分种检索表

1. 前翅翅面无斑纹 ……………………………………………………………………………… 2
   前翅翅面具各式斑纹 …………………………………………………………………………… 3
2. 雄虫阳基侧突基部前角呈指状向前突出。雌虫载肛突背面略微波曲 ………………………
   ……………………………………………………………… **无斑边木虱 *C. immaculata***
   雄虫阳基侧突基部前角圆滑。雌虫载肛突背面起伏较强烈 ………… **顶斑边木虱 *C. terminata***
3. 前翅翅面具带状斑纹。雄虫载肛突后叶下方不具侧臂，阳基侧突不具指状突 …………………
   ……………………………………………………………… **云斑边木虱 *C. nebulosa***
   前翅翅面具斑点。雄虫载肛突后叶下方具侧臂，阳基侧突具指状突 ………………………… 4
4. 前翅宽圆，端半部具散碎的不规则形状斑纹。雌虫载肛突端部略微下弯 …………………………
   ……………………………………………………………… **宽翅边木虱 *C. euryoptera***
   前翅较狭长椭圆形，具多或少的小圆斑。雌虫载肛突端部多少上翘 ……………………………… 5
5. R_1、Rs、M_{1+2}、M_{3+4}、Cu_{1a} 和 Cu_{1b} 端部以及 Rs、$M+Cu$ 和 M 基部各具 1 枚深褐色斑点。雌虫下生殖板高大于长 ……………………………………… **九斑边木虱 *C. novenipunctata***
   前翅各脉不具上述色斑。雌虫下生殖板长远大于高度 ………………………………………… 6
6. 前翅黄色，具端部较密基部十分稀疏的褐色小圆斑；翅刺不排列为蜂窝状 ……………………
   ……………………………………………………………… **白条边木虱 *C. leucotaenia***
   前翅白色或无色，基半部斑点较多；翅刺排列为蜂窝状 ……………………………………… 7
7. 前翅白色不透明，斑点无沿翅脉聚集的趋势。雄虫载肛突后叶长而端部较尖。雌虫载肛突背面近似平直 ………………………………………………………… **多斑点边木虱 *C. polysticta***

前翅无色透明，翅脉两侧斑点较为密集。雄虫载肛突后叶较短而端部圆钝。雌虫载肛突近端部有 1 个隆起 ·· **多点边木虱 *C. multispina***

(3) 宽翅边木虱 *Craspedolepta euryoptera* Li, 2011（图 300）

Craspedolepta euryoptera Li, 2011：335.

鉴别特征：前翅较圆，端半部具散碎的不规则形状斑纹。雄虫阳基侧突的指状突伸向前方。雌虫载肛突在肛门后略有隆起，端部下倾。

采集记录：4♂8♀，凤县秦岭站，1500m，1980.Ⅴ.08，向成龙、马宁采。

分布：陕西（凤县）。

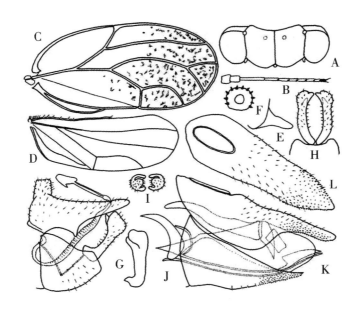

图 300　宽翅边木虱 *Craspedolepta euryoptera* Li

A. 头部正面观；B. 触角；C. 前翅；D. 后翅；E. 后基突；F. 后足胫节端部；G. 雄性生殖节侧面观；H. 阳基侧突后面观；I. 阳基侧突端部背面观；J. 阳基侧突内侧面；K. 雌性生殖节侧面观；L. 雌性载肛突背面观

(4) 无斑边木虱 *Craspedolepta immaculata* Li, 1990（图 301）

Craspedolepta immaculata Li, 1990：203.

鉴别特征：翅面无斑。雄虫阳基侧突端部侧视平直，后端角强烈折向内侧。雌虫载肛突端半部扁平。

采集记录：1♀，秦岭，1500m，1962.Ⅷ.07，李法圣采；4♀，太白山，2800～

2900m，1982．Ⅶ.17，赵光明采。

　　分布：陕西(太白山)、黑龙江、吉林、内蒙古、山西、河南、宁夏、甘肃、四川。

　　寄主：未鉴定蒿属种类 *Artemisia* sp.（菊科 Asteraceae）。

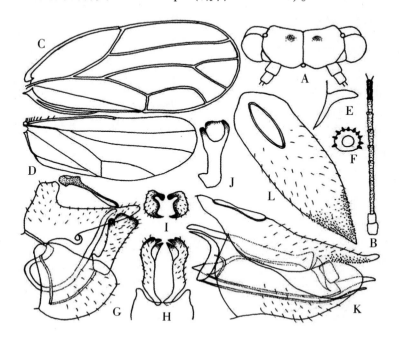

图 301　　无斑边木虱 *Craspedolepta immaculata* Li

A. 头部正面观；B. 触角；C. 前翅；D. 后翅；E. 后基突；F. 后足胫节端部；G. 雄性生殖节侧面观；H. 阳基侧突后面观；I. 阳基侧突端部背面观；J. 阳基侧突内侧面；K. 雌性生殖节侧面观；L. 雌性载肛突背面观

（5）白条边木虱 *Craspedolepta leucotaenia* Li，2005（图 302）

Craspedolepta leucotaenia Li，2005：149.

　　鉴别特征：体背面具间断的白色纵条纹。前翅黄色透明，具大量褐色斑点，端部较密，向基部逐渐稀疏；翅刺粗大，不排成蜂窝状。雄虫阳基侧突端部宽大，内侧粗糙面大，具密集的小圆颗粒状突起。雌虫载肛突端部尖锐而上翘。

　　采集记录：2♂4♀，秦岭，1500m，1962．Ⅷ.07，杨集昆、李法圣采；13♂10♀，户县朱雀国家森林公园，1300m，2012．Ⅶ.13，罗心宇采；6♀，凤县秦岭站，1500m，1965．Ⅷ.18，周尧、刘绍友采。

　　分布：陕西(户县、凤县、南郑、镇巴)、甘肃、湖北、四川、贵州、云南。

　　寄主：未鉴定的蒿属植物 *Artemisia* sp.（菊科 Asteraceae）。

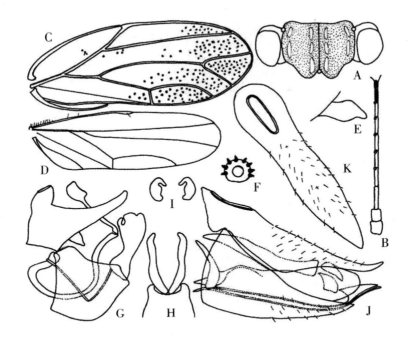

图 302 白条边木虱 *Craspedolepta leucotaenia* Li

A. 头部正面观；B. 触角；C. 前翅；D. 后翅；E. 后基突；F. 后足胫节端部；G. 雄性生殖节侧面观；H. 阳基侧突后面观；I. 阳基侧突端部背面观；J. 雌性生殖节侧面观；K. 雌性载肛突背面观

(6) 多点边木虱 *Craspedolepta multispina* Loginova, 1963 (图 303)

Craspedolepta multispina Loginova, 1963: 626.

鉴别特征：前翅具大量褐色圆斑。雄虫阳基侧突较为细长，中部笔直。雌虫载肛突端部圆钝而上翘，下缘具 1 排细短刚毛。

采集记录：1♀，太白莲花湾，无日期，刘甲启采；2♀，佛坪，1200m，1985.Ⅶ.16，李法圣采。

分布：陕西（太白、佛坪、南郑）、黑龙江、山西、河南、宁夏、甘肃、四川；中亚。

寄主：费尔干绢蒿 *Seriphidium ferganense* (Krasch. ex Poljakov) Poljakov（菊科 Asteraceae）。

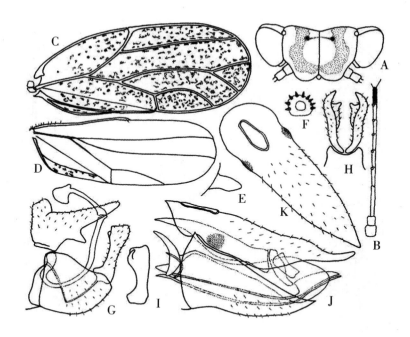

图303　多点边木虱 Craspedolepta multispina Loginova

A. 头部正面观；B. 触角；C. 前翅；D. 后翅；E. 后基突；F. 后足胫节端部；G. 雄性生殖节侧面观；H. 阳基侧突后面观；I. 阳基侧突内侧面；J. 雌性生殖节侧面观；K. 雌性载肛突背面观

(7) 云斑边木虱 *Craspedolepta nebulosa*（Zetterstedt, 1828）（图304）

Chermes nebulosa Zetterstedt, 1828: 551.

Aphalara nebulosa: Walker, 1852: 931.

Aphalara radiata Scott, 1876: 562.

Aphalara kincaidi Ashmead, 1904: 136.

Aphalara nebulosa americana Crawford, 1911b: 503.

Aphalara nebulosa kincaidi: Crawford, 1914: 36.

Craspedolepta nebulosa: Vandracek, 1957: 154.

Craspedolepta nebulosa kincaidi: Russell, 1973: 158.

Cerna nebulosa: Klimaszewski, 1983: 10.

Paracraspedolepta nebulosa: Conci, 1993: 505.

Neocraspedolepta nebulosa: Lauterer, 1993: 149.

鉴别特征：前翅近前缘和中央具云雾状的不规则深灰色条斑。雄虫载肛突后叶上缘显著扩展，腹侧不具突起。雌虫下生殖板明显短于其他种类。

采集记录：1♂，太白山平安寺，1200m，1982. Ⅶ.14，刘宇山采；2♀♀，太白山明星寺，2900m，1982. Ⅶ.17，赵小明采。

分布：陕西（太白山，眉县），全北区（除非洲北部）。

寄主：柳兰 *Chamerion angustifolium*（L.）Holub（柳叶菜科 Onagraceae）。

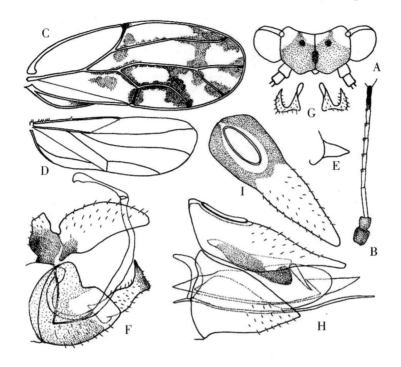

图 304　云斑边木虱 *Craspedolepta nebulosa*（Zetterstedt）

A. 头部正面观；B. 触角；C. 前翅；D. 后翅；E. 后基突；F. 雄性生殖节侧面观；G. 阳基侧突端部背面观；H. 雌性生殖节侧面观；I. 雌性载肛突背面观

（8）九斑边木虱 *Craspedolepta novenipunctata* Li，2011（图 305）

Craspedolepta novenipunctata Li，2011：320.

鉴别特征：前翅表面具大量褐色小圆斑，R_1、Rs、M_{1+2}、M_{3+4}、Cu_{1a} 和 Cu_{1b} 端部以及 Rs、M＋Cu 和 M 基部各具 1 枚深褐色斑点。雌虫载肛突短，端部不上翘。

采集记录：1♀，太白山骆驼寺，2100m，1983. Ⅵ.06，李法圣采。

分布：陕西（太白）。

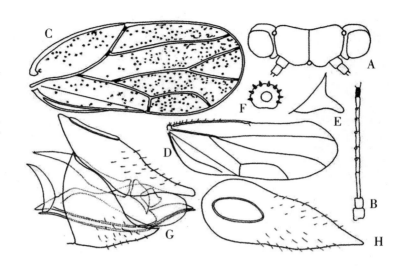

图 305 九斑边木虱 *Craspedolepta novenipunctata* Li

A. 头部正面观；B. 触角；C. 前翅；D. 后翅；E. 后基突；F. 后足胫节端部；G. 雌性生殖节侧面观；H. 雌性载肛突背面观

(9) 多斑点边木虱 *Craspedolepta polysticta* Li, 2011（图 306）

Craspedolepta polysticta Li, 2011: 331.

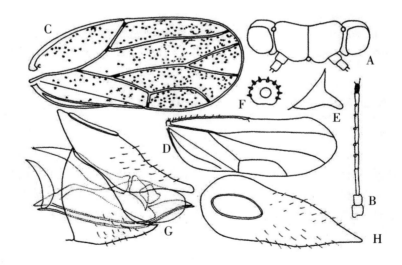

图 306 多斑点边木虱 *Craspedolepta polysticta* Li

A. 头部正面观；B. 触角；C. 前翅；D. 后翅；E. 后基突；F. 后足胫节端部；G. 雄性生殖节侧面观；H. 阳基侧突后面观；I. 阳基侧突端部背面观；J. 雌性生殖节侧面观；K. 雌性载肛突背面观；L. 背中突背面观

鉴别特征：前翅不透明，表面具大量黑褐色小斑点。后翅臀区亦具密集的黑褐色小斑点。雄虫载肛突后叶端部较尖锐；阳茎端节端部骨化部分形成较长的钩状。雌虫载肛突较长，端半部较薄。

采集记录：1♂，秦岭，1500m，1962.Ⅷ.05，李法圣采；1♀，秦岭，1500m，1962.Ⅷ.07，李法圣采；2♀，秦岭，1500m，1962.Ⅷ.07，杨集昆采。

分布：陕西(秦岭)、吉林、山西、宁夏。

寄主：沙蒿 *Artemisia desertorum* Spreng.（菊科 Asteraceae）。

(10)顶斑边木虱 *Craspedolepta terminata* **Loginova，1962**（图 307）

Craspedolepta terminata Loginova，1962：215.

鉴别特征：翅面无斑。雄虫阳基侧突指状突基部隆起，后端角与主体明显分离而突出。雌虫载肛突端部侧视细而上翘。

采集记录：1♀，佛坪，1200m，1985.Ⅶ.16，李法圣采；1♂，秦岭，1500m，1962.Ⅷ.07，李法圣采；1♀，秦岭，1500m，采集时间不详，杨集昆采。

分布：陕西(佛坪、秦岭、镇巴)、河北、河南、甘肃；蒙古，俄罗斯，中亚，欧洲。

寄主：*Artemisia porrecta* Krasch. ex Poljakov（菊科 Asteraceae）。

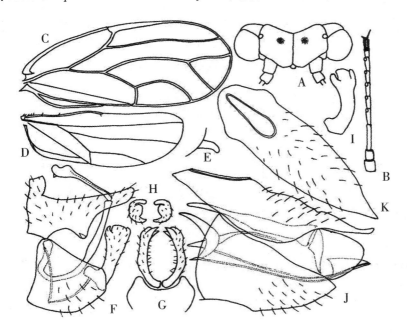

图 307　顶斑边木虱 *Craspedolepta terminata* Loginova

A. 头部正面观；B. 触角；C. 前翅；D. 后翅；E. 后基突；F. 雄性生殖节侧面观；G. 阳基侧突后面观；H. 阳基侧突端部背面观；I. 阳基侧突内侧面；J. 雌性生殖节侧面观；K. 雌性载肛突背面观

二、扁木虱科 Liviidae

鉴别特征：颊有时发育成颊锥，但端部一定无颊锥鞭状毛。触角窝所在平面基本垂直于头顶所在平面。触角 10 节，长短不一，个别种类有部分节合并的现象；第 4、6、8、9 节端部各具 1 个感觉孔。中胸前侧片沟一般愈合，基转片内凸后移至侧板前中部。后足胫节基齿有或无，端距较多，大小近似，较均匀地排列成开放的冠状。前翅形状多样，膜质或近革质，Rs、M + Cu、M 脉基部常有不同程度的塌陷。雄虫载肛突具窄的后叶或不具。阳茎基节内侧中段有时具浅而均匀的褶皱。

分类：世界广布。陕西秦岭地区发现 3 属 3 种。

分属检索表

1. 头向前平伸，眼前区压缩为瘤状，触角第 2 节强烈加长加粗　·····················**扁木虱属 Livia**
   头向下垂伸，眼前区正常，触角第 2 节正常　·· 2
2. 头顶前缘中部凹陷。前翅后缘具 1 条深灰色窄带，除此外别无斑纹 ····· **巴木虱属 Bharatiana**
   头顶前缘中部不凹陷。前翅具大量深褐色斑块和斑点 ··················· **拱木虱属 Camarotoscena**

4. 巴木虱属 *Bharatiana* Mathur，1973

Bharatiana Mathur，1973：62. **Type species**：*Bharatiana octospinosa* Mathur，1973.

属征：头顶前缘中部凹陷。颊一定程度向下方隆起。前胸侧缝发源于前胸背板侧缘后部，前胸前侧片大于后侧片。后足胫节无基齿；端距较多数，排列为 1 个开放的环状，多数的基部多少呈指状伸出。雄虫载肛突后缘一定程度扩展。

分布：中国南部；印度。秦岭地区发现 1 种。

(11) 香椿巴木虱 *Bharatiana octospinosa* Mathur，1973（图 308）

Bharatiana octospinosa Mathur，1973：62.

Bharatiana toonae Yang *et* Li，1983：52.

Bharatiana septentrionalis Yang *et* Li，1983：54.

Bharatiana toonaqiana Yang *et* Li，1983：56.

鉴别特征：前翅后缘具 1 条窄的深灰色带。雄虫阳基侧突近端部前缘强烈扩展。雌虫肛门背面观长方形，约占载肛突全长的 1/2。

采集记录：1♂，佛坪，1200m，1985．Ⅶ．17，李法圣采；11♂1♀，洋县，1985．Ⅶ．18；2♀，商南城关，1973．Ⅵ.08-10。

分布：陕西（佛坪、洋县、商南）、河南、甘肃、湖南、广西、四川、贵州。

寄主：香椿 *Toona sinensis*（A. Juss.）Room.（楝科 Meliaceae）。

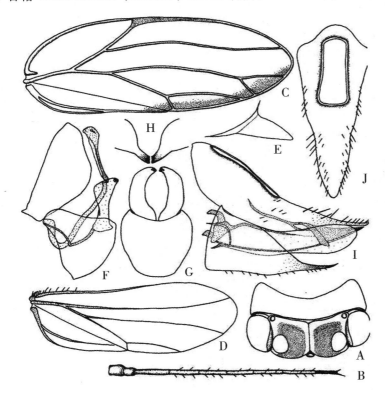

图308　香椿巴木虱 *Bharatiana octospinosa* Mathur

A. 头部正面观；B. 触角；C. 前翅；D. 后翅；E. 后基突；F. 雄性生殖节侧面观；G. 阳基侧突后面观；H. 阳基侧突端部背面观；I. 雌性生殖节侧面观；J. 雌性载肛突背面观

5. 拱木虱属 *Camarotoscena* Haupt，1935

Camarotoscena Haupt，1935：227. **Type species**：*Rhinocola speciosa* Flör，1861.

Paurocephala（*Camarotoscena*）：Dobreanu & Manolache，1962：72.

属征：头顶和胸部背面常具大量斑点。颊不发育成颊锥。触角一般短于头宽，表面褶皱发达。前胸侧缝愈合前胸背板侧缘中央。前翅翅脉显著隆起，Rs、M＋Cu 和 M 脉的基部明显塌陷；沿前缘裂、R 脉分叉处、M＋Cu 脉分叉处至臀裂常具 1 条折痕；Cu_{1a} 脉平直，cu_1 室呈扁三角形。后足胫节无基齿；端距 10 枚以上，排列为开放的环状；基跗节无爪状距。雄虫载肛突具宽短的后叶。雌虫载肛突端半部侧面不具短锥状刚毛。

分布：古北区。秦岭地区发现 1 种。

(12) 私拱木虱 *Camarotoscena personata* Loginova，1975（图 309）

Camarotoscena personata Loginova，1975：58.

Camarotoscena huashana Li *et* Yang，1989：74.

鉴别特征：前翅具大量浅褐色至深褐色的斑点或斑纹，在端部近边缘处模糊地聚成 1 条斜向的宽带，在基部 1/3 处聚成 1 条模糊的横带。雄虫载肛突后缘显著扩展呈三角形，阳基侧突端部近似平截。雌虫下生殖板端半部急剧收缩为薄片状。

采集记录：1♂，周至楼观台，1200m，1981.Ⅻ.03，李法圣采。

分布：陕西（周至）、北京、河北、新疆；俄罗斯。

寄主：杨属未鉴定种 *Populus* sp.（杨柳科 Salicaceae）。

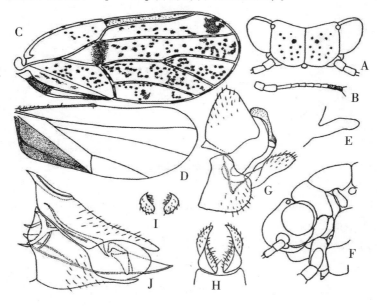

图 309　私拱木虱 *Camarotoscena personata* Loginova
A. 头部正面观；B. 触角；C. 前翅；D. 后翅；E. 后基突；F. 头及前胸侧面观；G. 雄性生殖节侧面观；H. 阳基侧突后面观；I. 阳基侧突端部背面观；J. 雌性生殖节侧面观

6. 扁木虱属 *Livia* Latreille，1802

Livia Latreille，1802：266. **Type species**：*Psylla juncorum* Latreille，1798.

Diraphia Illiger，1803：284. **Type species**：*Chermes junci* Schrank，1789.

Diraphia Waga，1842：275（nec Illiger，1803）. **Type species**：*Diraphia limbata* Waga，1842.

Neolivia Hedicke, 1920: 72（new name for *Diraphia* Waga, 1842）.

Vailakiella Bliven, 1955: 13. **Type species**: *Vailakiella eos* Bliven, 1955.

属征：头向前平伸；头顶中部平坦或下陷，前缘两侧向前强烈扩展，完全或部分遮住触角窝；颊不发育成颊锥；眼前区被其他部分压缩至圆瘤状，与眼后片的其他部分隔绝；触角第 2 节强烈加长加粗。前胸侧缝发源于前胸背板前侧角，后侧片远大于前侧片。后足胫节无基齿，端距 6～7 枚；基跗节无爪状距。前翅 A_2 脉加厚并折向翅下侧。雄虫载肛突基部较细而端部较粗，肛门凹陷。

分布：全北区，东洋区。秦岭地区发现 1 种。

（13）宽带扁木虱 *Livia latifasca* **Li**，**2005**（图 310）

Livia latifasca Li, 2005: 143.

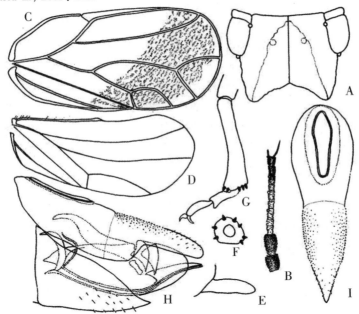

图 310　宽带扁木虱 *Livia latifasca* Li

A. 头部正面观；B. 触角；C. 前翅；D. 后翅；E. 后基突；F. 后足胫节端部；G. 后足胫节及跗节；H. 雌性生殖节侧面观；I. 雌性载肛突背面观

鉴别特征：前翅近端部具宽大的由碎斑组成的褐色宽带；Rs 脉整体上弯，不波曲。雌虫载肛突端部侧视圆钝。

采集记录：1♀，秦岭，1500m，1980. Ⅹ.01，周尧采。

分布：陕西（秦岭）。

三、丽木虱科 Calophyidae

鉴别特征：颊发育成颊锥，但端部无颊锥鞭状毛。触角窝所在平面与头顶所在平面呈平缓的夹角。触角 10 节，一般较短，第 4、6、8、9 节端部各具 1 枚感觉孔。后足胫节无基齿，端距在内侧整齐地排列成梳齿状。雄虫载肛突多少向后扩展呈类似后叶状。

分类：世界广布。陕西秦岭地区发现 1 属 1 种。

7. 丽木虱属 *Calophya* Löw，1878

Calophya Löw，1878：598. **Type species**：*Psylla rhois* Löw，1877.

Holotrioza Brèthes，1920：133. **Type species**：*Psylla duvauae* Scott，1882.

Pelmatobrachia Enderlein，1921：115. **Type species**：*Paurocephala spondiasae* Crawford，1915.

Microceropsylla Boselli，1930：178. **Type species**：*Pauropsylla nigra* Crawford，1919.

Paracalophya Tuthill，1964：25. **Type species**：*Paracalophya venusta* Tuthill，1964.

Calophya（*Neocalophya*）Miyatake，1971：53. **Type species**：*Calophya*（*Neocalophya*）*buchananiae* Miyatake，1971.

属征：体一般微小。颊锥常弯向两侧。触角第 9 节端具 1 枚长刚毛。前胸侧缝发源于前胸背板侧缘的后角。后足胫节无基齿；端距 3 或 4 枚，外侧 1 枚，内侧的 1 组排列为梳齿状；基跗节无爪状距。前翅膜质，cu_1 室十分高大，弯向基侧。雄虫载肛突后缘扩展呈宽短的叶。

分布：全北区，东洋区，新热带区。秦岭地区发现 1 种。

(14) 黄栌丽木虱 *Calophya rhois*（Löw，1877）（图 311）

Psylla rhois Löw，1877：148.

Calophya rhois：Löw，1879：598.

鉴别特征：头部和胸部褐色至黑色，腹部亮黄色。雄虫阳基侧突端部圆钝，略向后弯。雌虫载肛突和下生殖板端部均尖锐。

采集记录：2♂1♀，周至楼观台，1200m，1962.Ⅷ.16，杨集昆采；1♀，太白山明星寺，2900m，1982.Ⅶ.17，赵晓明采；17♂20♀，太白山国家森林公园，1400m，2014.Ⅵ.27，罗心宇采。

　　分布：陕西(周至、眉县)、吉林、北京、河北、山西、宁夏、甘肃、山东、安徽、浙江、湖北、湖南、重庆；俄罗斯，土耳其，欧洲。

　　寄主：黄栌 *Cotinus coggygria* Scop.（漆树科 Anacardiaceae）。

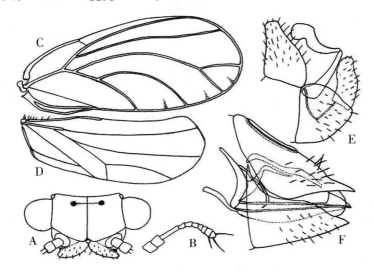

图 311　黄栌丽木虱 *Calophya rhois*（Löw）

A. 头部正面观；B. 触角；C. 前翅；D. 后翅；E. 后基突；F. 雄性生殖节侧面观；G. 雌性生殖节侧面观

四、木虱科 Psyllidae

　　鉴别特征：颊发育成长短不一的颊锥，其端部具 1 或 2 枚颊锥鞭状毛，鲜见 3 枚。触角窝所在平面以较小的角度下倾于头顶所在平面。触角第 4，6，8，9 节端部各具 1 枚感觉孔，感觉孔无任何刺或毛之类的附属结构。唇基一般稍长，下表面具 1 个小突起。中胸前侧片沟愈合，基转片内凸后移至侧板的中部或中后部。后足胫节端距一般最内侧和最外侧的 2 枚相对粗壮，中间的数枚多少紧密排列在一起，远离其余 2 枚。

　　分类：世界广布。陕西秦岭地区发现 5 属 23 种。

分属检索表

1. 端距 6 枚或以上 ·· 2

　　端距 5 枚或 4 枚 ··· 3

2. 前翅 Rs 脉近端部分出 3 条横脉，Rs 与 M_{1+2} 间具 1 条横脉或 2 脉融合 ···············

　　··· **异脉木虱属 *Anomoneura***

　　翅脉正常 ··· **木虱属 *Psylla***

3.　触角窝内缘附近具 1 + 1 枚突出的长刚毛 ························· **云实木虱属** *Colophorina*
　　无上述特征。 ·· 4
4.　前胸侧缝发源于前胸背板后侧角，前翅 Cu_{1b} 脉端部不强烈弯向基侧 ····· **喀木虱属** *Cacopsylla*
　　前胸侧缝发源于前胸背板侧缘中部，前翅 Cu_{1b} 脉端部强烈弯向基侧 ··· **豆木虱属** *Cyamophila*

8. 异脉木虱属 *Anomoneura* Schwarz, 1896

Anomoneura Schwarz, *in* Uhler, 1896：295. **Type species**：*Anomoneura mori* Schwarz, 1896.

　　属征：前胸侧缝发源于前胸背板侧缘中部。前翅 Rs 脉近端部分出 3 条横脉，Rs 与 M_{1+2} 间具 1 条横脉或两脉融合。后足胫节具基齿，端距 6 枚，基跗节具 1 对爪状距。
　　分布：古北区。秦岭地区发现 1 种。

(15) 桑异脉木虱 *Anomoneura mori* Schwarz, 1896（图 312）

Anomoneura mori Schwarz, 1896：296.
Anomoneura koreana Klimaszewski, 1963：92.

　　鉴别特征：体型大而粗壮。前翅 Rs 脉近端部分出 3 条横脉，翅面具 3 块大的深褐色斑和大量深褐色的小斑点。
　　采集记录：2♂3♀，旬阳，1981. V. 14，马宁采。
　　分布：陕西（旬阳）、辽宁、北京、内蒙古、山西、河南、山东、湖北、湖南、四川；俄罗斯，朝鲜，韩国，日本。
　　寄主：桑树 *Morus alba* Linnaeus（桑科 Moraceae）。

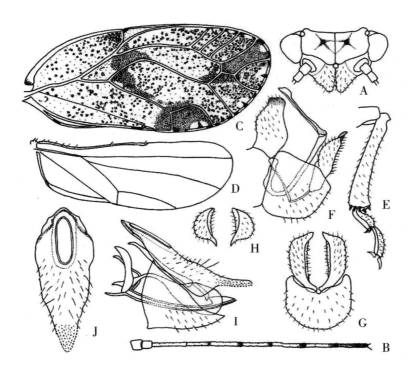

图 312　桑异脉木虱 *Anomoneura mori* Schwarz

A. 头部正面观；B. 触角；C. 前翅；D. 后翅；E. 后足胫节及跗节；F. 雄性生殖节侧面观；G. 阳基侧突后面观；
H. 阳基侧突端部背面观；I. 雌性生殖节侧面观；J. 雌性载肛突背面观

9. 喀木虱属 *Cacopsylla* Ossiannilsson, 1970

Psylla（*Cacopsylla*）Ossiannilsson, 1970：140. **Type species**：*Chermes mali* Schmidberger, 1836.

Psylla（*Chamaepsylla*）Ossiannilsson, 1970：140. **Type species**：*Psylla hartigii* Flör, 1861.

Psylla（*Hepatopsylla*）Ossiannilsson, 1970：142. **Type species**：*Chermes nigrita* Zetterstedt, 1828.

Psylla（*Osmopsylla*）Loginova, 1978：823. **Type species**：*Psylla steinbergi* Loginova, 1964.

Psylla（*Thamnopsylla*）Loginova, 1978：822. **Type species**：*Psylla pyrisuga* Förster, 1848.

Edentipsylla Li, 2005：164. **Type species**：*Psylla clausenisuga* Li *et* Yang, 1991.

属征：头顶边缘清晰，各角一般比较突出。颊锥一般较粗长，端部具 2 枚鞭状毛。前胸侧缝一般发源于前胸背板后侧角。中胸基转片内凸处于侧板中部。基跗节具 2 枚爪状距。雄虫载肛突不具后叶；阳基侧突比较简单，一般具强烈骨化的端齿，端齿下方内侧面常具 3 枚并排的指向后方的短刚毛；阳茎简单。

分布：全北区，东洋区（北部）。秦岭地区发现 16 种。

分种检索表

(16) 胡颓子黄喀木虱 *Cacopsylla aurantica* Li, 2005(图 313)

Cacopsylla aurantica Li, 2005: 190.

　　鉴别特征：雄虫阳基侧突端齿不明显，端部一定程度后弯。雌虫载肛突端部一定程度上翘，背面观端部 1/3 处强烈缢缩。

　　采集记录：1♂4♀，佛坪，1200m，1985. Ⅶ.16-17，李法圣采。

　　分布：陕西(佛坪)、山西、甘肃、西藏。

　　寄主：沙棘 *Hippophae rhamnoides* Linnaeus（胡颓子科 Elaeagnaceae）。

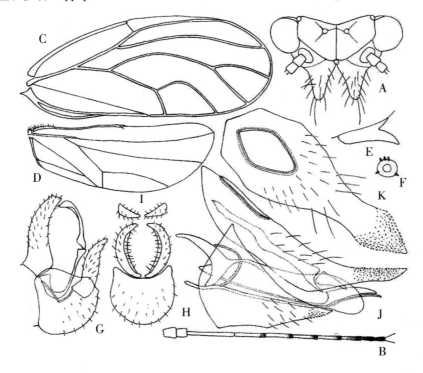

图 313　胡颓子黄喀木虱 *Cacopsylla aurantia* Li

A. 头部正面观；B. 触角；C. 前翅；D. 后翅；E. 后基突；F. 后足胫节端部；G. 雄性生殖节侧面观；H. 阳基侧突后面观；I. 阳基侧突端部背面观；J. 雌性生殖节侧面观；K. 雌性载肛突背面观

(17) 垂柳喀木虱 *Cacopsylla babylonica* Li *et* Yang，1991（图 314）

Cacopsylla babylonica Li *et* Yang，1991：196.

　　鉴别特征：颊锥端部黑色。前翅缘纹区域颜色略微加深。雄虫阳基侧突较粗壮，中部向前弯曲，紧接着弯回直立。雌虫载肛突大部深褐色，端部白色。

　　采集记录：6♂3♀，周至厚畛子，2500～3000m，1999. Ⅵ.22，刘新民、刘月利采。

　　分布：陕西(周至)、河北、山西、宁夏、甘肃、广西、重庆、四川、贵州、云南。

　　寄主：垂柳 *Salix babylonica* Linnaeus（杨柳科 Salicaceae）。

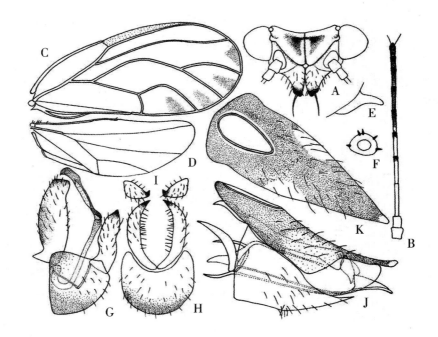

图314　垂柳喀木虱 *Cacopsylla babylonica* Li *et* Yang

A. 头部正面观；B. 触角；C. 前翅；D. 后翅；E. 后基突；F. 后足胫节端部；G. 雄性生殖节侧面观；H. 阳基侧突后面观；I. 阳基侧突端部背面观；J. 雌性生殖节侧面观；K. 雌性载肛突背面观

(18) 中国梨喀木虱 *Cacopsylla chinensis* （**Yang** *et* **Li, 1981**）（图315）

Psylla chinensis Yang *et* Li, 1981a: 37.

Cacopsylla chinensis: Li, Liu & Yang, 1993: 9.

Cacopsylla guangdongli Li, 1993b: 452.

鉴别特征：该种分为夏型和冬型：夏型体绿色或深黄色，前翅浅黄色；冬型体大，体深褐色，前翅无色，臀裂附近有1个褐色斑。雄虫阳基侧突在基部1/4处向前弯曲，随后整体略向后弯。雌虫肛门大，约占载肛突全长的1/2。

采集记录：9♂15♀，佛坪，1200m，1985.Ⅶ.17，李法圣采；4♂9♀，镇巴，1200m，1985.Ⅶ.20。

分布：陕西（佛坪、镇巴）、吉林、辽宁、北京、河北、内蒙古、山西、宁夏、甘肃、新疆、山东、安徽、湖北、台湾、广东、贵州。

寄主：多种野生和栽培的梨属植物 *Pyrus* spp.（蔷薇科 Rosaceae）。

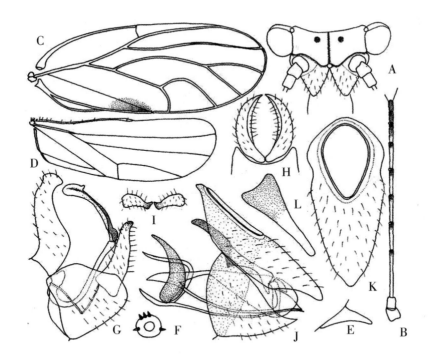

图315　中国梨喀木虱 *Cacopsylla chinensis*（Yang *et* Li）

A. 头部正面观；B. 触角；C. 前翅；D. 后翅；E. 后基突；F. 后足胫节端部；G. 雄性生殖节侧面观；H. 阳基侧突后面观；I. 阳基侧突端部背面观；J. 雌性生殖节侧面观；K. 雌性载肛突背面观；L. 背中突背面观

（19）木通红喀木虱 *Cacopsylla coccinae*（**Kuwayama，1908**）（图316）

Psylla coccinea Kuwayama, 1908：171. Incorrect original spelling.

Psylla ignescens Li *et* Yang, 1984：173.

Psylla rubescens Li *et* Yang, 1984：175.

Psylla zangrubra Li *et* Yang, 1988：161.

Cacopsylla shaanxirubra Li *et* Yang, 1989：62.

Cacopsylla akebirubra Li, 1992：402.

Cacopsylla coccinae：Park, Hodkinson & Kuznetsova, 1995：158.

　　鉴别特征：雄虫载肛突较粗短；阳基侧突弯刀状，中部前缘略有扩展。雌虫生殖节较长，载肛突背面中部略有隆起。

　　采集记录：2♀，周至楼观台，1500m，1979. Ⅵ.10，周尧、陈彤采；1♀，周至楼观台，1500m，1962. Ⅷ.17，李法圣采；1♂3♀，太白山蒿坪寺，1982. Ⅵ.03，周尧、陈彤、贺王荣采；3♂4♀，佛坪，1200m，1985. Ⅶ.16，李法圣采。

　　分布：陕西（周至、眉县、佛坪）、甘肃、江苏、浙江、江西、湖南、福建、台湾；日本，韩国。

寄主：木通 *Akebia quinata*（Thunb.）Decne.，白木通 *A. trifoliata* Koidz，六叶木通 *Stauntonia hexaphylla*（Thunb.）Decne.（木通科 Lardizbalaceae）。

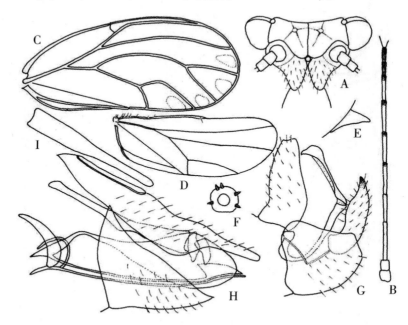

图 316　木通红喀木虱 *Cacopsylla coccinae*（Kuwayama）

A. 头部正面观；B. 触角；C. 前翅；D. 后翅；E. 后基突；F. 后足胫节端部；G. 雄性生殖节侧面观；H. 雌性生殖节侧面观；I. 背中突背面观

（20）絮斑喀木虱 *Cacopsylla gossypinmaculata* Li，2011（图 317）

Cacopsylla gossypinmaculata Li，2011：827.

鉴别特征：前翅 R_2 脉中段强烈向前弓曲；r_2 室端部中央至 cu_1 室端部中央具 1 条颜色不均匀的褐色宽带，并延伸至 m_2 室中部；Cu_2 室中围绕 cu_2 脉边缘具一大块浅褐色斑。雄虫阳基侧突近端部向后略弯曲。雌虫载肛突端半部显著上翘，背面观端部 1/3 处显著缢缩，近端部具 1 条褐色横带。

采集记录：14♂15♀，秦岭，1500m，1962. Ⅷ. 07，李法圣、杨集昆采；1♀，凤县秦岭站，1500m，1965. Ⅷ. 18，周尧、路进生采；1♀，凤县秦岭站，1500m，1980. Ⅴ. 08，马宁采；7♂8♀，佛坪，1200m，1985. Ⅶ. 16-17，李法圣采。

分布：陕西（凤县、佛坪）、北京、山西。

寄主：胡颓子属未鉴定种类 *Elaeagnus* sp.（胡颓子科 Elaeagnaceae）。

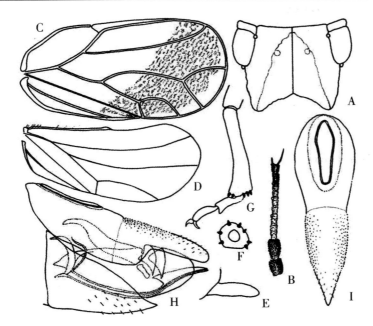

图 317　絮斑喀木虱 *Cacopsylla gossypinmaculata* Li

A. 头部正面观；B. 触角；C. 前翅；D. 后翅；E. 后基突；F. 后足胫节端部；G. 雄性生殖节侧面观；H. 阳基侧突后面观；I. 阳基侧突端部背面观；J. 雌性生殖节侧面观；K. 雌性载肛突背面观；L. 背中突背面观

(21) 舟形喀木虱 *Cacopsylla lembodes* Li，2005（图 318）

Cacopsylla lembodes Li，2005：187.

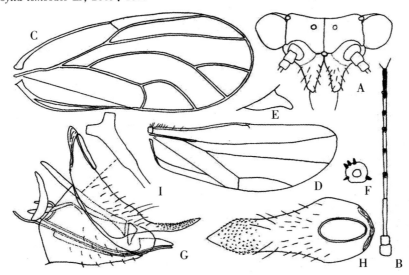

图 318　舟形喀木虱 *Cacopsylla lembodes* Li

A. 头部正面观；B. 触角；C. 前翅；D. 后翅；E. 后基突；F. 后足胫节端部；G. 雌性生殖节侧面观；H. 雌性载肛突背面观；I. 背中突背面观

鉴别特征：雌虫载肛突背面中部有 1 处平缓的隆起，端部强烈上翘；背面观中部整体缢缩。

采集记录：2♀，秦岭，1500m，1962.Ⅷ.17，杨集昆采。

分布：陕西(秦岭)。

寄主：很可能为胡颓子属未鉴定种类 *Elaeagnus* sp.（胡颓子科 Elaeagnaceae）。

(22) 茶条槭喀木虱 *Cacopsylla lineaticeps*（Kwon，1983）(图 319)

Psylla（*Hepatopsylla*）*lineaticeps* Kwon, 1983：69.

Cacopsylla lineaticeps：Park, 1996：271.

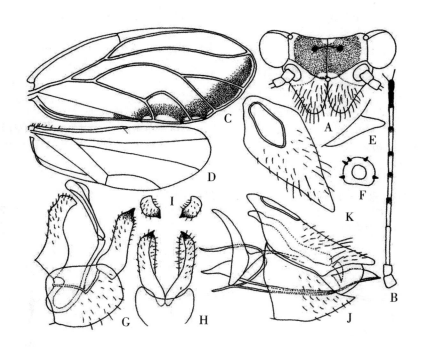

图 319　茶条槭喀木虱 *Cacopsylla lineaticeps*（Kwon）

A. 头部正面观；B. 触角；C. 前翅；D. 后翅；E. 后基突；F. 后足胫节端部；G. 雄性生殖节侧面观；H. 阳基侧突后面观；I. 阳基侧突端部背面观；J. 雌性生殖节侧面观；K. 雌性载肛突背面观

鉴别特征：前翅端部边缘和后缘端部约 2/3 具深褐色宽带，静息状态下与褐色的头顶和胸部背面连成 1 条线。雄虫阳基侧突整体较粗，基部 1/3 处向前弯曲。

采集记录：13♂17♀，户县朱雀国家森林公园，2600m，2012.Ⅶ.13，罗心宇采。

分布：陕西(户县)、吉林、辽宁、宁夏、甘肃。

寄主：茶条槭 *Acer ginnala* Maxim.（槭树科 Aceraceae）。

（23）脊头喀木虱 *Cacopsylla liricapita* **Li**，**2011**（图320）

Cacopsylla liricapita Li，2011：813.

鉴别特征：前翅 r_2、m_1、m_2 和 cu_1 室端部各具1枚深褐色斑，沿后缘具1深褐色窄带。后翅臀区深褐色。雄虫阳基侧突整体后弯，内表面基部向后伸出1个窄叶。

采集记录：1♀，太白山蒿坪寺，1200m，1981. Ⅷ. 14。

分布：陕西（眉县）、黑龙江、吉林、辽宁、北京、河北、山西。

寄主：茶条槭 *Acer ginnala* Maxim.（槭树科 Aceraceae）。

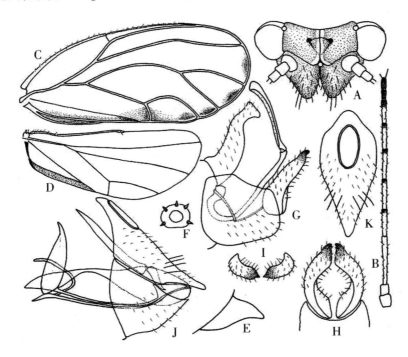

图320　脊头喀木虱 *Cacopsylla liricapita* Li

A. 头部正面观；B. 触角；C. 前翅；D. 后翅；E. 后基突；F. 后足胫节端部；G. 雄性生殖节侧面观；H. 阳基侧突后面观；I. 阳基侧突端部背面观；J. 雌性生殖节侧面观；K. 雌性载肛突背面观

（24）乳锥喀木虱 *Cacopsylla mamillata* **Li** *et* **Yang**，**1989**（图321）

Cacopsylla mamillata Li *et* Yang，1989：66.

Cacopsylla laricola Li，1990：207.

鉴别特征：雄虫阳基侧突近端部最宽，随后急尖。雌虫载肛突背面中部隆起。

采集记录：1♂11♀，凤县，1979. Ⅳ. 14；1♂，凤县秦岭站，1500m，1980. Ⅴ. 08，

马宁、向成龙采。

　　分布：陕西（凤县）、吉林、辽宁、河北、内蒙古、宁夏、甘肃。

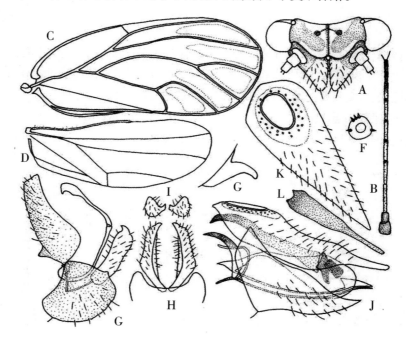

图 321　乳锥喀木虱 Cacopsylla mamillata Li et Yang

A. 头部正面观；B. 触角；C. 前翅；D. 后翅；E. 后基突；F. 后足胫节端部；G. 雄性生殖节侧面观；H. 阳基侧突后面观；I. 阳基侧突端部背面观；J. 雌性生殖节侧面观；K. 雌性载肛突背面观；L. 背中突背面观

（25）偃松刺喀木虱 *Cacopsylla multispinia* Li, 2011（图 322）

Cacopsylla multispinia Li, 2011：839.

　　鉴别特征：雄虫阳基侧突强烈扭曲。雌虫载肛突背面较平，整体显著向下斜伸并微弯。

　　采集记录：1♀，太白山蒿坪寺，1200m，1981.Ⅷ.08，赵晓明采。

　　分布：陕西（眉县）、山西、宁夏、西藏。

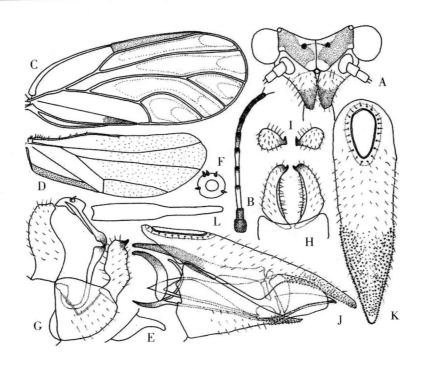

图 322　偃松刺喀木虱 *Cacopsylla multispinia* Li

A. 头部正面观；B. 触角；C. 前翅；D. 后翅；E. 后基突；F. 后足胫节端部；G. 雄性生殖节侧面观；H. 阳基侧突后面观；I. 阳基侧突端部背面观；J. 雌性生殖节侧面观；K. 雌性载肛突背面观；L. 背中突背面观

(26) 青杆红喀木虱 *Cacopsylla piceiaurantia* Li, 2011（图 323）

Cacopsylla piceiaurantia Li, 2011: 937.

鉴别特征：体橘黄色到橘红色。前翅臀裂附近具 1 枚褐斑。雄虫阳基侧突后缘强烈波曲，端齿基部强烈缢缩。

采集记录：1♀，周至楼观台，1200m，1962. Ⅷ. 03，李法圣采；1♀，凤县秦岭站，1500m，1980. Ⅴ. 08，马宁采。

分布：陕西（周至、凤县）、山西、宁夏。

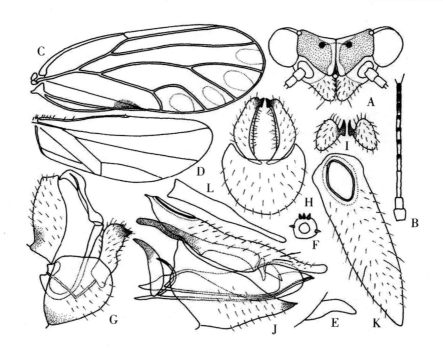

图 323 青杆红喀木虱 *Cacopsylla piceiaurantia* Li

A. 头部正面观；B. 触角；C. 前翅；D. 后翅；E. 后基突；F. 后足胫节端部；G. 雄性生殖节侧面观；H. 阳基侧突后面观；I. 阳基侧突端部背面观；J. 雌性生殖节侧面观；K. 雌性载肛突背面观；L. 背中突背面观

(27) 秦岭喀木虱 *Cacopsylla qinlingielaeagnae* Li，2005 (图 324)

Cacopsylla qinlingielaeagnae Li，2005：175.

鉴别特征：雄虫载肛突基部与端筒约等粗；阳基侧突强烈波曲并内弯，左右不对称地交叠在一起。雌虫载肛突端部不上翘，背面稍有隆起。

采集记录：2♀，太白山骆驼寺，2100m，1983．Ⅴ.30，采集人不详；1♂，留坝庙台子，1300m，1973．Ⅹ.15，路进生、田畴采；13♂12♀，秦岭，1500m，1980．Ⅹ.01，周尧、王素梅采。

分布：陕西(留坝，秦岭)。

寄主：胡颓子属未鉴定种类 *Elaeagnus* sp.（胡颓子科 Elaeagnaceae）。

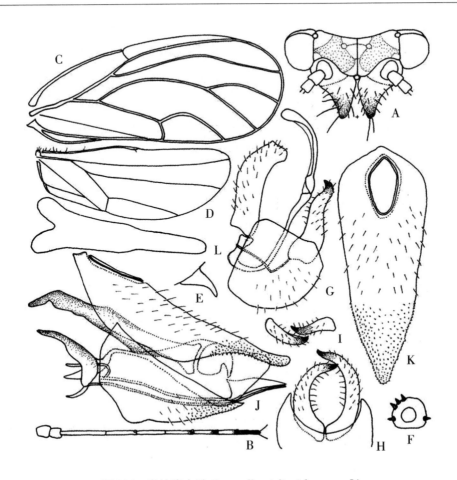

图 324　秦岭喀木虱 *Cacopsylla qinlingielaeagnae* Li

A. 头部正面观；B. 触角；C. 前翅；D. 后翅；E. 后基突；F. 后足胫节端部；G. 雄性生殖节侧面观；H. 阳基侧突后面观；I. 阳基侧突端部背面观；J. 雌性生殖节侧面观；K. 雌性载肛突背面观；L. 背中突背面观

(28) 柱锥红喀木虱 *Cacopsylla stylatigenibra* Li *et* Yang，1989（图 325）

Cacopsylla stylatigenibra Li *et* Yang，1989：63.

鉴别特征：体深红色。颊锥粗壮，端部圆钝。雌虫载肛突背面平直。

采集记录：1♀，佛坪，1200m，1981. Ⅴ.13，马宁采。

分布：陕西（佛坪）。

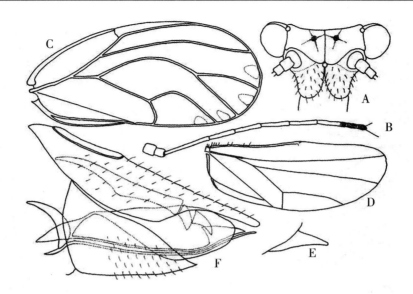

图 325　柱锥红喀木虱 *Cacopsylla stylatigenibra* Li et Yang

A. 头部正面观；B. 触角；C. 前翅；D. 后翅；E. 后基突；F. 雌性生殖节侧面观

（29）太白山喀木虱 *Cacopsylla taibaishanensis* Li，2011（图 326）

Cacopsylla taibaishanensis Li，2011：835.

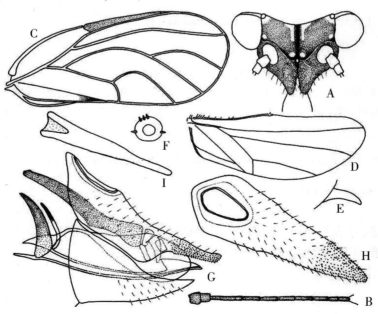

图 326　太白山喀木虱 *Cacopsylla taibaishanensis* Li

A. 头部正面观；B. 触角；C. 前翅；D. 后翅；E. 后基突；F. 后足胫节端部；G. 雌性生殖节侧面观；H. 雌性载肛突背面观；I. 背中突背面观

鉴别特征：颊锥完全黑色。前翅臀裂附近黑色。

采集记录：1♀，太白山骆驼寺，2100m，1985.Ⅵ.01。

分布：陕西（太白山）。

(30) 蹄斑喀木虱 *Cacopsylla ungulatimaculae* **Li** *et* **Yang，1989**（图 327）

Cacopsylla ungulatimaculae Li *et* Yang，1989：65.

鉴别特征：前翅端部边缘和后缘的端部 2/3 具深褐色的宽带。后翅臀区深褐色。

采集记录：1♀，太白山明星寺，2900m，1983.Ⅶ.17，赵晓明采；4♀，太白山骆驼寺，2100m，1983.Ⅵ.10，采集人不详。

分布：陕西（太白山）。

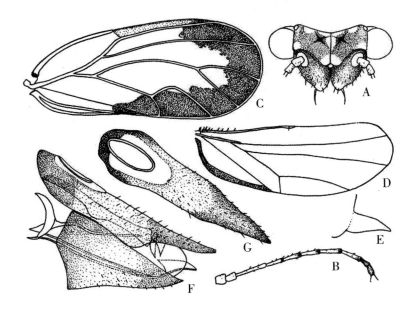

图 327　蹄斑喀木虱 *Cacopsylla ungulatimaculae* Li *et* Yang
A. 头部正面观；B. 触角；C. 前翅；D. 后翅；E. 后基突；F. 雌性生殖节侧面观；G. 雌性载肛突背面观

(31) 轮纹喀木虱 *Cacopsylla verticillida* **Li** *et* **Yang，1989**（图 328）

Cacopsylla verticillida Li *et* Yang，1989：61.

鉴别特征：颊锥粗壮饱满，端部圆钝。前翅由基向端显著变宽，近端部处最宽；端部近边缘和后缘具 1 条连续的黄褐色宽带。后翅端部边缘和后缘具相似的黄褐色宽带。

采集记录：11♂8♀，宝鸡，1200m，1973.Ⅹ.13，周尧、卢筝、田畴采；1♂2♀，太白山蒿坪寺，1200m，1981.Ⅷ.09-14，周尧、向成龙采；6♂6♀，太白山，1981.Ⅵ.09，袁锋、周静若采；10♂16♀，秦岭，1500m，1973.Ⅹ.09-12，路进生、田畴采。

分布：陕西（宝鸡、凤县、眉县、太白、秦岭）、河南、宁夏、甘肃。

寄主：复叶槭 *Acer negundo* Linnaeus（槭树科 Aceraceae）。

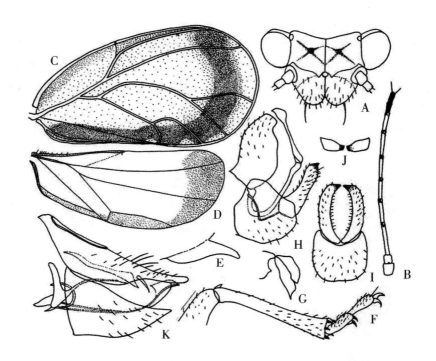

图 328 轮纹喀木虱 *Cacopsylla verticillida* Li et Yang

A. 头部正面观；B. 触角；C. 前翅；D. 后翅；E. 后基突；F. 后足胫节及跗节；G. 前胸侧板；H. 雄性生殖节侧面观；I. 阳基侧突后面观；J. 阳基侧突端部背面观；K. 雌性生殖节侧面观

10. 云实木虱属 *Colophorina* Capener，1973

Colophorina Capener，1973：41. **Type species**：*Colophorina cassiae* Capener，1973.

属征：头顶表面细微结构为不规则的浅皱纹状，生有稍长的小刚毛。触角窝内缘附近具 1+1 枚突出的长刚毛，外缘不同程度向外扩张。颊锥粗壮，着生的刚毛常粗细均匀，至近端部略微加粗，然后收拢变尖；颊锥鞭状毛 1 枚或 2 枚。前胸前后侧片约等宽。后足胫节无基齿，具 4 枚分散的端距。雄虫阳基侧突内侧具 1 道纵脊。雌虫载肛突背面具 1 排横向的长刚毛列；端半部侧面不具短锥状刚毛，端部具短刚毛簇；产卵瓣背瓣端部呈锯齿状。

　　分布：东洋区，古北区东部，非洲区。秦岭地区发现 2 种。

分种检索表

雄虫阳基侧突整体略向前弯，基部较宽，向端部逐渐变细，端齿强烈内弯；雌虫载肛突端部粗壮圆钝 ·· **武侯氏云实木虱 *C. wuhoi***

雄虫阳基侧突较短小，由基向端均匀变细，近端部略微缢缩；雌虫载肛突整体上弯，端部较薄 ··· **多点云实木虱 *C. polysticti***

(32) 多点云实木虱 *Colophorina polysticti*（**Li *et* Yang，1989**）（图 329）

　　Euphalerus polysticti Li *et* Yang，1989：72.

　　Euphalerus euonymi Li *et* Yang，1989：71.

　　Euphalerus terminata Li，2005：155. **Syn. nov.**

　　Colophorina polysticti：Li，2011：517.

　　Colophorina terminata：Li，2011：516.

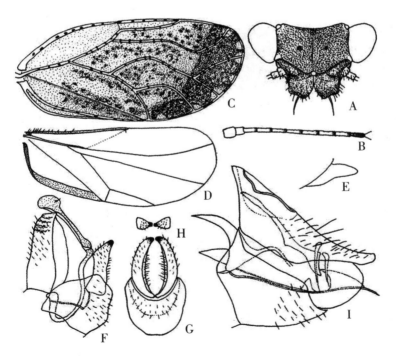

图 329　多点云实木虱 *Colophorina polysticti*（Li *et* Yang）

A. 头部正面观；B. 触角；C. 前翅；D. 后翅；E. 后基突；F. 雄性生殖节侧面观；G. 阳基侧突后面观；H. 阳基侧突端部背面观；I. 雌性生殖节侧面观

鉴别特征：中等体型。前翅端角较圆；翅面具大量散落的褐色斑点。雄虫阳基侧突较短小，由基向端均匀变细，近端部略微缢缩。雌虫载肛突整体上弯，端部较薄。

采集记录：6♂4♀，佛坪，1985.Ⅶ.17，李法圣采。

分布：陕西（佛坪）、北京、湖北。

寄主：皂荚属未鉴定种 *Gleditsia* sp.（豆科 Fabaceae）。

(33) 武侯氏云实木虱 *Colophorina wuhoi*（Li，1997）（图 330）

Euphalerus wuhoi Li，1997a：353.

Colophorina wuhoi：Li，2011：507.

鉴别特征：体型在本属为最大。前翅较宽短，端角接近前缘；翅面具大量散落的褐色小斑点。雄虫阳基侧突整体略向前弯，基部较宽，向端部逐渐变细，端齿强烈内弯。雌虫载肛突端部粗壮圆钝，下生殖板前缘向前扩展呈三角形。

采集记录：1♂2♀，勉县武侯墓，1985.Ⅶ.26，李法圣采。

分布：陕西（勉县）、湖北。

寄主：皂荚属未鉴定种 *Gleditsia* sp.（豆科 Fabaceae）。

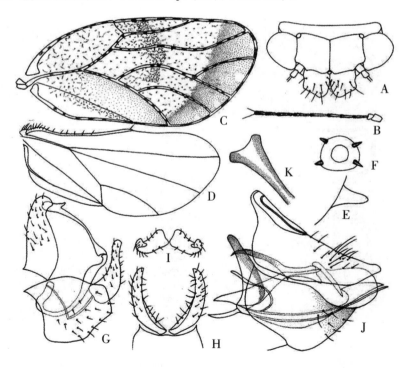

图 330　武侯氏云实木虱 *Colophorina wuhoi*（Li）

A. 头部正面观；B. 触角；C. 前翅；D. 后翅；E. 后基突；F. 后足胫节端部；G. 雄性生殖节侧面观；H. 阳基侧突后面观；I. 阳基侧突端部背面观；J. 雌性生殖节侧面观；K. 背中突背面观

11. 豆木虱属 *Cyamophila* Loginova, 1976

Cyamophila Loginova, 1976: 596. **Type species**: *Psylla fabra* Loginova, 1964.

属征：颊锥一般较粗壮，端部具 2 枚鞭状毛。前胸侧缝发源于背板侧缘中部。前翅 M_{1+2} 和 Cu_{1a} 脉常具直角或接近直角的大拐弯，Cu_{1b} 脉端部强烈后弯；翅刺范围一般不紧贴翅的边缘，缘纹范围常缩减至翅室端部中间的 1 小簇。阳基侧突端部近似斧状，平截，尖端指向前方。

分布：古北区，东洋区。秦岭地区发现 2 种。

分种检索表

雄虫阳基侧突近端部强烈后倾，前缘近端部不具小圆叶。雌虫下生殖板上缘不扩展 ············· ··· **槐豆木虱 *C. willieti***

雄虫阳基侧突近端部不后倾，前缘近端部具 1 个突出的小圆叶，雌虫下生殖板上缘中部扩展成近似半圆形 ··· **马蹄针豆木虱 *C. viccifoliae***

(34) 马蹄针豆木虱 *Cyamophila viccifoliae* (**Yang** *et* **Li, 1984**) (图 331)

Psylla viccifolia Yang *et* Li, 1984: 258. Incorrect original spelling.

Psylla viccifoliae: Hodkinson, 1986: 329.

Cyamophila viccifolia: Li, Liu & Yang, 1993: 8.

Cyamophila viccifoliae: Li, 2011: 718.

鉴别特征：雄虫阳基侧突前缘近端部有 1 个近半圆形的小叶。雌虫生殖节整体较细长，下生殖板上缘中部强烈扩展。

采集记录：15 ♂ 9 ♀，略阳，720m，1985. Ⅶ. 27，李法圣采；1 ♂ 1 ♀，太白山，2100m，1983. Ⅵ. 06，采集人不明；1 ♂，太白山，1500m，1982. Ⅶ. 17。

分布：陕西(略阳，太白山)、北京、山西、甘肃、浙江、贵州、云南。

寄主：马蹄针 *Sophora viccifolia* Hance(豆科 Fabaceae)。

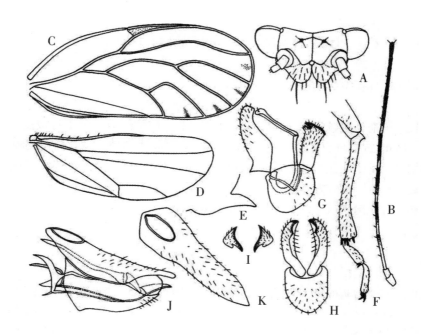

图 331   马蹄针豆木虱 *Cyamophila viccifoliae* (Yang *et* Li)

A. 头部正面观；B. 触角；C. 前翅；D. 后翅；F. 后基突；F. 后足胫节及跗节；G. 雄性生殖节侧面观；H. 阳基侧突后面观；I. 阳基侧突端部背面观；J. 雌性生殖节侧面观；K. 雌性载肛突背面观

(35) 槐豆木虱 *Cyamophila willieti* (Wu, 1932) (图 332)

Psylla willieti Wu, 1932: 71.

Cyamophila willieti: Conci & Tamanini, 1989: 171.

鉴别特征: 前翅 r_2、m_1、m_2 和 cu_1 室端部中央各具 1 小块黑斑。雄虫阳基侧突近端部强烈后倾。

采集记录: 1♀，秦岭，采集长度不详，1980. X.01，周尧采；3♂7♀，周至楼观台，采集长度不详，1982. XII.03，李法圣采；6♂8♀，户县朱雀森林公园，2600m，2012. VII.13，罗心宇采；1♀，略阳象山，720m，1985. VIII.27，李法圣采；1♀，太白山明星寺，2900m，1982. VII.17，采集人不明；1♀，太白山中山寺，1500m，1982. VIII.17，采集人不详；1♂，太白山蒿坪寺，1200m，1982. VII.18，采集人不详；1♂1♀，太白山文公庙，3400m，1983. VII.17，采集人不详；1♂，太白山骆驼寺，2100m，1983. VI.06，采集人不详。

分布: 陕西(周至、户县、略阳、眉县，太白山)、吉林、北京、河北、内蒙古、山西、山东、宁夏、甘肃、江苏、安徽、湖北、湖南、广东、贵州、云南。

寄主: 槐 *Sophora japonica* Linnaeus(豆科 Fabaceae)。

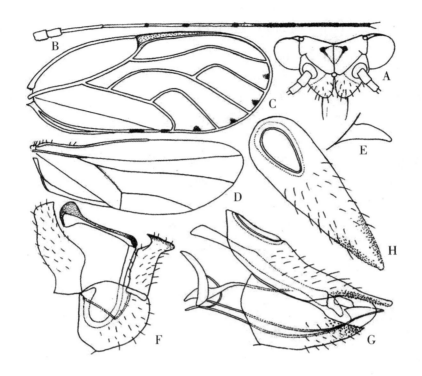

图 332　槐豆木虱 *Cyamophila willieti*（Wu）

A. 头部正面观；B. 触角；C. 前翅；D. 后翅；E. 后基突；F. 雄性生殖节侧面观；G. 雌性生殖节侧面观；H. 雌性载肛突背面观

12. 木虱属 *Psylla* Geoffroy，1762

Psylla Geoffroy，1762：482．**Type species**：*Chermes alni* Linnaeus，1758．

Asphagis Enderlein，1921：120．**Type species**：*Psylla fusca* Zetterstedt，1828．

Asphagidella Enderlein，1921：120．**Type species**：*Chermes buxi* Linnaeus，1758．

属征：前胸侧缝发源于前胸背板侧缘中部。后足胫节具基齿，端距 6～8 枚，除最内侧 1 枚和最外侧 1 枚外，均聚成群。该属目前分类系统混乱，很难定义。

分布：全北区。秦岭地区发现 2 种。

分种检索表

前翅沿 R + M + Cu 脉和 R 脉基部具深褐色带，Cu₂ 端具深褐色斑。雄虫载肛突极长，近端部前表面强烈隆起 ···································· 大肛木虱 *P. megaloproctae*

前翅不具任何斑纹。雄虫载肛突细长，前表面中部隆起 ······················ 槭木虱 *P. aceris*

(36) 槭木虱 *Psylla aceris* **Loginova, 1964**（图 333）

Psylla aceris Loginova, 1964: 105.

鉴别特征：雄虫载肛突细长，前表面中部隆起；阳基侧突细长。雌虫生殖节极长，载肛突端半部上弯但又紧接着平伸，下生殖板端半部整体下弯，形成宽阔的开口。

采集记录：1♀，太白山，1800m，1983.Ⅵ.07，采集人不详。

分布：陕西(太白)、山西、宁夏；俄罗斯，中亚。

寄主：茶条槭 *Acer ginnala* Maxim，*Acer turkestanicum* Pax（槭树科 Aceracea）。

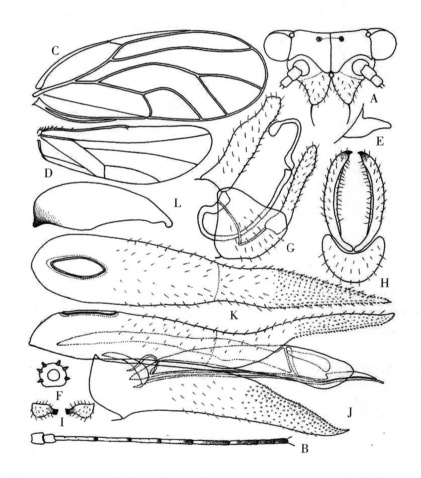

图 333　槭木虱 *Psylla aceris* Loginova

A. 头部正面观；B. 触角；C. 前翅；D. 后翅；E. 后基突；F. 后足胫节端部；G. 雄性生殖节侧面观；H. 阳基侧突后面观；I. 阳基侧突端部背面观；J. 雌性生殖节侧面观；K. 雌性载肛突背面观；L. 卵

(37) 大肛木虱 *Psylla megaloproctae* Li et Yang, 1989（图 334）

Psylla megaloproctae Li *et* Yang, 1989: 64.

鉴别特征：前翅沿 R + M + Cu 脉和 R 脉基部具深褐色带，Cu_2 端具深褐色斑。雄虫载肛突极长，近端部前表面强烈隆起。

采集记录：1♂，太白山明星寺，2900m，1982. Ⅶ. 17，郭宇远采。

分布：陕西（太白山）。

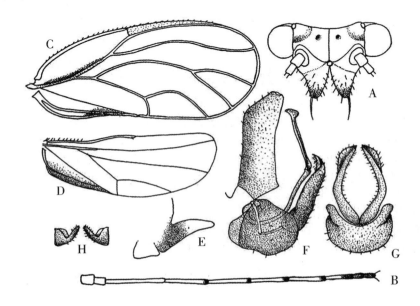

图 334　大肛木虱 *Psylla megaloproctae* Li *et* Yang

A. 头部正面观；B. 触角；C. 前翅；D. 后翅；E. 后基突；F. 雄性生殖节侧面观；G. 阳基侧突后面观；H. 阳基侧突端部背面观

五、个木虱科 Triozidae

鉴别特征：颊一般发育为颊锥，颊锥端部不具颊锥鞭状毛。前胸前侧片向前延展成盾状。前翅常呈披针形，具明显的翅尖；R、M、Cu 脉共柄；前缘裂愈合，无翅痣；翅刺少见；缘纹粗大，集中成窄条状出现在 m_1、m_2 和 cu_1 室的端部中央。后足胫节端距较粗壮，内侧固定 1 枚，外侧 2 或 3 枚，常着生于指状或板状的突起上；基跗节无爪状距。雄虫载肛突有时具后叶。

分类：世界广布。陕西秦岭地区发现 5 属 8 种。

分属检索表

1. 雄虫载肛突后叶较长，呈指状 ······················· **线角木虱属 Bactericera**
   雄虫载肛突后叶宽圆 ·· 2
2. 前翅 m_1 室极长大，压迫 Rs 脉使之靠近翅前缘··············· **前个木虱属 Epitrioza**
   前翅不如上述 ··· 3
3. 头顶前缘平直··· **个木虱属 Trioza**
   头顶前缘强烈向前扩展，中部内凹 ······································· 4
4. 颊锥几乎没有或短小 ······························· **三毛个木虱属 Trisetitrioza**
   颊锥发育良好，基部略微缢缩，背面隆起 ············· **毛个木虱属 Trichochermes**

13. 线角木虱属 *Bactericera* Puton, 1876

Bactericera Puton, 1876：286. **Type species**：*Bactericera perrisi* Puton, 1876.

Rhinopsylla Riley, 1885：77. **Type species**：*Rhinopsylla schwarzii* Riley, 1885.

Paratrioza Crawford, 1910：228. **Type species**：*Trioza cockerelli* Šulc, 1909.

Allotrioza Crawford, 1911a：442. **Type species**：*Paratrioza arbolensis* Crawford, 1910.

Smirnovia Klimaszewski, 1968：13 (nec Smirnovia Lutshnik, 1922). **Type species**：*Trioza femoralis* Förster, 1848.

Klimaszewskiella Lauterer, 1976：120 (new name for *Smirnovia* Klimaszewski, 1968).

Eubactericera Li, 1994：12. **Type species**：*Eubactericera allivora* Li, 1994.

Carsitria Li, 1997b：16. **Type species**：*Carsitria zhaoi* Li, 1997.

属征：颊锥发达或几无。后足胫节具 3 枚端距。仅第 1 可见腹节背板具侧面的刚毛。雄虫载肛突后叶较长，近似指状。雌虫生殖节一般较短。

分布：全北区，东洋区。秦岭地区发现 3 种。

分种检索表

1. 体基本完全黑色，头顶中缝基部两侧具 1 对黄斑 ·············· **二星黑线角木虱 B. bimaculata**
   体色不如上述 ··· 2
2. 雄虫阳基侧突呈弯刀状向前强烈弯曲,雌虫肛门及周围区域不显著扩展 ··················
   ·· **黄肛线角木虱 B. xanthoprocta**
   雄虫阳基侧突基部 2/3 较直，端部向前弯曲;雌虫肛门及周围区域显著扩展，占载肛突全长的
   2/3 以上 ··· **黄花蒿线角木虱 B. artemisicola**

(38) 黄花蒿线角木虱 *Bactericera artemisicola* (Li, 1995) (图 335)

Eubactericera artemisicola Li, 1995b：323.

Bactericera artemisicola：Burckhardt & Lauterer，1997a：121.

Bactericera（*Klimaszewskiella*）*artemisicola*：Li，2011：1641.

鉴别特征：雄虫载肛突后叶端部圆钝；阳基侧突基部较宽，中部变窄且较直，端部向前弯曲。雌虫载肛突肛门及周围部分显著扩展，占全长的2/3左右。

采集记录：1♀，太白山，2100m，1983.Ⅵ.06，采集人不详；4♂4♀，佛坪，1200m，1985.Ⅷ.16，李法圣采。

分布：陕西（太白山，佛坪）、黑龙江、吉林、北京、山西、宁夏、甘肃、湖北。

寄主：黄花蒿 *Artemisia annua* Linnaeus，茵陈蒿 *Artemisia capillaris* Thunb.，臭蒿 *Artemisia hedinii* Ostenf.（菊科 Asteraceae）。

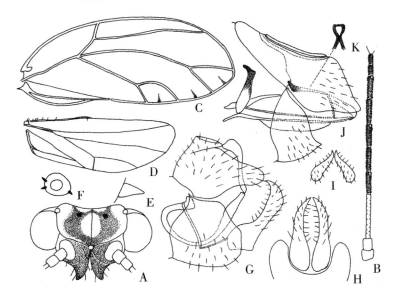

图335　黄花蒿线角木虱 *Bactericera artemisicola*（Li,1995）

A. 头部正面观；B. 触角；C. 前翅；D. 后翅；E. 后基突；F. 后足胫节端部；G. 雄性生殖节侧面观；H. 阳基侧突后面观；I. 阳基侧突端部背面观；J. 雌性生殖节侧面观；K. 雌性背中突背面观

(39) 二星黑线角木虱 *Bactericera bimaculata*（**Li，1989**）（图336）

Trioza bimaculata Li，1989：220.

Eubactericera bimaculata：Li，1995b：322.

Bactericera bimaculata：Burckhardt & Lauterer，1997a：123.

Bactericera（*Klimaszewskiella*）*bimaculata*：Li，2011：1701.

鉴别特征：体基本黑色，头顶中缝基部两侧具1对黄斑。雄虫载肛突后叶宽短，阳基侧突均匀地向前弯曲。雌虫载肛突近端部下缘扩展。

采集记录：1♀，太白山骆驼寺，2100m，1983．Ⅴ.26，采集人不详。

分布：陕西（太白山）、河北。

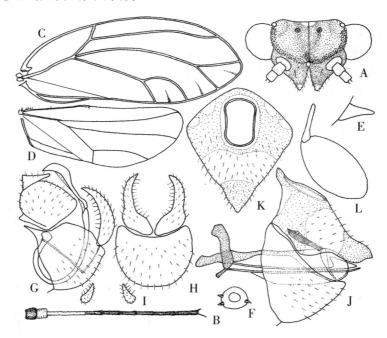

图 336　二星黑线角木虱 *Bactericera bimaculata*（Li）

A. 头部正面观；B. 触角；C. 前翅；D. 后翅；E. 后基突；F. 后足胫节端部；G. 雄性生殖节侧面观；H. 阳基侧突后面观；I. 阳基侧突端部背面观；J. 雌性生殖节侧面观；K. 雌性载肛突背面观；L. 卵

（40）黄肛线角木虱 *Bactericera xanthoprocta* Li，2005（图337）

Bactericera（*Klimaszewskiella*）*xanthoprocta* Li, 2005：195.

鉴别特征：雄虫阳基侧突呈弯刀状，向前强烈弯曲；下生殖板短，上边缘强烈扩展。雌虫肛门背面观中部缢缩，载肛突端部略向下钩；下生殖板纵向极短，垂直向较高，端部圆钝。

采集记录：2♂1♀，周至楼观台，1200m，1982．Ⅻ.03，李法圣采。

分布：陕西（周至）。

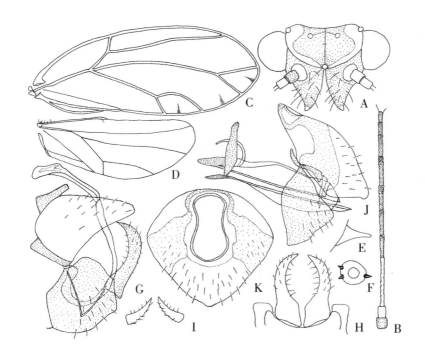

图 337 黄肛线角木虱 *Bactericera xanthoprocta* Li

A. 头部正面观；B. 触角；C. 前翅；D. 后翅；E. 后基突；F. 后足胫节端部；G. 雄性生殖节侧面观；H. 阳基侧突后面观；I. 阳基侧突端部背面观；J. 雌性生殖节侧面观；K. 雌性载肛突背面观

14. 前个木虱属 *Epitrioza* Kuwayama，1910

Epitrioza Kuwayama，1910：55. **Type species**：*Epitrioza mizuhonica* Kuwayama，1910.

属征：头向前下方斜伸，头顶后缘平直，颊锥发达。后足胫节无基齿，端距 3 枚。前翅 m_1 室极长大，显著高于 cu_1 室，压迫 Rs 脉使之贴近翅前缘。雄虫载肛突具宽圆的后叶，后叶外缘具 1 列相对长的刚毛。雌虫载肛突居于下生殖板后上方，端部薄而上翘。

分布：古北区东部，东洋区北部。秦岭地区发现 1 种。

(41) 陕西前个木虱 *Epitrioza shaanxina* Yang *et* Li，1981（图 338）

Epitrioza shaanxina Yang *et* Li，1981b：123.

鉴别特征：雄虫阳基侧突整体向前弯曲。雌虫下生殖板下表面在近端部强烈弯折，留下较长的扁平的端部。

采集记录：2♂1♀，秦岭，1200m，1980.Ⅶ.29，李法圣采。

分布：陕西（秦岭）。

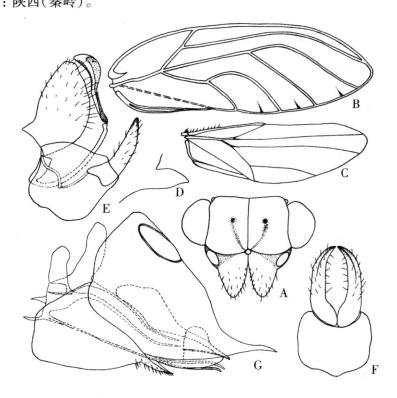

图 338　陕西前个木虱 *Epitrioza shaanxina* Yang *et* Li

A. 头部正面观；B. 前翅；C. 后翅；D. 后基突；E. 雄性生殖节侧面观；F. 阳基侧突后面观；G. 雌性生殖节侧面观

15. 毛个木虱属 *Trichochermes* Kirkaldy，1904

Trichopsylla Thomson，1877：823（nec Kolenati，1863）. **Type species**：*Trioza walkeri* Förster，1848.

Trichochermes Kirkaldy，1904：280（new name for *Trichopsylla* Thomson，1877）.

属征：头顶前缘向前强烈突出，中部内凹。颊锥基部略有缢缩，背面隆起。后足胫节具基齿，端距4枚。前翅常具各式色带或花纹。雄虫载肛突具宽圆的后叶，后叶外缘具1列长刚毛。雌虫生殖节简单。

分布：古北区，非洲区，新热带区北部。秦岭地区发现2种。

分种检索表

前翅前缘和后缘各具1条褐色宽带 ……………………………………… **冻绿毛个木虱 *T. utilis***

前翅前缘端部 1/3 处发源 1 条褐色宽带，向后延伸并转折至 m_1、m_2 和 cu_1 室端部；cu_2 室具 1 条褐色纵带 ·· **中华毛个木虱 *T. sinicus***

(42) 中华毛个木虱 *Trichochermes sinicus* **Yang et Li, 1985**（图 339）

Trichochermes sinicus Yang *et* Li, 1985：303.

Trichochermes jilinanus Yang *et* Li, 1985：307.

Trichochermes laricis Yang *et* Li, 1985：309.

鉴别特征：前翅前缘端部 1/3 处发源 1 条褐色宽带，向后延伸并转折至 m_1、m_2 和 cu_1 室端部；cu_2 室具 1 条褐色纵带。

采集记录：1♂2♀，秦岭，1500m，1962.Ⅷ.05-07，采集人不详。

分布：陕西（秦岭）、吉林、辽宁、北京、河北、山西、河南、宁夏、甘肃、湖北。

寄主：普通鼠李 *Rhamnus davurica* Pall.，皱叶鼠李 *R. rugulosa* Hemsl.，乌苏里鼠李 *R. ussuriensis* J. Vass. Hem（鼠李科 Rhamnaceae）。

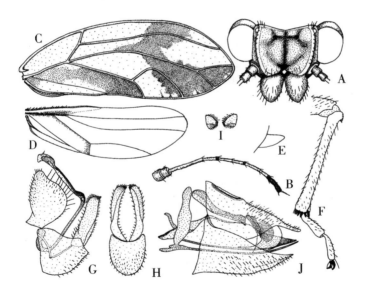

图 339　中华毛个木虱 *Trichochermes sinicus* Yang *et* Li

A. 头部正面观；B. 触角；C. 前翅；D. 后翅；E. 后基突；F. 后足胫节端部；G. 雄性生殖节侧面观；H. 阳基侧突后面观；I. 阳基侧突端部背面观；J. 雌性生殖节侧面观

(43) 冻绿毛个木虱 *Trichochermes utilis* **Yang et Li, 1985**（图 340）

Trichochermes utilis Yang *et* Li, 1985：305.

鉴别特征：前翅前缘和后缘各具 1 条褐色宽带。

采集记录：9♂17♀，秦岭，1500m，1981.Ⅹ.01，周尧、王素梅采。

分布：陕西（秦岭）。

寄主：冻绿 *Rhamnus utilis* Dcue.（鼠李科 Rhamnaceae）。

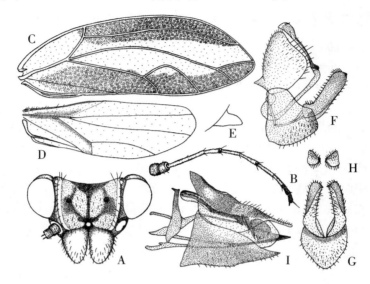

图 340 冻绿毛个木虱 *Trichochermes utilis* Yang *et* Li

A. 头部正面观；B. 触角；C. 前翅；D. 后翅；E. 后基突；F. 雄性生殖节侧面观；G. 阳基侧突后面观；H. 阳基侧突端部背面观；I. 雌性生殖节侧面观

16. 个木虱属 *Trioza* Förster, 1848

Trioza Förster, 1848：67. **Type species**：*Chermes urticae* Linnaeus, 1758.

Triozopsis Li, 2005：202. **Type species**：*Trioza nigricamphorae* Li, 1993.

Metatriozidus Li, 2011：1531. **Type species**：*Metatriozidus ileicisuga* Li, 2011.

属征：本属定义较宽泛，所有符合个木虱科一般性描述且无特殊结构的种类均被划分至此属。

分布：世界广布。秦岭地区发现 1 种。

(44) 弯尾个木虱 *Trioza camplurigra* Li, 1989（图 341）

Trioza camplurigra Li, 1989：218.

Metatriozidus camplurigrus：Li, 2011：1538.

鉴别特征：雌虫生殖节整体强烈下弯。

采集记录：1♀，太白山骆驼寺，2000m，1983.Ⅵ.27，采集人不详。

分布：陕西（太白山）。

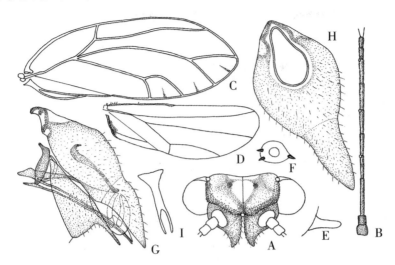

图 341　弯尾个木虱 *Trioza camplurigra* Li

A. 头部正面观；B. 触角；C. 前翅；D. 后翅；E. 后基突；F. 后足胫节端部；G. 雌性生殖节侧面观；H. 雌性载肛突背面观；I. 背中突背面观

17. 三毛个木虱属 *Trisetitrioza* Li, 1995

Trisetitrioza Li，1995a：21. **Type species**：*Trisetrioza clavellata* Li，1995.

Neorhinopsylla Drohojowska，2006：178. **Type species**：*Rhinopsylla hidakensis* Miyatake，1972.

Trisetrioz：Li，2011：1389. Misspelling.

属征：体中到大型。头顶前缘内凹，生有较长的刚毛。颊锥不发育或呈小丘状，向中央并拢。前翅 Rs 脉端部远离 M_{1+2} 端部。后足胫节具 1 簇细小的基齿，端距 4 枚。雄虫载肛突具较窄的后叶。阳茎端节的射精管末端强烈骨化并加粗。

分布：东洋区，古北区（东部）。秦岭地区发现 1 种。

(45) 太白山三毛个木虱 *Trisetitrioza taibaishanana*（Li, 2011）（图 342）

Neorhinopsylla taibaishanana Li，2011：1402.

Trisetitrioza taibaishanana：Yang，Burckhardt & Fang，2013：90.

鉴别特征：雌虫生殖节整体短小，载肛突背面较平，肛门及周围区域不隆起。

采集记录：1♀，太白山明星寺，2900m，1982.Ⅶ.13，郭宇远采。

分布：陕西（太白山）。

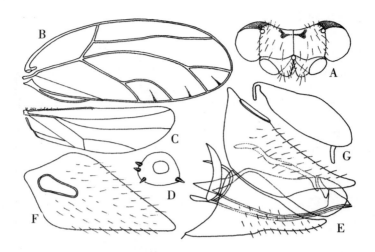

图 342　太白山三毛个木虱 *Trisetitrioza taibaishanana*（Li）

A. 头部正面观；B. 前翅；C. 后翅；D. 后足胫节端部；E. 雌性生殖节侧面观；F. 雌性载肛突背面观；G. 卵

参考文献

Ashmead, W. H. 1904. The Homoptera of Alaska. *Harriman Alaska*, 8: 129-137.

Baeva, V. G. 1985. *Jumping plant lice* (Homoptera: Psylloidea). Fauna Tadzhikskoi SSR, Dushanbe, 327pp.

Bliven, B. P. 1955. *Studies on the Insects of the Redwood Empire*. Published by the Author, Eureka, 14pp.

Boselli, F. B. 1930. Studii Sugli Psyllidi (Homoptera: Psyllidae o Chermidae) Ⅵ. Psyllididi di Formosa raccolti dal Dr. R. Takahashi. Bolletino del Laboratoria di zoologia generale e agraria della Facolta agraria di Portici, 24: 175-210.

Brèthes, J. 1920. Las agallas del Molle de Incienso. *Aspiraciones*, 2: 124-134.

Burckhardt, D. 1988a. Angaben zur Psyllidenfauna der Nordostturkei (Homoptera: Psylloidea). *Mitteilungen der Entomologischen Gesellschaft Basel*, 38(1): 31- 44.

Burckhardt, D. 1988b. *Jumping plant lice* (Homoptera: Psylloidea) of the temperate Neotropical Region. Part 3: Calophyidae and Triozidae. *Zoological Journal of the Linnean Society*, 92: 115-191.

Burckhardt, D., Basset, Y. 2000. The jumping plant-lice (Hemiptera: Psylloidea) associated with *Schinus* (Anacardiaceae): systematics, biogeography and host plant relationships. *Journal of Natural History*, 34: 57-155.

Burckhardt, D., Lauterer, P. 1997a. A taxonomic reassessment of the triozid genus *Bactericera* (Hemiptera: Psylloidea). *Journal of Natural History*, 31(1): 99-153.

Burckhardt, D., Lauterer, P. 1997b. Systematics and biology of the *Aphalara exilis* (Weber & Mohr) species assemblage (Hemiptera: Psyllidae). *Entomologica Scandinavica*, 28: 271-305.

Burckhardt, D., Mifsud, D. 2003. Jumping plant-lice of the Paurocephalinae (Insecta: Hemiptera: Psylloidea): systematics and phylogeny. *Contributions to Natural History*, 2: 3-34.

Burckhardt, D., Ouvrard, D. 2012. A revised classification of the jumping plant-lice (Hemiptera: Psylloidea). *Zootaxa*, 3509: 1-34.

Conci, C. 1993. Paracraspedolepta gen. n. , for Chermes nebulosa (Homoptera: Psylloidea). *Memorie della Società entomologica italiana*, 71(2): 505-508.

Conci, C. , Rapisarda, C. and Tamanini, L. 1993. Annotated catalogue of the Italian Psylloidea. First part. (Insecta: Homoptera). *Atti dell'Academia Roveretana degli Agiati*, 2B: 33-135.

Conci, C. , Rapisarda, C. and Tamanini, L. 1996. Annotated catalogue of the Italian Psylloidea. Second part (Insecta: Homoptera). *Atti dell'Academia Roveretana degli Agiati*, 5B: 5-207.

Conci, C. , Tamanini, L. 1989. Cyamophila willieti (Wu, 1932), comb. nov. , adult and nymph, from China, host plant Sophora japonica (Homoptera: Psylloidea). *Bollettino del laboratorio di entomologia agraria Filippo Silvestri Portici*, 45: 171-179.

Crawford, D. L. 1915. Ceylonese and Philippine Psyllidae (Homoptera). *Philippine Journal of Science*, 10: 257-269.

Crawford, D. L. 1919. The jumping plant lice of the Palaeotropics and the South Pacific Islands - Family Psyllidae, or Chermidae, Homoptera. *Philippine Journal of Science*, 15: 139-207.

Dobreanu, E. and Manolache, C. 1962. Homoptera Psylloidea. Academiei Republicii Populare Romine, Bucarest, 374pp.

Drohojowska, J. 2006. A new genus of jumping-plant lice of the family Triozidae (Hemiptera: Psylloidea). Genus, 17(2): 177-190.

Enderlein, G. 1914. H. Sauter's Formosa-Ausbeute: Psyllidae (Homopt.). Psyllidologica II. *Entomologische Mitteilungen*, 3(7-8): 230-235.

Enderlein, G. 1921. Psyllidologica VI. *Zoologischer Anzeiger*, 52: 115-123.

Flör, G. 1861. Die Rhynchoten Livlands. *Archiv für die Naturkunde Liv-, Ehst- und Kurlands. 2 . Serie: Biologische Naturkunde*, 4: 438-546.

Förster, A. 1848. Uebersicht der Gattungen und Arten in der Familie der Psylloden. *Verhandlungen des Naturhistorischen Vereins der Preussischen Rheinlande*, 5: 65-98.

Geoffroy, E. L. 1762. *Histoire abregée des Insectes qui se trouvent aux environs de Paris*. Durand, Paris, 523 pp.

Haupt, H. 1935. Blattflöhe, Psyllina. *In*: Brohmer, P. , Ehrmann, P. and Ulmer G. , Die Tierwelt *Mitteleuropas*, 4(3). Quelle & Meyer, Leipzig, pp. 222-252.

Hedicke, H. 1920. Über eine gallenerzeugende Psyllide (Rhynch. Hom.). *Deutsche Entomologische Zeitschrift*, 1920: 65-75.

Hodkinson, I. D. 1986. The psyllids (Homoptera: Psyllidae) of the Oriental zoogeographical region: an annotated check-list. *Journal of Natural History*, 20: 299-357.

Hodkinson, I. D. and Bird, J. 2000. Sedge and rush-feeding psyllids of the subfamily Liviinae (Insecta: Hemiptera: Psylloidea): a review. *Zoological Journal of the Linnean Society*, 128(1): 1-49.

Hodkinson, I. D. and White, I. M. 1979. Homoptera: Psylloidea. *Handbooks for the Identification of British Insects*, 2(5a): 1-98.

Illiger, J. C. W. 1803.VIII. Litteratur. *Magazin für Insektenkunde*, 2: 282-287.

Kirkaldy, G. W. 1904. Bibliographical and nomenclatorial notes on the Hemiptera - No. 3. *Entomologist*, 37: 279-283.

Klimaszewski, S. M. 1963. Eine neue Art der Unterfamilie Ciriacreminae aus Korea (Homoptera, Psyllidae). *Bulletin de l'Académie Polonaise des Sciences. Classe* II , 11(2): 91-94.

Klimaszewski, S. M. 1968. Stosunki pokrewieństwa środkowoeuropejskich gatunków z rodzaju Trioza FORST. (Homoptera, Psyllodea) w świetle badań metodami taksonomii numerycznej. *Annales Universitatis Mariae Curie-Sklodowska*, 22(1): 1-20.

Klimaszewski, S. M. 1983. Revision of the Palaearctic species of the genus Craspedolepta Enderl. s. l. (Homoptera, Aphalaridae). *Polskie Pismo Entomologiczne*, 53(1-2): 3-29.

Kwon, Y. J. 1983. *Psylloidea of Korea*. Insecta Koreana, Seoul, 181pp.

Kuwayama, S. 1908. Die Psylliden Japans. Ⅰ. *Transactions of the Sapporo Natural History Society*, 2: 149-189.

Kuwayama, S. 1910. Die Psylliden Japans. Ⅱ. *Transactions of the Sapporo Natural History Society*, 3: 53-66.

Kuwayama, S. Jr and Miyatake, Y. 1971. Psyllidae from Shansi, North China (Hemiptera). *Mushi*, 45: 51-58.

Latreille, P. A. 1798. Mémoire sur une nouvelle espèce de Psylle. Kermes. L. *Bulletin de la Société philomathique de* Paris, 1: 113-115.

Latreille, P. A. 1802. *Histoire naturelle, générale et particulière des crustacés et des insectes*. F. Dufart, Paris, 467pp.

Latreille, P. A. 1807. Genera Crustaceorum *et* Insectorum secundum ordinem naturalem in familias disposita, *iconibus exemplisque plurimis explicata. Tome Tertius.* A. Koenig, Paris, 280pp.

Lauterer, P. 1976. Psyllids of wetland nature reserves of the German Democratic Republic, with notes on their biology, taxonomy and zoogeography (Homoptera: Psylloidea). *Faunistische Abhandlungen*, 6 (10): 111-122.

Lauterer, P. 1993. Notes on the bionomics and occurrence of some Psyllids (Homoptera: Psylloidea) in Czechoslovakia and the Balkan Peninsula. *Acta musei Moraviae (Scientiae naturales)*, 77: 147-156.

Lichtenstein, J. 1874. *Psylla (Aphalara) Targionii. Bulletin de la Société Entomologique de France*, 4 (5): 228.

Li, F. S., Liu, Y. J. and Yang, C. X. 1993. The psyllids (Homoptera: Psylloidea) of Ningxia, China: An annotated checklist. *Acta Agriculturae Borealioccidentalis Sinica*, 2(2): 6-12. [李法圣, 刘育钜, 杨彩霞. 1993. 宁夏木虱种类调查. 西北农业学报, 2(2): 6-12.]

Li, F. S., Yang, C. X. and Liu Y. J. 1994. Two new species and a new record of *Agonoscena Enderlein* from China (Homoptera: Psylloidea). *Acta Agriculturae Boreali-occidentalis Sinica*, 3(3): 1-6. [李法圣, 杨彩霞, 刘育钜. 1994. 隆脉木虱属二新种及一新记录种. 同翅目: 木虱总科: 斑木虱科. 西北农业学报, 3(3): 1-6.]

Li, F. S., Yang, C. K. 1984. Seven new species and one new genus of psyllids from Fujian, China (Homoptera: Psyllidae). *Wuyi Science Journal*, 4: 173-185. [李法圣, 杨集昆. 1984. 福建木虱七新种与一新属记述. 同翅目: 木虱科. 武夷科学, 4: 173-185.]

Li, F. S., Yang, C. K. 1988. Homoptera: Psylloidea. 151-163. in Huang F-S. (ed.), *Insects of Mt. Nanjagbarwa Region of Xizang.* Science Press, Beijing, 1-621. [李法圣, 杨集昆. 1984. 同翅目: 木虱总科. 151-163. 见: 黄复生主编, 西藏南迦巴瓦峰地区昆虫. 北京: 科学出版社, 1-621.]

Li, F. S., Yang, C. K. 1989. New species of psyllids from Shaanxi Prov., China (Homoptera: Psyllidae). *Entomotaxonomia*, 11(1/2): 61-67. [李法圣, 杨集昆. 1989. 陕西省木虱十二新种. 同翅目: 木虱科. 昆虫分类学报, 11(1/2): 61-67.]

Li, F. S., Yang, C. K. 1991. Six new species of Psyllidae (Homoptera: Psylloidea) from Guangxi, China. *Entomotaxonomia*, 13(3): 193-204. [李法圣, 杨集昆. 1991. 广西木虱六新种. 同翅目: 木虱总科. 昆虫分类学报, 13(3): 193-204.]

Li, F. S. 1989. Notes on one new genus and three new species of Triozidae (Homoptera: Psylloidea). *Entomotaxonomia*, 11(3): 217-222. [李法圣. 1989. 个木虱科一新属三新种. 同翅目: 木虱总科. 昆虫分类学报, 11(3): 217-222.]

Li, F. S. 1990. The ten new species of psyllids (Homoptera: Psylloidea) from Nei Mongol Autonomous Region. *Entomotaxonomia*, 12(3): 203-220. [李法圣. 1990. 内蒙木虱十新种. 同翅目: 木虱总科. 昆虫分类学报, 12(3): 203-220.]

Li, F. S. 1992. Notes of one new species of Psyllidae from Mt. Mogan (Homoptera: Psylloidea). *Journal of Zhejiang Forestry College*, 9(4): 402-403. [李法圣. 1992. 莫干山木虱一新种. 同翅目: 木虱科. 浙江林学院学报, 9(4): 402-403.]

Li, F. S. 1993a. Four new species of camphor tree-feeding psyllids from South China (Homoptera: Psylloidea). *Scientia Silvae Sinicae*, 29(2): 115-121. [李法圣. 1993a. 我国为害樟属的个木虱及四新种. 同翅目: 木虱总科. 林业科学, 29(2): 115-121.]

Li, F. S. 1993b. Psyllids from the National Chebaling Nature Reserve. 445-466. in Xu Y-Q (ed.), *Collected papers for Investigation in National Chebaling Nature Reserve*. Science and Technology House of Guangdong Province, Guangzhou, 1-553. [李法圣. 1993b. 车八岭国家级自然保护区的木虱. 445-466. 见: 徐燕千主编. 车八岭国家级自然保护区调查研究论文集. 广州: 广东科技出版社, 1-553.]

Li, F. S. 1994. Eubactericera gen. nov. and three new species from China (Homoptera: Psylloidea: Triozidae). *Journal of Laiyang Agricutural College*, 11(ad): 11-20. [李法圣. 1994. 线角木虱属及三新种. 同翅目: 木虱总科: 个木虱科. 莱阳农学院学报, 11(增刊): 11-20.]

Li, F. S. 1995a. One new genus and three new species of Triozidae (Homoptera: Psylloidea) from Xizang, China. *Entomotaxonomia*, 17(1): 21-26. [李法圣. 1995a. 西藏个木虱科一新属三新种. 同翅目: 木虱总科. 昆虫分类学报, 17(1): 21-26.]

Li, F. S. 1995b. Nine new species of Triozidae from China (Homoptera: Psylloidea). *Acta Agriculturae Universitatis* Pekinensis, 21(3): 317-331. [李法圣. 1995b. 线角木虱属九新种. 同翅目: 个木虱科. 北京农业大学学报, 21(3): 317-331.]

Li, F. S. 1997a. Homoptera: Psylloidea: Liviidae, Aphalaridae, Psyllidae, Calophyidae, Carsidaridae, Triozidae. 351-373. in Yang X. K. (ed.), *Insects of The Three Gorge Reservoir Area of Yangtze River*. 1. Chongqing Publishing House, Chongqing, 1-1847. [李法圣. 1997a. 同翅目: 木虱总科: 扁木虱科 斑木虱科 木虱科 丽木虱科 裂木虱科 个木虱科. 351-373. 见: 杨星科主编, 长江三峡库区昆虫(1). 重庆: 重庆出版社, 1-1847.]

Li, F. S. 1997b. Notes on the Carsitriinae new subfamily and new genus and species from China (Homioptera: Psylloidea: Triozidae). *Wuyi Science Journal*, 13: 16-19. [李法圣. 1997b. 裂个木虱新亚科及新属新种记述. 同翅目: 木虱总科: 个木虱科. 武夷科学, 13: 16-19.]

Li, F. S. 2004. Homoptera: Psylloidea: Phacopteronidae, Aphalaridae, Calophyidae, Psyllidae and Triozidae. 213-226. *in Yang X. K.* (ed.) *Insects from Mt. Shiwandashan Area of Guangxi*. China Forestry Publishing House, Beijing, 1-668. [李法圣. 2004. 同翅目: 木虱总科: 花木虱科 斑木虱科 丽木虱科 木虱科 个木虱科. 213-226. 见: 杨星科主编. 广西十万大山地区昆虫. 北京: 中国

林业出版社, 1-668.]

Li, F. S. 2005. Homoptera: Psylloidea. 142-213. *in Yang X-K. (ed.) Insect Fauna Middle-West Qinling Range and South Mountians of Gansu Province*. Science Press, Beijing, 1-1055. [李法圣. 2005. 同翅目: 木虱总科. 142-213. 见: 杨星科主编. 秦岭西段及甘南地区昆虫. 北京: 科学出版社, 1-1055.]

Li, F. S. 2006. Homoptera: Psyllidae and Triozidae. 197-206. in Li Z. Z. and Jin D. C. (eds) *Insects from Fanjingshan Landscape*. Guizhou Science and Technology Publishing House, Guiyang, 1-780. [李法圣. 2006. 同翅目: 木虱科 个木虱科. 197-206. 见: 李子忠, 金道超主编. 梵净山景观昆虫. 贵阳: 贵州科技出版社, 1-780.]

Li, F. S. 2011. Psyllidomorpha of China (Insecta: Hemiptera). Science Press, Beijing, 1-1976. [李法圣. 2011. 中国木虱志(昆虫纲: 半翅目), 北京: 科学出版社, 1-1976.]

Loginova, M. M. 1962. New psyllids (Homoptera: Psylloidea) from the USSR. *Trudy Zoologicheskogo Instituta*, 30: 185-220.

Loginova, M. M. 1963. Revision of the species of the genera Aphalara Frst. and Craspedolepta Enderl. (Homoptera: Psylloidea) in the fauna of the USSR. Ⅱ. *Entomologicheskoe Obozrenie*, 42: 621-648.

Loginova, M. M. 1964. New and little known psyllids from Kazakhstan. Notes on the system of classification of the Psylloidea. *Trudy Zoologicheskova Instituta*, Akademiya Nauk SSSR, 34: 52-112.

Loginova, M. M. 1972. The psyllids (Psylloidea: Homoptera) of the Mongolian People's Republic. *Nasekomye Mongolii*, 1(1): 261-324.

Loginova, M. M. 1974. The psyllids (Psylloidea: Homoptera) of the Mongolian People's Republic. Ⅱ. Nasekomye Mongolii, 4(2): 51-66.

Loginova, M. M. 1975. A revision of the genus *Camarotoscena* Haupt (Psylloidea: Aphalaridae). Entomological Review, 54(1): 28-41.

Loginova, M. M. 1976. Classification of the subfamily Arytaininae Crawf. (Homoptera: Psyllidae). I. A review of genera of the tribe Arytainini. *Entomologicheskoe Obozrenie*, 55: 589-601.

Loginova, M. M. 1978. Classification of the genus Psylla Geoffr. (Homoptera: Psyllidae). *Entomologicheskoe Obozrenie*, 57: 808-824.

Löw, F. 1877. Beiträge zur Kenntniss der Psylloden. *Verhandlungen der Zoologischbotanischen Gesellschaft in Wien*, 27: 123-153.

Löw, F. 1879. Zur systematik der Psylloden. *Verhandlungen der Zoologischbotanischen Gesellschaft in Wien*, 28: 586-610.

Löw, F. 1880. Mittheilungen über Psylloden. *Verhandlungen der Zoologischbotanischen Gesellschaft in Wien*, 29: 549-598.

Luo, X., Li, F., Ma, Y. and Cai, W. 2012. A revision of Chinese pear psyllids (Hemiptera: Psylloidea) associated with *Pyrus ussuriensis*. *Zootaxa*, 3489: 58-80.

Mathur, R. N. 1973. Descriptions and records of some Indian *Psyllidae* (*Homoptera*). *Indian Forest Records*, 11(2): 59-87.

Miyatake, Y. 1964. A revision of the subfamily Psyllinae from Japan (Hemiptera: Psyllidae) II. *Journal of the Faculty of Agriculture*, 13: 1-37.

Miyatake, Y. 1971. Studies on the Philippine Psyllidae (Hemiptera: Homoptera) I. *Bulletin of the Osaka Museum of Natural History*, 25: 51-60.

Oshanin, B. 1912. *Katalog der paläarktischen Hemipteren (Heteroptera, Homoptera-Auchenorhyncha und Psylloideae).* R. Friedländer & Sohn, Berlin, 187pp.

Ossiannilsson, F. 1970. Contributions to the knowledge of Swedish psyllids (Hemiptera: Psyllidae). *Entomologica Scandinavica*, 1: 135-144.

Park, H. C. 1996. Taxonomy of Korean psyllids (Homoptera: Psylloidea) 1. A revised checklist. *Korean Journal of Entomology*, 26(3): 267-278.

Puton, A. 1876. Notes pour serviré l'étude des Hémiptéres. Description d'espéces nouvelles ou peu connues. *Annales de la Société entomologique de France*, 6: 275-290.

Ramirez Gomez, C. 1960. Los Psílidos de España (Conclusión.). *Boletín de la Real Sociedad Españ ola de Historia Natural (Secc. Biol.)*, 57: 5-87.

Schmidberger, J. 1836. Beiträge zur Obstbaumzucht und zur Naturgeschichte der den Obstbäumen. *Schädlichen Insekten*, 4: 186-189.

Schrank, F. 1789. Baiersche Flora. 1. J. B. Strobl, Munich, 753 pp.

Scott, J. 1876. Monograph of the British species belonging to the Hemiptera-Homoptera, family Psyllidae; together with the description of a genus which may be expected to occur in Britain. *Transactions of the Entomological Society of London*, 1876(4): 525-569.

Šulc, K. 1909. *Trioza cockerelli* n. sp, novinka ze Severní Ameriky, mající i hospodářský význam. *Acta Societatis Entomologicae Bohemiae*, 6(4): 102-108.

Thomson, C. G. 1877. Ofversigt of Skandinaviens Chermesarter. *In*: Thomson, C. G. , Opuscula entomologica. 8. Sandberg & Jonssons, Trelleborg, pp. 820-841.

Tuthill, L. D. 1964. Conocimientes adicionales sobre los Psyllidae (Homoptera) del Perù. Revista *Peruana de Entomologia Agricola*, 7: 25-32.

Uhler, P. R. 1896. Summary of the Hemiptera of Japan presented to the United States National Museum by Professor Mitzukuri. *Proceedings of the United States National Museum*, 19: 255-297.

Vondráĉek, K. 1957. *Fauna CSR - Mery-Psylloidea (rad: Hmyz stejnokdly-Homoptera).* Svazek 9. Ceskoslovenska Akademie Ved, Praha, 431pp.

Waga, M. 1842. Diraphia. Novum Insectorum Genus Liviae Proximum (Aphidii: Homoptera). *Annales de la Société entomologique de France*, 11: 275-278.

Walker, F. 1852. *List of the specimens of Homopterous insects in the collection of the British Museum (4).* Edward Newman, London, 1188pp.

Wu, C. F. 1932. A new jumping plant-louse from Peiping (Homoptera: Chermidae). *Peking Natural History Bulletin*, 7: 71-72.

Yang, C. K. , Li, F. S. 1981a. The pear psylla (Homoptera) of China with descriptions of seven new species. *Entomotaxonomia*, 3 (1): 35- 47. [杨集昆, 李法圣. 1981a. 梨木虱考—记七新种(同翅目: 木虱科). 昆虫分类学报, 3(1): 35- 47.]

Yang, C. K. , Li, F. S. 1981b. A preliminary study on Chinese Epitrioza with the descriptions of eight new species (Homoptera: Psyllidae). *Entomotaxonomia*, 3 (2): 119-131. [杨集昆, 李法圣. 1981b. 前个木虱属初报—记八新种(同翅目: 木虱科). 昆虫分类学报, 3(2): 119-131.]

Yang, C. K. , Li, F. S. 1983. Study on the Bharatiana Mathur with the descriptions of three new species from China (Homoptera: Psyllidae). *Acta Agriculturae Universitatis Pekinensis*, 9(1): 51-59. [杨集昆, 李法圣. 1983. 巴木虱属(同翅目)的研究记中国三新种. 北京农业大学学报, 9(1):

51-59.]

Yang, C. K. , Li, F. S. 1984. Nine new species and a new genus of psyllids from Yunnan（Homoptera：Psyllidae）. *Entomotaxonomia*, 6(4)：251-266.［杨集昆，李法圣，1984. 云南木虱九新种及一新属. 昆虫分类学报，6(4)：251-266.］

Yang, C. K. , Li, F. S. 1985. Revision of the genus Trichochermes Kirkaldy 1904 with descriptions of five new species from China（Homoptera：Psyllidae）. *Entomotaxonomia*, 7(4)：301-305.［杨集昆，李法圣. 1985. 毛个木虱属的修订及五新种（同翅目：木虱科）. 昆虫分类学报，7(4)：301-305.］

Yang, C. T. 1984. *Psyllidae of Taiwan*. Taiwan Museum Special Publication Series, 3：1-303.

Yang, M. M. , Burckhardt, D. and Fang, S. J. 2013. *Psylloidea of Taiwan*. Volume 2. *Family Triozidae.* National Chung Hsing University, Taichung, 160pp.

Yang, M. M. , Huang, J. H. and Li, F. 2004. A new record of Cacopsylla species（Hemiptera：Psyllidae）from pear orchards in Taiwan. Formosan Entomologist, 24(3)：213-220.

Zetterstedt, J. W. 1828. *Fauna insectorum Lapponica*. Libraria Schulziana, Hamm, 563pp.

第六章 　粉虱总科 Aleyrodoidea

粉虱科 Aleyrodidae

闫凤鸣

（河南农业大学，郑州 450002）

鉴别特征：成虫体小型（体长 1mm 左右，最大不超过 3mm），两性均有翅，身体表面被白色蜡粉。复眼小眼分为上下两群，分离或连在一起；单眼两个；触角 7 节；喙 3 节，自前足基节间生出。前翅脉序简单，R、M 和 Cu 脉合并在 1 条短的主干上，后翅只有 1 条纵脉。腹部第 9 节背板有 1 凹入，称为皿状孔（vasiform orifice），中间有小的第 10 节背板称为盖片（operculum），及 1 个管状的舌状突（lingula）（肛下片）。蛹壳（图 343）壳体扁平或背面隆起，椭圆形或圆形，蛹壳边缘光滑或有齿。腹面有简单的足和触角，背面腹部末端有皿状孔，孔内有盖片和舌状突，肛门位于皿状孔底部，可分泌蜜露。皿状孔是粉虱科特有的特征，可用于区别于其他类群。

生物学：粉虱属于渐变态类昆虫，个体发育经历卵、若虫和成虫 3 个阶段；若虫共 4 龄，通常将第 4 龄若虫称为伪蛹成蛹壳（pupal case）。粉虱的寄主植物很广泛，Mound *et* Halsey（1978）记载 176 个植物科。近年来，随着新属新种的发现，以及粉虱科一些种类（如烟粉虱）分布范围不断扩大，所记录到的危害植物种类逐步增多，粉虱科昆虫的寄主范围远远超过上述数目。

分类：世界各大洲均有分布，但主要分布于热带和亚热带地区。截至目前，全世界共记述粉虱科 3 个亚科 161 属 1556 种以及 4 个化石种。中国共记载粉虱科 2 亚科 48 属 243 种，陕西秦岭地区已知粉虱亚科 5 属 7 种。

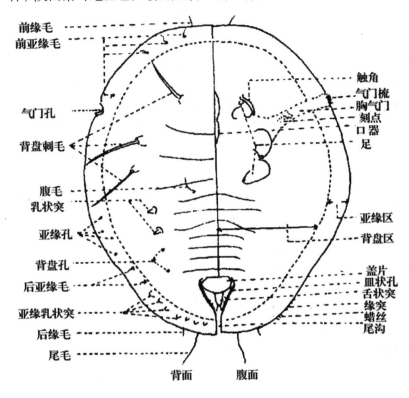

图 343　粉虱蛹壳特征（胡敦孝等，据 Martin 2001）

粉虱亚科 Aleyrodinae

分属检索表

1. 蛹壳背部具有长棘刺 ………………………………………… 刺粉虱属 *Aleurocanthus*
   蛹壳背部不具有长棘刺 ………………………………………………………… 2
2. 第 8 腹节形成三叶草状图案，包围皿状孔 ……………… 三叶粉虱属 *Aleurolobus*
   第 8 腹节不形成三叶草状图案 ………………………………………………… 3
3. 气门孔具内齿，胸气门褶明显，有斑纹 …………………… 裸粉虱属 *Dialeurodes*
   气门孔不具内齿，胸气门褶不明显，无斑纹 ………………………………… 4
4. 皿状孔长三角形，舌状突匙状 …………………………………… 小粉虱属 *Bemisia*
   皿状孔圆形或亚圆形，盖片几乎覆盖整个孔，舌状突不暴露 … 棒粉虱属 *Aleuroclava*

1. 刺粉虱属 *Aleurocanthus* Quaintance *et* Baker, 1914

Aleurocanthus Quaintance *et* Baker, 1914: 102. **Type species**: *Aleurodes spinifera* Quainttance, 1903.

属征: 中等大小, 外观亚椭圆形。通常棕黑色至黑色; 边缘具齿, 四周有短蜡缘饰。亚缘区不与背盘区分开; 背盘区有硬化的刺毛, 有各种排列; 无乳突和孔; 气门孔通常不存在。皿状孔小, 圆形或亚心形, 隆起; 盖片覆盖孔, 舌状突不暴露。

分布: 东洋区, 澳洲区, 非洲区。目前全世界已记述 78 种, 中国记述 14 种, 秦岭地区发现 1 种。

(1) 黑刺粉虱 *Aleurocanthus spiniferus* Quaintance, 1903 (图 344; 图版 94: A)

Aleurocanthus spiniferus Quaintance, 1903: 63.

Aleurocanthus citricola Newstead, 1911: 173.

Aleurocanthus intermedius Silvestri, 1927: 2.

Aleurocanthus rosae Singh, 1931: 79.

别名: 刺粉虱、橘刺粉虱。

鉴别特征: 卵长椭圆形。长 0.20~0.30mm, 顶端较尖, 基部钝圆, 通过卵柄插在叶片上。初产时为乳白色, 后逐渐变为淡黄色、橙红色, 孵化前变为棕褐色或紫褐色。若虫共 4 龄, 呈椭圆形; 初孵及刚蜕皮后的若虫无色透明, 随着发育逐渐变为黑色, 有光泽。1 龄若虫体长 0.25~0.35mm, 体背有 6 根浅色刺毛; 2 龄若虫胸部分节不明显, 腹部分节明显, 体背具长短刺毛 9 对; 3 龄若虫体长约 0.60mm, 雌雄体型差异不大, 雄虫略细小; 腹部前半分节不明显, 但胸节分界明显; 体背具长短刺毛 14 对。各龄若虫均在体躯周围慢慢分泌 1 圈白色蜡质, 且随虫龄增大白色蜡质增多。蛹壳自然状态下漆黑色, 中部隆起。椭圆形, 前端稍窄。背盘无蜡质物, 但边缘有栅状蜡质分泌物。体长为 0.85~1.18mm, 宽为 0.59~0.78mm, 后端有 1 对长鬃毛。缘齿规则, 硬化程度高, 顶端圆, 每 0.10mm 长度有 12 齿。用碱液处理后, 可见亚缘区有 20~22 根刺毛, 长度和大小基本一致, 长约 0.20mm, 伸展至边缘区以外一段距离。在亚背区胸部有 5 对、腹部有 6 对较短的刺毛; 在中区、头部和腹部 1~3 节分别有 3 对小刺毛; 在皿状孔前端有 1 对长刺毛。皿状孔显著隆起, 亚心形至圆形, 完全为盖片覆盖, 舌状突不外露。雌成虫体长 1.30~1.80mm, 雄成虫体长约 1.40mm, 腹部橙黄色, 薄敷白粉, 前翅褐紫色, 有 6~7 个白斑, 后翅淡紫褐色。

采集记录: 1 头, 城固, 1969.Ⅵ, 周尧采; 1 头, 城固, 1985.Ⅶ.22, 闫凤鸣采。

分布: 陕西 (城固)、河北、河南、山东、上海、江苏、安徽、浙江、湖北、江西、湖南、福建、台湾、广东、海南、广西、重庆、四川、贵州、云南; 韩国, 印度, 印度尼西亚，伊朗，欧洲，非洲。

寄主：范围比较广，主要在柑橘 *Citrus reticulata* Banco（Rutaceae）和茶树 *Camellia sinensis*（Theaceae）上为害，此外还可以为害荔枝 *chinensis Sonner*（Sapindaceae）、杧果 *Mangifera indica* L.（Anacardiaceae）、白榄 *Canarium album*（Burseraceae）、枇杷 *Eriobotrya japonica*（Rosaceae）、葡萄 *Vitis vinifera* L.（Vitaceae）、苹果 *Malus pumila*（Rosaceae）、杏 *Prunus armeniaca* L.（Rosaceae）、梨 *Pyrus* L.（Rosaceae）、杜梨 *Pyrus betulifolia*（Rosaceae）、柿 *Diospyros kaki*（Ebenaceae）、山楂 *Crataegus pinnatifida*（Rosaceae）、海棠 *Malus spectabilis*（Rosaceae）、木瓜 *Chaenomeles sieneis*（Rosaceae）、金银木 *Lonicera maackii*（Caprifoliaceae）和樟树 *Cinnamomum camphora*（Lauraceae）等数十种果树和林木等。

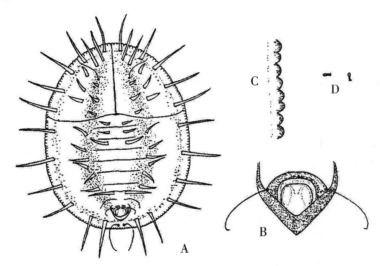

图 344　黑刺粉虱 *Aleurocanthus spiniferus* Quaintance
A. 蛹壳；B. 皿状孔；C. 缘齿；D. 背槌状刚毛

2. 三叶粉虱属 *Aleurolobus* Quaintance *et* Baker, 1914

Aleurolobus Quaintance *et* Baker, 1914: 108. **Type species**: *Aleurodes marlatti* Quaintance, 1903.

Neoaleurolobus Takahashi, 1951: 5. **Type species**: *Aleurolobus musae* Corbett, 1935.

Rositaleyrodes Meganathan *et* David, 1994: 48. **Type species**: *Aleurolobus oplismeni* Takahashi, 1931.

别名：穴粉虱属。

属征：蛹体一般深棕色至浅黑色；亚缘区以缝状线与背盘区分开，边缘具齿；气门褶在末端边缘处具一些特化的齿，即冠。第8腹节形成三叶草状图案，包围皿状孔。这是本属最重要的特征。

分布：古北区，东洋区，非洲区。中国已知6种，秦岭地区发现2种。

分种检索表

胸部和腹部气门冠 4～5 齿，向外伸出很多；头后部具 4 条不甚明显的淡色刻纹 ················
·· **日本三叶粉虱 *A. japonicus***

胸部和腹部气门冠 3 齿，不向外突；具眼点，似"丁"状；头后部无淡色刻纹 ··················
·· **四川三叶粉虱 *A. szechwanensis***

（2）日本三叶粉虱 *Aleurolobus japonicus* Takahashi，1954（图 345）

Aleurolobus japonicus Takahashi，1954：3.

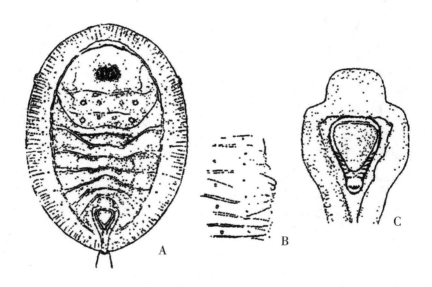

图 345 日本三叶粉虱 *Aleurolobus japonicus* Takahashi
A. 蛹壳；B. 亚缘区；C. 皿状孔

鉴别特征：蛹壳黑色，背盘区中心部分具许多蜡质，而沿边缘的分泌物稀薄，呈栅状。椭圆形，长 900～1147μm，宽 630～740μm，胸气门冠处微缩，末端不凹入。前后端侧缘分别具 1 对刚毛，长 21μm。胸气门褶宽，无刻纹；气门冠凸出边缘很多，半球形，有时分成 2～4 齿，比其他缘齿大得多。边缘角质化程度低，缘齿宽远大于长，顶端圆形，从胸气门冠至前缘每侧约 30 个齿；从每一齿都向内部延伸出明显的脊，不达边缘线处。前胸背板在中区不与头部分开，比中胸背板长得多；中胸背板与前胸背板界限宽，比后胸背板稍长。横蜕缝末端部分向头侧部方向伸延，达中胸背板侧。腹部比头胸部长得多，分节明显；侧脊的末端达背盘区边缘；基腹节在中区很轻微地向前凸，第 7 腹节约是第 6 腹节半长；第 8 腹节长于第 6 腹节，几乎与皿状孔一样长。全形区不清晰，基部 7 个腹节前端的刻纹呈卵形。背盘区的边缘区域在头胸部分明，以1条细缝与亚缘区分开，有褶皱，前端宽，但比亚缘区窄得多。在头后部中区有4条极细的淡色部分。前胸背板与中胸背板之间有1对卵形刻纹，在中胸部分别有4个斑纹排列，其中中间的2个较小。在第2至第5腹节有许多成对丛集的小淡点，每对都在刻纹之后分布；在每一丛中，这些点多少排成横列；在尾脊上有大量同样的淡点成列排列。背盘区散布许多成对的微孔，每一胸节近前缘分别具6~8个和6~12个这样的微孔。许多不太清晰的微暗斑块散布于腹侧部的侧脊之间。背刚毛通常小，但尾刚毛有时长。背面无颗粒和其他刻纹，眼点缺。亚缘区除了后面小部分外，与背盘区分开，在约中间处有一些半透明的小孔成一行排列；但沿亚缘线无刚毛，散布一些成对的微孔；缘齿基部也有这样的微孔分布，成行排列。皿状孔心形，末端圆，与亚缘区分开，每侧具7个细的弯曲的刻纹，无网纹。盖片覆盖孔2/3，心形，规则。舌状突不暴露。尾沟细，不达蛹体末端，稍短于皿状孔。尾脊近乎或没有伸达后缘，后端部分窄于或等于尾气门冠的宽度。

　　寄生于叶片正反面。

采集记录：2头，宁陕火地塘，1985.Ⅷ.25，闫凤鸣采。

分布：陕西（宁陕）、台湾；日本。

寄主：忍冬属一种 *Lonicera* sp.（Caprifoliaceae）。

(3) 四川三叶粉虱 *Aleurolobus szechwanensis* Young, 1942（图346；图版94：B）

Aleurolobus szechwanensis Young, 1942: 99.

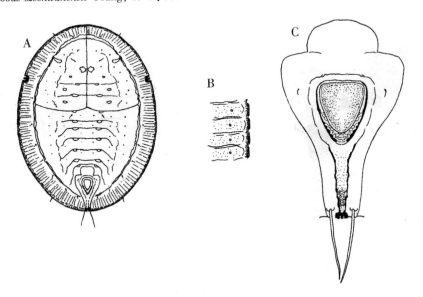

图346　四川三叶粉虱 *Aleurolobus szechwanensis* Young
A. 蛹壳；B. 边缘；C. 皿状孔及尾沟

别名：马氏粉虱、黑粉虱、四川粉虱、马氏穴粉虱、四川裂粉虱。

鉴别特征：蛹体黑色，椭圆形，长925～1036μm，前后端阔圆不凹入。后端侧缘刚毛短小；胸腹气门冠具3个齿，较硬化，不伸出边缘，其每齿的宽度约为缘齿的2/5。亚缘区除后端极少部分外，与背盘区界限分明，从边缘向内伸展许多清晰的凹陷的窄区；但这些窄区并不达亚边缘；沿整个亚缘线有20个小刚毛排成1行。背盘区具许多成对微孔，在横蜕缝后几乎呈6行；头胸部有6对小凹陷，前方的1对多角形，其余几对卵形。胸中缝达背盘区边缘；头部眼点"J"形；头部后缘有1对小刚毛。中胸部清晰。腹节清晰，基部前缘有1对小刚毛；每1节的前缘都有1对卵形凹陷。皿状孔等腰形，后端圆，孔的内缘具网纹增厚部分，该部分为盖片遮掩；末端内侧具4对凸出的齿，盖片锹状，长几乎与宽等，盖及孔的4/5。舌状突被盖覆。围孔的三叶区域几乎达蛹体末端，比皿状孔稍长，近末端具方形的刻纹。

采集记录：1头，城固，1970.Ⅳ，周尧采。

分布：陕西（城固）、河南、江苏、浙江、福建、重庆、四川。

寄主：柑橘 *Citrus reticulata*（Rutaceae），枸橼 *Citrus medica* L.（Rutaceae），桑树 *Moraceae alba* L.（Moraceae），糙叶树 *Aphananthe aspera*（Ulmaceae）。

3. 棒粉虱属 *Aleuroclava* Singh，1931

Aleuroclava Singh，1931：90. **Type species**：*Aleuroclava complex* Singh，1931.

Aleurotuberculatus Takahashi，1932：20. **Type species**：*Aleurotuberculatus gordoniae* Takahashi，1932.

Taiwanaleyrodes Takahashi，1932：28. **Type species**：*Taiwanaleyrodes meliosmae* Takahashi，1932.

Japaneyrodes Zahradnik，1962：13. **Type species**：*Aleurotuberculatus trachelospermi* Takahashi，1938.

Martiniella Jesudasan *et* David，1990：7. **Type species**：*Aleurotuberculatus canangae* Corbett，1935.

Hindaleyrodes Meganathan *et* David，1994：37. **Type species**：*Hindaleyrodes hindustanicus* Meganathan *et* David，1994.

属征：蛹壳小，椭圆形、梨形或近椭圆形，白色至淡黄色，缘齿浅圆，有极少的蜡质分泌物。亚缘区与背盘区没有分开，背部常有颗粒或瘤突，有些蛹壳亚缘区有乳突样斑纹。横蜕缝不达边缘，胸气门孔可辨，类似光滑的浅齿，第8腹节比第7腹节长，尾沟明显，末端分支。皿状孔圆形或亚圆形，在后边缘有1条刻痕，直达短尾沟处。盖片几乎覆盖整个孔，通常在亚缘区头侧部有1个极小刚毛，尾刚毛存在。

分布：东亚地区，太平洋地区，澳洲区。中国已知20种，秦岭地区发现1种。

（4）珊瑚棒粉虱 *Aleuroclava aucubae*（**Kuwana，1911**）（图347；图版94：C）

Aleyrodes aucubea Kuwana，1911：625.

Aleuroclava aucubae：Martin，1999：31.

别名：珊瑚粉虱、珊瑚棉粉虱、珊瑚瘤粉虱、小黑粉虱。

鉴别特征：蛹壳黑色，在寄主叶背面，微有光泽，长0.59~0.73mm。由于头部、胸部、腹部边缘及亚边缘较平直，因而使整个蛹体外观及背盘区呈六角形。亚缘区狭窄，隆起甚高，向外倾斜。背盘区下陷，表面粗糙，与亚缘区以明显的沟纹区分。在头胸部背面中央有"Y"形突起，腹节处有明显的隆脊。在突起及隆脊上，覆有白色蜡质分泌物。缘齿不明显，浅，宽大于长；前后端侧缘刚毛小；胸气门褶不太明显，气门小。略呈三角形，底边长且直，另两瓣近接触，尾气门孔陷入较深，边缘两瓣不合拢。纵蜕缝只达头部中部；横蜕缝达背盘区边缘，其中段向胸部稍突进。背盘区靠近亚缘线处有许多纵线从亚缘线伸向内部，在背盘侧区有许多不规则的龟裂状花纹。头部"Y"形纹分叉处两侧有1点小刚毛。胸部和腹部第1节两侧具瘤状突起；前后胸各有2对，中胸和腹部第1节各有1对。腹部1~2节间线两侧有1对刚毛，分别着生在1个突起上。腹节只在中区明显，第5~7节两侧各有1对比较明显的瘤突，有的标本第4节瘤突也明显。背盘侧部有一些不太明显的简单孔，排成1圈。皿状孔心形，侧缘变厚，长42μm，宽37μm，盖片几乎盖住整个孔，舌状突不外露。尾沟长50μm，与皿状孔相连接处稍宽；尾刚毛着生在近尾端，长约50μm。腹面触角稍长于前足。

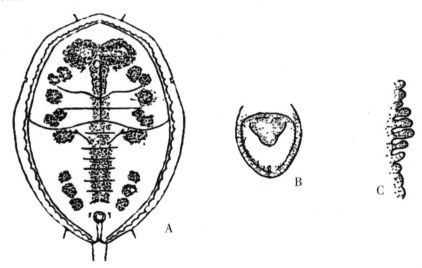

图347　珊瑚棒粉虱 *Aleuroclava aucubae*（kuwana）

A. 蛹壳；B. 皿状孔；C. 缘齿

采集记录：1头，城固，1985.Ⅶ.22，闫凤鸣采。

分布：陕西(城固)、河南、甘肃、山东、上海、江苏、浙江、江西、湖南、福建、重庆、四川；日本。

寄主：桔 *Citrus reticulata*（Rutaceae），桂花 *Osmonthus fragrans*（Oleaceae），枸橘 *Poncirus trifoliata*（Rutaceae），忍冬属 *Lonicera* L.（Caprifoliaceae），榆叶梅 *Prunus triloba*

（Rutaceae），山梅花属 *Philadelphus* L.（Saxifragaceae），黄杨属 *Buxus* L.（Buxaceae），榆属 *Ulmus* L.（Ulmaceae），垂柳 *Salix babylonica*（Salicaceae）。

4. 小粉虱属 *Bemisia* Quaintance *et* Baker，1914

Bemisia Quaintance *et* Baker，1914：99. **Type species**：*Aleurodes inconpicua* Quaintance，1900（ =*Aleurodes tabaci* Gennadius，1889）.

Roucasia Goux，1940：45. **Type species**：*Roucasia ovata* Goux，1940.

Bemisia（*Roucasia*）：Gomez-Menor，1954：369.

属征：卵形，苍白色，亦有棕色的类型。气门孔区域有时分化为冠。前后端侧缘刚毛存在。皿状孔长三角形，舌状突匙状。亚背区有一系列的刚毛。某些种类特征变异很大。

分布：全球广布。中国已知 5 种，秦岭地区发现 2 种。

分种检索表

蛹壳稍大，规则的长椭圆形，胸尾气门处稍凹入，气门冠齿硬化程度高，皿状孔后缘有横脊纹 …………………………………………………………………… **非洲小粉虱 *B. afer***

蛹壳较小，边缘常凹入，胸尾气门特征不如上述，皿状孔后缘没有横脊纹 ……… **烟粉虱 *B. tabaci***

（5）非洲小粉虱 *Bemisia afer*（Priesner *et* Hosny，1934）（图348；图版94：D）

Dialeurodoides afer Priesner *et* Hosny，1934：6.

Bemisia hancocki Corbett，1936：20.

Bemisia citricola Gomez-Menor，1945：293.

Bemisia afer Gameel，1968：151.

别名：非洲伯粉虱（傅建炜，1999）、非洲类伯粉虱（罗志义，2001）。

鉴别特征：蛹壳苍白色，椭圆形，边缘有极少的蜡质分泌物；后端尾气门处稍凹入。从边缘向内部延伸有许多条短线。长 1082～1320μm，宽 790～957μm。边缘较规则，缘齿细、小且不规则。胸气门冠分化为许多齿，这些齿硬化程度高，比缘齿大。气门处略缢缩。前后端侧缘有极小的刚毛。横蜕缝和胸中缝均不达边缘。刚毛的数目和长短，瘤突的数目和大小以及它们的着生位置有很大变异，但一般头部、第1腹节和皿状孔基部两侧都有刚毛。皿状孔长椭圆形，末端尖，侧缘略弯曲并具侧脊，末端具横脊。盖片亚圆形，宽大于长，基部缢缩，覆盖孔的1/3。舌状突长，刮勺形，顶端尖，着生1对刚毛。前、后腹气门孔存在；足基部刚毛缺。

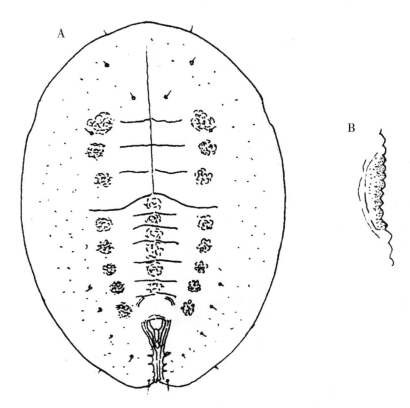

图 348　非洲小粉虱 *Bemisia afer*（Priesner *et* Hosny）
A. 蛹壳；B. 胸气门处边缘

采集记录：1 头，洋县，1985. Ⅶ.18，闫凤鸣采。

分布：陕西（洋县）、北京、河南、新疆；印度，巴基斯坦，伊朗，非洲，欧洲。

寄主：刺槐 *Robinia pseucdoacacia* L.（Leguminosae），麻叶绣球 *Spiraea cantoniensis*（Rutaceae），月季 *Rosa chinenses*（Rutaceae），多花蔷薇 *Rosa multiflora*（Rutaceae），忍冬属 *Lonicera* L.（Caprifoliaceae）一种，大豆 *Glycine max*（Leguminosae），柑橘 *Citrus reticulata*（Rutaceae），散沫花 *Lawsonia inermis* L.（Lythroideae），榕树 *Ficus microcarpa*（Moraceae），木薯 *Manihot esculenta*（Euphorbiaceae），桑 *Morus alba* L.（Moraceae）等。

（6）烟粉虱 *Bemisia tabaci*（**Gennadius, 1889**）（图 349；图版 95）

Aleurodes tabaci Gennadius, 1889：1.

Aleurodes inconspicua Quaintance, 1900：28.

Bemisia emiliae Corbett, 1926：278.

Bemisia costa-limai Bondar, 1928：27.

Bemisia signat Bondar, 1928：29.

Bemisia signat Bondar, 1928：30.

Bemisia gosaypiperda Misra *et* Lamba, 1929：1.

Bemisia achyranthes Singh, 1931：82.

Bemisia hibisci Takahashi, 1938：17.

Bemisia longspina Priesner *et* Hosny, 1934：6.

Bemisia gossypiperda var. *mosaicivectura* Ghesquiere *in* Mayne *et* Ghesquier, 1934：30.

Bemisia goldingi Corbett, 1935：249.

Bemisia nigeriensis Corbett, 1935：250.

Bemisia rhodesiaensis Corbett, 1936：22.

Bemisia tabaci：Takahashi, 1936：110.

Bemisia manihotis Frappa, 1938：30.

Bemisia vayssierei Frappa, 1939：256.

Bemisia lonicerae Takahashi, 1957：16.

Bemisia minima Danzig, 1964：638.

Bemisia miniscula Danzig, 1964：640.

鉴别特征：烟粉虱卵椭圆形，约0.20mm，顶部尖，端部有卵柄，卵柄通过产卵器插入叶表裂缝中。卵初产下时为白色或淡黄绿色，随着发育时间的增加颜色逐渐加深，孵化前变为深褐色。若虫有4个龄期，1龄若虫约0.20～0.40mm，淡绿色至浅黄色。初孵若虫椭圆形、扁平，有足和触角，体周围有蜡质短毛，尾部有2根长毛。2龄以后足和触角退化，固定在叶片上取食。蛹壳椭圆形，有时边缘凹入。亚缘区不与背盘区分开，缘齿不规则。在光滑无毛的叶子背面的蛹壳背面不具长刚毛，而在具毛叶子上，背面多达7对刚毛，有时刚毛很长。蛹壳由于季节和在寄主上的位置不同，其颜色也不同，可为无色到棕色（Bink-Moenen，1983）。雌虫体长约0.91mm，雄虫体长约0.85mm。体淡黄色，翅白色无斑点，密被白色蜡粉。触角7节，复眼黑红色，分上下两部分。前翅具纵脉2条，后翅1条。跗节2爪，中垫狭长如叶片。雌虫尾部尖形，雄虫呈钳状。

采集记录：15头，宁陕火地塘，1985.Ⅷ.27-29，闫凤鸣采。

分布：陕西（宁陕）、黑龙江、吉林、辽宁、北京、天津、河北、山西、山东、河南、宁夏、甘肃、新疆、江苏、上海、安徽、浙江、湖北、江西、湖南、福建、台湾、广东、海南、香港、澳门、广西、重庆、四川、贵州、云南；韩国，日本，印度，斯里兰卡，伊朗，格鲁吉亚，欧洲，非洲，北美洲，南美洲。

寄主：烟粉虱为多食性害虫，寄主范围广，有明显的寄主扩展现象。1978年报道的烟粉虱寄主有74科、420多种（变种）；1983年报道的寄主就达570多种（变种）；到1998年所报道的寄主超过600种（变种）。除去重复的统计，我国已记录烟粉虱寄主植物约为57科245种。

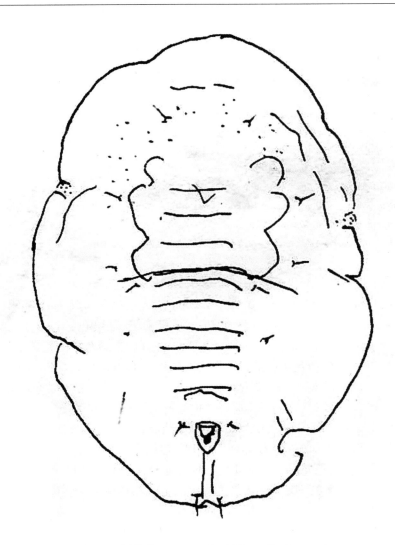

图 349 烟粉虱 *Bemisia tabaci*(Gennadius)
蛹壳

5. 裸粉虱属 *Dialeurodes* Cockerell, 1902

Aleyrodes(*Dialeurodes*)Cockerell, 1902: 283. **Type species**: *Aleyrodes citri* Ashmead, 1885.
Dialeurodes: Quaintance & Baker, 1914: 97.

属征: 蛹壳大小有变异, 通常椭圆形至亚椭圆形, 一般淡黄色; 背盘区与亚缘区分界线不明显, 背面一般无乳突或孔。气管孔清晰可辨, 具内齿, 气管褶上有点状、线状或多角状纹。皿状孔横卵形或亚圆形, 小, 尾边缘内侧常有1列齿。盖片覆盖孔大部分, 舌状突不外露。

　　分布：东洋区，新热带区，澳洲区，非洲区。中国已知9种，秦岭地区发现1种。

（7）橘绿粉虱 *Dialeurodes citri*（Ashmead，1885）（图350；图版96）

Aleyrodes citri Ashmead，1885：704.

Aleurodes citrifolia：Riley & Howard，1892：274.

Aleyrodes eugeniae var. *aurantii* Maskell，1895：431.

Aleyrodes kushinasii Sasaki，1908：55.

Dialeurodes tuberculatus Takahashi，1932：9.

Dialeurodes citri：Quaintance & Baker，1916：469.

Dialeurodes citri var. *kinyana* Takahashi，1935：43.

Dialeurodes citri（Ashmead）var. *hederae* Takahashi，1936：219.

　　别名：橘裸粉虱、柑橘粉虱、橘黄粉虱、通草粉虱。

　　鉴别特征：卵椭圆形，长0.18~0.20mm，宽0.05~0.06mm，透明，通过1个短柄附于叶背面。卵初产颜色淡黄色，孵化前变为褐色。1龄若虫椭圆形，长0.50~0.60mm，宽0.25~0.30mm，扁平，黄白色；2龄若虫体长0.60~0.80mm，宽0.40~0.50mm，体白色透明。3龄若虫长0.90~1.0mm，宽0.50~0.70mm，4龄若虫体长约1.00mm，宽0.70~0.80mm。在自然状态下，蛹壳淡黄色，有时为浅褐色，大小差异很大，阔椭圆形，长1027~1400μm，宽720~1100μm。整个蛹体光滑，无乳突和刻纹等。胸气门褶、皿状孔颜色浅，凸起；尾沟亦清晰，稍突起。蛹体在胸气门孔处稍变窄；前后侧缘各有1对小刚毛。边缘分齿不明显；气管孔在边缘内，内缘具钝齿，两侧缘有两爪状突起，几乎合拢。亚缘区不与背盘区分开，从边缘有多条线向内延伸。横蜕缝、胸中缝达背盘区边缘。胸气门褶清晰，上有刻纹或黑点；尾褶同胸部。皿状孔近圆形，边缘硬化，染色后着色深，内缘侧面、末端具不规则小齿。盖片心形，几乎盖住孔。舌状突不露。雌成虫体长1.35~1.50mm，宽0.30~0.40mm；雄成虫体长1.00~1.10mm，宽0.25~0.30mm。两对翅上覆有白粉。复眼圆形，赤褐色，头、胸、腹部均为淡黄色，足黄白色。雌虫腹部粗大，尾部钝圆，雄虫比雌虫瘦小，尾尖（曲爱军等，1998；张志桓等，2001）。

　　采集记录：1头，宝鸡，1978.Ⅴ.13，周尧采；1头，佛坪，1985.Ⅶ.17，闫凤鸣采；3头，城固，1969.Ⅳ、1970.Ⅵ，周尧采；5头，城固，1985.Ⅶ.22、1985.Ⅶ.23、1985.Ⅶ.24，闫凤鸣采；1头，洋县，1985.Ⅶ.18，闫凤鸣采；1头，宁陕火地塘，1985.Ⅶ.29，闫凤鸣采。

　　分布：陕西（宝鸡、佛坪、城固、洋县、宁陕）、吉林、辽宁、北京、河北、天津、山西、河南、山东、上海、江苏、安徽、浙江、湖北、江西、湖南、福建、台湾、广东、广西、重庆；韩国，印度，伊朗，北美洲。

　　寄主：橘绿粉虱可以危害的寄主植物多达30科、55属、74种，主要寄主包括柑橘 *Citrus reticulata*（Rutaceae）、茶树 *Camellia sinensis*（Theaceae）、月柿 *Diospyros kaki*

（Ebenaceae）以及一些绿化树种和蔬菜等。

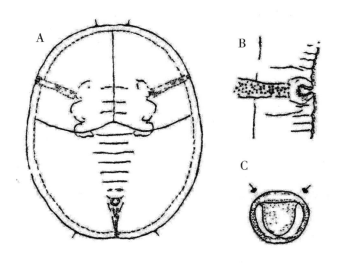

图 350 橘绿粉虱 *Dialeurodes citri*（Ashmead）
A. 蛹壳；B. 气门褶和气门孔；C. 皿状孔

参考文献

Chou, I. 1949. A catalogue of the whiteflies from China（Homoptera：Aleyrodidae）. *Chinese Entomology*, 3(4)：1-18.［周尧. 中国粉虱名录. 中国昆虫学, 1949, 3(4)：1-18.］

Chou, I., Yan, F. M. 1988. New species and new records of Aleyrodidae（Homoptera）form China. *Entomotaxonomia*, 10(3-4)：243-246.［周尧, 闫凤鸣. 1998. 中国粉虱科新种和新纪录. 昆虫分类学报, 10(3-4)：243-246.］

Goux, L. 1940. Contribution a l'etude des aleurodes（Hem.：Aleyrodidae）de la France. Ⅱ Description de deux especes nouvelles de Marseille. *Bulletin de la Société Entomologique de France*, 45：45 -48.

Martin, J. H. 1987. An identification guide to common whitefly pest species of the world（Homoptera：Aleyrodidae）. *Tropical Pest Management*,（33）：298-322.

Martin, J. H. 1999. The whitefly fauna of Australia（Sternorrhyncha：Aleyrodidae）a taxonomic account and identification guide. *CSIRO Entomology Technical Paper*,（38）：1-197.

Martin, J. H. 2004. Whiteflies of Belize（Hemiptera：Aleyrodidae）Part 1-introduction and account of the subfamily Aleurodicinae Quaintance and Baker. *Zootaxa*,（68）：1-119.

Martin, J. H. 2005. Whiteflies of Belize（Hemiptera：Aleyrodidae）Part 2-a review of the subfamily Aleyrodinae Westwood. *Zootaxa*,（1098）：1-116.

Martin, J. H., Mound, L. A. 2007. An annotated check-list of world's whiteflies（Insecta：Hemiptera：Aleyrodidae）. *Zootaxa*,（1492）：1-84.

Takahashi, R. 1932. Aleyrodidae of Formosan, Part 1. *Report*, *Department of Agriculture*, *Government Research Institute*, *Formosa*, 59：1-57.

Takahashi, R. 1935a. Aleyrodidae of Formosan, Part 4. *Report*, *Department of Agriculture*, *Government*

Research Institute, *Formosa*, 66: 39-65.

Takahashi, R. 1936a. New whiteflies from the Philippines and Formosa (Aleyrodidae: Hemiptera). *Philippine Journal of Science*, 59: 217-221.

Takahashi, R. , Mamet, R. 1955. Descriptions of some new or little known species of Aleyrodidae from China and Malaya (Homoptera). *Acta Entomologica Sinica*, 5: 221-235.

Takahashi, R. , Mamet, R. 1957. Some Aleyrodidae from Japan (Homoptera). *Insecta matsum*, 21: 12-21.

Yan, F. M. 1987. A taxonomic study of Aleyrodinae form China (Homoptera: Aleyrodidae). Yangling, Shaanxi: *N. W. China Agricultural University*, 1-75. [闫凤鸣. 1987. 中国粉虱亚科(Aleyrodinae)分类研究(硕士学位论文). 陕西杨凌: 西北农业大学, 1-75.]

Yan, F. M. 1988. New records of Aleyrodidae (Homoptera) form China. *Entomotaxonomia*, 10(2): 50. [闫凤鸣. 1988. 粉虱科中国新纪录种. 昆虫分类学报, 10(2): 50.]

Yan, F. M. 1991. A taxonomic study on whiteflies in Beijing (Homoptera: Aleyrodidae). *Journal of Beijing Agricultural College*, 1(2): 68-71. [闫凤鸣. 北京地区粉虱分类研究(同翅目: 粉虱科). 北京农学院学报, 1(2): 68-71.]

Young, B. 1942. Whiteflies attacking citrus in Szechwan. *Sinensia*, 13: 95-101.

第七章 蚜总科 Aphidoidea

姜立云 乔格侠

（中国科学院动物研究所，北京 100101）

鉴别特征：小型多态昆虫。同种常分无翅和有翅两个类型；触角 3~6 节，其上有发达的感器，分为原生和次生感觉圈；头部有单眼（有翅类型）或无单眼（无翅类型）；口器刺吸式，喙 5 节，第 4、5 节常愈合；有翅类型前翅明显大于后翅，前翅有翅痣；前后胸较退化，中胸发达；腹部 8 节，第 5、6 节间具腹管；腹部末节背板和腹板分别形成尾片和尾板；足跗节 2 节，第 1 节常较短。

生物学：蚜虫生殖方式分两性生殖、孤雌生殖，卵生或胎生；生活周期复杂，分为全周期和不全周期两类。主要刺吸植物汁液，多数是农林业大害虫。

分类：全世界已知 600 多属，5000 多种，分隶 2 科 23 亚科。陕西秦岭地区发现蚜虫 2 科 9 亚科 58 属 100 种。

分科检索表

孤雌蚜胎生（玻片标本透过体壁可见到胚胎），雌性蚜卵生；前翅有 4 根斜脉；无翅蚜复眼有多个小眼面或 3 个小眼面；触角 4~6 节，如果只 3 节，则尾片烧瓶状；头部与胸部长度之和不大于腹部；尾片各种形状，腹管有或缺；气门位于腹部节第 1~7 或第 2~5 节；产卵器缩小为被毛的生殖突 ·· **蚜科 Aphididae**

孤雌蚜与雌性蚜都卵生；前翅只有 3 根斜脉；无翅蚜及幼蚜复眼只有 3 个小眼面；触角 3 节或退化；头部与胸部长度之和大于腹部长度；尾片半月形，腹管缺。气门位于腹部第 1~6 节、或只在第 1 节；有或无产卵器 ······························ **根瘤蚜科 Phylloxeridae**

一、根瘤蚜科 Phylloxeridae

鉴别特征：体小型。体表无或有蜡粉。无翅孤雌蚜及若蚜触角 3 节，仅有 1 个感觉圈。复眼由 3 个小眼面组成。头部和胸部长度之和长于腹部长度。腹管缺。尾片半月形。罕见有产卵器。有翅孤雌蚜触角仅 3 节，仅有 2 个纵长感觉圈。前翅仅有 3 根斜脉：1 根中脉和 2 根共柄的肘脉；后翅缺斜脉；静止时翅平叠于体背。中胸盾片不分为两片。性蚜无喙；不活泼。孤雌蚜和雌性蚜均卵生。

生物学：大多营同寄主全周期生活，仅有时营异寄主全周期生活。寄主植物为

栗属 *Castanea* spp.、栎属 *Quercus* spp.、山核桃属 *Carya* spp.、梨属 *Pyrus* spp.、柳属 *Salix* spp. 和葡萄 *Vitis vinifera* 等。

分类：全球分布。陕西秦岭地区记录 1 属 1 种。

1. 葡萄根瘤蚜属 *Daktulosphaira* Shimer，1866

Daktulosphaira Shimer，1866：365. **Type species**：*Pemphigus vitifoliae* Fitch，1855.

Viteus Shimer，1867：283：6. **Type species**：*Pemphigus vitifoliae* Fitch，1855.

属征：无翅孤雌蚜活体鲜黄色至污黄色，有时淡黄绿色。体表及腹面有暗色突起的棱形纹。复眼由 3 个小眼面组成。体毛短小。触角 3 节，粗短。喙粗大，端部达后足基节。无腹管。尾片末端圆形。有翅蚜触角 3 节，第 3 节有稍纵长圆形感觉圈 2 个。前翅翅痣很大，仅有 3 根斜脉，其中 Cu_1 与 Cu_2 共柄。

生物学：可在葡萄根部及叶片危害，在根部可形成根瘤，在叶片上可形成虫瘿。

分布：世界广布。中国记录 1 属 1 种，秦岭地区也有发现。

(1) 葡萄根瘤蚜 *Daktulosphaira vitifoliae*（**Fitch，1851**）（图 351）

Pemphigus vitifoliae Fitch，1855：705.

Daktulosphaira vitifoliae：Zhang & Zhong，1983：76.

鉴别特征：无翅孤雌蚜体卵圆形，末端狭长，体长 1.15～1.50mm，体宽 0.75～0.90mm。活体鲜黄色至污黄色，有时淡黄绿色。玻片标本淡色至褐色。触角及足深褐色。体表明显有暗色鳞形纹至棱形纹隆起，体缘（包括头顶）有圆形微突起，胸部、腹部各节背面各有 1 个深色横向大型瘤状突起。气门 6 对，大圆形，明显开放，气门片深色。中胸腹岔两臂分离。体毛短小，不甚明显，毛长为触角第 3 节直径的 0.20 倍。头顶弧形。复眼由 3 个小眼面组成。触角 3 节，粗短，有瓦纹，全长 0.16mm，为体长的 0.14 倍，第 1、2 节约等长，第 3 节长 0.09mm，第 1～3 节长度比例为 33：33：100；第 3 节基部顶端有 1 个圆形感觉圈；第 1～3 节各有毛 1 或 2 根，第 3 节顶端有毛 3 或 4 根。喙粗大，端部伸达后足基节，第 4+5 节长锥形，长约为基宽的 3 倍，为后足第 2 跗节的 2.20 倍，有 2 或 3 对极短刚毛。足短粗，胫节短于股节，后足股节长 0.10mm，为触角的 0.65 倍，为该节直径的 2.30 倍；后足胫节长 0.08mm，为触角的 0.50 倍，为体长的 0.07 倍，毛长为该节直径的 0.16 倍，后足第 2 跗节端部有 1 对棒状长毛从爪间伸出；第 1 跗节毛长，尖锐，毛序为 2、2、2。无腹管。尾片末端圆形，有毛 6～12 根。尾板圆形，有毛 9～14 根。

有翅孤雌蚜体长 0.90mm，体宽 0.45mm。初羽化时体淡黄色，翅乳白色，随后变为橙黄色，触角及足黑褐色，中胸、后胸深赤褐色，翅无色透明。触角 3 节，第 3

节有2个感觉圈,基部1个近圆形,端部1个近长圆形。中胸盾片中部不分开。静止时翅平叠于体背。前翅翅痣大,仅有3根斜脉,其 Cu_1 与 Cu_2 共柄。后翅缺斜脉。

孤雌卵长椭圆形,长0.30mm,宽0.15mm,淡黄色,有光泽,后渐加深至暗黄绿色。雄性卵长0.27mm,宽0.14mm。雄性蚜体长宽与雄性卵相同,无翅,喙退化。雌性卵长0.36mm,宽0.18mm。雌性蚜体褐黄色,触角及足灰黑色。体长宽与雌性卵相同,无翅,喙退化;触角3节,第3节长约为第1节与第2节之和的2倍,端部有1个圆形感觉圈。跗节1节。

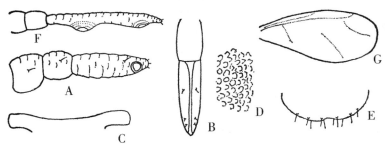

图351　葡萄根瘤蚜 *Daktu losphaira vitifoliae* Fitch

无翅孤雌蚜(apterous viviparous female)

A. 触角(antenna);B. 喙第4+5节(ultimate rostral segment);C. 中胸腹岔(mesosternal furca);D. 腹部背纹(dorsal scleroites on abdomen);E. 尾片(cauda)

有翅孤雌蚜(alate ovipara)

F. 触角(antenna);G. 前翅(forewing)

生物学:寄主为葡萄 *Vitis vinifera* 等葡萄属植物。通常可危害美洲系葡萄和野生葡萄的根和叶,但只危害欧洲系葡萄根部;在美洲系葡萄品种上为全周期型,被害后叶片萎缩,形成豌豆状虫瘿,根部形成根瘤;在欧洲系葡萄品种上通常为不完全周期型,不在叶片上形成虫瘿。根部被害后肿胀形成根瘤,随后变色腐烂,根枯而死,严重阻碍水分和养分的吸收和输送,造成植株发育不良,生长迟缓,树势衰弱,影响开花结果,严重时可造成部分根系甚至植株死亡。国外记载葡萄根瘤蚜以卵在枝条或以各龄若蚜在根部越冬,每年可发生5~8代。春季在美洲品种枝上的越冬卵孵化,孵出的干母在叶片正面取食,形成虫瘿,并在虫瘿内产卵;8~10天后孵化为干雌,营孤雌生殖4或5代后迁移至根部;夏、秋两季发生有翅性母蚜,从根部回迁到枝叶上,产生大小两类卵,分别孵化为无翅的雌、雄性蚜,交配后每头雌性蚜在2~3年的生枝条上产越冬卵1枚。

传播途径:葡萄根瘤蚜原产于美洲,19世纪中叶自美国传入欧洲和大洋洲,现已传播到各大洲40多个国家和地区。我国于1895年在烟台引种法国葡萄苗时被引入。葡萄根瘤蚜主要随带根的葡萄苗木调运而传播。在营全周期生活的地区,通常都有越冬卵附着在枝条上,会因将其用作插条而传播。此外还可借装运和耕作工具传播,在山区及灌溉区可由水传播。还可由若虫爬行进行近距离传播或有翅蚜借风力传播。

分布：陕西(秦岭)、辽宁、甘肃、山东、上海、台湾、云南；亚洲，欧洲，非洲，北美洲，南美洲，澳洲。

二、蚜科 Aphididae

鉴别特征：体型多为椭圆形，头部和胸部之和的长度通常小于腹部的长度。孤雌蚜胎生，仅雌性蚜产卵，产卵器退化为被毛的生殖突。

生物学：生活周期复杂，寄主植物范围广泛，可取食裸子植物和被子植物。

分类：世界广布。陕西秦岭地区记载9个亚科57属99种。

分亚科检索表

1. 无翅蚜的眼有多个小眼面；腹部无或有蜡腺；腹管环状至长管状 ……………………… 4
   无翅蚜的眼有3个小眼面；腹部有蜡腺；腹管环状或缺；如果眼为多个小眼面，则有翅蚜前翅翅痣不达翅顶，径分脉也不着生于翅痣基部 ………………………………………… 2
2. 性蚜喙退化，大都不取食，腹内只有1个卵；尾片半月形，尾板末端圆；头与前胸大部分离，眼位于头的后部；有翅蚜中胸前盾片三角形，盾片被"V"形缝分为两片，静止时翅呈屋脊状；触角感觉圈条状环绕触角或片状 ………………………… **瘿绵蚜亚科 Pemphiginae**
   性蚜有喙，可取食，腹内有数个卵，有时1个；尾片瘤状或半月形，尾板末端圆或两裂；头与前胸相愈合，眼似乎位于头的中部；有翅蚜中胸前盾片狭窄，后端圆，盾片中部不分开，静止时翅平叠于背面；触角感觉圈圆形、卵形或条形围绕触角 …………… 3
3. 喙末节不再分节；尾板末端微凹至深裂为两片；蜡腺发达，常位于体缘；有翅蚜触角感觉圈条状围绕触角；尾片瘤状或半月形；常有粉虱型或蚧型不活动世代发生 …………………
   ……………………………………………………… **扁蚜亚科 Hormaphidinae**
   喙末节或多或少再分为2节；尾板末端圆；蜡腺不位于体缘；有翅蚜触角感觉圈圆形、卵形至横长形；尾片半月形，有时瘤状，无粉虱型或蚧型不活动世代。腹部第7节背片有两大群腺体；有翅蚜触角6节，无次生感觉圈，无翅蚜触角6或5节；触角、跗节和胫节无小刺；尾片宽圆形；腹管环状；性蚜有翅；在杨树枝干上 ………… **平翅绵蚜亚科 Phloeomyzinae**
4. 腹管长管状稍膨大，密被长毛；触角5或6节，感觉圈圆形至卵形。尾片宽圆至三角形；喙末节分为2节；雄蚜有翅；在山毛榉科和其他多种植物上 …………… **毛管蚜亚科 Greenideinae**
   腹管环状至管状，不密被长毛；喙末节不分或分为2节；雄蚜有翅或无翅 ………………… 5
5. 腹管不位于有毛的圆锥体上，如缺腹管，后足跗节不延长；尾片多种形状 ……………… 6
   腹管环状，位于有毛的圆锥体上，如缺腹管，则后足跗节延长为前或中足跗节的2倍以上；体与附肢多毛；尾片与尾板半月形；头有背中缝，与前胸分离，眼位于头后部；喙末节明显再分节；第1跗节发达或后足第2跗节延长；无缘瘤；翅痣长，长为宽的4~20倍。在许多种植物上，但不在山茱萸、禾本科及莎草科上 ………………… **大蚜亚科 Lachninae**
6. 腹管非截短形，通常长管形；尾片非瘤状，常为圆锥形，有时半月形；尾板不分为二叶，触角通常只有少数毛；爪间毛毛状；3个纽扣状生殖突上有生殖毛10~12根，各毛紧密并立……
   ……………………………………………………………… **蚜亚科 Aphidinae**

　　腹管截短形，如果长形，则尾片瘤状，且尾板分为二叶，或触角上明显多毛；爪间毛棒状或叶状；生殖毛大都其他配置 ……………………………………………………………… 7

7.　腹管无网纹；尾板末端微凹至分为二叶；尾片瘤状；缘瘤和背瘤常发达；触角 6 节；爪间毛大都叶状，跗节有小刺突或无 …………………………………………………………… 8

　　腹管有网纹；尾板末端圆，有时微凹；尾片瘤状或半月形，缘瘤和背瘤常缺；触角 5~6 节；爪间毛大多棒状；跗节无小刺 ……………………… **毛蚜亚科 Chaitophorinae**

8.　腹管大约为体长的 0.20 倍或更长，圆柱状或稍肿胀；生殖突 3 个
　　…………………………………………………… **镰管蚜亚科 Drepanosiphinae**

　　腹管短于体长的 0.20 倍；生殖突 2 或 4 个；头部与前胸分离；头部有明显的额瘤；无翅型触角 6 节或无翅型缺 …………………………………… **角斑蚜亚科 Myzocallidinae**

（一）蚜亚科 Aphidinae

　　鉴别特征：有时体被蜡粉，但缺蜡片。触角 6 节，有时 5 节甚至 4 节，感觉圈圆形，罕见椭圆形。复眼由多个小眼面组成。翅脉正常，前翅中脉一或二分叉。爪间毛状。前胸及腹部常有缘瘤。腹管通常长管形，有时膨大，少见环状或缺。尾片圆锥形、指形、剑形、三角形、盔形或半月形，少数宽半月形。尾板末端圆形。

　　生物学：营同寄主全周期和异寄主全周期生活，有时不全周期生活。一年 10 ~ 30 代。寄主包括乔木、灌木和草本显花植物，少数为蕨类和苔藓植物。该科多数物种在寄主植物叶片取食，也有在嫩梢、花序、幼枝取食，少数物种在根部取食。

　　分类：全球广布。陕西秦岭地区发现 31 属 50 种。

分属检索表

1.　腹部第 2、3 节气门间距不大于第 1、2 节气门间距的 2 倍，第 1、2 节气门彼此远离；腹部第 1、7 节有较大缘瘤；缘瘤通常位于气门的腹向 ………………………………………… 2

　　腹部第 2、3 节气门间距大于第 1、2 节气门间距的 2 倍，第 1、2 节气门彼此靠近；腹部第 1、7 节缺或有较小缘瘤；缘瘤通常位于气门的背向 ……………………………………… 6

2.　腹部第 1 背片缘瘤位于第 1、2 节气门连线的中央，第 7 背片缘瘤位于气门的腹向；触角第 6 节鞭部一般为基部的 2.00 ~ 4.50 倍；腹管为尾片的 0.50 ~ 2.50 倍；寄主多样　　**蚜属 Aphis**

　　腹部第 1 背片缘瘤位于第 1、2 节气门连线的上半部，第 7 背片缘瘤位于气门的同一水平或背向 ………………………………………………………………………………………… 3

3.　腹管顶端无缘突；腹管长度为尾片的 0.15 倍，宽度为尾片宽度的 0.25 ~ 0.77 倍；喙末节长为后足第 2 跗节的 0.45 ~ 0.65 倍 …………………………… **大尾蚜属 Hyalopterus**

　　腹管顶端有缘突；腹管长度至少为尾片 0.80 倍，宽度至多为尾片宽度的 0.50 倍；喙末节为后足第 2 跗节的 0.65 ~ 1.50 倍 …………………………………………………………… 4

4.　喙末节顶端微感觉器正常，细短而直；额有中瘤。胸部和腹部背片表皮有多孔状网纹；有翅蚜前翅中脉分为二叉，如果是三叉，则分叉不深；从第 2 支到翅缘这一段至多为从第 1 支到第 2 支段的 0.50 倍 ……………………………………………………………………… 5

喙末节顶端微感觉器粗长而弯曲；额无中瘤；胸部和腹部背片表皮或多或少光滑；有翅蚜前翅中脉分为三叉，分叉深：从第 2 支到翅缘段至少为从第 1 支到第 2 支段的 0.70~0.90 倍 ……

…………………………………………………………………… 色蚜属 *Melanaphis*

5. 胸部和腹部背片表皮网纹由粗而或多或少均匀的线条或圆形小刺组成；腹管端半部稍膨大且在端半部之前缩小；有翅蚜前翅中脉分为 3 支 ……………………… 缢管蚜属 *Rhopalosiphum*

　　胸部和腹部背片表皮网纹由细不均匀似乎有齿的线条组成；腹管圆筒形，端半部不膨大，端前不缩小；有翅蚜前翅中脉分为 2 支 ………………………………… 二叉蚜属 *Schizaphis*

6. 腹管端部有明显网纹 ………………………………………………………………………… 7

　　腹管端部无网纹或网纹弱，网纹不明显或不完全 …………………………………………… 11

7. 腹管端部网纹长度至少为腹管的 1/3，腹管常比尾片短或与之同长，总有腹管前斑；中额平，额瘤显著、外向，头部不粗糙；寄主菊科 ………………… 小长管蚜属 *Macrosiphoniella*

　　腹管端部网纹长度至多为腹管的 1/3，腹管常明显长于尾片 …………………………………… 8

8. 头背、额瘤、触角第 1、2 节具颗粒状小突起，骨化黑色；额及额瘤边缘具小刺，额瘤外倾；腹管圆筒形，端部具数行网纹，有缘突，甚长于尾片；体背具大的骨化斑 …………………

…………………………………………………………… 丁化长管蚜属 *Chitinosiphum*

　　额瘤、触角第 1、2 节不具颗粒状小突起 ………………………………………………………… 9

9. 腹背毛有毛基斑；头平滑，额瘤发达、外向，中额微隆；腹管长管状，总有腹管前斑；体常暗色；寄主菊科 …………………………………………………… 指网管蚜属 *Uroleucon*

　　腹背毛无毛基斑 …………………………………………………………………………………… 10

10. 中额低但明显，额瘤低 ……………………………………………………… 谷网蚜属 *Sitobion*

　　中额不显，或无，额瘤发达 ………………………………………………… 长管蚜属 *Macrosiphum*

11. 尾片宽圆、半圆、五边形、盔形、半球形等，一般长不大于基宽的 1.50 倍 ……………… 12

　　尾长长锥形、长舌形等，一般长大于基宽的 1.50 倍 ……………………………………… 14

12. 无翅孤雌蚜触角第 3 节上有次生感觉圈，有翅孤雌蚜触角第 3、4 节上有次生感觉圈；中额平，额瘤稍隆起；尾片略长于宽，近五角形，末端圆，有毛 10 根 ……………………………

………………………………………………………… 忍冬圆尾蚜属 *Amphicercidus*

　　无翅孤雌蚜触角第 3 节上无次生感觉圈，或无翅孤雌蚜尚未发现 ……………………………… 13

13. 腹管较短，具膨大部分，不粗糙及骨质化；尾片宽三角形 ……………… 短棒蚜属 *Brevicoryne*

　　腹管较短，截断形，缘突下有 1 个环状缺刻，腹管不膨大；中额及额瘤平或微隆；腹气门大而圆；有翅孤雌蚜触角第 3、4 节有扁平次生感觉圈，腹背有黑斑 …… 短尾蚜属 *Brachycaudus*

14. 无翅孤雌蚜触角第 3 节无次生感觉圈，或有无难以断定 …………………………………… 15

　　无翅孤雌蚜触角第 3 节有次生感觉圈 …………………………………………………………… 28

15. 额瘤上有 1 个显著长指状突起或额瘤呈指状；尾片圆锥形；有翅蚜腹腹背中域有 1 个大斑 …

…………………………………………………………………… 疣蚜属 *Phorodon*

　　额瘤上无长指状突起，额瘤也不呈指状 ………………………………………………………… 16

16. 额瘤不发达；中额显著隆起，高于额瘤 ………………………………………………………… 17

　　额瘤发达或微隆；中额即使隆起，也不高于额瘤 ……………………………………………… 19

17. 腹部第 8 背片有 1 个似尾片的亚端部突起，在有翅型该突起缩小；触角 5 或 6 节，短于体长；有翅孤雌蚜体背常有大块斑；腹管筒形，有时膨大；大部分种以柳属植物为原生寄主，以伞形科植物为次生寄主 …………………………………………… 二尾蚜属 *Cavariella*

　　　腹部第 8 背片无亚端部突起 ··· 18

18.　体背有扇形或漏斗形毛；复眼眼瘤小，难辨；触角 5 或 6 节，短于体长，末节端部长于基部；
　　喙第 4 + 5 节尖长；腹管管状，端部稍膨大 ······························· **卡蚜属** *Coloradoa*
　　体背无扇形或漏斗形毛；复眼眼瘤正常；无翅孤雌蚜中额瘤发育为长方形突起。触角末节鞭
　　部长于基部；尾片锥形；腹管不膨大 ····································· **冠蚜属** *Myzaphis*

19.　体背有头状毛或钉状毛 ·· 20
　　体背毛即使钝，也非头状或钉状 ·· 21

20.　无翅孤雌蚜触角第 1 节内缘突出成指状，有翅型该特征不明显；头部、指状突起、触角上均
　　有钉状毛；腹管管状；寄主悬钩子属 ································· **指瘤蚜属** *Matsumuraja*
　　无翅孤雌蚜触角第 1 节内缘不突出成指状；体背毛钉状；腹管管状，长或稍膨大 ···········
　　··· **钉毛蚜属** *Capitophorus*

21.　腹管明显膨大 ·· 22
　　腹管不膨大或稍膨大 ··· 23

22.　翅脉正常；无翅孤雌蚜腹管光滑 ····························· **新弓翅蚜属** *Neotoxoptera*
　　翅脉，径分脉与中脉的中部愈合；后翅退化，具 1 个斜脉；无翅孤雌蚜腹管具有明显的瓦纹
　　··· **交脉蚜属** *Pentalonia*

23.　腹管短截形，长度约为基宽的 1.30 倍；尾片细长，长约为断截形腹管的 3 倍；有翅孤雌蚜触
　　角第 3 节有多数凸起的次生感觉圈 ····························· **长尾蚜属** *Longicaudus*
　　腹管长管状，腹管长度至少为基宽的 2 倍以上 ·· 24

24.　头部平滑或不粗糙 ··· 25
　　头部粗糙 ··· 26

25.　腹管管状，端部稍膨大，缘突下有 1 个缢缩；无翅孤雌蚜尾片三角形，端部钝；触角短于体
　　长，触角第 1、2 节常粗糙；取食十字花科油料作物 ··················· **十蚜属** *Lipaphis*
　　腹管圆筒形，向端部渐细或渐膨大；无翅孤雌蚜尾片舌形或圆锥形；额瘤圆、内倾，高于中
　　额；触角长于体长；取食梨亚科、唇形科及菊科植物 ··············· **圆瘤蚜属** *Ovatus*

26.　股节具有明显的瓦纹；额瘤内敛，明显内倾，两个额瘤之间极其狭窄 ······ **旌瘤蚜属** *Jacksonia*
　　股节瓦纹正常；额瘤内缘平行或者稍外倾 ·· 27

27.　腹管上常有刚毛，长为中宽的 3～5 倍，稍弯成倒"S"形 ··········· **瘤头蚜属** *Tuberocephalus*
　　腹管上无刚毛，不弯成倒"S"形 ······································· **瘤蚜属** *Myzus*

28.　头部或额、额瘤粗糙 ··· 29
　　头部及额、额瘤光滑或有微刺 ··· 30

29.　无翅孤雌蚜触角第 3 节次生感觉圈分布于基部 1/2 至全节，有翅孤雌蚜触角第 3、4 节，有时
　　第 5 节有次生感觉圈；寄主植物为蔷薇科植物 ················· **蔷无网蚜属** *Rhodobium*
　　无翅孤雌蚜触角第 3 节次生感觉圈分布于基部 1/3 以内，有翅孤雌蚜主要在触角第 3 节有次
　　生感觉圈；体背有无数顶端漏斗形的刚毛；腹管筒状，不膨大；寄主蒿属植物 ············
　　··· **稠钉毛蚜属** *Pleotrichophorus*

30.　中额瘤无或不显著；无翅孤雌蚜触角第 3 节上的次生感觉圈常多于 4 个 ···················
　　··· **无网长管蚜属** *Acyrthosiphon*
　　中额瘤常较显著；无翅孤雌蚜触角第 3 节有 0～4 个次生感觉圈 ··· **无网蚜属** *Metopolophium*

2. 无网长管蚜属 *Acyrthosiphon* Mordvilko，1914

Acyrthosiphon Mordvilko，1914：75. **Type species**：*Aphis pisum* Harris，1776（ = *Aphis pisi* Kaltenbach，1843）.

属征：头顶光滑，额瘤显著，若较低，也高于中额。无翅孤雌蚜触角第3节有次生感觉圈，有翅孤雌蚜仅触角第3节有次生感觉圈。喙第4+5节钝。体背毛稀疏，顶端非漏斗形，长度短于触角第3节直径。前胸背板有2根或多根不规则排列的中毛。腹部背面膜质，无网纹。腹管筒形，有时稍膨大，无网纹。腹管前斑不显。尾片一般圆锥形或舌形。触角、足、腹管、尾片均较长。寄主多种。

分布：亚洲，欧洲，北美洲。秦岭地区发现1种。

(2) 豌豆蚜 *Acyrthosiphon pisum*（Harris，1776）（图352）

Aphis pisum Harris，1776：66.

Aphis pisi Kaltenbach，1843：23.

Macrosiphum trifolii Pergande，1904：21.

Acyrthosiphon pisum：Miyazaki，1971：55.

鉴别特征：无翅孤雌蚜体纺锤形，体长4.90mm，宽1.80mm。活体草绿色。玻片标本淡色，触角第2~4节节间及端部、第5节端部1/2至第6节黑褐色；喙顶端、足胫节端部及跗节、腹管顶端黑褐色，其他部分与体同色。体表光滑，稍有曲纹，腹管后几节微有瓦纹。气门圆形关闭，气门片稍骨化隆起。节间斑淡色。中胸腹岔一丝相连或有短柄。体背毛粗短，钝顶，淡色；腹面毛长，尖顶，长约为背毛的3~5倍；头部有中额毛1对，额瘤毛2对，头背毛8~10根；前胸背板有中、侧毛各1对，缺缘毛；中胸背板有毛20~22根；后胸背板有毛8~10根；腹部毛整齐排列，第1~8背片毛数为10、14、14、16、12、10、8、8根；头顶毛、腹部第1背片缘毛、第8背片毛长分别为触角第3节直径的0.54倍、0.27倍、0.39倍。中额平，额瘤显著外倾，额槽呈窄"U"形，额瘤与中额成钝角。触角6节，细长，有瓦纹，全长4.80mm，约等于或稍短于体长；第3节长1.20mm，第1~6节长度比例为19：10：100：71：68：24+94；触角毛短，第1~6节毛数为13~15、5或6、38~40、24~27、15~23、5或6+12或13根，第3节毛长为该节直径的0.29倍；第3节基部有小圆形次生感觉圈3~5个。喙粗短，端部达中足基节，第4+5节短锥状，长为基宽的1.60倍，为后足跗节的0.70倍；有原生刚毛3对，次生刚毛3对。足股节及胫端部有微瓦纹；后足股节长1.70mm，为触角第3节的1.40倍；后足胫节长3.10mm，为体长的0.65倍，毛长为该节直径的0.72倍；第1跗节毛序为3、3、3。腹管细长筒形，中宽不大于触角第3节直径，基部大，有瓦纹，有缘突和切迹；长1.10mm，为体长的0.23倍，为尾片的1.60倍，稍短于触角第3节。尾片长锥形，端尖，有小刺突横纹，有毛7～13根。尾板半圆形，有短毛19或20根。生殖板有粗短毛20～22根。

有翅孤雌蚜体长纺锤形，体长4.10mm，体宽1.30mm。玻片标本头部、胸部稍骨化，腹部淡色。触角6节，长4.40mm，为体长的1.10倍；第3节长1.10mm，第1～6节长度比例为18：10：100：80：65：22＋102；第3节有小圆形次生感觉圈14～22个，分布于基部2/3，排成1行，有时有数个位于列外。喙端部达前、中足基节之间。翅脉正常。腹管长0.94mm，为体长的0.24倍。尾片长0.56mm，有短毛8或9根。尾板有毛16～18根。其他特征与无翅孤雌蚜相似。

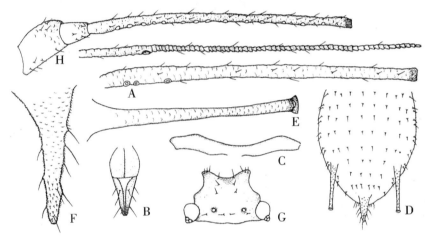

图352　豌豆蚜 *Acyrthosiphon pisum*（Harris）

无翅孤雌蚜（apterous viviparous female）

A.触角第3节（antennal segment 3）；B.喙第4＋5节（ultimate rostral segment）；C.中胸腹岔（mesosternal furca）；D.腹部背面观（dorsal view of abdomen）；E.腹管（siphunculus）；F.尾片（cauda）

有翅孤雌蚜（alate viviparous female）

G.头部背面观（dorsal view of head）；H.触角第1～3及第6节（antennal segments 1-3 and 6）

生物学：寄主植物主要是豆科 Fabaceae 草本植物，例如豌豆 *Pisum sativum*、蚕豆 *Vicia faba*、野豌豆 *Vicia sepium*、苜蓿 *Medicago* sp.、斜茎黄芪（沙打旺）*Astragalus adsurgens.*、草木樨（草木栖）*Melilotus officinalis* 等，但亦包括少数豆科木本植物。夏季也在荠菜 *Capsella bursa-pastoris* 上取食。在北方以卵在豆科草本多年生（或越冬）植物上越冬。第2年春季孵化为干母，干母及干雌世代均无翅，第3代为迁移蚜，向多种一年生豆科植物转移为害。常寄生于嫩顶部分，无论花、豆荚、幼茎、叶背、叶正面都可为害。遇震动常坠落地面。在温暖的南方，全年可营孤雌生殖，不发生两性世代。天敌有草蛉、食虫蝽、姬猎蝽、二星瓢虫、七星瓢虫、十一星瓢虫、横斑瓢虫、十三星瓢虫、小毛瓢虫、食蚜蝇、蚜茧蜂、蚜小蜂和蚜霉菌等。本种蚜虫是豌豆、蚕豆、苜蓿和苕草的重要害虫。

分布：陕西（秦岭）、辽宁、北京、河北、宁夏、甘肃、新疆、福建、西藏，中国广布；世界广布。

3. 忍冬圆尾蚜属 *Amphicercidus* Oestlund，1923

Amphicercidus Oestlund，1923：126. **Type species**：*Aphis pulverulens* Gillette，1911.

属征：中额平，额瘤稍隆起。触角 6 节，第 6 节鞭部长于基部的 2 倍。喙稍粗，第 4 + 5 节短于后足第 2 跗节。腹部第 2 ~ 5 节有缘瘤。有翅孤雌蚜触角第 3 节有次生感觉圈。腹管管状，端部无网纹。尾片略长于宽，近似五角形，末端圆，约有毛 10 根。尾板末端圆形，有毛 8 或 9 根。

分布：古北区。秦岭地区发现 1 种。

（3）日本忍冬圆尾蚜 *Amphicercidus japonicus*（**Hori，1927**）（图 353）

Anuraphis japonicus Hori，1927：193.

Amphicercidus japonicus：Hori，1938：161.

Melanosiphum lonicericola Shinji，1942：228.

Amphicercidus indicus Hille Ris Lambers *et* Basu，1966：12.

Sogdianella maackii Bozhko，1979：10.

鉴别特征：无翅孤雌蚜体卵圆形，体长 2.56mm，体宽 1.16mm。活体浅绿色，被白粉。玻片标本体淡色，无斑纹；触角第 1、2 节淡褐色，第 3、4 节淡色，第 4 节端半部至第 1 ~ 6 节黑色；喙褐色，第 3 ~ 5 节黑色；足淡色，胫节端部及跗节黑色；腹管、尾片及尾板淡色；生殖板褐色。体表及腹面光滑，腹部第 8 背片微有横瓦纹。前胸、腹部第 1 ~ 6 节各有透明馒状缘瘤 1 对，不大于复眼眼瘤。气门大圆形关闭，气门片黑色。节间斑黑褐色，位于头与胸部，腹部不显。中胸腹岔有短柄或无柄，中部褐色，横长 0.22mm，为触角第 3 节的 0.50 倍。体背多长毛，尖锐，腹部腹面少毛，短于背毛；头部有中额毛 1 对，额瘤毛 3 ~ 4 对，头背毛 4 对；前胸背板有中、侧、缘毛各 1 对；腹部第 1 ~ 6 背片各有中毛 4 或 5 根，侧毛 2 根，缘毛 8 ~ 12 根，缘毛位于气门内向；腹部第 7 背片有毛 7 或 8 根，第 8 背片有毛 6 ~ 8 根，毛长 0.05 ~ 0.06mm，为触角第 3 节最宽直径的 1.20 倍。中额及额瘤微隆，额瘤高于中额，呈浅"W"形。触角 6 节，第 1 ~ 3 节光滑，其他节有瓦纹，全长 1.90mm，为体长的 0.74 倍，第 3 节长 0.60mm，第 1 ~ 6 节长度比例为 13：12：100：58：48：24 + 64；触角毛细，尖锐，第 1 ~ 6 节毛数为 7 或 8、4 或 5、27 ~ 29、15 ~ 21、14 ~ 17、5 或 6 + 6 ~ 8 根，第 6 节鞭部顶端有短毛 4 根，第 3 节毛长 0.04mm，与该节基部直径相等；第 3 节有小圆形次生感觉圈 2 ~ 24 个，分布于基部 3/5，第 4 节偶有 2 个。喙粗大，端部达后足基节，第 4 + 5

节尖楔形，长 0.15mm，为基宽的 1.70 倍，为后足第 2 跗节的 0.62 倍，有原生毛 3
对，次生毛 3 对。足长大，后足股节长 0.85mm，为触角第 3 节的 1.40 倍；后足胫节
长 1.39mm，为体长的 0.54 倍；各足有长尖锐毛，后足胫节内缘有 1 纵排粗大尖锐
毛，后足胫节长毛长 0.08mm，为该节最宽直径的 1.50 倍；第 1 跗节毛序为 3、3、3。
腹管长筒形，光滑，有缘突和切迹，全长 0.39mm，为基宽的 2.50 倍，为尾片的 5 倍。
尾片半球状，有瓦纹，有长短毛 14～19 根。尾板末端圆形，有毛 21～24 根。生殖板
馒状，有长毛 20 余根。

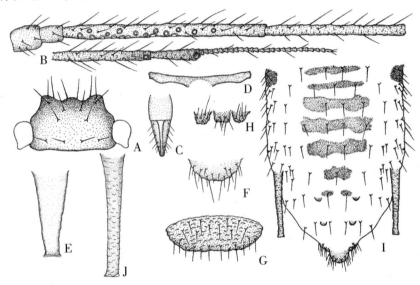

图 353 日本忍冬圆尾蚜 *Amphicercidus japonicus*（Hori）
无翅孤雌蚜（apterous viviparous female）

A. 头部背面观（dorsal view of head）；B. 触角（antenna）；C. 喙第 4＋5 节（ultimate rostral segment）；D. 中胸腹岔
（mesosternal furca）；E. 腹管（siphunculus）；F. 尾片（cauda）；G. 生殖板（genital plate）；H. 生殖突（gonapophyses）

有翅孤雌蚜（alate viviparous female）

I. 腹部背面观（dorsal view of abdomen）；J. 腹管（siphunculus）

有翅孤雌蚜体椭圆形，体长 3.17mm，体宽 1.38mm。玻片标本头部、胸部黑色，
腹部淡色，有深色斑。触角淡色，第 1～3 节褐色；腹管黑褐色；尾片及尾板灰褐色。
腹部第 1～5 背片各有 1 个横带，第 6、7 背片各有小中斑，第 8 背片无中斑，第 1 背
片有独立缘斑 1 对。前胸、腹部第 2～6 节缘瘤明显；腹部第 7、8 背片各有大圆形泡
状背瘤 1 对，直径与单眼约等。节间斑明显，黑褐色。中额隆起，额瘤显著外倾。触
角 6 节，有瓦纹，全长 2.90mm，为体长的 0.91 倍，第 3 节长 1.12mm，第 1～6 节长度
比例为 10：8：100：47：35：14＋46；第 3 节有毛 34 或 35 根，有小圆形次生感觉圈 112～128
个，分布于全长。喙端部达中足基节，第 4＋5 节有原生毛 3 对，次生毛 5 对。后足股
节长 1.08mm，后足胫节长 1.89mm，后第 2 足跗节长 0.24mm。翅脉正常。腹管长筒

形，有瓦纹，无缘突，全长 0.65mm，为基宽的 5.30 倍，为尾片的 4.80 倍。尾片馒圆形，有毛 24~27 根。尾板末端圆形，有毛 32~38 根。生殖板有毛 40 余根。

生物学：寄主为莫罗氏忍冬 *Lonicera morrowii*、忍冬 *L. japonica*、金银忍冬 *L. maackii* 等忍冬属植物。在寄主植物的嫩芽、嫩枝上取食。

分布：陕西(西安)、辽宁；俄罗斯，韩国，日本，印度，北美洲。

4. 蚜属 *Aphis* Linnaeus, 1758

Aphis Linnaeus, 1758: 451. **Type species**: *Aphis sambuci* Linnaeus, 1758.

Cerosipha del Guercio, 1900: 1. **Type species**: *Cerosipha passeriniana* del Guercio, 1900.

Longirostris Kumar et Burkhardt, 1970 (nec Cuvier, 1807). **Type species**: *Longirostris raji* Kumar et Burkhardt, 1970.

属征：额瘤较低或不明显。缘瘤着生在前胸、腹部第 1 节和第 7 节，第 2~6 节也常有。触角 5 或 6 节，短于体长，大多数种类末节鞭部短于基部的 4 倍，个别种类长于基部的 4.50 倍；无翅孤雌蚜触角通常无次生感觉圈，个别种类有，有翅孤雌蚜触角第 3 节有次生感觉圈，第 4 节也常有，第 5 节较少有。第 1 跗节毛序通常为 3、3、2；个别为 3、3、3 或 3、2、2。前翅中脉分叉。腹管圆筒形，或基部宽于端部，常有 1 个不明显的缘突。尾片三角形或舌形，长大于宽，中部常微缢缩。

生物学：寄主植物为被子植物中的许多科，大部分种为寡食性。

分布：全球广布。秦岭地区发现 6 种。

分种检索表

1. 腹管基半部灰色，端半部黑色，尾片灰色；尾片有毛 7~10 根；在鼠李属和大豆嫩梢和幼叶反面取食，可使大豆幼叶卷 ···························· **大豆蚜 A. glycines**
   腹管全长黑色，尾片黑色或深色 ·· 2
2. 腹部背板中央有骨化带或斑纹或全面骨化为黑色 ·············· **豆蚜 A. craccivora**
   腹部背面至多有骨化的缘斑，但不全面骨化 ······························· 3
3. 活体黑色或暗褐色；尾片舌状，无缢缩，有毛 13~18 根 ·············· **甜菜蚜 A. fabae**
   活体墨绿色、黄绿色、橘黄色、淡黄色等，但不是黑色 ························· 4
4. 为害蔷薇科植物 ·· 5
   在石榴、花椒、木槿、鼠李属嫩梢和幼叶反面为害，并大量为害棉花、瓜类作物，常造成卷叶
   ··· **棉蚜 A. gossypii**
5. 腹部第 1~7 背片具有缘瘤；触角第 3 节毛长为该节基部直径的 0.90~1.70 倍；喙第 4+5 节为后足第 2 跗节的 1.30~1.50 倍 ···························· **苹果蚜 A. pomi**
   腹部第 1 背片和第 7 背片有缘瘤，其他各节偶有分布；触角第 3 节毛长为该节基部直径的 0.41 倍；喙第 4+5 节为后足第 2 跗节的 1.20 倍 ·············· **绣线菊蚜 A. spiraecola**

（4）豆蚜 *Aphis craccivora* **Koch，1854**（图354）

Aphis craccivora Koch, 1854：181.

Aphis mimosae Ferrari, 1872：209.

Aphis robiniae Macchiati, 1885：51.

Aphis atronitens Cockerell, 1903：114.

Aphis hordei del Guercio, 1913：197.

Aphis leguminosae Theobald, 1915：182.

Aphis beccarii del Guercio, 1917：197.

Aphis citricola del Guercio, 1917（nec van der Goot, 1912）.

Aphis isabellina del Guercio, 1917：197.

Aphis papilionacearum van der Goot, 1918：70.

Aphis cistiella Theobald, 1923：1921.

Aphis oxalina Theobald, 1925：11.

Aphis kyberi Hottes, 1930：179.

Aphis funesta Hottes *et* Frison, 1931：121.

Aphis meliloti Börner, 1939：75.

Pergandeida loti gollmicki Börner, 1952：1.

Aphis atrata Zhang, 1981：39.

Aphis craccivora usuana Zhang, 1981：39.

Aphis robiniae canavaliae Zhang, 1981：39.

鉴别特征：无翅孤雌蚜体宽卵形，体长2.04～2.28mm，体宽1.24～1.44mm。活体黑色有光泽。玻片标本头部与前胸、中胸黑色，后胸侧斑呈黑带，缘斑小，腹部第1～6背片各斑融合为1个大黑斑，第1背片侧斑分离，第2背片侧斑与缘斑相合为带与大斑相接，有时第3～6背片也有相似情况；第7、8背片各有独立横带横贯全节。触角、喙、足大致淡色，触角第1、2、6节及第5节端部1/4、喙第2节端部2/5、第3节及第4+5节、股节端部1/5～2/5、胫节端部1/6、跗节、腹管、尾片、尾板及生殖板均为黑色。体表明显有六边形网纹。前胸、腹部第1、7节有馒状缘瘤，宽大于高。气门圆形至长圆形开放，气门片黑色。节间斑黑色。中胸腹岔短柄或无柄。体毛短尖；头部背面有毛10根，后胸背板、腹部第1～8背片各有背中毛1对，第2～7背片各有缘毛2对，第1、7背片各有缘毛1对，第8背片缺缘毛；头顶毛、腹部第1背片毛、第8背片毛长分别为触角第3节基宽的0.65倍、0.42倍、0.54倍。中额稍隆，额瘤也稍隆，但不超过中额。触角6节，有瓦纹，全长1.30mm，为体长的0.68倍，第3节长0.33mm，第1～6节长度比例为20:19:100:71:76:36+94；第1～6节毛数为4或5、4或5、4或5、4或5、4或5，2+1根，末节鞭部顶端有毛4根；第3节毛长约为该节基宽的0.20倍。喙端部达中足基节，第4+5节长0.10mm，约为基宽的2倍，为后足第2跗节的0.81倍。后足股节稍长于触角第3、4节之和，后足胫节长约为体长的0.51倍，后足胫节毛长约为该节直径的0.88倍；第1跗节毛序为3、3、2。腹管圆筒形，有瓦纹，有不明显缘突，有切迹，长0.42mm，长于触角第3节，短于第4、5节之和，为体长的0.21倍，为尾片的1.60倍。尾片长圆锥形，稍长于触角第4节，有微刺组成瓦纹，有毛6根。尾板末端圆形，有毛9~12根。

　　有翅孤雌蚜体长卵形。活体黑色。玻片标本头部、胸部黑色，腹部淡色，有灰黑色斑纹。腹部各节背中有不规则形横带，各横带从腹部第1~6背片逐渐加粗、加长，腹部第2~8背片有缘斑，腹部第6背片缘斑(即腹管后斑)、腹部第7、8背片缘斑各与该节背中横带相融合。节间斑黑色。触角6节，灰褐色，第1、2节黑色，第5节端部、第6节基部顶端色稍深，全长1.40mm，为体长的0.74倍；第3节长0.33mm，第1~6节长度比例为18:16:100:87:77:36+101；第3节有小圆形次生感觉圈5~7个，排成1行，分布于全长外侧。其他特征与无翅孤雌蚜相似。

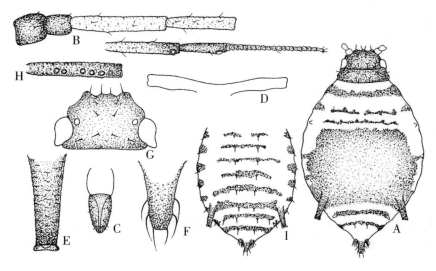

图 354　豆蚜 *Aphis craccivora* Koch
无翅孤雌蚜（apterous viviparous female）

A. 整体背面观（dorsal view of body）；B. 触角（antenna）；C. 喙第 4 + 5 节（ultimate rostral segment）；D. 中胸腹岔（mesosternal furca）；E. 腹管（siphunculus）；F. 尾片（cauda）

有翅孤雌蚜（alate viviparous female）

G. 头部背面观（dorsal view of head）；H. 触角第 3 节（antennal segment 3）；I. 腹部背面观（dorsal view of abdomen）

生物学：寄主植物为花生 *Arachis hypogaea*、锦鸡儿 *Caragana sinica*、大豆 *Glycine max*、野苜蓿（黄花苜蓿）*Medicago falcata*、紫苜蓿 *M. sativa*、草木樨（草木栖、野木樨）*Melilotus officinalis*、刺槐 *Robinia pseudoacacia*、槐树 *Sophora* sp.、蚕豆 *Vicia faba*、野豌豆属 *Vicia* spp.、绿豆 *Vigna radiata* 等多种豆科 Fabaceae 植物。豆蚜又叫苜蓿蚜，是蚕豆、紫苜蓿、豇豆 *Vigna unguiculata*、菜豆 *Phaseolus vulgaris* 的重要害虫。冬季在宿根性草本植物上以卵越冬。严重为害蚕豆、豆科绿肥作物、菜豆等，常在五六月间大量发生致使生长点枯萎，幼叶变小，幼枝弯曲，停止生长，常造成减产损失。每当春夏干旱年份发生更为严重。其天敌的种类和棉蚜相近。

　　分布：陕西（秦岭）、黑龙江、吉林、辽宁、北京、河北、天津、内蒙古；蒙古，俄罗斯，朝鲜，北美洲，世界广布。

（5）甜菜蚜 *Aphis fabae* Scopoli，1763（图355）

Aphis fabae Scopoli，1763：139.

　　鉴别特征：无翅孤雌蚜体卵圆形，体长2.28mm，体宽1.28mm。活体褐色。玻片标本头部黑色；前胸背板、中胸背板有断续带状黑斑；后胸中侧斑不明显，缘斑小型；腹部第1~7背片各缘斑小型，第6背片缘斑大型，与腹管基部相愈合，第7、8背片各有窄横带1个，第8背片横带横贯全节；各足基节有大黑斑。触角第1、2节及第6节基部黑色，其他各节淡色；喙褐色，第4+5节两缘黑色；前、中足股节缘域、后足股节大部、胫节端部1/5、跗节、腹管、尾片、尾板及生殖板黑色。体表光滑，微显网纹，第7、8腹部及腹部腹面有瓦纹。前胸、腹部第1、7节各有馒状缘瘤1对，长度小于基宽，大于眼瘤。气门小圆形开放，气门片黑色。节间斑明显，黑褐色。中胸腹岔黑色，有短柄，横长0.34mm，为触角第3节的0.85倍。体背毛尖锐，腹部腹面多毛，不长于背毛；头部有中额毛1对，额瘤毛2对，头背毛3对；前胸背板有中毛2对，缘毛1对；腹部第1~7背片各有中毛1对，第1、7背片各有缘毛1对，第2~6背片各有缘毛3~4对，第8背片有毛2对；头顶毛长0.05mm，为触角第3节中宽的1.50倍；腹部背毛长0.06~0.08mm。中额微隆，呈圆顶状，额瘤隆起，外倾。触角6节，淡色，有微刺突瓦纹，内缘锯齿状；全长1.34mm，为体长的0.59倍，第3节长0.40mm；第1~6节长度比例为16：16：100：57：51：32+68；第1~6节毛数为5、5、11、7、7、2+1根，末节鞭部顶端有毛3或4根，第3节毛长为该节中宽的1.70倍。喙粗大，端部达后足基节，第4+5节长楔状，长0.16mm，为基宽的2.40倍，为后足第2跗节的1.40倍；有原生毛2对，次生毛1对。足光滑，股节、胫节端部有微皱纹；后足股节长0.60mm，为触角第3节的1.50倍；后足胫节长1.04mm，为体长的0.46倍，胫节毛细长，长约为该节最宽直径的1.30倍；第1跗节毛序为3、3、2。腹管长管形，有刺突组成瓦纹，缘突不明显，长0.28mm，为尾片的1.10倍。尾片长圆锥状，中部收缩，背面有小刺突瓦纹，腹面布满粗刺突，长0.25mm，有长毛15根。尾板半球形，有毛22根。生殖板椭圆形，有毛26根。

　　有翅孤雌蚜体椭圆形，体长2.27mm，体宽0.93mm。玻片标本头部、胸部黑色，腹部淡色，斑纹黑色。触角黑色，喙第2~5节深褐色；前足股节淡色，中、后足股节、胫节端部1/4及基部、跗节、腹管、尾片、尾板及生殖板黑色。腹部第1~3背片各有窄横带，第4~6背片各有块状背中斑，第7、8背片各有横带横贯全节。体表光滑，头部背面有皱纹，腹部背斑有微刺突瓦纹。体背毛细长，尖锐；头部有头顶毛2对，头背毛3对；前胸背板有中毛2对，缘毛2对；腹部第8背片有毛5根。触角6节，有明显瓦纹，全长1.35mm，第3节长0.33mm；第1~6节长度比例为18：18：100：

67:67:41 +91；第3节有毛13或14根；第3、4节分别有圆形次生感觉圈各为15~22、2~5个，分布于全长。喙端部达中足基节。足股节端部有瓦纹；后足股节长0.57mm，后足胫节长1.06mm，后足第2跗节长0.12mm。翅脉正常。腹管长管状，长0.26mm。尾片有毛12~14根。尾板有毛22~28根。其他特征与无翅孤雌蚜相似。

生物学：寄主植物为酸模 *Rumex acetosa* 和大丽菊 *Dahlia pinnata*；国外记载有欧洲卫矛 *Euonymus europaeus*。

分布：陕西(秦岭)、吉林、辽宁、北京、甘肃、新疆、福建；欧洲，非洲，北美洲，南美洲。

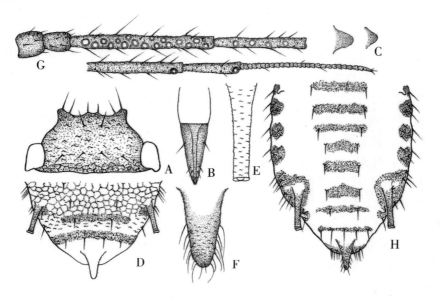

图 355 甜菜蚜 *Aphis fabae* Scopoli

无翅孤雌蚜（apterous viviparous female）

A. 头部背面观（dorsal view of head）；B. 喙第 4 + 5 节（ultimate rostral segment）；C. 体缘瘤（marginal tubercle of body）；D. 腹部第 5 ~ 8 背片（abdominal tergites 5-8）；E. 腹管（siphunculus）；F. 尾片（cauda）

有翅孤雌蚜（alate viviparous female）

G. 触角（antenna）；H. 腹部背面观（dorsal view of abdomen）

(6) 大豆蚜 *Aphis glycines* Matsumura, 1917 (图 356)

Aphis glycines Matsumura, 1917：387.

Aphis justiceae Shinji, 1922：532.

鉴别特征：无翅孤雌蚜体卵圆形，体长 1.60mm，体宽 0.86mm。活体淡黄色至淡黄绿色。玻片标本淡色，无斑纹。触角第 5 节端半部与第 6 节，有时第 4 节端半部，各足胫节端部1/5 ~ 1/4及腹管端半部黑色；喙第 3 节、第 4 + 5 节、腹管基部1/2、尾片及尾板灰色。体表光滑，腹部第 7、8 背片有模糊横网纹。前胸、腹部第 1、7 背片有钝圆锥状缘瘤，高大于宽。气门长圆形开放，气门片淡色。中胸腹岔无柄，基宽约等于或稍长于臂长。体背刚毛尖顶；头部有毛 10 根；前胸背板有中、侧、缘毛各 1 对，中后胸各有中毛 1 对，缘毛 2 对；腹部第 1~7 背片各有中毛 1 对，无侧毛，第 1、2、7 背片各有缘毛 1 对，第 4、5 背片各有缘毛 2 对，第 3 背片有缘毛 1~2 对，第 8 背片仅有中毛 1 对；头顶毛、腹部第 1 背片毛、第 8 背片中毛分别为触角第 8 节基宽的 1.10 倍、0.90 倍及 1.33 倍。中额稍隆起，额瘤不显。触角 6 节，全长 1.10mm，为体长的 0.70 倍；第 1~6 节长度比例为 23:22:100:72:60:39+120；第 1~6 节毛数为 4 或 5、3 或 4、5 或 6、3 或 4、2 或 3、3+0 或 1 根，第 3 节毛长约为该节直径的 0.45 倍。喙端部超过中足基节，第 4+5 节细长，长为基宽的 2.80 倍，为后足第 2 跗节的 1.40 倍。后足股节稍短于触角第 3、4 节之和；后足胫节长为体长的 0.46 倍，后足胫节毛长为该节直径的 0.75 倍；第 1 跗节毛序为 3、3、2。腹管长圆筒形，有瓦纹、缘突和切迹，长为触角第 3 节的 1.30 倍，为体长的 0.20 倍。尾片圆锥形，近中部收缩，有微刺形成瓦纹，长约为腹管的 0.70 倍，有长毛 7~10 根。尾板末端圆形，有长毛 10~15 根。生殖板有毛 12 根。

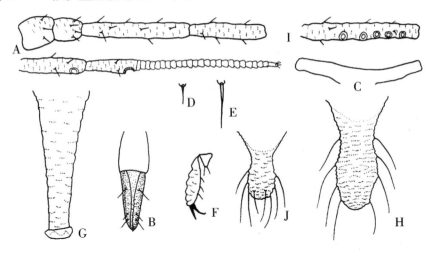

图 356　大豆蚜 *Aphis glycines* Matsumura

无翅孤雌蚜（apterous viviparous female）

A. 触角（antenna）；B. 喙第 4+5 节（ultimate rostral segment）；C. 中胸腹岔（mesosternal furca）；D. 触角毛（seta of antenna）；E. 体背毛（dorsal seta of body）；F. 后足跗节及爪（hind tarsi and claws）；G. 腹管（siphunculus）；H. 尾片（cauda）

有翅孤雌蚜（alate viviparous female）

I. 触角第 3 节（antennal segment 3）；J. 尾片（cauda）

　　有翅孤雌蚜体长卵形，体长 1.60mm，体宽 0.64mm。活体头部、胸部黑色，腹部黄色。玻片标本腹管后斑大，方形，黑色，有时腹部第 2~4 背片有灰色小缘斑，腹部第 4~7 背片有小灰色横斑或横带。触角 6 节，全长 1.10mm；第 1~6 节长度比例为 24:20:100:65:62:42+108；第 3 节有小圆形次生感觉圈 3~8 个，一般 5 或 6 个，分布于全长，排成 1 行。秋季有翅性母蚜腹部草绿色，触角第 3 节次生感觉圈可增至 6～9 个。其他特征与无翅孤雌蚜相似。

生物学：原生寄主为乌苏里鼠李（老鸹眼）*Rhamnus ussuriensis* 和鼠李 *R. davurica* 等鼠李属植物；次生寄主为大豆 *Glycine max*。大豆蚜是大豆的重要害虫，在东北和内蒙古为害尤重。大都聚集在嫩顶幼叶下面为害，严重时可造成大豆嫩叶卷缩，根系发育不良，植株发育停滞，茎叶短小，果枝和荚数明显减少，造成产量损失。

分布：陕西（秦岭）、黑龙江、吉林、辽宁、北京、河北、天津、山西、河南、宁夏、山东、浙江、湖北、台湾、广东；俄罗斯，朝鲜，日本，泰国，马来西亚，北美洲。

（7）棉蚜 *Aphis gossypii* Glover，1877（图 357）

Aphis gossypii Glover, 1877：36.

Aphis solanina Passerini, 1863：129.

Aphis circezandis Fitch, 1870：495.

Aphis calendulicola Monell, 1879：1.

Aphis cucurbiti Buckton, 1879：1.

Aphis citrulli Ashmead, 1882：241.

Aphis cucumeris Forbes, 1883：83.

Aphis monardae Oestlund, 1887：1.

Aphis minuta Wilson, 1911：59.

Aphis affinis gardeniae del Guercio, 1913：197.

Aphis ligustriella Theobald, 1914：100.

Aphis hederella Theobald, 1915：182.

Aphis parvus Theobald, 1915：182.

Aphis helianthi del Guercio, 1916：299.

Aphis pomonella Theobald, 1916：261.

Aphis colocasiae Matsumura, 1917：351.

Aphis tectonae van der Goot, 1917：1.

Toxoptera aurantii limonii del Guercio, 1917：197.

Aphis bauhiniae Theobald, 1918：273.

Aphis malvacearum van der Goot et Das, 1918：70.

Aphis malvoides Das, 1918 (nec van der Goot, 1917).

Aphis pruniella Theobald, 1918：273.

Aphis gossypii callicarpae Takahashi, 1921：1.

Aphis shirakii Takahashi, 1921：1.

Toxoptera leonuri Takahashi, 1921：1.

Aphis bryophyllae Shinji, 1922：787.

Aphis commelinae Shinji, 1922：787.

Aphis hibiscifoliae Shinji, 1922：787.

Aphis inugomae Shinji, 1922：787.

Aphis vitifoliae Shinji, 1922：787.

Aphis chloroides Nevsky, 1929：1.

Aphis flava Nevsky, 1929：1.

Aphis gossypii lutea Nevsky, 1929：1.

Aphis gossypii obscura Nevsky, 1929：1.

Aphis gossypii viridula Nevsky, 1929：1.

Aphis tridacis Theobald, 1929：177.

鉴别特征：无翅孤雌蚜体卵圆形，体长 1.90mm，体宽 1.00mm。活体深绿色、草绿色至黄色，黄色最常见。玻片标本体淡色，有灰黑色斑纹，头部灰黑色；触角第 1、2、6 节及第 5 节端部 1/3、喙第 3 节及第 4+5 节、胫节端部 1/7~1/5 及跗节、腹管、尾片及尾板灰黑色至黑色。前胸背板与中胸背板有断续灰黑色斑，后胸背板有时有小斑；腹部第 7、8 背片有灰黑色狭短横带，胸部各节及腹部第 2~4 背片各有缘斑 1 对，胸部缘斑较大，腹管后斑大。体表光滑，网纹明显。前胸、腹部 1、7 节有指状缘瘤，高度与宽度约相等或高度稍大于宽度，并长于缘毛；其他节有时有小型缘瘤。气门圆形至长圆形开放，气门片黑色。节间斑明显，黑色。中胸腹岔无柄。体背刚毛尖顶，头部背面有毛 10 根；前胸背板有中、侧、缘毛各 1 对，其他体节缺侧毛，各有中毛 1 对，中胸、后胸背板及腹部第 2~5 背片各有缘毛 2 对，第 1、6、7 背片各有缘毛 1 对，第 8 背片缺缘毛。头顶毛、腹部第 1 背片毛、第 8 背片毛长分别为触角第 3 节直径的 0.46 倍、0.54 倍、0.69 倍。中额隆起，额瘤不显。触角 6 节，全长 1.10mm，为体长的 0.63 倍；第 3 节长 0.28mm，第 1~6 节长度比例为 19：18：100：75：75：43+89；触角毛短，第 1~6 节毛数为 4 或 5、4 或 5、5、3~5、3~5、2~4+0 或 1 根；第 3 节毛长为该节直径的 0.31 倍。喙端部超过中足基节，第 4+5 节长为基宽的 2 倍，与后足第 2 跗节等长，有原生刚毛 2 对，次生刚毛 1 对。后足股节长 0.47mm，稍短于触角第 3、4 节之和；后足胫节长 0.87mm，为体长的 0.46 倍；后足胫节毛长为该节直径的 0.71 倍；第 1 跗节毛序为 3、3、2。腹管长圆筒形，有瓦纹、缘突和切迹，长 0.39mm，为体长的 0.21 倍，为尾片的 2.40 倍。尾片圆锥形，近中部收缩，有微刺突组成瓦纹，有曲毛 4~7 根，一般 5 根。尾板末端圆形，有长毛 16 或 17 根。生殖板有毛 9~13 根。

无翅孤雌蚜（七八月间的小型个体）体长仅有一般个体体长的 0.41~0.49 倍。体背斑纹常不显。触角常只见 5 节，第 3、4 节分节不清晰。喙端部可达后足基节，尾片仅有毛 4 或 5 根。

有翅孤雌蚜体长卵圆形，体长 2mm，体宽 0.68mm。活体头部、胸部黑色，腹部深绿色、草绿色乃至黄色，早春和深秋多为深绿色，夏季多为黄色。玻片标本头部、胸部黑色，腹部淡色，有斑纹；触角、足基节、股节端部 1/3~1/2、胫节端部 1/6~1/5 及跗节黑色。腹部第 6 背片背中常有短带，第 2~4 背片缘斑大而明显，腹管后斑较无翅孤雌蚜大，且绕过腹管前伸，但不合拢。体毛比无翅孤雌蚜稍长。触角 6 节，全长 1.30mm，为体长的 0.65 倍；第 3 节长 0.30mm，第 1~6 节长度比例为 22：21：100：77：

73:43 +100；第 3 节有小圆形次生感觉圈 4~10 个，一般 6 或 7 个，分布于全长，排成 1 列，第 4 节有 0~2 个。喙第 4 +5 节长为后足第 2 跗节的 1.20 倍。腹管短，长为体长的 0.11 倍，为尾片的 1.80 倍。其他特征与无翅孤雌蚜相似。

有翅性母蚜触角第 3 节有次生感觉圈 7~14 个，一般 9 个，排成 1 列，有时有 1 或 2 个位于列外，第 4 节有 0~4 个；腹部斑纹较有翅孤雌蚜多而明显。

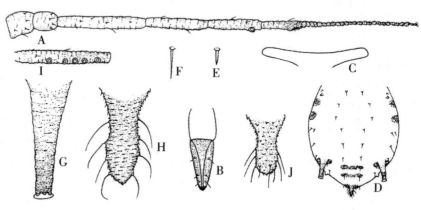

图 357　棉蚜 *Aphis gossypii* Glover

无翅孤雌蚜（apterous viviparous female）

A. 触角（antenna）；B. 喙第 4 +5 节（ultimate rostral segment）；C. 中胸腹岔（mesosternal furca）；D. 腹部背面观（dorsal view of abdomen）；E. 触角毛（seta of antenna）；F. 体背毛（dorsal seta of body）；G. 腹管（siphunculus）；H. 尾片（cauda）

有翅孤雌蚜（alate viviparous female）

I. 触角第 3 节（antennal segment 3）；J. 尾片（cauda）

生物学：原生寄主为石榴 *Punica granatum*、花椒 *Zanthoxylum bungeanum*、木槿 *Hibiscus syriacus* 和鼠李 *Rhamnus davurica* 等多种鼠李属植物。次生寄主为铁苋菜 *Acalypha australis*、苋菜 *Amaranthus tricolor*、金橘 *Fortunella margarita*、陆地棉 *Gossypium hirsutum*、大豆 *Glycine max*、核桃 *Juglans regia*、夏至草 *Lagopsis supina*、益母草 *Leonurus japonicus*、茄子 *Solanum melongena*、丁香 *Syringa oblata*、野豌豆 *Vicia sepium*、玉蜀黍（玉米）*Zea mays*、月季 *Rosa chinensis* 等和西瓜 *Citrullus lanatus*、黄瓜 *Cucumis sativus*、南瓜 *Cucurbita moschata*、西葫芦 *Cucurbita pepo* 等葫芦科 Cucurbitaceae 多种瓜类植物。棉蚜是棉和瓜类的重要害虫。常造成棉叶卷缩成团，棉苗发育延迟，根系发育不良，甚至引起蕾铃脱落。棉蚜排泄的蜜露滴在棉絮上影响皮棉品质，并造成纺织上的困难。棉蚜以卵在石榴、花椒、木槿和鼠李属几种植物的树枝芽苞下和缝隙间越冬。

分布：中国广布；朝鲜，俄罗斯，日本，印度，泰国，马来西亚，印度尼西亚，几内亚，美国，加拿大。

(8) 苹果蚜 *Aphis pomi* de Geer, 1773(图 358)

Aphis pomi de Geer, 1773: 53.

Aphis mali Fabricius, 1775: 1.

Aphis bicolor Haldeman, 1844: 168.

Aphis cydoniae Boisduval, 1867: 1.

Aphis crataegi Buckton, 1879 (nec Kaltenbach, 1843).

Aphis eriobotryae Schouteden, 1905: 163.

鉴别特征: 无翅孤雌蚜体卵圆形,体长 1.20~2.40mm。玻片标本腹管和尾片黑色。缘瘤位于前胸、腹部第 1~6 背片,各 1 对,腹部第 1、7 背片缘瘤最大。触角 6 节,全长为体长的 0.60~0.70 倍,第 6 节鞭部长为基部的 2.00~2.80 倍;无次生感觉圈;第 3 节毛长为该节基宽的 0.90~1.70 倍。喙端部达后足基节,第 4+5 节长为后足第 2 跗节的 1.30~1.50 倍,有次生毛 1 对。腹管长为尾片的 1.20~2.50 倍。尾片有毛 10~21 根。

有翅孤雌蚜触角第 3、4 节分别有次生感觉圈为 6~11 个、0~7 个。其他特征与无翅孤雌蚜相似。

生物学: 寄主为苹果属 *Malus* spp. 和梨属 *Pyrus* spp. 植物。

分布: 陕西(秦岭)、内蒙古、新疆、台湾;俄罗斯,韩国,日本,欧洲,北美洲。

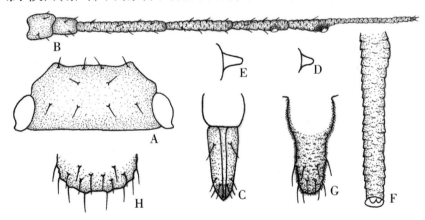

图 358　苹果蚜 *Aphis pomi* de Geer

无翅孤雌蚜 (apterous viviparous female)

A. 头部背面观 (dorsal view of head);B. 触角 (antenna);C. 喙第 4+5 节 (ultimate rostral segment);D. 腹部第 1 背片缘瘤 (marginal tubercle on abdominal tergite 1);E. 腹部第 7 背片缘瘤 (marginal tubercle on abdominal tergite 7);F. 腹管 (siphunculus);G. 尾片 (cauda);H. 尾板 (anal plate)

(9) 绣线菊蚜 *Aphis spiraecola* Patch, 1914(图 359)

Aphis spiraecola Patch, 1914: 270.

Aphis citricola van der Goot, 1912:213.

鉴别特征： 无翅孤雌蚜活体金黄、黄至黄绿色，腹管与尾片黑色，足与触角淡黄与灰黑相间，长约 1.70 mm，宽约 0.94mm。玻片标本淡色，仅腹部第 5、6 节节间斑黑色。腹管、尾片及尾板黑色。缘瘤位于前胸、腹部第 1 节和第 7 节。中胸腹岔有短柄。触角为体长的 0.71 倍，第 1～6 节长度比例为 17：17：100：69：64：34＋93；第 3 节毛长为该节直径的 0.41 倍。中额瘤平隆，额瘤微隆。喙可达后足基节，长为基宽的 2.40 倍，有原生毛 2 对，次生毛 1 对。第 1 跗节毛序为 3、3、2。腹管稍长于触角第 3 节，为尾片的 1.60 倍，圆筒形，基宽约为端宽的 2 倍，有缘凸与切迹。尾片长圆锥形，近中部收缩，有长毛 9～13 根。尾板末端圆，有毛 12 或 13 根。生殖板有毛 13～26 根。

有翅孤雌蚜活体头、胸黑色，腹部黄色，有黑色斑纹，腹管、尾片黑色，长约 1.70mm，宽约 0.75mm。玻片标本腹部第 2～4 背片有大形缘斑，腹管后斑大、近方形。触角节长度比例为 27：25：100：71：63：46＋118；第 3 节有小圆形次生感觉圈 5～10 个，分布于全长，排成 1 行；第 4 节 0～4 个。其他特征与无翅型相似。

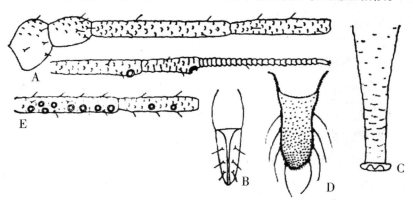

图 359　绣线菊蚜 *Aphis spiraecola* Patch

无翅孤雌蚜（apterous viviparous female）

A.触角（antenna）；B.喙第 4＋5 节（ultimate rostral segment）；C.腹管（siphunculus）；D.尾片（cauda）

有翅孤雌蚜（alate viviparous female）

E.触角第 4～5 节（antennal segments 4-5）

生物学： 寄主为苹果、沙果、海棠、梨、木瓜、山楂等多种经济作物。也在多种花卉上为害。主要为害幼芽、幼枝顶端、幼叶下面，被害叶向下方弯曲或稍横卷缩。严重时可盖满嫩梢和嫩叶反面。本种是苹果、海棠、梨、山楂等果树的重要害虫。以卵在寄主枝条裂隙、芽孢附近越冬。在北京 3 月中旬干母孵化，5、6 月间为害较重，10 月上中旬发生无翅雌性蚜和有翅雄蚜，11 月上中旬产卵越冬。防治有利时机在果树休眠期和发生初期。

分布：陕西(宝鸡)、河北、内蒙古、山东、河南、甘肃、新疆、浙江、台湾；朝鲜，日本，美洲。

5. 短尾蚜属 *Brachycaudus* van der Goot, 1913

Brachycaudus van der Goot, 1913：97. **Type species**：*Aphis helichrysi* Kaltenbach, 1843 (= *Aphis myosotidis* Koch, 1854).

属征：中额及额瘤平或微隆。触角6节，短于体长，触角末节鞭部长于基部，无翅孤雌蚜触角第3节无次生感觉圈。喙第4+5节不尖，两缘内凹或直。腹部背片骨化均匀，有稀疏硬刚毛。腹气门大而圆。有翅孤雌蚜触角第3、4节有扁平次生感觉圈，腹部背片有黑斑。腹管很短，亚圆柱形或截断形，光滑，端部无网纹，缘突前有1个清楚的环形缺刻。尾片短，宽圆形、半圆形到宽舌形、五边形。

生物学：一些种类以蔷薇科Rosaceae植物为原生寄主，以菊科Compositae和紫草科Boraginaceae等杂草为次生寄主；另一类则不发生寄主转移，常年生活在蔷薇科、菊科等植物上。有蚂蚁伴生。

分布：世界性分布。秦岭地区发现1种。

(10) 李短尾蚜 *Brachycaudus helichrysi* (**Kaltenbach, 1843**) (图 360)

Aphis helichrysi Kaltenbach, 1843：102.

Brachycaudus helichrysi：Cottier, 1953：123.

鉴别特征：无翅孤雌蚜体长卵形，体长1.60mm，体宽0.83mm。活体柠檬黄色，无明显斑纹。玻片标本淡色，触角第4和第5节、喙第4+5节、胫节端部、跗节、尾片及尾板灰褐色至灰黑色，腹管淡色或灰褐色，顶端淡色。体表光滑，弓形结构不明显。前胸有缘瘤。气门圆形开放，气门片大型淡色。中胸腹岔无柄，基宽大于臂长。体背毛粗长，钝顶，腹面毛长，尖锐；头部有中额毛1对，头背毛8根；前胸背板有中、侧、缘毛各1对；腹部第1~7背片有中侧毛各4~6根，缘毛各侧2或3根；第8背片仅有长毛6根，毛长0.08mm；头顶毛、腹部第1背片缘毛、第8背片毛长分别为触角第3节直径的1.70倍、1.70倍、3.00倍。额瘤不显。触角6节，有瓦纹，全长0.87mm，为体长的0.54倍；第3节长0.22mm，第1~6节长度比例为27：22：100：58：36：34+93；第3节有毛7或8根，毛长为该节直径的0.75倍。喙粗大，端部达中足基节，第4+5节圆锥状，长为基宽的2.60倍，为后足第2跗节的1.50倍，有原生刚毛2对，有次生刚毛3~4对，足粗短，光滑，后足股节长0.42mm，为触角节第3、4节之和的1.20倍；后足胫节长0.65mm，为体长的0.41倍；后足胫节毛长为该节直径的0.73倍。第1跗节毛序为3、3、3。

腹管圆筒形，基部宽大，渐向端部细小，光滑，有淡色缘突和切迹，长 0.16mm，为基宽的 1.30 倍，为尾片的 1.90 倍。尾片宽圆锥形，长 0.08mm，仅为基宽的 0.67 倍，有粗长曲毛 6 或 7 根。尾板末端圆形，有毛 14～19 根。生殖板淡色，有长短毛 17～19 根。

　　有翅孤雌蚜体长 1.70mm，体宽 0.78mm。玻片标本头部、胸部黑色；腹部淡色，有黑色斑纹。触角、足基节、股节端部 4/5、胫节端部 1/6～1/5、腹管、尾片、尾板及生殖板均黑色。腹部第 3～6 背片背斑连合为大斑，背片第 2～5 背片有缘斑；第 1 背片缺缘斑，腹面有 1 个横带；第 7、8 背片各有 1 个横带。气门基部黑色。节间斑淡褐色。触角 6 节，全长 1.10mm，为体长的 0.65 倍；第 3 节长 0.29mm，第 1～6 节长度比例为 22:17:100:65:40:26＋121；触角次生感觉圈圆形稍凸起，第 3 节有 11～19 个，分布于全长，第 4 节有 0～3 个。其他特征与无翅孤雌蚜相似。

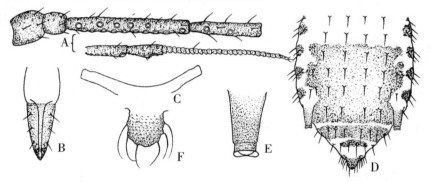

图 360　李短尾蚜 *Brachycaudus helichrysi*（Kaltenbach）
无翅孤雌蚜（apterous viviparous female）

A. 触角（antenna）；B. 喙第 4＋5 节（ultimate rostral segment）；C. 中胸腹岔（mesosternal furca）；D. 腹部背面观（dorsal view of abdomen）；E. 腹管（siphunculus）；F. 尾片（cauda）

　　生物学：寄主植物为杏 *Armeniaca vulgaris*、山杏 *Armeniaca vulgaris* var. *ansu*、榆叶梅 *Armeniaca triloba*、李 *Prunus salicina*、桃 *Amygdalus persica*、樱桃 *Cerasus pseudocerasus*、高粱 *Sorghum bicolor* 和菊科的兔儿伞 *Syneilesis aconitifolia* 等。国外记载也为害芹菜 *Apium* sp. 和其他菊科 Compositae 植物。

　　分布：陕西（秦岭）、黑龙江、吉林、辽宁、北京、河北、天津、内蒙古、河南、甘肃、新疆、山东、浙江、福建、台湾、云南；世界广布。

6. 短棒蚜属 *Brevicoryne* van der Goot, 1915

Brevicoryne van der Goot, 1915：245. **Type species**：*Aphis brassicae* Linnaeus, 1758.
Bozhkoja Shaposhnikov, 1964：489.

　　属征：活体绿色，被白粉。中额隆起，额瘤低圆。无翅孤雌蚜及有翅孤雌蚜均有节间斑。有翅孤雌蚜触角第3节有多个次生感觉圈，无翅孤雌蚜触角第3节无次生感觉圈，触角末节鞭部长于基部。第1跗节毛序为3、3、3。腹部无缘瘤。腹管短，稍膨大，有缘突。尾片短，宽三角形。

分布：世界性分布。秦岭地区发现1种。

(11) 甘蓝蚜 *Brevicoryne brassicae*（**Linnaeus, 1758**）（图361）

Aphis brassicae Linnaeus, 1758: 452.

Brevicoryne brassicae: Miyazaki, 1971: 188.

鉴别特征：无翅孤雌蚜体长2.30mm，体宽1.20mm。活体黄绿色，被白粉。玻片标本大部分淡色，头部背面黑色，体背有灰黑色至黑色斑纹。触角第1节、第2节、第3节端部1/7、第4节基部2/3及第6节鞭部、喙、生殖板灰黑色；触角第4节端部1/3、第5节、第6节基部、喙顶端、足关节处、胫节端部、跗节、腹管、尾片及尾板黑色；触角第3节基部6/7淡色。中缝隐约可见；前胸背板中斑小，侧斑与大型缘斑愈合，有时与中斑相接；中胸背板侧斑小，有时分裂为2片，前片小，后片大，缘斑大，延伸至腹面；后胸背板有时有毛基斑，有时各斑断续相接；腹部第1~6背片各有大小不等的中斑和侧斑，有时中、侧斑愈合，有时第1~3背片部分斑纹不明显，第7背片有中断或连续的横带，第8背片有横带贯穿全节。缘瘤不显。体表光滑，头前部稍有曲纹。气门圆形，气门片隆起，黑色。节间斑明显，黑色。中胸腹岔两臂分离。头部背面有尖毛15~17根；前胸背板有中、侧、缘毛各1对，中、后胸背板各有中毛3或4对，侧毛2对，缘毛2对；腹部背毛尖，第1~7背片分别有中毛3、2、2、2或3、2、1、2对，侧毛1、2、2、2或3、1、1、1对，缘毛1、3、3、1、1、1、1对；第8背片有毛12根；头顶毛、腹部第1背片缘毛，第8背片毛长分别为触角第3节直径的1.30倍、1.00倍、0.90倍。中额平隆。额瘤不超过中额。触角6节，第3~6节有瓦纹，全长1.30mm，为体长的0.59倍；第1~6节长度比例为15：15：100：33：40：27+71；第1~6节毛数为5、4或5、7或8、4或5、3~5、3+0或1根；第3节毛长为该节直径的0.60倍。喙端部达中足基节，第4+5节稍细长，两缘直，长为基宽的2.30倍，为后足第2跗节的0.74倍；有次生刚毛2对。后足股节长0.53mm，为触角第3节的1.20倍；后足胫节长0.95mm，为体长的0.41倍，毛长为该节直径的0.70倍；第1跗节毛序为3、3、2。腹管短圆筒形，端部收缩，有缘突和切迹，表面光滑或有不明显瓦纹，长0.15mm，与触角第4节约等长，稍短于尾片。尾片近等边三角形，有刺突瓦纹，有毛7或8根。尾板末端圆形，有毛7或8根。生殖板有毛13~21根。

有翅孤雌蚜体椭圆形，体长2.20mm，体宽0.94mm。活体黄绿色，被白粉。玻片标本头部、胸部黑色，腹部淡色，有黑色斑纹。触角、足黑色，股节基部1/2淡色。腹部第1背片中毛基斑黑色，第2背片毛基斑稍扩大，第3~6背片各有背中横带1条，有时中断，第7、8背片横带几乎横贯全节；第2~4背片缘斑大型，第

5～7背片缘斑小型。触角6节，全长1.80mm，为体长的0.83倍；第3节长0.56mm，第1～6节长度比例为13:11:100:45:43:25＋79；第3节有圆形至长圆形次生感觉圈53～72个，分散于全长，第4节有时有次生感觉圈1个。喙端部不达中足基节，第4＋5节有原生刚毛2对，次生刚毛3或4对。后足股节长0.63mm，为触角第3节的1.10倍；后足胫节长1.20mm，为体长的0.55倍，毛长为该节直径的0.85倍。翅脉正常。腹管短圆筒状，基部收缩，有皱曲纹，中部膨大，端部收缩，长0.13mm。尾片有毛6或7根。尾板有毛9～16根。其他特征与无翅孤雌蚜相似。

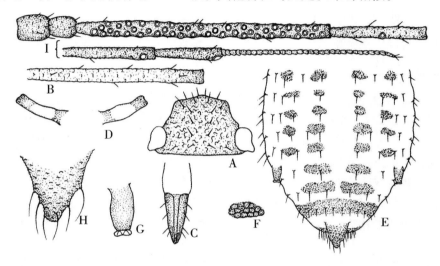

图361　甘蓝蚜 Brevicoryne brassicae（Linnaeus）

无翅孤雌蚜（apterous viviparous female）

A.头部背面观（dorsal view of head）；B.触角第3节（antennal segment 3）；C.喙第4＋5节（ultimate rostral segment）；D.中胸腹岔（mesosternal furca）；E.腹部背面观（dorsal view of abdomen）；F.节间斑（muskelplatten）；G.腹管（siphunculus）；H.尾片（cauda）

有翅孤雌蚜（alate viviparous female）

I.触角（antenna）

生物学：寄主为甘蓝 Brassica oleracea var. capitata、油菜 B. rapa var. oleifera、白菜 B. rapa var. glabra、萝卜 Raphanus sativus、花椰菜 B. oleracea var. botrytis、芜青 B. rapa 等十字花科植物。该种蚜虫偏爱甘蓝型油菜等蔬菜，是东北和西北地区花椰菜、甘蓝、芜青等蔬菜的重要害虫。常在叶下面盖满一层，影响蔬菜的生长发育及其产量和品质。以卵在蔬菜上越冬，春季为害十字花科种用蔬菜。夏季为害更为严重。捕食性天敌有大绿食蚜蝇、二星瓢虫等。

分布：陕西（秦岭）、黑龙江、吉林、辽宁、河北、内蒙古、宁夏、甘肃、青海、新疆、湖北、湖南、福建、台湾、四川、云南；俄罗斯，朝鲜，日本，土耳其，叙利亚，黎巴嫩，伊拉克，欧洲，非洲，北美洲，南美洲，澳洲。

7. 钉毛蚜属 *Capitophorus* van der Goot, 1913

Capitophorus van der Goot, 1913：84. **Type species**：*Aphis carduinus* Walker, 1850.

属征：无翅孤雌蚜头部平滑，中额低，额瘤发达，内缘外倾。体背毛钉状。喙第 4+5 节尖长或稍长。腹管管状，较长，有时稍膨大；有刻纹或近平滑，管口大。尾片圆锥形，长或稍短，有刚毛 4~6 根。有翅孤雌蚜触角第 3、4 或 5 节有多个圆形次生感觉圈，排列无序，分布于全节。腹部背片有褐色大背斑。

分布：世界性分布。秦岭地区发现 1 种。

(12) 胡颓子钉毛蚜 *Capitophorus elaeagni*（del Guercio, 1894）（图 362）

Myzus elaeagni del Guercio, 1894：189.

Myzus braggii Gillette, 1908：17.

Capitophorus elaeagni：van der Goot, 1915：119.

鉴别特征：无翅孤雌蚜体纺锤形，体长 2.51mm，体宽 1.12mm。活体浅绿色，有翠绿色斑纹。玻片标本淡色，无斑纹。触角、足跗节深色；喙淡色，顶端深褐色；腹管淡色，顶端褐色；尾片、尾板及生殖板淡色。体背有不规则横纵纹，在体两侧缘更为明显，腹部第 7、8 背片两缘及腹面有微瓦纹。气门小圆形开放，气门片淡色。节间斑褐色。中胸腹岔无柄，淡色，两臂分离，各臂横长 0.12mm，与触角第 1 节约等长。体背毛粗，钉毛状；头部有中额毛 1 对，额瘤毛 2 对，头背毛 4 对；腹面有毛 3 对，其他腹面毛尖锐；前胸背板有中毛 2 对，侧毛及缘毛各 1 对；中胸背板有中侧毛 3 对，缘毛 2 对，腹面上缘域突凸，有粗大钉毛 3~5 对；后胸背板有中侧毛 2 对，缘毛 2 对；腹部第 1~3 背片各有中毛 1 对，侧毛 1 对，第 4~7 背片各有中侧毛 2~3 对，第 1、5~7 背片各有缘毛 1 对，第 2~6 背片各有缘毛 2 对，第 8 背片有长毛 4 或 5 根，有时多 1 对短毛；头顶及腹部第 1 背片缘毛长 0.06mm，为触角第 3 节中宽的 1.60 倍，第 1 背片中毛长 0.05mm，侧毛长 0.03mm；第 8 背片中毛长 0.08mm，短毛长 0.01mm。额瘤隆起外倾，甚高于中额。触角 6 节，细长，有瓦纹，第 1 节内缘突起，全长 2.21mm，为体长的 0.88 倍，第 3 节长 0.43mm，第 1~6 节长度比例为 22：16：100：73：70：24+199，第 5 节有时长于第 4 节；触角第 1~3 节毛粗短，头状，第 4~6 节毛尖锐，第 1~6 节毛数为 5 或 6、4、11~14、7~12、5~8、2+2 或 3 根，第 3 节毛长为该节中宽的 1/4。喙粗大，端部超过中足基节，第 4+5 节尖楔形，分节明显，第 4 节长为第 5 节的 1.40 倍；有原生毛 2 对，中部有次生长毛 1 对，基部有次生短毛 1 对。足有微瓦纹，股节毛及股节外缘毛头状，股节内缘毛粗，尖锐；后足股节长 0.54mm，为触角第 3

节的 1.30 倍；后足胫节长 1.07mm，为体长的 0.43 倍，长毛长 0.03mm，为该节最宽直径的 0.63 倍；第 1 跗节毛序为 3、3、3。腹管细长管状，有瓦纹，有缘突和切迹，全长 0.80mm，为中宽的 1.80 倍，为尾片的 2.80 倍。尾片尖锥状，有小刺突组成瓦纹，长 0.28mm，有长短毛 8 或 9 根。尾板末端圆形，顶端突出，有长毛 15 ~ 17 根。生殖板有毛 12 ~ 14 根。

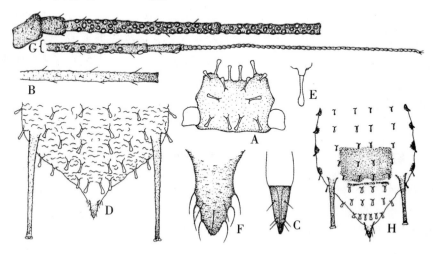

图 362　胡颓子钉毛蚜 *Capitophorus elaeagni*（del Guercio）
无翅孤雌蚜（apterous viviparous female）
A. 头部背面观（dorsal view of head）；B. 触角第 3 节（antennal segment 3）；C. 喙第 4 + 5 节（ultimate rostral segment）；D. 腹部第 4 ~ 8 背片（abdominal tergites 4- 8）；E. 体背毛（dorsal seta of body）；F. 尾片（cauda）
有翅孤雌蚜（alate viviparous female）
G. 触角（antenna）；H. 腹部背面观（dorsal view of abdomen）

有翅孤雌蚜体长 2.40mm，体宽 0.92mm。玻片标本头部、胸部黑色，腹部淡色，腹部第 3 ~ 5 背片背斑愈合为 1 个大型黑斑，第 3、4 背片有缘斑。触角、足股节端半部、胫节端部及跗节黑色。前胸、腹部第 2 ~ 4 节有小乳头状缘瘤，有时缺。体背毛粗短，头状，腹面毛尖锐；头部有中额毛 1 对，额瘤毛 2 ~ 3 对，头背毛 4 对；腹部第 1 ~ 7 背片各有中侧毛 4 根，有时 6 根，缘毛 1 ~ 2 对；第 8 背片有毛 4 ~ 6 根；头顶长毛长 0.01mm，为触角第 3 节最宽直径的 0.29 倍，腹部第 1 背片长毛长 0.01mm，第 8 背片长毛长 0.03mm。中额隆起，额瘤隆起高于中额，呈"W"形。触角 6 节，全长 2.26mm，为体长的 0.94 倍，第 3 节长 0.47mm，第 1 ~ 6 节长度比例为 21∶15∶100∶76∶67∶23 + 176；第 3 节有短毛 10 ~ 16 根，毛长 0.01mm，为该节最宽直径的 0.18 倍；第 3 ~ 5 节分别有圆形次生感觉圈为 48 ~ 56、31 ~ 34、11 ~ 14 个，围绕全节分布。喙端部达中足基节，第 4 + 5 节长尖锥状，长 0.14mm，为后足第 2 跗节的 1.40 倍，有毛 3 ~ 4 对。后足股节长 0.56mm，后足胫节长 1.20mm，后足第 2 跗节长 0.10mm。翅脉正常，脉粗黑。腹管有瓦纹，端部黑色部分光滑，长 0.48mm，为尾片 3.60 倍。尾片尖锥状，长 0.13mm，有毛 4 或 5 根。尾板有毛 14 或 15 根。其他特征与无翅孤雌蚜相似。

生物学：寄主植物为沙枣 *Elaeagnus angustifolia*、蓼属 1 种 *Polygonum* sp.、刺菜 *Cirsium sp.* 和沙棘 *Hippophae rhamnoides*。在叶片背面取食。

分布：陕西（西安、南郑）、辽宁、北京、天津、青海、新疆、山东、湖北、湖南、福建、台湾、四川；日本，欧洲，非洲，北美洲，澳洲。

8. 二尾蚜属 *Cavariella* del Guercio，1911

Cavariella del Guercio，1911：323. **Type species**：*Aphis pastinacae* Linnaeus，1758.

属征：活体黄绿色、绿色或红色。有翅孤雌蚜腹部第 3~6 背片常有深色横带，且常愈合为大背斑，背斑边缘一般较粗糙。中额凸起，额瘤很低。有时有缘瘤。触角 6 节，偶有 5 节，短于体长；触角毛较短；触角末节鞭部短于或长于基部。无翅孤雌蚜触角无次生感觉圈，有翅孤雌蚜触角第 3 节有多个大型稍突起的圆形次生感觉圈，第 4 节有时有次生感觉圈。喙第 4+5 节细长，有次生毛 0~2 对。第 1 跗节毛序为 3、3、3。腹管圆筒形，有时膨大。尾片舌状，有毛 4~8 根。腹部第 8 背片有 1 个似尾片的上尾片，有翅孤雌蚜上尾片缩小。

生物学：大部分种类的原生寄主为柳属 *Salix* spp. 植物，次生寄主为伞形科 Apiaceae 植物。

分布：世界性分布。秦岭地区发现 1 种。

(13) 柳二尾蚜 *Cavariella salicicola*（**Matsumura，1917**）（图 363）

Nipposiphum salicicola Matsumura，1917：410.

Siphocoryne bicaudata Essig *et* Kuwana，1918：64.

Cavariella mitsubae Shinji，1924：343.

Cavariella azamii Shinji，1930：153.

Cavariella salicicola：Shinji，1941：608.

鉴别特征：无翅孤雌蚜体长卵形，体长 2.20mm，体宽 1.10mm。活体草绿色或红褐色。玻片标本淡色，无斑纹。触角、喙、足、腹管、上尾片淡色；触角第 5 节端半部及第 6 节、喙第 3 节及第 4+5 节、胫节端部 1/10 及跗节灰褐色至灰黑色；尾片及尾板灰褐色至灰黑色。体表骨化，有小环形纹、曲形纹；头部背中域光滑，周缘有曲纹；腹面光滑。缘瘤不显。气门肾形，气门片不显。中胸腹岔无柄。体背刚毛粗短，钝顶，腹面刚毛细长尖顶，长约为背毛的 1.30 倍；腹部第 2~4 背片有中、侧、缘毛各 1 对；头顶毛、腹部第 1 背片毛、第 8 背片毛长分别为触角第 3 节直径的 0.38~0.41 倍、0.16 倍、0.38~0.41 倍。中额平，额瘤微隆。触角 6 节，第 3~6 节有瓦纹，全长 0.86mm，为体长的 0.39 倍；第 3 节长 0.28mm，第 1~6 节长度比例为 22：

20：100：50：40：40＋40；第1～6节毛数为4或5、4或5、4或5、4或5、2、3＋1根，第3节毛长为该节直径的0.28倍。喙端部超过中足基节，第4＋5节两缘直，顶端钝，长0.14mm，为基宽的2.20倍，为后足第2跗节的1.10倍；有原生毛4根，次生毛4根。后足股节长0.48mm，约与触角第3、4节之和等长；后足胫节长0.84mm，为体长的0.38倍，毛长为该节基宽的0.52倍；第1跗节毛序为3、3、3。腹管圆筒形，中部微膨大，顶端收缩并向外微弯；有瓦纹，有缘突，切迹不显，全长0.29mm，约为膨大部直径的4.30倍，为体长的0.13倍，为尾片的1.70倍。上尾片宽圆锥形，中部收缩，有瓦纹，顶端有钝毛1对，长0.28mm，为尾片的1.60倍，稍短于腹管。尾片圆锥形，钝顶，两侧缘直，有曲纹，有毛6根。尾板末端圆形，有毛6或7根。生殖板有毛12根。

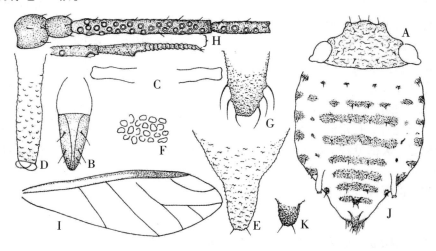

图363 柳二尾蚜 *Cavariella salicicola* （Matsumura）

无翅孤雌蚜 （apterous viviparous female）

A. 头部背面观（dorsal view of head）；B. 喙第4＋5节（ultimate rostral segment）；C. 中胸腹岔（mesosternal furca）；D. 腹管（siphunculus）；E. 上尾片（supracaudal process）；F. 体背纹（dorsal wrinkles）；G. 尾片（cauda）

有翅孤雌蚜 （alate viviparous female）

H. 触角（antenna）；I. 前翅（forewing）；J. 腹部背面观（dorsal view of abdomen）；K. 上尾片（supracaudal process）

有翅孤雌蚜体长2.20mm，体宽0.87mm。玻片标本头部、胸部黑色，腹部淡色，有黑色斑纹。触角、后足股节端部4/5、胫节端部1/5～1/4及跗节黑色，足其他各部黑褐色；腹管、尾片、上尾片、尾板及生殖板灰黑色。腹部第1背片有小型毛基斑，第2～4背片有中断横带，第5～7背片有横带；第8背片有横带横贯全节，有时第2背片横带分裂为稍大的毛基斑，有时第5、6背片横带中断；各节均有缘斑，第1及7背片缘斑较小，第5、6背片缘斑（即腹管前后斑）外缘相合。腹部节第1～5、7节有小圆形缘瘤，淡色或深色，位于气门内方缘斑后部。气门肾形，凹面向外上方，气门片黑色稍隆起。节间斑极明显。触角6节，全长0.97mm，为体长的0.45倍；第3节长0.35mm，第1～6节长度比例为19：17：100：43：31：31＋

37；第 3～5 节分别有圆形次生感觉圈 24～30 个、3～7个、0～3 个，散于各节全长。后足股节长 0.44mm，后足胫节长 0.83mm。翅脉正常。腹管长 0.18mm，为尾片的 1.40 倍。上尾片短，末端稍平，长与基宽约相等，为尾片的 1/4。尾片长圆锥形，有毛 4 或 5 根。其他特征与无翅孤雌蚜相似。

生物学：原生寄主为柳 *Salix* sp.、垂柳 *S. babylonica* 等柳属植物，次生寄主为芹菜 *Apium* sp. 和水芹 *Oenanthe javanica* 等。柳二尾蚜是芹菜的害虫，常为害幼叶、花和幼果，亦常为害柳树的嫩梢和幼叶背面，有时盖满 10cm 嫩梢。以卵在柳属植物枝条上越冬。在华北 3 月间越冬卵孵化，4 月下旬至 5 月间发生有翅孤雌蚜由柳树向芹菜迁飞，部分蚜虫留居柳树上为害。10 月下旬发生雌性蚜和雄性蚜，在柳树枝条上交配后产卵越冬。

分布：陕西(西安)、吉林、辽宁、北京、河北、天津、内蒙古、河南、宁夏、甘肃、青海、山东、江苏、浙江、江西、台湾、广东、云南、西藏；俄罗斯，朝鲜，日本。

9. 丁化长管蚜属 *Chitinosiphum* Yuan *et* Xue，1992

Chitinosiphum Yuan *et* Xue，1992：269. **Type species**：*Chitinosiphum abdomenigrum* Yuan *et* Xue，1992.

属征：头背、额瘤、触角第 1、2 节具颗粒状突起，且骨化黑色。额及额瘤边缘具小齿。额瘤外倾，具头盖缝。触角 6 节，无翅型第 3 节具次生感觉圈。体背具大的骨化斑。腹管圆筒形，端部具有数行网纹，顶有缘突。尾片细长。

分布：中国。秦岭地区发现 1 种。

(14) 丁化长管蚜 *Chitinosiphum abdomenigrum* **Yuan** *et* **Xue，1992**(图 364)

Chitinosiphum abdomenigrum Yuan *et* Xue，1992：269.

鉴别特征：无翅孤雌蚜体长 1.80～1.90mm，体宽 0.90～1.00mm。玻片标本头背、触角第 1、第 2 节、前胸背、腹部、腹管基部、足之股节及跗节部黑色，头部具有发达的额瘤，微外倾，每侧额瘤上具尖毛 1 根，中额瘤明显可见。头背、额瘤、触角第 1、2 节具颗粒状突起，具头盖缝。前额具 2 根毛，头背 4 根毛。喙达后足基节，第 4＋5 节具次生毛 3 对，长为基宽的 2.50 倍，为第 2 后跗节的 1.20 倍，第 1 足跗节毛序为 3、3、3。中胸腹岔具短柄。腿节及胫节端部黑色部分具伪感觉圈。腹部整个背板骨化黑色，唯腹管基部 1 小区未骨化。腹管细长，向端部渐细，基部具瓦纹，端部具 2 或 3 行网纹，顶具缘突，长为基宽 6.70 倍，为触角第 3 节的 0.72 倍，为尾片的 2.40 倍。触角第 3 节具 3～5 个次生感觉圈。触角毛细而短，触角各节长度比为 25：10：105：83：60：24＋105，原生感觉圈无睫。尾片舌状，近基部 1/3 处缢缩，具微刺突及 4 根长毛。

生物学：寄主植物为瑞苓草 *Saussurea nigrescens*。

分布：陕西（南郑）。

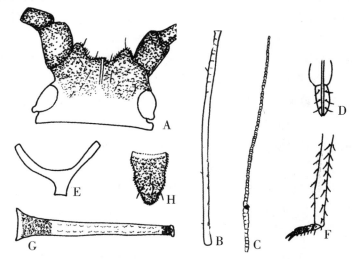

图 364　丁化长管蚜 *Chitinosiphum abdomenigrum* Yuan et Xue
无翅孤雌蚜（apterous viviparous female）

A. 头部及触角第 1、2 节背面观（dorsal view of head and antennal segments 1、2）；B. 触角第 3 节（antennal segment 3）；C. 触角第 6 节（antennal segment 6）；D. 喙第 4+5 节（ultimate rostral segment）；E. 中胸腹岔（mesostern furca）；F. 后足跗节（hind tarsi）；G. 腹管（siphunculus）；H. 尾片（cauda）

10. 卡蚜属 *Coloradoa* Wilson，1910

Coloradoa Wilson，1910：323. **Type species**：*Aphis rufomaculata* Wilson，1908.

属征：头部平滑。额瘤不发达，中额隆起。复眼眼瘤极小，难辨。触角 5 或 6 节，短于体长；有翅孤雌蚜触角第 3 节、第 4 节或第 3~5 节有圆形次生感觉圈，原生感觉圈有睫。喙节第 4+5 尖长。体毛扇形或漏斗形，短小。第 1 跗节毛序为 3、3、2。翅脉正常。腹管管状，端部稍膨大，有缘突。尾片圆锥形，有毛 4 根。尾板弧形。

分布：世界性分布。秦岭地区发现 1 种。

（15）蒿卡蚜 *Coloradoa campestrella* Ossiannilsson，1959（图 365）

Coloradoa campestrella Ossiannilsson，1959：49.

Coloradoa artemisicola Takahashi，1965：49.

Cavariella artemisiae Paik，1965（nec del Guercio，1911）.

鉴别特征：无翅孤雌蚜体纺锤形，体长 1.60mm，体宽 0.82mm。活体绿色。玻片标本淡色，腹部第 7、8 背片稍骨化，有横斑。触角各节端部、足跗节、喙端部稍骨化。头部、胸部及腹部斑有网纹，其他部分有微瓦纹。气门圆形开放，第1、2背片气门距离近，气门片稍骨化灰色。节间斑灰色。中胸腹岔有长柄，淡色。体背毛短钉毛状，长度相近，毛长为触角第3节直径的0.65～1.00倍；腹面毛及附肢毛尖锐；腹部第1～5背片有中侧毛7或8根，第6背片有中侧毛5根，第1～6背片各有缘毛2～3对，第7、8背片各有毛2对。中额不显，额呈平顶状。触角6节，细，有瓦纹，全长0.78mm，为体长的0.60倍，第3节长0.19mm，第1～6节长度比例为29:25:100:60:55:55+80。喙粗，端部不达后足基节，第3节粗大，第4+5节尖锥形，长0.11mm，为后足第2跗节的1.30倍；有原生毛2对，次生毛2对。足粗短，后足股节长0.37mm，为触角第3节的1.90倍；后足胫节长0.58mm，为体长的0.37倍，毛长与该节直径相等。第1跗节毛序为3、3、2。腹管长管状，端部稍膨大，有瓦纹，有缘突和切迹，长0.31mm，为中宽的11～12倍，为体长的0.20倍，为尾片的1.80倍。尾片指状或圆锥状，有小刺突横纹，中部稍凹，有曲毛5根。尾板半圆形，有长硬毛8～10根。生殖板馒状，淡色，有短钉毛10或11根。

生物学：寄主为蒙古蒿 *Artemisia mongolica*、水蒿 *Artemisia* sp.、白蒿 *Artemisia* sp. 等蒿属植物。

分布：陕西(西安)、辽宁、甘肃、山东、湖南、福建、云南；韩国，日本，巴基斯坦，欧洲。

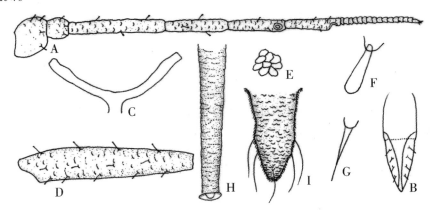

图365　蒿卡蚜 *Coloradoa campestrella* Ossiannilsson

无翅孤雌蚜（apterous viviparous female）

A. 触角（antenna）；B. 喙第4+5节（ultimate rostral segment）；C. 中胸腹岔（mesosternal furca）；D. 后足股节（hind femur）；E. 节间斑（muskelplatten）；F. 腹部背面毛（dorsal seta of abdomen）；G. 腹部腹面毛（ventral seta of abdomen）；H. 腹管（siphunculus）；I. 尾片（cauda）

11. 大尾蚜属 *Hyalopterus* Koch, 1854

Hyalopterus Koch, 1854：16. **Type species**：*Aphis pruni* Fabricius, 1775（ = *Aphis pruni* Geoffroy, 1762）.

　　属征：触角6节，短于体长。无翅孤雌蚜无次生感觉圈。前胸、腹部第1、7节有缘瘤，有时其他腹节也有。腹部第7背片缘瘤位于气门的后背面。腹管明显短于尾片，基部有缢缩，无缘突，末端圆，开口小。前翅中脉二分叉。

　　分布：世界性分布。秦岭地区发现1种。

(16)桃粉大尾蚜 *Hyalopterus pruni*（Geoffroy，1762）（图366）

Aphis pruni Geoffroy，1762：497.

Aphis pruni Fabricius，1775：1.

Aphis spinarum Hartig，1841：359.

Aphis gracilis Walker，1852：909.

Aphis phragmitidicola Oestlund，1866：17.

Hyalopterus pruni：Palmer，1952：204.

　　鉴别特征：无翅孤雌蚜体狭长卵形，体长2.30mm，体宽1.10mm。活体草绿色，被白粉。玻片标本体淡色，触角第5、6节、喙顶端、胫节端部、跗节灰黑色，其他部分淡色；腹管端部1/2灰黑色，尾片端部2/3及尾板末端灰黑色，其他部分淡色。体表光滑，无网纹，腹面有微瓦纹。前胸、腹部第1~6节有小半圆形缘瘤，高宽约相等。气门圆形开放，气门片淡色。节间斑不显。中胸腹岔有短柄。体背有长尖毛，头部有头顶毛2对，头背毛6~8根；前胸背板有中、侧、缘毛各1对；腹部第1~5背片有中侧毛6或7根，腹部第6背片有中侧毛3或4根，第1~7背片各有缘毛1对，第7~8背片各有中毛1对；头顶毛、腹部第1背片毛、第8背片毛长分别为触角第3节直径的1.50~1.70倍、1.50~1.70倍、1.60倍。中额及额瘤稍隆。触角6节，较光滑，微显瓦纹，全长1.70mm，为体长的0.74倍；第3节长0.45mm，第1~6节长度比例为19：17：100：70：57：25+79；触角各节有硬尖毛，第1~6节毛数为5、5、14~16、9~11、9或10、3+4根；第3节毛长为该节直径的0.74倍。喙粗短，端部不达中足基节，第4+5节粗大，顶圆，呈短圆锥形，长为基宽的1.00~1.10倍，为后足第2跗节的0.50倍；端部有4对长刚毛。足长大，光滑，股节微显瓦纹；后足股节长0.63mm，为触角第3节的1.40倍；后足胫节长1.10mm，为体长的0.48倍，毛长为该节直径的1.10倍；第1跗节毛序为3、3、2。腹管细圆筒形，光滑，基部稍狭小，全长0.18mm，长大于宽的4倍以上，无缘突，顶端常有切迹。尾片长圆锥形，全长0.21mm，为腹管的1.20倍，有长曲毛5或6根。尾板末端圆形，有长毛11~13根。生殖板淡色，有毛13~15根。

　　有翅孤雌蚜体长卵形，体长2.20mm，体宽0.89mm。玻片标本头部、胸部黑色，腹部淡色，有斑纹。触角大部分黑色，第3~5节基部淡色；喙第3~5节、足股节端部1/2~2/3、胫节、跗节、腹管端部2/3、尾片端部1/2、尾板及生殖板灰褐色至灰黑色。体表有不明显横纹。腹部第6~8背片各有1个不甚明显圆形或宽带斑。气门圆形关闭。触角6节，全长1.50mm，为体长的0.68倍；第3节长0.42mm，第1~6节长度比例为17：16：100：71：57：26+74；第3节有毛9~13根，毛长为该节直径的2/3；

第3节有圆形次生感觉圈18~26个，分散于全节，第4节有0~7个。喙粗大，端部不达中足基节，长为基宽的1.40倍，约为后足第2跗节的0.50倍。后足股节长0.57mm，为触角第3节的1.40倍；后足胫节长1.10mm，为体长的0.50倍，毛长为该节直径的0.84倍；第1跗节毛序为3、3、3。腹管短筒形，基部收缩，收缩部有槽曲纹，全长0.13mm，长为基宽的5倍，缘突不显，有明显切迹。尾片长圆锥形，端部1/2有小圆突起，腹面有小刺突横纹；长0.15mm，为腹管的1.20倍，有曲毛4或5根。尾板半球形，有毛14~16根。其他特征与无翅孤雌蚜相似。

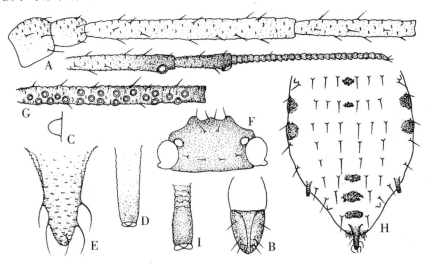

图366　桃粉大尾蚜 *Hyalopterus pruni*（Geoffroy）

无翅孤雌蚜（apterous viviparous female）

A. 触角（antenna）；B. 喙第4+5节（ultimate rostral segment）；C. 体缘瘤（marginal tubercle of body）；D. 腹管（siphunculus）；E. 尾片（cauda）

有翅孤雌蚜（alate viviparous female）

F. 头部背面观（dorsal view of head）；G. 触角第3节（antennal segment 3）；H. 腹部背面观（dorsal view of abdomen）；I. 腹管（siphunculus）

　　有翅雄性蚜体长卵圆形，体长1.90mm，体宽0.70mm。玻片标本头部、胸部、触角、喙、足、腹管、腹部第8背片及尾片深褐色，其他部分淡色。腹部第1~5背片各有1个褐色近长方形的中背斑，背片第7、8背片各有1个褐色横带，第1~3背片各有1对褐色侧斑。腹部第1背片有小刺突瓦纹，跗节第2节有横瓦纹。头顶毛长0.03mm，腹部第1背片缘毛长0.03mm，第8背片中毛长0.04mm，分别为触角第3节基宽的0.78倍、0.88倍、1.09倍。触角6节，第3节有微弱横纹，第4~6节有横瓦纹，全长1.43mm，为体长的0.75倍；第3节长0.37mm，第1~6节长度比例为21:20:100:71:64:27+87；第6节鞭部长为基部的3.22倍；触角毛短细，第3节最长毛长0.02mm，为该节基宽的0.56倍；第3~5节次生感觉圈数为32~37个、17~22个、10~12个。喙端部超过前足基节，第4+5节长0.07mm，为基宽的1.07倍；有原生毛2对，次生毛1对。后足股节长0.49mm，为触角第3节的1.34倍，后足胫节长0.86mm，为体长的

0.45 倍；后足胫节最长毛长 0.03mm，为该节中宽的 1.15 倍；后足第 2 跗节长 0.13mm。腹管长 0.10mm，为端宽的 3.28 倍，为触角第 3 节的 0.26 倍，为尾片的 0.76 倍。尾片长 0.13mm，为基宽的 1.12 倍，有毛 4 或 5 根，位于端部。

生物学：原生寄主为杏 *Armeniaca vulgaris*、梅 *Armeniaca mume*、桃 *Amygdalus persica*、李 *Prunus salicina* 和榆叶梅 *Amygdalus triloba* 等蔷薇科植物；次生寄主植物为禾本科的芦苇 *Phragmites australis*。

分布：世界广布。

12. 旌瘤蚜属 *Jacksonia* Theobald，1923

Jacksonia Theobald，1923：19. **Type species**：*Jacksonia papillata* Theobald，1923.

属征：头部粗糙，背面、腹面具刺突或疣，有翅孤雌蚜头部背面光滑，或具稀疏到密集的刺突，腹面光滑；两侧额瘤极发达，宽，内缘平行，内倾或稍外倾，粗糙，中额不显；触角 6 节，短于体，第 1 ~ 6 节的基部具明显的疣状瓦纹，第 6 节鞭部具正常瓦纹，原生感觉圈具睫，次生感觉圈缺失，有翅孤雌蚜第 3 ~ 5 节具小或大的圆形或横卵形的次生感觉圈，触角毛短钝；喙正常；体背粗糙，或者淡色或第 6 和 7 背片具褐色横带，有翅孤雌蚜具褐色或黑褐色缘或中侧斑，第 3 ~ 5 节背片的中、侧斑经常愈合为 1 个大的背斑；腹管形状多样，缘突不显，具强瓦纹；尾片舌形，端部钝，有 4 ~ 6 根毛；腹部第 6 和第 7 背片的气门间距短于第 5 和第 6 背片的气门间距；第 1 跗节毛序为 3、3、2；翅脉正常。

分布：中国；日本，印度，欧洲。秦岭地区发现 1 种。

(17) 膨管旌瘤蚜 *Jacksonia gibbera* Qiao，Li，Zhang *et* Su，2013（图 367）

Jacksonia gibbera Qiao，Li，Zhang *et* Su，2013：81.

鉴别特征：无翅孤雌蚜活体时绿色，玻片标本淡色。体长卵形，体长 1.42 ~ 1.62mm，体宽 0.82 ~ 0.95mm。触角第 6 节基部末及鞭部末端、喙端部和跗节褐色。头部四周边缘具小疣，中域光滑；胸部及腹部第 1 ~ 6 背片具皱纹，体缘更明显，腹管后域具较大刺突，第 6 和 7 背片具稀疏刺突构成的横纹，腹面具刺突构成的横纹。体背毛短小，钝顶，额瘤毛 2 对，中额毛 1 对，短小钝顶到稍显头状，头背毛 4 对，2 对位于触角间，纵向排列，2 对位于复眼间横向排列，腹面毛短小尖锐，头顶毛约等长于头背毛，长 0.005 ~ 0.012mm，为触角第 3 节基部直径的 0.20 ~ 0.50 倍；前胸中、侧毛各为 2 根，缘毛不显；后胸中、侧、缘毛分别为 2、4、2 根；腹部第 1 ~ 7 背片中毛各为 2 根，缘毛分别为 2、4、4、6、2、2、2 根，第 7 背片有毛 2 根；腹面毛短小尖锐，约等长于背面毛；第 1 背片缘毛约等长于第 8 背片中毛长，为 0.005mm，为触角第 3 节基部直径的 0.20 倍。额瘤发达，宽，内倾，中额不显。触角 6 节，第 1 ~ 5

节及第 6 节基部具疣状瓦纹，第 6 节鞭部瓦纹正常，第 3 节基部稍缢缩，触角全长 0.87~0.88mm，为体长的 0.54~0.61 倍，第 3 节长 0.26~0.27mm，第 1~6 节的长度比例为 27~31:19~22:100:46~47:42~46:32~38+52~61，第 6 节鞭部为基部长的 1.60~1.77倍；触角毛短钝，第1~6节毛数分别为 3、1、6 或 7、4、4、2 + 3，第 6 节鞭部末端有短毛 3 根，第 3 节毛长0.005~0.007mm，为该节基部直径的 0.22~0.30倍；原生感觉圈无睫，次生感觉圈缺失。喙伸达中足与后足基节之间，除喙末端及倒数第 3 节外，其他节两侧缘具细小的刺突，喙末端楔形，第 4 + 5 节长 0.11~0.12mm，为基宽的 2.15~2.53 倍，为后足第 2 跗节长的 1.30~1.44 倍，有原生毛 6 根，次生毛 2 根。中胸腹岔具短柄。气门小，肾形，关闭。足中等长度，前足股节除基部光滑外，其他部分具疣状瓦纹，中足股节端部 4/5 具疣状瓦纹，后足股节端部 2/3 具疣状瓦纹，胫节基部外侧具小疣，端部稍显瓦纹，其他部分光滑，后足股节长 0.35~0.38mm，为触角第 3 节长的 1.28~1.46 倍，后足胫节长 0.55~0.61mm，为体长的 0.35~0.42 倍；后足胫节毛粗长尖锐，毛长0.025~0.030mm，为该节中宽的 0.77~1.00 倍。第 1 跗节毛序为 3、3、3。后足跗第 2 节长0.08mm。腹管长管形，最窄处在中部，端部 1/2 内侧稍有膨胀，具强瓦纹，缘突不显，管口位于顶端，中央位置，腹管长 0.20~0.21mm，为体长的 0.13~0.14 倍，为基宽的 3.42~4.32 倍，为尾片的 3.07 倍。尾片舌形，端部稍钝，长 0.07mm，为基宽的0.77倍，有毛 4 根。尾板末端半圆，有毛 10 根。生殖板宽圆形，有后缘毛 10~12 根，前缘毛 2 根。若蚜的后足胫节光滑。

生物学：寄主为一种豆科植物。群居于寄主植物叶背。

分布：陕西(周至)。

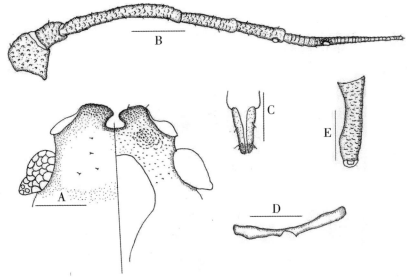

图 367 膨管旌瘤蚜 *Jacksonia gibbera* Qiao, Li, Zhang *et* Su
无翅孤雌蚜(apterous viviparous female)

A. 头部背面观(左)和腹面(右) (dorsal (left) and ventral (right) view of head)；B. 触角第 1~6 节 (antennal segments 1-6)；C. 喙第 4+5 节 (ultimate rostral segment)；D. 中胸腹岔 (mesostern furca)；E. 腹管 (siphunculus)

13. 十蚜属 *Lipaphis* Mordvilko, 1928

Lipaphis Mordvilko, 1928: 200. **Type species**: *Aphis erysimi* Kaltenbach, 1843.

属征: 额瘤及中额明显。触角6节,第1、2节粗糙;短于体长,第4节鞭部长于基部,一般为基部的2~3倍;有翅孤雌蚜触角第3、4节,有时第5节有圆形次生感觉圈,排列无序,分布各节全长。喙第4+5节长度稍短于后足第2跗节。腹管管状,端部稍膨大,缘突下有缢缩。尾片三角形,顶端钝,有毛4~6根。气门肾形,有褐色骨片。

分布: 世界性分布。秦岭地区发现1种。

(18) 萝卜蚜 *Lipaphis erysimi* (**Kaltenbach, 1843**)(图 368)

Aphis erysimi Kaltenbach, 1843: 39.

Aphis contermina Walker, 1849: 195.

Aphis pseudobrassicae Davis, 1914: 231.

Aphis mathiolella Theobald, 1918: 273.

Siphocoryne indobrassicae Das, 1918: 135.

Rhopalosiphum papaveri Takahashi, 1921: 1.

Lipaphis erysimi: Cottier, 1953: 307.

鉴别特征: 无翅孤雌蚜体卵圆形,体长2.30mm,体宽1.30mm。活体灰绿色至黑绿色,被薄粉。玻片标本淡色,头部稍骨化,胸部、腹部淡色,无斑纹。触角第3节端部1/3、第6节、足胫节端部1/5及跗节黑色,其他部分灰色;喙第4+5节、尾片、尾板及腹管端部黑色。头部顶端粗糙,有圆形微刺突起,后部及头侧两缘有褶曲纹;胸部背板中域及侧缘域有菱形网纹;腹部背片缘域有网纹,第7背片有网纹,第8背片有微瓦纹。前胸、腹部第3~6节有淡色小缘瘤。气门形状不规则,气门片骨化深色。节间斑明显黑褐色。中胸腹岔无柄。体背毛短,尖锐;头部有背毛16根,包括头顶毛8根,中部及后部毛各4根;前胸背板有中毛2根,中、后胸背板有中、侧毛各4根;腹部各节背片有中、侧、缘毛各2~4根;第8背片有短毛4根;头顶毛、胸部第1背片毛、第8背片毛长分别为触角第3节直径的0.41倍、0.19倍、0.38倍。中额明显隆起,额瘤微隆外倾,呈浅"W"形。触角6节,第1节有圆形微突起,第3~6节有瓦纹,两缘有微刺突锯齿,全长1.30mm,为体长的0.57倍;第1~6节长度比例为17:16:100:53:42:30+67;第1~6节毛数为6、5~7、7或8、4或5、3、2或3+2根,第3节毛长为该节直径的0.21倍。喙端部达中足基节,第4+5节长为基宽的1.60倍,为后足第2跗节的0.81倍;有原生刚毛4根,次生刚毛4~6根。后足股节长为触角第3节的1.30倍;后足胫节长为体长的 0.42 倍，毛长为该节中宽的 0.58 倍；第 1 跗节毛序为 3、3、2。腹管长筒形，有瓦纹，顶端收缩，有缘突及切迹，长为体长的 0.12 倍，为尾片的 1.70 倍。尾片圆锥形，有微刺突构成横纹，有长毛 4 ~ 6 根。尾板半圆形，有长毛 12 ~ 14 根。生殖板淡色，有长毛 2 根，短毛 18 ~ 20 根。

有翅孤雌蚜体长卵形，体长 2.10mm，体宽 1.00mm。活体头部、胸部黑色，腹部绿色至深绿色。玻片标本头部、胸部黑色，腹部淡色有黑色斑纹；触角、喙第 3 节及第 4 + 5 节、腹管、尾片、生殖板黑色；足股节基部及胫节中部骨化灰色，其他部分黑色。腹部第 1 背片背中有 1 个窄横带，第 5 背片有小中斑，第 6 背片有断续不规则横带，第 7、8 背片各有 1 个横带；第 1 ~ 6 背片有圆形缘斑，第 1、2 背片缘斑小，腹管前斑断续与后斑相连。头部背面及胸部背板光滑；腹部背斑有瓦纹，第 7、8 背片有微瓦纹。前胸背板及腹部第 3 ~ 6 节缘斑上各有 1 个圆形缘瘤。气门圆形关闭，气门片骨化黑色。体背毛短，钝顶；头部有背毛 16 根；前胸背板有中、侧毛各 2 根，中胸背板有毛 20 根，无缘毛，后胸背板有中、侧毛各 2 根；腹部第 1 ~ 6 背片各有中侧毛 6 根，第 5 背片有中侧毛 4 根，第 6 背片有中侧毛 2 根；第 1、2、5、6 背片各有缘毛 2 根，第 3、4 背片各有缘毛 4 根；第 7、8 背片各有毛 6 根。触角 6 节，全长 1.50mm，第 1 ~ 6 节长度比例为 18:16:100:56:47:35 + 85；第 3 ~ 5 节分别有次生感觉圈 21 ~ 29 个、7 ~ 14 个、0 ~ 4 个。足股节、胫节有卵圆形构造。其他特征与无翅孤雌蚜相似。

生物学： 寄主植物有油菜 *Brassica rapa* var. *oleifera*、白菜 *B. rapa* var. *glabra*、萝卜 *Raphanus sativus*、芥菜 *B. juncea*、甘蓝 *B. oleracea* var. *capitata*、花椰菜 *B. oleracea* var. *botrytis*、青菜 *B. chinensis*、芜青 *B. rapa*、荠菜 *Capsella bursa-pastoris*、水田芥菜 *Nasturitum officinale* 和独行菜 *Lepidium apetalum* 等十字花科油料作物、蔬菜和中草药。其偏爱芥菜型油菜和白菜。

萝卜蚜是十字花科油料作物、蔬菜和中草药的大害虫。常在叶片背面及种的株嫩梢、嫩叶背面为害，受害老叶不变形，受害嫩梢节间变短，弯曲，幼叶向反面畸形卷缩；使植株矮小，叶面出现褪色斑点、变黄，常使白菜、甘蓝不能包心或结球，种用油料、蔬菜和中草药不能正常抽薹、开花和结籽。同时还能传带病毒病，严重影响油料、蔬菜和中草药生长，及早防治蚜虫也是预防病毒病的重要措施。华北、华中、华东等地大都在春末至仲夏和秋季大量为害，北京大都在五六月和九十月间天气闷热时发生较重。北京 11 月上旬发生无翅雌、雄性蚜交配后在菜叶背面产卵越冬，部分成虫、若虫在菜窖内越冬或在温室中继续繁殖。常与桃蚜、甘蓝蚜混生。防治有利时机应在每年春季。通常在蚜群中出现有翅若蚜前，繁殖力有下降趋势，因而若蚜与成蚜数量的比值也逐渐下降。降到一定的比值，蚜群中即将出现有翅若蚜。捕食性天敌有六斑月瓢虫、七星瓢虫、横斑瓢虫、双带盘瓢虫、十三星瓢虫、龟纹瓢虫、多异瓢虫、异色瓢虫、十九星瓢虫、大绿食蚜蝇、食蚜瘿蚊、几种草蛉、姬猎蝽、小花蝽等，并有蚜茧蜂寄生。微生物天敌有蚜霉菌。施药防治时要注意保护天敌，为天敌留下饲料，利用天敌消灭蚜虫。

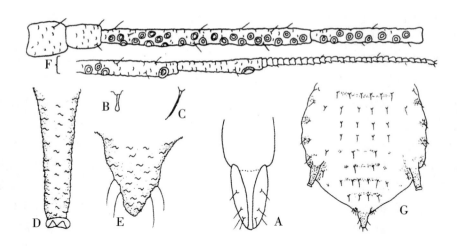

图 368　萝卜蚜 *Lipaphis erysimi*（Kaltenbach）

无翅孤雌蚜（apterous viviparous female）

A. 喙第 4 + 5 节（ultimate rostral segment）；B. 体背毛（dorsal seta of body）；C. 体腹面毛（ventral seta of body）；
D. 腹管（siphunculus）；E. 尾片（cauda）

有翅孤雌蚜（alate viviparous female）

F. 触角（antenna）；G. 腹部背面观（dorsal view of abdomen）

分布：陕西（宝鸡）、黑龙江、吉林、辽宁、北京、河北、天津、内蒙古、河南、宁夏、甘肃、新疆、山东、上海、江苏、浙江、湖南、福建、台湾、广东、四川、云南、西藏；俄罗斯，朝鲜，日本，印度，印度尼西亚，以色列，伊拉克，非洲，北美洲。

14. 长尾蚜属 *Longicaudus* van der Goot, 1913

Longicaudus van der Goot, 1913：105. **Type species**：*Aphis trirhodus* Walker, 1849.

属征：额瘤微隆。有翅孤雌蚜有黑色背斑。缘瘤缺或小。触角 6 节，短于身体，无翅孤雌蚜缺次生感觉圈，有翅孤雌蚜触角第 3 节有多数突起的次生感觉圈，分布全长；第 3 节长于第 4 + 5 节之和。喙第 4 + 5 节短而钝。第 1 跗节毛序为 5、5、5 或 6、6、6。尾片细长，大约为短截形腹管的 3 倍，有较多毛。干母无腹管。

分布：欧洲，亚洲，北美洲。秦岭地区发现 1 种。

(19) 月季长尾蚜 *Longicaudus trirhodus*（**Walker，1849**）（图 369）

Aphis trirhodus Walker, 1849：45.

Hyalopterus aquilegiae Koch, 1854：1.

Hyalopterus dilineatus Buckton, 1879：1.

Hyalopterus flavus Schouteden, 1906: 30.

Aphis thalictri Essig *et* Kuwana, 1918: 35.

Yezosiphum thalictri Matsumura, 1919: 99.

Longicaudus trirhodus: Theobald, 1927: 35.

Pergandeida microrosae Shinji, 1930: 151.

Longicaudus trirhodus japonicus Hille Ris Lambers, 1965: 189.

鉴别特征： 无翅孤雌蚜体长卵圆形，体长 2.60mm，体宽 1.20mm。活体黄绿色、灰绿色至黄色。玻片标本淡色，无斑纹。触角第 4 节端部 1/2 至第 6 节、喙 4+3 节、足胫节 1/6、跗节灰黑色，足股节端部、腹管、尾片、尾板稍骨化灰色。体表光滑，腹部第 7、8 背片微显瓦纹。气门圆形关闭，气门片淡色。节间斑不显。中胸腹岔有长柄。体背毛短粗，钝顶；头部有中额毛 1 对，额瘤毛 3~4 对，头部背面毛 8~10 根；前胸背板有中、侧、缘毛各 2 根；中胸背板有中、侧、缘毛各 6、4、2 根；后胸背板有中、侧、缘毛各 4、2、4 根；腹部第 1~6 背片各有中、侧毛 8~10 根，缘毛 2 根；第 7 背片有毛 8 根，第 8 背片有毛 6 根；头顶毛、腹部第 1 背片缘毛及第 8 背片毛长为触角第 3 节直径的 0.16~0.24 倍。中额及额瘤稍隆起。触角 6 节，微显瓦纹，全长 1.40mm，为体长的 0.54 倍；第 3 节长 0.61mm，第 1~6 节长度比例为 11:11:100:26:29:20+33；触角毛短，第 1~6 节毛数为 7、6 或 7、24 或 25、5、6、2 或 3+0 根，第 3 节毛长为该节直径的 0.24 倍。喙短粗，端部伸达前、中足基节之间；第 4+5 节短粗，长 0.09mm，为基宽的 1.20 倍，为后足跗第 2 节的 0.93 倍，有毛 5 对。后足股节短粗，长为该节直径的 6.40 倍，为触角第 3 节的 0.89 倍；后足胫节长 1.10mm，为体长的 0.40 倍，毛长为该节直径的 0.63 倍；跗第 1 节毛序为 5、5、5。腹管短筒形，有瓦纹，有缘突，无切迹，全长 0.11mm，稍短于触角第 6 节基部，为尾片的 0.29 倍，为基宽的 1.30 倍。尾片长圆锥形，中部收缩，有微刺突组成横纹，长 0.38mm，有短毛 14 根。尾板末端圆形，有短毛 17 根。生殖板淡色，有长短毛 10 根。

有翅孤雌蚜体长 2mm，体宽 0.83mm。活体头部、胸部黑色，腹部绿色，有黑色斑纹。玻片标本触角、足股节端部 1/3~1/2、后足胫节端部 1/5 及跗节黑色、腹管端部 1/2、胫节基部 4/5、喙第 4+5 节、尾片及尾板稍显骨化灰色。腹部第 3~6 背片中侧斑断续愈合为 1 个大斑；第 7、8 背片有横带；第 2~6 背片各有大缘斑，第 5~6 背片缘斑围绕腹管基部呈 1 个黑斑。头部、胸部背面稍显网纹；腹部第 7、8 背片有瓦纹，其他部分光滑；体背斑纹上有小刺突组成瓦纹。气门三角形关闭，气门片稍骨化。节间斑不显。体背毛短尖。触角 6 节，第 1、2 节光滑，其他节有明显瓦纹，全长 1.80mm，为体长的 0.88 倍；第 3 节长 0.92mm，第 1~6 节长度比例为 7:6:100:19:22:14+25；第 3 节有圆形突起次生感觉圈 54~88 个，分布全长。喙粗短，第 4+5 节与基宽约等长，为后足第 2 跗节的 0.54 倍。后足股节基部细，端部宽大，长 0.58mm，为直径的 8.80 倍，为触角第 3 节的 0.64 倍；后足胫节长 1.10mm，稍长于触角第 3 节。翅脉正常，各脉黑粗。腹管长 0.12mm，为尾片的 0.59 倍，有缘突和切迹。尾片末端尖细，长 0.20mm，有毛 9~14 根。其他特征与无翅孤雌蚜相似。

生物学：原生寄主为杏 *Armeniaca vulgaris* 和蔷薇属 *Rosa* spp. 植物，次生寄主为唐松草 *Thalictrum aquilegifolium*、展枝唐松草（猫爪子）*T. squarrosum* 和耧斗菜 *Aquilegia viridiflora*。本种春季在蔷薇属植物嫩梢、嫩叶背面和花序上，有时大量发生，盖满嫩梢。以卵在蔷薇属植物幼枝上越冬。在华北，早春蔷薇和月季发芽时孵化，4 月下旬至 5 月上旬发生有翅孤雌蚜向次生寄主唐松草上迁飞为害。10 月上中旬有翅雄性蚜和无翅雌性蚜，在蔷薇属植物上交配产卵越冬。

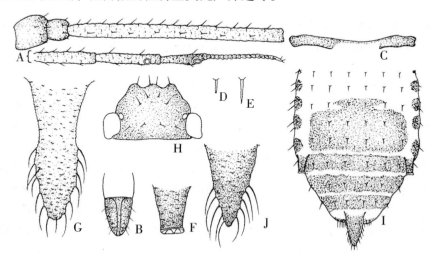

图 369　月季长尾蚜 *Longicaudus trirhodus*（Walker）

无翅孤雌蚜（apterous viviparous female）

A. 触角（antenna）；B. 喙第 4 + 5 节（ultimate rostral segment）；C. 中胸腹岔（mesosternal furca）；D. 体背毛（dorsal seta of body）；E. 体腹面毛（ventral seta of body）；F. 腹管（siphunculus）；G. 尾片（cauda）

有翅孤雌蚜（alate viviparous female）

H. 头部背面观（dorsal view of head）；I. 腹部背面观（dorsal view of abdomen）；J. 尾片（cauda）

分布：陕西（秦岭）、黑龙江、吉林、辽宁、北京、河北、河南、甘肃、青海、山东、江苏、湖南；蒙古，俄罗斯，朝鲜，日本，欧洲，北美洲。

15. 小长管蚜属 *Macrosiphoniella* del Guercio，1911

Macrosiphoniella del Guercio，1911：331. **Type species**：*Siphonophora atra* Ferrari，1872.

属征：中额平，额瘤显著外倾。触角第 3 节或第 3 节和第 4 节有圆形次生感觉圈。喙第 4 + 5 节尖长。腹管管状，至少端部 1/3 有网纹，常短于或等于尾片；几乎总有腹管前斑，后斑常缺，如果有则小于前斑。寄主为菊科 Compositae 植物。

分布：世界性分布。秦岭地区发现 4 种。

分种检索表

(20) 水蒿小长管蚜 *Macrosiphoniella kuwayamai* Takahashi, 1941（图 370）

Macrosiphoniella kuwayamai Takahashi, 1941: 8.

鉴别特征: 无翅孤雌蚜体卵圆形, 体长 2.40mm, 体宽 1.30mm。活体污黄褐色, 胸部黄色。玻片标本头部、胸部稍骨化灰黑色, 腹部淡色, 腹部第 5 背片 (腹管前斑) 及第 8 背片横带稍显灰黑色斑; 附肢黑色, 喙第 1、2 节、足基节、转节及股节基部稍淡。体表光滑, 有不明显横纹, 头部腹面有横皱纹, 腹部第 7、8 背片有微刺组成瓦纹。气门不规则形, 关闭, 气门片稍骨化。节间斑淡褐色。中胸腹岔有长柄。体背毛柔软弯曲, 长而尖锐, 腹面毛与背毛约等长; 头部有中额毛 3 对, 额瘤毛 4 对, 头背毛 12 ~ 14 根; 前胸背板有中侧毛 22 ~ 24 根, 缘毛 6 ~ 10 根; 中胸背板有中侧毛 48 ~ 62 根, 缘毛 12 ~ 16 根; 后胸背板有中侧毛 68 ~ 88 根, 缘毛 15 或 16 根; 腹部第 1 ~ 4 背片各有中侧毛 75 ~ 80 根, 第 5 背片有中侧毛 40 根, 第 6 背片有中侧毛 8 根, 第 7 背片有中侧毛 6 根, 第 1 ~ 7 背片各有缘毛 6 ~ 10 根, 第 8 背片有毛 6 根; 头顶毛、腹部第 1 背片毛、第 8 背片毛长分别为触角第 3 节直径的 1.90 倍、1.90 倍、2.10 倍。中额微隆, 额瘤隆起外倾。触角 6 节, 第 1、2 节光滑, 其他各节有瓦纹; 全长 2.30mm, 等于或短于体长; 第 3 节长 0.54mm, 第 1 ~ 6 节长度比例为 16:10:100:82:69:30 + 141; 第 1 ~ 6 节毛数为 11 或 12、7 或 8、23 ~ 26、11 ~ 15、11 ~ 13、5 或 6 + 11 ~ 13 根; 第 3 节毛长为该节直径的 2 倍; 第 3 节基部前方稍膨大, 有小圆形次生感觉圈 3 ~ 14 个。喙端部达后足基节, 第 4 + 5 节细长, 剑形, 两缘内凹, 长 0.16mm, 为基宽的 2.60 倍, 为后足第 2 的 0.95 倍; 有原生短刚毛 2 对, 次生长刚毛 3 对。后足股节长 0.73mm, 为触角第 3 节的 1.40 倍; 后足胫节长 1.30mm, 为体长的 0.55 倍, 毛长为该节基宽的 1.80 倍, 为中宽的 2.20 倍, 为端宽的 2.50 倍; 第 1 跗节毛序为 3、3、3。腹管长筒形, 有时全长几乎等宽, 端部 1/2 有网纹, 基半部有瓦纹, 两缘有锯齿, 稍显缘突和切迹, 长 0.36mm, 为体长的 0.15 倍, 为尾片的 1.30 倍。尾片长尖圆锥形, 从基部 2/5 向端部变细, 有长毛 12 根。尾板末端尖圆形, 有长毛 21 ~ 28 根。生殖板长卵形, 骨化灰黑色, 有毛 24 ~ 36 根。

　　有翅孤雌蚜体长卵形, 体长 2.40mm, 体宽 0.90mm。玻片标本头部、胸部骨化黑色, 腹部淡色, 无斑纹; 触角、喙、足、腹管、尾片及尾板黑色, 足基节、转节、股节基部及生殖板灰褐色。气门圆形关闭, 气门片灰褐色。节间斑稍显灰褐色。体背毛长，尖锐，在腹部背面整齐成行，数量多于无翅孤雌蚜；腹部第 1~8 背片毛数为 42~75、59~95、64~101、58~85、58、23~32、10~23、7~9 根。中额平直，额瘤稍隆，外倾，额沟浅，宽为深度的 10 倍。触角 6 节，细长，全长 2.60mm，为体长的 1.10 倍；第 3 节长 0.56mm；第 1~6 节长度比例为 15:15:100:82:73:29+148；触角毛甚长，第 3 节长毛长为该节直径的 2.90 倍；第 3 节有大小圆形次生感觉圈 22~27 个，分布于全长。喙端部达中足基节。后足股节长 0.69mm，为触角第 3 节的 1.20 倍；后足胫节长 1.20mm，为体长的 0.50 倍。腹管长 0.33mm，为尾片的 1.90 倍。翅脉正常。尾片长圆锥形，从中部向端部突然变尖细，有长毛 10~16 根。尾板有毛 17~24 根。其他特征与无翅孤雌蚜相似。

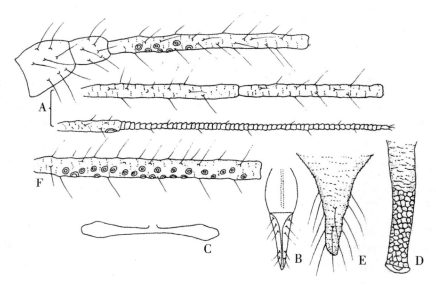

图 370　水蒿小长管蚜 Macrosiphoniella kuwayamai Takahashi

无翅孤雌蚜（apterous viviparous female）

A. 触角（antenna）；B. 喙第 4+5 节（ultimate rostral segment）；C. 中胸腹岔（mesosternal furca）；D. 腹管（siphunculus）；E. 尾片（cauda）

有翅孤雌蚜（alate viviparous female）

F. 触角第 3 节（antennal segment 3）

生物学：寄主植物为蒙古蒿 Artemisia mongolica、艾蒿 A. argyi、白蒿 Artemisia sp.、黄蒿 Artemisia sp. 和水蒿 Artemisia sp. 。7~8 月间发生较多，集中在嫩梢取食。

分布：陕西（留坝）、黑龙江、吉林、辽宁、北京、河北、贵州；俄罗斯，朝鲜，日本。

(21) 伪蒿小长管蚜 Macrosiphoniella pseudoartemisiae Shinji, 1933（图 371）

Macrosiphoniella pseudoartemisiae Shinji, 1933：216.

鉴别特征：无翅孤雌蚜体卵圆形，体长2.66mm，体宽1.28mm。活体绿色、黄绿色或红色，常被白蜡粉。玻片标本体背深色，毛基斑淡色；触角深色，第1、3节端部至第4节黑褐色；喙第3~5节黑褐色；足胫节中侧1/2淡色，其他部分褐色；腹管黑褐色；尾片淡褐色，尾板、生殖板黑褐色。体表光滑，腹部背第8片有微瓦纹，腹部腹面瓦纹不显。气门圆形，开放，气门片淡色。节间斑淡色。中胸腹岔淡色，有长柄，横长0.31mm，长为触角第3节的0.52倍。体背毛粗长，顶端钝；腹部腹面多毛，稍长于背毛；头部有中额毛1对，额瘤毛3对，头背毛4对；前胸背板有中、侧、缘毛各1对；腹部背片毛整齐排列，第1~8背片毛数为12、14、14、14、14、10、12、6根，毛长0.06~0.07mm，为触角第3节最宽直径的1.40~1.70倍。中额不隆，额瘤隆起呈"U"形。触角6节，全长为体长的0.97倍，第1~6节比例为18:13:100:87:82:32+101；毛粗，顶端钝，第1~6节毛数为5或6、4、16或17、14、12、4+14根，末节鞭部顶端有毛4根，第3节毛长0.03mm，为该节直径的0.63倍；第3节有小圆形次生感觉圈7或8个，分布于基部4/5；原生感觉圈有睫。喙端部达中足基节，第4+5节矛状，长0.16mm，为基宽的2.80倍，为后足第2跗节的1.20倍；有原生刚毛2对，次生长毛3对。足光滑，股节、胫节端部有瓦纹；后足股节长0.82mm，为触角第3节的1.40倍；后足胫节长1.20mm，为体长的0.56倍，毛长0.05mm，为该节基宽的0.86倍；第1跗节毛序为3、3、3。腹管长筒状，基部1/2宽大，向端部渐细，端部1/2有网纹，无缘突，有切迹，全长0.33mm，为尾片的0.87倍。尾片宽圆锥状，中部收缩，长0.38mm，有长毛13根。尾板末端圆形，有毛19根。生殖板圆形，有毛10根。

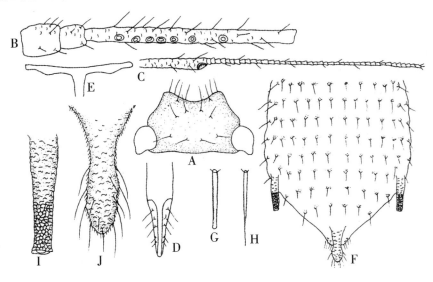

图371　伪蒿小长管蚜 *Macrosiphoniella pseudoartemisiae* Shinji
无翅孤雌蚜（apterous viviparous female）

A.头部背面观（dorsal view of head）；B.触角第1~3节（antennal segments 1-3）；C.触角第6节（antennal segment 6）；D.喙第4+5节（ultimate rostral segment）；E.中胸腹岔（mesosternal furca）；F.腹部背面观（dorsal view of abdomen）；G.体背毛（dorsal seta of body）；H.体腹面毛（ventral seta of body）；I.腹管（siphunculus）；J.尾片（cauda）

生物学：寄主植物为艾蒿 *Artemisia argyi*、蒙古蒿 *A. mongolica*、茵陈蒿 *A. capillaris*、黄蒿 *Artemisia* sp. 和白蒿 *Artemisia* sp.。一般在叶茎及嫩梢上取食。

分布：陕西（秦岭）、吉林、辽宁、河北、内蒙古、甘肃、青海、新疆、山东、福建、四川、云南、西藏；朝鲜，日本。

（22）菊小长管蚜 *Macrosiphoniella sanborni* (**Gillette**，**1908**)（图372）

Aphis sanborni Gillette，1908：65.

Macrosiphum nishigaharae Essig *et* Kuwana，1918：50.

Macrosiphoniella sanborni：Miyazaki，1971：25.

鉴别特征：无翅孤雌蚜体纺锤形，体长1.50mm，体宽0.70mm。活体赭褐色，有光泽。玻片标本淡色，头部黑色，前、中胸背板及斑纹灰色；后胸背板缘斑明显，后胸背板及腹部各节少数毛基斑黑色。触角、喙、足基节、股节端部1/3、胫节基部1/6及端部1/3、跗节、腹管、尾片和尾板黑色，生殖板灰色，喙第2节中部1/6、触角第3节基部1/2淡色。腹部第6~8背片毛基斑较明显，有时第8背片各毛基斑相连为横带；腹管前斑大，近长方形。体表光滑，胸部背板有微横纹，腹管后各节背片有微刺突横纹。前胸有小缘瘤，直径仅稍大于毛基瘤。气门长圆形或月牙形，开放，气门片隆起灰色。节间斑不显。中胸腹岔有长柄。体背毛尖长；头部背面有毛10根；前胸背板有中、侧、缘毛各2根，中胸背板有中、侧、缘毛各4根，后胸背板有中、侧、缘毛各4、2、4根；腹部第1~6背片分别有中、侧、缘毛各2~4根，第7背片有毛6根，第8背片有毛4或5根；头顶毛、腹部第1背片毛、第8背片毛长分别为触角第3节直径的2.40倍、2.20倍、3.20倍。额沟弧形，额瘤显著隆起。触角6节，细长，全长1.70mm，为体长的1.10倍；第1、2节光滑，其他各节微有瓦纹；第3节长0.42mm，第1~6节长度比例为18:14:100:62:56:26+123；第1~6节毛数为5~7、4或5、10~13、6或7、5、3或4+4~6根；第3节毛长为该节直径的1.40倍；第3节有小圆形突起的次生感觉圈15~20个，分散于外侧全长。喙端部达后足基节，第4+5节细长剑形，长0.13mm，为基宽的2.70倍，为后足第2跗节的1.20倍；有原生刚毛4根，次生刚毛6根。股节与胫节光滑；后足股节与触角第4、5节之和约等长，后足胫节长为体长的0.60倍，后足胫节长毛为该节中宽的1.50倍；第1跗节毛序为3、3、3。腹管圆筒形，基部宽，向端部渐细，端部3/5处有网纹12~14横行，基部有瓦纹，两缘有微齿，有缘突和切迹，长0.27mm，为体长的0.17倍，与触角第4节或尾片约等长。尾片圆锥形，基部扩大，基部1/3处收缩，末端尖，有横行微刺，两缘有尖刺，长0.27mm，有曲毛11~15根。尾板半圆形，有微刺状横纹和瓦纹，有毛10~12根。生殖板有毛9~12根。

有翅孤雌蚜体长卵形，体长1.70mm，体宽0.67mm。玻片标本头部、胸部黑色，腹部淡色，有灰色斑纹。体背斑纹较无翅孤雌蚜显著，有时腹部第1~3背片各中毛基斑相连为中横带；第 2～4 背片有缘斑，腹管前斑大于后斑。触角 6 节，全长 1.90mm，为体长的 1.10 倍；第 3 节长 0.50mm，第 1～6 节长度比例为 17：13：100：62：54：22＋112；第 3 节有小圆形突起次生感觉圈 16～26 个，分散于外侧端部 4/5，第 4 节有 2～5 个。腹管长 0.22mm，为体长的 0.13 倍，为尾片的 0.84 倍。尾片有毛 9～11 根。尾板有毛 8～14 根。其他特征与无翅孤雌蚜相似。

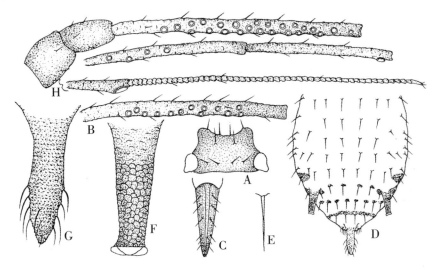

图 372 菊小长管蚜 Macrosiphoniella sanborni（Gillette）
无翅孤雌蚜（apterous viviparous female）

A. 头部背面观（dorsal view of head）；B. 触角第 3 节（antennal segment 3）；C. 喙第 4＋5 节（ultimate rostral segment）；D. 腹部背面观（dorsal view of abdomen）；E. 体背毛（dorsal seta of body）；F. 腹管（siphunculus）；G. 尾片（cauda）

有翅孤雌蚜（alate viviparous female）

H. 触角（antenna）

生物学：寄主植物有菊 Dendranthema sp.、野菊 D. indicum 等菊属植物和艾 Artemisia argyi、蒙古蒿 A. mongolica 等。本种是菊属植物的重要害虫，为害幼茎幼叶，影响开花，影响中草药产量。在温暖地区，全年为害菊属植物，不发生性蚜。在北方寒冷地区，冬季在温室或暖房中越冬。常在 4～6 月和 8 月间大量发生。捕食天敌有六斑月瓢虫和食蚜蝇等。

分布：世界性分布。

(23) 鸡儿肠小长管蚜 Macrosiphoniella yomenae（Shinji, 1922）（图 373）

Macrosiphum yomenae Shinji, 1922：788.

Macrosiphum yomenafoliae Shinji, 1922：788.

Macrosiphum moriokae Shinji, 1924：362.

Macrosiphoniella astericola Okamoto *et* Takahashi，1927：132.

Macrosiphoniella yomenae：Miyazaki，1971：24.

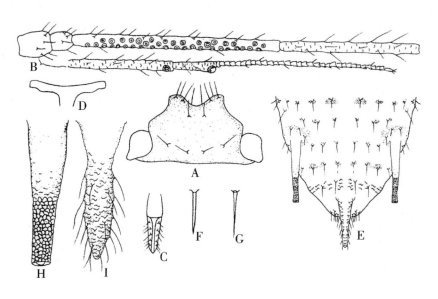

图 373　鸡儿肠小长管蚜 *Macrosiphoniella yomenae*（Shinji）

无翅孤雌蚜（apterous viviparous female）

A. 头部背面观（dorsal view of head）；B. 触角（antenna）；C. 喙第 4 + 5 节（ultimate rostral segment）；D. 中胸腹岔
（mesosternal furca）；E. 腹部第 4 ~ 8 背片（abdominal tergites 4- 8）；F. 体背毛（dorsal seta of body）；G. 体腹面毛
（ventral seta of body）；H. 腹管（siphunculus）；I. 尾片（cauda）

鉴别特征： 无翅孤雌蚜体椭圆形，体长 3.43mm，体宽 1.43mm。活体黑色。玻
片标本头部及前胸、中胸黑色，后胸背板有毛基斑，腹部淡色，有黑斑。触角、喙、
足、腹管、尾片、尾板及生殖板黑色，足股节基部淡色。腹管前斑大，呈半环状；腹
部第 8 背片有窄带横贯全节，其他各节均有大型毛基斑。体腹面足基节处各有 1 个
大黑斑。体背及腹部腹面光滑，腹部第 8 背片有瓦纹。气门椭圆形，开放，气门片黑
色，节间斑黑色，位于头部与胸部各节，腹部缺。中胸腹岔黑色，有长柄，横长
0.31mm，为触角第 3 节的 0.36 倍。体背毛粗大，钝顶，腹部第 8 背片毛粗长尖锐，
腹部腹面毛多，粗大，尖锐，长于背毛；头部有中额有毛 1 对，额瘤毛 3 ~ 4 对，头背
毛 4 对；前胸背板有中、侧、缘毛各 1 对；腹部第 1 ~ 6 背片各有毛 9 或 10 根，第 7 背
片有毛 8 根，第 8 背片有毛 4 ~ 6 根；头顶毛及腹部第 1 背片毛长 0.06mm，为触角第
3 节最宽直径的 0.93 倍，第 8 背片毛长 0.06 ~ 0.08mm。中额不隆，额瘤隆起，呈
"U"形。触角 6 节，粗长，第 1 ~ 3 节光滑，其他节有瓦纹，全长 3.03mm，为体长的
0.88 倍；第 3 节长 0.87mm，第 1 ~ 6 节长度比例为 16：11：100：68：51：14 + 85；触角毛
粗，顶端钝；第 1 ~ 6 节毛数为 7、4 或 5、23 ~ 26、12 或 13、7 ~ 10、4 + 6 根；第 3 节
毛长为该节最宽直径的 0.69 倍；第 3 节有小圆形次生感觉圈 45 ~ 47 个，分布于全

长。喙端部达后足基节，第 4 + 5 节长楔状，长 0.15mm，为基宽的 2.80 倍，为后足第 2 跗节的 0.97 倍；有原生毛 3 对，次生毛 4 对。足长大，基节有明显瓦纹，其他部分光滑；后足股节长 1.08mm，为触角第 3 节的 1.20 倍；后足胫节长 2.01mm，为体长的 0.59 倍，毛长 0.06mm，为该节最宽直径的 0.80 倍；第 1 跗节毛序为 3、3、3。腹管长管状，基部宽大，端半部渐细，有明显网纹，基半部光滑，无缘突，有切迹，长 0.70mm，为体长的 0.20 倍，为尾片的 1.20 倍。尾片长锥状，粗糙，有粗刺突组成瓦纹，长 0.61mm；有长毛 21 ~ 26 根。尾板末端平圆形，长 0.61mm，有毛 21 根。生殖板圆形，有毛 22 根。

生物学：寄主植物为白蒿 *Artemisia* sp.、紫菀 *Aster tataricus* 和马兰 *Kalimeris indica*。

分布：陕西（秦岭）、辽宁、北京、河北、新疆、浙江、福建、台湾、四川；俄罗斯，韩国，日本，印度尼西亚。

16. 长管蚜属 *Macrosiphum* Passerini，1860

Macrosiphum Passerini，1860：27. **Type species**：*Aphis rosae* Linnaeus，1758.

属征：无翅孤雌蚜额瘤发达，外倾，中额平。触角 6 节，无翅孤雌蚜第 3 节基部有圆形次生感觉圈；有翅孤雌蚜次生感觉圈分布全节。第 1 跗节毛序为 3、3、3。腹管长管状，明显长于尾片，端部不到 1/3 有网纹；常有腹管后斑，腹管前斑有或缺；如有，则小于后斑。腹部背面膜质，无毛基斑。体淡色，头部光滑。寄主多种。

分布：世界性分布。秦岭地区发现 1 种。

(24) 蔷薇长管蚜 *Macrosiphum rosae*（**Linnaeus，1758**）（图 374）

Aphis rosae Linnaeus，1758：452.

Aphis scabiosae Scopoli，1763：1.

Siphonophora fragariae Koch，1855：1.

Siphonophora rosaecola Passerini，1871：144.

Macrosiphum rosae：Passerini，1882：27.

鉴别特征：无翅孤雌蚜体椭圆形，体长 3.51mm，体宽 1.54mm。玻片标本头部黑色，胸部、腹部淡色，围绕腹管基部有淡色斑。触角第 1 ~ 3 节及第 4 ~ 6 节端部黑色，其他部分褐色；喙淡色，第 4 + 5 节褐色；足基节、股节基部 2/3 淡色，股节端部 1/3 漆黑色，胫节褐色，胫节端部、跗节及腹管黑色；尾片、尾板及生殖板淡色。体表光滑，头部、胸部背面微有皱纹，腹部第 8 背片有皱曲纹。气门圆形，开放，气门片淡色。节间斑淡色。中胸腹岔淡色，有短柄，横长 0.37mm，为触角第 3 节的 1/3。体背毛粗，短钝，腹部腹面毛粗，尖锐，稍长于背毛；头部有中额毛 1 对，额瘤毛 3

对，头背毛4对；前胸背板有中、侧、缘毛各1对；腹部第1背片有中侧毛2对，第2～5背片各有中侧毛5根，缘毛2对；第7背片有毛3对，第1背片有毛3对；头顶毛长0.04mm，为触角第3节中宽的0.64倍，腹部第1背片毛长0.02mm、第8背片毛长0.04mm。中额不隆，额瘤显著外倾，呈"U"形。触角6节，粗长，光滑，第4～6节微有瓦纹，全长3.86mm，为体长的1.10倍；第3节长1.08mm，第1～6节长度比例为17:9:100:64:56:18+92；第1～6节毛数为12、5、29、10、8、4+8根；末节鞭部顶端有短毛4根，第3节长毛长0.03mm，为该节中宽的0.50倍；第3节有圆形次生感觉圈34～36个，分布于全长。喙端部超过中足基节，第4+5节楔状，长0.13mm，为基宽的2倍，约等于或稍长于后足第2跗节；有原生毛3对，次生毛3对。足各节光滑；后足股节长1.36mm，为触角第3节的1.30倍；后足胫节长2.54mm，为体长的0.72倍，长毛长0.06mm，为该节最宽直径的0.92倍；第1跗节毛序为3、3、3。腹管粗长管状，端部1/9有网纹11行，其他部有瓦纹，稍有缘突，切迹明显，长1.32mm，为体长的0.38倍，为尾片的2.20倍。尾片宽锥状，有淡色瓦纹，有长毛13根。尾板半球形，有长毛26根。生殖板共有毛14根，前部有长毛1对。

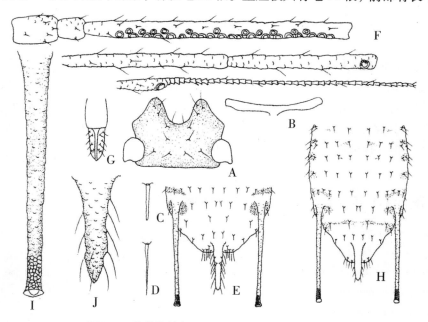

图374　蔷薇长管蚜 *Macrosiphum rosae*（Linnaeus）

无翅孤雌蚜（apterous viviparous female）

A. 头部背面观（dorsal view of head）；B. 中胸腹岔（mesosternal furca）；C. 体背毛（dorsal seta of body）；D. 腹部腹面毛（ventral seta of abdomen）；E. 腹部第5～8背片（dorsal view of abdominal tergites 5-8）

有翅孤雌蚜（alate viviparous female）

F. 触角（antenna）；G. 喙第4+5节（ultimate rostral segment）；H. 腹部背面观（dorsal view of abdomen）；I. 腹管（siphunculus）；J. 尾片（cauda）

有翅孤雌蚜体长2.82mm，体宽1.15mm。玻片标本头部、胸部黑色，腹部淡色，有黑色斑纹。触角、喙节第3~5节黑色，尾片、尾板灰色。腹部第1~3背片有零星中侧小斑，第7背片有横带窄，第1~7背片各缘斑大，第1背片缘斑稍小；腹管后斑大于前斑，第8背片背毛无毛基斑。气门圆形，开放，气门片褐色。触角6节，第2、4~6节有瓦纹，全长3.46mm，为体长的1.20倍；第3节长0.99mm，第1~6节长度比例为14:10:100:67:54:19+86；第3节有毛22~32根，有圆形次生感觉圈33~39个，分布于全长。喙端部不达中足基节，第4+5节长0.14mm；有原生刚毛3对，次生刚毛4对。后足股节长1.11mm，后足胫节长2.20mm，后足跗第2节长0.11mm。翅脉正常。腹管长管状，长1.05mm，为尾片的2.30倍。尾片宽锥状，长0.46mm，有毛12根。尾板毛22根。生殖板毛20根。其他特征与无翅孤雌蚜相似。

生物学：寄主植物为月季 *Rosa chinensis* 和玫瑰 *R. rugosa*。在叶片及嫩尖取食，在端部9cm嫩梢上为害尤重。

分布：陕西（秦岭）、辽宁、北京、河北、天津、甘肃、浙江、新疆；蒙古，俄罗斯，北美洲。

17. 指瘤蚜属 *Matsumuraja* Schumacher，1921

Acanthaphis Matsumura，1918(nec del Guercio，1908)。**Type species**：*Acanthaphis rubi* Matsumura，1918.

Matsumuraja Schumacher，1921：186。**Type species**：*Acanthaphis rubi* Matsumura，1918.

属征：无翅孤雌蚜额瘤显著，凹口形，中额隆起。触角第1节内缘突出成指状突起。头、触角突起、指状突起、触角上均有钉状毛。腹管管状，管口大。尾片圆锥形，有毛5根。有翅者触角第1节无指状突起，但向内显著突出；触角第3、4、5节有圆形次生感觉圈，排列无序，分布于全节。寄主为悬钩子属 *Rubus*。其中有一种 *M. rubifoliae* Takahashi 在山柳属 *Clethra* 和 *Rubus* 间迁移。

分布：中国；日本，印度，巴基斯坦。秦岭地区发现1种。

(25) 居悬钩子指瘤蚜 *Matsumuraja rubicola* Takahashi，1927（图375）

Matsumuraja rubicola Takahashi，1927：4.

Matsumuraja rubicola：Tao，1990：232.

鉴别特征：有翅孤雌蚜头、胸深色，足股节、胫节、跗节色深，触角色深。腹管色较深。腹部第3~6背片横带愈合为1个背中大斑。中额平，额瘤不显。复眼无眼瘤。触角约为体长的0.81倍，第1~6节长度比例为13:13:100:59:60:37+120；触角第1节向内显著突出成指状突起；触角第3节毛长约为该节直径的0.25~0.33倍；触角第3~5节有圆形次生感觉圈，数圈分别为：30~40个、10~15个、5~9个，分布于全节。喙不达中足基节，第4+5节长为基宽的1.93倍，有原生毛1或2对，次生毛1或2对。中胸腹岔有中等长度的柄。腹管约为体长的0.17倍，约为尾片的

3.75 倍，约为基宽的 6.42 倍；长圆筒形，近基部 2/3 膨大，最宽处约为基宽的 1.14 倍；有缘突。尾片五边形，长约为基宽的 1.10 倍，有毛 7 或 8 根。尾板末端圆，有毛约 6 根。

生物学：寄主为悬钩子。

分布：陕西（秦岭）、台湾、贵州；日本。

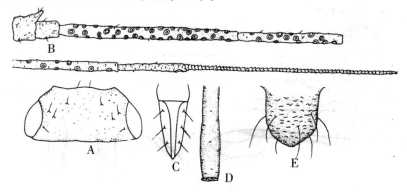

图 375　居悬钩子指瘤蚜 *Matsumuraja rubicola* Takahashi

有翅孤雌蚜（alate viviparous female）

A. 头部背面观（dorsal view of head）；B. 触角（antenna）；C. 喙节第 4 + 5 节（ultimate rostral segment）；D. 腹管（siphunculus）；E. 尾片（cauda）

18. 色蚜属 *Melanaphis* van der Goot，1917

Melanaphis van der Goot，1917：61. **Type species**：*Aphis bambusae* Fullaway，1910.

属征：前胸、腹部第 1 和 7 节有缘瘤，腹部第 7 节缘瘤位于气门的背面。腹管短，多数短于尾片。有翅孤雌蚜前翅中脉二分叉，腹管前面的腹部背片常有骨化斑或横带。

分布：中国；日本，印度，印度尼西亚，斯里兰卡，埃及，澳大利亚，非洲，北美洲。秦岭地区发现 1 种。

(26) 高粱蚜 *Melanaphis sacchari*（Zehntner，1897）（图 376）

Aphis sacchari Zehntner，1897：551.

Aphis sorghi Theobald，1904：43.

Aphis sorghella Schouteden，1906：189.

Aphis pheidolei Theobald，1916：37.

Melanaphis sacchari：Raychaudhuri & Banerjee，1974：379.

鉴别特征：无翅孤雌蚜体宽卵圆形，体长 1.80mm，体宽 1.00mm。活体黄色。

玻片标本淡色，触角、喙、足大体淡色；触角第5节端部1/2及第6节、喙第4+5节顶端、跗节黑色；胫节端部1/5~1/3灰黑色；腹管、尾片及尾板黑色，生殖板灰色。腹部第8背片有中横带，有时后胸或腹部第7背片亦有横带，其他节偶有斑，各带、斑灰黑色。体表光滑，腹管后几节有瓦纹。前胸、腹部第1、7节有馒状缘瘤，宽大于高。气门圆形，开放，气门片稍骨化灰色。节间斑明显灰黑色。中胸腹岔无柄或两臂分离，基宽为臂长的1.80倍。体背毛短尖，腹面多毛，横排为2列；头部有头顶毛2对，头背毛6根；腹部第1~7背片各有中、侧毛1对，缘毛1对，偶有2对；第8背片仅有毛1对；腹部第1背片毛长、第8背片毛长分别为触角第3节直径的0.57倍、0.86倍。中额稍隆，额瘤不显。触角6节，全长1.10mm，为体长的0.60倍；第3节长0.23mm，第1~6节长度比例为29:23:100:87:70:31+139；触角毛短，第1~6节毛数为5、5、3或4、3或4、3、3+1根，第3节毛长为该节直径的0.33倍。喙粗短，端部超过前足基节，第4+5节长为基宽的1.10倍或相等，为后足第2跗节的0.85倍；后足股节长0.41mm，约等于触角第3、4节之和；后足胫节长0.64mm，为体长的0.35倍，毛长为该节直径的0.82倍；第1跗节毛序为3、3、2。腹管圆筒形，有瓦纹、缘突和切迹，长0.12mm，为基宽的2.10倍，为尾片的0.82倍。尾片圆锥形，中部明显收缩，有微刺构成瓦纹，有长曲毛8~16根。尾板末端圆形，有毛14~28根。生殖板有长毛16~23根。

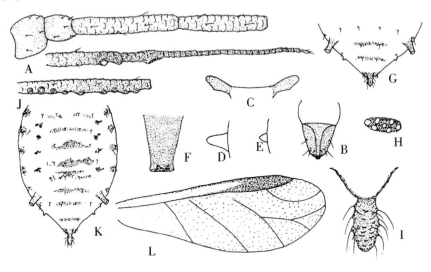

图376　高粱蚜 *Melanaphis sacchari*（Zehntner）

无翅孤雌蚜（apterous viviparous female）

A. 触角（antenna）；B. 喙第4+5节（ultimate rostral segment）；C. 中胸腹岔（mesosternal furca）；D. 前胸缘瘤（marginal tubercle on pronotum）；E. 腹部缘瘤（marginal tubercle on abdomen）；F. 腹管（siphunculus）；G. 腹部第6~8背片（abdominal tergites 6-8）；H. 节间斑（muskelplatten）；I. 尾片（cauda）

有翅孤雌蚜（alate viviparous female）

J. 触角第3节（antennal segment 3）；K. 腹部背面观（dorsal view of abdomen）；L. 前翅（forewing）

　　有翅孤雌蚜体长卵形,体长 2mm,体宽 0.89mm。活体腹部黄色。玻片标本头部、胸部黑色,腹部淡色,有黑色斑纹。触角、喙、足大体黑色;触角第 3 节基部 1/5、喙第 1～2 节、胫节基部 1/4 淡色。腹部第 1～4、7 背片有大缘斑,腹部第 2、3 背片缘斑最大,各节有背中横带,以腹部第 4、5 背片横带最宽大,向两端逐渐缩短,各带有时中断,有时个别几节背中斑相连,腹部第 7 背片横带与缘斑断续相连。缘瘤骨化深色,有时腹部节第 3、4 节亦有分布。气门片、节间斑黑色。中额稍隆,额瘤显著外倾。触角 6 节,长 1.30mm,为体长的 0.65 倍;第 3 节长 0.28mm,第 1～6 节长度比例为 26:22:100:75:68:35＋125;第 3 节有圆形次生感觉圈 8～13 个,分布全节,排成不整齐的 1 行,有 1 或 2 个位于行外。后足股节长 0.41mm,与触角第 4、5 节之和等长;后足胫节长 0.79mm,为体长的 0.39 倍,毛长为该节直径的 0.56 倍。翅脉黑色,各脉稍显镶边。腹管圆筒形,长 0.12mm,为基宽的 2.40 倍,端部稍有收缩。尾片有毛 5～9 根。尾板有毛 8～14 根。其他特征与无翅孤雌蚜相似。

　　生物学:原生寄主植物为荻(荻草)*Triarrhena sacchariflora*,次生寄主植物为高粱 *Sorghum bicolor* 和甘蔗 *Saccharum officinarum*。

　　分布:陕西(秦岭)、黑龙江、吉林、辽宁、北京、河北、内蒙古、河南、山东、江苏、安徽、浙江、湖北、湖南、台湾、广东、云南;朝鲜,日本,印度,泰国,菲律宾,马来西亚,印度尼西亚,非洲,北美洲,澳洲。

19. 无网蚜属 *Metopolophium* Mordvilko, 1914

Metopolophium Mordvilko, 1914: 270. **Type species**: *Aphis dirhodum* Walker, 1849.

　　属征:无翅孤雌蚜一般中额隆起,额瘤显著。触角第 3 节基部有圆形次生感觉圈 0～4 个,有翅孤雌蚜有多个次生感觉圈。腹管管状,管口大。尾片长圆锥形,有毛 6～10 根。

　　生物学:寄主为蔷薇科和禾本科植物。

　　分布:全北区。秦岭地区发现 1 种。

(27) 麦无网蚜 *Metopolophium dirhodum*（Walker, 1849）(图 377)

Aphis dirhodum Walker, 1849: 43.

Myzus gracilis Buckton, 1876: 1.

Siphonophora longipennis Buckton, 1876: 1.

Macrosiphum arundinis Theobald, 1913: 47.

Macrosiphum graminum Theobald, 1913: 47.

Myzus haywardi Knowlton, 1942: 5.

Metopolophium dirhodum: Zhang & Zhong, 1983: 326.

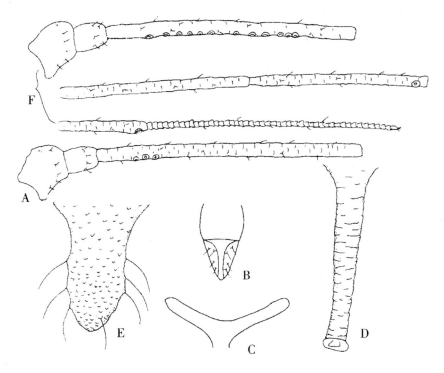

图 377　麦无网蚜 *Metopolophium dirhodum*（Walker）

无翅孤雌蚜（apterous ovipara）

A. 触角第 1 ~ 3 节（antennal segments 1-3）；B. 喙第 4 + 5 节（ultimate rostral segment）；C. 中胸腹岔（mesosternal furca）；D. 腹管（siphunculus）；E. 尾片（cauda）

有翅孤雌蚜（alate ovipara）

F. 触角（antenna）

　　鉴别特征：无翅孤雌蚜体纺锤形，体长 2.50mm，宽 1.10mm。活体蜡白色。玻片标本淡色，触角第 3 ~ 5 节各顶端、第 6 节基部顶端 1/2 及鞭部、喙顶端、胫节端部及跗节深灰色至黑色，其余与体同色。体表光滑，腹管后几节背片微显瓦纹。中额隆起，额瘤显著外倾，额槽浅宽。气门圆形开放，气门片淡色。中胸腹岔长柄，淡色。体背毛粗短，钝顶。头顶毛 3 对，头部背毛 8 根；前胸背板中、侧、缘毛各 1 对；腹部毛整齐排列，第 1 ~ 7 背片毛数为 10、16、18、18、12、10、7 根，第 8 背片具毛 5 或 6 根；头顶毛长为触角第 3 节直径的 0.87 倍，腹部第 1 背片缘毛为为其 0.67 倍，第 8 背片毛为其 0.67 倍。触角细长，有瓦纹，全长 1.90mm，为体长 0.76 倍；第 3 节长 0.50mm，第 1 ~ 6 节长度比例为 14:13:100:67:67:33 + 92；触角毛短粗，第 1 ~ 6 节毛数为 7、4、11 ~ 13、7 或 8、8、4 + 3 或 4 根，第 3 节毛长为该节直径的 0.42 倍；第 3 节有小圆形次生感觉圈 1 ~ 3 个，分布于基部。喙短粗，端部可达中足基节；第 4 + 5 节短圆锥形，长为基宽 1.30 倍，为后足第 2 跗节的 0.73 倍，有长刚毛 4 ~ 5 对。足长大光滑，后足股节长 0.81mm，与触角第 3、4 节之和等长；后足胫节长 1.50mm，为体长的 0.60 倍，毛长为该节直径的 0.70 倍；第 1 跗节毛序为 3、3、3。腹管长管状，有瓦纹，基部与端部直径相差甚微，全长 0.42mm，为体长的 0.17 倍，为触角第 3 节的 0.87 倍，为尾片的 1.60 倍，有缘突和切迹。尾片舌形，长 0.26mm，长为基宽的 1.60 倍；基部收缩，有刺突瓦纹及粗长毛 7~9 根。尾片末端圆形，有毛 8~10 根。

　　有翅孤雌蚜体纺锤形，体长 2.30mm，宽 0.91mm。活体蜡白色，头部、胸部黄色。玻片标本头部、胸部稍骨化深色，腹部淡色，无斑纹；触角第 1、2 节及第 3 节基部淡色，其他节骨化黑色。触角长 2.10mm；第 3 节长 0.52mm，第 1~6 节长度比例为 18:15:100:75:68:32+94；第 3 节有小圆形次生感觉圈 10~20 个，分布全节外缘 1 列。喙粗短，端部不达中足基节。后足股节长 0.79mm，为触角第 3 节的 1.50 倍；后足胫节长 1.50mm，为体长的 0.65 倍。翅脉正常。腹管长 0.35mm，约与触角第 5 节等长。尾片有 6~9 根毛。尾板有 9~14 根毛。其他特征与无翅孤雌蚜相似。

　　生物学：春季在蔷薇属 *Rosa* spp. 植物叶下面及嫩枝梢为害；夏季取食禾本科植物，包括大麦 *Hordeum vulgare*、普通小麦 *Triticum aestivum* 等，有时取食龙芽草属 *Agrimonia* spp.、草莓属 *Fragaria* spp. 及鸢尾属 *Iris* spp. 植物。天敌有大绿食蚜蝇和蚜茧蜂等。

　　分布：陕西（秦岭）、北京、河北、河南、宁夏、甘肃、青海、新疆、福建、云南、西藏；亚洲（北部），欧洲。

20. 冠蚜属 *Myzaphis* van der Goot, 1913

Myzaphis van der Goot, 1913：96. **Type species**：*Aphis rosarum* Kaltenbach, 1843.

　　属征：额瘤不发达，中额发达，呈长方形突起。喙第 4+5 节等于或长于后足跗第 2 节。跗第 1 节毛序为 5、5、5。腹管甚长于尾片。腹部背片光滑。有翅孤雌蚜触角第 3 节短于第 4、5 节之和，第 3 节最多有 20 个扁平次生感觉圈。腹部背片有小抹刀状刚毛。

　　生物学：取食委陵菜属 *Potentilla* spp.、蔷薇属 *Rosa* spp. 植物。

　　分布：全北区，澳洲区。秦岭地区发现 1 种。

(28) 月季冠蚜 *Myzaphis rosarum*（Kaltenbach, 1843）（图 378）

Aphis rosarum Kaltenbach, 1843：101.

Myzaphis rosarum：van der Goot, 1913：96.

Francoa elegans del Guercio, 1916：197.

Trilobaphis rhodolestes Wood-Baker, 1943：121.

　　鉴别特征：无翅孤雌蚜体细长卵形，体长 2mm，体宽 0.85mm。活体黄绿色。玻片标本体淡色，无斑纹。触角第 1、2 节稍骨化，第 5 节端部、第 6 节、喙、足胫节端部、跗节、腹管端部 2/5、尾片及尾板灰黑色。体背面有肾形至不规则形刻纹。气门圆形，关闭，气门片稍显骨化。节间斑不显。中胸腹岔稍显短柄。体背毛短，顶钝，腹面毛稍长顶尖；头部有背毛 14 根，包括中额毛 1 对，额瘤毛 2~3 对；前胸背板有

中、侧、缘毛各1对，中胸背板有毛10根，后胸背板有毛4根；腹部第1背片及第
6~7背片各有短毛4根，缺缘毛，第2~5背片有中、侧毛各2根，第2、5背片有缘
毛各2根，第3、4背片有缘毛各4根，第8背片有毛4根；头顶毛、腹部第1背片、
第8背片毛长分别为触角第3节直径的0.83倍、0.17倍、0.83倍。中额隆起呈长方
瘤状；额瘤稍隆，低于中额，额上缘有小突起。触角6节，有瓦纹，第1、2节光滑，
鞭节粗糙，全长0.85mm，为体长的0.42倍；第3节长0.25mm，第1~6节长度比例
为25:21:100:56:52:41+47；触角毛短，第1~6节毛数为6或7、4或5、5~8、
4~6、4或5、1~3+0或1根，第3节毛长为该节直径的0.33倍。喙端部达中足基
节，第4+5节粗短，长0.09mm，为基宽的1.60倍，为后足第2跗节的0.77倍；有
原生刚毛2对，次生刚毛2对。后足股节有不明显瓦纹，长0.49mm，约等于或稍长
于触角第3~5节之和；后足胫节长0.76mm，为体长的0.37倍，毛长为该节直径的
0.48倍；第1跗节毛序为5、5、5。腹管长筒形，端部1/3膨大，顶端稍收缩，微显瓦
纹，有缘突和切迹，长0.43mm，为体长的0.21倍，为尾片的1.70倍。尾片短圆锥状，
有微刺突构成横瓦纹，两缘有小刺突，长0.25mm，有毛5或6根。尾板末端圆形，有毛
8~10根。生殖板淡色。

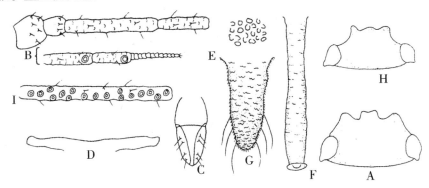

图378　月季冠蚜 Myzaphis rosarum（Kaltenbach）
无翅孤雌蚜（apterous viviparous female）

A. 头部背面观（dorsal view of head）；B. 触角（antenna）；C. 喙第4+5节（ultimate rostral segment）；D. 中胸腹岔
（mesosternal furca）；E. 腹部背斑纹（dorsal scleroite of abdomen）；F. 腹管（siphunculus）；G. 尾片（cauda）

有翅孤雌蚜（alate viviparous female）

H. 头部背面观（dorsal view of head）；I. 触角第3节（antennal segment 3）

　　有翅孤雌蚜体长1.80mm，体宽0.64mm。玻片标本头部、胸部骨化灰黑色，腹
部淡色，有黑斑。触角、喙、足灰黑色，腹管及尾片骨化深色。腹部第1~6背片各
有大缘斑1个，第1~8背片各中侧斑愈合为横带，第2~5背片横带稍相连。头部、
胸部背片有皱纹，腹部背斑有刻点瓦纹。气门圆形，开放，气门片隆起，骨化灰黑
色。节间斑不显。体背毛短尖，腹面毛长于体背毛的2倍；头部有背毛12根；前胸
背板有毛6根，中胸背板有毛12根、后胸背板有毛6根；腹部第1~8背片各有短毛
4~6根。中额甚隆起，稍高于额瘤。触角6节，全长1.20mm，为体长的0.65倍；第

3 节长 0.41mm，第 1~6 节长度比例为 14:13:100:51:42:29+37；第 1~6 节毛数为 6~8、4 或 5、11~13、6~8、2~5+0~2 根；第 3 节有次生感觉圈 9~21 个，分散于全长。后足股节长 0.54mm；后足胫节长 0.96mm；第 1 跗节毛序为 5、5、5。翅脉正常。腹管长 0.26mm。尾片长 0.14mm，有毛 5 或 6 根。生殖板有短毛 6 根。其他特征与无翅孤雌蚜相似。

生物学：寄主植物为月季 *Rosa chinensis*、玫瑰 *R. rugosa* 等蔷薇属植物。在嫩梢、叶片、花蕾及嫩茎上取食。国外记载其次生寄主为委陵菜属 *Potentilla* spp. 植物。为害幼叶。

分布：陕西（秦岭）、辽宁、北京、内蒙古、甘肃、青海、新疆、贵州、云南；日本，欧洲，澳洲。

21. 瘤蚜属 *Myzus* Passerini，1860

Myzus Passerini，1860：27. **Type species**：*Aphis cerasi* Fabricius，1775.

属征：头部粗糙，额瘤显著，高于中额。无翅孤雌蚜触角无次生感觉圈，有翅孤雌蚜触角第 3 节或第 4、5 节有圆形次生感觉圈。有翅孤雌蚜腹部第 3~5 背片各有 1 个大黑斑。腹管管状或稍膨大。尾片圆锥形，有毛 4~8 根。寄主植物广泛。

分布：世界性分布。秦岭地区发现 3 种。

分种检索表

1. 腹管淡色；头部背面全都有微刺分布，头顶毛长度几乎等于触角第 3 节直径 ⋯⋯⋯⋯ ⋯⋯⋯⋯⋯⋯⋯⋯⋯⋯⋯⋯⋯⋯⋯⋯⋯⋯⋯⋯⋯⋯⋯⋯⋯ **杏瘤蚜 *M. mumecola*** 腹管顶端深色至黑色；头部背面中域光滑，头顶毛长度至多为触角第 3 节直径的 0.67 倍 ⋯⋯ 2
2. 体表有鳞纹；头部背面有圆形颗粒；体背毛短，长为触角第 3 节直径的 0.16~0.32 倍；触角第 6 节鞭部长为第 3 节的 0.85 倍；腹管长为尾片的 2 倍；尾片有毛 4 或 5 根 ⋯⋯⋯⋯⋯⋯⋯⋯⋯⋯⋯⋯⋯⋯⋯⋯⋯⋯⋯⋯ **金针瘤蚜 *M. hemerocaliis*** 体表有微曲纹；头部背面有微刺或颗粒；体背毛较长，长为触角第 3 节直径的 0.33~0.67 倍；触角第 6 节鞭部长于第 3 节；腹管长至少为尾片的 2.30 倍；尾片有毛 6~8 根 ⋯⋯⋯⋯⋯ ⋯⋯⋯⋯⋯⋯⋯⋯⋯⋯⋯⋯⋯⋯⋯⋯⋯⋯⋯⋯⋯⋯⋯⋯ **桃蚜 *M. persicae***

(29) 金针瘤蚜 *Myzus hemerocallis* Takahashi，1921（图 379）

Myzus hemerocallis Takahashi，1921：24.

鉴别特征：无翅孤雌蚜体长卵形，体长 2.10mm，宽 1.10mm。活体白绿色至黄绿色。玻片标本淡色，无斑纹。触角第 5、6 节、喙第 4+5 节顶端、足胫节端部 1/5~1/4 及跗节灰黑色至黑色；腹部、尾片、尾板灰褐色，其余淡色。头部背面有圆形颗粒，中域光滑，腹面粗糙。胸部、腹部表皮粗糙，有明显鳞状曲纹，腹部第7、8背片有横纹；腹部各节分节明显。气门不明显，小肾形关闭，第5～6节气门与第6～7节气门间距约相等，气门片淡色；节间斑不显。中胸腹岔宽，有长柄。体毛短钝不显著，头顶毛与腹部第1背片毛约等长，约为触角第3节直径的0.16倍，第8背片毛长为其0.32倍。中额平直，额瘤显著隆起半圆形。触角短粗，各节有明显瓦纹，长1.10mm，为体长的0.54倍；第3节长0.32mm，第1～6节长度比例为22:19:100:54:41:28＋85；第1～6节毛数为5或6、4或5、8～10、4或5、2、1～3＋0或1根；触角毛短稍钝，第3节毛长为该节直径0.14倍。喙端部达中足基部，第4＋5节长为基宽的2.20倍，为后足第2跗节的1.20倍；有原生刚毛2对，次生短刚毛2对。足各节粗短。后足股节长0.53mm，为该节最宽直径的9倍，为触角第3节的1.70倍，有瓦纹；后足胫节长0.89mm，为体长的0.43倍，后足胫节毛长为该节直径的0.31倍。第1跗节毛序为2、2、3。腹管长筒形，基部宽，向端部渐细，顶端收缩，有微刺突组成瓦状纹，两缘微锯齿状，有缘突，无切迹，长0.39mm，为体长的0.18倍，为尾片的2倍，为触角第3节的1.20倍。尾片圆锥形，末端钝圆，有微刺突瓦纹，有短毛4或5根。尾板半圆形，有毛10～16根。生殖板淡色，有短毛8根。

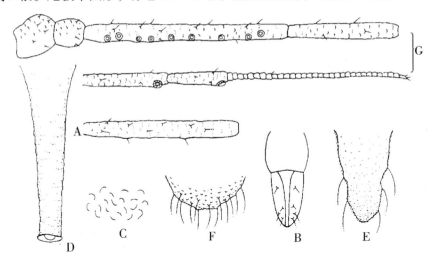

图379　金针瘤蚜 *Myzus hemerocallis* Takahashi
无翅孤雌蚜（apterous ovipara）
A. 触角第3节（antennal segment 3）；B. 喙第4＋5节（ultimate rostral segment）；C. 腹部背斑纹（dorsal scleroites on abdomen）；D. 腹管（siphunculus）；E. 尾片（cauda）；F. 尾板（anal plate）
有翅孤雌蚜（alate ovipara）
G. 触角（antenna）

有翅孤雌蚜体长卵形，体长2mm，宽0.90mm。活体头部、胸部黑褐色，腹部淡绿色。玻片标本头部、胸部黑褐色。腹部淡色，斑纹灰色不甚明显，第1～6背片有大型缘斑；第1、2背片中侧斑为不规则小斑，第3～6背片各中侧斑愈合为横带或1个背中斑，第7、8背片各形成横带。第3～6节触角、股节端部1/2、胫节端部1/4、跗节及腹管黑褐色。头部背面有皱纹，前缘有粗糙鳞纹；腹部第 1～6 背片有微刺状鳞纹，腹面有瓦纹，第 7、8 背片有明显微刺突横纹。气门片稍隆起灰色。节间斑灰褐色，不明显。触角有瓦纹，长 1.50mm，为体长的 0.72 倍；第 3 节长 0.43mm，第 1～6 节长度比例为 18：16：100：54：41：28 + 85；第 3 节毛长为该节直径的 0.32 倍；第 3 节有次生感觉圈 6～11 个，分布外侧，排成 1 行；第 4 节偶有次生感觉圈。后足股节长 0.53mm，长为宽的 7.80 倍，为触角第 3 节的 1.30 倍；后足胫节长 1mm，为体长的 0.43 倍，后足胫节毛长为该节中宽的 0.55 倍。翅脉正常。腹管长管形，有缘突和切迹，长 0.33mm。尾片长圆锥形，中部收缩，有毛 5 或 6 根。尾板有毛 10～14 根。生殖板有短毛 14 根。其他特征与无翅孤雌蚜相似。

生物学：寄主植物为黄花菜 *Hemerocallis citrina* 和萱草 *H. fulva* 等萱草属植物。金针瘤蚜在台湾和广州等热带、亚热带地区在 3 月间为害萱草属植物嫩叶基部。在北方大都于 5 月间大量寄生于金针菜和黄花菜心叶及基部，基部 10～13cm 叶面常盖满蚜虫。严重时部分植株心叶被害枯死，影响产量。6 月上中旬蚜虫数量常下降。该种是金针菜和黄花菜的重要害虫。

分布：陕西（秦岭）、北京、河北、河南、甘肃、青海、台湾、广东；日本。

(30) 杏瘤蚜 *Myzus mumecola* (**Matsumura，1917**)（图 380）

Macrosiphum mumecola Matsumura, 1917：399.

Myzus umecola Shinji, 1924：368.

Myzus mumecola：Holi, 1929：97.

鉴别特征：无翅孤雌蚜体卵圆形，体长 2.40mm，体宽 1.30mm。活体淡绿色。玻片标本淡色，头顶、触角第 6 节及足跗节灰黑色，喙、足胫节、尾片及尾板稍骨化灰色。头部背面有很多圆形微突起，前、中胸背板有微突起构成瓦纹，后胸背板及腹部第 1～6 背片有不规则微曲纹；第 7、8 背片有明显粒状突起构成瓦纹。气门圆形，关闭，气门片淡色。节间斑不显。中胸腹岔有短柄。体毛稍长尖锐；头部有中额毛 2 根，额瘤毛 4～5 对，头背毛 8 根；前胸背板有中、侧、缘毛各 2 根，中胸背板有中毛 6 根，侧、缘毛各 4 根；后胸背板有中、侧、缘毛各 4 根；腹部第 1～6 背片有中、侧、缘毛各 4 根；第 7 背片有毛 6 根，第 8 背片有毛 4 根；头顶毛、腹部第 1 背片毛、第 8 背片毛长分别为触角第 3 节直径的 0.95 倍、0.49 倍、0.62 倍。中额稍隆，额瘤显著隆起内倾，额瘤顶端有多个小圆形突起。触角 6 节，有瓦纹，全长 1.50mm，为体长的 0.63 倍；第 3 节长 0.48mm；第 1～6 节长度比例为 15：12：100：58：44：24 + 65；第 1～6 节毛数为 9 或 10、4 或 5、20～27、10～18、7～9、2 或 3 + 1～5 根，第 3 节毛长为该节直径的 0.49 倍；原生感觉圈无睫。喙短，端部达中足基节；第 4 + 5 节长为基宽的 2.30 倍，为后足第 2 跗节的 1.30 倍；有原生刚毛 2 对，次生刚毛 3 对。后足股节长 0.61mm，为触角第 3 节的 1.30 倍，端部外缘有微圆突纹；后足胫节长 1.10mm，为体长的 0.46 倍，后足胫节毛长为该节中宽的 0.92 倍；第 1 跗节毛序为 3、3、3。

腹管长圆筒形，有微刺突瓦纹，缘突、切迹明显，长 0.61mm，为体长的 0.25 倍，为基宽的 7 倍，为尾片的 3 倍。尾片短圆锥状，末端钝，有小刺突构成横纹，长 0.23mm，不长于基宽，有长曲毛 6～8 根。尾板半圆形，有毛 12～14 根。生殖板淡色，半圆形，末端平，有短毛 16 根。

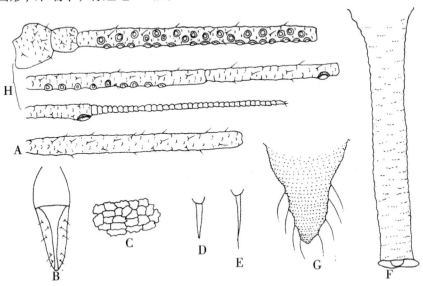

图 380　杏瘤蚜 *Myzus mumecola*（Matsumura）

无翅孤雌蚜（apterous viviparous female）

A. 触角第 3 节（antennal segment 3）；B. 喙第 4 + 5 节（ultimate rostral segment）；C. 体背网纹（dorsal polygonal reticulations）；D. 体背毛（dorsal seta of body）；E. 体腹面毛（ventral seta of body）；F. 腹管（siphunculus）；G. 尾片（cauda）

有翅孤雌蚜（alate viviparous female）

H. 触角（antenna）

　　有翅孤雌蚜体长卵形，体长 2.60mm，体宽 0.96mm。玻片标本头部、胸部骨化黑色；腹部淡色，有明显黑斑。触角、喙第 3～5 节、腹管、足基节、转节、股节端部 3/4、胫节端部 1/4 及基部、跗节、生殖板黑色，其他部分淡色。腹部第 4～6 背片中、侧斑愈合为 1 个大方斑，第 1、2 背片有大圆形缘斑 1 个，中斑缺，侧斑断续分散；第 3、4 背片各有大缘斑 1 个；腹管后斑大，前斑缺；第 7、8 背片各有 1 个横带，第 8 背片背斑灰色。气门圆形半，开放，气门片黑色。头部有背毛 18 根；中胸背板有中、侧毛 10 根，缺缘毛；后胸背板有中、侧毛 6 根；腹部第 1～3 背片各有中毛 4 根，侧毛 2 根，第 1 背片有缘毛 2 根，第 2、3 背片各有缘毛 4 根；第 4、5 背片各有中毛 2 根，侧毛、缘毛各 4 根；第 6 背片有中、侧、缘毛各 4 根；第 7、8 背片各有毛 6 根。触角 6 节，全长 1.90mm，为体长的 0.73 倍；第 3 节长 0.51mm，第 1～6 节长度比例为 15∶11∶100∶76∶54∶27 + 84；第 3、4 节分别有次生感觉圈为 28～38 个、9～12 个。喙第 4 + 5 节有次生刚毛 4 对。尾片短圆锥形。腹管长筒状，长 0.44mm，为尾片的 3.20

倍。尾板末端稍平。生殖板有 12～14 根短毛和 2 根长毛。其他特征与无翅孤雌蚜相似。

生物学：寄主植物为杏 Armeniaca vulgaris，国外记载也为害梅 A. mume。一般在幼叶背面取食，使叶片向反面纵卷。

分布：陕西(秦岭)、黑龙江、辽宁、北京、河北、内蒙古、河南、甘肃、青海、新疆、福建、台湾、四川；俄罗斯，日本。

(31) 桃蚜 *Myzus persicae* (Sulzer, 1776)(图 381)

Aphis persicae Sulzer, 1776：105.

Myzus persicae：Hori, 1929：99.

鉴别特征：无翅孤雌蚜体卵圆形，体长 2.20mm，体宽 0.94mm。活体淡黄绿色、乳白色，有时赭赤色。玻片标本淡色，头部、喙第 4 + 5 节、触角第 5、6 节原生感觉圈前后、第 6 节鞭部端半部、胫节端部 1/4、跗节、腹管顶端、尾片及尾板稍深色。头部表面粗糙、有粒状结构，背中区光滑，侧域粗糙；胸部背板有稀疏弓形纹；腹部背片有横皱纹，有时可见稀疏弓形纹，第 7、8 背片有粒状微刺组成的网纹。气门肾形，关闭，气门片淡色。中胸腹岔无柄。体背毛粗短，尖锐，长约为触角第 3 节直径的 1/3～2/3；头部有额瘤毛每侧 4 根，头背毛 8～10 根；前胸背板有毛 8 根，中胸背板有毛 14 根，后胸背板有毛 10 根；腹部第 1～8 背片毛数为 8、10、8、12、8、6、8、4 根。中额微隆起，额瘤显著，内缘圆形，内倾。触角 6 节，第 3～6 节有瓦纹，全长 2.10mm，为体长的 0.80 倍；第 3 节长 0.50mm，第 1～6 节长度比例为 24：16：100：80：64：30 + 108；第 1～6 节毛数为 5、3、16、11、5、3 + 0 根，第 3 节毛长为该节直径的 1/4～1/3。喙端部达中足基节，第 4 + 5 节长为基宽的 1.60～1.80 倍，为后足第 2 跗节的 0.92～1.00 倍。后足股节长 0.73mm，为触角第 3 节的 1.50 倍。后足胫节长 1.30mm，为体长的 0.59 倍，毛长为该节直径的 0.70 倍；股节端半部及跗节有瓦纹；第 1 跗节毛序为 3、3、2。腹管圆筒形，向端部渐细，有瓦纹，端部有缘突，长 0.53mm，为体长的 0.20 倍，为尾片的 2.30 倍，稍长于触角第 3 节，与第 6 节鞭部等长。尾片圆锥形，近端部 2/3 收缩，有曲毛 6 或 7 根。尾板末端圆形，有毛 8～10 根。生殖板有短毛 16 根。

以上记述的是在夏寄主上的无翅孤雌蚜，而春季在桃树上的个体体毛稍长，腹管稍短，亚端部无膨大，腹部第 1～5 节常有小缘瘤各 1 对，第 7、8 背片小中瘤更明显。体黄绿色，有翠绿色背中线和侧横带。

有翅孤雌蚜体长 2.20mm，体宽 0.94mm。活体头部、胸部黑色，腹部淡绿色。玻片标本头部、胸部、触角、喙、股节端部 1/2、胫节端部 1/5、跗节、翅脉、腹部横带和斑纹、气门片、腹管、尾片、尾板和生殖板灰黑色至黑色，其他部分淡色。腹部第 1 背片有 1 行零星狭小横斑，第 2 背片有 1 个背中窄横带，第 3～6 背片各横带融合为 1 个背中大斑，第 7、8 背片各有 1 个背中横带；第 2、4 背片各有大缘斑 1 对；

腹管前斑窄小，腹管后斑大，并与第 8 背片横带相接。第 8 背片背中有 1 对小中瘤。
节间斑明显。触角 6 节，全长 2mm，为体长的 0.78 ~ 0.96 倍；第 3 节长 0.46mm，第
1 ~ 6 节长度比例为 20∶16∶100∶83∶67∶31 + 110；第 3 节有小圆形次生感觉圈 9 ~ 11
个，在全长外缘排成 1 行。后足股节长 0.66mm，为触角第 3 节的 1.40 倍；后足胫节
长 1.30mm，为体长的 0.59 倍，毛长为该节直径的 0.69 倍。腹管长 0.45mm，为体长
的 0.20 倍，约等于或稍短于触角第 3 节。尾片长为腹管的 0.47 倍，有曲毛 6 根。尾
板有毛 7 ~ 16 根。其他特征与无翅孤雌蚜相似。

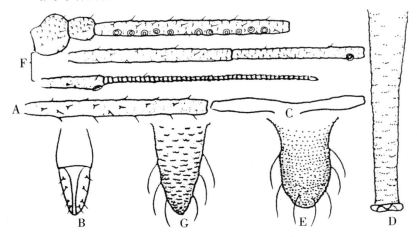

图 381　桃蚜 *Myzus persicae*（Sulzer）

无翅孤雌蚜（apterous viviparous female）

A. 触角第 3 节（antennal segment 3）；B. 喙第 4 + 5 节（ultimate rostral segment）；C. 中胸腹岔（mesosternal furca）；
D. 腹管（siphunculus）；E. 尾片（cauda）

有翅孤雌蚜（alate viviparous female）

F. 触角（antenna）；G. 尾片（cauda）

生物学：寄主植物为桃 *Amygdalus persica*、李 *Prunus salicina*、杏 *Armeniaca vulgar-is*、萝卜 *Raphanus sativus*、白菜 *Brassica rapa* var. *glabra*、辣椒 *Capsicum annuum*、茄 *Solanum melongena*、苋菜 *Amaranthus tricolor*、花生 *Arachis hypogaea*、燕麦 *Avena sativa*、菘蓝（板蓝根）*Isatis indigotica*、岩白菜（温室）*Bergenia purpurascens*、鸡冠花 *Celosia cristata*、毛叶木瓜（木本藤）*Chaenomeles cathayensis*、茼蒿叶 *Chrysanthemum coronari-um*、刺菜 *Cirsium* sp.、蜡梅 *Chimonanthus praecox*、山楂树 *Crataegus pinnatifida*、曼陀罗 *Datura stramonium*、大豆 *Glycine max*、指甲花 *Impatiens* spp.、牵牛（喇叭花）*Ipo-moea nil*、苦荬菜 *Ixeris polycephala*、莴笋 *Lactuca sativa*、独行菜 *Lepidium apetalum*、番茄（西红柿）*Lycopersicon esculentum*、天女木兰 *Magnolia sieboldii*、山荆子（山定子）*Malus baccata*、白兰 *Michelia alba*、列当（温室）*Orobanche coerulescens*、人参 *Panax gin-seng*、红蓼（东方蓼）*Polygonum orientale*、月季 *Rosa chinensis*、瓜叶菊（温室）*Senecio cineraria*、芝麻 *Sesamum indicum*、白芥子 *Sinapis alba*、龙葵 *Solanum nigrum*、马铃薯 *Solanum tuberosum*、高粱 *Sorghum bicolor*、丁香 *Syringa oblata*、夜来香 *Telosma cordata*、

大果榆(黄榆) *Ulmus macrocarpa*、鸡树条(鸡树条荚迷) *Viburnum opulus*。其他地区记载的寄主植物有甘蓝 *Brassica oleracea* var. *capitata*、油菜 *Brassica rapa* var. *oleifera*、芥菜 *Brassica juncea*、芜青 *Brassica rapa*、花椰菜 *Brassica oleracea* var. *botrytis*、烟草 *Nicotiana tabacum*、枸杞 *Lycium chinense*、棉 *Gossypium* sp.、蜀葵 *Althaea rosea*、甘薯 *Dioscorea esculenta*、蚕豆 *Vicia faba*、南瓜 *Cucurbita moschata*、甜菜 *Beta vulgaris*、厚皮菜 *Beta vulgaris* var. *cicla*、芹菜 *Apium* sp.、茴香 *Foeniculum vulgare*、菠菜 *Spinacia oleracea*、三七 *Panax pseudoginseng* var. *notoginseng* 和大黄 *Ligularia duciformis* 等多种经济植物和杂草。桃蚜是多食性蚜虫,是桃、李、杏等的重要害虫,幼叶背面受害后向反面横卷或不规则卷缩,使桃叶营养恶化,甚至变黄脱落。蚜虫排泄的蜜露滴在叶片上,诱致霉病,影响桃的产量和品质。桃蚜也是烟草的重要害虫,又名烟蚜,烟株幼嫩部分受害后生长缓慢,甚至停滞,影响烟叶的产量和品质。十字花科蔬菜、油料作物芝麻、油菜及某些中草药常遭受桃蚜的严重为害。温室中多种栽培植物也常严重受害,所以又叫温室蚜虫。桃蚜还能传播农作物多种病毒病。本种是常见多发害虫。桃蚜的重要天敌有异色瓢虫、七星瓢虫、龟纹瓢虫、双带盘瓢虫、六斑月瓢虫、四斑月瓢虫、十三星瓢虫、多异瓢虫、二星瓢虫、狭臀瓢虫、十一星瓢虫、素鞘瓢虫、食蚜斑腹蝇、黑带食蚜蝇、大绿食蚜蝇、普通草蛉、大草蛉、小花蝽、蚜茧蜂和蚜霉菌等,其中以寄生蜂最为重要。

分布:陕西(西安、宝鸡)、黑龙江、吉林、辽宁、北京、河北、天津、内蒙古、宁夏、甘肃、青海、湖南、福建、云南、西藏,全国广布;世界广布。

22. 新弓翅蚜属 *Neotoxoptera* Theobald,1915

Neotoxoptera Theobald,1915:31. **Type species**:*Neotoxoptera violae* Theobald,1915(nec Pergande,1900)= *Micromyuzus oliveri* Essig,1935.

属征:头部粗糙,额瘤发达,向前突出,呈"凹"字形。中额稍隆起。有翅孤雌蚜触角第3~5节有突出的次生感觉圈。翅脉明显镶黑边。胫节有蜡孔。腹管管状,平滑,近中部膨大,两端稍小。尾片圆锥形。

生物学:寄主植物有百合科 Liliaceae 的葱 *Allium fistulosum*、山韭 *A. senescens*,堇菜科 Violaceae 的堇菜 *Viola verecunda* 和石竹科 Caryophyllaceae 的繁缕 *Stellaria media* 等。

分布:世界性分布。秦岭地区发现1种。

(32) 葱蚜 *Neotoxoptera formosana* (**Takahashi,1921**)(图382)

Fullawayella formosana Takahashi,1921:29.

Micromyzus alliumcepa Essig,1936:72.

Micromyzus fuscus Richards,1956:203.

Neotoxoptera formosana:Miyazaki,1971:133.

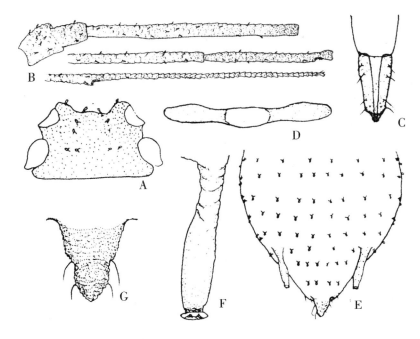

图 382　葱蚜 *Neotoxoptera formosana*（Takahashi）

无翅孤雌蚜（apterous viviparous female）

A. 头部背面观（dorsal view of head）；B. 触角（antenna）；C. 喙第 4 + 5 节（ultimate rostral segment）；D. 中胸腹岔
（mesosternal furca）；E. 腹部背面观（dorsal view of abdomen）；F. 腹管（siphunculus）；G. 尾片（cauda）

鉴别特征： 无翅孤雌蚜体卵圆形，体长 2mm，体宽 1.10mm。活体黑色或黑褐色，有光泽。玻片标本头部及前胸骨化黑色；中胸背板有侧斑及缘斑；腹部淡色，无缘斑，第 7、8 背片各有 1 个横带。触角第 1、2、6 节及第 3~5 端部、足基节、股节端部 3/4、胫节端部及跗节黑色；喙第 4 + 5 节、尾片后半部、尾板、生殖板灰色；腹管淡色。体表有淡色大型网纹，头部背面有粗刻点横纹，体背斑上有小刺突瓦纹。气门三角形，关闭，气门片突起，深色骨化。中胸腹岔有短柄。体背毛短，钝顶；头部有头顶毛 3 对，头背毛 4 对；腹部第 1~7 背片分别有中、侧毛各 1~2 对，缘毛 2 对；第 8 背片有短刚毛 2 对，毛长为触角第 3 节直径的 1/5。中额稍隆，额瘤隆起外倾，有粗糙小突起。触角 6 节，细长，第 3~6 节有瓦纹，全长 1.90mm，约等于或稍短于体长，第 3 节长 0.71mm，第 1~6 节长度比例为 17：15：100：66：60：25 + 92；触角毛短钝，1~6 节毛数为 7 或 8、4 或 5、16~18、10~13、9、2 或 3 + 0 或 1 根；第 3 节毛长为该节直径的 0.19 倍。喙粗短，端部达中足基节，第 4 + 5 节长 0.10mm，与后足第 2 跗节约等长；有原生刚毛 3 对，次生短刚毛 2~3 对。足细长；后足股节长 0.59mm，为触角第 3 节的 1.20 倍；后足胫节长 0.97mm，为体长的 0.48 倍，毛长为该节直径的 0.67 倍；第 1 跗节毛序为 2、2、2。腹管光滑，花瓶状，中部膨大，端部收缩，长 0.28mm，为体长的 0.14 倍，为尾片的 2.20 倍。尾片长瘤状，有小刺突构成横纹，有刚毛 3 对。尾板末端圆形，有刚毛 4 对。生殖板椭圆形，骨化，有 12~14 根后缘毛，前部有稍长刚毛 1 对。

生物学：寄主植物为葱 *Allium fistulosum* 和韭菜 *A. tuberosum*，国外记载尚可为害洋葱 *A. cepa* 和其他葱属植物。在葱叶上为害。受干扰有自行掉落的习性。在台湾全年孤雌生殖，1～2 月发生最多，可造成一定危害。

分布：世界广布。

23. 圆瘤蚜属 *Ovatus* van der Goot, 1913

Ovatus van der Goot, 1913：84. **Type species**：*Aphis insitus* Walker, 1849 = *Ovatus mespili* van der Goot, 1913.

属征：额瘤圆，内倾，高于中额。触角长于身体，第 3 节无次生感觉圈，第 3 节毛长为该节直径的 0.40～0.90 倍。腹管圆筒形，向端部渐细或渐膨大，有瓦纹。有翅孤雌蚜腹部背片中域无骨化斑。

生物学：取食于梨亚科 Pomaceae、唇形科 Lamiaceae 及菊科 Compositae 植物。

分布：世界性分布。秦岭地区发现 2 种。

分种检索表

腹管端部灰黑色，其他部分淡色；中胸腹岔有短柄；触角第 3 节毛长为该节直径的 0.20 倍……
…… 山楂圆瘤蚜 *O. crataegarius*
腹管漆黑色；中胸腹岔无柄；触角第 3 节毛长为该节直径的 0.33 倍 … 苹果瘤蚜 *O. malisuctus*

(33) 山楂圆瘤蚜 *Ovatus crataegarius*（Walker, 1850）(图 383)

Aphis crataegaria Walker, 1850：46.
Aphis melissae Walker, 1852：1045.
Aphis menthae Walker, 1852：1045.
Ovatus crataegarius：Heinze, 1960：826.
Ovatus menthae：Tao, 1963：166.

鉴别特征：无翅孤雌蚜体长卵形，体长 2mm，体宽 0.96mm。活体淡绿色至深绿色。玻片标本淡色，无斑纹。触角淡色，各节间处及第 6 节褐色；喙顶端、胫节端部及跗节黑色，尾片、尾板及腹管端部灰黑色，其他部分淡色。头部前缘有小刺突及横纹，腹面前部有小刺突，背中域光滑，其他部分有横纹；胸部背面有横曲纹或纵曲纹，腹面有横网纹；腹部第 1～6 背片光滑或有模糊三角横纹，第 7、8 背片有瓦纹，各节缘域有明显鳞状瓦纹。气门大肾形至圆形，关闭，气门片表面粗糙。节间斑淡色不明显。中胸腹岔有短柄。体背毛短小，钝顶，不明显；头部有中额毛 1 对，额瘤毛 3 对，头部背面毛 4 对；后胸背板及腹部第 1～4 背片各有毛 8～10 根，第 5～8 背片各有毛 3 或 4 根；头顶毛、腹部第 1 背片缘毛、第 8 背片毛长分别为触角第 3 节直径的 0.36 倍、0.18 倍、0.28 倍。中额稍隆，额瘤甚明显突起，内倾，呈高馒状，有粗糙圆形微突起，额中缝可见。触角6节，有瓦纹，内缘突起呈锯齿状，全长1.90mm，为体长的0.98~1.00倍；第3节长0.47mm，第1~6节长度比例为18:16:100:70:70:26+113；第1~6节毛数为5或6、4或5、14~16、6~8、5或6、3+2根，第3节毛长为该节直径的1/5。喙粗大，端部超过中足基节，第4+5节长圆锥形，两缘平直，长为基宽的3.10倍，为后足第2跗节的1.40倍；有原生刚毛3对，次生刚毛2对，偶有4对。足有微瓦纹，后足股节长0.52mm，为触角第3节的1.10倍；后足胫节长0.96mm，为体长的0.49倍，毛长为该节直径的0.59倍；第1跗节毛序为3、3、3。腹管长筒形，逐渐向端部细，有瓦纹，顶端有2或3行网纹，有明显缘突和切迹，长0.46mm，为体长的0.23倍，为尾片的3倍，与触角第3节约等长。尾片圆锥形，中部及端部稍有收缩，有微刺横纹，长0.15mm，有长毛4~6根。尾板半圆形，有长毛9~12根。生殖板半圆形，有短刚毛10~12根。

有翅孤雌蚜身体长卵形。活体头部与前胸绿色，后胸黑色，腹部绿色。玻片标本头部、胸部褐色，腹部淡色，无斑纹。触角灰黑色，喙、足及腹管淡色，喙端部、股节顶端及胫节端部1/6深褐色；尾片、尾板灰色。体表光滑，微有横纹，体缘稍显瓦纹。气门肾形，半开放至关闭，气门片稍骨化。体背毛短小、钝顶，不明显，第8背片有毛3或4根。触角6节，全长1.90mm，为体长的0.95倍；第3节长0.38mm，第1~6节长度比例为21:17:100:82:82:29+177；第3~5节分别有微突起的圆形次生感觉圈为46~52个、29~33个、10~15个。喙端部达中足基节。后足股节长0.50mm，为触角第3节的1.30倍；后足胫节长1.10mm，为体长的0.58倍。翅脉正常。腹管长筒形，长0.32mm，为尾片的2.30倍，为触角第3节的0.85倍。尾片有长毛6或7根。尾板有毛9~13根。其他特征与无翅孤雌蚜相似。

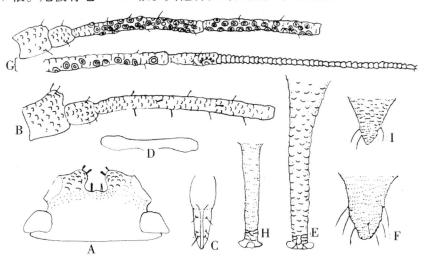

图383　山楂圆瘤蚜 *Ovatus crataegarius*（Walker）

无翅孤雌蚜（apterous viviparous female）

A. 头部背面观（dorsal view of head）；B. 触角第1~3节（antennal segments 1~3）；C. 喙第4+5节（ultimate rostral segment）；D. 中胸腹岔（mesosternal furca）；E. 腹管（siphunculus）；F. 尾片（cauda）

有翅孤雌蚜（alate viviparous female）

G. 触角（antenna）；H. 腹管（siphunculus）；I. 尾片（cauda）

生物学：原生寄主为山楂 Crataegus pinnatifida、苹果 Malus pumila、海棠花 M. spectabilis、榅桲 Cydonia oblonga 和木瓜 Chaenomeles sinensis 等；次生寄主为薄荷 Mentha canadensis 和地笋 Lycopus lucidus 等。山楂圆瘤蚜是山楂等果树和中草药薄荷的害虫。以卵在山楂、苹果等果树枝条上越冬，3 月间果树发芽时孵化，4 月下旬至 6 月上旬发生有翅迁移蚜迁向薄荷和地笋等植物叶背面，同时继续在山楂等果树上为害，4～7 月间分散在山楂、苹果、海棠和木瓜等幼叶背面为害。被害叶不卷缩。5～10 月为害薄荷和地笋。10～11 月间发生雌蚜和有翅雄蚜，交配后，在山楂等枝条上产卵越冬。

分布：陕西(秦岭)、黑龙江、辽宁、北京、河北、河南、甘肃、新疆、山东、江苏、浙江、台湾、云南；俄罗斯，朝鲜，日本，印度，欧洲，北美洲。

（34）苹果瘤蚜 *Ovatus malisuctus*（**Matsumura，1918**）（图 384）

Myzus malisuctus Matsumura, 1918：16.

Aphis japonica Essig *et* Kuwana, 1918：70.

Myzus japonicus：Monzen, 1929：53.

Myzus takahashii Strand, 1929：22.

Ovatus malisuctus：Hori, 1929：91.

Myzus chaenomelis Dzhibladze, 1951：225.

鉴别特征：无翅孤雌蚜体纺锤形，体长 1.50mm，体宽 0.75mm。活体绿褐色、红褐色或黄色微带绿色，有斑纹。玻片标本污灰褐色。额部、各胸节缘域、腹管后部背片灰黑色，腹管前部背片淡色。触角第 1、2、5、6 节及第 4 节端部、喙第 3～5 节、股节端半部、胫节端部 1/5～1/4、尾片及尾板灰黑色；腹管及跗节漆黑色。体表粗糙，有深色不规则曲纹；头部背面前缘和后部及腹面粗糙。缘瘤不显。气门肾形关闭，腹部第 6、7 节气门间距明显短于第 5、6 节气门间距。中胸腹岔两臂分离。体背毛甚短，腹部第 1～8 背片各有中毛 1 对，缺侧毛，第 3～5 背片各有缘毛 1 对；头顶毛、腹部第 1 背片毛、第 8 背片毛长为触角第 3 节直径的 0.38～0.54 倍。中额微隆，额瘤显著。触角 6 节，全长 0.88mm，为体长的 0.53～0.55 倍；第 3 节长 0.21mm，第 1～6 节长度比例为 33：23：100：65：52：33＋116；触角毛淡色钝顶，第 3 节毛长为该节直径的 1/3。喙端部可达中足基节，第 4＋5 节长 0.10mm，为基宽的 2.20～2.40 倍，为后足第 2 跗节的 1.10～1.30 倍，有次生刚毛 1 对。足短；后足股节有瓦纹，长 0.41mm，为触角第 3 节的 2 倍；后足胫节长 0.66mm，为体长的 0.44 倍，后足胫节毛长为该节直径的 0.50 倍；第 1 跗节常有毛 2 根，有时 3 根。爪基部毛与爪等长，尖端弯曲。腹管长圆筒形，顶端向内，边缘有深锯齿，长 0.31mm，为体长的 0.21 倍，为触角第 3 节的 1.40～1.50 倍。尾片圆锥形，基部不收缩，长 0.13mm，与基宽约相等，有曲毛 6 或 7 根。尾板半圆形，有毛 9～13 根。生殖板大，末端圆形，突出，有毛 14～18 根。

有翅孤雌蚜体长 1.60mm，体宽 0.68mm，活体红褐色。玻片标本头部、触角、喙

第3~5节、胸部、足、翅脉、腹部斑纹、气门片、腹管、尾片、尾板及生殖板灰黑色至黑色；转节、股节基部、胫节中部及其他部分淡色。腹部第1背片有细短中带，第2、3背片有时各有1横行小斑，第4、5背片各有中斑、侧斑相愈合的宽长横带，第6、7背片各有中斑形成宽短横带，各带有时中断，夹杂有淡色部分，第5、6背片横带愈合为背中大斑；第2~4背片缘斑大，腹管后斑明显，腹管前斑缺。体背斑纹上有微刺突组成的瓦纹。气门肾形，开放，腹部第6、7背片气门片最大，颜色最深。触角6节，全长1.30mm，为体长的0.80倍；第3节长0.36mm，第1~6节长度比例为18:14:100:49:40:23+118；第3节毛长为该节直径的0.19倍；第3~5节分别有次生感觉圈为23~27个、4~8个、0~2个，第3节次生感觉圈分散于全长。腹管长0.24mm，为触角第3节的0.67倍，为尾片的2.20倍。尾片圆锥形，有毛6或7根。尾板有毛9或10根。其他特征与无翅孤雌蚜相似。

　　生物学：寄主植物为苹果 *Malus pumila*、花红（沙果）*M. asiatica*、海棠花 *M. spectabilis*、山荆子（山丁子）*M. baccata*、杏 *Armeniaca vulgaris* 和梨 *Pyrus* sp. 等。在苹果属和梨属植物叶片背面为害，幼芽、幼叶背面边缘部分首先受害，沿叶片背面边缘纵卷，呈双筒形，幼枝节间缩短。为害盛期在5~6月间，常使幼枝端部16cm内的幼叶全部卷缩，影响果树开花结果，是苹果、海棠的重要害虫。

　　分布：陕西（秦岭）、黑龙江、吉林、辽宁、北京、河北甘肃、山东、江苏、福建、广西、云南；朝鲜，日本。

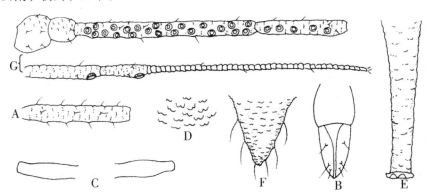

图384　苹果瘤蚜 *Ovatus malisuctus*（Matsumura）

无翅孤雌蚜（apterous viviparous female）

A. 触角第3节（antennal segment 3）；B. 喙第4+5节（ultimate rostral segment）；C. 中胸腹岔（mesosternal furca）；
D. 腹部背斑纹（dorsal scleroite of abdomen）；E. 腹管（siphunculus）；F. 尾片（cauda）

有翅孤雌蚜（alate viviparous female）

G. 触角（antenna）

24. 交脉蚜属 *Pentalonia* Coquerel，1859

Pentalonia Coquerel，1859：259. **Type species**：*Pentalonia nigronervosa* Coquerel，1859.

属征：无翅孤雌蚜，头部粗糙，额瘤发达，中额稍隆；腹管管状，端部略膨胀，有刺突构成的瓦纹，缘突明显，腹管口大，缘突下略缢缩。尾片圆锥形，近基部有缢缩。有翅孤雌蚜触角第3、4、5节有圆形次生感觉圈，排为1列。前翅径脉向下伸至中脉，与中脉愈合至中脉 M_{1+2} 的中部，再向上分离，成1个五角形闭合的室，后翅甚退化，只有1根斜脉，前后翅脉两侧都有宽昙。

分布：世界性分布。秦岭地区发现1种。

(35) 香蕉交脉蚜 *Pentalonia nigronervosa* Coquerel, 1859（图385）

Pentalonia nigronervosa Coquerel, 1859: 260.

Pentalonia caladii van der Goot, 1917: 57.

鉴别特征：无翅孤雌蚜体卵圆形，体长1.28~1.41mm，体宽0.84~1.03mm。活体红褐至黑色。玻片标本淡色，体被网纹；头部，触角第1、2、4和5节端部，第6节基部褐色，各足基节、转节和腿节端部1/4处各足及腹管骨化褐色；尾片、尾板和生殖板淡褐色；腹管褐色；头背部稍骨化，有微刺形成明显的瓦纹，前胸部有瓦纹，中、后胸及腹部各节有隐约的网纹，腹管以后各节有小刺横纹。气门圆形，半开放，气门片骨化淡色，中胸腹岔两臂分离。体背毛粗短扇形，腹面毛短尖。头背毛7根，短钝。中额毛2根。中额稍隆，额瘤隆起内倾，有粗糙小突起。触角6节，第1、2节有成行的小刺，第3~6节有成行的瓦纹，全长1.32~1.54mm，为体长的1.06~1.12倍，第3节长0.31~0.40mm，第1~6节长度比例为22~23:20~22:100:68~71:62~64:21~25+142~147，第6节鞭部为基部长的5.88~6.76倍；第1~6节毛数为4~5、3~5、8~10、7~8、4~5、3+4根，触角毛稀少，短钝，非扇形，第3节毛长约为该节直径的0.25倍。喙达后足基节，顶端钝，第4+5节长0.11mm，长为基宽的1.80~2.01倍，约为后足第2跗节的1.59~1.70倍；有原生刚毛2对，次生刚毛1对，有时2对；足基节、转节、股节有瓦纹，胫节光滑；后足股节长0.46~0.51mm，为触角第3节的1.4倍；后足胫节长0.96~1.05mm，为体长的0.69~0.73倍；第1跗节毛序为3、3、2，前中足第1跗节中毛长于侧毛。腹管长筒形，长0.33~0.37mm，稍长于触角第3节，为体长的0.23~0.27倍，为尾片的3.64~3.70倍；有小刺突组成瓦纹状，两缘锯齿状，中部稍收缩，端部1/4膨大，顶端收缩，缘突明显，有切迹。尾片圆锥形，基部2/3处收缩，因而基部稍圆，端部指状，有刺突构成瓦纹，有毛4根。尾板馒形，有毛8~10根。生殖板有后缘毛12根，前缘毛2根。

有翅孤雌蚜体长卵形，长1.64~1.72mm，宽0.74~0.81mm。活体时头、胸黑色，腹部红褐色至黑色。玻片标本头、胸黑色，腹部淡色，从体内透出黑色斑块，体表有灰色缘斑和节间斑，腹部第2~4背片节缘斑及腹管后斑大、腹管前斑小。前胸及腹部第6背片有馒形缘瘤。触角6节，长1.65~1.71mm，与体同长或稍短，第3节长0.34~0.37mm；第1~6节长度比例为25~27:17~21:100、79~82:65~67:21

~25＋146~151；第3~5节次生感觉圈为9~10个、5~10个、2~8个，均在外缘以适当距离排成1行。后足股节长0.48~0.52mm，为触角第3节之和的0.92~0.96倍；后足胫节长0.99~1.03mm，为体长的0.58~0.63倍。前翅脉深褐色，有宽昙，前翅径分脉与中脉及第1分支相交，后翅甚退化，甚窄短，仅及前翅的1/3，仅有1根斜脉。腹管长0.33~0.36mm，为触角第3节长的0.98~1.12倍。尾片有毛4~6根，分布在基半部，尾板有毛11~15根。其他特征与无翅孤雌蚜相似。

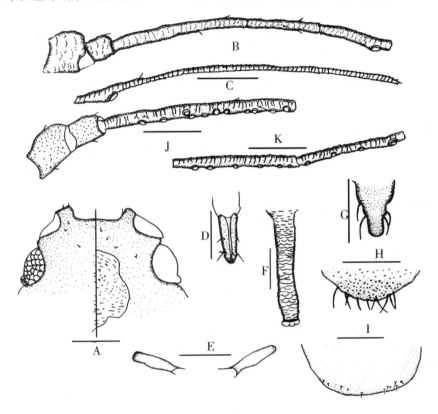

图385　香蕉交脉蚜 *Pentalonia nigronervosa* Coquerel

无翅孤雌蚜（apterous viviparous female）

A. 头部背面观（左）和腹面观（右）（dorsal view（left）and ventral view（right）of head），；B. 触角第1~5节（antennal segments 1-5）；C. 触角第6节（antennal segments 6）；D. 喙4+5节（ultimate rostral segment）；E. 中胸腹岔（mesosternal furca）；F. 腹管（siphunculus）；G. 尾片（cauda）；H. 尾板（anal plate）；I. 生殖板（gential plate）

有翅孤雌蚜（alate viviparous female）

J. 触角第1~3节（antennal segments 1-3）；K. 触角第4~5节（antennal segments 4-5）

生物学：寄主植物有香蕉 *Musa paradisiaca*、大蕉 *Musa basjoo*、麻蕉等芭蕉属 *Musa* 植物、良姜、玉桃等良姜属植物、旅人蕉属 *Ravenala*、杯芋属 *Caladium*、海芋属 *Alocasia*、蝎尾蕉属 *Heliconia*、花叶万年青属 *Dieffenbachia*、姜花属、鹤望兰属 *Strelitzia* 及仙人掌属 *Opuntia* 等植物。香蕉交脉蚜是热带、亚热带地区常见蚜虫，是香蕉、大蕉和麻蕉等芭蕉属植物和姜科植物的重要害虫，常在嫩顶、幼叶和地下部分大量发生为害，并能传播一种病毒病，叫做香蕉束顶病，病叶沿叶柄或中脉下部发生不规则或成条的浓绿色条斑，病叶短窄，边缘上卷，叶片脆硬易折裂。幼病株矮缩，不能长大，叶片在植株顶部聚成丛，影响香蕉和麻蕉的产量和品质。本种全年都有发生，曾见 3~5 月和 8~9 月大量发生。

　　分布：陕西（西安）、福建、台湾、广东、海南、云南；世界广布。

25. 疣蚜属 *Phorodon* Passerini，1860

Phorodon Passerini，1860：27. **Type species**：*Aphis humuli* Schrank，1801.

　　属征：额瘤显著，高于中额，上有指状突起，长大于宽。触角第 1 节内端甚突出。复眼有眼瘤。无翅孤雌蚜触角第 3 节无次生感觉圈；有翅孤雌蚜触角第 3、4 节有次生感觉圈。有翅孤雌蚜腹部背片中域有 1 个大斑，腹管管状或膨大，尾片圆锥形。

　　生物学：原生寄主为蔷薇科 Rosaceae 植物，次生寄主为桑科 Moraceae 的葎草 *Humulus scandens* 等。

　　分布：古北区。秦岭地区发现 3 种。

分种检索表

1. 体背毛头状；腹管细长，无弯曲；触角第 6 节鞭部为基部长的 4.48~4.69 倍 ……………………
……………………………………………………………… **大麻疣蚜 *Ph. cannabis***
　 体背毛尖锐，最多端部稍钝 …………………………………………………………… 2
2. 腹管长管形，直，无弯曲；触角第 6 节鞭部为基部长的 3.38~3.47 倍 ……………………
…………………………………………………………… **葎草疣蚜 *Ph. humuli japonensis***
　 腹管长管形，端半部明显向腹部内侧弯曲；触角第 6 节鞭部为基部长的 2.74~2.86 倍
…………………………………………………………… **葎草叶疣蚜 *Ph. humulifoliae***

(36) 大麻疣蚜 *Phorodon cannabis* Passerini，1860（图 386）

Phorodon cannabis Passerini，1860：34.

Phoradon asacola Matsumura，1917：405.

Capitophrus cannabifoliae Shinji，1924：357.

Paraphorodon omeishanensis Tseng et Tao，1938：195.

Paraphorodon cannabis：Zhang & Zhong，1983：276.

　　鉴别特征：无翅孤雌蚜体长卵形，体长 2.40mm，体宽 0.97mm。活体蜡白色。

玻片标本淡色，无斑纹。触角第5节端部及第6节、喙端部、胫节端部、跗节、尾片及尾板灰褐色至灰黑色，其他部分淡色。体表粗糙，有明显曲纹，形状多样；体侧有不规则乳头形凸起；头前部有小圆形刺突，中域光滑。气门不明显。节间斑不明显。中胸腹岔无柄。体背毛短粗，顶端球状或锤状，毛基隆起稍骨化；腹部腹面毛长尖；头部有头顶毛2根，额瘤毛8根，头背毛8根，腹面有球顶毛8根；前、中、后胸背板各有中毛4、4、6根，侧毛2、6、6根，缘毛2、6、2根；腹部第1~6背片各有中毛4、4、6、6、4、4根，侧毛4、4、6、6、4、6根，第1~5背片各有缘毛4根，第6背片有缘毛2根，第7背片有毛14根，排为2列，第8背片有毛7根。中额平直，额瘤隆起呈指状，与触角第2节等长。触角6节，第1、2节光滑，第3~6节有瓦纹，第1节端部内缘明显隆起呈指状，全长1.30mm，为体长的0.57倍；第1~6节长度比例为22:21:100:70:62:31+137；触角毛锤状，顶端球状，第1~6节毛数为4、4、5~8、3或4、2或3、2+0根，第3节毛长为该节直径的0.65倍。喙端部达中足基节，第4+5节长为基宽的2.10倍，为后足第2跗节的1.60倍；有原生刚毛2对，次生刚毛3对。后足股节长为触角第3节的1.50倍；后足胫节长为体长的0.35倍；毛长为该节中宽的0.70倍；第1跗节毛序为3、3、3。腹管长圆筒形，基部稍宽，微有瓦纹，有缘突，微有切迹，长为中宽的11.50倍，为触角第3节的2.10倍，为体长的0.27倍，为尾片的3.30倍。尾片圆锥形，端部尖细，有微刺突瓦纹，有长曲毛5或6根。尾板末端圆形，有毛9或10根。生殖板有钝毛约13根。

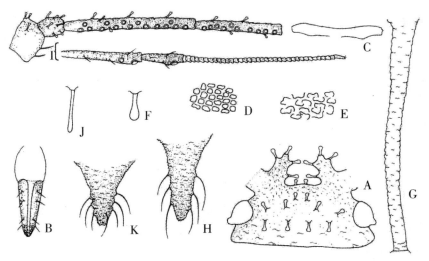

图386 大麻疣蚜 *Phorodon cannabis* Passerini

无翅孤雌蚜（apterous viviparous female）

A. 头部背面观（dorsal view of head）；B. 喙第4+5节（ultimate rostral segment）；C. 中胸腹岔（mesosternal furca）；D. 前、中胸背斑纹（dorsal scleroite of pronotum and mesonotum）；E. 腹部背斑纹（dorsal scleroite of abdomen）；F. 体背毛（dorsal seta of body）；G. 腹管（siphunculus）；H. 尾片（cauda）

有翅孤雌蚜（alate viviparous female）

I. 触角（antenna）；J. 体背毛（dorsal seta of body）；K. 尾片（cauda）

有翅孤雌蚜体长卵形，体长 2.20mm，体宽 0.90mm。活体头部、胸部灰褐色，腹部蜡白色。玻片标本头部、胸部、体表斑纹、触角、喙第 4 + 5 节、股节端部2/3、胫节端部 1/4、跗节、腹管、尾片、尾板及生殖板深褐色至黑色，其他部分淡色。腹部第 1、2 背片个别中、侧毛有毛基斑，第 3 背片中、侧毛基斑扩大为断续横带，第 4 ~ 6 背片中、侧斑愈合为 1 个背中大斑，仅节间有淡色部分；第 1、5 背片各有小缘斑，第 2 ~ 4 及 6 背片各有大缘斑，第 7 背片各斑相连为横带横贯全节，第 8 背片有窄小横带。节间斑明显，腹部第 1 ~ 5 节侧节间斑扩大为横带。体表光滑，头部、胸部稍有纵纹或横纹，体缘及腹部第 4 ~ 8 背片有刺突构成瓦纹。体背毛短钝，头部有毛 20 根，腹部第 1 背片有中、侧、缘毛各 6、2、4 根，第 2 ~ 4 背片有中、侧、缘毛各 6 根，第 5 背片有中、侧、缘毛各 4 根，第 6 背片有中、侧、缘毛各 4、6、4 根，第 7 背片有中、侧、缘毛各 6、4、4 根，第 8 背片有毛 7 根，大致排列为 2 行。触角 6 节，有瓦纹，全长1.50mm，为体长的 0.57 倍；第 1 ~ 6 节长度比例为 20:17:100:62:56:28 + 121；第 3 ~ 5 节分别有小圆形次生感觉圈为 12 ~ 26 个、2 ~ 10个、0 ~ 2 个，第 3 节次生感觉圈分布于全节。喙端部超过前足基节，第 4 + 5 节粗短，长为基宽的 2.30 倍，为后足第 2 跗节的 1.50 倍。翅脉正常，稍有昙。腹管细长，中部渐细，端部稍膨大，光滑，缘突前有 1 个清楚的环状缺刻，其上有 2 或 3 行网纹。尾片有长毛 6 或 7 根。尾板有毛 10 ~ 14 根。生殖板有短毛 13 根。其他特征与无翅孤雌蚜相似。

生物学：寄主植物为大麻(线麻) *Cannabis sativa* 和葎草 *Humulus scandens*。常在 7 ~ 9 月大量发生为害，盖满叶片背面及幼嫩茎，有时老茎也被此蚜盖满。本种是大麻的重要害虫。天敌有黑带食蚜蝇和蚜茧蜂等。

分布：陕西(秦岭)、黑龙江、吉林、辽宁、河北、甘肃、山东；韩国，日本，欧洲。

(37) 葎草疣蚜 *Phorodon humuli japonensis* Takahashi, 1965 (图 387)

Phorodon humuli japonensis Takahashi, 1965：39.

鉴别特征：无翅孤雌蚜体卵圆形，体长 1.90mm，体宽 0.92mm。活体蜡白色至淡绿色。玻片标本淡色，无斑纹；各附肢淡色，触角第 5 节端部及第 6 节、胫节端部、跗节、喙顶端、尾片及尾板灰褐色至灰黑色。体表较光滑，稍有纵、横曲纹，头背前部有小圆形刺突，腹部体缘有曲纹，第 6 ~ 7 背片缘域有瓦纹，第 8 背片有微刺组成瓦纹。气门圆形关闭至半月形开放，气门片稍骨化隆起，节间斑不显。中胸腹岔两臂分离。体背毛短粗，钝顶，腹面毛长尖；头部有中额毛 1 对，额瘤毛 4 对，头背毛 4 对；前胸背板有中、侧、缘毛各 1 对，中胸、后胸背板各有中毛 2 对、侧毛 3 对、缘毛 3 对；腹部第 1 ~ 4 背片各有中毛 2 对，侧毛、缘毛各 1 对，第 5、6 背片各有中、侧、缘毛各 1 对；第 7 背片有毛 6 根，第 8 背片有毛 4 根；头顶毛、腹部第 1 背片毛、第 8 背片毛长分别为触角第 3 节直径的 0.71 倍、0.25 倍、0.77 倍。中额平直，额瘤隆起

呈指状，与触角第 2 节约等长。触角 6 节，第 1 节端部内缘隆起，各节有瓦纹，全长
1.20mm，为体长的 0.66 倍；第 3 节长 0.31mm，第 1～6 节长度比例为
23：19：100：64：60：31 + 106；触角毛短，钝顶，第 1～6 节毛数为 9 或 10、4 或 5、13、
5～8、5、2 或 3 + 0～2 根，第 3 节毛长为该节直径的 1/4。喙端部达中足基节，第
4 + 5 节长 0.11mm，为基宽的 2.20 倍，为后足第 2 跗节 1.60 倍；有原生刚毛 3 对，次
生刚毛 1 对。后足股节长 0.48mm，为触角第 3 节的 1.60 倍，稍短于第 3、4 节之和；
后足胫节长 0.87mm，为体长的 0.47 倍，毛长为该节端部直径的 0.76 倍；第 1 跗节毛
序为 3、3、2。腹管长圆筒形，基部稍宽，微有瓦纹，有缘突、切迹，缘突前方有 1 个
环形缺刻，其上有网纹 3 行，长 0.48mm，为体长的 0.25 倍，为尾片的 0.48 倍，稍短
于触角第 3、4 节之和。尾片圆锥形，有横行微刺突，有长曲毛 5 或 6 根。尾板末端
圆形，有毛 6～9 根。生殖板有毛 9 或 10 根。

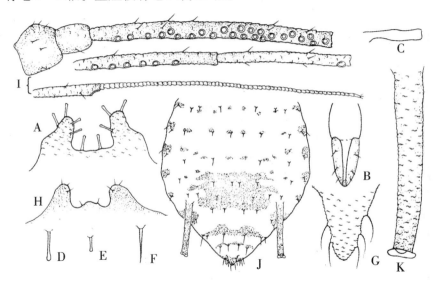

图 387　葎草疣蚜 *Phorodon humuli japonensis* Takahashi

无翅孤雌蚜（apterous viviparous female）

A. 头顶及头顶毛（vertex and seta of head）；B. 喙第 4 + 5 节（ultimate rostral segment）；C. 中胸腹岔（mesosternal furca）；D. 头顶毛（seta of head）；E. 体背毛（dorsal seta of body）；F. 体腹面毛（ventral seta of body）；G. 尾片（cauda）

有翅孤雌蚜（alate viviparous female）

H. 头顶及头顶毛（vertex and seta of head）；I. 触角（antenna）；J. 腹部背面观（dorsal view of abdomen）；K. 腹管（siphunculus）

　　有翅孤雌蚜体椭圆形，体长 2.30mm，体宽 0.85mm。活体头部、胸部黑色，腹部
叶绿色。玻片标本头部、胸部黑色，腹部淡色，有斑纹。触角、喙第 4 + 5 节、股节端
部 2/3～3/4、胫节端部、跗节、腹管、尾片、尾板及生殖板黑色。腹部第 1～6 背片
中、侧斑零星分布，第 3～6 背片中、侧斑愈合为 1 个大背斑，第 2～5 背片各有大缘

斑, 第1、6背片缘斑甚小, 第7背片有1个宽横带, 第8背片有1个窄横带。节间斑明显黑褐色。体背毛尖锐, 腹部背面毛与腹面毛等长。中额稍隆, 额瘤显著隆起呈短指状。触角6节, 全长1.90mm, 为体长的0.85倍; 第3节长0.51mm, 第1~6节长度比例为17:12:100:62:56:24+108; 第3节有毛14~20根, 毛长为该节直径的0.45倍; 第3、4节分别有大小圆形次生感觉圈14~26个、0~7个, 第3节次生感觉圈分散于全节。喙端部达前、中足基节之间, 第4+5节长0.14mm, 为后足第2跗节的2.10倍。足细长, 胫节光滑, 股节有瓦纹及卵状体; 后足股节长0.66mm, 为触角第3节的1.30倍; 后足胫节长1.30mm, 为体长的0.57倍; 第1跗节毛序为3、3、2。翅脉正常。腹管长0.40mm, 为体长的0.17倍。尾片长0.16mm, 有长曲毛7根。尾板有毛11~13根。其他特征与无翅孤雌蚜相似。

生物学: 原生寄主为梅 Armeniaca mume 和李 Prunus salicina; 次生寄主为葎草 Humulus scandens 和啤酒花 H. lupulus 等。在叶片背面和嫩梢为害, 八九月发生较多。

分布: 陕西(秦岭)、黑龙江、吉林、辽宁、北京、河北、甘肃、山东; 俄罗斯, 朝鲜, 日本。

(38) 葎草叶疣蚜 Phorodon humulifoliae Tseng et Tao, 1938 (图388)

Phorodon humulifoliae Tseng et Tao, 1938: 205.

鉴别特征: 无翅孤雌蚜体椭圆形, 体长2.12mm, 体宽1.13mm。活体淡黄色。玻片标本体淡色, 无斑纹。触角第1~6节褐色, 第3~5节淡色; 喙淡色, 第3~5节褐色, 顶端黑色; 足淡褐色, 跗节黑色; 腹管褐色; 尾片、尾板及生殖板淡色。体表粗糙, 头部背面及腹面布满小圆形粗颗粒突起, 胸部背板、腹部背片及腹面有粗双线波纹, 第7背片缘域及第8背片布满粗颗粒突起。气门小圆形开放, 气门片淡色。无节间斑。中胸腹岔淡色, 有短柄, 横长0.21mm, 为触角第3节的0.62倍。体背毛粗, 短棒状, 胸部及腹部第1~7背片背毛极短, 几乎不可见, 腹面毛粗, 尖锐, 长于背毛; 头部有中额毛1对, 额瘤毛4对, 头背毛3~4对; 腹部第8背片有毛2对; 头顶毛长0.025mm, 为触角第3节中宽的0.71倍, 腹部第1背片毛长0.004mm, 第8背片毛长0.023mm。中额平, 额瘤显著隆起, 呈锥状。触角6节, 粗糙, 第1节端部外缘隆起, 各节有明显瓦纹, 全长0.19mm, 为体长的0.56倍; 第3节长0.34mm, 第1~6节长度比例为22:19:100:52:46:30+83; 触角毛粗, 短棒状, 第1~6节毛数为6~8、4或5、13~16、4~11、5或6、2或3+1~3, 末节鞭部顶端有毛3或4根, 第3节毛长0.008mm, 为该节中宽的0.20倍。喙粗大, 端部达后足基节, 第3+4节长楔状, 长0.12mm, 为基宽的2.40倍, 为后足第2跗节的1.80倍, 有原生毛2~3对, 次生毛1对。足各节粗糙, 有瓦纹; 后足股节长0.53mm, 为触角第3节的1.60倍; 后足胫节长0.91mm, 为体长的0.43倍, 胫节外缘毛钝顶, 内缘毛尖锐, 长毛长为该节最宽直径的0.68倍; 第1跗节毛序为3、3、2。腹管长曲管状, 略似香蕉形, 基部3/4有粗糙刺突组成瓦纹, 端部1/4细小光滑, 顶端有刻纹, 有明显缘突和切迹, 长

0.53mm，为体长的 0.25 倍，为尾片 3.30 倍。尾片宽锥状，长 0.16mm，为基宽的 1.40倍，有细毛 6 根。尾板末端尖圆形，有细毛 18～20 根。生殖板圆囊形，有钝毛 12～16 根。

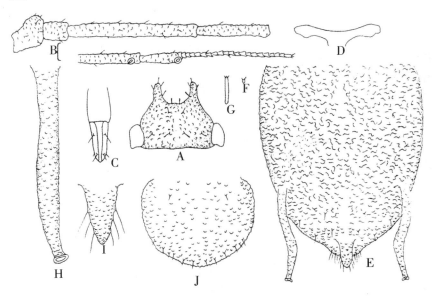

图 388　葎草叶疣蚜 *Phorodon humulifoliae* Tseng *et* Tao

无翅孤雌蚜（apterous viviparous female）

A. 头部背面观（dorsal view of head）；B. 触角（antenna）；C. 喙第 4＋5 节（ultimate rostral segment）；D. 中胸腹岔（mesosternal furca）；E. 腹部背面观（dorsal view of abdomen）；F. 体背毛（dorsal seta of body）

有翅孤雌蚜（alate viviparous female）

G. 头顶毛及腹部第 8 背片毛（cephalic seta and dorsal seta on abdominal tergite 8）；H. 腹管（siphunculus）；I. 尾片（cauda）；J. 生殖板（genital plate）

生物学：寄主植物为李 *Prunus salicina*、杏 *Armeniaca vulgaris*、刺榆 *Hemiptelea davidii*、葎草 *Humulus scandens* 和菽麻 *Crotalaria juncea*。台湾记录为葎草，在叶片上为害。

分布：陕西（秦岭）、辽宁、北京、甘肃、台湾、四川。

26. 稠钉毛蚜属 *Pleotrichophorus* Börner，1930

Pleotrichophorus Börner, 1930：138. **Type species**：*Aphis glandulosus* Kaltenbach, 1846.

属征：额稍粗糙，额瘤存在，高于中额。触角长于体长，无翅孤雌蚜触角第 3 节有次生感觉圈。腹管圆筒形，不膨大。体背有无数刚毛，顶端漏斗形。喙末端尖，基部的 2 根刚毛甚长于其他毛。

生物学：寄主为蒿属 *Artemisia* spp. 植物。

分布：中国；朝鲜半岛，日本，印度，欧洲。秦岭地区发现 1 种。

（39）萎蒿稠钉毛蚜 *Pleotrichophorus glandulosus*（**Kaltenbach，1846**）（图 389）

Aphis glandulosus Kaltenbach，1846：170.

Myzus pilosus van der Goot，1912：68.

Pleotrichophorus glandulosus：Hille Ris Lambers，1953：126.

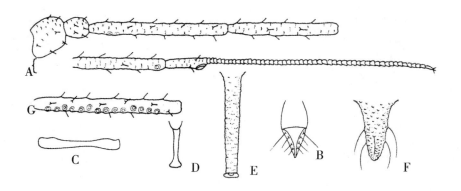

图 389　萎蒿稠钉毛蚜 *Pleotrichophorus glandulosus*（Kaltenbach）

无翅孤雌蚜（apterous viviparous female）

A. 触角（antenna）；B. 喙第 4 + 5 节（ultimate rostral segment）；C. 中胸腹岔（mesosternal furca）；D. 体背毛（dorsal seta of body）；E. 腹管（siphunculus）；F. 尾片（cauda）

有翅孤雌蚜（alate viviparous female）

G. 触角第 3 节（antennal segment 3）

鉴别特征：无翅孤雌蚜体长卵形，体长 2.20mm，体宽 1.00mm。活体浅绿色，玻片标本淡色，无斑纹；触角第 3 节端部至第 4 节、喙顶端黑褐色，足胫节端部及跗节灰褐色，其他附肢淡色。体表光滑，腹管后几节背片微显瓦纹。气门圆形关闭，气门片淡色。节间斑不显。中胸腹岔无柄，淡色。体背多毛，雄花蕊形、钉状或顶端扇形，腹面毛细尖锐，头部有中额毛 1 对，额瘤毛 2 对；头背长毛 16 根；前胸背板有毛 26 ~ 28 根；腹部背面多毛，第 1 背片有毛 39 ~ 46 根，其他各节背毛整齐排列为 2 行；第 8 背片有毛 6 或 7 根；头顶毛、腹部第 1 背片毛、第 8 背片毛长分别为触角第 3 节直径的 1.70 倍、1.20 ~ 1.30 倍、1.20 ~ 1.30 倍。中额稍隆，额瘤隆起外倾。眼瘤显著。触角 6 节，细长，有瓦纹，全长 2.60mm，为体长的 1.20 倍；第 3 节长 0.55mm，第 1 ~ 6 节长度比例为 19：20：100：79：69：26 + 170；触角毛粗短、头状，第 1 ~ 6 节毛数为 5 或 6、4 或 5、11 ~ 19、7 ~ 14、6 ~ 10、3 或 4 + 3 或 4 根，第 3 节毛长为该节直径的 0.31 倍；第 3 节有小圆形次生感觉圈 1 或 2 个，分布于基部。喙粗短，端部达中足基节，第 4 + 5 节尖圆锥状，长为基宽的 1.80 倍，为后足第 2 跗节的 0.92 倍，有原生短刚毛3对，次生长刚毛2对。足较光滑，股节及胫节微有瓦纹；后足股节长0.65mm，为触角第3节的1.20倍；后足胫节细长，长1.20mm；为体长的0.55倍，毛长为该节直径的0.94倍；第1跗节毛序为3、3、3。腹管细长管状，有瓦纹，向基部及端部稍粗，有缘突及淡色切迹，长0.50mm；长为基宽8.10倍；为体长的0.23倍，为触角第3节的0.91倍，为尾片的1.90倍。尾片长圆锥形，顶钝，有小尖刺突组成横纹，有曲毛5根。尾板末端圆形，有长短毛17~22根。生殖板淡色，有毛12~14根。

有翅孤雌蚜体长卵形，体长2.50mm，体宽0.95mm。玻片标本淡色，胸部稍骨化，头背单眼周围骨化，腹部第2~6背片有小缘斑。触角节第1、2节及第3节灰色，其他各节黑色。腹部第2~6背片有灰褐色节间斑。体背多毛，呈雄花蕊状，在腹部背面各节整齐排列成2行，第2~6背片各有毛25~30根，第5~8背片毛数为19、12、9、6~8根；头顶毛、腹部第1背片毛、第8背片毛长分别为触角第3节直径的1.10倍、0.60倍、1.10倍。触角6节，全长2.80mm，为体长的1.10倍；第3节长0.67mm，第1~6节长度比例为18:13:100:84:81:27+175；第3节有圆形次生感觉圈10~14个，分布于基部3/4。喙端部达前、中足基节之间，第4+5节长0.11mm，长为基宽的1.60倍，为后足第2跗节的0.84倍，有长短刚毛3~4对。后足股节长0.70mm，为触角第3节的1.20倍；后足胫节长1.40mm，为体长的0.56倍。翅脉正常，脉粗，黑色。腹管细长管形，长0.40mm，为体长的0.16倍。尾片有毛5根。尾板有毛16~18根。其他特征与无翅孤雌蚜相似。

生物学：寄主为蒌蒿 *Artemisia selengensis*、蒙古蒿 *A. mongolica*、水蒿 *Artemisia* sp.、黄蒿 *Artemisia* sp.等蒿属植物，全年在蒿属植物叶片上生活，以卵在叶片背面越冬。春季第3代出现有翅孤雌蚜。

分布：陕西（秦岭）、辽宁、北京、河北、甘肃、浙江、湖北、湖南；俄罗斯，朝鲜，日本，欧洲，北美洲。

27. 蔷无网蚜属 *Rhodobium* Hille Ris Lambers，1947

Rhodobium Hille Ris Lambers，1947：300. **Type species**：*Myzus porosum* Sanderson，1900 = *Macrosiphum rosaefolium* Theobald，1915.

属征：无翅孤雌蚜额瘤发达，粗糙，内缘呈直角；中额明显隆起。触角第3节有次生感觉圈，排成1行，分布全节。有翅孤雌蚜触角第4节，有时第5节有次生感觉圈。腹管管状。尾片圆锥状，约有毛6根。

分布：世界性分布。秦岭地区发现1种。

(40) 蔷无网蚜 *Rhodobium porosum*（Sanderson，1900）（图390）

Myzus porosum Sanderson，1900：205.

Macrosiphum rosaefolium Theobald, 1915: 109.

Aulacorthum viride van der Goot, 1917: 1.

Aulacorthum pseudorosaefolium Blanchard, 1922: 184.

Macrosiphum rosaefolium: Takahashi, 1925: 9.

Acyrthosiphon rosaefoliae Takahashi, 1931: 1.

Rhodobium porosum: Hille Ris Lambes, 1948: 285.

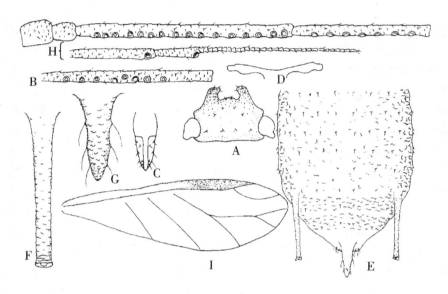

图 390　蔷无网蚜 *Rhodobium porosum*（Sanderson）

无翅孤雌蚜（apterous viviparous female）

A. 头部背面观（dorsal view of head）；B. 触角第 3 节（antennal segment 3）；C. 喙第 4 + 3 节（ultimate rostral segment）；D. 中胸腹岔（mesosternal furca）；E. 腹部背面观（dorsal view of abdomen）；F. 腹管（siphunculus）；G. 尾片（cauda）

有翅孤雌蚜（alate viviparous female）

H. 触角（antenna）；I. 前翅（forewing）

鉴别特征： 无翅孤雌蚜体椭圆形，体长 1.95mm，宽 0.87mm。活体绿色。玻片标本淡色，头顶褐色，无斑纹；触角第 1、2 节褐色，第 3 节基部淡色，其余黑色；喙第 3～5 节黑褐色，顶端黑色；股节褐色，股节端部 1/3、胫节端部 1/5 及跗节黑色；腹管淡褐色，端部黑色；尾片、尾板灰黑色，生殖板淡色。体表粗糙，头部额瘤背面及头部腹面有粗刺突。胸部背板、腹部背片有皱曲纹，腹部第 7、8 背片有瓦纹，腹部腹面光滑。气门圆形关闭，气门片淡色。中胸腹岔淡色短柄，横长 0.28mm，为触角第 3 节的 0.55 倍。体背毛粗短，呈短棒状，腹面毛尖锐，稍长于背毛；中额毛 1 对，额瘤毛 2 对，头背毛 4 对；前胸背板中、侧、缘毛各 1 对，腹部第 1～5 背片中侧毛 3 对，缘毛 2～3 对，第 6、7 背片中侧毛 2 对，缘毛 2 对；第 8 背片有毛 2 对。头顶毛长及腹部第 1 背片毛长0.004mm，为触角第 3 节中宽 1/10，第 8 背片毛长 0.01mm。

中额隆起，不高于额瘤；额瘤显著，内缘内倾。触角粗糙，有瓦纹，长 1.85mm，为体长 0.95 倍；第 3 节长 0.51mm，第 1~6 节长度比例为 16:14:100:69:52:25+86；第 3 节有圆形次生感觉圈 5~10 个，分布于基部 1/2~3/4；触角毛粗短钝顶，第 1~6 节毛数为 6~8、4、11~17、5~9、4~6、3 或 4+3~5 根，第 3 节毛长为该节中宽 1/8。喙端部达中足基节或稍超过，第 4+5 节尖楔状，长 0.11mm，为基宽 1.60 倍，与后足第 2 跗节约等长，有毛 6~7 对，其中次生毛 3 对。足股节端半部有瓦纹，其余光滑。后足股节长 0.60mm，为触角第 3 节 1.20 倍；后足胫节长 1.12mm，为体长 0.57 倍，长毛为该节最宽直径 0.90 倍；第 1 跗节毛序为 3、3、3。腹管长管状，有缘突和切迹，长 0.48mm，为体长 0.25 倍，为尾片 1.80 倍。尾片长锥形，长 0.27mm，有毛 5~7 根。尾板有毛 14~16 根。生殖板半圆形，顶端尖，有粗钝毛 16~18 根。

　　有翅孤雌蚜体椭圆形，体长 1.88mm，宽 0.79mm。玻片标本头部、胸部褐色，腹部淡色，无斑纹；触角褐色，第 1 节外缘黑色；喙第 4+5 节深褐色，顶端黑色；足淡色，股节端半部及跗节黑色；腹管、尾片、尾板及生殖板淡色。体背光滑，腹部缘域有微皱纹，第 6、7 背片缘域尤明显，第 8 背片及腹部腹面有微瓦纹。气门圆形开放，气门片淡色。无节间斑。体背毛粗短钝顶，中额毛 1 对，额瘤毛 4~5 对，头背毛 4 对；腹部第 1~6 背片中侧毛各 2~3 对，缘毛 1~2 对；第 8 背片有毛 2 对。头顶毛长 0.01mm，为触角第 3 节中宽的 1/6；腹部第 1~8 背片背毛长 0.004~0.008mm。触角有瓦纹，长 2.16mm，为体长 1.40 倍；第 3 节长 0.65mm，第 1~6 节长度比例为 14:10:100:64:50:19+73；第 3、4 节分别有圆形次生感觉圈 14~17 个、7 个或 8 个，分布于全长，位于外缘排成 1 列。喙端部不达中足基节，第 4+5 节锥状，长 0.10mm，为基宽 1.80 倍，为后足第 2 跗节的 0.90 倍，有毛 5~7 对，其中次生毛 2~3 对。足光滑，股节端半部有瓦纹。后足股节长 0.70mm，后足胫节长 1.34mm，后足第 2 跗节长 0.11mm。翅脉正常，各脉粗黑，稍镶黑边。腹管长管形，明显瓦纹，稍有缘突和切迹，长 0.47mm，为体长的 0.25 倍，为尾片的 1.60 倍。尾片长锥形，有长毛 6 根。尾板半球形，毛 13~19 根。其他特征与无翅孤雌蚜相似。

　　生物学：寄主植物为月季 *Rosa chinensis* 和蔷薇 *Rosa* sp.。在嫩梢、叶背取食。

　　分布：陕西（秦岭）、河北、甘肃、新疆、台湾；越南，印度，欧洲，非洲，北美洲，南美洲。

28. 缢管蚜属 *Rhopalosiphum* Koch，1854

Rhopalosiphum Koch，1854：23. **Type species**：*Aphis nymphaeae* Linnaeus，1761.

　　属征：额瘤微隆；触角 5 或 6 节，短于体长，末节鞭部长为基部 2.00~5.50 倍，有翅孤雌蚜触角第 3 节有次生感觉圈，第 4 和 5 节也常有。缘瘤位于前胸及腹部第 1 和 6 节，有时第 2~6 节也有。无翅孤雌蚜腹部仅第 8 背片有骨化带。体被由成排的小突起构成网纹，每个网纹中央有数个小突起，偶尔只有 1 个小突起。腹管长于尾片，常略弯曲，有明显缘突。尾片指状或舌状，有毛 4 ~ 11 根。有翅孤雌蚜前翅中脉二分叉，偶尔一分叉。

分布：世界性分布。秦岭地区发现 3 种。

分种检索表

(41) 玉米蚜 *Rhopalosiphum maidis* (Fitch, 1861) (图 391)

Aphis maidis Fitch, 1856: 550.

Aphis adusta Zehntner, 1897: 5.

Aphis cooki Essig, 1911: 400.

Aphis vulpiae del Guercio, 1913: 169.

Stenaphis monticellii del Guercio, 1913: 169.

Aphis africana Theobald, 1914: 1.

Rhopalosiphum maidis: Palmer, 1952: 217.

Rhopalosiphon zeae Rusanova, 1960 (1942): 25[nomen nudum].

鉴别特征：无翅孤雌蚜体长卵形，体长 2.10mm，体宽 1mm。活体深绿色，附肢黑色。玻片标本淡色，斑纹灰黑色。触角、喙、足、腹管、尾片、尾板大致黑色；触角第 3 节、股节基部 1/5、喙第 3 节及生殖板稍灰黑色。头部黑色，后头稍淡；胸部各节间色淡，腹部第 7 背片毛基斑黑色，第 8 背片有背中横带与缘斑相接。体表淡色骨化，有明显网纹。前胸、腹部第 1、7 节有小钝圆锥形缘瘤，高稍大于宽。气门圆形开放，气门片灰黑色。节间斑灰黑色。中胸腹岔小，无柄。中额及额瘤稍隆起。体毛长，尖锐，长约为触角第 3 节直径的 1.50 ~ 1.80 倍；头部有头背毛 10 根；前、中、后胸背板各有中、侧毛 2、6 ~ 10、6 根，各有缘毛 4 根；腹部第 1 ~ 8 背片各有中、侧毛 6 或 7、8 ~ 10、8 ~ 10、9 或 10、6、4、2 或 3、2 根，第 2 ~ 6 背片各有缘毛 4 根，第 1、7 背片各有缘毛 2 根，第 8 背片缺缘毛。头顶毛、腹部第 1 背片毛、第 8 背片毛长分别为触角第 3 节直径的 1.90 倍、1.80 倍、1.50 倍。触角长 0.84mm，为体长的 0.40 倍；第 1 ~ 6 节长度比例为 29：27：100：61：59：45 + 123；触角毛长，尖锐，第 1 ~ 6 节毛数为 4 或 5、4 或 5、3 或 4、2 ~ 4、3、2 或 3 + 1 或 2 根。第 3 节毛长为该节直径的 1.20 倍。喙短粗，端部不达中足基节，第 4 + 5 节长为基宽的 1.70 倍，为后足第 2 跗节的 0.72 倍，有原生刚毛 4 根，次生刚毛 4 根。后足股节长度等于触角第 3 ~ 6 节基部之和；后足胫节长为体长的 0.33 倍，后足胫节毛长为该节直径的 1.20

倍；第1跗节毛序为3、3、2。腹管长圆筒形，端部收缩，微有缘突，有切迹，有小刺状瓦纹，侧缘有锯齿；长为体长的0.10倍，为尾片的1.50倍。尾片圆锥形，中部微收缩，有小刺突瓦纹，有曲毛4或5根。尾板末端圆形，有毛11~14根。

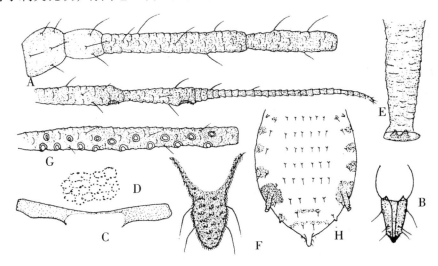

图391　玉米蚜 *Rhopalosiphum maidis*（Fitch）

无翅孤雌蚜（apterous viviparous female）

A.触角（antenna）；B.喙第4+5节（ultimate rostral segment）；C.中胸腹岔（mesosternal furca）；D.体背网纹（dorsal polygonal reticulations）；E.腹管（siphunculus）；F.尾片（cauda）

有翅孤雌蚜（alate viviparous female）

G.触角第3节（antennal segments 3）；H.腹部背面观（dorsal view of abdomen）

　　有翅孤雌蚜体长卵形，体长2.10mm，体宽0.89mm。活体深绿色。玻片标本头部、胸部黑色，腹部淡色，有黑斑。腹部第2~4背片各有大型缘斑1对，腹管前斑与腹管后斑相融合，围绕在腹管周围；第7、8背片各有背中横带，第7背片有小型缘斑，第8背片有横带横贯全节。体毛较短，头顶毛、腹部第1背片毛、第8背片毛长分别为触角第3节直径的0.90倍、0.65倍、1.30倍。触角6节，全长1.10mm，为体长的0.53倍；第1~6节长度比例为21:19:100:56:53:39+75；第3节毛长为该节直径的0.45倍；第3节有小圆形次生感觉圈12~19个，分散于全长，第4节有1~5个，第5节有0~2个。其他特征与无翅孤雌蚜相似。

　　生物学：寄主植物为玉蜀黍 *Zea mays*、高粱 *Sorghum bicolor*、粟 *Setaria italica* var. *germanica*、稗 *Echinochloa crusgalli*、粱（谷子）*Setaria italica*、普通小麦 *Triticum aestivum*、大麦 *Hordeum vulgare*、狗尾草 *Setaria viridis*、狗牙根 *Cynodon dactylon*、虎尾草 *Chloris virgata*、黑麦草 *Lolium perenne* 和唐菖蒲 *Gladiolus gandavensis* 等。寄生在禾本科植物的心叶、穗及叶鞘内。

　　分布：世界性分布。

（42）禾谷缢管蚜 *Rhopalosiphum padi*（Linnaeus，1758）（图 392）

Aphis padi Linnaeus，1758：451.

Aphis avenaesativae Schrank，1801：102.

Aphis prunifoliae Fitch，1855：705.

Aphis holci Ferrari，1872：209.

Aphis pseudoavenae Patch，1917：293.

Siphocoryne acericola Matsumura，1917：351.

Siphocoryne fraxinicola Matsumura，1917：351.

Siphocoryne donarium Matsumura，1918：1.

Rhopalosiphum padi americanum Mordvilko，1921：1.

Aphis uwamizusakurae Monzen，1929：202.

Rhopalosiphum padi：Palmer，1952：219.

鉴别特征：无翅孤雌蚜体宽卵形，体长 1.90mm，体宽 1.10mm。活体橄榄绿色至黑绿色，杂以黄绿色纹，常被薄粉。腹管基部周围常有淡褐色或锈色斑，透过腹部后部体表可见到小脂肪球样结构。玻片标本淡色；触角黑色，第 1、2 节及第 3 节基部 1/4 淡色；喙第 4+5 节端部、胫节端部 1/4 及跗节灰黑色；腹管灰黑色，顶端黑色；尾片及尾板灰黑色；喙及足大部淡色。体表网纹明显；头部光滑，前头部有曲纹。前胸、腹部第 1、7 节有小型指状缘瘤，高大于宽，其他节偶有。气门圆形开放，气门片黄褐色。中胸腹岔无柄。体背毛钝顶，头部背面有毛 10 根；前、中、后胸背板各有中毛 2、8、6 根，缘毛 2 根；腹部第 1~7 背片各有中毛 4~6 根，第 8 背片有中毛 2 或 3 根；第 1 背片有缘毛 2 根，第 2~7 背片各有缘毛 4 根，第 8 背片无缘毛；头顶毛、腹部第 1 背片毛、第 8 背片毛长分别为触角第 3 节直径的 0.73 倍、0.65 倍、1.40 倍。中额隆起，额瘤隆起高于中额。触角 6 节，有瓦纹，全长 1.20mm，为体长的 0.70 倍；第 3 节长 0.35mm，第 1~6 节长度比例为 17:15:100:57:48:27+110；触角毛短，尖锐，第 1~6 节毛数为 4 或 5、4、9~11、4~6、4~6、4+3 根，第 3 节毛长约为该节直径的 0.54 倍。喙粗壮，端部超过中足基节，第 4+5 节长 0.11mm，约为基宽的 2 倍，与后足第 2 跗节约等长。后足股节长约为触角第 3 节的 1.40 倍，后足胫节长约为体长的 0.42 倍，后足胫节毛长约为该节直径的 0.80 倍；第 1 跗节毛序为 3、3、2。腹管长圆筒形，顶部收缩，有瓦纹，缘突明显，无切迹，长 0.26mm，为体长的 0.14 倍，为尾片的 1.70 倍，为触角第 3 节的 0.74 倍。尾片长圆锥形，中部收缩，有微刺构成瓦纹，长 0.16mm，有曲毛 4 根。尾板末端圆形，有长毛 9~12 根。生殖板有短毛 13~17 根。

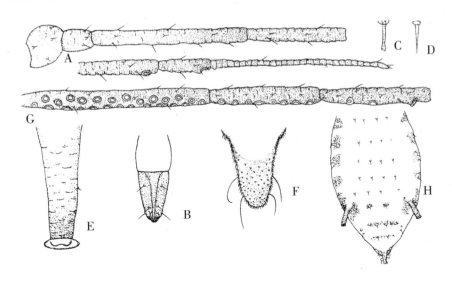

图 392　禾谷缢管蚜 *Rhopalosiphum padi*（Linnaeus）

无翅孤雌蚜（apterous viviparous female）

A. 触角（antenna）；B. 喙第 4 + 5 节（ultimate rostral segment）；C. 体背毛（dorsal seta of body）；D. 足毛（seta of leg）；E. 腹管（siphunculus）；F. 尾片（cauda）

有翅孤雌蚜（alate viviparous female）

G. 触角第 3 ~ 5 节（antennal segments 3- 5）；H. 腹部背面观（dorsal view of abdomen）

有翅孤雌蚜体长卵形，体长 2.10mm，体宽 1.10mm。活体头部、胸部黑色，腹部绿色至深绿色。玻片标本头部、胸部黑色，腹部淡色，有灰黑色至黑色斑纹。喙第 3 节及第 4 + 5 节、腹管黑色。腹部第 2 ~ 4 背片有大型缘斑，腹管后斑大，围绕腹管向前延伸，与小型腹管前斑相合；第 7 背片缘斑小，第 7、8 背片背中各有 1 个横带。节间斑灰黑色。触角 6 节，全长 1.60mm，第 1 ~ 6 节长度比例为 19 : 14 : 100 : 57 : 48 : 27 + 117；第 3 节有小圆形至长圆形次生感觉圈 19 ~ 28 个，分散于全长；第 4 节有次生感觉圈 2 ~ 7 个。其他特征与无翅孤雌蚜相似。

生物学：原生寄主为杏 *Armeniaca vulgaris*、桃 *Amygdalus persica*、榆叶梅 *Amygdalus triloba*、稠李（臭李子）*Padus racemosa*、李 *Prunus salicina*、山荆子（山定子）*Malus baccata*、山里红 *Crataegus pinnatifida* 和梨树 *Pyrus* sp. 等；次生寄主为玉蜀黍（玉米）*Zea mays*、高粱 *Sorghum bicolor*、普通小麦 *Triticum aestivum*、大麦 *Hordeum vulgare*、燕麦 *Avena sativa*、黑麦 *Secale cereale*、雀麦 *Bromus japonicus*、水稻 *Oryza sativa*、狗牙根 *Cynodon dactylon*、马唐（止血马唐）*Digitaria sanguinalis*、羊茅 *Festuca ovina*、黑麦草 *Lolium perenne*、芦竹 *Arundo donax*、三毛草 *Trisetum bifidum*、香蒲 *Typha orientalis* 和高莎草 *Cyperus* sp. 等禾本科、莎草科和香蒲科 Typhaceae 植物，此外还有藿香蓟 *Ageratum conyzoides*、灯台树 *Cornus cotroversa*、大丽花 *Dahlia pinnata*、核桃 *Juglans regia*、萝藦 *Metaplexis japonica*、芦苇 *Phragmites australis*、玫瑰 *Rosa rugosa*、白芥（白芥子）*Sinapis alba*、榆 *Ulmus* sp. 等。

　　分布：陕西(秦岭)、吉林、辽宁、内蒙古，中国广布；蒙古，俄罗斯，朝鲜，日本，约旦，非洲，欧洲，北美洲，澳洲。

(43) 红腹缢管蚜 *Rhopalosiphum rufiabdominale* (Sasaki, 1899) (图 393)

Toxoptera rufiabdominale Sasaki, 1899: 202.

Siphocoryne splendens Theobald, 1915: 103.

Yamataphis oryzae Matsumura, 1917: 351.

Aresha shelkovnikovi Mordvilko, 1921: 1.

Yamataphis papaveri Takahashi, 1921: 1.

Anuraphis mume Hori, 1927: 118.

Pseudocerosipha pruni Shinji, 1932 *et* 1941: 118.

Rhopalosiphum gnaphalii Tissot, 1932: 1.

Rhopalosiphum subterraneum Mason, 1937: 116.

Aresha setigera Blanchard, 1939: 857.

Cerosipha californica Essig, 1944: 177.

Rhopalosiphum fucanoi Moritsu, 1947: 1.

Rhopalosiphum rufiabdominale: Bodenheimer & Swirski, 1957: 308.

　　鉴别特征：无翅孤雌蚜体宽卵形，体长1.80mm，体宽1.10mm；橄榄绿色或橘黄绿色，腹管基部附近及腹管间红色或橘红色。玻片标本头部黑色，胸部及腹部稍骨化，无斑纹。触角、喙第3节至端部、足、腹管、尾片、尾板及生殖板黑色。体表粗糙，头部有瓦纹，胸部、腹部有明显不规则五边形网纹；头顶有圆形小突起，体缘有整齐小钝刺突起；腹部腹面有小刺突横纹。前胸、腹部第1、7节有骨化缘瘤，长宽约相等；前胸缘瘤三角形，顶端指状；腹部缘瘤馒状。气门圆形开放，气门片骨化灰黑色。节间斑不显。中胸腹岔有短柄。体背毛粗长尖锐，背毛长为腹面毛的1.20倍；头部背面有毛12根，包括头顶中额毛4根，两侧毛各1根，中域毛2根，后部毛4根；前胸背板有中、侧、缘毛各2根，中胸背板有中侧毛15根，缘毛4根，后胸背板有中侧毛8根，缘毛4根；腹部第1~4背片各有中侧毛10或11根，第5~8背片有中侧毛4或5根，第1~8背片缘毛数2、6、4、6、6、6、4、4根；头部毛、腹部第1背片毛、第8背片毛长分别为触角第3节直径的2.50倍、2.80倍、3.00倍。中额显著隆起，稍高于微隆起的额瘤。触角5节，各节有明显隆起瓦纹，全长为体长的0.54倍；第3节长0.25mm，第1~5节长度比例为27:22:100:40:30 + 168；触角毛粗长，第1~5节毛数为7、4、11、3、2 + 2根，第4、5节基部毛长于第3节毛，鞭部毛甚短，第3节毛长为该节直径的3倍。喙粗长，端部达后足基节，第4 + 5节长为基宽的2倍，为后足第2跗节的1.40倍。足股节有明显卵圆形纹，后足股节约与触角第1~4节之和等长；后足胫节长为体长的0.45倍，毛长为该节中宽的2.20倍；第1跗节毛序为3、3、2。腹管长圆筒形，端部收缩，有瓦纹、明显缘突和切迹，长为体长的0.17

倍，为尾片的2.50倍。尾片圆锥形，基部1/2淡色，中部向端部逐渐细尖骨化，有小刺突横纹，有长毛4根。尾板圆形，有长毛16根。生殖板馒形，有小刺突横纹，有长毛18根，包括前部毛2根。

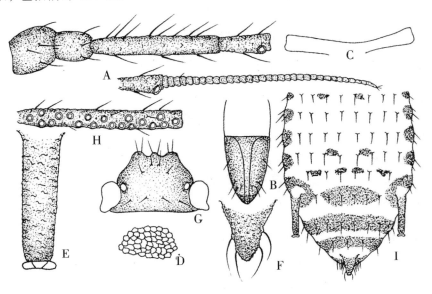

图 393　红腹缢管蚜 *Rhopalosiphum rufiabdominale*（Sasaki）

无翅孤雌蚜（apterous viviparous female）

A. 触角（antenna）；B. 喙第4+5节（ultimate rostral segment）；C. 中胸腹岔（mesosternal furca）；D. 体背网纹（dorsal polygonal reticulations）；E. 腹管（siphunculus）；F. 尾片（cauda）

有翅孤雌蚜（alate viviparous female）

G. 头部背面观（dorsal view of head）；H. 触角第3节（antennal segment 3）；I. 腹部背面观（dorsal view of abdomen）

有翅孤雌蚜体宽卵圆形，体长1.80mm，体宽0.91mm。活体头部、胸部黑色，腹部黄绿色或橄榄绿色，有黑斑。玻片标本头部、胸部漆黑色，腹部淡色，有黑色斑纹。触角、喙、足(股节基部及胫节中部淡色)漆黑色，腹管、尾片、尾板、生殖板黑色。腹部第1、4、5背片有断续分散中斑，腹部第6背片中斑与腹管后斑偶有相接；腹管后斑大于前斑，互相融合；第1背片有小缘斑，第2~4背片各有大型缘斑；第7、8背片各有横带横贯全节。体表光滑，缘斑及中斑有明显瓦状纹。前胸、腹部第1、7节有平顶馒状缘瘤。气门圆形开放，气门片隆起黑色。头部、胸部、腹部各节间有黑褐色节间斑1~2对。体毛较长，尖锐，腹部背面毛长为腹面毛的1.00~1.40倍；头部有毛12根，包括中额毛4根，两侧毛各1根，中域毛2根，后部毛4根；前胸背板有中、侧、缘毛各2根；中胸背板有中、侧毛24根，缘毛8根；后胸背板有中、侧毛8根；腹部第1~3背片、第5~7背片各有中侧毛8~10根，第4背片有中侧毛12或13根，第1背片有缘毛4根，第2~7背片各有缘毛8~12根；第8背片有长毛5或6根；头顶毛、腹部第1背片毛、第8背片毛长分别为触角第3节直径的0.98倍、

0.82 倍、1.60 倍。中额隆起，额瘤隆起外倾。触角 5 或 6 节，有瓦纹，全长为体长的 0.77 倍；第 3 节长 0.30mm，第 1~6 节长度比例为 20:19:100:56:51:28+141；第 1~6 节毛数为 5、5、8~10、3 或 4、3~5、2 或 3+4 根，第 5、6 节基部各有 1 根长毛，第 3 节毛长为该节直径的 0.80 倍；第 3~5 节各有大小圆形次生感觉圈 15~26 个、6~12 个、2~6 个、分布于各节全长。喙端部达后足基节(触角 5 节的个体喙端部达中足基节)，第 4+5 节长为基宽的 2.40 倍，为后足第 2 跗节的 1.30 倍，有刚毛 3 对。中足股节短，长为前足股节的 0.78 倍，后足股节较触角第 3、4 节之和稍长或等长；后足胫节长为体长的 0.56 倍，后足胫节毛长为该节中宽的 0.91 倍；第 1 跗节毛序为 3、3、2。翅脉正常。腹管长圆筒形，基部及端顶收缩，端部稍有膨大，收缩部为膨大部的 0.77 倍，有瓦纹及明显缘突和切迹；长为体长的 0.31 倍，为尾片的 2.40 倍。尾片短锥状，有小刺突组成横纹，有长曲毛 4 或 5 根。尾板末端圆形，有长毛 9~16 根。生殖板骨化、圆形，有毛 19 或 20 根，包括前部毛 1 对。

生物学：原生寄主为桃 *Amygdalus persica*、杏 *Armeniaca vulgaris*、梅 *Armeniaca mume*、榆叶梅 *Amygdalus triloba*、李 *Prunus salicina* 和欧李 *Prunus humilis* 等；次生寄主为普通小麦 *Triticum aestivum*、大麦 *Hordeum vulgare*、芦苇 *Phragmites australis*、芦竹 *Arundo donax*、狗牙根 *Cynodon dactylon* 和莎草 *Cyperus rotundus* 等。春季在原生寄主植物嫩梢及幼叶背面为害，夏季迁移到次生植物根部为害。

分布：陕西(秦岭)、吉林、辽宁、北京、河北、新疆、浙江、湖南、福建、台湾；日本，朝鲜，中东，非洲，北美洲，南美洲。

29. 二叉蚜属 *Schizaphis* Börner，1931

Schizaphis Börner，1931：10. **Type species**：*Aphis graminum* Rondani，(1847) 1852.

属征：头部有明显但较浅的中额，额瘤明显。触角 5 或 6 节，短于体长。喙和 4+5 节通常有次生毛 2 根。缘瘤有或缺。腹管圆筒形，基半部不膨大，端部之前缢缩，缘突有或缺。尾片指状或舌状。体表网纹由细而不均匀似乎有齿的线条组成。前翅中脉仅一分叉。

分布：世界性分布。秦岭地区发现 1 种。

(44) 麦二叉蚜 *Schizaphis graminum* (**Rondani，1852**)(图 394)

Aphis graminum Rondani，(1847) 1852：10.
Schizaphis graminum：Bodenheimer & Swirski，1957：312.

鉴别特征：无翅孤雌蚜体卵圆形，体长 2mm，体宽 1mm。活体淡绿色，背中线深绿色。玻片标本淡色，无斑纹。触角黑色，第 1、2 节及第 3 节基半部淡色；喙淡色，第 3 节及第 4 + 5 节灰黑色；足淡色至灰色，胫节端部 1/5 灰黑色，跗节黑色；腹管淡色，顶端黑色；尾片及尾板灰褐色。头部、胸部、腹部背面光滑，头部前方有瓦纹，腹部第 6 ~ 8 背片有模糊瓦纹。前胸、腹部第 1、7 节有乳头状缘瘤，高与宽约相等，高度大于缘毛长度。气门长圆形开放，气门片淡色。节间斑不显。中胸腹岔有短柄。体背有细短尖毛，头部有背毛 10 根；前胸背板有中侧毛 2 根，中胸背板有中侧毛 4 根，后胸背板有中侧毛 6 根，各节有缘毛 2 对；腹部第 1 ~ 8 背片各有背中侧毛 10、4、2、2、4、4、4、2 根；第 1 ~ 7 背片各有缘毛 1 ~ 2 对，第 6 ~ 8 背片有时缺缘毛；头顶毛、腹部第 1 背片缘毛、第 8 背片毛长分别为触角第 3 节直径的 0.40 倍、0.28 倍、0.84 倍。中额稍隆起，额瘤稍高于中额。触角 6 节，有瓦纹，全长 1.20mm，为体长的 0.66 倍，第 3 节长 0.26mm，第 1 ~ 6 节长度比例为 22∶21∶100∶70∶73∶43 + 137；第 1 ~ 6 节毛数为 4 或 5、4 ~ 6、7、3 或 4、2 或 3、2 或 3 + 2 根。喙端部超过中足基节，第 4 + 5 节粗短，长为基宽的 1.60 倍，为后足第 2 跗节的 0.79 倍，有原生刚毛 2 对，次生刚毛 2 对。后足股节长 0.47mm，约与触角第 1 ~ 3 节之和等长；后足胫节长 0.73mm，为体长的 0.37 倍，后足胫节毛长为该节直径的 0.67 倍；第 1 跗节毛序为 3、3、2。腹管长圆筒形，表面光滑，稍有缘突和切迹，全长 0.32mm，为体长的 0.16 倍，为尾片的 1.80 倍，为触角第 3 节的 1.20 倍。尾片长圆锥形，中部稍收缩，有微弱小刺瓦纹，长为基宽的 1.50 倍，有长毛 5 或 6 根。尾板末端圆形，有毛 8 ~ 19 根。

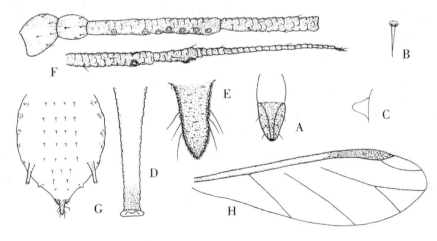

图 394　麦二叉蚜 *Schizaphis graminum*（Rondani）

无翅孤雌蚜（apterous viviparous female）

A. 喙第 4 + 5 节（ultimate rostral segment）；B. 体背毛（dorsal seta of body）；C. 腹部缘瘤（marginal tubercle on abdomen）；D. 腹管（siphunculus）；E. 尾片（cauda）

有翅孤雌蚜（alate viviparous female）

F. 触角（antenna）；G. 腹部背面观（dorsal view of abdomen）；H. 前翅（forewing）

有翅孤雌蚜体长卵形，体长 1.80mm，体宽 0.73mm。玻片标本头部、胸部黑色，腹部淡色，有灰褐色微弱斑纹。触角第1、2节及第3节基部1/6、足、缘斑、气门片及缘瘤灰黑色，触角其他部分、胫节端部1/6~1/5及跗节黑色。腹部第2~4背片缘斑甚小。触角6节，全长1.30mm，为体长的0.77倍；第3节长0.32mm，第1~6节长度比例为25：20：100：68：65：38+110；第3节有小圆形次生感觉圈4~10个，一般有5~7个，分布于全长，在外缘排成1行。腹管稍有瓦纹。前翅中脉一分叉。其他特征与无翅孤雌蚜相似。

生物学：寄主植物为大麦 Hordeum vulgare、普通小麦 Triticum aestivum、燕麦 Avena sativa、黑麦 Secale cereale、雀麦 Bromus japonicus、高粱 Sorghum bicolor、稻 Oryza sativa、粟 Setaria italica var. germanica、狗牙根 Cynodon dactylon、狗尾草 Setaria viridis、画眉草 Eragrostis pilosa 和莎草 Cyperus rotundus 等禾本科和莎草科植物。

分布：陕西（秦岭）、黑龙江、北京、河北、内蒙古、山西、河南、宁夏、甘肃、新疆、山东、江苏、浙江、福建、台湾、云南；蒙古，俄罗斯，朝鲜，日本，印度，中亚，非洲，地中海地区，北美洲，南美洲。

30. 谷网蚜属 Sitobion Mordvilko, 1914

Sitobion Mordvilko, 1914：65. **Type species**：Aphis avenae Fabricius, 1775 = Aphis granaria Kirby, 1798.

属征：额瘤低，外倾；中额小，明显突起。触角等于或长于体长，第3节毛通常短于该节基宽的0.50倍；触角第3节有次生感觉圈。第1跗节毛序为3、3、3。腹管细长，圆柱状，缘突发达，端部网纹至多分布于全长的1/4。尾片指状或长舌状，淡色或暗色，基部有时缢缩，长约为腹管的0.50倍，有毛7~20根。

分布：世界性分布。秦岭地区发现1种。

(45) 荻草谷网蚜 Sitobion miscanthi (Takahashi, 1921)（图395）

Macrosiphum miscanthi Takahashi, 1921：8.

Macrosiphum eleusines Theobald, 1929：177.

Macrosiphum avenae：Zhang & Zhong, 1983：360.

Sitobion miscanthi：Remaudière & Remaudière, 1997：146.

鉴别特征：无翅孤雌蚜体长卵形，体长3.10mm，体宽1.40mm。活体草绿色至橙红色，头部灰绿色，腹部两侧有不甚明显的灰绿色斑。玻片标本淡色，触角、喙第3节及第4+5节、足股节端部1/2、胫节端部、跗节、腹管黑色；触角第1~3节有时骨化灰黑色，尾片、尾板及生殖板淡色。体表光滑；腹部第6~8背片及腹面明显有横网纹，缘域有环形纹。体背毛粗短，钝顶；腹面多长尖毛；头顶毛2对，头部背毛4对；前胸背板中、侧、缘毛各1对；腹部第1背片中侧缘毛共8根，第2~6背片各有缘毛 3~4 对，中毛 2 对，侧毛 1~2 对；第 7 背片有毛 6 根，第 8 背片有毛 4 根，毛长为触角第 3 节直径的 1/3；头顶毛与其约等长，腹部第 1 背片缘毛长为其 0.67 倍，腹面毛长为背毛 2 倍以上。无缘瘤。气门圆形关闭，有时开放，气门片稍骨化。节间斑分布侧域，明显褐色。中胸腹岔有短柄。中额稍隆，额瘤显著外倾。触角 6 节，细长，第 1~4 节光滑，第 5~6 节显瓦纹，全长 2.70mm，为体长的 0.88 倍；第 3 节长 0.79mm，第 1~6 节长度比例为 14:11:100:62:47:16+94；触角毛短，钝顶，第 1~6 节毛数为 9~11、4、20~26、11~15、10 或 11、3+2 根，末节鞭部顶端有毛 3 根；第 3 节毛长为该节直径的 0.50 倍；第 3 节基部有小圆形次生觉圈 1~4 个。喙粗大，端部超过中足基节，第 4+5 节圆锥形，长 0.13mm，为基宽的 1.80 倍，为后足第 2 跗节的 0.77 倍，有原生刚毛 2 对，次生长刚毛 2 对。足长大，光滑，有粗短钝毛；后足股节长 0.99mm，为触角第 3 节的 1.30 倍；后足胫节长 1.60mm，为体长的 0.52 倍，毛长为该节直径的 0.66 倍；第 1 跗节毛序为 3、3、3。腹管长圆筒形，端部 1/4~1/3 有网纹 13~14 行，有缘突和切迹，长 0.74mm，为触角第 3 节的 0.94 倍，为体长的 0.24 倍。尾片长圆锥形，近基部 1/3 处收缩，有圆突构成横纹，全长 0.37mm，为腹管的 0.50 倍，有曲毛 6~8 根。尾板末端圆形，有长短毛 6~10 根。生殖板有毛 14 根，包括前部毛 1 对。

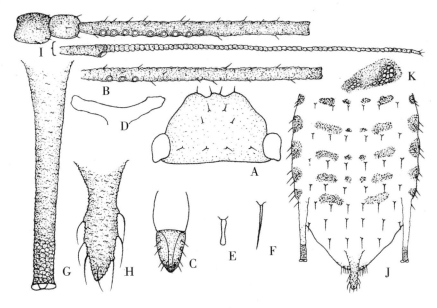

图 395　荻草谷网蚜 *Sitobion miscanthi*（Takahashi）

无翅孤雌蚜（apterous viviparous female）

A. 头部背面观（dorsal view of head）；B. 触角第 3 节（antennal segment 3）；C. 喙第 4+5 节（ultimate rostral segment）；D. 中胸腹岔（mesosternal furca）；E. 体背毛（dorsal seta of body）；F. 体腹面毛（ventral seta of body）；G. 腹管（siphunculus）；H. 尾片（cauda）

有翅孤雌蚜（alate viviparous female）

I. 触角第 1~3 节及 4 节（antennal segments 1-3, 4）；J. 腹部第 2~8 背片（abdominal tergites 2-8）；K. 节间斑与背斑（muskelplatten and dorsal scleroites）

　　有翅孤雌蚜体椭圆形，体长 3mm，体宽 1.20mm。玻片标本头部、胸部褐色骨化，腹部淡色，各节有断续褐色背斑，第 1~4 背片有圆形缘斑，腹管前斑小于后斑，不甚明显，第 7、8 背片无斑纹。触角、腹管全黑色。气门圆形开放，气门片黑色。节间斑与背斑愈合呈黑斑。体背毛较长。触角 6 节，细长，全长 3mm，与体等长；第 3 节长 0.72mm，第 1~6 节长度比例为 17:14:100:80:61:11＋128；第 3 节有毛 30 余根，毛长为该节直径的 0.58 倍；第 3 节有圆形次生感觉圈 8~12 个，分布于外缘基部 2/3，排成 1 行，第 5 节偶有 1 个圆形次生感觉圈。喙端部不及中足基节。腹管长圆筒状，端部有 15~16 行横形网纹。后足股节长 0.91mm，为触角第 3 节的 1.30 倍；后足胫节长 1.80mm，为体长的 0.60 倍，毛长为该节直径的 0.77 倍。尾片长圆锥状有长毛 8 或 9 根，尾板有毛 10~17 根。其他特征与无翅孤雌蚜相似。

　　生物学：主要为害白羊草 *Bothriochloa ischaemum*、马唐 *Digitaria sanguinalis*、画眉草 *Eragrostis pilosa*、红蓼 *Polygonum orientale*、高粱 *Sorghum bicolor*、狼毒 *Stellera chamaejasme*、荻（荻草）*Triarrhena sacchariflora*、玉蜀黍（玉米）*Zea mays*、普通小麦 *Triticum aestivum*、大麦 *Hordeum vulgare*、燕麦 *Avena sativa* 和莜麦 *A. chinensis*，在海南岛为害甘蔗 *Saccharum officinarum* 花穗和未成熟的种子，在浙江为害迟熟连作晚稻稻穗，偶尔为害高粱、玉蜀黍和水稻 *Oryza sativa* 幼苗。夏季可取食自生麦苗、鹅观草 *Roegneria kamoji*、荻草、芒 *Miscanthus sinensis* 和荠菜 *Capsella bursa-pastoris* 等植物。国外记载尚可为害雀麦 *Bromus japonicus*、黑麦 *Secale cereale*、狗牙根 *Cynodon dactylon*、芒、紫羊茅 *Festuca rubra*、早熟禾 *Poa annua*、鸭嘴草 *Ischaemum aristtum* var. *glaucum*、郁金香 *Tulipa gesneriana*、唐菖蒲 *Gladiolus gandavensis*、红三叶 *Trifolium pratense*、毛茛 *Ranunculus japonicus* 和茅莓 *Rubus parvifolius* 等植物。

　　荻草谷网蚜是麦类作物的重要害虫。曾经长期与麦长管蚜 *Macrosiphim avenae* 混淆，后经研究发现麦长管蚜仅分布在我国新疆伊犁等地，分布于国内其他地区的麦长管蚜都应为荻草谷网蚜（张广学，1999）。在多数产麦地区发生的几种麦蚜中，大部以荻草谷网蚜占优势。前期大多在叶正反面取食，后期大都集中在穗部为害。前期易受震动而坠落逃散，受害叶有褐色斑点或斑块。后期在穗部为害，虽受震动也不易坠落。受害后常使麦株生长缓慢，分蘖数减少，穗粒数和千粒重下降，还可传带小麦黄矮病毒病，使小麦后期提早枯黄、棵矮、穗小，造成减产。迟熟连作晚稻稻穗受害后，由于该蚜吸食大量汁液和分泌蜜露引起霉病，常降低千粒重，增加秕谷粒。

　　分布：陕西（秦岭）、黑龙江、吉林、辽宁、北京、河北、天津、内蒙古、宁夏、甘肃、青海、新疆、浙江、福建、台湾、广东、四川；北美洲，澳洲。

31. 瘤头蚜属 *Tuberocephalus* Shinji，1929

Tuberocephalus Shinji，1929：39. **Type species**：*Tuberocephalus artemisiae* Shinji，1929.

　　属征：无翅孤雌蚜触角第 3 节无次生感觉圈，有翅孤雌蚜触角第 3、4 节有突出圆形次生感觉圈。头顶粗糙，额瘤显著，高于中额。腹管常弯曲成倒"S"形，常有较粗刚毛，毛长为中宽的3~5倍。

　　生物学：寄主为李属 *Prunus* spp. 或蒿属 *Artemisia* spp. 植物。

　　分布：中国；朝鲜半岛，日本，印度。秦岭地区发现3种。

分种检索表

1. 腹管无毛；中额平，额瘤显著、外倾。中胸腹岔无柄。腹管长约为尾片的2倍 ·················
··· **腊子口瘤头蚜** *T. lazikouensis*
腹管有毛 ·· 2
2. 干母腹部背片淡褐色；喙第4+5节为后足第2跗节长的1.08~1.24倍；触角为体长的0.25~
0.28倍 ··· **桃瘤头蚜** *T. momonis*
干母腹部背片淡色；喙第4+5节为后足第2跗节长的1.30~1.40倍；触角为体长的0.63倍
·· **樱桃瘿瘤头蚜** *T. higansakurae*

(46)樱桃瘿瘤头蚜 *Tuberocephalus higansakurae*（Monzen，1927）（图396）

Myzus higansakurae Monzen，1927：1.

Tuberocephalus higansakurae：Zhang & Zhong，1983：291.

　　鉴别特征：无翅孤雌蚜（干雌）体卵圆形，体长1.40mm，宽0.97mm。活体土黄色至绿色。标本头背部黑色，胸部、腹部骨化，胸部背板及腹部背片背斑灰黑色，节间淡色。腹部第1、2背片各有1个横带与缘斑相合，腹部第3~8背片横带与缘斑融合为1个大斑，但节间部分有时淡色。触角、喙、股节基部1/2稍淡色，其余全黑色，腹管、尾板、尾片及生殖板灰黑色至黑色。表皮有颗粒状微刺组成的网纹，粗糙，体缘有微刺突。气门肾形关闭，气门片隆起黑色。节间斑灰褐色，有时不甚显。体背短毛尖锐。头顶毛8根，头部背毛6根；前胸背板中、侧、缘毛各1对，中胸背板中、侧、缘毛各4、6、4根，后胸背板中、侧、缘毛各4根；腹部第1~6背片中毛各4根，侧毛各6根，缘毛各6~8根；第7背片毛共6根，第8背片有毛4根；头顶毛及腹部第1背片缘毛、第8背片毛长为触角第3节直径0.44~0.59倍。无缘瘤。中胸腹岔短柄。额瘤显著，内缘圆，外倾，中额隆起。触角长1.10mm，为体长的0.79倍；各节有瓦纹、两缘有锯齿突；第3节长0.33mm，第1~6节长度比例为17：16：100：52：40：36+73；第1~6节毛数为5或6、5、11~14、6~9、3或4、3或4+0根；触角毛淡色，第3节毛长为该节直径的0.41倍。喙端部超过中足基节，第4+5节两缘平直，长为基宽的2.70倍，为后足第2跗节的1.50倍，有3对次生刚毛。足粗短。后足股节有瓦纹，有卵形纹，长0.46mm，为触角第3节的1.40倍；后足胫节长0.76mm，为体长的0.53倍，光滑，部分有皱曲纹，后足胫节毛长为该节直径的0.58倍；第1跗节毛序为3、3、2。腹管圆筒形，向端部渐细，与触角鞭部约等长，有微刺构组成瓦纹，侧缘有锯齿；长0.24mm，为体长的0.17倍，有短毛1或2根，毛长为端宽1/4，有缘突。尾片短圆锥状，背面有微刺瓦纹，腹面有小圆突起，长与基宽相等，有曲毛4或5根，沿边缘有小刺突。尾板末端平或半圆形，有毛4～8根。生殖板有短毛12～22根。

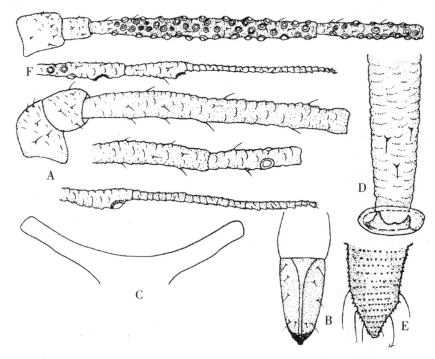

图396　樱桃瘿瘤头蚜 *Tuberocephalus higansakurae*（Monzen）

无翅孤雌蚜（apterous viviparous female）

A. 触角（antenna）；B. 喙第4+5节（ultimate rostral segment）；C. 中胸腹岔（mesosternal furca）；D. 腹管（siphunculus）；E. 尾片（cauda）

有翅孤雌蚜（alate viviparous female）

F. 触角（antenna）

　　有翅孤雌蚜体长1.70mm，宽0.72mm。活体黄色至草绿色。玻片标本头部、胸部黑色，腹管淡色，斑纹灰黑色；腹部第3～6背片各有1个宽横带或破碎为狭小的斑，第2～6背片有大缘斑，腹管前斑稍显，第1～2背片缘斑愈合。节间斑明显灰褐色。触角灰黑色，第6节鞭部稍淡。喙灰色，第2节端部以后色渐深，顶端黑色。足股节端部2/3、胫节基部和端部、跗节、腹管、尾片、尾板、生殖板灰黑色至黑色。气门开放。触角长1.20mm，为体长的0.71倍；第3节长的0.38mm，第1～6节长度比例为16:16:100:53:38:31+77；第3节有毛7～9根；第3节有圆形次生感觉圈41～53个，微隆起，分布于全长，第4节有8～18个，分布于全长，第5节有0～3个。喙端部达中足基节，第4+5节长为基宽的2.30～3.00倍，为后足第2跗节的1.40～1.60

倍。后足股节长0.47mm，为触角第3节的1.30倍；后足胫节长0.91mm，为体长的0.54倍。腹管长0.21mm，为体长的0.12倍，约与触角第4节同长，有短毛1或2根，毛长约为端宽1/3。尾片有毛4或5根。尾板有毛7～9根，末端圆形。

生物学：寄主植物为樱桃 Cerasus pseudocerasus。在春季樱桃芽苞开始膨大开裂期越冬卵孵化，干母在幼叶尖部侧缘反面为害，叶缘向正面肿胀凸起，形成花生壳状伪虫瘿长2～4cm，宽0.50～0.70cm，绿色稍红，叶背面开口。5月中下旬发生有翅孤雌蚜，10月下旬发生雌、雄性蚜在幼枝上交配产卵越冬。

分布：陕西(秦岭)、北京、河北、河南、浙江；日本。

(47) 腊子口瘤头蚜 *Tuberocephalus lazikouensis* Zhang, Chen, Zhong *et* Li, 1999

Tuberocephalus lazikouensis Zhang, Chen, Zhong *et* Li, 1999：491.

鉴别特征：无翅孤雌蚜活时体绿色，长约1.70mm，宽约0.96mm。玻片标本触角第5和6节、腹管、尾片深色，其他处色淡，无斑纹。头顶粗糙，体背骨化。中额平，额瘤显著、外倾。触角约为体长的0.53倍，第1～6节长度比例为25：25：100：54：45：30+75，各节约有明显瓦纹；第3节毛长约为该节直径的1/3。喙刚达中足基节，第4+5节长约为基宽的2.50倍，刚毛不显。中胸腹岔无柄。腹管约为体长的0.15，约为尾片的2倍，约为基宽的3.00～3.50倍；管状，微显"S"形，无刚毛，有缘突。尾片锥形，长约为基宽的1.54倍，约毛有5～8根。

分布：陕西(周至)、甘肃。

(48) 桃瘤头蚜 *Tuberocephalus momonis* (**Matsumura, 1917**) (图397)

Myzus momonis Matsumura, 1917：402.
Tuberocephalus momonis：Hori, 1929：402.
Trichosiphoniella formosana Hille Ris Lambers, 1965：198.

鉴别特征：无翅孤雌蚜体卵圆形，体长1.70mm，体宽0.68mm。活体灰绿色至绿褐色。玻片标本体背骨化，头部背面、头部腹面前端及胸部各节侧域骨化黑色，胸部背板、腹部背片有灰黑色至黑色斑纹。触角第1、2、5、6节喙端部、胫节端部、跗节、腹管、尾片、尾板及生殖板灰黑色至黑色。前、中胸背板及腹部第7、8背片各有1个宽带与缘斑相连，横贯全节，各带有时破裂；第1背片有1对中斑或1个窄横带分裂为数个小斑，第2～6背片无斑或有零碎小斑，第6背片有时有破碎的横带。体表粗糙，有粒状刻点组成的网纹，体侧、缘域有微锯齿；腹管后几节背片有横瓦纹。缘瘤不见。气门肾形关闭，气门片粗糙突起，灰黑色至黑色。中胸腹岔两臂分离或一丝相连。体背毛短、钝顶，毛淡色，毛基斑骨化；头部背面有毛14～16根；前胸背板有中、侧、缘毛各 2 根，中胸背板有中、侧、缘毛 8、8、4 根，后胸背板有中、侧、缘毛 4、2、4 根；腹部背毛排列整齐，第 1～5 背片分别有毛 16～18 根，第 6～8 背片分别有毛 10、8、4 根；体背毛长 0.01～0.02mm，为触角第 3 节直径的 0.38～0.96 倍。中额微隆，额瘤圆，内缘圆形，外倾。触角 6 节，有明显瓦纹，边缘有锯齿突，全长 0.65mm，为体长的 0.37～0.41 倍；第 3 节长 0.17mm，第 1～6 节长度比例为 36：24：100：51：41：41＋81；第 1～6 节毛数为 3 或 4、3 或 4、4～8、3～5、2 或 3、2＋1 根；触角毛尖锐，第 3 节毛长为该节直径的 0.38 倍。喙端部可达中足基节，第 4＋5 节长为基宽的 1.70～2.10 倍，为后足第 2 跗节的 1.30～1.50 倍，有刚毛 3 对。足短粗，粗糙，有明显瓦纹；后足股节长 0.33mm，为触角的 0.50 倍；后足胫节长 0.48mm，为体长的 0.28 倍，为触角的 0.75 倍，毛长为该节直径的 0.50 倍，长毛与短毛相差 2 倍；第 1 跗节毛序为 3、3、2。腹管圆筒形，有粗刺突组成瓦纹，边缘有微锯齿及明显缘突和切迹，长 0.16mm，为体长的 0.15 倍，为尾片的 1.60 倍；有短毛 3～6 根，毛长约为中宽的 0.25 倍。尾片三角形，顶端尖，有长曲毛 6～8 根。尾板末端圆形，有长毛 5～7 根。

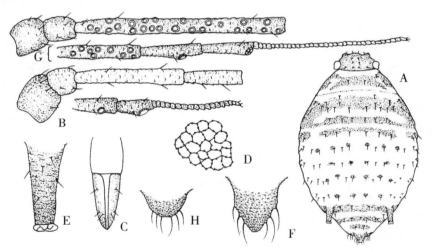

图 397　桃瘤头蚜 Tuberocephalus momonis（Matsumura）

无翅孤雌蚜（apterous viviparous female）

A. 整体背面观（dorsal view of body）；B. 触角（antenna）；C. 喙第 4＋5 节（ultimate rostral segment）；D. 体背网纹（dorsal polygonal reticulations）；E. 腹管（siphunculus）；F. 尾片（cauda）

有翅孤雌蚜（alate viviparous female）

G. 触角（antenna）；H. 尾片（cauda）

有翅孤雌蚜体长 1.70mm，体宽 0.68mm。玻片标本头部、胸部骨化黑色，腹部淡色，有骨化稍淡斑纹。触角、喙、股节端部 1/2、胫节端部约 1/4、跗节、腹管、尾片及尾板稍骨化灰黑色至灰色。腹部第 2～4 背片各有缘斑 1 对，腹管前后斑不甚明显，第 7～8 背片有隐约可见的横带。节间斑较明显，灰褐色。体背光滑，仅头部背面及体缘斑有刻点。触角6节,全长1mm,为体长的0.59倍;第3节长0.35mm,第1~6节长度比例为17:14:100:43:28:26+67;第3节有短尖毛6~8根,毛长为该节直径的0.37倍;第3~5节分别有圆形次生感觉圈19~30个、4~10个、0~2个,第3节次生感觉圈分散于全长。翅脉粗黑色。腹管长为体长的0.10倍,为尾片的2.20倍,有短毛5或6根。尾片有毛8~12根,尾板有毛8~12根,生殖板有毛14~16根。其他特征与无翅孤雌蚜相似。

生物学:寄主植物为桃 *Amygdalus persica* 和山桃 *A. davidiana* 等。该种蚜虫以卵越冬,在桃树芽苞膨大期孵化。干母为害芽苞,幼叶展开后为害叶片背面边缘,叶片向反面沿叶缘纵卷,肿胀扭曲,被害部变肥厚,形成红色伪虫瘿。有些植株大量叶片被害,部分被害叶变黄或枯萎。

分布:陕西(秦岭)、辽宁、北京、河北、河南、甘肃、山东、江苏、浙江、江西、福建、台湾;俄罗斯,朝鲜,日本。

32. 指网管蚜属 *Uroleucon* Mordvilko, 1914

Uroleucon Mordvilko, 1914:64. **Type species**: *Aphis sonchi* Linnaeus, 1767.

属征:头部光滑。额瘤发达、外倾,中额微隆。触角第3节或第3、4节有圆形次生感觉圈。喙第4+5节等于或稍长于后足第2跗节。腹部背毛有毛基斑。腹管后斑几乎总存在,腹管前斑有或无,如果有,则小于后斑。腹管圆筒形,明显长于尾片,端部有网纹。活体常暗色、褐色、黑色或暗肉桂色,常有金属光泽。

生物学:寄主为菊科植物。

分布:世界性分布。秦岭地区发现3种。

分种检索表

1. 触角第3节次生感觉圈少于20个 ·· 2
   触角第3节有次生感觉圈35~48个 ···················· 红花指管蚜 *U. gobonis*
2. 触角第3节有次生感觉圈8~13个 ···················· 苣荬指管蚜 *U. sonchi*
   触角第3节有次生感觉圈20个 ···················· 居莴苣指管蚜 *U. lactucicola*

(49) 红花指管蚜 *Uroleucon gobonis*(Matsumura, 1917)(图398)

Macrosiphum gobonis Matsumura, 1917:395.

Uroleucon gobonis:Tao, 1963:199.

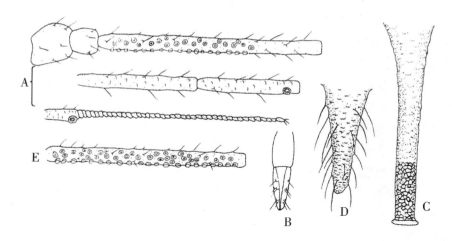

图 398 红花指管蚜 *Uroleucon gobonis* (Matsumura)

无翅孤雌蚜 (apterous viviparous female)

A. 触角 (antenna); B. 喙第 4 +5 节 (ultimate rostral segment); C. 腹管 (siphunculus); D. 尾片 (cauda)

有翅孤雌蚜 (alate viviparous female)

E. 触角第 3 节 (antennal segment 3)

鉴别特征: 无翅孤雌蚜体纺锤形,体长 3.60mm,体宽 1.70mm。活体黑色。玻片标本头部黑色,胸部、腹部淡色有黑色斑纹。触角、喙、足(股节基部 2/5 及胫节中部 4/5 淡色)、腹管、尾片、尾板及生殖板黑色。前、中胸背板有横带横贯全节;后胸背板及腹部各节背毛均有毛基斑;第 7、8 背片各中、侧毛基斑相连为横带;前、中胸背板缘斑最大;腹管后斑大型,腹管前斑小,其他各节缘斑均较小。体表光滑,胸部稍有皱纹,各节缘域及腹管前几节背片微有模糊网纹,腹管后几节背片有横纹。缘瘤不显。气门圆形至长圆形关闭,气门片隆起黑色。节间斑黑色。中胸腹岔有长柄。体背毛粗,顶端钝,稍长,腹面毛长,尖锐,每节排列为 3 行;头部有头背毛 10 根;前胸背板有中、侧、缘毛各 2 根,中胸背板有中、侧、缘毛 6、12、4 根,后胸背板有中、侧、缘毛各 4 根;腹部第 1~6 背片各有中毛 4~6 根、侧毛 4~8 根、缘毛 4~8 根;第 7 背片有毛 7 或 8 根,第 8 背片有毛 4 根;头顶毛、腹部第 1 背片缘毛、第 8 背片毛长分别为触角第 3 节直径的 1.60 倍、1.40 倍、1.40 倍。中额沟深度为头顶毛长的 1.50 倍,额瘤显著外倾,内缘稍隆。触角 6 节,第 1~3 节光滑,仅第 1 节基部外方有少数四角及五角形网纹,第 4 节瓦纹模糊,第 5~6 节瓦纹明显,全长 3.30mm,为体长的 0.92 倍;第 3 节长 1mm,第 1~6 节长度比例为 15:11:100:55:57:14 +93;触角毛粗,钝顶,长短不等,长毛长为短毛的 2 倍,第 3 节长毛为该节直径的 0.83 倍;第 1~6 节毛数为 6~8、4 或 5、25~31、11~13、7~9、3 或 4 +4 根;第 3 节有小圆形突起次生感觉圈 35~48 个,分散于基部 4/5 外侧;第 5 节原生感觉圈无睫。喙端部不达后足基节,第 4 +5 节长为基宽的 2.60 倍,为后足第 2 跗节的 1.20 倍;有原生刚毛 4 根,次生刚毛 6 根。股节端部黑色部分有数个伪感觉圈;后足股节长 1.18mm,为触角第 3、4 节之和的 0.76 倍,约与腹管等长;后足胫节长 2.20mm,为体长的 0.61 倍，毛长为该节中宽的 0.80 倍；第 1 跗节毛序为 5、5、5。腹管长圆筒形，基部粗大，向端部渐细，基部 1/2 有微突起和隐约横纹，中部有瓦纹，端部 1/4 有网纹，两缘有微刺突，缘突不明显，无切迹，长 1.20mm，为体长的 0.33 倍，约为触角第 3 节的 1.20 倍，为尾片的 1.80 倍。尾片圆锥形，基部 1/4 处稍收缩，有微刺突瓦纹，两缘有微刺，长为触角第 4 节的 1.20 倍，有曲毛 13 ~ 19 根。尾板半圆形，有微刺突瓦纹，有毛 8 ~ 14 根。生殖板有毛 14 ~ 18 根。

有翅孤雌蚜体纺锤状，体长 3.10mm，体宽 1.10mm。玻片标本头部、胸部黑色，腹部淡色，有黑色斑纹。腹部各节背片中毛及侧毛均有小毛基斑，第 2 ~ 4 背片缘斑大楔形，腹管前斑小，腹管后斑楔形，大于其他各节缘斑，第 7 背片缘斑小，第 8 背片有中横带。触角 6 节，全长 3.20mm，约长于体长，第 3 节长 0.91mm，第 1 ~ 6 节长度比例为 15:9:100:56:49:15 + 102；第 3 节有小圆形隆起次生感觉圈 70 ~ 88 个，分散于全长。其他特征与无翅孤雌蚜相似。

生物学：寄主植物为牛蒡 *Arctium lappa*、薇术、红花 *Carthamus tinctorius*、关苍术 *Atractylodes japonica* 和苍术（枪头菜）*A. lancea* 等中草药用植物，以及水飞蓟 *Silybum marianum* 和刺菜 *Cirsium* sp. 等蓟属植物。本种是中草药红花、牛蒡及苍术的重要害虫。在华北和华东常在 5 ~ 6 月间大量发生，严重为害红花；蚜虫盖满幼叶背面、嫩茎及花轴，甚至老叶背面，遇震动常坠落地面；春、秋两季也常大量发生严重为害牛蒡，有时夏季也大量发生，盖满基叶背面、幼茎和花轴。被害处常出现黄褐色微小斑点，影响中草药产量和品质。

分布：陕西（西安、宁陕）、黑龙江、吉林、辽宁、北京、河北、天津、河南、宁夏、甘肃、新疆、山东、江苏、浙江、台湾、福建；俄罗斯，朝鲜，日本，印度，印度尼西亚。

(50) 居莴苣指管蚜 *Uroleucon lactucicola*（Strand，1929）（图 399）

Macrosiphum lactucicola Strand, 1929：22.

Dactynotus lactucicola：Miyazaki, 1971：36.

Uroleucon lactucicola：Tao, 1990：295.

鉴别特征：无翅孤雌蚜体背毛有毛基斑。中额平，额瘤显著、外倾。触角第 1 ~ 6 节长度比例为 20:16:100:71:54:25 + 104；触角第 3 节基半部约有 20 个凸出的圆形次生感觉圈。体毛生自褐色小骨片上。腹管管状，基部 1/3 有网纹。尾片长圆锥形，近基部 1/3 有细缢，其下有毛 11 根。

无翅雌性蚜触角第 3 节基半部约有 20 个次生感觉圈。后足胫节基半部膨大，有约 180 个伪感觉圈。腿节有蜡孔。

有翅雄性蚜有腹侧及腹管后骨片。触角第 3、4、5 节各有 80 ~ 100、10 ~ 20、10 个次生感觉圈。

生物学：主为紫苑等菊科植物，在叶、茎上取食。

分布：陕西（留坝）、甘肃、新疆、浙江、台湾、四川；日本。

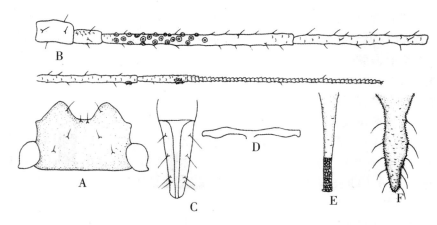

图 399　居莴苣指管蚜 *Uroleucon lactucicola*（Strand）
无翅孤雌蚜（apterous viviparous female）

A. 头部背面观（dorsal view of head）；B. 触角（antenna）；C. 喙第 4 + 5 节（ultimate rostral segment）；D. 中胸腹岔（mesosternal furca）；E. 腹管（siphunculus）；F. 尾片（cauda）

（51）苣荬指管蚜 *Uroleucon sonchi*（**Linnaeus，1767**）（图 400）

Aphis sonchi Linnaeus，1767：533.

Aphis alliariae Koch，1855：160.

Macrosiphum sonchicola Matsumura，1917：351.

Macrosiphum nickeli Essig，1956：15.

Uroleucon sonchi：Remaudiére & Remaudiére，1997：154.

鉴别特征：无翅孤雌蚜体长卵形，体长 2.90～3.20mm，体宽 1.00～1.25mm。活体褐色，有光泽。玻片标本头部黑褐色，胸部、腹部淡色。触角第 1～3 节各顶端、第 4 节端半部及第 6 节、喙端部、股节端部 1/4、胫节基部及端部、跗节、腹管黑色。腹部各节背片有毛基斑，腹管后斑大于前斑。气门椭圆形开放，气门片黑褐色，隆起。中胸腹岔有长柄，单臂横长 0.13～0.14mm，为触角第 3 节的 0.20倍。体背毛粗长，尖锐；头部有头顶毛 1 对，额瘤毛 3 对，头背毛 4 对；头顶毛、腹部第 1 背片缘毛、第 8 背片毛长分别为 0.08～0.09mm、0.06mm、0.07～0.08mm，分别为触角第 3 节最宽直径的 1.42 倍、0.96 倍、1.25 倍。中额平，额瘤隆起，外倾，呈"U"形。触角 6 节，第 4 节端部至第 6 节有瓦纹，全长 2.89mm，为体长的 1倍；第 3 节长 0.69～0.70mm，第 1～6 节长度比例为 31∶16∶100∶74∶70∶21 + 105；第 1～6 节毛数为 8 或 9、4、16 或 17、10 或 11、4～7、3 或 4 + 4 根，末节鞭部顶端有毛 3 根，第 3 节毛长 0.05mm，为该节最宽直径的 0.75 倍；第 3 节有小圆形次生感觉圈 8～13 个，分布于基部 1/2。喙端部达后足基节，第 4 + 5 节长楔状，长 0.15

~0.16mm，为基宽的 2.70 倍，有原生毛 3 对，次生毛 3~4 对。后足股节长 1.00
~1.08mm，为触角第 3 节的 1.50 倍；后足胫节长 1.88~1.91mm，为体长的 0.65
倍，毛长 0.05~0.06mm，为该节中宽的 0.92 倍；第 1 跗节毛序为 5、5、5。腹管
长管状，基部宽大，端部 1/5 有网纹 16 或 17 行，缘突稍显，有切迹，长 0.82~
0.89mm，为基宽的 5.35 倍，为端宽的 9.49 倍，为尾片的 1.73 倍。尾片尖锥形，
有小刺突横纹，长 0.45~0.54mm，为基宽的 2.29 倍，有毛 29~32 根。尾板末端
圆形，有小刺突横纹，有毛 16~20 根。生殖板褐色圆形，有小刺突横纹，有毛
14 根。

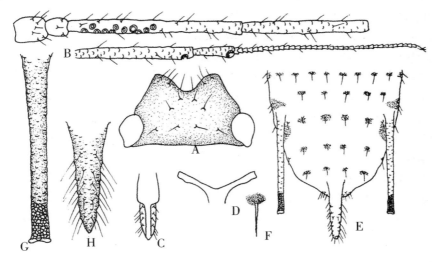

图 400　苣荬指管蚜 Uroleucon sonchi（Linnaeus）

无翅孤雌蚜（apterous viviparous female）

A. 头部背面观（dorsal view of head）；B. 触角（antenna）；C. 喙第 4＋5 节（ultimate rostral segment）；D. 中胸腹岔
（mesosternal furca）；E. 腹部第 4~8 背片（abdominal tergites 4-8）；F. 体背毛（dorsal seta of body）；G. 腹管（si-
phunculus）；H. 尾片（cauda）

生物学：寄主为刺菜 Cirsium sp.、苦苣 Sonchus oleraceus 和苣荬菜 S. arvensis。一
般在嫩茎、嫩叶及花序上取食。

分布：陕西（秦岭）、黑龙江、辽宁、河北、甘肃、青海、新疆，全北区广布。

（二）角斑蚜亚科 Myzocallidinae

鉴别特征：成蚜触角第 2 节短于第 1 节。喙端部有 2~22 根次生毛。体蜡片通
常消失，若存在，则第 1 跗节无背毛。第 1 跗节常有背毛和 5~7 根腹毛；爪间毛扁
平。无翅孤雌蚜缺或有。胚胎或 1 龄若蚜复眼有眼瘤。触角大部分有微刺。头部和
前胸分界不清晰。在胸部和腹部第 1~6 背片有 4 纵排毛，即侧毛不存在（彩斑蚜属
Therioaphis 有的种例外），胸部背板各节有缘毛 1 对。

　　生物学：寄主植物种类多样，但大多数种类取食于桦木科 Betulaceae、壳斗科 Fagaceae 和榆科 Ulmaceae 植物。

　　分类：世界性分布。陕西秦岭地区发现 6 属 8 种。

分属检索表

1. 胚胎胸部缘毛单一；头背无"V"形缝；第 1 跗节总有 1 对背毛；无翅型消失或存在；寄主大多为山毛榉科、榆科、桦木科，极少在竹类、朴属、椴属 ……………………………………… 2
   胚胎胸部缘毛成对；头背有"V"形缝；第 1 跗节通常无背毛；无翅型通常存在；寄主为桦木科 ………………………………………………………………………… **绵斑蚜属 Euceraphis**
2. 有翅孤雌蚜在头部、胸部和腹部无指状背中突起；腹管通常与腹部第 6 背片缘斑愈合 …… 3
   有翅孤雌蚜至少在腹部第 1、2 背片有指状背中瘤，有时头部背面和胸部背板的指状瘤也发达；腹管罕见与腹部第 6 背片缘斑愈合；触角与体长约等长 ……… **侧棘斑蚜属 Tuberculatus**
3. 孤雌蚜均为有翅型；腹部背片缘毛多，成丛分布；触角末节鞭部约等于或短于该节基部；各龄期身体大部分淡色或仅有发达的中侧斑；腹管未骨化，有几根毛环绕；有翅若蚜体缘毛头状；前翅前缘脉域透明 ………………………………………………… **黑斑蚜属 Chromaphis**
   孤雌蚜有翅型与无翅型均存在，个别属仅存在有翅型；腹部背片缘毛单一或成对，若成对，仍不成丛分布；触角末节鞭部各种长度 ………………………………………………………… 4
4. 前足基节非常扩展，其宽度为中足基节宽度的 1.75~3.00 倍，多数在 2 倍以上；在豆科的苜蓿、三叶草上取食 ……………………………………………………… **彩斑蚜属 Therioaphis**
   前足基节扩展，其宽度为中足基节宽度的 1~2 倍；不在豆科的苜蓿、三叶草上取食 ……… 5
5. 腹部背片各节缘毛单一；唇基有指状突起；寄主为竹类 ……………… **凸唇斑蚜属 Takecallis**
   腹部背片至少前几节缘毛成对；唇基无指状突起；寄主为桦木科植物 ……………………………………………………………………………… **新黑斑蚜属 Neochromaphis**

33. 黑斑蚜属 *Chromaphis* Walker，1870

Chromaphis Walker, 1870: 2001. **Type species**: *Lachnus juglandicola* Kaltenbach, 1843.

　　属征：所有孤雌蚜均为有翅型。触角 6 节，短于体长，第 6 节鞭部短于基部；第 3 节有宽圆形次生感觉圈。触角毛短。前足基节稍膨大，第 1 跗节有毛 7 根。腹管截断状，无缘突。尾片瘤状。尾板深裂为两叶。若蚜额部和腹部边缘有头状长毛。胚胎头顶前部有头状长毛 2 对，胸部背板各节有缘毛 1 对；腹部第 1~8 背片缘毛单一，头状，中毛极短，侧毛缺。腹管可见。

　　生物学：胡桃科 Juglandaceae 植物。

　　分布：欧亚大陆，非洲，后传入北美洲。秦岭地区发现 1 种。

（52）核桃黑斑蚜 *Chromaphis juglandicola*（**Kaltenbach，1843**）（图 401）

Lachnus juglandicola Kaltenbach, 1843：151.

Callipterus juglandicola Koch, 1855：224.

Chromaphis juglandicola：Baker, 1920：27.

鉴别特征：有翅孤雌蚜体椭圆形，体长 1.90mm，体宽 0.81mm。活体淡黄色。玻片标本触角第 3~6 节各节端部黑色，足跗节黑色，后足股节基部上方有 1 个黑色斑；其他部分淡色。体背毛短，尖锐；头部有头顶毛 1 对，头背毛 3 对；前胸背板有中毛 2 对，缘毛 3 对；中胸背板有中毛 4 对，侧毛 3 对；后胸背板有中毛 1 对；腹部第 1~5 背片各有中毛 2 对，缘毛 3 对，第 6~7 背片有中毛 1 对；第 8 背片有毛 14 根。额瘤不显。触角 6 节，第 5 节端半部和第 6 节有横瓦纹，全长 0.66mm，为体长的 0.35 倍；第 3 节长 0.30mm，第 1~6 节长度比例为 17：14：100：59：47：32＋7；触角毛极短，数量较少，第 1~6 节毛数为 3、2、3、0、1、0 根，末节鞭部顶端有毛 4 根。第 3 节有卵圆形次生感觉圈 5 个，分布全节。喙粗短，端部不达中足基节；第 4＋5 节长 0.06mm，与基宽约等或稍长，为后足第 2 跗节的 0.75 倍；有次生毛 5 根。翅脉淡色，径分脉仅端部清晰，中脉和肘脉基部镶色边。后足股节长 0.36mm，为触角第 3 节的 1.20 倍；后足胫节长 0.68mm，为体长的 0.36 倍。第 1 跗节毛序为 5、5、5。腹管短筒状，长 0.03mm，为基宽的 0.67 倍，为尾片的 0.60 倍。尾片瘤状，长 0.05mm，有毛 16 根。尾板分裂为两叶，有毛 16 根。

1 龄若蚜头顶有头状长毛 2 对，有极短后背毛 4 根，仅见毛基。前胸背板有中毛 4 根，缘毛 1 对，头状；中、后胸背板各有中毛 1 对，缘毛 1 对，腹部第 1~7 背片各有中毛 1 对，缘毛 1 对，第 8 背片有长头状毛 2 根。腹管位于第 6 背片。触角 4 节，第 3、4 节分节不显。

2 龄若蚜各胸节及腹部各节背片均增加 1 对缘毛，很短。触角 4 节。

3 龄若蚜头顶有长头状毛 6 对，小短毛 4 对；前胸背板有中毛 4 对，缘毛 6 对；中、后胸背板缘毛在 2 龄若蚜的基础上，在前部又增加 2 对短毛，中毛 2 对；腹部第 1~7 背片各有中侧毛 3 对，缘毛 6 对；第 8 背片有毛 6 根。触角 4 节。

4 龄有翅若蚜翅芽翻出体外。头顶有长头状毛 3 对，有短头状后背毛 2 对。前胸背板有中毛 2 对，缘毛 3 对；中胸背板有中毛 2 对，缘毛 2 对（长、短各 1 对）；后胸背板有中毛 1 对，缘毛 2 对。腹部第 1~5 背片各有中、侧毛 2 对，第 6、7 背片各有中侧毛 1 对，第 1~7 背片各有缘毛 3 对；第 8 背片有毛 3 对。触角 5 节。

2 龄干母若蚜头部有头顶毛 6 对，有头状后背毛 4 对。复眼由 6 个小眼面组成。前胸背板有中毛 1 对，缘毛 2 对；中、后胸背板各有中毛 2 对，缘毛 2 对；腹部第 1~7 背片有中毛和缘毛各 2 对；第 8 背片有毛 4 根，各毛长度相似。喙多毛，第 4＋5 节有次生毛 7 对。股节基部有头状毛。触角 3 节，有头状毛。体背毛长短基本一致。触角及足各节有骨化斑。

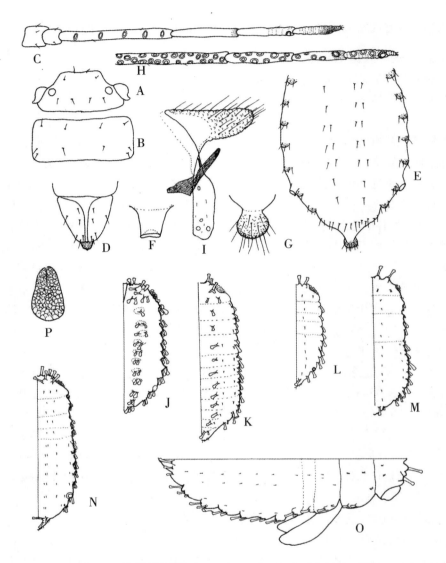

图 401　核桃黑斑蚜 *Chromaphis juglandicola*（Kaltenbach）
有翅孤雌蚜（alate viviparous female）

A. 头部背面观（dorsal view of head）；B. 前胸背板（pronotum）；C. 触角（antenna）；D. 喙第 4 + 5 节（ultiuate rostral segment）；E. 腹部背面观（dorsal view of abdomen）；F. 腹管（siphunculus）；G. 尾片（cauda）

雄性蚜（male）

H. 触角第 3 ~ 6 节（antennal segments 3-6）；I. 雄性外生殖器侧面观（lateral view of male genitalia）

若蚜与卵（nymph and egg）

J. 1 龄干母若蚜体背毛序（body dorsal chaetotaxy of 1st instar nymph of fundatrix）；K. 2 龄干母若蚜体背毛序（body dorsal chaetotaxy of 2nd instar nymph of fundatrix）；L. 1 龄若蚜体背毛序（body dorsal chaetotaxy of 1st instar nymph）；M. 2 龄若蚜体背毛序（body dorsal chaetotaxy of 2nd instar nymph）；N. 3 龄孤雌若蚜虫体背毛序（body dorsal chaeyotaxy of 3rd instar nymph）；O. 4 龄有翅孤雌若蚜体背毛序（body dorsal chaetotaxy of 4th instar nymph of alate viviparous female）；P. 卵（egg）

3或4龄干母若蚜头部有头顶毛3对,有后背毛2对,短于头顶毛。前胸背板有中毛1对,缘毛2对,但前缘毛退化仅可见毛基瘤,后缘毛增加1对可见毛基瘤;中、后胸背板各有中毛1对,缘毛2对(1对粗长,1对短细)。腹部第1~7背片各有中毛2对,缘毛2对(长短各1对);第8背片有毛2对,中间1对发达,两侧毛退化。喙端部达中足基节,第4+5节有次生毛4对,毛由长变短。触角5节。复眼由10个小眼面组成。

有翅雄性蚜玻片标本触角第1、2、3~5节各节端部、头部、胸部、中足股节基部、后足股节大部、胫节基部1/2、跗节黑褐色。腹部第4、5背片有褐色中毛基斑。雄性外生殖器黑褐色,多毛。触角节第3~6节分别有22~24个、8~10个、5个、3个次生感觉圈,后足股节有8~10个伪感觉圈。尾板圆形。其他特征与无翅孤雌蚜相似。

无翅雌性蚜玻片标本头顶后背方及前胸背板后部有淡褐色斑,中胸背板褐色,腹部第3~5背片有黑色横带,中、后足股节端部背方有黑色斑。体背毛头状,毛序似有翅孤雌蚜,但中背毛短小,缘毛及头顶毛长,第8背片有中侧头状毛2对及22对尖毛。触角毛头状,无次生感觉圈。后足胫节膨大处有约40个伪感觉圈。生殖板发达,半圆形,密生长毛。

卵椭圆形,一端宽,平截;一端窄,尖圆;长0.53mm,宽0.30mm。初产为黄绿色,2或3天后变为黑色,表面有网纹。孵化后的卵壳上有1条纵缝,长0.19mm,即孵化孔。

生物学:寄主植物为核桃 *Juglans regia*。该种在河北、山西以卵在核桃枝条上越冬,次年4月上、中旬为孵化高峰,干母发育17~19天,从4月底至9月初均为有翅孤雌蚜,共发生12~14代,9月中旬出现大量无翅雌性蚜和有翅雄性蚜。雌性蚜数量多于雄性蚜,一般为雄性蚜的2.70~21.00倍,雌、雄性蚜交配后,每头雌性蚜可产卵7~21粒。卵一般产在粗糙的多缝隙的树皮上,如枝条基部、小枝分叉处,或节间、叶片脱落的叶痕等处,以便卵安全越冬。

分布:陕西(秦岭)、辽宁、河北、山西、甘肃、新疆;印度,中亚,中东,欧洲,非洲,北美洲。

34. 绵斑蚜属 *Euceraphis* Walker, 1870

Euceraphis Walker, 1870: 2001. **Type species**: *Aphis punctipennis* Zetterstedt, 1828.

属征:成蚜体型大。有翅孤雌蚜额瘤发达。触角长于身体,第6节鞭部等于或短于基部,第3节有窄条形次生感觉圈,位于第3节基半部;原生感觉圈长圆形,有睫。体蜡片存在。前翅翅痣狭长,径分脉清晰,略弯。腹管较短,截断状。尾片瘤状。尾板完整。所有孤雌蚜,包括干母,均为有翅孤雌蚜。胚胎体背毛长尖锐,中毛单一,侧毛存在,缘毛单一。腹管可见。

生物学:为害桦木属 *Betula* spp. 植物。

分布：全北区，澳洲区。秦岭地区发现1种。

（53）桦绵斑蚜 *Euceraphis punctipennis*（Zetterstedt，1828）（图402）

Aphis punctipennis Zetterstedt，1828：559.

Aphis discolor Burmeister，1836：941.

Aphis nigritarsis von Heyden，1837：299.

Leptopteryx nivalis Zetterstedt，1837：39.

Aphis cerasicolens Fitch，1851：43.

Callipterus bicolor Koch，1855：135.

Euceraphis punctipennis：Higuchi，1972：59.

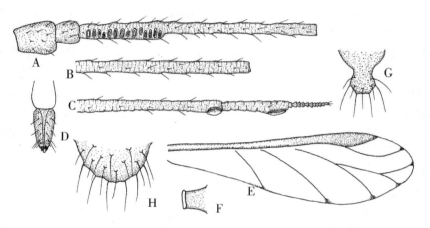

图402 桦绵斑蚜 *Euceraphis punctipennis*（Zetterstedt）

有翅孤雌蚜（alate viviparous female）

A. 触角第1~3节（antennal segments 1-3）；B. 触角第4节（antennal segments 4）；C. 触角第5~6节（antennal segments 5-6）；D. 喙第4+5节（ultimate rostral segment）；E. 前翅（forewing）；F. 腹管（siphunculus）；G. 尾片（cauda）；H. 尾板（anal plate）

鉴别特征： 有翅孤雌蚜体纺锤形，体长3.50mm，体宽1.25mm。活体黄绿色。玻片标本头部、胸部骨化褐色，腹部淡色，无斑纹，腹部后几节渐细长。触角第1~2节、第3节基部1/3稍骨化，第3~6节漆黑色，股节端部及胫节基部4/5骨化褐色，胫节端部及跗节黑色，腹管及尾片淡色。腹部第1~5背片气门内方各有1对馒状淡色缘瘤，每瘤有2或3根刚毛(缘毛2~6根)。体表光滑。气门圆形开放，气门片淡色三角形。体背毛短。腹部第1~7背片有中、侧毛各1对，第8背片有毛7根。头顶毛、腹部第1背片缘毛、第8背片毛长分别为触角第3节最宽直径的0.52倍、0.21倍、0.93倍。中额稍隆起，腹面有"V"形缝，额瘤隆起外倾，呈"U"形。触角6节，细长，有显著密瓦纹，全长4.40mm，为体长的1.20倍，第3节长1.50mm，第1~6节长度比例为9∶7∶100∶72∶60∶22＋17；第1~6节毛数为7或8、4或5、42、25、12~15、1＋0根，第3节毛长为该节最宽直径的1/3；第3节有长卵形次生感觉圈

14～19个，分布于基部 1/3 的膨大部位。喙粗短，端部达前、中足基节之间，第 4+5 节长 0.14mm，为基宽的 1.70 倍，为后足第 2 跗节的 0.68 倍，有原生刚毛 2 对，次生刚毛 5 对。前足基节不膨大；后足股节长 1.50mm，与触角第 3 节约等长或稍短；后足胫节细长，长 2.80mm，为体长的 0.77 倍，毛长为该节中宽的 0.73 倍；第 1 跗节有毛 7～9 根。翅脉正常，各脉终点黑色扩大。腹管短筒状，光滑，无缘突，有切迹；与触角第 2 节约等长，为尾片的 1/2，长与基宽约等。尾片瘤状，基部宽大，端半部收缩，长约为基宽的 1/3，端部有淡色小刺突构成横纹，长约为腹管的 2 倍，有硬长毛 8～10 根。尾板末端圆形，有硬长毛 18～24 根。生殖板淡色，有长毛 26 根。

生物学：寄主植物为白桦 Betula platyphylla，国外记载有岳桦 B. ermanii、王桦 B. maximowicziana、白桦、红桦 B. albo-sinensis、西南桦 Betula sp.、水桦 Betula sp.、沼桦 Betula sp.、日本樱桦 Betula sp.、欧洲白桦 Betula sp.、土耳其斯坦桦 Betula sp. 以及桦木属其他种类。本种为常见种，广布。在叶片背面分散为害，十分活跃。不发生无翅孤雌蚜。在欧洲冬初发生有翅雄性蚜和无翅雌性蚜，交配后雌性蚜在叶片及嫩梢产卵，以卵越冬。

分布：陕西(秦岭)、黑龙江、吉林、辽宁、内蒙古、北京、河北、甘肃、青海、台湾；蒙古，俄罗斯，日本，欧洲，北美洲，澳洲。

35. 新黑斑蚜属 *Neochromaphis* Takahashi，1921

Neochromaphis Takahashi，1921：28. **Type species**：*Chromaphis carpinicola* Takahashi，1921.

属征：有翅孤雌蚜触角第 6 节鞭部非常短，至多为该节基部的 0.30 倍；触角第 3 节有圆形、近圆形次生感觉圈，无睫。喙端部达中足基节。第 1 跗节通常有 5 根腹毛，有背毛。翅脉有黑色翅昙。腹管低，短柱形。尾片长椭圆形。尾板分裂为两叶。胚胎背毛长，钝顶或稍头状；背中毛长短不等，排列不平行，侧毛消失。腹管可见。

生物学：本属蚜虫在桦木科 Betulaceae 植物当年生幼茎或嫩枝上为害。常数十头群居。

分布：中国；朝鲜半岛，日本。秦岭地区发现 1 种。

(54) 榛新黑斑蚜 *Neochromaphis coryli* Takahashi，1961 (图 403)

Neochromaphis coryli Takahashi，1961：12.

鉴别特征：有翅孤雌蚜体椭圆形，体长 2.12mm，体宽 0.97mm。活体绿色。玻片标本头部、前胸背板淡色，中胸背板深褐色；腹部淡色，背瘤及毛基瘤黑色。触角淡色，第 1 节及各节端部稍显褐色；喙淡色，顶端黑色；股节褐色，胫节淡色，跗节黑色；腹管褐色，尾片、尾板淡色。体表光滑，中胸盾片有粗糙刻纹，各毛基斑、瘤有皱曲纹，腹部第 1、3 背片各有 1 对隆起的中瘤，其他节有时毛基瘤隆起，第 1～7

背片各有独立缘瘤，稍隆起。气门圆形开放，气门片淡褐色。体背毛粗，尖硬，头部有背毛 10 ~ 12 对；前胸背板有毛 10 ~ 13 对；腹部第 1 ~ 4 背片各有中侧毛 13 ~ 15对，第 5 ~ 7 背片有中侧毛 7 ~ 9 对，第 8 背片有毛 13 ~ 16 根；第 1 ~ 7 背片缘毛数为11、9、8、6、5、5、9 对。头顶长毛长 0.08mm，为触角第 3 节最宽直径的 2.10 倍，腹部第 1 背片毛长 0.05mm，第 8 背片毛长 0.09mm。中额及额瘤不隆。触角 6 节，有小刺突瓦纹，全长 1.24mm，为体长的 0.58 倍；第 3 节长 0.36mm，第 1 ~ 6 节长度比例为 17∶16∶100∶52∶50∶34 + 6；触角毛尖锐，长短不等，第 1 ~ 6 节毛数为 2 或 3、2、7或 8、2 或 3、1 或 2、2 + 0 根，末节鞭部顶端毛 4 根；第 3 节毛长为该节最宽直径的1.40 倍，长毛为短毛的 4 倍；第 3 节有大圆形及椭圆形次生感觉圈 11 ~ 16 个，分布于全长。喙端部达中足基节，第 4 + 5 节长楔状，长 0.15mm，为基宽的 2.20 倍，为后足第 2 跗节的 1.30 倍，有原生毛 3 对，次生毛 3 对。股节有小刺突瓦纹，胫节端半部布满小刺突。后足股节长 0.39mm，为触角第 3 节的 1.10 倍；后足胫节长0.83mm，为体长的 0.39 倍，毛长与该节中宽约等长。第 1 跗节毛序为 5、5、5。翅脉正常，前翅翅脉有重暈，翅痣宽大，径分脉基部 2/3 缺。腹管截断状，光滑，无缘突，长 0.05mm，为基宽的 0.59 倍，端径约与长相等。尾片瘤状，中部收缩，布满粗刺突，长 0.13mm，为腹管的 3 倍，有长毛 15 ~ 17 根。尾板分裂为两叶，有长短毛 27或 28 根。生殖板淡色，有毛 38 ~ 52 根。

生物学：寄主植物为榛属 *Corylus* spp. 植物。本种蚜虫在当年生幼茎、嫩枝条或叶背群居为害。

分布：陕西（宁陕）、黑龙江、吉林、辽宁、河北；俄罗斯，朝鲜，日本。

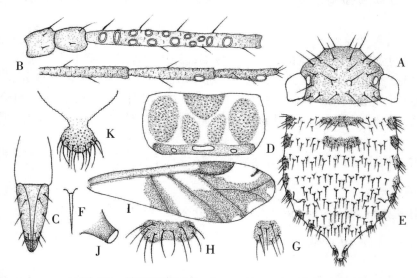

图 403　榛新黑斑蚜 *Neochromaphis coryli* Takahashi
有翅孤雌蚜（alate viviparous female）

A. 头部背面观（dorsal view of head）；B. 触角（antenna）；C. 喙第 4 + 5 节（ultimate rostral segment）；D. 中胸背板（mesonotum）；E. 腹部背面观（dorsal view of abdomen）；F. 体背刚毛（dorsal seta of body）；G. 腹部缘瘤及斑纹（marginal tubercle and patch on abdomen）；H. 腹部第 2 背片中瘤（spinal tubercle on abdominal tergite 2）；I. 前翅（forewing）；J. 腹管（siphunculus）；K. 尾片（cauda）

36. 凸唇斑蚜属 *Takecallis* Matsumura，1917

Takecallis Matsumura，1917：373. **Type species**：*Callipterus arundicolens* Clarke，1903.

属征：孤雌蚜均为有翅型，额瘤及中额瘤不发达。上唇基上方有1个指状突起。触角6节，第6节鞭部与该节基部近等长。喙第4+5节粗短，不超过前足基节，短于后足第2跗节，有或无次生毛。前翅翅脉正常，中脉二分叉；后翅2斜脉。腹部背板淡色，有小圆锥形成对突起，有时位于骨化斑上，与腹管前几节缘突相似；腹部背板中、缘毛单一，第7背片中毛远离，第8背片有毛2~5根；腹管短，截断状，无明显缘突，基部有1根毛或无。胫节端部毛与其他毛明显不同。第1跗节有背毛2根，腹毛5根。尾片中间缢缩。尾板内陷为倒"U"形。蜡片消失。生殖突2个。胚胎背毛长，头状，背中毛平行排列，侧毛消失。腹管可见。

生物学：主要取食于禾本科 Gramineae、竹亚科植物。

分布：全北区，澳洲区。秦岭地区发现1种。

(55) 竹梢凸唇斑蚜 *Takecallis taiwanus*（Takahashi，1926）（图404）

Myzocallis taiwanus Takahashi，1926：160.

Therioaphis tectae Tissot，1932：11.

Takecallis taiwanus：Stroyan，1964：34.

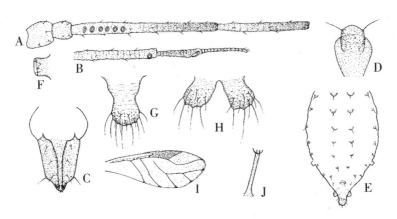

图404　竹梢凸唇斑蚜 *Takecallis taiwanus*（Takahashi）

有翅孤雌蚜（alate viviparous female）

A. 触角第1~4节（antennal segments 1-4）；B. 触角第5~6节（antennal segments 5-6）；C. 喙节第4+5节（ultimate rostral segment）；D. 唇基指状凸起（finger-like tubercle on clypeus）；E. 腹部背面观（dorsal view of abdomen）；F. 腹管（siphunculus）；G. 尾片（cauda）；H. 尾板（anal plate）；I. 前翅（forewing）；J. 体背毛（dorsal seta of body）

鉴别特征：有翅孤雌蚜体长卵形，体长 2.50mm，体宽 0.92mm。活体有两种体色，全绿色或头、胸部淡褐色，腹部绿褐色。玻片标本头部、胸部骨化深色，腹部淡色，无斑纹。触角黑色，喙稍骨化，足灰黑色，腹管端部 2/3，尾片、尾板及生殖板灰色。体表无网纹，头部 4 对毛瘤，每瘤 1 根刚毛，前部 1 对最大；前胸背板中毛瘤 1 对稍突起，各 1 根短毛；腹部第 1～5 背片中瘤各 1 对，第 1～2 背片中瘤尤大，呈馒状，宽度大于触角第 1 节，第 6～8 背片中毛瘤甚小，第 1～7 背片每节 1 对明显缘瘤，各顶端有尖锐刚毛，第 8 背片具 1 对中毛瘤，稍显突起。气门圆形开放，气门片淡色稍突起。无节间斑。体背除中、缘瘤有尖刚毛外，头部中额瘤 1 对刚毛，腹部第 8 背片具 1 对侧刚毛，腹面多长尖刚毛，第 8 背片毛长为触角第 3 节最宽直径 0.90倍，头顶毛及腹部第 1 背片缘毛为其 0.95～0.72 倍。有翅若蚜体背毛长而粗，端顶扇状。胚胎腹管环状，缘毛 1 根，中毛从前胸背板至腹部第 5 背片呈平行纵行，第 7背片毛远离，第 6 背片和第 8 背片中毛靠近。中额及额瘤稍隆起。触角细长，有微刺横瓦纹，第 3 节基部膨大，全长 2mm，为体长 0.80 倍；第 3 节 0.66mm，第 1～6 节长度比例为 12:10:100:61:56:30+28；第 1～6 节毛数为 4、3、15～19、3、1 或 2、0+0根，第 3 节毛长为该节最宽直径 0.41 倍。唇基前部有 1 个指状凸起，其上有 1 对长刚毛。喙极短粗，不达前足基节，第 4+5 节长等于或短于基宽，为后足第 2 跗节的0.53 倍，共长刚毛 4～6 对。足较短，有小刺突横纹，后足股节 0.47mm，稍长于触角第 4 节；后足胫节 0.85mm，为体长的 0.34 倍，毛长与该节直径约等；第 1 跗节毛序为 7、7、7。翅脉正常，脉粗黑，两端黑色扩大。腹管短筒形，光滑，全长 0.05mm，为基宽的 0.62 倍，约与端宽相等。无缘突，有切迹。尾片瘤状，端半部有小刺突，粗刚毛 10～17 根，包括 1 对粗长毛。尾板分裂为两片，各片呈指状，每片有粗长短刚毛 10～12 根。

生物学：寄主植物为竹类，如赤竹、青篱竹、刚竹、紫竹、雷竹、石绿竹等。本种发生数量较多，在未伸展幼叶上为害。对幼竹威胁较大，是竹类常见的重要害虫。

分布：陕西（西安）、山东、上海、江苏、浙江、台湾、四川、云南；日本，欧洲，北美洲，澳洲。

37. 彩斑蚜属 *Therioaphis* Walker, 1870

Therioaphis Walker, 1870: 1999. **Type species**: *Aphis ononidis* Kaltenbach, 1846.

属征：无翅孤雌蚜和有翅孤雌蚜体背毛头状。额瘤不发达。复眼有眼瘤。触角 6节，末节鞭部稍短于或稍长于该节基部；次生感觉圈卵圆形，仅位于第 3 节，排成 1行；触角毛短于第 3 节最宽直径。喙短，端部不达中足基节。前足基节特别膨大，宽为中足基节宽的 2 倍。第 1 跗节有腹毛 6 根，背毛 2 根。前翅径分脉不明显，其他翅脉色淡或镶黑色边，各翅脉顶端有褐色斑纹。腹管截断状，无缘突。尾片中间缢缩。尾板内陷为"∩"形。胚胎体背毛粗，头状，缘毛单一，侧毛缺；腹部第 3、5、7 背片各节中毛相互靠近，有时近平行排列；第8背片中毛间距正常。腹管可见。

生物学：为害豆科 Fabaceae 植物。

分布：全北区。秦岭地区发现2种。

分种检索表

腹部第1~5背片各有1对中毛 ……………………………… 来氏彩斑蚜 *Th. riehmi*

腹部第1~5背片各有7~10中毛 ……………………………… 三叶草彩斑蚜 *Th. trifolii*

(56) 来氏彩斑蚜 *Therioaphis riehmi* (**Börner, 1949**) (图405)

Myzocallidium riehmi Börner, 1949: 49.

Therioaphis riehmi: Pintera, 1956: 136.

鉴别特征：有翅孤雌蚜体椭圆形，体长2.13mm，体宽0.95mm。活体淡黄色，体背有4纵行斑。玻片标本体淡色，腹管褐色，触角、喙、足、尾片、尾板及生殖板淡色。腹部第1~8背片各有中侧斑1对，缘斑1对，第1~4背片中侧斑大，第2~5背片缘斑大。气门关闭，气门片近圆形，淡褐色。节间斑淡褐色。体背毛短而钝，毛基瘤微显。头部有头顶毛1对，头背毛4对；腹部第1~8背片各有中毛1对，缘毛1对，各毛位于褐色毛基斑和微隆的毛基瘤上。毛基斑或毛基瘤上有粗刻斑或小刺突短纹。中额微隆，与额瘤近等高。触角6节，全长2.16mm，与体长约等；第3节长0.78mm，第1~6节长度比例为12:9:100:55:51:26+22；触角毛短尖，第1~6节毛数为3或4、3、16、9、6、1+0根；末节鞭部顶端有毛5根；第3节毛长0.01mm，为该节最宽直径的1/3，第3节有次生感觉圈卵圆形9~12个，分布于基半部；原生感觉圈有睫。喙端部达中足基节，第4+5节短钝，长0.09mm，为基宽的1.38倍，为后足第2跗节的0.64倍，有次生毛2对。前足基节膨大；后足股节长0.61mm，为触角第3节的0.78倍；后足胫节长1.08mm，为体长的0.51倍；足毛细尖，胫节毛较粗长，胫节端部毛不同于该节其他毛，后足胫节毛长0.05mm，为该节中宽的1.13倍。第1跗节毛序为5、5、5。前翅中脉二分叉。径分脉基部不显，翅脉褐色，各脉顶端有褐色斑；翅痣有褐色边缘；后翅2斜脉。腹管截断状，光滑，长0.04mm，为基宽的0.50倍，与端宽约等，为尾片的0.15倍。尾片典型瘤状，长0.27mm，为基宽的1.30倍，有毛16~18根。尾板内陷为"∩"形，有毛20根。生殖板有毛19根，其中有前部毛4根。

生物学：寄主植物为草木樨 *Melilotus officinalis*、三叶草 *Trifolium pratense*、紫苜蓿 *Medicago sativa* 及白花草木樨 *Melilotus alba*。在叶片背面为害。

分布：陕西(秦岭)、黑龙江、甘肃；俄罗斯，欧洲，北美洲。

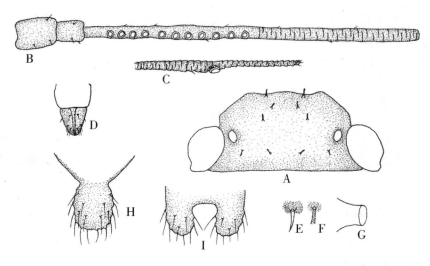

图405　来氏彩斑蚜 *Therioaphis riehmi*（Börner）

有翅孤雌蚜（alate viviparous female）

A. 头部背面观（dorsal view of head）；B. 触角第1~3节（antennal segments 1-3）；C. 触第6节（antennal segment 6）；D. 喙第4+5节（ultimate rostral segment）；E. 体背刚毛（dorsal seta of body）；F. 头部背毛（dorsal seta of head）；G. 腹管（siphunculus）；H. 尾片（cauda）；I. 尾板（anal plate）

(57) 三叶草彩斑蚜 *Therioaphis trifolii*（**Monell，1882**）（图406）

Callipterus trifolii Monell，1882：14.

Chaitophorus trifolii maculata Buckton，1899：277.

Callipterus genevei Sanborn，1904：3.

Therioaphis collina Börner，1942：259.

Pterocallidium lydiae Börner，1949：48.

Pterocallidium propinquum Börner，1949：48.

Therioaphis trifolii brevipilosa Hille Ris Lambers *et* van den Bosch，1964：3.

Therioaphis trifolii：Heie，1982：72.

　　鉴别特征：无翅孤雌蚜体卵圆形，体长2.10mm，体宽1.10mm。活体黄色，有明显褐色毛基斑。玻片标本头部、胸部稍骨化，各附肢全骨化灰褐色，腹部淡色，腹管基部骨化黑色。头部无斑，胸部、腹部毛基斑黑褐色；胸部缘域骨化黑色。前胸背板有节间间隔，中、后胸与腹部愈合。前胸有1对圆形缘瘤。前胸背板无斑，毛基斑骨化；中胸背板有大圆形缘斑，背中、侧域呈2块断续或愈合的大斑，后胸缘斑小于中胸缘斑，有中、侧斑各2块；腹部第1~8背片各有圆形缘斑，第6、7背片缘斑小于第1~5背片缘斑；腹部各节有缘斑2块，圆形或长方形；腹部侧斑小圆形，第8背片有长或断续横带。胸部、腹部背板有1至数根长刚毛。体表光滑，胸部缘域有网纹，腹部缘域稍显曲纹，腹部第7、8背片微显瓦纹。气门圆形关闭，气门片黑色。节间斑明显，黑褐色。中胸腹岔短，一丝相连。体毛粗长，各毛基部有 1 个大型黑色隆起和黑褐色毛基斑，毛顶端粗大呈头状有纵纹，刚毛骨化褐色；附肢毛尖细，顶端稍钝。头部有头状毛 20 根，毛基隆起，无斑；前胸背板有头状缘毛 1 对，背中毛 4 根，侧毛 2 根，毛基隆起，稍骨化，无毛基斑，腹面有短尖缘毛 3 或 4 根；中胸背板有中毛 4~6 根，侧毛 2~4 根，长缘毛 1 对；腹部第 1~5 背片各有中毛 4 根，侧毛 2 根，长缘毛 1 对，每毛有 1 个圆形毛基斑，第 6、7 背片各有中侧毛 4 或 5 根，缘毛 1 对，每毛有 1 个圆形毛基斑；第 8 背片有头状毛 2~6 根；腹面刚毛除头顶毛外，均为短尖锐毛，无斑。头顶毛、腹部第 1 背片毛、第 8 背片毛长分别为触角第 3 节最宽直径的 1.20 倍、2 倍、1.60 倍。中额及额瘤稍隆。触角 6 节，细长，有微刺突构成横纹，两缘有尖锯齿状突，全长 2mm，等于或稍短于体长，第 3 节长 0.65mm；第 1~6 节长度比例为 13：9：100：61：64：33 + 32；触角毛短尖，第 1~6 节毛数为 5、2、19~23、5~9、2、0 +0 根，第 3 节毛长为该节最宽直径的 0.20 倍；第 3 节基部膨大，向端部渐细，有横长圆形次生感觉圈 7~10 个，分布于基部 1/2，排列 1 行。喙短粗，端部达前足基节，第 4 +5 节短粗，基部收缩，长 0.09mm，为基宽的 1.70 倍，为后足第 2 跗节的 0.70 倍，有原生刚毛 4 根，次生短刚毛 4 根。后足股节长 0.47mm，为触角第 3 节的 0.72 倍；后足胫节长 0.92mm，为体长的 0.44 倍，毛长为该节中宽的0.58倍，为端宽的 0.85 倍；第 1 跗节毛序为 7、7、7。腹管短筒形，光滑，两缘有皱纹，无缘突和切迹，长 0.08mm，为尾片的 1/2。尾片瘤状，有微刺突横纹，有长尖毛 9~11 根。尾板分裂为两叶，有长毛 14~16 根。生殖板不骨化，有短尖毛 8~10 根。

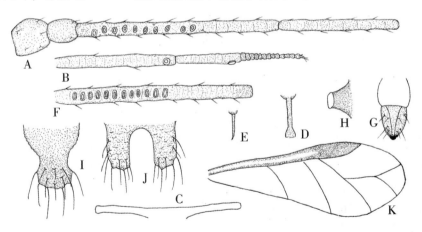

图 406　三叶草彩斑蚜 *Therioaphis trifolii*（Monell）

无翅孤雌蚜（apterous viviparous female）

A. 触角第 1~4 节（antennal segments 1-4）；B. 触角第 5~6 节（antennal segments 5-6）；C. 中胸腹岔（mesosternal furca）；D. 腹部背刚毛（dorsal seta of abdomen）；E. 腹部腹面毛（ventral seta of abdomen）

有翅孤雌蚜（alate viviparous female）

F. 触角第 3 节（antennal segment 3）；G. 喙第 4 +5 节（ultimate rostral segment）；H. 腹管（siphunculus）；I. 尾片（cauda）；J. 尾板（anal plate）；K. 前翅（forewing）

　　有翅孤雌蚜体长卵形，体长 1.80mm，体宽 0.71mm。活体黄色，有褐色毛基斑。玻片标本头部、胸部骨化灰黑色，缘域体色加深，腹部淡色。头部、胸部背面无毛基斑，腹部背面有黑色毛基斑。体背光滑，毛基斑有小刺突构成瓦纹，腹部第 7、8 背片稍显瓦纹。气门圆形半开放。节间斑明显黑褐色。触角 6 节，全长 1.80mm，与体长相等；第 3 节长 0.57mm，第 1~6 节长度比例为 13:10:100:65:59:31+33；第 3 节有长圆形次生感觉圈 6~12 个，分布于基部 2/5。喙端部超过前足基节。翅脉正常，有昙，各脉顶端昙加宽。后足股节长 0.43mm，为触角第 3 节的 0.76 倍；后足胫节长 0.81mm，为体长的 0.45 倍，毛长为该节中宽的 0.73 倍。腹管短筒形，长 0.04mm，为尾片的 0.25 倍。尾片瘤状，顶端钝，有毛 8~12 根，尖端 1 对长尖毛长为其他毛长的 2~3 倍。尾板分裂为两叶，各有明显长毛 1 对，共有毛 13 或 14 根。其他特征与无翅孤雌蚜相似。

　　生物学：寄主植物为豆科的紫苜蓿 *Medicago sativa*、草木樨 *Melilotus officinalis*、三叶草 *Trifolium pratense* 和苦草 *Vallisneria natans* 等。在苜蓿幼叶反面和嫩梢为害，是苜蓿常见害虫，严重时影响苜蓿生长和鲜草产量。在 4~8 月间都有发生。在北京 11 月中旬发生无翅雌性蚜和有翅雄性蚜，交配产越冬卵。应注意保护天敌，利用天敌消灭蚜虫，并尽可能采用内吸选择性杀虫剂防治。其天敌昆虫有普通草蛉、七星瓢虫、十一星瓢虫和蚜茧蜂等。

　　分布：陕西(秦岭)、吉林、辽宁、北京、河南、甘肃、新疆、山东、江苏、云南；俄罗斯，印度，中亚，中东，欧洲，非洲，北美洲。

38. 侧棘斑蚜属 *Tuberculatus* Mordvilko，1894

Tuberculatus Mordvilko，1894：136. **Type species**：*Aphis quercus* Kaltenbach，1843.

　　属征：额瘤明显，头顶额毛、前背毛明显，后背毛短。前胸背板两侧有 1 至数根毛，后侧毛一般有 1 对，前侧毛罕见。前胸背板有中瘤 1 或 2 对，或缺；中、后胸背板常有成对中瘤或无。腹部背片有成对的中瘤及缘瘤，各瘤顶端有毛 1~4 根。胫节末端毛尖，基部有时有钝或头状毛；爪间突呈刚毛状或锤状；第一跗节有腹毛 5 或 6 根，背毛 2 根。前翅正常，翅痣常镶褐色边，肘脉常镶边，有时所有翅脉均着色，有时则色淡，翅痣下缘有毛。腹管光滑或有微刺。尾片为典型瘤状，有长毛。尾板中间凹陷而分裂为两叶，基部相连，有长毛。胚胎背中毛或缘毛头状、钝或尖；各节中毛位置侧移或除腹部第 1~6 背片之外各节中毛位置侧移。

　　分布：全北区。秦岭地区发现 2 种。

分种检索表

胸部背板无指状瘤；前胸背板有 1 对后缘毛；翅脉有深昙，径分脉端部 2/3 不显 ……………

·· 缘瘤栗斑蚜 *T. margituberculatus*

前胸背板有指状瘤；前胸背板有 2 对后缘毛；翅脉淡色，无昙，径分脉发达；翅痣全部淡色 …

·· 台栎侧棘斑蚜 *T. querciformosanus*

（58）缘瘤栗斑蚜 *Tuberculatus margituberculatus*（**Zhang** *et* **Zhong，1981**）（图 407）

Castanocallis margituberculatus Zhang et Zhong, 1981：345.

Tuberculatus（*Nippocallis*）*margituberculatus*：Remaudière & Remaudière, 1997：228.

鉴别特征：有翅孤雌蚜身体呈纺锤状，体长 1.87mm，体宽 0.99mm。活体黄色或黄绿色，稍被白粉，背瘤黑色；翅竖起与叶面呈 60°角。玻片标本中其头部、胸部为黑色，腹部淡色，背板及腹面有明显黑色斑。触角第 1、2 节及各节端部黑色；喙淡色，顶端黑褐色；足淡色，中、后足基节黑色，跗节稍骨化；腹管、尾片、尾板黑色。体背斑、瘤明显；头部背面缘域深黑色，前部有隆起的毛基瘤 2 对，高于中额，中域有稍隆起的毛基瘤 1 对，后方有不隆起的毛基瘤 2 对；腹部第 1 背片有微隆起的毛基斑瘤 2 对；第 2~7 背片各有宽圆锥形背中瘤 1 对，基部有时愈合，长 0.03~0.05mm；第 8 背片有横带状瘤横贯全节；第 2、3 背片各有圆锥形侧瘤 1 对，其他侧瘤为零星毛基斑瘤；第 1~7 背片各有缘瘤 1 对，长度分别为 0.03~0.04mm、0.07~0.08mm、0.11~0.13mm、0.18~0.27mm、0.10mm、0.05~0.07mm、0.03~0.04mm，第 4 背片缘瘤大，呈长指状；第 1~4 背片缘瘤及第 2~3 背片侧瘤有小刺突，其他背瘤光滑。气门圆形开放，气门片黑色。体背毛顶端钝，有时圆顶形，腹面毛细，尖锐。头部有背毛 10 根；前胸背板有中侧毛 6 根，缘毛 2 根；腹部第 1~6 背片各有中毛 4 或 5 根，侧毛 4~6 根，第 7 背片有中毛 6 根；第 1~3 背片、第 4~7 背片各有缘毛 4~6 根，第 6 背片有缘毛 7 或 8 根，第 8 背片有毛 10 或 11 根。头顶毛长 0.11mm，为触角第 3 节最宽直径的 4.10 倍，腹部第 1 背片中毛长 0.05mm，缘毛长 0.03mm，第 3 背片中毛长 0.08mm。中额及额瘤不高于毛基瘤。触角 6 节，第 1、2 节光滑，第 3 节端部以后各节有小刺突横纹，全长 1.34mm，为体长的 0.71 倍；第 3 节长 0.44mm，第 1~6 节长度比例为 13：12：100：57：49：24＋34；触角毛短，第 1~6 节毛数为 3、3 或 4、4~6、2、1 或 2、0 或 1＋0 根，第 3 节毛长 0.02mm，为该节最宽直径的 0.77 倍；第 3 节有大圆形次生感觉圈 6~9 个，分布于基部的 3/5。喙短，端部超过前足基节，第 4＋5 节呈锥状，长 0.10mm，为基宽的 1.70 倍，与后足第 2 跗节约等长，有原生毛 3~4 对，次生毛 3~4 对。胫节有小刺突分布。后足股节长 0.42mm。为触角第 3 节的 0.90 倍；后足胫节长 0.82mm，为体长的 0.43 倍，后足胫节毛长 0.04mm，为该节中宽的 1.20 倍；第 1 跗节毛序为 7、7、7。翅脉有深昙，翅痣端部与径分脉基部呈“C”形昙，径分脉端部 2/3 不显，臀脉镶宽边，肘脉基部有昙，端半部及中脉分叉以后有宽昙；后翅 2 斜脉，臀脉镶窄边。腹管截断筒状，光滑，长 0.08mm。尾片瘤状，长 0.11mm，为腹管的 1.30 倍，有长尖毛 10~12 根。尾板分裂为两叶，有毛 20~32 根。生殖板有毛 10 根，淡色。胚胎体背毛头状，缘毛长于中毛。

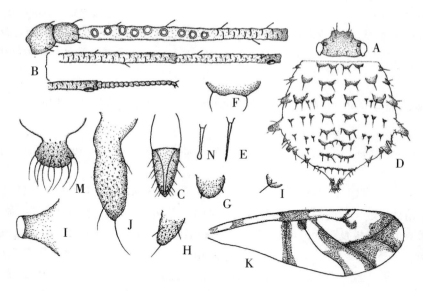

图 407　缘瘤栗斑蚜 *Tuberculatus margituberculatus*（Zhang *et* Zhong）

有翅孤雌蚜（alate viviparous female）

A. 头部背面观（dorsal view of head）；B. 触角（antenna）；C. 喙第 4 + 5 节（ultimate rostral segment）；D. 腹部背面观（dorsal view of abdomen）；E. 体背毛（dorsal seta of body）；F. 腹部第 2 背片中瘤（spinal tubercle on abdominal tergite 2）；G. 腹部第 2 背片侧瘤（pleural tubercle on abdominal tergite 2）；H. 腹部第 2 背片缘瘤（marginal tubercle on abdominal tergite 2）；I. 腹部第 4 背片侧毛基瘤（pleural seta basal tubercle on abdominal tergite 4）；J. 腹部第 4 背片缘瘤（marginal tubercle on abdominal tergite 4）；K. 前翅（forewing）；I. 腹管（siphunculus）；M. 尾片（cauda）

胚胎（embryo）

N. 体背毛（dorsal seta of body）

生物学：寄主植物为栗 *Castanea mollissima*、蒙古栎 *Quercus mongolica* 和大叶柞 *Quercus* sp. 等。在叶片背面取食。

分布：陕西（宁陕）、辽宁、北京、河北、山东、浙江、湖南、江西、福建、广西、云南。

（59）台栎侧棘斑蚜 *Tuberculatus querciformosanus*（Takahashi，1921）（图 408）

Myzocallis querciformosanus Takahashi，1921：72.

Tuberculoides querciformosanus：Takahashi，1931：82.

Tuberculatus（*Orientuberculoides*）*querciformosanus*：Moritsu，1953：8.

鉴别特征：有翅孤雌蚜身体为椭圆形，体长 2.28mm，体宽 0.84mm。活体为蜡白色或淡黄色。玻片标本淡色。触角第 3～6 节各端部、喙顶端及各足跗节为黑色，其他附肢淡色。体表光滑，有明显淡色背瘤。头部有头顶毛基瘤 1 对，头背前部毛基瘤 2 对，头背后部有几乎不隆起的毛基斑 2 对；前胸背板后部有长锥形中瘤 1 对，背前方有隆起毛基瘤2对，各缘域有透明小圆瘤2或3个；中、后胸背板无中瘤；腹部第1～3背片各有长锥形中瘤1对，长度分别为0.11mm、0.13mm、0.24mm；第4背片有明显小中瘤1对，第5～8背片各有微隆起的不明显中瘤1对；第1～7背片各有半球形缘瘤1对，第2～4背片有大型缘瘤。体背毛顶端头状，头状部宽为基部最细处的2倍。头部有头顶长毛1对，头背前部长毛2对，头背后部短毛2对；头背长毛长0.10～0.13mm，短毛长0.01～0.02mm；前胸背板有中毛3对，缘毛2对；中胸背板有长短毛10对，长毛长0.12mm，长毛长为短毛的4倍；后胸背板有短毛3对；腹部第1～7背片各有中毛2～3对，缘毛3～5对，第8背片有毛10根。头顶毛长为触角第3节最宽直径的4倍；腹部第1背片毛长0.03mm，第8背片毛长0.04mm。气门肾形关闭，气门片淡色。中额及额瘤微隆起，不及毛基瘤高。触角6节，第1、2节内缘突起，有瓦纹，全长2.10mm，为体长的0.91倍；第3节长0.61mm，第1～6节长度比例为14:10:100:74:58:30＋59；触角毛头状，内缘毛粗大，第1～6节毛数为3、2、5、2、1、0根；第3节毛长为该节最宽直径的1.25倍，位于毛瘤上；第3节有圆形次生感觉圈4～7个，分布于基部3/5。喙尖长，端部不达中足基节；第4＋5节呈长尖锥形，长0.18mm，长为基宽的3.10倍，为后足第2跗节的1.75倍，有次生刚毛3对。足毛头状。胫节端部有小刺突。后足股节长0.57mm，为触角第3节的0.93倍；后足胫节长1.34mm，为体长的0.58倍，后足胫节毛长为该节中宽的1.30倍；第1跗节各有毛7～9根。翅脉淡色，无昙。翅痣后缘有粗钉毛7或8根。腹管短筒形，长0.09mm，有明显缘突。尾片瘤状，长0.11mm，为腹管的1.20倍，有长短毛13根。尾板分裂成两叶，有27根毛。

　　雌性蚜身体呈纺锤状，体长3.10mm，体宽1.30mm。活体为暗紫色。玻片标本淡色，头部骨化黑色，头部中缝淡色，伸达后缘；胸部、腹部有明显黑斑，毛基斑黑色隆起；腹部淡色，末端伸长。触角第1、2节骨化，第3～6节各端部为黑色，足褐色，喙第4＋5节、腹管、尾片及尾板为灰褐色。体表光滑，背斑明显。前胸背板有2个宽横带状中斑，各带有时断离；中胸背板有"田"字形中斑，侧斑与缘斑相连；后胸背板有中斑1对，小型侧斑2对，缘斑大型；腹部第1～6背片各有中斑1对，侧域各有毛基斑2～5对，各节有大圆形缘斑，第6、7背片缘斑小。气门圆形开放，气门片黑色。体背毛骨化粗大，顶端球状，毛基斑隆起，呈馒形置于背斑上。头部有头顶有毛1对，头背毛4对；前胸背板有中毛3～4对，缘毛1对，中胸背板中域有长短毛10～13对，侧毛2对，缘毛4～5对，后胸背板有中毛5对，侧毛、缘毛各3对；腹部第1～6背片各有中毛3～4对，侧毛3～5对，缘毛2～3对，第7～8背片有较短尖锐毛，第7背片有中侧毛8根，长缘毛1对，第8背片有毛16～20根。头顶毛长0.13mm，为触角第3节最宽直径的3～4倍，腹部第1背片缘毛长0.13mm；第1背片中毛长0.16mm，短毛长0.06mm，第8背片毛长0.07mm。中额及额瘤微隆，不高于毛基瘤。触角6节，第1节内缘端部突凸，各节有微瓦纹，全长1.60mm，为体长的0.51倍；第3节长0.41mm，第1～6节长度比例为20:16:100:68:64:36＋77；第3节有头状长毛3或4根，短毛2或3根，其他各节有短毛1～3根，长毛长为该节最宽直

径的 2.20 倍，短毛为其长的 1/3 ~ 1/5。喙端部达中足基节，第 4 + 5 节为长锥形，长
与后足跗第 2 节约等长，有刚毛 6 对。后足股节长 0.54mm，为触角第 3 节的 1.30
倍；后足胫节密布圆形透明伪感觉圈，全长 1.02mm，为体长的 0.32 倍，基部外缘有
头状长毛 4 或 5 根，其他毛尖锐，毛长为该节中宽的 1.30 倍；后足第 1 跗节有毛 5
根。腹管筒状、光滑，有缘突和切迹，长 0.12mm，长为尾片的 2 倍。尾片瘤状，长与
基宽约等，有长毛 22 ~ 25 根。尾板呈宽锥状，有毛 70 余根。

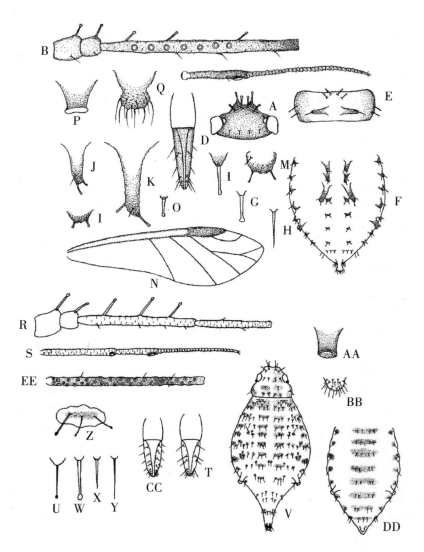

图 408　台栎侧棘斑蚜 *Tuberculatus querciformosanus*（Takahashi）
有翅孤雌蚜（alate viviparous female）

A. 头部背面观（dorsal view of head）；B. 触角第 1 ~ 3 节（antennal segments 1- 3）；C. 触角第 6 节（antennal seg-
ment 6）；D. 喙第 4 + 5 节（ultimate rostal segment）；E. 前胸背板（pronotum）；F. 腹部背面观（dorsal view of abdo-
men）；G. 体背刚毛（dorsal seta of body）；H. 腹部腹面毛（ventral seta on abdomen）；I. 头部背面前瘤（anterior tu-

bercle on dorsal of head）；J. 腹部第 1~2 背片中瘤（spinal tubercle on abdominal tergites 1-2）；K. 腹部第 3 背片背瘤（dorsal tubercle on abdominal tergite 3）；L. 腹部第 4 背片中瘤（spinal tubercle on abdominal tergite 4）；M. 腹部第 4 背片缘瘤（marginal tubercle on abdominal tergite 4）；N. 前翅（forewing）；O. 翅痣毛（seta on pterostigma）；P. 腹管（siphunculus）；Q. 尾片（cauda）

雌性蚜（oviparous female）

R. 触角第 1~4 节（antennal segments 1-4）；S. 触角第 5~6 节（antenphents 5-6）；T. 喙第 4+5 节（ultimate rostral sgement）；U. 头部背瘤（dorsal tubercle on head）；V. 腹部背面观（dorsal view of abdomen）；W. 体背毛（dorsal seta of body）；X. 腹部第 8 背片毛（dorsal seta on abdominal tergite 8）；Y. 腹部腹面毛（ventral seta on abdomen）；Z. 腹部第 2 背片中瘤（spinal tubercle on abdominal tergite 2）；AA. 腹管（siphunculus）；BB. 尾片（cauda）

四龄无翅雌性若蚜（4th instar nymph of oviparous female）

CC. 喙第 4+5 节（ultimate rostral sgement）；DD. 腹部背面观（dorsal view of abdomen）

雄性蚜（oviparous male）

EE. 触角第 3 节（antennal segment 3）

　　4 龄无翅雌性若蚜身体呈椭圆形，体长 2.20mm，体宽 1mm。玻片标本体背有黑色斑，毛基斑隆起，位于斑纹上；中胸背板有中斑 2 对，后胸背板至腹部第 7 背片各有中斑 1 对，侧斑零星分散，有大型缘斑，第 8 背片有横带斑。体背长毛，顶端球状。触角 6 节，全长 1.30mm，为体长的 0.58 倍；第 3 节长 0.28mm；第 1~6 节长度比例为 26:22:100:76:85:52+100；第 3 节毛长短不等，长毛长为该节最宽直径的 1.90 倍。喙部第 4+5 节有刚毛 11~16 对。足光滑，胫节毛长，尖锐；第 1 跗节有毛 5~7 根。腹管淡色，短筒状，长为尾片的 1.20 倍。尾片半球状，有毛 20~51 根。尾板末端圆形或平顶状，有毛 45~68 根。其他特征与雌性蚜相似。

　　有翅雄性蚜身体呈椭圆形，体长 2.30mm，体宽 0.77mm。活体为草黄色。玻片标本头部、胸部黑色，腹部淡色，腹部第 1~8 背片各中斑宽横带状，缘斑独立，第 3、4 背片缘瘤明显，各斑布满粗小刺突。头部及胸部背毛为头状长毛；腹部背毛为硬尖锐毛；腹部第 1~7 背片各有中毛 2 对，第 1~5 背片各有缘毛 2~3 对，第 6、7 背片各有缘毛 1 对，第 8 背片有毛 7~10 根。触角 6 节，全长 2.30mm，与体长约等；第 3~6 节各有圆形次生感觉圈为 35~51 个、13~18 个、8~11 个、1 或 2 个。翅脉正常，粗黑。腹管骨化，短于尾片。尾片瘤状，尾板末端平方形。生殖器黑色。

　　生物学：寄主植物为蒙古栎 *Quercus mongolica*、橡树 *Quercus* sp.、麻栎 *Q. acutissima* 及槲树 *Q. dentata* 等。在叶片背面散居。

　　分布：陕西(宁陕)、辽宁、北京、河北、山东、台湾；俄罗斯，朝鲜，日本。

（三）毛蚜亚科 Chaitophorinae

　　鉴别特征：头部无额瘤，中额凸出或平直。触角有 6 或 5 节，罕见 4 节，触角末节鞭部长于基部，次生感觉圈小，圆形。体背缘瘤和背瘤常缺。爪间毛多为棒状。有翅型翅脉正常。腹管短截状，有时为杯状或环状，大部分有网纹或小刺。尾片呈瘤状或半月形。尾板末端为圆形，有时下缘微凹。

生物学：寄主为杨柳科 Salicaceae、槭树科 Aceraceae 或禾本科 Gramineae 及其他单子叶植物；大多群居于叶片或嫩梢上。同寄主全周期生活型，不形成虫瘿，很少传播病毒；食性较单一，多为寡食性。该科物种常有蚂蚁伴生。有翅孤雌蚜大部分在早夏出现，可能属于第 2 或 3 代。

分类：全北区。陕西秦岭地区发现 1 属 2 种。

39. 毛蚜属 *Chaitophorus* Koch，1854

Chaitophorus Koch，1854：1. **Type species**：*Chaitophorus leucomelas* Koch，1854.

属征：额瘤缺，中额稍隆。触角通常有 6 节，罕见 5 节，一般短于或等于体长；无翅孤雌蚜触角无次生感觉圈，有翅孤雌蚜次生感觉圈主要分布在触角第 3 节；触角末节鞭部总长于基部；鞭部毛长而细，通常长于触角第 3 节最宽直径。头部与前胸分离。喙第 4 + 5 节粗或细长，通常短于或等于后足第 2 跗节的 2 倍。体背板光滑或有小刺突、网纹或小突起；有翅孤雌蚜腹部背片有成对缘斑和中侧斑，有时中侧斑愈合为 1 个大背斑。腹部背片相互分离，或分布不显，第 1～6 背片常愈合并暗色骨化，第 6～7 背片有时愈合，第 8 背片游离。无翅孤雌蚜体背毛长，细或粗，顶端渐尖、钝或分叉；有翅孤雌蚜体背毛通常细，腹部第 8 背片毛数变化较大，有时可达 20 根。腹管短，平截状，淡色或暗色，为体长的 0.04～0.06 倍，有网纹。尾片通常瘤状或弧形、舌形。尾板完整。生殖突有 4 个。胫节端部光滑，有时在毛间有细小刺突；后足胫节有时有少数伪感觉圈。第 1 跗节常有毛 5 根，有时 6 或 7 根；爪间毛细。前翅中脉二分叉，后翅 1 斜脉。多种性蚜未知。雌性蚜通常无翅，体型较宽，背部骨化斑与孤雌蚜不同；后足胫节通常肿胀，有伪感觉圈。雄性蚜体型也较宽，无翅雄蚜和有翅雄蚜触角次生感觉圈多于有翅孤雌蚜。

生物学：取食杨柳科 Salicaceae 杨属 *Populus* spp. 和柳属 *Salix* spp. 植物；主要寄生于嫩叶和端梢，有些北美分布的种类寄生在根部或树干。

分布：全北区。秦岭地区发现 2 种。

分种检索表

取食柳属植物；活体黑色，附肢淡色 ………………………………… **柳黑毛蚜 *Ch. saliniger***

取食杨属植物；活体蜡白色至浅绿色，胸部和腹部背面有深翠绿色至绿色斑 ………………………………………………………………………… **白毛蚜 *Ch. populialbae***

(60) 白毛蚜 *Chaitophorus populialbae*（**Boyer de Fonscolombe，1841**）（图 409）

Aphis populialbae Boyer de Fonscolombe，1841：187.

Chaitophorus albus Mordvilko, 1901：410.

Myzocallis saccharinus del Guercio, 1913：197.

Chaitophorus inconspicuous Theobald, 1922：61.

Chaitophorus hickeliana Mimeur, 1931：201.

Chaitophorus roepkei Börner, 1931：29.

Chaitophorus tremulinus Mamontova, 1955：68.

Chaitophorus populialbae：David, Narayanan & Rajasingh, 1971：372.

鉴别特征： 无翅孤雌蚜身体呈卵圆形，体长 1.90mm，体宽 1.10mm。活体呈腊白色到浅绿色，胸部、腹部背面有深翠绿色到绿色斑，胸部有 2 个，腹部前部、后部各有 2 个，中部有 1 个。玻片标本淡色，触角第 5 节端部及第 6 节、喙端部黑色，跗节灰色，其他部分淡色。体表光滑，背部显微网纹。气门小圆形不甚明显，关闭，气门片淡色，无节间斑。中胸腹岔淡色，两臂分离。体背毛粗长钝顶，部分毛顶端分叉；头部有头顶毛 4 根，头背毛 16～18 根；前胸背板有毛 16 根；中胸背板有中侧毛 30 余根，缘毛 10～12 对；后胸背板有毛 30 余根；腹部第 1～7 背片分别有中毛、侧毛各 10～15 根；第 8 背片有 8 根长刚毛；第 1～5 背片各有缘毛 4 或 5 对，第 6、7 背片各有缘毛 3 对；头顶毛长 0.12mm；头顶毛、腹部第 1 背片缘毛、第 8 背片毛长分别为触角第 3 节直径的 3.40 倍、3.70 倍、4.80 倍。中额及额瘤不显。触角 6 节，第 1～3 节光滑，第 4～6 节有瓦状纹，全长 1mm，为体长的 0.54 倍；第 3 节长 0.28mm，第 1～6 节长度比例为 21:20:100:63:47:34 + 79；触角毛粗长，顶端分叉，第 1～6 节毛数为 5 或 6、4 或 5、8 或 9、6、3～5、2 +0 根；第 3 节毛长为该节直径的 1.60 倍，各节长毛位于前侧。喙端部达中足基节，第 4 +5 节长 0.13mm，为基宽的 2.10 倍，为后足第 2 跗节的 0.96 倍；有原生毛 2 对，次生毛 2 对。足光滑，股节有微曲纹；后足股节长 0.36mm，为触角第 3 节的 1.30 倍；后足胫节长 0.66mm，为体长的 0.35 倍，无伪感觉圈；第 1 跗节毛序为 5、5、5。腹管截断状，长 0.08mm，与尾片约等长，稍长于触角第 1 节。尾片瘤状，中部收缩，有微刺突横纹，有长曲毛 8～11 根。尾板末端圆形，顶端中部向内稍凹，有长短毛 23～29 根。生殖板淡色，有短毛 18～24 根。

有翅孤雌蚜体卵圆形，体长 1.90mm，体宽 0.86mm。活体为浅绿色，有黑斑。玻片标本的头部、胸部黑色，腹部淡色，有黑斑；腹部第 1、2 背片有零星小斑，第 3～8 背片各有 1 个横带，第 4～6 背片横带较宽，第 7 或 8 背片横带横贯全节，稍淡；第 1～6 背片缘斑稍显骨化。触角、足股节、胫节两端及跗节黑色至灰黑色；节间斑为褐色至淡褐色；腹管、尾片及尾板淡色。体背斑有瓦状纹。体背毛长尖，头部有头顶毛 4 根，头背毛 10 根；前胸背板有中毛、侧毛、缘毛各 2 对；腹部第 8 背片有长刚毛 8 或 9 根。头顶毛、腹部第 1 背片缘毛、第 8 背片毛长分别为触角第 3 节直径的 3.90 倍、2.40 倍及 4.20 倍。中额稍隆，额瘤不显。触角 6 节，第 1、2 节光滑，第 3～6 节有瓦纹，全长 1mm，为体长的 0.53 倍；第 3 节长 0.28mm，第 1～6 节长度比例为 21:19:100:66:49:33 +77；触角毛短，第 1～6 节毛数为 5 或 6，3～5、8～10、4～6、

3 或 4、2 +0 根，第 3 节毛长为该节直径的 0.44 倍；第 3 ~5 节各有圆形次生感觉圈
为 10 ~12 个、2 ~4 个、1 个。喙粗大，端部达前中足基节之间，第 4 +5 节与后足第
2 跗节约等长。后足股节长 0.37mm，为触角第 3 节的 1.30 倍；后足胫节长 0.68mm，
为体长的 0.36 倍，毛长为该节中宽的 2.10 倍。翅脉正常，脉黑粗。腹管长 0.07mm，
稍短于尾片，长于触角第 1 节。尾片瘤状，有长曲毛 9 ~11 根。尾板有长短毛19 ~36
根。其他特征与无翅孤雌蚜相似。

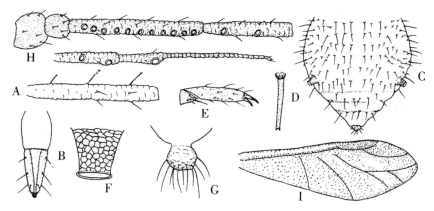

图 409 白毛蚜 *Chaitophorus populialbae*（Boyer de Fonscolombe）

无翅孤雌蚜（apterous viviparous female）

A. 触角第 3 节（antennal segment 3）；B. 喙第 4 +5 节（ultimate rostral segment）；C. 腹部背面观（dorsal view of abdomen）；D. 体背毛（dorsal seta of body）；E. 后足跗节及爪（hind tarsi and claws）；F. 腹管（siphunculus）；G. 尾片（cauda）

有翅孤雌蚜（alate viviparous female）

H. 触角（antenna）；I. 前翅（forewing）

生物学：寄主有毛白杨 *Populus tomentosa*、小青杨 *P. pseudosimonii*、小叶杨 *P. simonii* 和银白杨 *P. alba*；印度记载有胡杨 *P. euphratica*。在印度次大陆为害胡杨，并形成钉状虫瘿，密度大，危害严重。在欧洲，4 月底出现干母，10 月份发生性蚜。在中国，寄生在叶片正面致使叶顺卷，形成伪虫瘿；或寄生在嫩叶和老叶背面；或寄生在叶反面瘿螨形成的虫瘿外面，发生数量较多。

分布：陕西（宝鸡）、辽宁、北京、河北、山东、河南；中亚，欧洲，非洲北部，北美洲。

（61）柳黑毛蚜 *Chaitophorus saliniger* Shinji，1924（图 410）

Chaitophorus saliniger Shinji, 1924：343.

Chaitophorus chinensis Takahashi, 1930：9.

Chaitophorus nigrimarginatus Ivanovskaja, 1978：79.

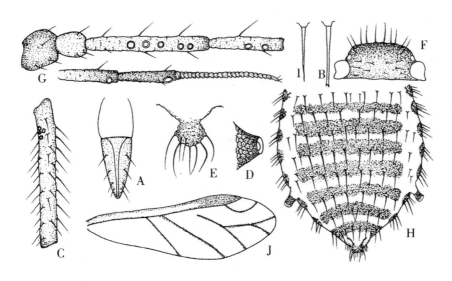

图 410 柳黑毛蚜 *Chaitophorus saliniger* Shinji
无翅孤雌蚜（apterous viviparous female）

A. 喙第 4 + 5 节（ultimate rostral segment）；B. 体背毛（dorsal seta of body）；C. 后足胫节（hind tarsi）；D. 腹管（siphunculus）；E. 尾片（cauda）

有翅孤雌蚜（alate viviparous female）

F. 头部背面观（dorsal view of head）；G. 触角（antenna）；H. 腹部背面观（dorsal view of abdomen）；I. 体背毛（dorsal seta of body）；J. 前翅（forewing）

鉴别特征：无翅孤雌蚜身体呈卵圆形，体长 1.40mm，体宽 0.78mm。活体黑色，附肢淡色。玻片标本体背为黑色，头部及胸部各节分界明显；腹部第 1~7 背片愈合呈 1 个大背斑，腹部背片缘斑黑色加厚。气门片、触角第 1、2 节两缘、第 5 节端部 1/3、第 6 节、足基节、转节、股节、跗节及胫节外缘、腹管、腹部节间斑黑色，尾片灰黑色，尾板淡色。体表粗糙，头部背面有突起缺环曲纹；胸部背面有圆形粗刻点瓦纹；腹部第 1~6 背片微显刻点横纹，第 7、8 背片有明显小刺突瓦纹；腹部腹面有瓦纹微细。气门圆形关闭，隆起。节间斑明显，排列为 10 纵行，每个节间斑周围有褶皱纹。中胸腹岔两臂分离。体背毛长，顶端分叉或尖锐。头顶 14 根，头背中域有长短毛 14 根（两侧边缘各 1 根分叉长毛），后部有短毛 12 根；前胸背板有中毛 6 根（4 根分叉长毛、2 根短毛），侧毛 6 根（4 根分叉长毛、2 根短毛），缘毛 8 根（分叉长毛）；中胸背板有中毛、侧毛 28 根（长毛分叉、短毛尖锐），有缘毛 12 根；后胸背板有中、侧长短毛 12 根，缘毛 20~24 根。腹部第 1~7 节侧缘域各有 2 根不分叉长毛及 6~8 根不分叉短毛，腹部背片各有中毛、侧毛 8~16 根，长毛顶端分叉，短毛尖锐；第 8 背片有长毛 10~12 根。腹面毛短，尖锐。头顶毛长0.14mm；头顶毛、腹部第 1、8 背片毛分别为触角第 3 节直径的 6.30 倍、3.50 倍、5.70 倍。中额稍隆，额呈平圆顶形。触角 6 节，第 1、2 节有皱纹，第 3~6 节有明显瓦纹；全长0.68mm，为体长的 0.47 倍；第 3 节长 0.16mm，第 1~6 节长度比例为 38：29：100：55：52：51＋94；

触角毛长，尖锐，第1~6节毛数为7或8、4或5、5、2或3、1、2+0根；第3节毛长为该节直径的3.10倍。喙短粗，端部伸达中、后足基节之间，末节稍细长，长为基宽的2.30倍，为后足第2跗节的1.20倍，有原生毛2或3对，次生长毛2对。足短粗，后足股节有明显瓦纹，长0.29mm，为该节直径的4倍，为触角第3节的1.80倍。后足胫节基部1/4稍膨大，内侧有小伪感觉圈2~5个，长0.41mm，为体长的0.28倍，毛长为该节直径的2.80倍；第1跗节毛序为5、5、5。腹管截断形，有网纹，长0.04mm，为体长的0.03倍，为尾片的0.56倍，无缘突及切迹。尾片瘤状，有小刺突横纹，有长毛6或7根。尾板半圆形，有长毛10~13根。生殖板骨化深色，呈馒头形，有长毛约30根。有生殖突4个，各有极短毛4根。

有翅孤雌蚜体呈长卵形，体长1.50mm，体宽0.63mm。活体黑色，腹部有大斑，附肢淡色。玻片标本头部、胸部黑色，腹部淡色，有明显黑色斑。腹部第1~6背片中、侧斑各形成横带，有时相连，第7、8背片各有1个横带横贯全节；第1~7背片有近方形缘斑，第1、7背片缘斑稍小。触角第1节黑色，第2节边缘骨化深色，触角第4、5节端部及第6节、气门片、节间斑为黑色。头部表皮有粗糙刻纹；胸部有突起及褶皱纹；腹部微显微刺突瓦纹，第7、8背片有明显瓦纹。气门圆形，半开放。体毛长，尖锐，顶端不分叉。喙端部不达中足基节，第4+5节长为基宽的2倍。触角长0.81mm，为体长的0.54倍；第3节长0.20mm，第1~4节长度比例为31:27:100:60:50:47+85；触角毛长尖锐，第1~6节毛数为8、8、7、2、1、2+0根；第3节毛长为该节直径的2.10倍，第3节有圆形次生感觉圈5~7个，分布于端部2/5，第4节有圆形次生感觉圈1或2个。后足股节长0.32mm，为触角第3节的1.60倍，长为宽的5.50倍；后足胫节长0.54mm，为体长的0.37倍。翅脉正常，有昙。腹管短筒形，长0.06mm，为体长的0.04倍，与触角第1节约等长，端部约1/2有粗网纹，有缘突和切迹。尾片瘤状，有长毛7或8根，尾板有长毛15~17根。生殖板骨化黑色，为宽带形，有毛约43根。其他特征与无翅孤雌蚜相似。

胚胎身体呈卵形，体长0.56mm，体宽0.28mm。体背毛稍粗长，尖锐。头部有头顶毛2对，头背侧缘毛各1对；前胸背板有中缘毛各2对，中胸背板有中毛1对，侧毛、缘毛各2对，近中毛1对侧毛稍细短，且靠近后胸背板；后胸背板有中、侧毛各1对，缘毛2对。腹部第1~5背片有中毛、侧毛、缘毛各1对，侧毛靠近中毛，第6~8背片有中毛、缘毛各1对。复眼由多个小眼面组成。触角4节，第3~4节有横瓦纹，全长0.29mm，为体长的0.51倍；第3节长0.08mm，第1~4节长度比例为59:41:100:50+106；触角毛少而尖锐，第1~4节毛数为2、2、2、2+4根；原生感觉圈为圆形，无睫。喙端部达腹部第1节，第4+5节长0.08mm，为基宽的2倍，为后足第2跗节的1.21倍；有原生毛3对，次生毛1对。足发育正常。第1跗节毛序为2、2、2。后足第2跗节长0.06mm。腹管位于腹部第5、6背片之间，端径0.03mm，基宽0.05mm。

1龄若蚜体卵形，体长0.66mm，体宽0.27mm。腹部第8背片明显游离，其他体节分节不明显。头顶和喙端部深褐色，其他部分淡色。头顶、头部背面及胸部背面有颗粒状突起，体缘毛基隆起。触角第 3~4 节有横瓦纹；腹管有稀疏网纹；尾片、尾板有小刺突。头顶毛和体缘毛顶端尖锐，其他体背毛顶端扩展为平截状或分叉。体背毛序与胚胎相同。头顶毛长 0.07mm，腹部第 1 背片缘毛长 0.07mm，第 8 背片背毛长 0.10mm，分别为触角第 3 节最宽直径的 2.80 倍、2.80 倍、0.70 倍。中额缝明显。复眼由多个小眼面组成。触角 4 节，全长 0.03mm，为体长的 0.50 倍；第 3 节长 0.10mm，第 1~4 节长度比例为 45:35:100:50+90；触角毛少，尖锐，第 1~4 节毛数为 2、2、1、2+4 根；第 3 节毛长 0.04mm，为该节最宽直径的 1.60 倍；原生感觉圈圆形，有稀疏短睫。喙端部达腹部第 1 节，第 4+5 节长 0.08mm，为基宽的 2 倍，为后足第 2 跗节的 1.14 倍；有原生毛 3 对，次生毛 1 对。股节与转节分节不明显，后足股节长 0.12mm，为触角第 3 节的 1.20 倍；后足胫节长 0.18mm，为体长的 0.27 倍；足毛与触角毛相似，外侧毛较内侧毛长。后足胫毛长 0.05mm，为该节中宽的 1.67 倍。第 1 跗节毛序为 2、2、2。后足第 2 跗节长 0.07mm。腹管稍隆起，长 0.03mm，基宽 0.04mm，端宽 0.03mm。尾片末端圆形，长 0.03mm，为基宽的 0.50 倍，有毛 2 根。尾板末端宽圆形，有毛 4 根。

2 龄若蚜身体呈长卵形，体长 0.70mm，体宽 0.30mm。头部与胸部分离，胸部 3 节、腹部第 8 背片游离。头顶、头背灰褐色，前胸背板有 1 对大型中侧缘斑，中胸背板中毛、侧毛基斑愈合成 1 对大型中侧斑，缘斑 1 对。体背毛有或无灰褐色毛基斑，第 8 背片毛基斑连合。触角第 1、3 节顶端和第 4 节灰褐色，股节、跗节、腹管灰褐色，其他附肢及尾片、尾板淡褐色。头部和胸部毛基斑上有刻纹状突起；触角第 3~4 节、第 2 跗节、股节腹面有短横瓦纹；腹管有稀疏网纹，尾片、尾板有小刺突。头顶毛尖锐，其他体背毛顶端分叉或扩展成平截状；体背毛序与 1 龄若蚜相似。中额缝明显。复眼由多个小眼面组成。触角 4 节，全长 0.36mm，第 3 节长 0.11mm，第 1~4 节长度比例为 48:33:100:52+100；第 1~4 节毛数为 3、3、2、2+4 根；第 3 节毛长 0.04mm，为该节最宽直径的 2 倍，为后足第 2 跗节的 1.07 倍。喙第 4+5 节有原生毛 3 对，次生毛 1 对。后足股节长 0.11mm，与触角第 3 节约等长；后足胫节长 0.18mm，为体长的 0.25 倍；后足胫节毛长 0.05mm，为该节中宽的 1.67 倍；后足第 2 跗节长 0.08mm。其他特征与 1 龄若蚜相似。

生物学：寄主为垂柳 Salix babylonica、水柳 S. warburgii、河柳 S. chaenomeloides、龙爪柳 S. matsudana f. tortuosa、馒头柳 S. matsudana f. umbraculifera、旱柳 S. matsudana、杞柳 S. integra、蒿柳 S. schwerinii 等柳属植物。本种是柳属植物常见害虫，常盖满叶片反面，蜜露落在叶面常引起黑霉病。大量发生时蚜虫在枝干和地面爬行，导致柳叶大量脱落。在北京每年 3 月间柳树发芽时越冬卵孵化，5~6 月间大量发生，多数世代为无翅孤雌蚜，仅在 5 月下旬至 6 月上旬发生有翅孤雌蚜。全年在柳属植物上生活。10 月下旬发生雌、雄性蚜，交配后在柳枝上产卵越冬。

分布：陕西（西安）、黑龙江、吉林、辽宁、北京、河北、山西、河南、宁夏、山东、上海、江苏、浙江、湖北、江西、湖南、福建、台湾、广西、四川、贵州、云南；俄罗斯，日本。

（四）镰管蚜亚科 Drepanosiphinae

鉴别特征：触角第 1 节长于第 2 节。有翅型前足股节膨大。腹管为圆柱状，有时膨大，有缘突。尾片瘤状。尾板完整或稍浅裂。生殖突 3 个。

生物学：取食槭树科 Aceraceae 植物。

分类：全北区。陕西秦岭地区发现 1 属 1 种。

40. 桠镰管蚜属 *Yamatocallis* Matsumura, 1917

Yamatocallis Matsumura, 1917：366. **Type species**：*Yamatocallis hirayamae* Matsumura, 1917.

属征：有翅孤雌蚜身体中至大型，头部具有较发达的额瘤。触角 6 节，明显长于身体；次生感觉圈为横椭圆形，有睫，仅分布在第 3 节；原生感觉圈有睫。喙较短，第 4 + 5 节短于或长于后足第 2 跗节，有次生毛 4 ~ 20 根。腹部背片淡色，无任何中突或缘突；体背毛长，细尖或钝，有毛基瘤；中毛排成 2 纵列；侧毛少；缘毛多，包括 1 根长毛和其他短毛；第 8 背片有毛 4 根。腹管光滑或粗糙，圆柱形或明显肿胀，长于基宽，并有明显的端部网纹。尾片瘤状。尾板稍内凹。生殖突退化，有 3 个。前足股节扩大或明显较其他股节粗壮；胫节近端部有小刺突；胫节端部毛分化为短刺。第 1 跗节各有 6 ~ 7 根腹毛和 2 根背毛。爪间毛扁平。翅脉正常，部分有翅昙；前翅中脉二分叉，后翅 2 斜脉。

生物学：取食槭树科 Aceraceae 的植物。由于性蚜缺，无法肯定其生活周期类型。在日本，大多数种类采自山区，在 5 月至 6 月；在印度，采自东喜马拉雅山，在 4 月至 5 月；在中国，采自 6 月份。

分布：中国；日本，韩国，印度，东亚地区。秦岭地区发现 1 种。

(62) 吸槭桠镰管蚜 *Yamatocallis acerisucta* Qiao et Zhang, 2001（图 411）

Yamatocallis acerisucta Qiao et Zhang, 2001：99.

鉴别特征：有翅孤雌蚜身体型较大，呈长椭圆形，体长 2.89mm，体宽 0.89mm。玻片标本的侧单眼周围背板、喙端部、触角第 3 节基半及端部 1/4、第 4 节端部 1/3、第 5 节端部和第 6 节端部、股节顶端、胫节、跗节、腹管端部 1/2 为暗褐色，其余附肢淡色。触角和附肢细长，触角第 3 ~ 6 节、第 2 跗节横瓦纹，胫节端半部有小刺突分布；尾片、尾板有细小的小刺突分布。体背毛粗长或细短，尖锐。头顶毛 1 对，较额瘤毛细短；额瘤毛 2 对；头部背板触角间毛 1 对，两复眼间毛 2 对；前胸背板中侧毛 3 对，缘毛 2 对；腹部第 1 ~ 5 背片中、侧毛各 1 对，中毛较侧毛粗长；第 6 ~ 7 背片各中毛 1 对，侧毛缺；第 1 ~ 7 背片分别有缘毛 4 ~ 6、5 ~ 7、4 ~ 8、4 ~ 6、3 ~ 6、

5～7、4～5 对；第 8 背片有毛 4 根。头顶毛长 0.12mm、腹部第 1 背片缘毛长 0.07mm、第 8 背片背毛长0.08mm，分别为触角第 3 节最宽直径2.38 倍、1.46 倍、1.54倍。中额平直，额瘤明显。触角 6 节，全长5.24mm，为体长 1.86 倍；第 1 节宽大，长于第 2 节，背缘中部有 1 个明显突起；第 3～6 节细长；第 1～6 节长度比例为14：7：100：98：88：23＋81；触角末节鞭部为基部3.47倍；触角毛短尖。第 1～5 节的毛数为 12～15、4 或 5、35～45、20～26、10～15 根；第 6 节基部近原生感觉圈处有 2 根毛，其余不显；第 3 节毛长0.03mm，为该节最宽直径的 0.52 倍；原生感觉圈为圆形，有睫；次生感觉圈为卵形、小圆形或椭圆形，分布在第 3 节近基 1/3 或基半，有21～30个。喙端达中足基节至后足基节；第 4＋5 节楔状，长0.20mm，为基宽2.39倍，为后足第 2 跗节的 1.52 倍；端部有毛13 对，其中次生毛10 对；有 1 对原生毛较其他毛粗长。前翅中脉二分叉为 3 支，翅痣后缘及径分脉基部有褐色带；中脉及径分脉顶端有褐色斑。后翅 2 斜脉。前足股节明显膨大，中足、后足正常。后足股节长1.11mm，为触角第 3 节 0.87 倍；后足胫节长2.12mm，为体长0.77倍；足毛粗而尖；后足胫节毛长0.07mm，为该节中宽1.60 倍。第 1 跗节毛序为 7、7、7。后足第 2 跗节长 0.13mm。腹管为长管状，基半稍膨大，端半暗褐色，有缘突，缘突之下有 2～3列网纹；长 0.44mm，为体长 0.16 倍；为基宽 2.48 倍，为尾片2.70 倍。尾片瘤状，长 0.16mm，与基宽约等，有粗长和细短毛8 根。尾板浅两裂片，各裂片有毛16 或 17根。生殖板有毛18～21 根，其中前部毛10 根。

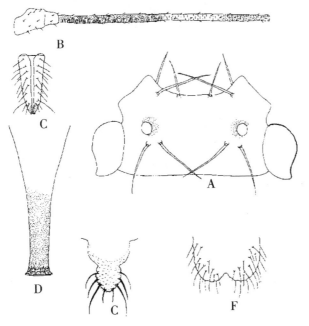

图 411　吸槭桠镰管蚜 *Yamatocallis acerisucta* Qiao et Zhang
有翅孤雌蚜（alate viviparous female）

A. 头部背面观（dorsal view of head）；B. 触角第 1～3 节（antennal segments 1-3）；C. 喙第 4＋5 节（ultimate rostral segment）；D. 腹管（siphunculus）；E. 尾片（cauda）；F. 尾板（anal plate）

生物学：本种寄主为槭属植物 *Acer* sp. 。

分布：陕西（西安）。

（五）瘿绵蚜亚科 Pemphiginae

鉴别特征：体表大都有蜡粉或蜡丝，一般有发达的蜡片。无翅孤雌蚜和若蚜复眼由 3 个小眼面组成。头部与前胸分离。喙第 4＋5 节分节不明显。触角有 5 或 6 节，末节鞭部很短，次生感觉圈为条形、环形或片形。翅脉正常，前翅中脉有 1 个分叉或不分叉。后翅有 1 或 2 斜脉。腹管为孔状、圆锥状或缺。尾片、尾板宽为半圆形。性蚜无翅，体短小，与矿蚜科和短痣蚜科相近，但瘿绵蚜科性蚜无喙，这是该科的主要区分特征。性母蚜体内的胚胎无喙，由此来决定其成蚜是性母蚜还是孤雌蚜型，在玻片标本中很容易观察其胚胎。卵生性蚜仅产 1 粒卵，大小与性蚜本身相近。

生物学：该科大都为异寄主全周期生活。其原生寄主为木本植物，次生寄主为草本植物或木本植物的根部。

分类：全北区。陕西秦岭地区发现 9 属 19 种。

分属检索表

1. 大都有环状腹管；蜡腺中心有 1 个或数个蜡胞，周围有 1 环小蜡胞；次生感觉圈呈环状；前翅中脉分叉 1 次或单一，后翅有 2 斜脉；原生寄主为榆科植物 ··· 2
   缺腹管或腹管不明显；蜡腺有或缺，若有，则由若干小蜡胞组成但无中心区；次生感觉圈呈卵圆、横椭圆或亚环状；前翅中脉通常单一 ·· 3
2. 触角第 3 节明显长于第 4＋5＋6 节；在原生寄主榆叶上的害状为卷叶或伪虫瘿；腹管位于腹部第 5 节，突出，周围有毛 ··· **绵蚜属 Eriosoma**
   触角第 3 节与第 4＋5＋6 节同长或较短；在原生寄主榆叶上的为害状为或多或少封闭的虫瘿
   ·· **四脉绵蚜属 Tetraneura**
3. 腹部第 3～7 背片有 2～4 纵行蜡腺片；转节与股节分离；后足第 1 跗节大都有 2 根毛；原生感觉圈大都有睫；后翅 2 斜脉基部靠近，与纵脉一起使 3 脉宛如灌木丛状分开；原生寄主为杨柳科、忍冬科、木犀科、漆树科等植物 ·· 4
   缺蜡腺片或腹部有 6 纵行蜡腺片；转节与股节大都愈合；后足第 2 跗节大都有 4 根或 4 根以上毛；原生感觉圈大多无睫。后翅 3 脉不形成灌木丛状；原生寄主为漆树科黄连木属及盐肤木属 ·· 5
4. 头有蜡片；在木犀科、忍冬科及蔷薇科植物的叶形成的伪虫瘿或叶中 ······ **卷叶绵蚜属 Prociphilus**
   头无蜡片；在原生寄主杨属植物叶片、叶柄及枝上营原生或次生开口瘿；侨蚜在禾本科、菊科及蓼科植物根部 ·· **瘿绵蚜属 Pemphigus**
5. 头有中缝，次生感觉圈呈圆形或卵圆形；在黄连木属植物上营虫瘿或在其它植物根部 ······ 6
   头无中缝，次生感觉圈呈环形或成大横片状；在盐肤木属植物上营虫瘿或在藓类植物上生活 ·· 7
6. 原生感觉圈有厚的几丁质环；在原生寄主黄连木属叶边缘弯曲形成纺锤形虫瘿，在多种次生

寄主(含许多经济作物和杂草)根部生活 …………………………………… **斯绵蚜属 *Smynthurodes***

原生感觉圈无几丁质环；在原生寄主黄连木属叶边缘形成扁平的伪虫瘿，次生寄主为禾本科

多种植物(根部) ……………………………………………………………… **拟根蚜属 *Paracletus***

7. 触角 5 节；在原生寄主盐肤木上营虫瘿 …………………………………………………… 8

触角 6 节；在原生寄主红麸杨、青麸杨和盐肤木小叶基部营尖长枣形或长卵形虫瘿，次生开口

在虫瘿基部；侨蚜寄主为青藓科植物 …………………………………… **铁倍蚜属 *Kaburagia***

8. 前翅翅痣延伸呈镰刀型；在原生寄主盐肤木、滨盐肤木或在红麸杨叶柄的翅叶上营扁多角状

虫瘿，有时在小叶基部侧脉营扁卵形虫瘿，次生开口；侨蚜在次生寄主提灯藓科或青藓科植

物上 ……………………………………………………………………… **倍蚜属 *Schlechtendalia***

前翅翅痣短，端部斜截；在原生寄主盐肤木、滨盐肤木小叶上营倍花状虫瘿；侨蚜在次生寄主

灰藓科、绢藓科及青藓科植物上 ……………………………………… **圆角倍蚜属 *Nurudea***

41. 绵蚜属 *Eriosoma* Leach, 1818

Eriosoma Leach, 1818：60. **Type species**：*Aphis lanigerum* Hausmann, 1802 (= *Eriosoma mali* Leach, 1818).

属征：额瘤不显。复眼有眼瘤，突出。有翅孤雌蚜触角有 6 节，触角第 3 节明显长于第 4 + 5 + 6 节，次生感觉圈为环状。前翅翅痣大，中脉一分叉。无翅孤雌蚜(次生寄主型)有 4 列蜡片。成蚜跗节 2 节。腹管环状。尾片圆形，小。尾板圆形，大。

分布：全北区。秦岭地区发现 3 种。

分种检索表

1. 触角第 5 节和第 6 节无次生感觉圈 ………………………………… **土贵绵蚜 *E. togrogum***

触角第 5 节和第 6 节有次生感觉圈 …………………………………………………………… 2

2. 触角第 3 ~ 6 节依次有次生感觉圈为 22 ~ 24、5、5 ~ 7、1 或 2 个；喙第 4 + 5 节为后足第 2 跗节

的 1.10 倍，有次生毛 10 ~ 12 根；头部背面有蜡腺 1 对；第 1 跗节毛序为 3、3、3 …………

………………………………………………………… **榆绵蚜 *E. lanuginosum dilanuginosum***

触角第 3 ~ 6 节依次有次生感觉圈为 17 或 18、3~5、3 或 4 个、2 个；喙第 4 + 5 节为后足第 2

跗节的 1.40 倍，有次生毛 6 ~ 8 根；腹部第 1 ~ 7 各有中、侧、缘蜡片 1 对；第 1 跗节毛序为 3、

3、2 …………………………………………………………………… **苹果绵蚜 *E. lanigerum***

(63) 榆绵蚜 *Eriosoma lanuginosum dilanuginosum* Zhang, 1980(图 412)

Eriosoma dilanuginosum Zhang, 1980：392.

Eriosoma lanuginosum dilanuginosum：Zhang & Zhong, 1983：81.

Eriosoma lanuginosum：Zhang et al., 1993：45.

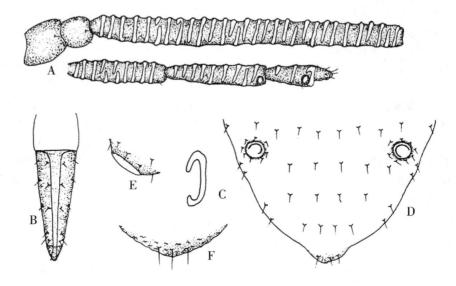

图 412　榆绵蚜 *Eriosoma lanuginosum dilanuginosum* Zhang
有翅干雌蚜（alate fundatrigenia）

A. 触角（antenna）；B. 喙第 4 + 5 节（ultimate rostral segment）；C. 次生感觉圈（secondary rhinarium）；D. 腹部第 5-8 背片（abdominal tergites 5- 8）；E. 腹管（siphunculus）；F. 尾片（cauda）

鉴别特征：有翅干雌蚜身体呈椭圆形，体长 2.00 ~ 2.20mm，体宽 0.82 ~ 0.97mm。活体头部、胸部及附肢为黑色，腹部为褐色。玻片标本头部、胸部为黑色，腹部第 8 背片骨化为灰黑色，触角、喙、足为黑色，尾片及尾板为灰黑色。头部背面有皱曲纹，中域有蜡片 1 对。体表光滑。气门圆形，开放，气门片淡色。节间斑稍骨化，由 4 或 5 个椭圆形颗粒组成。体背多毛。头顶毛、腹部背片缘毛分别为触角第 3 节直径的0.34倍和0.23倍；第 8 背片有长毛 3 或 4 根，毛长与触角第 3 节直径约等长。中额稍凹，有 1 条头盖缝延伸至头部后缘。触角有 6 节，短粗，全长0.72mm，为体长的 0.34 倍；第 3 节长 0.32mm，第 1 ~ 6 节长度比例为 15: 16: 100: 32: 34: 21 + 6；触角光滑，有短毛，第 3 节有毛 9 ~ 11 根，毛长为该节直径的 0.20 倍；第 5、6 节各有 1 个原生感觉圈，第 3 ~ 6 节各有窄环形次生感觉圈为 22 ~ 24 个、5 个、5 ~ 7 个、1 或 2 个。喙短，端部不达中足基节，第 4 + 5 节长0.16mm，为后足第 2 跗节的1.10倍；有原生短毛 4 根，次生短毛10 ~ 12根。后足股节长0.40mm，为该节中宽的 7.70 倍，为触角第 3 节的 1.30 倍；后足胫节长0.70mm，为体长的 0.33 倍，毛长为该节直径的 0.57 倍；第 1 跗节毛序为 3、3、3。前翅中脉二分叉，后翅 2 条斜脉。腹管环状，有 12 ~ 16 根刚毛围绕，毛长为端径的 1/2，端径与尾片长大致相同。尾片淡色，有皱褶纹，呈半圆形，长为基宽的0.37倍，有粗短毛 2 ~ 4 根，毛长为尾片的 1/2。尾板末端圆形或平直，有短粗毛 20 ~ 32 根。生殖板稍骨化，有刚毛 20 ~ 22 根，其中有前部毛 6 根。

生物学：原生寄主为榆树 *Ulmus pumila* 和糙枝榆 *U. fulva*。在榆嫩叶反面为害，叶向反面弯曲肿胀膨大为伪虫瘿，瘿叶凹凸不平，形同拳头，瘿深绿色、褐绿色，常带红色或黄色。老熟后硬化叶变褐枯死。瘿直径 3～5cm。

分布：陕西（秦岭）、辽宁、北京、河北、山东、浙江。

（64）土贵绵蚜 *Eriosoma togrogum* Zhang, 1997（图 413）

Eriosoma togrogum Zhang, 1997：380.

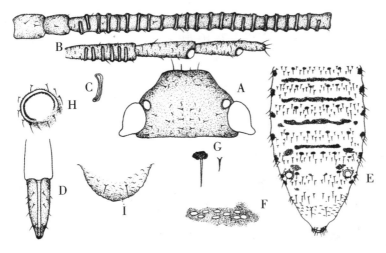

图 413　土贵绵蚜 *Eriosoma togrogum* Zhang
有翅干雌蚜（alate fundatrigenia）

A. 头部背面观（dorsal view of head）；B. 触角（antenna）；C. 次生感觉圈（secondary rhinaria）；D. 喙第 4＋5 节（ultimate rostral segment）；E. 腹部背面观（dorsal view of abdomen）；F. 节间斑（muskelplatten）；G. 体背毛（dorsal seta of body）；H. 腹管（siphunculus）；I. 尾片（cauda）

鉴别特征：有翅干雌蚜身体呈椭圆形，体长 2.42mm，体宽 1.08mm。活体灰黑色。玻片标本头部、胸部黑色，腹部色淡，有斑及明显节间斑，腹部第 1～6 背片各有侧斑 1 对，第 1～6 背片各缘斑小型独立，第 1～5 背片各有 2 对小型中侧毛基斑。节间斑明显，黑褐色，位于第 1～5 背片各背毛间，呈断续横带，重合于背斑。触角、喙、足基节、股节端半部及胫节两端、跗节、腹管环及后方黑色，足其余部分、尾片、尾板及生殖板为褐色。体表光滑，腹部第 8 背片有瓦纹。气门圆形，开放，气门片淡褐色。体背毛尖锐，长毛长为短毛的 2～3 倍，头顶有细尖毛 2～3 对，头部有短小背毛 9～10 对，前胸背板有中毛 4～5 对，侧缘毛 5 对；腹部第 1～6 背片各有中侧毛 11～20 对，其中有长尖毛 3～4 对，第 7 背片有中侧毛 3～5 对，第 1、6、7 背片各有缘毛 2～3 对，第 2～5 背片各有缘毛 7～10 对，第 8 背片有长毛 1 对。头顶毛长 0.20mm，为触角第 3 节直径的 0.40 倍，第 1 背片缘毛长 0.03mm，第 8 背片毛长 0.04mm。中额及额瘤不隆，有头盖缝。触角有微刺突横纹，6 节，全长 1.12mm，为体长的 0.46 倍；第 3 节长0.57mm，为第 4～6 节之和的 1.30 倍；第 1～6 节长度比例为 10∶9∶100∶31∶23∶19＋4，第 6 节鞭部长为基部的 0.19 倍；第 1～6 节毛数为 6 或 7、5、16～19、5 或 6、4 或 5、3＋4 或 5 根；第 3 节毛长为该节最宽直径的 0.25 倍；次生感觉圈为半环形，第 3 节有 17～24 个，第 4 节有 2～6 个，分布于全长；原生感觉圈为圆形，有长睫。喙端部不达中足基节，第 4＋5 节长楔状，长0.13mm，为基宽的 2.50 倍，为后足跗节的 0.79 倍，有原生毛 2 对，次生毛 6 对。足各节毛长，股节内缘域及胫节端部有小刺突横纹；后足股节长0.64mm，为触角第 3 节的 1.10 倍，后足胫节长1.04mm，为体长的 0.43 倍；胫节毛与该节最宽直径约等长；第 1 跗节毛序为 3、3、3。翅脉正常。腹管环状，有时端半有缺口，呈内半环形，端宽0.07mm，为触角第 3 节最宽直径的 1.50 倍，周围有长毛 12 或 13 根，毛长为端径的 0.05 倍。尾片半球形，光滑，微有皱纹，有长毛 1 对。尾板末端圆形，有长毛 15～22 根。生殖板椭圆形，有毛 32 根。生殖突 2 个，有粗尖毛 10 根。

生物学：寄主为榆、白榆，在叶上营虫瘿。

　　分布：陕西（秦岭）、内蒙古。

(65) 苹果绵蚜 *Eriosoma lanigerum* (**Hausmann, 1802**) (图 414)

Aphis lanigerum Hausmann, 1802：426.

Coccus mali Bingley, 1803：200.

Myzoxylus mali Blot, 1831：332.

Eriosoma lanigerum：Zhang & Zhong, 1983：82.

　　鉴别特征：无翅孤雌蚜身体呈卵圆形，体长 1.70～2.10mm，体宽 0.93～1.30mm。活体黄褐色至红褐色，体背有大量白色长蜡毛。玻片标本色淡，头部顶端稍骨化，无斑纹。触角、足、尾片及生殖板灰黑色，腹管黑色。体表光滑，头顶部有圆突纹；腹部第 8 背片有微瓦纹。体背蜡腺明显，呈花瓣形，每蜡片含 5～15 个蜡胞，头部有 6～10 片，胸部、腹部各背片有中蜡片及缘蜡片各 1 对，第 8 背片只有侧蜡片，侧蜡片含 3～6 个蜡胞。复眼有 3 个小眼面。气门不规则圆形，关闭，气门片突起，骨化，黑褐色。中胸腹岔两臂分离。体背毛尖，长为腹面毛的 2～3 倍。头部有头顶毛 3 对，头背中、后部毛各 2 对；前、中、后胸背板各有中侧毛4、10、7 对，缘毛 1、4、3 对；腹部第 1～8 背片毛数为 12、18、16、18、12、8、6、4 根，各排为 1 行，毛长稍长于触角第 3 节直径。中额呈弧形。触角有 6 节，粗短，有微瓦纹；全长0.31mm，为体长的 0.16 倍，第 3 节长0.07mm，第 1～6 节长度比例为 50∶54∶100∶53∶78∶78＋15；各节有短毛 2～4 根，第 3 节毛长为该节直径的 0.39 倍。喙粗，端部达后足基节，第 4＋5 节长为基宽的 1.90 倍，为后足第 2 跗节的 1.70 倍，有次生刚毛 3～4 对，端部有短毛 2 对。足短粗，光滑，毛少，后足股节长 0.21mm，长为该节直径的 3.50 倍，为触角全长的0.68倍；后足胫节长0.26mm，为体长的 0.14 倍，毛长为该节直径的 0.90 倍。第 1 跗节毛序为 3、3、2。腹管为半环形，围绕腹管有 11～16 根短毛。尾片为馒头状，小于尾板，有微刺突瓦纹，有 1 对短刚毛。尾板末端圆形，有短刚毛 38～48 根。生殖突骨化，有毛 12～16 根。

　　有翅孤雌蚜体椭圆形，体长 2.30~2.50mm，体宽 0.90~0.97mm，活体头部、胸部黑色，腹部橄榄绿色，全身被白粉，腹部有白色长蜡丝。玻片标本头部、胸部黑色，腹部淡色；触角、足、腹管、尾片及尾板黑色。腹部第 1~7 背片有深色中、侧、缘小蜡片，第 8 背片有 1 对中蜡片。腹部背面毛稍长于腹面毛。节间斑不显。触角有 6 节，全长0.75mm，为体长的0.31倍，有小刺突横纹，第 3 节长0.35mm，第 1~6 节长度比例为13:14:100:30:30:19+5；第 3 节有短毛7~10 根，其他各节有毛3 或 4 根，第 3 节毛长为该节直径的1/6；第 5、6 节各有圆形原生感觉圈 1 个，第 3~6 节各有环形次生感觉圈为 17~18 个、3~5 个、3 或 4 个、2 个。喙端部不达后足基节，第 4+5 节尖细，长为基宽的2.20倍，为后足第 2 跗节的1.40倍。后足股节长0.41mm，为触角第 3 节的1.20倍；后足胫节长0.70mm，为体长的0.29倍，毛长为该节直径的0.68倍。前翅中脉二分叉。腹管为环形，黑色，环基稍骨化，端径与尾片约等长，围绕腹管有短毛11~15根。尾片有短硬毛 1 对。尾板有毛32~34根。其他特征与无翅孤雌蚜相似。

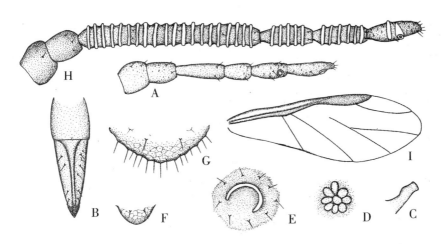

图 414　苹果绵蚜 *Eriosoma lanigerum*（Hausmann）

无翅孤雌蚜（apterous viviparous female）

A. 触角（antenna）；B. 喙第 4+5 节（ultimate rostral segment）；C. 中胸腹岔（mesosternal furca）；D. 蜡片（wax plate）；E. 腹管（siphunculus）；F. 尾片（cauda）；G. 尾板（anal plate）

有翅孤雌蚜（alate viviparous female）

H. 触角（antenna）；I. 前翅（forewing）

　　生物学：寄主有苹果 *Malus pumila*、山荆子 *M. baccata*、花红 *M. asiatica*、楸子 *M. prunifolia* 等，大鲜果 *M. soulardi* 对之有抗性。该种为世界著名的检疫害虫，原产北美，现已传播到世界各国。

　　分布：陕西(秦岭)、辽宁、山东、云南、西藏；世界广布。

42. 铁倍蚜属 *Kaburagia* Takagi, 1937

Kaburagia Takagi, 1937: 20. **Type species**: *Kaburagia rhusicola* Takagi, 1937.

属征: 无翅孤雌蚜触角有 5 节。有翅孤雌蚜头部无背中缝, 体背有蜡片。额瘤不显。复眼大, 有小眼瘤。触角有有 6 节, 第 3 ~ 6 节各有 1 个大型片状感觉器覆盖于触角表面的大部分。喙短, 末节尖。足转节与股节分解明显, 第 1 跗节有毛 3 根, 有时 2 根。前翅翅痣短而斜, 中脉单一, 后翅有 2 斜脉。腹管缺。尾片短, 末端圆形。

分布: 中国。秦岭地区发现 1 种。

(66) 肚倍蚜 *Kaburagia rhusicola* Takagi, 1937 (图 415)

Kaburagia rhusicola Takggi, 1937: 20.
Pemphigella lingi Tao, 1943: 2.

鉴别特征: 有翅孤雌蚜身体呈椭圆形, 体长 1.84mm, 体宽 0.85mm。玻片标本头部、胸部黑褐色, 腹部淡色, 无斑纹; 触角、足各节、喙第 3 ~ 5 节黑褐色, 尾片、尾板褐色, 生殖板淡褐色。体表光滑, 腹部第 8 背片有瓦纹。头部背面无蜡片, 前胸背板有缘蜡片 1 对, 各由 4 ~ 10 个蜡胞组成, 中胸背板有中蜡片 1 对, 各由 1 或 2 个蜡胞组成, 后胸背板有中蜡片 1 对, 各由 8 ~ 10 个蜡胞组成, 腹部第 1 ~ 7 背片各有不明显中、缘蜡片各 1 对, 由 8 ~ 12 个蜡胞组成, 第 8 背片蜡片缺。气门圆形, 开放, 气门片褐色。无节间斑。体背毛尖锐, 腹部腹面多毛; 头部有头顶毛 1 对, 头背毛 4 对, 腹部第 1 ~ 6 背片各有中毛 2 ~ 3 对、侧毛 2 ~ 3 对、缘毛 3 ~ 4 对, 有时 2 对; 第 7 背片有中侧毛 3 ~ 5 根, 缘毛 2 ~ 3 对, 第 8 背片共有毛 2 ~ 3 对。头顶及腹部第 1 背片毛长 0.01mm, 为触角第 3 节直径的 0.29 倍, 第 8 背片毛长 0.12mm。额平弧形。复眼、单眼大型。触角粗, 第 3 ~ 6 节基部有瓦纹, 各节从基部至顶端除一窄带外, 各有 1 个大型感觉片覆盖, 由不规则网纹组成; 第 6 节基部顶端有小圆形感觉圈 2 ~ 4 个; 触角长 0.47mm, 为体长的 0.26 倍, 第 3 节长 0.09mm, 第 1 ~ 6 节长度比例为 47: 54: 100: 70: 114: 130 + 16; 第 3 节毛长 0.004mm, 约为该节直径的 0.13 倍。喙端部不达中足基节, 第 4 + 5 节楔状; 长为基宽的 1.90 倍, 为后足第 2 跗节的 0.73 倍, 有原生毛 2 对, 无次生毛。足各节光滑, 各转节分节不明显, 后足股节长 0.25mm, 为触角全长的 0.54 倍, 后足胫节长 0.40mm, 为体长的 0.22 倍; 后足胫节毛长 0.01mm, 为该节直径的 0.29 倍, 后足第 2 跗节长 0.10mm, 第 1 跗节毛序为 3、3、3, 有时 2 或 4 根。前翅翅脉粗黑, 翅痣淡色, 中脉单一, 基部 1/3 不显, 径分脉达翅顶端, 后翅翅脉淡色, 有翅钩 2 个。无腹管。尾片末端圆形, 有毛 2 或 3 根。尾板末端平，有毛 10～13 根。生殖板有细瓦纹，有短毛 14～18 根。生殖突明显，2 或 3 个，各有 3～5 根极短毛。

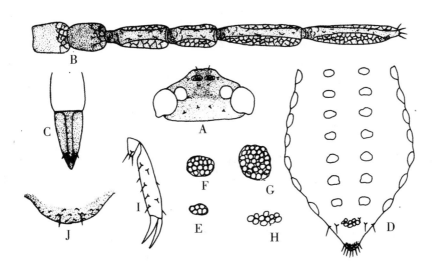

图 415　肚倍蚜 *Kaburagia rhusicola* Takagi

有翅孤雌蚜（alate viviparous female）

A. 头部背面观（dorsal view of head）；B. 触角（antenna）；C. 喙第 4＋5 节（ultimate rostral segment）；D. 腹部背面观，示蜡片（dorsal viewof abdomen, wax plates shown）；E. 中胸背蜡片（wax plate on mesonotum）；F. 腹部背蜡片（dorsal wax plate on abdomen）；G. 体背毛（dorsal seta of body）；H. 前翅（forewing）；I. 尾片（cauda）；J. 尾板（anal plate）

生物学：原生寄主为青麸杨 *Rhus potanini*，虫瘿扁纺锤形，绿或淡黄绿色，表面有绒毛及黄褐或黄色突起网纹，多位于小叶基部主脉一侧。次生寄主为东亚附干藓 *Schwetschea malsumurae*、短肋羽藓 *Thuidium kanedae*，美灰藓 *Eurohypnum leptolhallum*。

分布：陕西（宁陕、山阳）、湖北、湖南、四川、贵州、云南。

43.　圆角倍蚜属 *Nurudea* Matsumura，1917

Nurudea Matsumura，1917：65. **Type species**：*Nurudea ibofushi* Matsumura，1917.

属征：有翅孤雌蚜额瘤不显，触角有 5 或 6 节，次生感觉圈为条状。复眼有眼瘤。体表有蜡片。前翅翅痣短，端部斜截形，中脉不分支，后翅有 2 斜脉。腹管缺。尾片、尾板为圆形。原生寄主盐肤木 *Rhus chinensis*，次生寄主为灰藓科、绢藓科及青藓科植物。

分布：中国。秦岭地区发现 5 种。

分种检索表

1. 触角 5 节；在原生寄主植物盐肤木上形成虫瘿 ·· 3
   触角 6 节；在原生寄主植物红麸杨或青麸杨上虫瘿 ···································· 2
2. 虫瘿各分支锥形，顶端大而圆，有 3 个以上的突起；原生寄主植物：青麸杨 ·········
   ··· 周氏倍花蚜 *N. choui*
   虫瘿各分支扁角状，顶端尖，一般有 1 个突角；原生寄主植物：红麸杨 ················
   ··· 铁倍花蚜 *N. meitanensis*
3. 触角第 4~5 节次生感觉圈长条形或方块形 ·· 4
   触角第 4~5 节各有 1 个卵形感觉圈，占该节的 4/5 ············· 圆角倍蚜 *N. ibofushi*
4. 触角第 3、4 节各有次生感觉圈，方形，分别为 4、3、5 个 ········· 倍花蚜 *N. shiraii*
   触角第 3、4 节各有次生感觉圈，窄，分别为 11、7、9 个 ········· 红倍花蚜 *N. yanoniella*

（67）周氏倍花蚜 *Nurudea choui*（Xiang，1980）

Floraphis choui Xiang，1980：308.

Nurudea choui：Colin，2016（网页）.

鉴别特征：有翅孤雌蚜（秋季迁移蚜）身体黑色，触角、足黑褐色，翅痣和翅脉灰黑色。体长1.08mm。触角 6 节，长 0.49mm，第 1~6 节长度比例为61:53:100:62:82:122；第 3~6 节各有次生感觉圈为 4~7 个、2 或 3 个、3 或 4 个、4~6 个。后足股节长 0.30mm，后足胫节长0.43mm，后足跗节长 0.10mm。前翅狭长，翅痣细长，翅脉清晰，径分脉靠近基部弯曲，中脉末端靠近径分脉。

生物学：原生寄主为青麸杨 *Rhus potaninii*。在寄主植物复叶主轴寄生形成虫瘿，导致主轴缩短，小叶呈掌状排列。虫瘿直径可达250mm，有 15~30 个分支，每枝长达100mm；在形成初期仅有 2 或 3 分支，淡黄绿色密被黄色绒毛；随后继续向上分支 2~4 次，每个分支顶部膨大呈锥状，顶端有多数圆角状突起；后期呈菊花状，绿色，有时有不规则且不相连接的暗红色斑纹；9 月上旬虫瘿成熟后自然爆裂，仅形成 1 个缝隙状，开口位于每枝下部。

分布：陕西（城固、南郑）。

（68）圆角倍蚜 *Nurudea ibofushi* Matsumura，1917

Nurudea ibofushi Matsumura，1917：66.

Nurudea sinica Tsai *et* Tang，1946：409.

生物学：寄主为盐肤木 *Rhus chinensis*。

分布：陕西（秦岭）、湖南、四川、贵州；日本。

注：信息来自文献记载，未见到标本。

（69）铁倍花蚜 *Nurudea meitanensis*（Tsai *et* Tang，1946）（图 416）

Floraphis meitanensis Tsai *et* Tang，1946：416.

Nurudea meitanensis：Colin，2016（网页）.

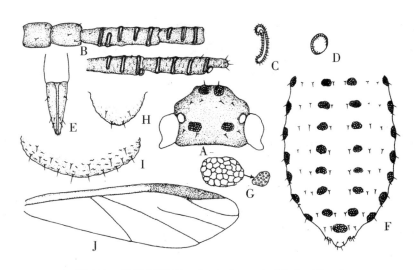

图 416   铁倍花蚜 *Nurudea meitanensis*（Tsai *et* Tang）

有翅孤雌蚜（alate viviparous female）

A. 头部背面观（dorsal view of head）；B. 触角（antenna）；C. 次生感觉圈（secondary rhinaria）；D. 原生感觉圈（primary rhinaria）；E. 喙第 4 + 5 节（ultimate rostral segment）；F. 腹部背面观，示蜡片（dorsal viewof abdomen, wax plates shown）；G. 蜡片及蜡胞（dorsal wax plate and wax cells）；H. 尾片（cauda）；I. 尾板（anal plate）；J. 前翅（forewing）

鉴别特征：有翅孤雌蚜身体呈椭圆形，体长 1.29mm，体宽 0.47mm。活体黄或黄绿色。玻片标本头部、胸部为黑褐色，腹部淡色，无斑纹。触角、喙、足各节为褐色，尾片淡色，尾板及生殖板灰褐色。体背蜡片明显，头部背面有蜡片 2 对，腹部第 1~7 背片分别有中蜡片、缘蜡片各 1 对，第 8 背片有 1 个圆形中蜡片，各蜡片由 8~15 个不规则蜡胞组成，有时多达 20 个。气门圆形，开放，气门片灰褐色。体背毛尖锐，头顶有毛 1 对，腹部第 1~6 背片各有中毛 1 对、侧毛 2 对、缘毛 1~2 对，第 7 背片有中、侧、缘毛各 1 对，第 8 背片有毛 2 对；头顶毛长 0.08mm，为触角第 3 节最宽直径的 0.25 倍，腹部第 1、8 背片毛长 0.010~0.013mm。中额不隆，呈平顶状，无头盖缝。触角 6 节，第 1、2 节光滑，第 3~6 节有细瓦纹，全长 0.54mm，为体长的 0.42 倍，第 1~6 节长度比例为 31:43:100:57:72:88 + 17；毛极短，第 1~6 节毛数为 2 或 3、3 或 4、2 或 3、1 或 2、2 或 3、2 或 3 + 3~5 根；第 3 节毛长为该节最宽直径的 0.15 倍；次生感觉圈开口为环状，有睫，第 3~6 节分别有 4~6 个、2 或 3 个、3 或 4

个，均分布于各节全长，第5、6节原生感觉圈小圆形，有睫。喙端部不及中足基节，第4+5节长楔状，长0.07mm，为基宽的2.30倍，为后足第2跗节的0.81倍，有原生长毛2对，次生毛1对。足股节及胫节端部有细瓦纹，后足股节长0.20mm，后足胫节长0.35mm，为体长的0.27倍，胫节毛长为该节最宽直接的0.33倍；第1跗节毛序为3、3、3。前翅有斜脉4支，脉粗黑。无腹管。尾片帽状，光滑，长为基宽0.49倍，有短毛3或4根。尾板末端圆形，有毛13～16根。生殖板宽带状，有毛24根或25根。

生物学：原生寄主红麸杨，在叶的总轴上营虫瘿，叶因此而发育不良，萎缩。从基部作不规则长分支，呈扁角状，略似蟹爪状。瘿绿色，8月中下旬成熟时红色，在分支侧基部裂口。次生寄主为砂藓。

分布：陕西（秦岭）、湖南、四川、贵州。

(70) 倍花蚜 *Nurudea shiraii* Matsumura，1917

Nurudea shiraii Matsumura，1917：68.

生物学：原生寄主盐肤木 *Rhus chinensis*、滨盐肤木 *Rh. chinensis* var. *roxburghii*；次生寄主灰藓属、金灰藓属、叶藓属、绢藓属、齿藓属、青藓属、苔藓属、气藓属、分隶于灰藓科，绢藓科及青藓科。

分布：陕西（秦岭）、浙江、湖北、湖南、台湾、广西、四川、贵州、云南；日本。

注：信息来自文献记录，未见到标本。

(71) 红倍花蚜 *Nurudea yanoniella*（Matsumura，1917）（图417）

Nurudeopsis yanoniella Matsumura，1917：70.
Fushia rosea Matsumura，1917：70.
Nurudea yanoniella：Zhang et al.，1999：268.

鉴别特征：有翅孤雌蚜身体椭圆形，体长1.08mm，体宽0.38mm。玻片标本头部、胸部黑褐色，腹部淡色，无斑纹；触角、喙、足各节、尾板及生殖板褐色，尾片淡色。体表光滑，头部无蜡片，中胸及后胸背板各有1对小型圆蜡片，各含4～6个蜡胞，腹部蜡片不显。气门小型，气门片淡色。体背毛极短尖锐，腹部腹面多毛，长于背毛。头部有头顶毛1对，头背毛5对；腹部第1～7背片各有中侧毛2～3对，缘毛1对，第8背片有毛4～8根，各毛长为触角第3节最宽直径的0.10倍，第8背片毛长为其0.25倍。额平弧形。触角5节，光滑，端节有小刺突横纹，全长0.41mm，为体长的0.38倍，第3节长0.12mm，第1～5节长度比例为24:32:100:76:104+9；各节可见短毛2或3根，最多4根，第3节毛长为该节最宽直径的0.10倍；次生感觉圈开环形，有短睫，第3～5节各有次生感觉圈为7～9个、6～8个、7～9个，均分布于各节全长，原生感觉圈位于第4、5节端部，呈椭圆形，有长睫。喙短小，端部不达中足基节，第4+5节楔状，长0.06mm，为该基宽的2倍，为第2后跗节的0.84倍，有原生短毛1对。足有皱纹，后足股节长0.17mm，为触角第3、4节之和的0.81倍；后足胫节长0.28mm，为体长的0.26倍，毛长为该节最宽直径的0.28倍；第1跗节毛序为3、3、3。前翅翅痣宽大，径分脉达翅顶，中脉单一，基部1/2不显，两肘脉基部相会。无腹管。尾片馒状，光滑，长为基宽的0.55倍，有短毛7~9根。尾板末端圆形，有瓦纹，有毛11~17根。生殖板大型半圆形，有毛17~22根。

生物学：在原生寄主盐肤木 *Rhus javanica* 上形成虫瘿，壁厚0.28~0.43mm，直径8~10cm着生于小叶反面基部主脉上，基部呈树枝状分支，每一分支端部扁形膨大，9月上旬成熟时由青绿变为玫瑰红色，各分支端部开裂为有翅蚜迁飞的次生出口。

分布：陕西(秦岭)、浙江、湖北、湖南、台湾、四川、贵州；日本。

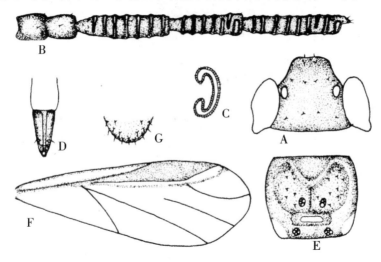

图417 红倍花蚜 Nurudea yanoniella (*Matsumura*, 1917)

有翅孤雌蚜 (*alate viviparous female*)

A. 头部背面观 (dorsal view of head)；B. 触角 (antenna)；C. 次生感觉圈 (secondary rhinaria)；D. 喙第4+5节 (ultimate rostral segment)；E. 中后胸背面观 (mesonotum and metanotum)；F. 前翅 (forewing)；G. 尾片 (cauda)

44. 拟根蚜属 *Paracletus* von Heyden, 1837

Paracletus von Heyden, 1837: 295. **Type species**: *Paracletus cimiciformis* von Heyden, 1837.

属征：触角6节，原生感觉圈无睫，无翅孤雌蚜触角无次生感觉圈，有翅孤雌蚜第3~4节有数个很小、圆形或半圆形次生感觉圈。蜡片在各型中均缺。前翅中脉1支，2肘脉基部相接，后翅有2支分离的斜脉。

分布：全北区。秦岭地区发现1种。

(72) 麦拟根蚜 *Paracletus cimiciformis* von Heyden, 1837（图418）

Paracletus cimiciformis von Heyden, 1837: 295.

Pemphigus pallidus Derbes, 1869: 93.

Pemphigus derbesi Lichtenstein, 1880: 218.

Pemphigus pallidoides Lichtenstein, 1880: 42.

Paracletus portschinskyi Mordvilko, 1921: 1.

Forda harukawai Tanaka, 1957: 168.

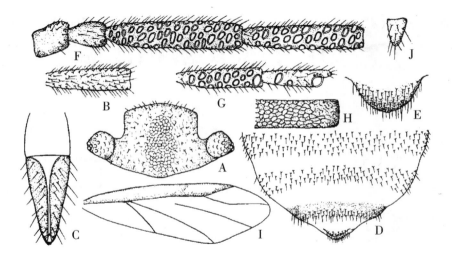

图418　麦拟根蚜 *Paracletus cimiciformis* von Heyden

无翅孤雌蚜（apterous viviparous female）

A. 头部背面观（dorsal view of head）；B. 触角第3节（antennal segment 3）；C. 喙第4+5节（ultimate rostral segment）；D. 腹部第6~8背片（abdominal tergites 6-8）；E. 尾片（cauda）

有翅孤雌蚜（alate viviparous female）

F. 触角第1~4节（antennal segments 1-4）；G. 触角节5~6（antennal segments 5-6）；H. 腹部第5背片背纹（dorsal scleroites on abdominal tergite 5）；I. 前翅（forewing）；J. 后足第1跗节（hind tarsal segment 1）

鉴别特征：无翅孤雌蚜身体呈扁卵圆形，体长3.48mm，宽2.41mm。活体淡黄色。玻片标本头部与前胸背黑褐色，胸部、腹部淡色，腹部第8背片呈宽横带，横贯全节；触角、喙、足、尾片及尾板黑褐色。体表粗糙，背面有细网纹，尤以头缘域明显，腹面及腹部第8背片背均有小刺突密横瓦纹。气门圆形，开放，有时半开放，气门片黑色。节间斑明显大型，黑褐色。中胸腹岔无柄，淡色，全长0.69mm，为触角第3节的3.70倍。体背毛短，尖锐。头部背面有毛130~140根；前胸有背毛120~160根，腹部第1~5背片密被毛，第6背片有180根，第7背片有140根，第8背片有 78~105 根；头顶毛及腹部第 1 背片毛长 0.02mm，为触角第 3 节最宽直径 0.28 倍；第 8 背片毛长0.05mm。复眼大型，有眼瘤，眼面暗色不透明，眼瘤由 3 小眼面组成。中额不隆，呈圆头状，背中缝淡色。触角各节粗短，全长0.94mm，为体长的0.27 倍；第 3 节长0.19mm，第 1~6 节长度比例为 52:57:100:112:93:75+15；触角多毛，第 1 节有毛15~25根，第 2 节有毛 45~55 根，第 3 节有毛 85~150 根，和 6 节有毛 39~55+4 或 5 根，第 3 节毛长为该节最宽直径的1/3；原生感觉圈小圆形，无睫。喙 粗大，端部达中足基节，有时超过，第 4+5 节呈楔状，长0.20mm，为基宽的 1.90 倍，为后足跗节的0.87 倍；共有毛 17~19 对。足粗大，光滑，多毛。后足股节长 0.64mm，为该节直径的4.40 倍，为触角第 3 节的3.40倍；后足胫节长1.08mm，为体 长的0.31倍，毛长为该节最宽直径的0.39倍；第 1 跗节毛序为 9、9、9。无腹管。尾 片呈元宝状，长0.08mm，为基宽的0.43倍，有长毛 56~106 根。尾板半球形，有毛 95~138 根。生殖板为黑褐色，呈扇形，有小刺突横瓦纹，有长毛约 180 根。

有翅孤雌蚜身体椭圆形，体长 2.77mm，宽 1.33mm。玻片标本头部、胸部黑色，腹部背面褐色，缘域斑加深，腹部第 1、2 背片淡色部分多，其余节侧与缘域间有淡色部分，各节间分节。体表粗糙，头部背面有横纵瓦纹，前胸背板及三角盾片网纹，腹部第 1~6 背片有明显网纹，第 7、8 背片有横瓦纹。头部背面有毛48 对；前胸背板中侧毛 130 对，缘毛68 对；腹部第 8 背片有毛47~60 对。中额不隆，顶平，头盖缝粗，明显。触角粗，光滑，毛短尖锐，密布于各节内向，外向分布有小圆形次生感觉圈，全长 1.09mm，为体长的0.39倍；第 3 节长0.31mm，第 1~6 节长度比例为 25:27:100:87:62: 46+5；第 3 节有毛 120 余根，毛长为该节最宽直径的 0.29 倍；第 3~6 节各有次生感 觉圈为 64~74 个、38~41 个、9~15个、1 或 2 个，位于各节外向面、密满。喙端部 不达中足基节，第 4+5 节长0.19mm，长为后足第 2 跗节的 0.67 倍，有毛 14 对。股 节有粗网纹，其他节光滑，各节多毛。后足股节长0.78mm，后足胫节长1.55mm，后 足第 2 跗节长0.20mm。前翅 4 脉，两肘脉基部共柄，中脉不分叉。无腹管。尾片有 毛 64~75 根。尾板有毛 145 根。

生物学：寄主为普通小麦 *Triticum aestivum*。

分布：陕西(西安)、河北、山东、甘肃；亚洲，欧洲，非洲北部。

45. 瘿绵蚜属 *Pemphigus* Hartig，1839

Pemphigus Hartig, 1839：645. **Type species**：*Aphis bursarius* Linnaeus，1758.

属征：干母触角4 节(有时第 3 节有不明显的分界)，其他型触角5 或 6 节。干母 大多数体节背面有中、侧、缘蜡片；无翅孤雌蚜有中、侧蜡片；有翅性母蚜仅在少数 体节有背中蜡片，但有时也在大多数体节有缘蜡片，同时有少数中、侧蜡片；有翅迁 移蚜中胸缺蜡片；头部蜡片消失(除个别例外)。有翅胎生蚜触角第 3~6 节大多有相 当窄的长条形次生感觉圈，有翅性母蚜次生感觉圈位于第 3 节和第 4 节(杨枝瘿绵蚜

P. immunis 的有翅孤雌蚜次生感觉圈位于第 3~4 节或 3~5 节)。有翅迁移蚜触角末节原生感觉圈有睫，亚末节的原生感觉圈宽，通常宽为次生感觉圈的 2~3 倍，无睫；性母蚜和无翅成蚜触角亚末节的原生感觉圈有睫，不加宽。喙第 4+5 节一般无次生毛。第 1 跗节毛序为 2 或 3、2、2。腹管小孔状或无，在干母、无翅孤雌蚜和性母蚜中通常消失。有翅孤雌蚜前翅中脉不分叉，后翅 2 肘脉基部与径分脉弯曲处连合，宛如分叉成 3 支。尾片、尾板半月形。生殖突有 3 个。本属蚜虫大多数营异寄主全周期生活，春、夏季寄生于杨柳科 Salicaceae 杨属 *Populus* spp. 的植物，并在其叶片、叶柄或枝等不同部位上营生出不同形状的虫瘿；次生寄主为禾本科 Gramineae 或菊科 Compositae 植物，此属在寄主根部取食，并分泌蜡丝。该属蚜虫整个生活史中无蚂蚁参与。

　　分布：全北区。秦岭地区发现 1 种。

(73) 白杨瘿棉蚜 *Pemphigus napaeus* Buckton, 1896

Pemphigus napaeus Buckton, 1896：50.

　　生物学：寄主为白杨 *Populus* sp. 。
　　分布：陕西(秦岭)、山东；印度。
　　注：信息来自文献记录，未见到标本。

46. 卷叶绵蚜属 *Prociphilus* Koch, 1857

Prociphilus Koch, 1857：279. **Type species**：*Aphis bumeliae* Schrank, 1801.

　　属征：干母及其他各型成蚜头部、胸部、腹部均有蜡片。触角原生感觉圈有睫。足跗节和爪相当长。腹管孔小或无，有翅孤雌蚜前翅中脉不分叉，后翅 2 斜脉基部与径脉弯曲处连合，宛如分叉成 3 支。尾片、尾板末端为圆形。生殖突有 3 个。
　　生物学：该属蚜虫大多数在春、夏季节取食于木樨科 Oleaceae、忍冬科 Caprifoliaceae、槭树科 Aceraceae 和蔷薇科 Romaceae 植物。在次生寄主植物的根部越冬。该属蚜虫整个生活史与蚂蚁没有共生现象。
　　分布：全北区。秦岭地区发现 2 种。

分种检索表

前胸背板有 1 对缘蜡片，中蜡片缺；腹部第 8 背片有 2 对蜡片，第 7 背片有 3 对蜡片；寄主植物：女贞 ………………………………………………………… **女贞卷叶绵蚜 *P. ligustrifoliae***
前胸背板有中、缘蜡片各 1 对；腹部第 8 背片无蜡片，第 7 背片有 2 对蜡片；寄主植物：梨树 … ……………………………………………………………………… **梨卷叶绵蚜 *P. kuwanai***

(74) 梨卷叶绵蚜 *Prociphilus kuwanai* **Monzen, 1927**（图 419）

Prociphilus kuwanai Monzen, 1927: 1.

Prociphilus takahashii Maxson *et* Knowlton, 1937: 24.

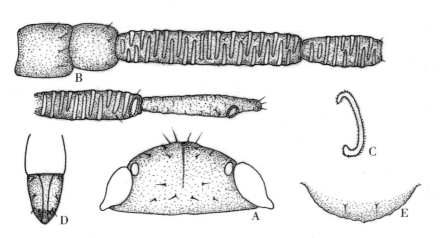

图 419　梨卷叶绵蚜 *Prociphilus kuwanai* Monzen

有翅干雌蚜（alate fundatrigenia）

A. 头部背面观（dorsal view of head）；B. 触角（antenna）；C. 次生感觉圈（secondary rhinarium）；D. 喙第 4 + 5 节（ultimate rostral segment）；E. 尾片（cauda）

鉴别特征： 无翅干母身体呈卵圆形，体长 3.33mm，体宽 2.30mm。活体灰褐色，被白粉。玻片标本头部黑色，胸部、腹部淡色，无斑；触角、喙、足、尾片、尾板及生殖板为黑褐色。体表光滑，腹部第 8 背片微有瓦纹。体表有大蜡片；头部背面有 2 对，前部 1 对长形，各含 80 余个蜡胞，后部 1 对大圆形，各含 150 余个蜡胞；前胸背板有中、缘大蜡片各 1 对；腹部第 6、7 背片各有明显缘蜡片 1 对，其他节蜡片不显。气门圆形，关闭，气门片黑色。无节间斑。中胸腹岔淡色，两臂分离，单臂横长 0.27mm，为触角第 3 节的 1.30 倍。体背毛少，尖锐，头部有头顶毛 1 对，头背毛 6 对；腹部第 8 背片有毛 3 对；头顶毛长 0.03mm，为触角第 3 节直径的 0.78 倍，腹部第 8 背片毛长 0.02mm。额平，有头背中缝。触角有 5 节，有小刺突组成瓦纹，全长 0.58mm，为体长的 0.17 倍，第 3 节长 0.21mm，第 1~5 节长度比例为 30:32:100:38:40 + 12；触角毛少，细软尖锐，第 1~5 节毛数为 4、3、1、2、1 + 4 根。第 3 节毛长 0.02mm，为该节直径的 0.55 倍；原生感觉圈小圆形，有短睫。喙短小，端部不达中足基节，第 4 + 5 节呈楔状，长 0.08mm，为该节基宽的 1.60 倍，为后足第 2 跗节的 0.69 倍，有原生毛 2 对，次生毛 1 对。足粗，光滑，后足股节长 0.44mm，为触角第 3 节的 2.10 倍，为触角全长的 0.75 倍；后足胫节长 0.53mm，为体长的 0.16 倍，毛长 0.03mm，为该节直径的 0.54 倍；后足第 2 跗节长 0.11mm；第跗节 1 毛序为 2、2、2。无腹管。尾片末端圆形，有粗网纹，有毛 1 对。尾板末端为圆形，有毛 15 根。生殖板有长毛 28 根。生殖突有 3 个，各有毛 4 或 5 根。

有翅干雌蚜身体呈椭圆形，体长 2.40mm，体宽 1mm。活体黄绿色。玻片标本头部和中胸黑褐色，前、后胸及腹部淡色，无斑纹；触角、喙、足黑褐色，尾片及尾板灰色。体表光滑，腹部第 2～8 背片缘斑突起，有条状纹。体表蜡片明显；头部背后方有大蜡片 1 对，由 120～150 个小圆蜡胞组成，周围有放射状斑纹；前胸背板有大缘蜡片 1 对；中胸背板有小中蜡片 1 对，各含 40～50 个蜡胞；后胸背板及腹部第 1、2背片各有中蜡片 1 对，各含 140～160 个蜡胞，第 1～8 背片各有大缘蜡片 1 对，各含180～250 个小圆形蜡胞。气门为不规则圆形，关闭，气门片黑褐色。腹部第 1～8 背片中侧毛不显，各有缘毛 1～2 对。中额不显，头顶中央有 1 个头盖缝，延伸至头背中部。触角 6 节，短粗，光滑，第 6 节端部有小刺突横纹，全长 0.91mm，为体长的0.42 倍，第 3 节长 0.29mm；第 1～6 节长度比例为 23：23：100：44：55：50＋13；触角毛短，第 3 节约有 20 余根，毛长为该节直径的 1/4；触角第 3～6 节分别有半环形条状次生感觉圈为 25～32 个、11～13 个、9～14 个、0～4 个，分布于各节全长。喙粗短，端部不达中足基节，第 4＋5 节长为基宽的 1.40 倍，为后足第 2 跗节的 0.44 倍，有原生毛 2 对根，次生毛 1 对。足短，光滑，后足股节长 0.48mm，为触角第 3、4 节之和的 1.10 倍；后足胫节长 0.75mm，为体长的 0.31 倍；第 1 跗节毛序为 2、2、2。前翅透明，有斜脉 4 支。无腹管。尾片末端圆形，有短刚毛 1 对。尾板末端圆形，有刚毛8～14 根。生殖板有毛 20～34 根。生殖突 3 个，各有毛 5～7 根。

生物学：寄主为西洋梨 *Pyrus communis*、川梨 *P. pashia* 和花盖梨 *P. ussuriensis* 等多种梨属植物。

分布：陕西（秦岭）、辽宁、山西、四川、云南；俄罗斯，朝鲜，日本。

(75) 女贞卷叶绵蚜 *Prociphilus ligustrifoliae* (**Tseng *et* Tao，1938**) (图 420)

Thecabius ligustrifoliae Tseng et Tao，1938：219.

鉴别特征：干母活体灰褐色，被蜡粉和蜡丝。玻片标本复眼由 3 个透明小眼面组成，位于黑色指状突起的柄上，柄长与触角第 3 节直径相等。中额中央内凹，额瘤稍隆起。触角 5 节，短粗，为体长的 0.26 倍，第 1～5 节长度比例为 19：27：100：39：38＋8。无腹管。尾片有曲毛 8 根。尾板有小圆突起，有毛 21～26 根。

有翅孤雌蚜活体头部、胸部黑褐至黑色，腹部蓝灰黑色。玻片标本额瘤不显，中额稍隆，有时中央凹下，有 1 明显头盖缝。触角为体长的 1/2 倍，第 1～6 节长度比例为 16：15：100：41：43：32＋7；触角第 3～6 节依次有半环形次生感觉圈为 31～42 个、12～14 个、11～15 个、5 或 6＋1 个，分布于全节。前翅纵脉 4 支，镶窄黑边。无腹管。尾片半圆形，有短毛 10～12 根。尾板末端圆形，有毛 40 余根。

生物学：寄主为女贞。以卵在女贞上越冬，干母 3 月上旬孵化，在叶反面沿主脉为害，使叶向反面纵卷或畸形卷缩，常造成当年生春梢叶片大量脱叶。干母后代全为有翅干雌。夏寄主不明。

　　分布：陕西（秦岭）、四川、贵州、云南。

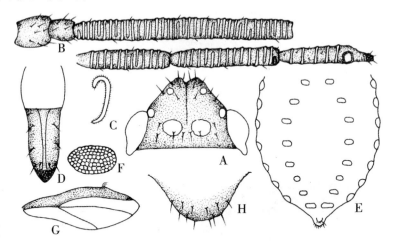

图 420　女贞卷叶绵蚜 *Prociphilus ligustrifoliae*（Tseng *et* Tao）
有翅孤雌蚜（alate viviparous female）

A. 头部背面观（dorsal view of head）；B. 触角（antenna）；C. 次生感觉圈（secondary rhinaria）；D. 喙第 4 + 5 节（ultimate rostral segment）；E. 腹部背面观，示蜡片（dorsal viewof abdomen, wax plates shown）；F. 背蜡片（dorsal wax plate）；G. 前翅（forewing）；H. 尾片（cauda）

47．倍蚜属 *Schlechtendalia* Lichtenstein，1883

Schlechtendalia Lichtenstein，1883：230. **Type species**：*Aphis chinensis* Bell，1851.

　　属征：有翅孤雌蚜触角 5 节，次生感觉圈不规则形。额瘤和中额瘤消失。头的中央无纵缝。有蜡片。复眼大，有小眼瘤。喙短，末节尖。前翅翅痣延长，达及翅顶，镰刀形，中脉不分支，后翅中肘两脉。无腹管。尾片钝圆。

　　生物学：原生寄主盐肤木，次生寄主提灯藓科植物。

　　分布：中国。秦岭地区发现 4 种。

分种检索表

1. 触角 5 节；在原生寄主植物盐肤木上营虫瘿 ·· 2
　触角 6 节；在原生寄主植物红麸杨或青麸杨上营虫瘿 ·································· 3
2. 触角第 3～5 节次生感觉圈之间分界明显；虫瘿有角状突起 ··············· **角倍蚜 *S. chinensis***
　触角第 3～5 节次生感觉圈之间分界不明显；虫瘿椭圆形，无角状突起········· **倍蛋蚜 *S. peitan***
3. 原生寄主植物为青麸杨 ··· **米倍蚜 *S. microgallis***

原生寄主植物为红麸杨 ·· **红小铁枣倍蚜 _S. elongallis_**

（76）角倍蚜 _Schlechtendalia chinensis_（Bell，1851）（图 421）

Aphis chinensis Bell，1848：310.

Abamalekia lazarewi del Guercio，1905：564.

Schlechtendalia intermedia Matsumura，1917：62.

Schlechtendalia mimmifushi Matsumura，1917：62.

Schlechtendalia miyabei Matsumura，1917：63.

Schlechtendalia chinensis：Zhang & Zhong，1983：78.

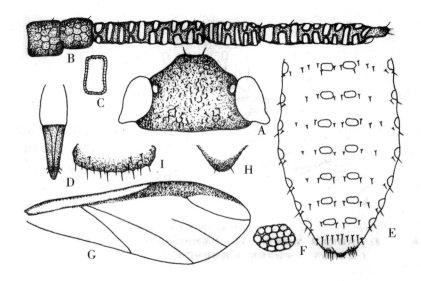

图 421　角倍蚜 _Schlechtendalia chinensis_（Bell）

有翅孤雌蚜（alate viviparous female）

A. 头部背面观（dorsal view of head）；B. 触角（antenna）；C. 次生感觉圈（secondary rhinaria）；D. 喙第 4 + 5 节（ultimate rostral segment）；E. 腹部背面观，示蜡片（dorsal view of abdomen，wax plates shown）；F. 背蜡片（dorsal wax plate）；G. 前翅（forewing）；H. 尾片（cauda）；I. 尾板（anal plate）

鉴别特征：有翅孤雌蚜身体呈椭圆形，体长 2.10mm，体宽 0.74mm。活体灰黑色。玻片标本头部、胸部黑褐色，腹部淡色，触角、喙、足黑褐色，尾片及尾板淡色。体表光滑，头顶有纵纹，头部背面有明显横网纹。中胸盾片各有 1 个蜡片，腹部第 1～7 背片各有 1 对中蜡片，由 15～22 个小圆形蜡胞组成，第 1～7 背片各有小型缘蜡片，第 1、6 背片偶有侧蜡片。气门小圆形，关闭，气门片淡色。体背刚毛短小，头部有头顶毛 2 对，头背毛 12 根，腹部第 1～7 背片各有中侧毛 5～6 对，缘毛 1～2 对，第 8 背片有毛 10～12 根，毛长0.01mm，为触角第 3 节直径的 0.33 倍。中额平顶不隆。触角 5 节，全长0.62mm，为体长的 0.30 倍，第 3 节长 0.21mm，第 1～5 节长度比例为24：

23:100:51:92 + 13；触角毛短尖，第 1~5 节毛数为 2 或 3、2 或 3、1 或 3、1 或 2、1 或 2 + 3或 4 根，第 3 节毛长为该节直径的0.25倍；次生感觉圈呈不规则宽带状或开环状，第 3~5 节各有 18~23、8 或 9、13~15 个，分布于各节全长；原生感觉圈小圆形，有睫。喙短，端部不达中足基节，第 4 + 5 节呈尖圆锥形，长0.10mm，为基宽的2.90倍，为后足第 2 跗节的 0.72 倍，有原生刚毛 1~2 对，缺次生毛。足有瓦纹，后足股节长0.36mm，为触角第 3 节的1.70倍，后足胫节长0.56mm，为体长的0.27倍，后足胫节毛长为该节直径的0.42倍，第 1 跗节毛序为 3、3、3。翅脉正常，前翅中脉不分叉，翅痣长大，呈镰刀形，伸达翅顶端；前翅中脉亚缘脉 Sc 与径分脉间有透明的小圆形感觉圈 6~9 个，后翅有 2 斜脉。缺腹管。尾片呈馒头状，光滑，长0.045mm，为基宽的 0.50 倍，有 1 对短硬刚毛。尾板半圆形，有毛 18~23 根。

生物学：原生寄主为盐肤木 *Rhus javanica*，次生寄主为葡灯藓属、提灯藓属及疣灯藓属植物。

分布：陕西(秦岭)、河南、江苏、安徽、浙江、湖北、江西、湖南、福建、台湾、广东、广西、四川、贵州、云南；朝鲜，日本。

(77) 红小铁枣倍蚜 *Schlechtendalia elongallis* (**Tsai *et* Tang，1946**)(图 422)

Meitanaphis elongallis Tsai *et* Tang，1946：411.

Schlechtendalia elongallis：Colin，2016（网页）.

鉴别特征：有翅孤雌蚜(秋季迁移蚜)身体呈椭圆形，体长 1.19mm，体宽0.49mm。活体暗绿色。玻片标本头部、胸部为黑褐色，腹部淡色。触角、喙、足各节、尾板及生殖板为褐色，尾片灰色。体背蜡片明显，头部有背蜡片 2 对，有时 1 对，各含 1~5 个蜡胞，胸部背板有 1 对透明中蜡片，各含 4~8 个蜡胞；腹部第 1~8 背片各有中蜡片 1 对，第 8 背片有时 2 蜡片相连，第 1~7 背片各有缘蜡片 1 对，各含4~16个大圆蜡胞。气门圆形，开放，气门片淡褐色。体背毛尖锐，极短小，腹部腹面毛多，长于背毛；头部有头顶毛 1 对，头背毛 4~5 对，腹部第 1~7 背片各有中毛2 对，有时有侧毛 1 对，缘毛 1 对，第 8 背片有毛 4 或 5 根。额呈弧状。复眼发达，眼瘤明显。触角 6 节，粗大，全长0.49mm，为体长的 0.49 倍，第 3 节长0.06mm，第1~6 节长度比例为 53:64:100:86:223:236 + 27；触角毛极短，第 1、2 节各有毛 2~4根，第 6 节顶端有长毛 4 根；第3~6节各有 1 个大型感觉片，各占其 3/4~4/5 的面积，各布满膜质圆形感觉板，第3~6节各有 12~18、9~22、43~65、29~49 个，每个感觉板各含 15~30 个透明膜质感觉小板，第 5、6 节各端部有小圆形原生感觉圈，有睫。喙端部不达中足基节，第 4 + 5 节呈长楔状，长0.08mm，为该节基宽的 3 倍，为第 2 后跗节的0.82倍，有原生短毛 2 对。足各节有瓦纹及皱曲纹，股节及后足胫节各端部膨大，后足股节长0.23mm，为触角第 3~5 节的0.91倍；后足胫节长0.38mm，为体长的0.32 倍，毛长为该节端部最宽直径的0.33 倍；第 1 跗节毛序为 3、3、3。前翅脉粗黑，翅痣长大，呈镰刀形，伸达翅顶，中脉不分支，基部1/5不显，两肘脉基部分离，后翅有翅钩2个。无腹管。尾片半圆形，有细皱纹，长0.03mm，为其基宽的0.34倍，有毛3根。尾板末端圆形，有毛16～19根。生殖板为大椭圆形，有毛12～18根。

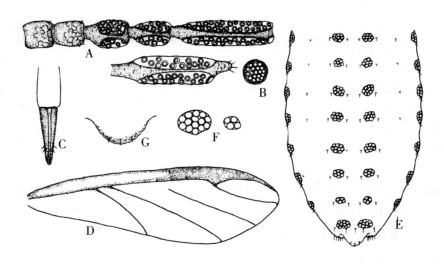

图422　红小铁枣倍蚜 Schlechtendalia elongallis（Tsai et Tang）
有翅孤雌蚜（alate viviparous female）

A.触角（antenna）；B.触角感觉板（antennal rhinaria plate）；C.喙第4＋5节（ultimate rostral segment）；D.前翅（forewing）；E.腹部背面观，示蜡片（dorsal view of abdomen, wax plates shown）；F.背蜡片（dorsal wax plate）；G.尾片（cauda）

生物学：原生寄主为红麸杨 Rhus punjabensis var. sinica，次生寄主为羽藓属 Thuidium 5种：细枝羽藓、大羽藓、毛尖羽藓、灰羽藓、短肋羽藓。春季在原生寄主上形成绿色虫瘿，9月中旬成熟时变为玫瑰红至紫色，长椭圆形，最长可达41mm，位于基部第3～4对小叶反面中脉中部，瘿壁有纵向小脊。横向开口位于基部，其上再纵向裂口。

分布：陕西（秦岭）、湖北、湖南、四川、贵州。

（78）米倍蚜 Schlechtendalia microgallis（Xiang，1980）

Meitanaphis microgallis Xiang，1980：308.
Schlechtendalia microgallis：Colin，2016（网页）.

鉴别特征：有翅孤雌蚜（秋季迁移蚜）身体长1.36mm。玻片标本头部、胸部为黑褐色，腹部淡色，触角、足棕褐色，复眼黑色，翅脉、翅痣褐色。触角6节，全长0.46mm，第1～6节长度比例为74：85：100：87：244：285。后足股节长0.39mm，第1跗节毛序为3、3、3。前翅前缘外端明显弯曲，翅痣端部弯曲直达翅顶。

无翅孤雌蚜活体淡黄色或黄色，复眼黑色。体椭圆形直至倒卵形，触角、喙、足粗壮。喙端部伸达腹部。触角长约为体长的 0.50 倍。

生物学：原生寄主为青麸杨 *Rhus potaninii*。在青麸杨叶上形成小型虫瘿，绿色或黄绿色，表面密被黄色绒毛；虫瘿圆筒形，基部稍细，中部弯曲，末端圆形，呈乳头状，一般为 208mm，最长为 30mm，8 月下旬至 10 月上旬成熟后自裂，裂口在虫瘿基部。

分布：陕西（城固）。

(79) 倍蛋蚜 *Schlechtendalia peitan*（Tsai *et* Tang，1946）（图 423）

Melaphis peitan Tsai *et* Tang，1946：405.

Schlechtendalia peitan：Colin，2016（网页）。

鉴别特征：有翅孤雌蚜身体呈椭圆形，体长 1.12mm，体宽 0.41mm。活体黑绿色。玻片标本头部、胸部为黑色，腹部淡色，无斑纹，触角第 1、2、3 节基部及鞭部黑褐色，其余部分淡色，喙、足各节、尾板及生殖板为褐色，尾片淡色。头部背面粗糙，有网纹及纵纹，腹部光滑。体背有明显蜡片，头部背面中、后部各有 1 对，由 5～8 个大蜡胞组成，腹部第 1～7 背片分别有中、缘蜡片各 1 对，含 20～30 个大小不等圆形蜡胞，第 8 背片有 1 对小型蜡片。气门小圆形，气门片褐色。体背毛尖锐，短小，头部有头顶毛 1 对，头背毛 5 对；腹部第 1～7 背片各有中侧毛 3～4 对，缘毛 1～2 对，第 8 背片毛 4 或 5 根，排列一行；头顶毛长0.004mm，为触角第 3 节最宽直径的 0.10 倍，腹部第 1 背片毛长0.008mm，第 8 背片毛长0.013mm。额平圆形。复眼大型，长度占头部长度的4/5，眼瘤显著。触角5节，第 1、2 节有曲纹，全长0.51mm，为体长的0.45倍，第 3 节长0.11mm，第 1～5 节长度比例为23：29：100：71：118＋11；触角毛极短，第 1、2 节各有毛 2 或 3 根，其他节毛不显，第 5 节顶端有毛 4 根；第 3～5 节各有大型感觉片，各片有不规则圆形或分支状的感觉板，数目不稳定，第 5 节基部顶端有 1 个小圆形原生感觉圈，有短睫。喙端部不达中足基节，第 4＋5 节长楔状，长0.10mm，为该节基宽的2.80倍，与后足第 2 跗节约等长，有原生短毛 2 对，缺次生毛。足各节粗糙，股节有瓦纹，胫节有皱横曲纹，端部膨大，胫节有刺突组成横纹，后足股节长0.27mm，为触角第 3、4 节两节之和的1.10倍，后足胫节长0.42mm，为体长的0.38倍，毛长为该节端部最宽直径的0.41倍；第 1 跗节毛序为 3、3、3。前翅痣为镰刀形，伸达翅顶，径分脉基部粗，端部达翅顶，中脉单一，基部1/2不显，两肘脉基部距离近，后翅2斜脉基部分离。无腹管。尾片尖圆形，光滑，长0.04mm，为基宽的0.41倍，有短尖毛 2 或 3 根。尾板末端平圆形，有瓦纹，有毛 18～21 根。生殖板大型，有毛 32～35 根。

生物学：原生寄主为盐肤木、滨盐肤木、红麸杨，虫瘿黄绿色，有柔软短毛，卵形略扁，8 月至 9 月上旬成熟，次生裂口在端部，十字形。次生寄主为湿地匍灯藓、钝叶匍灯藓、大叶匍灯藓、圆叶匍灯藓。

分布：陕西（秦岭）、湖北、湖南、四川、贵州、云南。

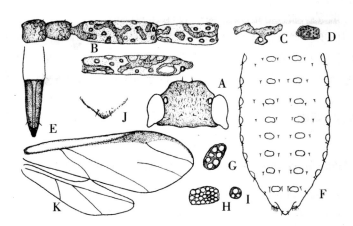

图 423 倍蛋蚜 *Schlechtendalia peitan* Tsai *et* Tang

有翅孤雌蚜（alate viviparous female）

A. 头部背面观（dorsal view of head）；B. 触角第 1~5 节（antennal segments 1-5）；C. 触角分支型骨化片（branched antennal sclerotic plate）；D. 触角圆形骨化板（round antennal sclerotic plate）；E. 喙第 4+5 节（ultimate rostral segment）；F. 腹部背面观，示蜡片（dorsal viewof abdomen，wax plates shown）；G. 中胸背蜡片（wax plate on mesonotum）；H. 腹部背中蜡片（spinal dorsal wax plate on abdomen）；I. 头部背蜡片（dorsal wax plate on head）；J. 尾片（cauda）；K. 前翅、后翅（forewing and hindwing）

48. 斯绵蚜属 *Smynthurodes* Westwood，1849

Smynthurodes Westwood，1849：420. **Type species**：*Smynthurodes betae* Westwood，1849.

属征：无翅孤雌蚜触角 5 节。有翅孤雌蚜 6 节，第 2 节相对长，与第 3 节近等长；初生感觉圈有很厚的几丁质环，无睫。复眼有眼瘤。体无蜡片。体宽被细毛。腹管缺。尾片小，半圆形。有翅型前翅中脉不分支，后翅有 2 条斜脉。

分布：世界性分布。秦岭地区发现 1 种。

(80) 菜豆根蚜 *Smynthurodes betae* Westwood，1849（图 424）

Smynthurodes betae Westwood，1849：420.

鉴别特征：无翅孤雌蚜活体乳白色至淡橘黄色，略被白粉，长约 1.80，宽约 1.40mm。玻片标本中额瘤不显，复眼由 3 小眼面组成，无眼瘤。触角粗短，为体长的 0.26 倍，5 节或 6 节，若为 5 节，则第 1~5 节长度比例为 65:81:100:45:96+17；若为 6 节，则第 1~6 节长度比例为 72、105、100、50、67、134+25；5 节触角型的第 3、4 两节界限不清；第 3 节毛长约为该节直径的2/3；原生感觉圈无睫。喙长，可达后足基节，第4+5 节长为基宽 3 倍。中胸腹岔无柄。缺腹管。尾片小，有短毛 40 根，尾板大，有长毛 46 根。

有翅孤雌蚜体长 2.10mm，体宽 1.10mm。额瘤不显，头背中央有 1 个头盖缝。触角长为体长的 0.26 倍，第 1～6 节长度比例为 39：70：100：62：58：96＋19；第 3～5 节各有次生感觉圈 7～11、2 或 3、0 或 1 个，原生感觉圈无睫。翅痣灰黑色，各脉有灰黑色窄晕，前翅径分脉可达翅顶，中脉单一。

生物学：多食性蚜虫。原生寄主为钝黄连木、大西洋黄连木和笃香，在叶边缘形成纺锤形虫瘿；次生寄主为棉、烟草、小麦等多种植物，在根部寄生。常集中在棉花主根部，受害后主根及须根变细、枯萎，严重时可造成棉花枯死。

分布：陕西（秦岭）、甘肃，全国广布；日本，中亚，欧洲，北美洲，澳洲。

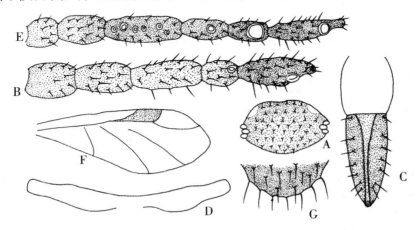

图 424　菜豆根蚜 *Smynthurodes betae* Westwood

无翅孤雌蚜（apterous viviparous female）

A. 头部背面观（dorsal view of head）；B. 触角（antenna）；C. 喙第 4＋5 节（ultimate rostral segment）；D. 中胸腹岔（mesosternal furca）

有翅孤雌蚜（alate viviparous female）

E. 触角（antenna）；F. 前翅（forewing）；G. 尾片（cauda）

49. 四脉绵蚜属 *Tetraneura* Hartig, 1841

Tetraneura Hartig, 1841：359. **Type species**：*Aphis ulmi* Linnaeus, 1758.

属征：头部通常光滑，少有刻纹，额瘤不显，头背毛形状和数量多变。无翅孤雌蚜触角 4 或 5 节，很少 3 或 6 节，无次生感觉圈；有翅孤雌蚜触角通常 6 节，很少 5 节，第 6 节鞭部很短，次生感觉圈环形或条状，横向排列于第 3～5 节，排列有序；原生感觉圈有密睫，无突起。无翅孤雌蚜有 3 个单眼，有翅孤雌蚜复眼有突出眼瘤。喙端部通常达中足基节，第 4＋5 节短钝，通常有端刺，长度约为后足第 2 跗节（无翅孤雌蚜为后足第 1 跗节）的 0.25～1.50 倍。腹部淡色，常光滑，第 7、8 背片有明显褐色带。头部及腹部蜡片在各种间变异大，有翅性母蚜蜡片在同种内较有翅瘿蚜发达、明显。腹管有或无，若有则为圆锥体，有几丁化的褐色边缘。尾片钝、圆锥形。尾板钝，圆形，黑褐色。生殖板宽，有 2 个明显侧叶，有密毛。足粗壮，短至中等大小，转节常不清晰，有时与股节愈合；股节及胫节端部常有刻纹；跗节有脊纹或微刺，无翅孤雌蚜跗节仅 1 节，有翅孤雌蚜跗节 2 节，有翅孤雌蚜第 1 跗节毛序为 3、2、2 或 4、2、2。有翅孤雌蚜前翅中脉简单，仅一支，后翅翅脉直，仅 1 斜脉（肘脉）。

生物学：该属多数种类在榆科 Ulmaceae 和禾本科 Gramineae 之间转主寄生，营全周期型生活；有些种类营不全周期型生活，可在禾本科杂草（次生寄主植物）上终年繁殖。

分布：全北区。秦岭地区发现 1 种。

(81) 秋四脉绵蚜 *Tetraneura akinire* Sasaki, 1904（图 425）

Tetraneura akinire Sasaki, 1904: 403.

鉴别特征：无翅孤雌蚜身体呈卵圆形，体长 2.30mm，体宽 1mm。活体淡黄色，被薄蜡粉。玻片标本头部淡色，胸部、腹部背面稍骨化，尾片及尾板淡色。体表光滑，头部有皱曲纹，腹管后几节有微瓦纹。气门明显圆形，半开放，气门片骨化。节间斑稍显。中胸腹岔有短柄或两臂分离。腹部腹面侧蜡片由多个大小相近的小蜡胞组成。体毛尖锐，头部有头顶长毛 6~8 根，头背短毛 10~12 根；胸部背板共有长缘毛 16 根，腹部背片共有长缘毛 24~26 根，位于气门外侧；腹部第 1~7 背片各有中侧短毛 4~8 根，第 8 背片有长毛 2 根。头顶毛、腹部第 1 背片及第 8 背片缘毛长分别为触角第 3 节直径的 2.10 倍、4.10 倍、4.10 倍。中额及额瘤不隆，额呈平顶状，有微圆突起。触角 5 节，短粗，光滑，第 5 节基部顶端及鞭部有微刺突；全长 0.40mm，为体长的 0.17 倍；第 1~5 节长度比例为 85:81:100:229:53+24；第 1~5 节毛数为 1 或 2、4、0、21~26、2 或 3 根；第 2 节毛集中于上缘，第 3 节毛长为该节直径的 0.93 倍；原生感觉圈有睫。喙粗短，端部超过中足基节，第 4+5 节长为基宽的 1.50 倍，为后足跗节的 1.70 倍，有刚毛 12~16 根。足短粗，跗节 1 节；股节与胫节约等长；后足股节长与第 3~5 触角节之和约等长，后足胫节长为体长的 0.13 倍，毛长为该节中宽的 0.58 倍。腹管截断状，有褶瓦纹，有明显缘突及切迹；长约为基宽的 1/3，与触角第 1 节等长，为体长的 0.02 倍。尾片小，半圆形，有小刺突横纹，长为尾板的 1/2，有 4~6 根刚毛。尾板大，半圆形，有长曲毛 2~4 根，短毛 29~50 根。生殖突末端中央向内陷凹呈锐角，有短毛 57~79 根。

有翅孤雌蚜身体呈长卵形，体长 2mm，体宽 0.90mm。活体头部、胸部黑色，腹部绿色。玻片标本头部、胸部、触角、喙、足、尾片、尾板及气门片黑色。腹部淡色，腹部第 1、2 背片各有 1 个不规则黑色中横带，第 8 背片黑色横带有时中断。头部和胸部背侧片有不规则曲纹，腹部背面光滑，第 7、8 背片有微刺突瓦纹。气门圆形，骨化开放，气门片隆起骨化黑色。体背毛尖锐，头部有头顶毛 4 根，头背毛 10 根，排列为 4、2、4 三横行；腹部第 1~2 背片各有中毛、侧毛 10~14 根，第 3~7 背片各有中毛、侧毛 6~10 根，排为一横行，第 1~7 背片各有缘毛 1 对，有时 2 对，第 7 背片有毛 8～10 根，排为一横行。头顶毛、腹部第 1 背片毛和第 7 背片毛长分别为触角第 3 节直径的 0.61 倍、0.59 倍、1.20 倍。中额稍隆，额瘤不显。触角 6 节，短粗，第 1、2 节光滑，其他各节有瓦纹，第 5、6 节边缘多刺突，有小刺突构成横纹；全长 0.62mm，为体长的 0.31 倍；第 1～6 节长度比例为 20:27:100:35:86:26＋7；第 1～6 毛数为 4、3 或 4、11、2、11 或 12、0～2 根；第 3 节毛长为该节直径的 0.32 倍；第 3～5 节各有环形次生感觉圈 9～14、2～4、8～11 个。喙短粗，端部超过前足基节，第 4＋5 节长为基宽的 1.70 倍，为后足第 2 跗节的 0.59 倍，有原生刚毛 4 根，次生刚毛 6 根。足胫节端部有小刺突，后足第 2 跗节有小刺突横纹；后足股节长为触角第 3 节的 2 倍；后足胫节长为体长的 0.31 倍，毛长为该节中宽的 0.32 倍；第 1 跗节毛序为 3、3、2。前翅中脉不分叉，基部 1/3 不显，翅脉镶粗黑边；后翅 1 斜脉。无腹管。尾片半圆形，小于尾板，有 2～4 根刚毛。尾板有长短刚毛 32～38 根。生殖突末端圆形或稍凹，有较长粗刚毛 50～60 根。生殖板骨化灰黑色，有毛 45 根。跗节光滑，后足跗节的爪甚长，可达 0.08mm。

生物学：原生寄主为榆树 *Ulmus pumila*、榔榆 *U. parvifolia*、糙枝榆 *U. fulva*、大果榆 *U. macrocarpa*、光榆 *U. glabra*、裂叶榆 *U. laciniata*、春榆 *U. davidiana* var. *japonica*。次生寄主为小獐毛 *Aeluropus pungens*、野燕麦 *Avena fotua*、虎尾草 *Chloris virgata*、狗牙根 *Cynodon dactylon*、马唐 *Digitaria sanguinalis*、稗 *Echinochloa crusgalli*、水稗（水稗草）*Echinochloa phyllopogon*、牛筋草 *Eleusine indica*、画眉草 *Eragrostis pilosa*、羊茅 *Festuca* sp. 和狗尾草 *Setaria viridis* 等禾本科杂草；有小米 *Setaria italica*、高粱 *Sorghum bicolor* 和普通小麦 *Triticum aestivum* 等禾本科和百合科薤头 *Allium chinense* 等农作物；此外，曾在蒙古蒿 *Artemisia mongolica* 等蒿属植物、臭牡丹 *Clerodendron bungei*、大豆 *Glycine max*、柑橘 *Citrus reticulata* 根部偶见。国外记载有冰草属 *Agropyron* spp.、早熟禾属 *Poa* spp.、黍属 *Panicum* spp. 和毛地黄属 *Digitalis* spp. 植物。

该种蚜虫在多种榆属植物 *Ulmus* spp. 叶正面中脉两侧营虫瘿，每叶营 1～30 个虫瘿，虫瘿表面有短毛，有柄，大都尖辣椒形，两端细，长 1～2cm，最宽直径 0.50～0.80cm；或头状，或不规则袋形，一般 1.20cm × 0.80cm，最小为 0.40～0.60cm × 0.40～0.60cm，最大可达 2.50cm × 1.50cm。虫瘿黄绿色至叶绿色，老熟时渐黄色至红色，在基部及中下部侧面裂开成为蚜虫出口。每瘿有 1 头干母蚜，每瘿可羽化 12～150 头有翅干雌蚜。在华北、东北和西北地区以受精卵在榆树树干及老枝缝隙中越冬，次年 3 月中旬至 4 月间孵化为干母蚜，在叶背面取食，使叶正面拱起，最后形成闭口虫瘿。一般在 5 月至 7 月有翅干雌蚜从虫瘿的次生开口迁出，转到次生寄主根部繁殖为害。有翅性母蚜可在 8 月下旬至 11 月上旬出现（从北向南），迁回原生寄主榆树表皮缝隙间，每头性母蚜可孤雌胎生 7～10 头雌性蚜和雄性蚜，2 或 3 日后，成为无翅成虫，雌雄性蚜交配，每头雌性蚜只产 1 枚卵。该种蚜虫通常营异寄主全周期生活。部分无翅孤雌蚜可在次生寄主根部全年营不全周期生活。

分布：陕西（秦岭）、黑龙江、吉林、辽宁、北京、河北、天津、内蒙古、山西、河南、宁夏、新疆、甘肃、山东、上海、江苏、浙江、湖北、湖南、福建、台湾、广西、云南；蒙古，俄罗斯，朝鲜，日本，欧洲，北美洲。

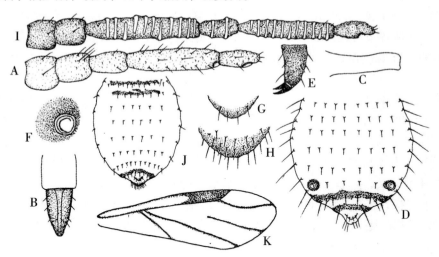

图 425　秋四脉绵蚜 *Tetraneura akinire* Sasaki

无翅孤雌蚜（apterous viviparous female）

A. 触角（antenna）；B. 喙第 4 + 5 节（ultimate rostral segment）；C. 中胸腹岔（右侧）（right part of mesosternal furca）；D. 腹部背面观（dorsal view of abdomen）；E. 后足跗节及爪（hind tarsus and claws）；F. 腹管（siphunculus）；G. 尾片（cauda）；H. 尾板（anal plate）

有翅孤雌蚜（alate viviparous female）

I. 触角（antenna）；J. 腹部背面观（dorsal view of abdomen）；K. 前翅（forewing）

（六）毛管蚜亚科 Greenideinae

鉴别特征：腹管长管状，稍膨大，至少为体长的 0.50 倍，有时与身体等长，密被长毛。尾片宽半月形、圆形至三角形。触角 5 或 6 节，次生感觉圈卵圆形或圆形。喙第 4、5 节分节明显。雄性蚜有翅。

生物学：在寄主植物的枝和叶片取食。

分类：主要分布在东南亚。陕西秦岭地区发现 1 属 1 种。

50. 毛管蚜属 *Greenidea* Schouteden，1905

Greenidea Schouteden，1905：181. **Type species**：*Siphonophora artocarpi* Westwood，1890.

属征：身体呈梨形。额通常平直，有时稍隆起。头背毛长，顶端分叉、渐尖或细尖锐。触角 6 节，无翅孤雌蚜无次生感觉圈，有翅孤雌蚜有圆形到横卵形次生感觉圈；原生感觉圈有睫。喙长，第 4、5 节分节明显；第 4 节有次生毛 8~16 根。体背毛硬直，长度和顶端多变，有翅孤雌蚜多数背毛尖锐，有时渐尖。第 1 跗节有 7 根腹毛。翅脉正常。腹管长，向外弯曲；多毛，毛尖锐、渐尖或分叉，有翅孤雌蚜腹管一般全部有网纹。尾片圆形或横卵形。尾板宽卵圆形或半圆形。

　　分布：中国；日本，印度，斯里兰卡，印度尼西亚。秦岭地区发现1种。

（82）库毛管蚜 *Greenidea kuwanai*（Pergande，1906）（图426）

Trichosiphum kuwanai Pergande，1906：209.
Greenidea kuwanai：Takahashi，1919：174.

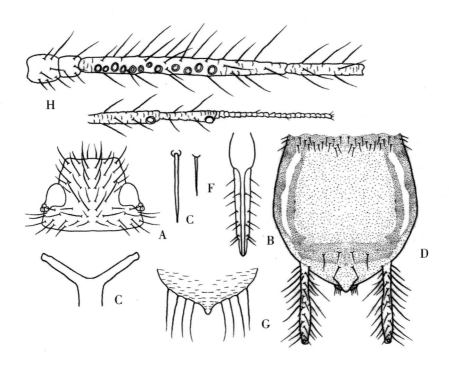

图426　库毛管蚜 *Greenidea kuwanai*（Pergande）
无翅孤雌蚜（apterous viviparous female）
A. 头部背面观（dorsal view of head）；B. 喙第4+5节（ultimate rostral segment）；C. 中胸腹岔（mesosternal furca）；
D. 腹部背面观（第2~6背片背毛省略）（dorsal view of abdomen, not showing dorsal setae on abdominal tergites 2-6）；
E. 体背毛（dorsal seta of body）；F. 腹部腹面毛（ventral seta of abdomen）；G. 尾片（cauda）
有翅孤雌蚜（alate viviparous female）
H. 触角（antenna）

　　鉴别特征：无翅孤雌蚜身体呈卵圆形，体长2.69mm，体宽1.70mm。活体黑褐色，有光泽。玻片标本头部、胸部黑色，腹部黑褐色，缘域骨化加厚。触角褐色，第1、2、3~4节各顶端及第5、6节黑色；喙第5节端半部及第3~5节、足、腹管、尾片及尾板黑色。头部与前胸愈合，腹部第8背片背斑色淡，呈横带分布全节；腹部腹面有褐色"U"形斑。体表光滑，腹部第8背片背面有瓦纹，腹部腹面密被明显小粗刺突。气门圆形，关闭，气门片与体背同色。节间斑淡色，不甚明显。中胸腹岔黑色，有长柄，横长0.26mm，为触角第3节的0.44倍，柄长为臂长的0.73倍，有时两臂分离。体背密被粗尖锐毛，长短不等，长毛长为短毛的 6~7 倍；头部有毛 38~40 根；前胸背板有中侧毛 14 对，缘毛 8~9 对；中胸背板有毛 50 余根，后胸背板有毛约 30 根；腹部第 1 背片有毛 50 余根，第 7 背片有毛 16~18 根，第 8 背片有毛 2 根；头顶长毛长 0.13mm，为触角第 3 节最宽直径的 2.50 倍，腹部第 1 背片长毛节 0.14mm，短毛长 0.02mm，第 8 背片长毛长 0.14mm。中额微隆，额瘤不显，头背中缝微显。触角 6 节，有微瓦纹，全长 1.65mm，为体长的 0.61 倍，第 3 节长 0.60mm，第 1~6 节长度比例为 15：11：100：32：34：29+55；触角毛长短不等，长毛长为短毛的 6.80 倍，第 1~6 节毛数为 8、6~7、33~37、5~7、4~7、5+5~7 根，末节鞭部顶端有短毛 3 根，第 3 节长毛长为该节最宽直径的 2.60 倍。喙长大，端部达腹部第 3 节，第 4+5 节分节明显，长尖矛状，长 0.27mm，为基宽的 5.40 倍，为后足第 2 跗节的 1.90 倍，第 4 节长为第 5 节的 3.90 倍，有原生长毛 2 对，次生长毛 7~8 对。足光滑，各胫节顶端有 3 根明显的粗距；后足股节长 0.71mm，为触角第 3 节的 1.20 倍，后足胫节长 1.05mm，为体长的 0.39 倍，长毛长为短毛的 4.70 倍，为该节最宽直径的 1.70 倍；第 1 跗节毛序为 7、7、7 根，有时 7、7、5 根。腹管粗管状，呈香蕉形，密被小刺突，基部有瓦纹，全长 0.71mm，为中宽的 4.60 倍，为体长的 0.27 倍，有长毛 130 余根，长毛长为中宽的 1.20 倍。尾片半圆形，末端尖突起，粗糙，密被刺突，全长 0.13mm，为基宽的 0.33 倍，有长短毛 7~10 根。尾板末端圆形，有小刺突横纹，中心有圆形网状纹，有长毛 29~34 根。

有翅孤雌蚜体长 2.29mm，体宽 1.18mm。玻片标本头部、胸部黑色，腹部有大黑斑，各附肢黑色。腹部第 1、2 背片有横带，第 3~6 背片背斑愈合为 1 个大斑，各节有大型独立缘斑，第 7、8 背片有横带横贯全节。体表及腹面光滑。气门大圆形，开放，气门片黑色。节间斑明显，黑褐色。体背毛粗长，尖锐，集中分布于体背中域及缘域。触角有 6 节，有粗瓦纹，全长 1.73mm，为体长的 0.75 倍，第 3 节长 0.38mm，第 1~6 节长度比例为 15：12：100：36：33：27+54；第 3 节有长毛 27~31 根，有圆形次生感觉圈 12~16 个，分布于基部 3/4。喙端部达腹部第 3 节，第 4+5 节长 0.27mm，为后足第 2 跗节的 2 倍，有原生毛 2 对，次生毛 8~9 对。足光滑，后足股节长 0.70mm，后足胫节长 1.13mm，后足第 2 跗节长 0.14mm。翅脉正常，中脉分 3 支，基半部缺。腹管长管状，有瓦纹，端部有小刺突组成的横纹，长 1.31mm，为触角第 3 节的 3.50 倍，为体长的 0.60 倍，长为中宽的 11 倍，有长粗毛 130~140 根，毛长为其中宽的 1.40 倍。尾片有毛 8 或 9 根。尾板有毛 23~29 极。其他特征与无翅孤雌蚜相似。

无翅若蚜头盖缝明显，淡色。体背有零星分散的毛基斑。体呈卵形，体长 1.03mm，体宽 0.45mm。体背毛较粗，尖锐；头部有头顶毛 2 对，头背侧、缘毛各 1 对；前胸背板有中、缘毛各 2 对，中、后胸背板有中、侧毛各 1 对，缘毛 2 对；腹部第 1~5 背片有中、缘毛各 1 对，侧毛 2 对；第 6 背片有中、侧、缘毛各 1 对，第 7 背片有中、缘毛各 1 对，第 8 背片有中毛 1 对。复眼由 3 个以上小眼面组成。触角 4 节，第 3、4 节有横瓦纹；全长 0.46mm，为体长的 0.45 倍；第 3 节长 0.14mm，第 1~4 节长度比例为 43：29：100：57+93；触角毛粗长，第 1~4 节毛数为 2、3、3、2+1 根，末节顶端有毛 4 根。喙细长，端部达腹部第 5 节；第 4+5 节尖楔状，长 0.19mm，为基宽的 4 倍，为后足第 2 跗节的 1.80 倍，第 4 节长为第 5 节的 2.60 倍；第 4 节有原生毛 2 对，次生毛 4 对。足发育正常。第 1 跗节毛序为 2、2、2。后足第 2 跗节长 0.10mm。腹管明显，位于腹部第 6 背片。

生物学：寄主为枹栎 *Quercus serrata*、蒙古栎 *Q. mongolica*、槲树 *Q. dentata*、栓皮栎 *Q. variabilis*、台湾窄叶青冈 *Cyclobalanopsis stenophylloides* 和栗属 1 种 *Castanea* sp.。

分布：陕西（周至）、黑龙江、辽宁、北京、河北、山东、安徽、浙江、台湾、广西、四川、贵州、云南、西藏；俄罗斯，韩国，日本。

（七）扁蚜亚科 Hormaphidinae

鉴别特征：无翅型背腹扁平，粉虱型或正常。头部与前胸愈合，或头部至腹部第 1 节愈合，或头部至腹部第 7 节愈合成前体；有翅型体节正常。额部有 1 对额角或无。无翅型触角 2 ~5 节；有翅型触角有 5 节，次生感觉圈环形。喙短，第 4 + 5 节通常无次生毛。转节与股节通常愈合；无翅型跗节缺，退化，不分节或正常，有正常或退化的爪；有翅型有正常的跗节；第 2 跗节背端毛顶端头状或扁平。无翅型和有翅型蜡腺发育程度不同。有翅型翅脉退化；前翅中脉—分叉，肘脉 1 和肘脉 2 基部连合。腹管为孔状、环状或缺。尾片瘤状，少数种类末端圆。尾板二裂状，少数种类末端宽圆。性蚜少，无翅，具有发达的喙。

生物学：该科大部分种类体被大量蜡粉，基本处于静止不动或少动的状态。有翅型飞行能力较差，不具备远距离主动扩散的能力；大部分种类营转主寄生，其原生寄主主要为金缕梅科 Hamamelidaceae、安息香科 Styracacceae 植物，次生寄主主要为桦木科 Betulaceae、壳斗科 Fagaceae、禾本科 Poaceae、樟科 Lauraceae、菊科 Composite 等。在原生寄主植物上形成不同形状的虫瘿。部分种类失去原生寄主，在次生寄主上营不全周期生活。

分类：东洋区。陕西秦岭地区发现 3 属 4 种。

分属检索表

1. 无翅型身体粉虱型，整个体缘具蜡腺，排成 1 列 ·················· 粉虱蚜属 *Aleurodaphis*
   体缘不具成列蜡腺 ·· 2
2. 无翅型无蜡片；腹部分节不明显，强烈骨化，布满圆形突起和小蜡孔 ··· 毛角蚜属 *Chaitoregma*
   无翅型体缘具蜡片；腹部分节明显 ·························· 粉角蚜属 *Ceratovacuna*

51．粉虱蚜属 *Aleurodaphis* van der Goot, 1917

Aleurodaphis van der Goot, 1917：239. **Type species**：*Aleurodaphis blumae* van der Goot, 1917.

属征：体呈卵形，扁平，粉虱型，无翅型头部与前胸愈合，没有任何额角；中、后胸愈合，腹部第 1 ~7 愈合，第 8 节游离；无翅型身体边缘有一圈齿状蜡胞。无翅型有触角 4 或 5 节；原生感觉圈小，有睫；有翅型有触角 5 节，次生感觉圈近环形；没有任何睫。无翅型复眼有 3 小眼面；有翅型复眼正常。喙端部达中足基节或最多至后足基节，第 4 + 5 节明显长于后足第 2 跗节，背板淡色。无翅型体背布满小蜡腺，背毛细，稀疏。腹管为环形。尾片瘤状，尾板明显有两裂片。足短；无翅型第 1 跗节有毛 2 或 3 根；有翅型 4 根；第 2 跗节背端毛顶端漏斗形。有翅型前翅中脉一分叉，翅痣延长，两肘脉基部愈合；后翅有 2 条斜脉。无翅若蚜蜡腺成单列沿体缘分布，似无翅成蚜。

生物学：所有种（除 *antennata* 外）均单寄主不全生活周期型。Takahashi 和 Sorin （1958）研究的 *blumae* 和 *asteris* 在日本的生物学。*A. blumae* 在日本每年在天名精 *Carpesium abrotanoides* 上产生许多后代；有翅型侨蚜在 8 月中旬至 10 月中旬出现，每个有翅蚜产生 5～12 个小蚜虫，经过 3 次蜕皮后，在 10 天内变成无翅孤雌蚜；有许多蚜由于无法从覆盖在身体上的薄膜中逃出来而死亡。有翅型产下幼蚜，以身体腹侧接触寄主植物，这样很容易从薄膜中逃出来。*A. asterus* 从每年 3 月至 11 月产生 7 代。雌性成蚜在寄主树枝和花蕾上越冬，从 3 月中旬开始产幼蚜，幼虫期持续 10～14 天。除在台湾，5 月至 6 月在假泽兰 *Mikania scandens* 小枝上形成稠密种群外，*Aleurodaphis mikaniae* Takahashi 其他较详细的生物学资料仍未知；*A. asterus* 和 *A. mikaniae* 的有翅型仍未知，*A. antenata* 也没有生物学资料，它的有翅型也未知。

分布：中国；日本，印度，印度尼西亚。秦岭地区发现 2 种。

分种检索表

喙第 4 + 5 节细长，长为基宽的 4.60~5.67 倍 ⋯⋯⋯⋯⋯⋯⋯⋯⋯⋯ 艾纳香粉虱蚜 *A. blumeae*

喙第 4 + 5 节粗短，长为基宽 3 倍⋯⋯⋯⋯⋯⋯⋯⋯⋯⋯⋯⋯⋯⋯⋯ 米甘草粉虱蚜 *A. mikaniae*

(83) 艾纳香粉虱蚜 *Aleurodaphis blumeae* van der Goot, 1917（图 427）

Aleurodaphis blumeae van der Goot, 1917：240.

Aleurodaphis nobukii Shinji, 1923：301.

Astegopteryx japonica Takahashi, 1923：1.

Aleurodaphis sinisalicis Zhang, 1982：20.

鉴别特征：无翅孤雌蚜身体呈椭圆形，体长 1.20mm，宽 0.59mm。活体为红棕色，玻片标本体背全褐色，头与前胸愈合，中后胸愈合，腹部第 8 背片分节明显独立，头与前胸长为中胸的 1.80 倍，与腹部均等长。复眼黑色，由 3 小眼组成。触角、喙、足各节呈褐色，尾片及尾板黑色。体表粗糙，布满环状蜡片，足各基节有蜡孔群，周绕体缘一周有指状蜡片 112～119 个，头部缘域有指状腊片 18～20 个，前胸缘域有指状腊片 16～20 个，中、后胸有指状腊片 26～28 个，腹部第 1～7 背片缘域有指状腊片 40 或 41 个，第 8 节有指状腊片 11 个。腹气门有 6 对，小圆形，关闭，气门片褐色。中胸腹岔两臂分离，各臂长横 0.021mm，为触角第 2 节的 1/2。体背毛尖锐，头顶有毛 2 对，背面毛 4 对；前胸背板中毛 2 对，缘毛 2 对；腹部第 1～7 背片各有中毛 1 对，缘毛 1 对；第 8 背片有毛 3～4 对。头顶毛长 0.036mm，为触角第 3 节最宽直径的 1.40 倍，腹部第 1 背片缘毛及第 8 节毛长 0.013mm。头顶呈弧形。触角有 4 节，有瓦状纹，全长 0.25mm，为体长的 0.21 倍，第 3 节长 0.097mm，第 1～4 节长度比例为 33：43：100：63 + 19；触角毛极短，第 1、2 节各有 1 长毛。各有短毛 1 或 2 根，第 3 节有毛2或3根，毛长为该节端部直径的0.20倍，第4节有5~8根毛。喙长大，伸达后足基节或超过，第4+5节长尖矛状，分节明显，全长0.19mm，为基宽的4.80倍；为后足第2跗节的3.40倍，第4节为第5节的5.40倍；原生刚毛2对，极短，次生长刚毛1对。足光滑，后足股节长0.13mm，为触角第3节的1.40倍；后足胫节长0.19mm，为体长的0.16倍。第1跗节毛序为2、2、2，有时3根。腹管微隆起，圆锥体，端径0.021mm，为复眼直径的0.50倍。尾片瘤状，粗糙有皱曲纹，长0.084mm，与基宽约等，有长毛1对，有短毛6或7根。尾片分裂为两片，各有长短毛6根。生殖板淡色大型，瘤状，有短毛8~10根。

有翅孤雌蚜身体长1.26mm，宽0.50mm。玻片标本头部、胸部黑色，腹部淡色。背斑不甚明显。体表光滑，头部背面粗糙，微有小圆蜡孔群组成鱼鳞状蜡片，腹部无蜡片。触角5节，第3~5节由小刺突组成横纹，全长0.53mm，为体长的0.42倍；第3节长0.21mm，第1~5节长度比例为22∶22∶100∶46∶50+11；次生感觉圈开口环状，第3~5节依次有次生感觉圈15~17、5或6、5个，原生感觉圈小圆形，有睫。喙端部达中足基节，第4+5节长0.18mm，淡色；顶端褐色，第4+5节为后足第2跗节的2.32倍。足皱曲纹，后足股节长0.29mm，为触角第3节的1.36倍；后足胫节长0.32mm，为体长的0.25倍；后足第2跗节长约0.07mm。翅脉明显，前翅中脉二分叉，两肘脉基部共柄，翅痣长，几乎达翅顶；后翅2斜脉。腹管黑色，端径约0.04mm，为触角第3节最宽直径的1.30倍。尾片瘤状，中部不收缩，有毛15根。尾板分裂2片，有毛19根。其他特征与无翅孤雌蚜相似。

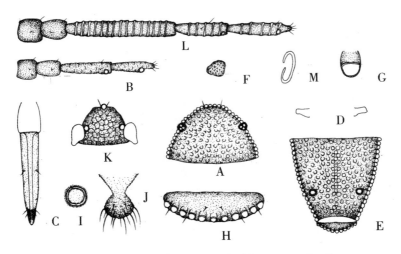

图427　艾纳香粉虱蚜 *Aleurodaphis blumeae* van der Goot

无翅孤雌蚜（apterous viviparous female）

A. 头部与前胸背面观（dorsal view of head and prothorax）；B. 触角（antenna）；C. 喙第4+5节（ultimate rostral segment）；D. 中胸腹岔（mesosternal furca）；E. 腹部背面观（dorsal view of abdomen）；F. 体背蜡孔（dorsal wax pore of body）；G. 缘蜡片（marginal wax cells）；H. 腹部第8节背面观（dorsal view of abdominal tergites 8）；I. 腹管（siphunculus）；J. 尾片（cauda）

有翅孤雌蚜（alate viviparous female）

K. 头部背面观（dorsal view of head）；L. 触角（antenna）；M. 次生感觉圈（secondary rhinarium）

生物学：寄主植物为菊科 Asteraceae 天明精属 Carpesium 烟管头草 C. cernuum、天名精 C. abrotanoides，C. abrotanoides var. tumbergianum，千里光属 Senecio 千里光 S. scanden，艾纳香属 Blumea 假东风草 B. chinensis 等，球菊属 Poinciana sp.；马鞭草科 Verbenaceae 紫珠属 Callicarpa 紫珠 C. bodinieri，玄参科 Scrophulariaceae 通泉草属 Mazus sp.，桑科榕属 Ficus sp. 车前科 Plantaginaceae 车前属 Plantago 车前 P. asiatica，杨柳科 Salicaceae 柳属 Salix sp.。活时红褐色，在叶子背面沿主脉寄生，身体周围有白色放射状白粉；叶背中间也有白粉。

分布：陕西（南郑）、山东、浙江、江西、湖南、台湾、广西、四川、贵州、云南；韩国，日本，菲律宾，马来西亚，印度尼西亚。

（84）米甘草粉虱蚜 *Aleurodaphis mikaniae* **Takahashi，1925**（图 428）

Aleurodaphis mikaniae Takahashi，1925：51.

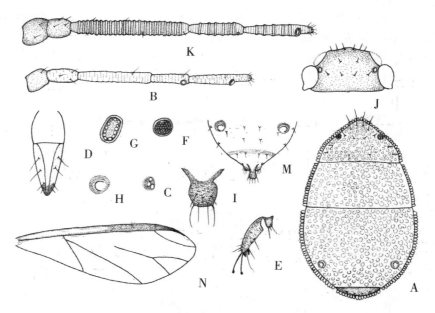

图 428　米甘草粉虱蚜 *Aleurodaphis mikaniae* Takahashi
无翅孤雌蚜（apterous viviparous female）
A. 整体背面观（dorsal view of body）；B. 触角（antenna）；C. 复眼（eye）；D. 喙第 4 + 5 节（ultimate rostral segment）；E. 后足跗节（hind tarsal segments）；F. 体背蜡片（dorsal wax plate of body）；G. 体缘蜡片（marginal wax plate of body）；H. 腹管（siphunculus）；I. 尾片（cauda）
有翅孤雌蚜（alate viviparous female）
J. 头部背面观（dorsal view of head）；K. 触角（antenna）；L. 前翅（forewing）；M. 腹部背片 6 ~ 8（abdominal tergites 6- 8）

鉴别特征：无翅孤雌蚜身体呈椭圆形，体长 1.71mm，宽 0.93mm，玻片标本体为褐色，头部与前胸愈合深色，中缘域深褐色，第8节深黑色，中胸及后胸愈合，腹部第1~7节愈合，第8节游离。头部与前胸为中后胸的0.92倍，腹部为中后胸的2倍。复眼黑色，由3小眼面组成；腹管、喙第4+5节、尾片及尾板黑色外，其他各附肢淡褐色。体表及体缘粗糙，体背布满圆形微蜡片，体缘有馒头状突起的蜡片围绕身体一周，共有173~182个，其中头部17~24个，前胸部28或29个，中后胸39~42个，腹部第1~7背片有66~75个，第8背片有16~19个。气门小圆形开放，气门片黑色，位于腹面。中胸腹岔短小，两臂分离。体背毛尖锐。头顶毛4根，头部背面毛2排4对；前胸背板中侧毛3对，缘毛2对；中胸背板中侧毛7对，缘毛4对；后胸背板中侧毛2对，缘毛1对；腹部第1~7背片各中毛1对、缘毛1对，第1背片侧毛1对，其他背片缺侧毛，第8背片中毛1对、缘毛2~3对，位于腹面。头顶毛长0.049mm，为触角第3节最宽直径的1.40倍，腹部第1背片缘毛0.027mm，第8背片中毛0.059mm。头顶呈弧状。触角5节，有瓦纹，全长0.61mm，为体长的0.36倍；第3节长0.19mm，第1~5节长度比例为32:49:100:56:70+19；触角毛尖锐，各节有毛2或3根，有时1根，鞭部顶端毛4或5根，第3节毛长为该节最宽直径的0.82倍。喙端部达中足基节，第4+5节呈楔状，长0.15mm，为基宽的3倍，为后足第2跗节的1.40倍；有原生短毛2对，次生长毛2对。足粗短，光滑。后足股节长0.32mm，为该节直径的4.40倍，为触角第3节的1.70倍；后足胫节长0.43mm，为体长的0.25倍，顶端长毛0.059mm，为该节最宽直径的1.30倍。跗节第1毛序为3、3、3，中毛长于侧毛；第2跗节长为宽的3.70倍，有背中长短毛各1根，腹中长毛1根，端部腹面毛2或3根；爪间长毛1对，均尖顶；端部背长毛1对，毛顶端球状，长毛短于第2节长度。腹管微管状，其宽为端径的1.60倍，端径为尾片的1/3，无缘突和切迹。尾片瘤状，中部收缩，长0.10mm，短于基宽，有长毛1对，短毛4或5根。尾板分为两裂，有长毛9~12根。生殖板有长毛12~16根。

有翅孤雌蚜身体长1.61mm，宽0.77mm。玻片标本头部、胸部褐色，腹部淡色，第8节有一横带。各附肢淡褐色。体表光滑，第8节有瓦纹。体背毛尖锐，长于腹面毛。头顶毛2对，背面毛5对；第8背片中毛1对，缘毛每侧1对。中额稍隆，额瘤不显。触角5节，粗大，有微刺突组成横纹，全长0.73mm，为体长的0.45倍；第3节长0.31mm，第1~5节长度比例为18:20:100:41:45+11；触角第3~5节有开口环状次生感觉圈数为24~27、5或6、3~5个，分布于全长；第4、5节原生感觉圈小圆形；第3节有短毛3或4根。喙端部达中足基节，第4+5节长0.15mm，为后足第2跗节的1.40倍。后足股节长0.39mm，为触角第3节的1.26倍，为该节直径的6.60倍；后足胫节长0.54mm，为体长0.34倍；后足第2跗节长0.10mm。翅脉明显，前翅中脉分两叉，两肘脉基部共柄。腹管黑色截圆锥体状，基宽为端径的2.40倍。尾片有毛8或9根。尾板毛15或16根，生殖板有毛38~42根。

生物学：寄主为菊科 Asteraceae 蟹甲草属 *Parasenecio* sp. 、龙虾花、千里光 *S. scanden*，*Impariens rexrori*、凤仙花属 *Impatiens* sp. 。

分布：陕西(周至、眉县、佛坪)、湖南、台湾、四川、贵州、云南；日本。

52. 粉角蚜属 *Ceratovacuna* Zehntner, 1897

Ceratovacuna Zehntner, 1897: 29. **Type species**: *Ceratovacuna lanigera* Zehntner, 1897.

属征: 身体呈卵圆形或阔卵圆形。无翅型头部与前胸愈合; 头部有 1 对额角, 无翅型额角明显, 有翅型额角退化。无翅型有触角 4 或 5 节; 有翅型有触角 5 节; 鞭节常有小刺突瓦纹; 触角末节鞭部短于基部的 0.50 倍; 原生感觉圈圆形, 突出, 有翅型次生感觉圈近环形, 位于第 3～5 节。无翅型复眼有 3 个小眼面, 喙短, 第 4 + 5 节钝, 至少在无翅型短于后足第 2 跗节, 无次生毛。无翅型体背淡色, 但通常蜡片所在区域骨化; 头部和胸部有明显的蜡片; 腹部蜡片按节排列在中域、侧域和缘域, 有时缺; 腹部第 3 背片有 1 个大型蜡腺群。体背毛稀疏、细, 顶端尖锐或稍膨大。腹管孔状, 位于隆起上, 常有骨化边缘, 并有数根毛环绕。足光滑, 或有小刺突; 第 1 跗节毛序为 4、3、2 或 3、3、2 或 3、2、2 (*styraci* 种来自虫瘿的有翅型为 4、4、3), 第 2 跗节背端毛顶端扩大。前翅中脉仅 1 次分叉, 翅痣短; 后翅有 2 斜脉。尾片瘤状, 基部缢缩, 有细毛。尾板两裂片。若蚜有细长而尖的额角, 部分物种具有兵蚜。胚胎体背毛较短, 尖锐; 头部有头顶毛 2 对, 头背中毛 1 对, 侧缘毛各 2 对; 前胸有中毛 1 对, 缘毛 2 对; 中胸有中侧毛各 1 对, 缘毛 2 对; 后胸有中毛 1 对, 侧毛 1 对或无, 缘毛 2 对; 腹部第 1～7 背片有中、缘毛各 11 对, 第 8 背片有中毛 1 对, 第 7、8 背片中毛距离靠近。头顶有 1 对很短的额角。复眼有 3 个小眼面。触角有 4 节。喙粗短, 第 4 + 5 节呈短楔状, 顶端细尖, 第 4 节无次生毛。跗节发育良好, 分节明显。第 1 跗节毛序为 2、2、2。腹管不显。

生物学: 原生寄主为安息香属 *Styrax* 植物, 次生寄主为禾本科植物。

分布: 东洋区。秦岭地区发现 1 种。

(85) 林栖粉角蚜 *Ceratovacuna silvestrii* (Takahashi, 1927) (图 429)

Oregma silvestrii Takahashi, 1927: 148.

Ceratovacuna arundinariae Takahashi, 1932: 71.

Oregma subglandulosa Hille Ris Lambers et Basu, 1966: 19.

Ceratovacuna silvestrii: Tao, 1969: 64.

鉴别特征: 无翅孤雌蚜身体呈卵圆形, 体长 1.74mm, 体宽 1.05mm。玻片标本头部与前胸为黑褐色, 胸部、腹部淡色, 触角、喙、足、腹管、尾片及尾板为黑褐色。体表粗糙, 有不规则皱曲纹, 蜡片明显, 深褐色, 由双环大椭圆形蜡胞组成, 各蜡胞由 200 余个小圆蜡孔组成。头部有背中蜡片 1 对; 由 8 或 9 个蜡胞组成; 前胸背板有 2 对蜡片, 中蜡片有 3 或 4 个蜡胞, 缘蜡片由 8 或 9 个蜡胞组成; 中胸背板至腹部第

1～4背片分别有中、侧蜡片各1对，由4～11个蜡胞组成，第1～7背片各有缘蜡片1对，由7～13个蜡胞组成，第5、6背片中侧蜡片愈合呈横带状蜡片群，由14或15个蜡胞组成，第7背片缺中蜡片，第8背片有1个横半圆形蜡片，由10或11个蜡胞组成。中胸腹岔淡色，两臂分离，各臂横长0.055mm，为触角第2节的1.30倍，为触角第3节最宽直径的1.72倍。体背毛头状，头部有背毛7对；前胸有中侧毛3～4对，缘毛2对；腹部第1～6背片各有中侧毛2～3对，缘毛2对，第7背片有中毛2对，缘毛2～3对，第8背片有毛7～9根。头顶毛长0.034mm，为触角第3节最宽直径的1.10倍，腹部第1背片毛长0.031mm，与触角第3节最宽直径等长，第8背片毛长0.06mm，为触角第3节最宽直径的4倍。头顶有1对钝锥形额角，长0.065mm，与触角第3节约等长，为触角第3节最宽直径的2.10倍，顶端有短毛6～9根。触角有5节，有皱纹，全长0.30mm，为体长的0.17倍；第3节长0.066mm，第1～5节长度比例为71:67:100:78:112+24，第5节鞭部长为基部的0.21倍；触角毛短小，头状，各节有毛2或3根，末节顶端有毛3或4根，第3节毛长为该节最宽直径的0.33～0.50倍。喙粗短，第4+5节盾状，长0.092mm，为基宽的1.30倍，为后足第2跗节的0.83倍，有原生长毛3对，位于端部。足光滑，后足转节与股节长0.38mm，为触角的1.30倍，为触角第3节的5.73倍；后足胫节长0.55mm，为体长的0.31倍，毛长为该节最宽直径的0.74倍。第1跗节毛序为2、2、2。腹管短圆锥形，有皱曲纹，长0.025mm，基宽0.095mm，端宽0.046mm，为触角第3节最宽直径的1.48倍。尾片瘤状，中部缢缩，长0.067mm，为腹管的2.70倍，有毛10～14根。尾板分裂为两叶，各叶呈瘤状，有毛15～18根。

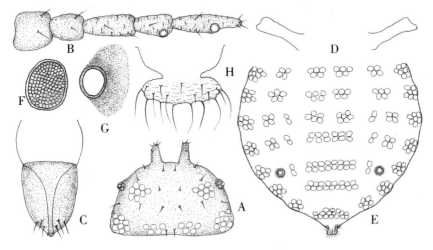

图429　林栖粉角蚜 *Ceratovacuna silvestrii* (Takahashi)
无翅孤雌蚜(apterous viviparous female)

A. 头部与前胸背面观(dorsal view of head and prothorax)；B. 触角(antenna)；C. 喙第4+5节(ultimate rostral segment)；D. 中胸腹岔(mesosternal furca)；E. 腹部背面观(dorsal view of abdomen)；F. 蜡胞(wax cells)；G. 腹管(siphunculus)；H. 尾片(cauda)

生物学: 寄主植物为斑竹 *Indosasa shibateoides*、毛竹 *Phyllostachys heterocycla* 等禾本科 Poaceae。寄生在叶背, 叶基部背面。

分布: 陕西(周至)、湖北、福建、台湾、贵州、云南; 印度。

53. 毛角蚜属 *Chaitoregma* Hille Ris Lambers *et* Basu, 1966

Chaitoregma Hille Ris Lambers *et* Basu, 1966: 15. **Type species**: *Oregma tattakana* Takahashi, 1925.

属征: 体长 1.50~1.80mm, 无翅型暗色骨化, 呈宽卵形。头与前胸愈合, 有 1 对额角, 顶端近卵形或狭窄。无翅型有触角 4 节, 约为体长的 0.15~0.17 倍; 鞭节毛细、短而稀疏; 触角末节鞭部为触角末节基部的 0.33~0.58 倍; 原生感觉圈圆形, 凸出, 有睫。无翅型复眼由 3 小眼面组成。喙几乎不超过前足基节; 第 4+5 节钝, 仅有前端毛。中、后胸背板相互分离, 腹部第 1 节和第 8 节也游离; 腹部第 2~7 节完全愈合。背毛长而稀疏。腹管孔状, 没有具毛的隆起, 尾片基部缢缩。尾板明显两裂片。足短, 转节与股节近乎愈合; 第 1 跗节毛序为 3、3、3 或 3、3、2; 第 2 跗节背端毛长, 顶端漏斗状。若虫有钝额角。胚胎体背毛较长, 尖锐, 体缘毛较中侧毛细长。头顶毛 2 对, 头背中毛 2 对, 侧毛 2 对; 前胸背板中缘毛多 2 对, 侧毛 1 对, 中、后胸背板中侧毛各 1 对, 缘毛 2 对; 前胸背板侧毛靠近头部, 中毛前一对较细短, 距离靠近; 腹部第 1~5 背片中缘毛各 1 对, 侧毛 2 对, 第 6、7 背片中缘毛各 1 对, 第 8 背片中毛 1 对。复眼由 3 小眼面组成。触角 4 节。喙第 4+5 节较细, 顶尖; 第 4 节无次生毛。跗节发育良好, 分节明显, 第 1 跗节毛序为 2、2、2。腹管不显。

生物学: 该属种类寄生在青篱竹属 *Arundinaria* sp. 和簕竹属 *Bambusa* sp. 上; 在台湾和印度, *C. tattakana* Takahashi 仅寄生在青篱竹属 *Arundinaria* sp. 上。所有种类寄生在寄主植物叶下表面; 危害严重时可导致叶子萎缩。没有蚂蚁造访这些蚜虫。*C. aderuensis* (Takahashi)在台湾 11 月至次年 1 月寄生在簕竹属 *Bambusa* sp. 上, *C. tattakana* (Takahashi)在印度和台湾, 4 月至 5 月严重危害青篱竹属 *Arundinaria* sp. ; *C. tattakana suishana* (Takahashi)在台湾, 4 月至 5 月寄生在簕竹属 *Bambusa* sp. 上。

分布: 中国; 印度。秦岭地区发现 1 种。

(86)塔毛角蚜 *Chaitoregma tattakana* (**Takahashi, 1925**)(图 430)

Oregma tattakana Takahashi, 1925: 47.

Chaitoregma tattakana: Hille Ris Lambers & Basu, 1966: 15.

鉴别特征: 无翅孤雌蚜身体呈椭圆形, 体长 1.42mm, 宽 0.82mm。活体为黑褐色, 体被白粉。玻片标本头与前胸背愈合; 胸部各节及腹第 1 节分节明显; 第 2~7 腹节愈合, 第 8 节游离。整个身体骨化, 呈褐色或深褐色; 复眼、触角、喙、前胸及腹第 1 节节间区域及足各节为淡褐色。身体背面布满圆形或多边形蜡胞(有的标本不显);蜡胞在节间斑处呈放射状排列。气门圆形、开放,气门片淡色。中胸腹岔淡色,两臂分离,各横长0.043mm,为触角第 3 节最宽直径的1.47倍。体背长毛尖锐,腹部腹面短毛,为背毛的0.20~0.25倍,头与前胸背毛12~14对,其中前胸背板中毛2~3对,缘毛2对,中、后胸背板中、侧、缘毛数为3、2、2对。腹部第1~6背片各有中侧毛5~6对;第 7 背片有中侧毛 2 对,各节缘域多毛;第 8 背片有毛5~8对,头部毛长0.082mm;腹部第 1 背片毛长0.08mm,第 8 背片毛长0.083mm,分别为触角第 3 节最宽直径的2.78倍、2.71倍及2.82倍。额顶有 1 对光滑圆角状额突,各有短毛5~7根。复眼由 3 个小眼面组成。触角 4 节,有稀疏横纹;全长0.26mm,为体长的0.18 倍,第 3 节长0.094mm,第 1~4 节长度比例为50:44:100:58+22;除顶端有毛 4 根外,第 1~4 节毛数为 1 或2、2 或3、2~6、1 或 2 根,第 3 节毛长0.025mm,为该节最宽直径的0.86倍;原生感觉圈小圆形,无睫。喙第 4+5 节不达或达中足基节,第 4+5 节呈楔状,长0.051mm,为该节基宽的1.16倍,为后足第 2 跗节 的0.51倍;有原生刚毛 3 对,无次生刚毛。足各节光滑,后足股节与转节基本愈合,长0.33mm,为触角第 3 节最宽直径的11.27倍;后足胫节长 0.41mm,为体长的 0.28倍;胫节毛少,后足胫节毛长为该节最宽直径的 1.56 倍;后足第 2 跗节长0.11mm。第 1 跗节毛序为3、2 或3、2。腹管位于腹部第 5 背片,截断状,端径0.034mm,为触角第 3 节最宽直径的 1.16 倍,四周有长毛 6~8 根。尾片瘤状,中部收缩,长0.047mm,基宽0.065mm,有毛 7~10 根。尾板分裂两片,有毛 10~14 根。

胚胎长卵形,体长 0.71mm,宽 0.23mm。体背毛较长,尖锐;体缘毛细长,较中、侧毛长。头顶毛 2 对,头背中毛 2 对,侧毛 2 对;前胸背板中、缘毛各 2 对,侧毛1 对;中、后胸背板中、侧毛各 1 对,缘毛 2 对;前胸背板侧毛近头部,中毛前 1 对较细短,距离靠近;腹部第 1~5 背片有中、缘毛各 1 对,侧毛 2 对;第 6~8 背片中缘毛各 1 对。第 8 背片中毛 1 对;复眼由 3 小眼面组成。触角有 4 节,全长0.19mm,为体长的0.26倍;第 3 节长0.077mm,第 1~4 节长度比例为 40:27:100:53+20;第1~4节毛数为2、2、2、1+5。原生感觉圈小圆形,突出。喙端部达后胸腹板,第4+5节较细,顶尖;长0.072mm,为基宽的1.75倍,为后足第 2 跗节的0.88倍;第 4 节有长毛 3 对,无次生毛。跗节发育良好,分节明显,第 1 跗节毛序为 2、2、2。后足第 2跗节长0.082mm。第 2 跗节背端部毛长于爪,顶尖。腹管不显。

生物学: 寄主为禾本科 Poaceae 竹亚科的数种,如:南竹 *Phyllostachys pubescens* (中国),箣竹属一种 *Bambusa* sp.,玉山箭竹 *Siarundinaria niitakayamenbis* 和大明竹属一种 *Pleioblastus* sp.(台湾),青篱竹属一种 *Arundinaria* sp.(印度)。在寄主植物叶子下表面,危害严重。该种 4~5 月在台湾和印度严重为害青篱竹属 *Arundinaria* sp.植物。

分布: 陕西(秦岭)、湖北、湖南、台湾、四川、贵州、云南;印度。

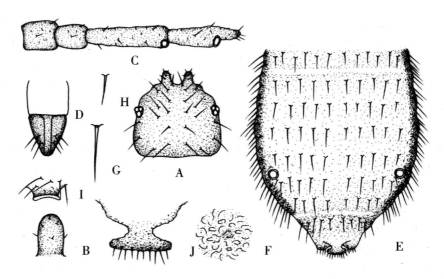

图 430　塔毛角蚜 *Chaitoregma tattakana*（Takahashi）

无翅孤雌蚜（apterous viviparous female）

A. 头部和前胸背面观（dorsal view of head and prothorax）；B. 额角（horn）；C. 触角（antenna）；D. 喙第 4 + 5 节（ultimate rostral segment）；E. 腹部背面观（dorsal view of abdomen）；F. 节间斑（muskelplatten）；G. 体背毛（dorsal seta）；H. 体腹面毛（abdominal setae of body）；I. 腹管（siphunculus）；J. 尾片（cauda）

（八）大蚜亚科 Lachninae

鉴别特征：体中到大型，体长 1.50 ~ 8.00mm。头部背面有中缝，头部与前胸分离。触角 6 节，末节鞭部短；次生感觉圈为圆形至卵圆形。无翅孤雌蚜和有翅孤雌蚜复眼有多个小眼面，眼瘤有或无。喙长，有些种类喙端部超过体长，喙第 4 + 5 节分节明显。第 1 足跗节发达，腹毛多于 9 根，背毛有或无；第 2 跗节正常或延长；爪间毛短且不明显。翅脉正常，翅痣长为宽的 4 ~20 倍，前翅中脉 2 或 3 分支，径分脉弯曲或平直；后翅 2 条斜脉。身体淡色或有斑，腹部第 8 背片通常有 1 条深色骨化横带。背毛稀或密，毛端部形状各异。腹部各背片无缘瘤。腹管位于多毛隆起圆锥体上，有时缺。尾片新月形至圆形。尾板宽大，多为半圆形。雄性蚜有翅或无翅。

分类：全北区。陕西秦岭地区发现 4 属 13 种。

分属检索表

1. 前翅径分脉直而短；翅痣窄而长；中脉较其他脉细弱；寄生在松柏科植物上 ················· 2

　前翅径分脉弯曲而长；翅痣较宽短；中脉与其他脉相近；寄生在落叶阔叶植物上 ·········· 3

2. 喙末端尖，第 4 节与第 5 节分节明显；腹管多数位于大而明显具毛的圆锥体上，少数为孔状；寄生在植物枝干上 ····························· **长足大蚜属 *Cinara***

　喙末端钝，第 4 节与第 5 节分节不明显；腹管无或孔状；寄生在植物叶片；体细长或纺锤形；

后足第 1 跗节有背毛；原生感觉圈无几丁质环 ……………………… 长大蚜属 *Eulachnus*

3. 前翅翅痣长，几乎平直到达翅顶；径分脉直或稍弯；腹部背面有宽背瘤 ……………………
　　　　　　　　　　　　　　　　　　　　　　　　　　　瘤大蚜属 *Tuberolachnus*

前翅翅痣钝，径分脉常弯曲；腹部背面无背瘤 ………………… 大蚜属 *Lachnus*

54. 长足大蚜属 *Cinara* Curtis，1835

Cinara Curtis，1835：576. **Type species**：*Aphis pini* Linnaeus，1758.

　　属征：体中到大型，体长 2～8mm。额瘤不显。触角有 6 节，全长为体长的 0.20～
0.60倍，第 6 节鞭端部短，为该节基部的 0.08～0.33 倍，顶端有 2～11 根亚端毛。无翅孤
雌蚜触角第 4 节端部常有 1 个次生感觉圈，有翅孤雌蚜第 3～6 节分别有次生感觉圈
1～18、0～6、0～4、0 个。喙第 4 节和第 5 节分节明显，第 4 节有次生毛 2～60 根，但大多
4～30 根。前翅径分脉着生在翅痣的端半部，呈直线或直达翅顶，中脉 2 或 3 支；后翅 2
条斜脉。足跗节 2 节，爪间毛短，仅为爪的 0.10 倍。腹管位于多毛的圆锥体上。尾片和
尾板近半圆形。
　　生物学：寄主为松科和柏科植物。一般在树枝和大枝上取食，常有蚂蚁来访。
　　分布：全北区。陕西秦岭地区发现 8 种。

分种检索表

1. 原生感觉圈有几丁质环；寄生在松科植物上 …………………………………………………… 2
　 原生感觉圈无几丁质环；寄生在柏科植物上 ………………………… 柏长足大蚜 *C. tujafilina*
2. 体型中等，体背片无毛基斑或小，多数种类腹管周围骨化斑小或无；寄主植物为云杉 *Picea*
　 spp. ……………………………………………………………………… 毛角长足大蚜 *C. pilicornis*
　 体中到大型，体背有或无毛基斑，腹管着生在多毛隆起圆锥体上，周围骨化斑大；第 1 跗节发
　 达，背宽超过基宽的 1.50 倍 …………………………………………………………………… 3
3. 体表多数有网纹；节间斑十分发达，成排分布于胸部背板和腹部第 1～8 背片；第 7～8 背片有
　 1 横斑(第 7 背片有时无)，其他背片无斑 ………………………………………………………… 6
　 节间斑不十分发达，分布于中部背板和腹部第 1～3 背片；腹部背片斑纹变化多样 ………… 4
4. 腹部背片毛至少前几节有毛基斑，基斑直径为毛基的 3 倍以上 ……………………………… 5
　 腹部背片毛无毛基斑，若有，基斑直径至多为毛基的 2.50 倍.；触角第 3 节常无次生感觉圈；
　 喙第 4 节有次生毛 9～13 根 ……………………………… 华山松长足大蚜 *C. piniarmandicola*
5. 触角第 3、6 节通常无次生感觉圈，第 6 节基部有毛 4～7 根 ……… 落叶松长足大蚜 *C. laricis*
　 触角第 3、6 节通常有次生感觉圈，第 6 节基部有毛 8～15 根 …… 居松长足大蚜 *C. pinihabitans*
6. 腹部背片无毛基斑，若有，基斑直径至多为毛基的 2.50 倍 ………………………………… 7
　 腹部背片至少前几节有毛基斑，基斑直径为毛基的 3 倍以上 …………… 松长足大蚜 *C. pinea*

7. 节间斑发达，褐色，各体节成排分布；腹管基斑发达，基宽为端径的 3.50 倍以上 ……………
　………………………………………………………… 马尾松长足大蚜 *C. formosana*
　节间斑不十分发达，浅褐色，排列不同上述；腹管基宽小于端径的 3.50 倍 ………………
　………………………………………………………… 楔斑长足大蚜 *C. cuneomaculata*

(87) 楔斑长足大蚜 *Cinara cuneomaculata*（del Guercio, 1909）（图 431）

Lachniella cuneomaculata del Guercio, 1909：291.

Cinara laricicola Börner, 1939：75.

Cinara boerneri Hille Ris Lambers, 1956：246.

Cinara cuneomaculata：Eastop & Hille Ris Lambers, 1976：148.

鉴别特征： 无翅孤雌蚜身体呈卵圆形，体长 4.37mm，体宽 2.32mm。活体黑褐色。玻片标本头部，前、中胸为黑色；腹部膜质，黄褐色，缘域淡色；触角褐色，第 1节、第 3～5 节各节端部 1/2 及第 5 节黑色，喙第 2 节端部至第 5 节、腹管端径、尾片、尾板及生殖板为黑色；足黑褐色，股节基部及胫节基部下方淡色。后胸缘域及中侧有毛基斑；腹部第 1 背片有 1 对中斑，第 7 背片有 1 对小型中斑，第 8 背片有 1 对大横斑。中胸腹瘤明显，有长毛 22～34 根。体表有微细纹，腹部第 8 背片有皱纹。腹部各节背片均有 3 对椭圆形节间斑，呈一排均匀分布。气门圆盖形，关闭，有时半开放，气门片大型、黑色。中胸腹岔黑色，有长柄，横长 0.67mm，为触角第 3 节的 0.09倍。体背毛尖锐，腹部腹面多毛，与缘域毛约等长，头部背面有长毛 110 根；前胸背板有毛 220 根；腹部第 1～7 背片毛短小，各背片有中侧毛 20～30 根，缘毛密布；第 8背片有中侧毛 28～46 根。有缘毛 42～54 根，伸向腹面；头顶毛长 0.07mm，腹部第 1背片缘毛长 0.05mm，第 1～7 背片中侧毛长 0.01～0.02mm，第 8 背片毛长 0.07mm，分别为触角第 3 节最宽直径的 1.10 倍、0.79 倍、0.15～0.30 和 1.10 倍。中额平顶状，头盖缝明显，伸达头部后缘。触角 6 节，第 1～3 节有皱纹，第 3 节端部至第 6 节有瓦纹，全长 2.04mm，为体长的 0.47 倍，第 3 节长 0.77mm，第 1～6 节长度比例为20：16：100：46：56：18＋9；第 1～6 节毛数为 20～23、24～29、72～84、43～47、54～57、16～17＋9 或＋10 根，第 6 节鞭部顶端有毛 3 根；次生感觉圈圆形，第 3～5 节分别有 0～7、1 或 2、1 个，分布于各节端部；原生感觉圈大型，无睫，有几丁质环。喙长大，端部可达腹部第 8 腹板；第 4＋5 节长矛状，分节明显；第 4＋5 节长 0.43mm，为基宽的 4.40 倍，为后足第 2 跗节的 1.40 倍；第 4 节长为第 5 节的 2.50 倍，有次生毛 10～11 对。足各节有皱纹。后足股节长 1.81mm，为触角全长的 0.89 倍；后足胫节长 3.25mm，为体长的 0.74 倍；后足胫节毛长为该节最宽直径的 0.37 倍，各足第 1跗节有长毛 13～17 根。腹管位于褐色多毛圆锥体上，有缘突，端宽 0.13mm，为触角第 3 节直径的 2.20 倍，周围有长毛 60 余根，长毛为腹管端宽 0.58 倍。尾片末端圆形，顶端稍尖，密布粗颗粒突起，有粗长毛及细短毛 76～88 根。尾板末端圆形，有粗长毛 120～136 根。生殖板有长毛 50 余根。生殖突有 3 个，各有长尖毛 7～9 根。

有翅孤雌蚜身体椭圆形，体长 3.28mm，体宽 1.25mm。玻片标本头部和胸部黑色，腹部淡色；触角黑褐色；腹管淡色；尾片、尾板及生殖板褐色。腹部有灰褐色斑，腹部第 1、7、8 背各有 1 对横斑，各节中、侧、缘域各有 1 对明显节间斑。体背毛尖锐，腹部腹面多毛，不长于背毛；头部背面有毛 80 余根，前胸背板有毛 150 根；腹部各节密被缘毛，第 1～6 背片各有中侧毛 20～26 根，第 7 背片有毛 38 根，第 8 背片有毛 52～62 根；头顶毛长 0.05mm，为触角第 3 节最宽直径的 0.69 倍，腹部第 1～8 背片毛长 0.05～0.07mm。触角 6 节，全长 1.75mm，为体长的 0.53 倍，第 3 节长 0.60mm，第 1～6 节长度比例为 19∶19∶100∶52∶67∶24 ＋ 10；第 3 节有毛 49 或 50 根；第 3 节有圆形次生感觉圈 7～13 个，分布于全节。喙长大，与体长相等。前翅中脉淡色，分 3 支，翅痣长大，径分脉粗直伸翅顶端下方。腹管圆锥状，有毛 24～38 根，毛长与端宽约等。尾片有毛 52～56 根。尾板有毛 78～82 根。

生物学：寄主为落叶松 *Larix gmelini*、樟子松 *Pinus sylvestris* var. *mongolica*、红松 *Pinus koraiensis* 和云杉 *Picea asperata* 等。

分布：陕西（秦岭）、黑龙江、吉林、辽宁、内蒙古、北京、河北、新疆、四川；蒙古，欧洲。

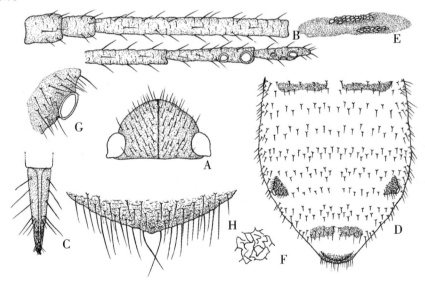

图 437　楔斑长足大蚜 *Cinara cuneomaculata*（del Guercio）

无翅孤雌蚜（apterous viviparous female）

A. 头部背面观（dorsal view of head）；B. 触角（antenna）；C. 喙第 4 ＋5 节（ultimate rostral segment）；D. 腹部背面观（dorsal view of abdomen）；E. 腹部第 1 背片斑纹及间斑（scleroites and muskelplatten on abdominal tergite 1）；F. 腹部背纹（dorsal scleroites on abdomen）；G. 腹管（siphunculus）；H. 尾片（cauda）

（88）马尾松长足大蚜 *Cinara formosana*（**Takahashi, 1924**）（图 432）

Dilachnus formosana Takahashi, 1924：73.

Panimerus kiangsiensis Lou, 1935: 37.

Cinara formosana: Eastop & Hille Ris Lambers, 1976: 148.

Cinara pinitabulaeformis Zhang et Zhong, 1989: 202.

Cinara schimitscheki: Zhang, Zhang & Zhong, 1993: 137.

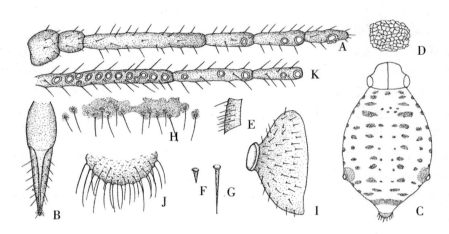

图 432　马尾松长足大蚜 *Cinara formosana*（Takahashi）

无翅孤雌蚜（apterous viviparous female）

A. 触角（antenna）; B. 喙第 4 + 5 节（ultimate rostral segment）; C. 整体背面观（dorsal view of body）; D. 体背网纹（reticulations on dorsal of body）; E. 后足第 1 跗节（hind tarsal segment 1）; F. 腹部第 1 ~ 7 背片背毛（seta on abdominal tergites 1-7）; G. 腹部第 8 背片背毛（seta on abdominal tergite 8）; H. 腹部第 8 背片（abdominal tergite 8）; I. 腹管（siphunculus）; J. 尾片（cauda）

有翅孤雌蚜（alate viviparous female）

K. 触角第 3 ~ 5 节（antennal segments 3- 5）

鉴别特征：无翅孤雌蚜身体呈卵圆形，体长 4.20mm，体宽 2.80mm。活体树皮色。玻片标本头部黑色，胸部、腹部稍骨化黄褐色；触角、喙第 3 ~ 5 节、腹管、尾片、尾板、生殖板及足各节为黑色；触角第 3 节基部淡色，足股节基部及胫节中部骨化稍淡。腹部第 7 背片有 1 个断续斑纹，腹部第 8 背片有 1 个横带分布全节。体表有不规则微瓦纹，斑上有小刺突瓦纹，腹面微有瓦纹。节间斑黑色，大而明显，呈梅花状；胸部背板各有 1 对较大的节间斑；腹部各节背片中侧有 2 对节间斑，排成 4 列；中央 2 列较小，直径小于气门片；侧域与缘域每节各有 1 对节间斑，直径均稍小于气门。气门圆形，略开放，气门片黑色。中胸腹岔短柄。体背毛短而少，腹部第 8 背片有毛 12 ~ 15 根。腹面毛长为背毛的 2 ~ 3 倍，腹部第 8 背片毛长为触角第 3 节最宽直径的 1.50 倍，为腹部第 2 ~ 7 背片背毛长的 5 ~ 6 倍。头顶弧形，有头盖缝延伸至头部后缘。触角 6 节，短细，光滑，全长 1.60mm，为体长的 0.41 倍，第 3 节长 0.58mm，第 1 ~ 6 节长度比例为 16:17:100:38:41:23 + 8；第 3 节有粗刚毛 25 根，毛长与该节直径约等；第 3 节无次生感觉圈，第 4、5 节分别有 1 或 2、1 个小圆形次生感觉圈；原生感觉圈有几丁质环。喙细长，端部超过后足基节，第 4 节和第 5 节分节明显，第4+5节长0.37mm，为基宽的3.30倍，为后足第2跗节的1.10倍；有次生刚毛10根。后足股节长1.70mm，为触角全长的1.10倍；后足胫节长3mm，为体长的0.71倍；第1跗节背宽大于基宽；后足第2跗节长为第1节的1.80倍。后足胫节毛长为该节中宽的0.58倍；各足第1跗节有毛13~15根。腹管位于黑色多毛圆锥体上，有缘突和切迹，端宽0.14mm，为基宽的0.26倍；腹管周围有9或10排长刚毛，约140根。尾片半圆形，被小刺突，有长硬毛36~58根。尾板末端平圆形，有长硬毛45~54根。生殖板骨化，有长毛约40根。

有翅孤雌蚜身体呈卵圆形，体长4.40mm，体宽2.33mm。活体树皮色。玻片标本头部和胸部骨化为深褐色，腹部稍骨化为黄褐色；喙深褐色；触角、足、腹管、尾片、尾板和生殖板为黄褐色。腹部第8背片有1个横带分布全节。体表有微瓦纹。节间斑明显，黑褐色，在腹部各节呈行均匀分布。气门圆形，略开放，气门片褐色。体背毛短而少，腹面毛长于且多于背面毛；腹部第8背片有毛14根。头顶毛长0.11mm，腹部第1背片缘毛长0.07mm，第8背片毛长0.13mm，分别为触角第3节最宽直径的1.77倍、1倍和2倍。头顶弧形，有头盖缝延伸至头后缘。触角6节，短，全长1.78mm，为体长的0.40倍，第3节长0.72mm，第1~6节长度比例为16：16：100：42：39：23+8；第1~6节毛数9、7、21、15、16、8+4根，第6节鞭部顶端有短毛3根；第3~5节次生感觉圈数为10或11、2~4、1个；第5节和第6节各有1个大型圆形原生感觉圈，有几丁质环。喙细长，喙第4+5节分节明显，第4+5节长0.38mm，为基宽的4.75倍，与后足第2跗节约等长；第4节长为第5节的2.17倍，有次生刚毛6~10根。后足股节长2.13mm，为触角全长的1.43倍；后足胫节长3.70mm，为体长的0.84倍；第1跗节背宽大于基宽；后足第2跗节长0.38mm。后足胫节毛长为该节中宽的0.92倍；各足第2跗节有毛13~15根。腹管位于褐色多毛圆锥体上，有缘突和切迹，端宽0.17mm，为基宽的0.27倍；腹管周围有长刚毛9或10排，约150根。尾片半圆形，被小刺突，有长硬毛40余根。其他特征与无翅孤雌蚜近似。

生物学：寄主为黑松 *Pinus thunbergii*、琉球松 *P. luchuensis*、云南松 *P. yunnanensis*、油松 *P. tabulaeformis*、华山松 *P. armandii*、樟子松 *P. sylvestris* var. *mongolica*、黄山松 *P. taiwanensis*、红松 *P. koraiensis*、思茅松 *P. kesiya*、长白松（长白赤松）*P. sylvestris* var. *sylvestriformis*、马尾松 *P. massoniana* 等植物。

分布：陕西（西安、秦岭）、吉林、辽宁、北京、河北、内蒙古、宁夏、甘肃、青海、新疆、山东、江苏、安徽、浙江、湖北、江西、湖南、福建、台湾、广东、广西、重庆、四川、贵州、云南；韩国，日本。

(89) 落叶松长足大蚜 *Cinara laricis*（Hartig，1839）（图433）

Lachnus laricis Hartig，1839：645.

Aphis laricis Walker，1848：102.

Lachnus maculosus Cholodkovsky, 1899：469.

Eulachnus nigrofasciata del Guercio, 1909：324.

Lachniella cuneomaculata del Guercio, 1909：291.

Lachniella laricis cuneomaculata del Guercio, 1909：291.

Lachniella nigrotuberculata del Guercio, 1909：306.

Lachnus muravensis Arnbart, 1927：467.

Cinara laricicola Börner, 1939：75（nec Matsumura, 1917）.

Cinara doncasteri Pasěk, l953：222.

Cinara boerneri Hille Ris Lambers, 1956：246.

Cinara laricis：Eastop, 1973：146.

鉴别特征：无翅孤雌蚜身体呈卵圆形，体长 3.25mm，体宽 1.97mm。活体棕褐色。玻片标本头部和前胸为黑色，腹部淡色；触角第 1 节、第 2 节、第 4 节端部、第 5 节及第 6 节为黑色，其他部分淡色；喙、跗节、腹管、尾片、尾板及生殖板为黑色；前、中足股节及后足股节端半部 3/4 及各足胫节端部和基部为漆黑色，中部淡色。中胸背板有 1 个宽带分布全节，后胸背板和腹部第 1 背片各有 1 对中斑与节间斑愈合，第 8 背片有 1 对中斑。体表有明显细小网纹，腹部腹面有瓦纹。节间斑明显，黑褐色。气门圆形，稍开放，气门片大，黑色。中胸腹岔黑色，有长柄，横长 0.44mm，为触角第 3 节的 0.80 倍。体背毛尖锐，腹部腹面毛多于背面毛。腹面毛长尖锐，长约为背面毛的 2 倍。头部背面有长毛 80～100 根；前胸背板有毛 60 余根；腹部均被短尖锐毛，第 1 背片有毛 20 余对，第 8 背片有粗长毛 15～17 对。头顶毛长 0.07mm，为触角第 3 节中宽的 1.60 倍；前胸背毛长 0.05mm；腹部第 1 背片背毛长 0.01mm，缘毛长 0.04mm；第 8 背片毛长 0.06mm。中额及额瘤圆头状，头盖缝明显，延伸至头部背面后缘。触角 6 节，有微瓦纹，全长 1.35mm，第 3 节长 0.54mm，第 1～6 节长度比例为 18：18：100：42：45：23＋5；第 1～6 节毛数为 7～10、7 或 8、32～45、12～18、12～21、5 或6＋6根；第 3 节毛长为该节直径的 0.89 倍；第 3 节有或无次生感觉圈，第 4 节有时有 1 或 2 个次生感觉圈，无睫；第 5～6 节各有 1 个原生感觉圈，有几丁质环。喙长大，端部达后足基节，第 4＋5 节长矛状，分节明显，长 0.25mm；第 4 节长为第 5 节的 2 倍，有次生毛 6 根。足光滑。后足股节长 1.33mm，与触角约等长；后足胫节长2.26mm，为体长的 0.69 倍；第 1 跗节背宽大于基宽；后足胫节毛长为该节直径的 0.64 倍，各足第 1 跗节有毛15～18根。腹管位于多毛的圆锥体上，端宽 0.08mm，为基宽的 0.25 倍；周围有长毛 35～42 根，腹管毛稍长于端径。尾片半圆形，顶尖，有粗刺突密布，有毛 35～50 根。尾板末端平圆形，有毛 68～84 根。生殖呈板深褐色，半圆形，有粗毛 60 余根。

生物学：寄主为落叶松 *Larix gmelini*、日本落叶松 *L. leptolepis*、新疆落叶松（西伯利亚落叶松）*L. sibirica*、美洲落叶松 *L. laricina*、樟子松 *Pinus sylvestris* var. *mongolica*、云杉 *Picea asperata*。

分布：陕西（眉县）、黑龙江、吉林、辽宁、北京、河北、甘肃、新疆、四川、西藏；

蒙古，俄罗斯，韩国，日本，欧洲，北美洲。

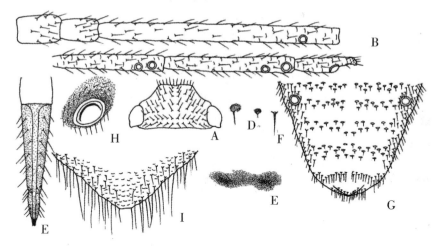

图 433　落叶松长足大蚜 *Cinara laricis*（Hartig）

无翅孤雌蚜（apterous viviparous female）

A. 头部背面观（dorsal view of head）；B. 触角（antenna）；C. 喙第 4 + 5 节（ultimate rostral segment）；D. 体背毛及毛基斑（dorsal seta and seta bearing scleroite of body）；E. 前胸背斑及节间斑（scleroites and muskelplatten on pronotum）；F. 腹部第 8 背片背毛（seta of abdominal tergite 8）；G. 腹部第 4 ~ 8 背片（abdominal tergites 4- 8）；H. 腹管（siphunculus）；I. 尾片（cauda）

（90）毛角长足大蚜 *Cinara pilicornis*（**Hartig，1841**）（图 434）

Aphis pilicornis Hartig, 1841: 369.

Aphis abietis Walker, 1848: 100.

Lachnus hyalinus Koch, 1856: 238.

Lachnus macrocephalus Buckton, 1881: 48.

Lachnus flavus Mordvilko, 1895: 102.

Lachnus piceicola Cholodkovsky, 1896: 148.

Cinara pilicornis: Eastop & Hille Ris Lambers, 1976: 149.

鉴别特征：无翅孤雌蚜身体呈椭圆形，体长 3.09mm，体宽 1.68mm。活体淡褐色或棕黑褐色，腹部有白粉，体侧有 2 条绿色纵斑。玻片标本淡色；触角淡色，第 1、5 节端半部及第 6 节为黑褐色；喙第 2 节端半部及第 3 ~ 5 节为黑色；足基节、股节端半部、胫节端部及跗节深褐色，腹管、尾片、尾板褐色，生殖板为深黑色。腹部第 8 背片有 1 个褐色断续窄横带。前胸有腹瘤。体表光滑。节间斑明显，黑褐色。气门圆形半开放，气门片黑色。中胸腹岔深黑色，短柄，横长 0.48mm，为触角第 3 节的 1.60 倍。体被细长尖锐毛。头部密被长毛 110 根；前胸背板有中侧毛 38 根，缘毛 20 根；腹部各背片有长毛 3 ~ 4 排，第 5 背片有毛 80 根，第 5 背片腹管间有毛约 50 根，第 8 背片有毛 32 ~ 38 根。头顶毛长 0.10mm，腹部第 1 背片缘毛长 0.12mm，第 8 背

片毛长 0.17mm，分别为触角第 3 节最宽直径的 2.70 倍、3.21 倍和 4.59 倍。中额弧
形。头盖缝粗黑明显。触角 6 节，光滑，全长 0.96mm，为体长的0.31倍，第 1～6 节
长度比例为 25∶28∶100∶39∶60∶53＋14；触角长毛尖锐，第 1～6 节毛数为7～9、8
～14、32～38、7～15、8～19、8～11＋5 根，第 3 节毛长为该节最宽直径的 2.80 倍；
第 4、5 节各有 1 个具几丁质环的次生感觉圈，有时缺。喙端部伸达腹部第 3 腹板，
第 4、5 节长矛状，长 0.26mm，为基宽的 2.90 倍，为后足第 2 跗节的 0.74 倍；第 4
节长为第 5 节的 2.10 倍，有次生毛 4～8 根。足光滑。后足股节长 0.98mm，与触角
约等长，为第 3 节的 3.20 倍；后足胫节长 1.55mm，为体长的 0.50 倍。后足胫节毛
长为该节最宽直径的 2 倍；各足第 1 跗节有毛 11～15 根。腹管位于多毛圆锥体上，
端径 0.07mm，为基端宽的 2.90 倍；周围有长毛 31～72 根，毛长于端宽。尾片半球
状，有长短毛 44～82 根。尾板末端圆形，有毛 60 余根。生殖板呈新月形，有长尖毛
20～22 根。

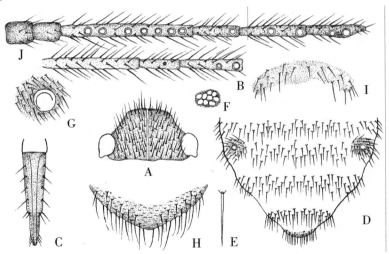

图 434　毛角长足大蚜 *Cinara pilicornis*（Hartig）

无翅孤雌蚜（apterous viviparous female）

A. 头部背面观（dorsal view of head）；B. 触角第 3～5 节（antennal segments 3-5）；C. 喙 4＋5 节（ultimate rostral
segment）；D. 腹部第 5～6 背片（abdominal tergites 5-8）；E. 体背毛（dorsal seta of body）；F. 节间斑（muskelplat-
ten）；G. 腹管（siphunculus）；H. 尾片（cauda）；I. 生殖板（genital plate）

有翅孤雌蚜（alate viviparous female）

J. 触角（antenna）

　　有翅孤雌蚜身体呈卵圆形，体长 2.94mm，体宽 1.29mm。头部和胸部黑色，腹
部淡色；触角第 1 节、第 3～5 节端部及第 6 节为深褐色；足股节端部2/3、胫节基部
及端部、跗节及腹管为褐色；喙、尾片及尾板为黑色。腹部第 8 背片有 1 个断续窄
带，分布全节。体背毛长、尖锐，头部背面有毛 90～100 根；腹部腹管间有背毛 35～
38 根，第 8 背片有毛 24～38 根。中额及额瘤不隆，呈圆头形；头盖缝明显。触角有

6 节，全长 1.09mm，为体长的 0.37 倍，第 3 节长 0.40mm，第 1~6 节长度比例为 19:21:100:36:50:35 + 10；第 3 节有毛 38~49 根，毛长为该节最宽直径的 3 倍；第 3 节有大圆形次生感觉圈 3~7 个，第 4~6 节各有 1 个。喙端部达后足基节，5 + 6 节呈长矛状，长 0.32mm，有次生毛 6 根。足光滑。后足股节长 1.09mm，后足胫节长 1.61mm，后足第 2 跗节长 0.36mm。翅脉正常；前翅径分脉延伸至翅顶下方，中脉分 2 支，不甚明显，肘脉淡色。腹管位于多毛圆锥体上，有毛 38~40 根，毛长于端宽。尾片半圆形，顶端稍尖，有毛 45~58 根。尾板末端圆形，有长毛 64~88 根。生殖板呈半圆形，有毛 38 根。其他特征与无翅孤雌蚜相似。

生物学：寄主为云杉 *Picea asperata*、红皮云杉 *P. koraiensis*、丽江云杉 *P. lijiangensis*、北美云杉 *P. sitchensis*、恩格曼氏云杉 *P. engelmanii*、布鲁尔氏云杉 *P. breweriana*、雪岭云杉 *P. schrenkiana*、欧洲云杉 *P. abies*、白云杉 *P. glauca*、东方云杉 *P. orientalis*、杉属 1 种 *Picea* sp、落叶松 *Larix gmelini* 及松属 1 种 *Pinus* sp.。

分布：陕西（周至、秦岭）、黑龙江、吉林、辽宁、北京、河北、山西、甘肃、新疆、四川；俄罗斯，日本，土耳其，欧洲，北美洲，澳洲。

(91) 松长足大蚜 *Cinara pinea*（Mordvilko，1895）（图 435）

Lachnus pinea Mordvilko, 1895：100.

Cinara pineti Koch, 1856：230（nec Fabricius, 1781）.

Lachniella picta del Guercio, 1909：173

Lachniella inoptis Wilson, 1919：18.

Cinara kaltenbachi Hottes, 1954：251.

Cinara pinea：Eastop, 1973：156.

鉴别特征：无翅孤雌蚜身体呈卵圆形，体长 3.73mm，体宽 2.30mm。活体为褐色。玻片标本头部、胸部褐色，腹部淡色；触角第 1~2 节、第 5 节端部、第 6 节黄褐色，其他部分淡色；喙深褐色；股节褐色，胫节基部和端部 1/2、跗节深褐色，其他部分黄褐色；腹管、生殖板、尾片、尾板为黄褐色。腹部第 8 背片有 1 个横斑贯全节。体表光滑。节间斑黑褐色。中胸腹岔有长柄。触角 6 节，全长 1.66mm，为体长的 0.45 倍，第 3 节长 0.60mm，第 1~6 节长度比例为 19:18:100:44:54:29 + 12；第 1~6 节毛数为 6 或 7、6~8、19~33、7~11、8~15、5~7 + 2~4 根，第 6 节鞭部有 3 根亚端毛。喙端部达腹部第 3 腹板，有次生毛 3~6 根。后足股节长 1.55mm，为触角第 3 节的 2.58 倍；后足胫节长 2.31mm，为体长的 0.12 倍；各足第 2 跗节有毛约 20 根。腹管位于多毛的圆锥体上。尾片宽圆形，有刺突，有长短毛 21~35 根。尾板宽圆形，有粗长毛 35~40 根。生殖板有毛 22~40 根。

有翅孤雌蚜触角第 3~6 节长度比例为 100:52:52:22 + 10；第 3、6 节各有圆形次生感觉圈 7~10、0~2 个。前翅中脉弱，3 支。其他特征与无翅孤雌蚜相似。

生物学：寄主为油松 *Pinus tabulaeformis*、黑松 *P. thunbergii*、马尾松 *P. massoni-*

ana、樟子松 *P. sylvestris* var. *mongolica*、云南松 *P. yunnanensis*、落叶松 *Larix gmelini*、地盘松 *Pinus yunnanensis* var. *pygmaea*、欧洲赤松 *P. sylvestris*、南欧黑松 *P. nigra* var. *poiretiana*、赤松 *P. densiflora* 和北美短叶松 *P. banksiana*。

分布：陕西（佛坪）、黑龙江、吉林、辽宁、内蒙古、甘肃、青海、新疆、山东、浙江、台湾、四川、贵州、云南、西藏；蒙古，俄罗斯，欧洲，北美洲。

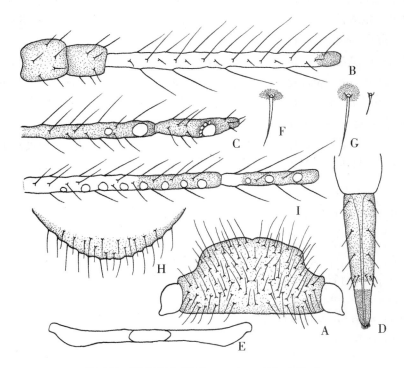

图 435　松长足大蚜 *Cinara pinea*（Mordvilko）

无翅孤雌蚜（apterous viviparous female）

A. 头部背面观（dorsal view of head）；B. 触角第 1～3 节（antennal segments 1-3）；C. 触角第 5～6 节（antennal segments 5-6）；D. 喙 4＋5 节（ultimate rostral segment）；E. 中胸腹岔（mesosternal furca）；F. 腹部第 8 背片背毛（dorsal seta of abdominal tergite 8）；G. 体背毛（dorsal seta of body）；H. 尾片（cauda）

有翅孤雌蚜（alate viviparous female）

I. 触角第 3～4 节（antennal segments 3-4）

(92) 华山松长足大蚜 *Cinara piniarmandicola* Zhang, Zhang *et* Zhong, 1993（图 436）

Cinara piniarmandicola Zhang, Zhang *et* Zhong, 1993：135.

鉴别特征：无翅孤雌蚜身体呈椭圆形，体长 3.11mm，体宽 1.69mm。活体紫红色。玻片标本头部褐色，胸部黑色，腹部淡色；触角第 1 节、第 3～5 节端部、第 6 节、喙节 4＋5、跗节褐色；触角第 2 节淡褐色；足股节端部 1/2、胫节端部 1/2～2/3、腹管、尾片和尾板为黑色；胫节基部漆黑色。腹部第 1 背片有黑色中斑，第 7～8 背片各有 1 对中斑。中胸腹瘤发达。中胸腹岔有短柄。体背毛尖；头部背面有毛 56 根；腹部第 1 背片有毛约 170 根，第 5 背片腹管间有毛 60 根，第 8 背片有毛 19～22 根。头顶毛长 0.10mm，腹部第 8 背片毛长 0.07～0.16mm。头部背面有明显中缝。触角有 6 节，全长 1.33mm，第 1～6 节长度比例为 17：16：100：41：53：27＋11；第 1～6 节毛数为 8～11、11～14、38～44、10 或 11、19～21、10～12＋6 根，第 6 节鞭部有亚端毛 4 根；触角第 3～5 节有圆形次生感觉圈为 0 或 1、1 或 2、1 个；第 5、6 节原生感觉圈有几丁质环。喙端部超过腹部第 6 腹板，第 4＋5 节长 0.31mm，为后足第 2 跗节的 1.48 倍；有次生毛 12 根。后足股节长 1.23mm，为触角全长的 0.92 倍；后足胫节长 2.01mm，为体长的 0.65 倍；后足第 2 跗节长 0.21mm；后足第 1 跗节背宽约为基宽的 1.50 倍。腹管端径 0.08mm，为基宽的 0.22 倍。尾片末端圆形，长 0.18mm，有毛 16～18 根。尾板有毛 54～70 根。生殖板有毛 18 根。生殖突 3 簇，每簇有毛 8 根。

生物学：寄主为华山松 *Pinus armandii*、黑松 *P. thunbergii*、马尾松 *P. massoniana* 和油松 *P. tabulaeformis*。该种发生数量大，在多年生的树枝上，有时种群覆盖长度可达 33～67cm。

分布：陕西（秦岭）、辽宁、北京、河北、湖南、四川、云南。

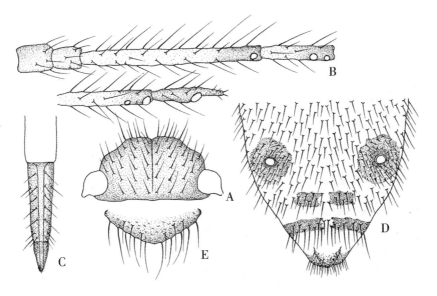

图 436　华山松长足大蚜 *Cinara piniarmandicola* Zhang, Zhang *et* Zhong
无翅孤雌蚜（apterous viviparous female）

A. 头部背面观（dorsal view of head）；B. 触角（antenna）；C. 喙第 4＋5 节（ultimate rostral segment）；D. 腹部第 5～8 背片（abdominal tergites 5-8）；E. 尾片（cauda）

(93) 居松长足大蚜 *Cinara pinihabitans*（Mordvilko，1895）（图 437）

Lachnus pinihabitans Mordvilko，1895：118.

Cinara pinihabitans：Börner，1932：569.

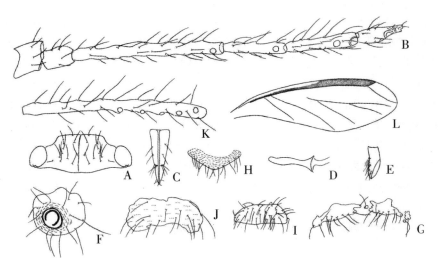

图 437　居松长足大蚜 *Cinara pinihabitans*（Mordvilko）

无翅孤雌蚜（apterous viviparous female）

A. 头部背面观（dorsal view of head）；B. 触角（antenna）；C. 喙第 4 + 5 节（ultimate rostral segment）；D. 中胸腹岔（左侧）（left part of mesosternal furca）；E. 后足第 1 跗节（hind tarsal segment 1）；F. 腹管（siphunculus）；G. 腹部第 8 背片背斑（scleroites on abdominal tergite 8）；H. 尾片（cauda）；I. 尾板（anal plate）；J. 生殖板（genital plate）

有翅孤雌蚜（alate viviparous female）

K. 触角第 3 节（antennal segment 3）；L. 前翅（forewing）

鉴别特征： 无翅孤雌蚜身体呈长卵形，体长 3.10 ~ 4.60mm，体宽 1.70mm。活体褐色或墨绿色。玻片标本头部和前胸黄褐色，中、后胸和腹部淡色；触角第 1 ~ 2 节黄褐色，第 3 ~ 5 节端部和第 6 节浅为黄褐色，其他部分淡色；喙第 2 节端部至第 5 节、各足股节端半部 1/2、胫节端部 1/3 ~ 1/2 和跗节褐色；胫节基部深褐色；腹管、尾片、尾板和生殖板浅褐色。中、后胸背板各有 1 对中侧斑；腹部第 1 背片有 1 对中侧斑，第 8 背片有 1 对横斑，中间断开。体表有网纹。节间斑明显。气门圆形，关闭或半开放，气门片隆起，浅褐色。中胸腹岔黑色，两臂分离，单臂横长 0.31mm，为触角第 3 节的 0.58 倍。体背毛尖锐，有或无毛基斑，毛基斑稀疏，毛基斑直径一般大于毛基的 3 倍。头部背面有毛 34 根；前胸背板有毛 46 根；腹部第 3 背片有毛约 80 根，第 5 背片腹管间有毛 45 根，第 8 背片有毛 26 根。头顶长毛长 0.10mm，腹部第 1 背片缘毛长 0.10mm，第 8 背片毛长 0.17mm，分别为触角第 3 节最宽直径的 2.12 倍、2.02 倍和 3.53 倍。头顶弧形，中额不隆。触角有 6 节，光滑，仅有稀疏皱纹，第 6 节鞭部有瓦纹；全长 1.38mm，为体长的 0.43 倍，第 3 节长 0.53mm，第 1~6 节长度比例为 20∶20∶100∶40∶48∶24+6，第 6 节鞭部长为基部的 0.23 倍；触角毛长，粗硬，顶尖，第 1~6 节毛数为 7、7、30~33、13 或 14、21~23、8+6 根；第 3 节毛长 0.11mm，为该节中宽的 2.31 倍；第 3~5 节各有 1 个圆形次生感觉圈；第 5~6 节各有 1 个原生感觉圈，有几丁质环。喙端部达腹部第 6 腹板，第 4+5 节呈长矛状，分节明显，长 0.22mm，为基宽的 3.24 倍，为后足第 2 跗节的 0.88 倍；第 4 节长为第 5 节的 1.75 倍；有次生毛 4~6 根。足较粗壮，胫节端部和跗节有皱褶，后足股节长 1.28mm，为触角第 3 节的 2.40 倍；后足胫节长 2.20mm，为体长的 0.69 倍，后足第 2 跗节长 0.25mm。足毛尖锐，外侧毛多于内侧毛，且较内侧毛粗长，后足胫节毛长 0.16mm，为该节中宽的 1.51 倍。各足第 1 跗节有毛 9~13 根。腹管位于黑色隆起圆锥体上，周围有毛 25~30 根，基宽 0.07mm。尾片半圆形，末端稍尖，有小刺突分布，长 0.11mm，为基宽的 0.32 倍，有长短毛 28 根。尾板宽大，近梯形，有毛 65 根。生殖板有毛 17 根，生殖突有 3 个，各有毛 7~10 根。

有翅孤雌蚜身体呈长卵形，体长 3.75mm，体宽 1.60mm。头部、胸部深褐色，腹部浅黄褐色；触角第 1~2 节、第 3~5 节的端部及第 6 节为深褐色，其他部分淡色；喙第 2~5 节、足股节端部 1/2、胫节端部 1/3~1/2 及跗节为深褐色；腹管、尾片、尾板及生殖板为灰褐色。腹部第 1 背片有 1 对小型中侧斑，第 8 背片有 1 个褐色窄带，横贯全节。头部背面有毛 25 根；腹部第 3 背片有毛 54 根，第 5 背片腹管间有毛 120 根，第 8 背片有毛 16 根。头顶平，头盖缝明显。复眼有眼瘤。触角有 6 节，全长 1.63mm，为体长的 0.43 倍，第 3 节长 0.64mm，第 1~6 节长度比例为 17∶17∶100∶46∶49∶22+5，第 6 节鞭部长为基部的 0.21 倍；触角毛尖，第 3 节毛长为该节最宽直径的 2.61 倍；第 3~5 节分别有次生感觉圈 5、1、1 个；第 5 节和第 6 节分别有 1 个原生感觉圈，有几丁质环。喙端部达腹部第 3 腹板，第 5+6 节呈长矛状，长 0.22mm，有次生毛 4 根。后足股节长 1.60mm，为触角第 3 节的 2.50 倍；后足胫节长 2.68mm，为体长的 0.71 倍；后足第 2 跗节长 0.28mm。各足第 1 跗节有毛 10~13 根。翅脉正常，前翅径分脉延伸至翅顶下方，中脉分 2 支，不甚明显；后翅有 2 条斜脉。腹管位于多毛圆锥体上，有毛 26~29 根，端径 0.08mm。尾片有毛 40 根。尾板有毛 52 根。生殖板有毛 22 根。生殖突 3 个，各有毛 7~10 根。其他特征与无翅孤雌蚜相似。

生物学：寄主为华山松 *Pinus armandii*、油松 *P. tabulaeformis*、欧洲赤松 *P. sylvestris* 等松属植物和刺柏 *Juniperus formosana*。

分布：陕西(秦岭)、辽宁、北京、甘肃；俄罗斯，欧洲。

(94) 柏长足大蚜 *Cinara tujafilina* (**del Guercio, 1909**)(图 438)

Lachniella tujafilina del Guercio, 1909：288, 311.

Lachniella thujafolia Theobald, 1914：335.

Lachnus biotae van der Goot, 1917：161.

Cinara tujafilina：Takahashi, 1921：81.

Dilachnus callitris Froggatt, 1927：56.

Cinara winonkae Hottes, 1934：1.

Cuppressobium mediterraneum Narzikulov, 1963：113.

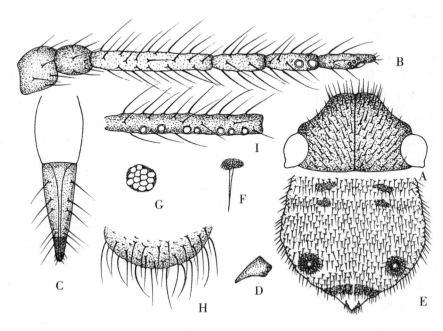

图 438　柏长足大蚜 *Cinara tujafilina*（del Guercio）

无翅孤雌蚜（apterous viviparous female）

A. 头部背面观（dorsal view of head）；B. 触角（antenna）；C. 喙第 4 + 5 节（ultimate rostral segment）；D. 后足第 1 跗节（hind tarsal segment 1）；E. 腹部背面观（dorsal view of abdomen）；F. 体背毛（dorsal seta of body）；G. 节间斑（muskelplatten）；H. 尾片（cauda）

有翅孤雌蚜（alate viviparous female）

I. 触角第 3 节（antenna segment 3）

鉴别特征：无翅孤雌蚜身体呈卵圆形，体长 2.80mm，体宽 1.80mm。活体为赭褐色，有时被薄粉。玻片标本淡色。头部、各节间斑、腹部第 8 背片中断的横带及气门片为黑色；触角灰黑色，仅第 3 节基部 4/5 淡色；喙第 3~5 节、足基节、转节、股节端部1/4、胫节端部1/10 及跗节灰褐色至灰黑色；腹管、尾片、尾板及生殖板为灰黑色。体表光滑，有时有不清楚的横纹构造。气门圆形，关闭或月牙形开放，气门片高隆。中胸腹岔无柄。体背多细长尖毛，毛基斑不显，至多比毛瘤稍大；腹部第 8 背片有毛约 32 根。头顶毛、腹部第 1 背片毛、第 8 背片毛长分别为触角第 3 节直径的 3.80 倍、4 倍、4.40 倍。额瘤不显。触角有 6 节，细短，全长 0.84mm，为体长的 0.30倍；第 3 节长0.30mm，第 1~6 节长度比例为 27：31：100：43：40：33 + 9；触角毛长，第 1~6 节毛数为 6~9、8~12、26~41、9~12、7~14、6~8 +0 根，第 3 节毛长为该节直径的 3.30 倍;触角第 5 节原生感觉圈后方有 1 个小圆形次生感觉圈。喙端部可达后足基节,第 4、5 节分节明显,第 4 + 5 节长为宽的 3.40 倍,为后足第 2 跗节的 0.92 倍;第 5 节顶端有毛 6 根,第 6 节顶端有长毛 6 根,基半部有长毛 6 根。后足股节长 0.85mm,稍长于触角;后足胫节长 1.20mm,为体长的 0.44 倍,毛长为该节直径的 1.40 倍;第 1 跗节毛序为 8、9、9;后足第 2 跗节长为第 1 节的 2.60 倍。腹管位于有毛的圆锥体上,有缘突,腹管基部的黑色圆锥体直径约与尾片基宽相等,有长毛 6 ~ 8 圈。尾片半圆形,有微刺突瓦纹,有长毛约 38 根。尾板末端圆形或平截,有毛 82 ~ 89 根。生殖板有毛 22 ~ 35 根。

有翅孤雌蚜身体呈卵形,体长 3.10mm,体宽 1.60mm。活体头部和胸部为黑褐色,腹部赭褐色,有时带绿色。玻片标本头部和胸部黑色;触角、喙及足灰褐色至灰黑色;仅触角第 3 节基部 1/4、喙第 1 节及第 2 节基部 3/4、股节基部 1/4 ~ 1/2 及胫节基部 3/4 ~ 4/5 色稍淡。触角有 6 节,光滑无瓦纹;全长 1.10mm,为体长的 0.36 倍;第 3 节长 0.40mm,第 1 ~ 6 节长度比例为 16:23:100:47:50:37 + 6;第 3 节有小圆形次生感觉圈 5 ~ 7 个,在端部 2/3 处排成 1 行;第 4 节有次生感觉圈 1 ~ 3 个,位于端半部;第 5 节原生感觉圈后方有 1 个较小的次生感觉圈。体毛较无翅孤雌蚜长,头顶毛和腹部第 8 背片毛长分别为触角第 3 节直径的 3.40 倍和 4.50 倍。后足股节长 0.97mm,短于触角长;后足胫节长 1.50mm,为体长的 0.49 倍,毛长为该节直径的 2.20 倍。喙第 4 + 5 节长为后足第 2 跗节的 0.87 倍。翅脉正常,中脉淡色,其他脉深色。尾片有毛 38 或 39 根。尾板有毛 74 ~ 89 根。其他特征与无翅孤雌蚜相似。

生物学:寄主为侧柏 *Thuja orientalis*、金钟柏 *T. occidentalis*,恩得利美丽柏 *Callitris endlicheri*、布勒斯美丽柏 *C. priessii*、澳洲柏 *C. rhomboidea*、*C. tasmanica*,美国扁柏(美洲花柏)*Chamaecyparis lawsoniana*,北美圆柏 *Juniperus virginian*、喀什方枝柏 *J. pseudosabina*、千头柏 *Platycladus orientalis*、柏木属 1 种 *Cupressus* sp.,下延香松 *Libocedrus decurrens*、*Widdringtonia whytei*,杉 *Picea* sp.,松 *Pinus* sp.。该种是为害侧柏的重要害虫,在幼茎表面为害,常盖满一层,引起霉病,影响侧柏生长。大都在 4 ~ 7 月间。在北京 10 月下旬雌蚜和雄蚜交配后产卵越冬。

分布:陕西(眉县、佛坪)、辽宁、北京、河北、内蒙古、河南、宁夏、甘肃、新疆、山东、上海、江苏、湖南、江西、福建、台湾、广东、广西、四川、贵州、云南、西藏;朝鲜,日本,尼泊尔,巴基斯坦,土耳其,欧洲,非洲,北美洲,澳洲。

55. 长大蚜属 *Eulachnus* del Guercio, 1909

Eulachnus del Guercio, 1909:315. **Type species**:*Lachnus agilis* Kaltenbach, 1843.

属征:身体呈长卵形,体长 1.40 ~ 4.30mm。有头背中缝,中额平。复眼无眼瘤。触角有 6 节,全长约为体长的 0.30 ~ 0.50 倍;原生感觉圈无几丁质环。喙末端钝,第 4 + 5 节分节不明显。足第 1 跗节长,有背毛。腹管口径小,环状,周围毛少。尾片、尾板半圆形至圆形，多毛。有翅孤雌蚜翅痣窄长，径分脉直，中脉2支；后翅2斜脉。

　　生物学：寄生在多种松属 Pinus spp. 植物的针叶上。多数种类无蚁访现象，偶尔可见有蚂蚁伴生。大多数种类活体呈褐色、墨绿色或亮绿色，体背白色蜡粉。

　　分布：全北区。秦岭地区发现1种。

(95) 吸松长大蚜 *Eulachnus pinisuctus* Zhang, Chen, Zhong *et* Li, 1999（图439）

Eulachnus pinisuctus Zhang, Chen, Zhong *et* Li, 1999: 185.

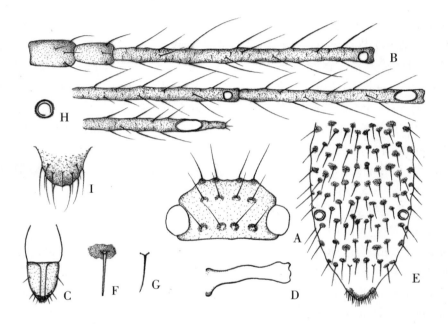

图439　吸松长大蚜 *Eulachnus pinisuctus* Zhang, Chen, Zhong *et* Li
无翅孤雌蚜（apterous viviparous female）

A. 头部背面观（dorsal view of head）；B. 触角（antenna）；C. 喙第4+5节（ultimate rostral segment）；D. 中胸腹岔（mesosternal furca）；E. 腹部背面观（dorsal view of abdomen）；F. 体背毛（dorsal seta of body）；G. 体腹面毛（ventral seta of body）；H. 腹管（siphunculus）；I. 尾片（cauda）

　　鉴别特征：无翅孤雌蚜身体狭长，呈卵形，体长2.77mm，体宽0.70mm。活体绿色。玻片标本淡色，触角褐色，头部背面中央有一淡色中缝。前、中足股节端部淡褐色，胫节、跗节褐色，后足褐色；腹管褐色；尾片、尾板淡褐色。腹部背毛有隆起的圆形毛基斑。体表光滑。气门圆形关闭，气门片淡色。中胸腹岔两臂分离，单臂横长0.17mm，为触角第3节的0.26倍。体背毛粗长，钝顶；头背毛8对；前胸背板有毛19根，中、后胸背板各有毛11~17根；腹部第1~5背片各有毛11~13根，第6、7背片各有毛7~9根，第8背片有毛9或10根。头顶毛长0.12mm，第8背片毛长0.11mm，分别为触角第3节最宽直径的3.64倍和3.33倍。触角全长2.07mm，为体长的 0.79 倍；第 3 节长 0.65mm，第 1~6 节长度比例为17：15：100：64：73：46 + 8；末节鞭部为基部的 0.17 倍；触角毛长，第 1~6 节毛数为 4、4、15~19、9 或 10、11、4~6+6根，第 3 节毛长 0.12mm，为该节最宽直径的 3.80 倍；第 3、4 节各有 1 圆形次生感觉圈，原生感觉圈大圆形，无睫。喙端达后中足基节，第 4 + 5 节呈钝楔状，长 0.10mm，为后足第 2 跗节的 0.44 倍；有次生毛 1 对。足光滑，后足股节1.50mm，为触角第 2 节的 1.14 倍；后足胫节长 1.18mm，为体长的 0.43 倍。各足第 1 跗节有毛15 根（包括 1 对背毛）；后足第 2 跗节长 0.23mm。腹管环形，端径0.04mm，与触角第 3 节最宽直径约相等。尾片尖圆形，有小刺突，长 0.11mm，有毛 7~11 根。尾板有毛16~20 根。

生物学：寄生于华山松 *Pineus armandii* 上。

分布：陕西（留坝）、甘肃。

56. 大蚜属 *Lachnus* Burmeister，1835

Lachnus Burmeister，1835：91. **Type species**：*Aphis roboris* Linnaeus，1758 = *Lachnus fasciatus* Burmeister，1835.

属征：无翅孤雌蚜头部背面有中缝，中额平直。复眼大，有眼瘤。触角有 6 节。喙长短于体长；末节短，不尖，第 4、5 节间界线分明。中胸腹瘤发达，成对，有毛。有翅孤雌蚜前翅径分脉弯曲而长，翅痣宽且短，中脉与其他脉相近，有 2 个分叉，翅面常有深色斑纹；后翅有 2 条斜脉。足跗节 2 节，后足跗节稍延长。体背无斑纹。腹管位于多毛圆锥体上。尾片小圆形。尾板大圆形。

分布：古北区。秦岭地区发现 3 种。

分种检索表

1. 触角第 3 节次生感觉圈不超过 7 个 ………………………………………………… 2
   触角第 3 节有 8~14 个次生感觉圈，第 5 节有 4~8 个；体表有不甚明显的网纹；喙末节长为后足第 2 跗节的 1.10 倍；为害栲和石柯 ……………………… **栲大蚜 *L. quercihabitans***
2. 腹部第 8 背片有毛 37~55 根；触角第 3 节毛长为该节直径的 0.50 倍；后足胫节毛长为该节中宽的0.33 倍 ………………………………………………… **辽栎大蚜 *L. siniquercus***
   腹部第 8 背片有毛 25 根；触角第 3 节毛长为该节直径的 1.10 倍；后足胫节毛长为该节中宽的1.20倍 ………………………………………………… **板栗大蚜 *L. tropicalis***

(96)栲大蚜 *Lachnus quercihabitans*（**Takahashi，1924**）（图 440）

Dilachnus quercihabitans Takahashi，1924：56.

Lachnus quercihabitans：Eastop & Hille Ris Lambers，1976：235.

鉴别特征：无翅孤雌蚜身体呈卵圆形，体长 4.50mm，体宽 2.40mm。玻片标本头部、胸部灰黑色；腹部淡色，有黑色斑纹，第 1~5 背片缘片稍显骨化灰色，第 7~8 背片各有 1 个灰黑色横带。足黑色，触角、喙、腹管、尾片、尾板及生殖板为灰黑色。体表微显网纹。气门及气门片全骨化灰，黑色，气门圆形，1/3 开放，偶有关闭，气门片隆起。节间斑明显，气门片后缘各有 1 个红褐色节间斑。中胸腹岔有长柄。体背毛多，尖锐，稍长于腹面毛。头部背面有毛 80~95 根；腹部第 8 背片有毛 38~49 根。头顶毛、腹部第 1 背片缘毛、第 8 背片背毛长分别为触角第 3 节直径的 1.10 倍、0.75 倍、1.20 倍。中额及额瘤平，头部背面有 1 个明显头盖缝延伸至后头。触角有 6 节，全长 2.20mm，为体长的 0.48 倍；第 3 节长 0.97mm，第 1~6 节长度比例为 13：12：100：39：37：13＋8；第 1~3 节光滑，第 4~6 节有明显瓦纹；第 1~6 节毛数为 14、19~23、89~119、41~71、45~68、14~20＋5~9 根；第 3 节毛长为该节直径的 0.71 倍；第 3 节有大小圆形次生感觉圈 8~14 个，分布于端部 1/4；第 4 节有 4 或 5 个。喙端部达腹部第 4 节，第 4、5 节分界处内凹，长为基宽的 2.30 倍，为后足第 2 跗节的 1.10 倍，有长毛 22~24 根，第 5 节明显骨化黑色；第 4 节长为第 5 节的 3.80 倍。后足股节长 1.60mm，为触角第 3 节的 1.60 倍；后足胫节长 4.30mm，为体长的 0.96 倍；后足胫节毛长为该节直径的 0.71 倍。第 1 跗节有毛 14 或 15 根；后足第 1 跗节基宽、上长与下长比例为 100：111：290。腹管截断圆锥状，基部隆起呈大黑斑，光滑有褶纹，有缘突，无切迹；有毛约 150 根，围绕腹管 7 或 8 圈；腹管长为体长的 0.07 倍，为基宽的 0.45 倍。尾片末端平圆形，有微刺突分布，有长毛 65~80 根。尾板半圆形，有长毛 84~95 根。生殖板长卵形，端部平，有毛 180~200 根。

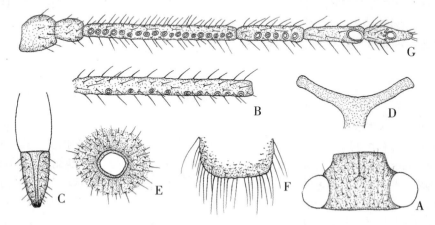

图 440　栲大蚜 *Lachnus quercihabitans*（Takahashi）

无翅孤雌蚜（apterous viviparous female）

A. 头部背面观（dorsal view of head）；B. 触角第 3 节（antennal segment 3）；C. 喙第 4＋5 节（ultimate rostral segment）；D. 中胸腹岔（mesosternal furca）；E. 腹管（siphunculus）；F. 尾片（cauda）

有翅孤雌蚜（alate viviparous female）

G. 触角（antenna）

有翅孤雌蚜身体呈长卵形,腹部卵圆形,体长4.10mm,体宽1.90mm。玻片标本头部、胸部黑色,腹部淡色。气门大部分关闭,偶有月牙形开放。体背毛长为触角第3节直径的2倍左右。触角有6节,全长1.90mm,为体长的0.46倍;第3节长0.82mm,第1~6节长度比例为15:12:100:44:38:16+11,第3~5节分别有次生感觉圈为13~21、5~7、1或2个。喙第4+5节长为后足跗第2节的0.99倍,有毛34根。后足股节长2.10mm,为触角第3节的2.60倍,长于触角全长;后足胫节长3.90mm,为体长的0.95倍。翅脉正常,前翅除中脉、肘脉之间及翅痣前缘透明外,全翅黑褐色。尾片有长毛39~51根。尾板有毛72~87根。其他特征与无翅孤雌蚜相似。

生物学:寄主植物为栲 *Castanopsis fargesii*、石柯 *Lithocarpus pasania* 和栎 *Quercus* sp.。

分布:陕西(秦岭)、辽宁、河北、山西、广东、海南、广西、云南;日本。

(97)辽栎大蚜 *Lachnus siniquercus* Zhang,1982(图441)

Lachnus siniquercus Zhang,1982:25.

鉴别特征:无翅孤雌蚜身体呈卵圆形,体长5.10mm,体宽3mm。活体为树皮色。玻片标本头部、胸部骨化,呈灰黑色;腹部淡色,第8背片有1个宽横斑;触角、足、喙及腹管为黑色;尾片及尾板黑色,基部淡色。体表光滑有网纹,腹面有横瓦纹。气门圆形半开放,气门片为黑色。节间斑明显黑褐色,呈葡萄状。中胸腹岔深骨化,有长柄,长与柄基宽约等长。体背多长硬刚毛,腹面毛多于背毛;腹部第1~4背片各有毛200余根;第5~7背片各有缘毛30余根,中侧毛40余根;第8背片有毛37~55根,毛长0.11mm,为触角第3节直径的1.50倍。额瘤不显,中额呈圆顶状,有背中缝。触角有6节,细短,有不规则曲纹,全长2.10mm,为体长的0.41倍;第3节长0.83mm,第1~6节长度比例为17:16:100:51:44:17+11;触角毛短粗,第1~6节毛数为13或14、12、115~140、58~63、39~57、13~18+2或3根,第6节鞭部顶端有6根短毛;第3节毛长为该节直径的0.50倍;第3节有小圆形次生感觉圈0~8个,分布于端部1/2处;第4节有5或6个,分布于端部2/3;原生感觉圈无睫。喙细长,端部超过后足基节,第4、5节分节明显;第4+5节尖短,呈长锥状,长为基宽的2.50倍,与后足第2跗节约等长。足粗大,后足股节有明显卵状体,长2.10mm,与触角等长;后足胫节长3.70mm,为体长的0.73倍;多粗短毛,毛长为该节直径的0.37倍。第1跗节各有毛15~18根。腹管位于黑色多毛的圆锥体上,基宽稍长于尾片基宽;端口有2环,内环外后有缺口;缘突不显,无切迹。尾片半圆形,有小圆突形成的曲纹,有长刚毛60余根。尾板大圆形,有长刚毛75~115根。生殖板骨化黑色,有刚毛80余根。

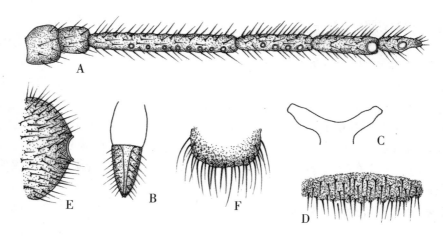

图 441　辽栎大蚜 *Lachnus siniquercus* Zhang

无翅孤雌蚜（apterous viviparous female）

A. 触角（antenna）；B. 喙第 4 + 5 节（ultimate rostral segment）；C. 中胸腹岔（mesosternal furca）；D. 腹部第 8 背片背斑及背毛（scleroite and seta on abdominal tergite 8）；E. 腹管（siphunculus）；F. 尾片（cauda）

生物学：寄主为辽东栎 *Quercus liaotongensis*、栎属 1 种 *Quercus* sp.、蒙古栎 *Q. mongolica*、菠菜 *Spinacia oleracea* 和青冈 *Cyclobalanopsis glauca*。

分布：陕西（紫阳）、吉林、辽宁、北京、河北、新疆、湖北、四川、贵州、云南、西藏。

（98）板栗大蚜 *Lachnus tropicalis*（van der Goot, 1916）（图 442）

Pterochlorus tropicalis van der Goot, 1916：3.

Pterochlorus japonicus Matsumura, 1917：378.

Pterochlorus ogasawarae Matsumura, 1917：378.

Pterochlorus bogoriensis Franssen, 1932：403.

Lachnus tropicalis：Takahashi, 1950：592.

鉴别特征：无翅孤雌蚜身体呈长卵形，体长 3.10mm，体宽 1.80mm。活体为灰黑色至赭黑色，若蚜灰褐色至黄褐色。玻片标本头部、胸部骨化，黑色；腹部淡色，有黑斑，腹部第 8 背片有 1 个横带；各附肢黑色；腹管基部骨化为大黑斑。头部背面及胸部背板光滑有横纹，腹部第 1~6 背片有微细网状纹，第 7、8 背片有横瓦纹。气门圆形，半开放，气门片黑色。节间斑明显，黑色。中胸腹岔有长柄。体背毛长，多尖锐毛；腹面毛与背毛约等长。头部背面有长毛 110~120 根，腹部第 8 背片有长毛约 25 根。头顶毛、腹部第 1 背片缘毛、第 8 背片背毛长分别为触角第 3 节直径的 1.20 倍、1 倍、1.90 倍。额瘤不显，中额呈圆顶形，有明显背中缝。触角有 6 节，有瓦状纹；全长 1.60mm，为体长的 0.52 倍；第 3 节长 0.70mm，第 1~6 节长度比例为

14：14：100：35：36：21＋8；第 1～6 节长短毛数为 12～14、18～21、92～94、40～45、
33～37、15～18＋1 根；第 3 节长毛为该节直径的 1.10 倍；第 3 节有小圆形次生感觉
圈 2～5 个，分布于端部 1/4；第 4 节有 2～5 个，分布于中部及端部。喙端部超过后足
基节，第 4＋5 节长为基宽的 2 倍，为后足第 2 跗节的 0.96 倍，有长毛 20～24 根；第
4 节与第 5 节分节明显，第 5 节基部收缩内凹，骨化深色，第 4 节长为第 5 节的 4.30
倍。后足股节长 1.60mm，为触角第 3 节的 2.30 倍，与触角等长；后足胫节长 3mm，
为体长的 0.97 倍，长毛为该节直径的 1.20 倍，为基宽的 0.87 倍，为端宽的 1.50 倍。
第 1 跗节基宽、上长与下长比例为 100：105：304；第 1 跗节毛序为 10、11、10。腹管
截断状，基部周围隆起，骨化，黑色，有褶曲纹，有 14～16 根毛围绕，有明显缘突和
切迹；长为体长的 0.02 倍，为基宽的 0.38 倍。尾片末端圆形，微显刺突横瓦纹，有
长毛 24～35 根。尾板半圆形，有长毛 56～62 根。生殖板呈长卵形，骨化，有长毛 80
余根。

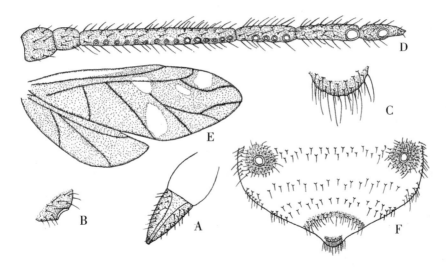

图 442　板栗大蚜 *Lachnus tropicalis*（van der Goot）

无翅孤雌蚜（apterous viviparous female）

A. 喙第 4＋5 节（ultimate rostral segment）；B. 腹管（siphunculus）；C. 尾片（cauda）

有翅孤雌蚜（alate viviparous female）

D. 触角（antenna）；E. 前翅、后翅（forewing and hindwing）；F. 腹部第 5～8 背片（abdominal tergites 5-8）

有翅孤雌蚜身体呈长卵形，腹部卵圆形，体长 3.90mm，体宽 2.10mm。活体为
灰黑色。玻片标本头部、胸部骨化，黑色；腹部淡色，腹部第 1 背片有断续灰黑色
斑，第 8 背片有 1 个黑色横带；气门及气门片骨化，呈大圆黑斑；腹管基部有 1 个大
圆斑。体背毛比腹面毛长 1/3；头部有背毛 140～150 余根；腹部第 8 背片有毛 60 余
根。触角 6 节，微显瓦纹，全长 2.10mm，为体长的 0.54 倍；第 3 节长 0.89mm，第
1～6 比例为 14：14：100：39：38：18＋9；第 3 节有大小圆形次生感觉圈 9～17 个，分

布于全节，排列一行；第4节有4或5个，分布于中部及端部；第3节长毛为该节直径的1.10倍，第1~6节毛数为15、24~27、132~139、40或41、32~39、14或15+4~6根，第6节鞭部顶端缺毛。翅黑色不透明，仅径分脉域及翅中部有透明带，翅脉正常有晕。尾片有毛44~72根。尾板有毛91~130根。生殖板有长毛95~110根。其他特征与无翅孤雌蚜相似。

生物学：寄主为板栗 *Castanea mollissima*、蒙古栎 *Quercus mongolica*、青冈 *Cyclobalanopsis glauca*、栎属1种 *Quercus* sp. 等。群集当年小枝表皮，有时盖满小枝，8月间尚可危害幼果。在北京，5月至6月中旬发生有翅孤雌蚜，10月中旬发生有翅性母，10月下旬至11月雌雄交配后在枝干裂隙及芽腋产卵越冬。

分布：陕西(留坝、佛坪)、吉林、辽宁、北京、河北、内蒙古、山东、河南、江苏、浙江、湖北、江西、福建、台湾、广东、海南、广西、四川、贵州、云南；朝鲜，日本，马来西亚。

57. 瘤大蚜属 *Tuberolachnus* Mordvilko，1909

Tuberolachnus Mordvilko，1909：374. **Type species**：*Aphis salignus* Gmelin，1790.

属征：体大型，体长4~6mm。中额平，头部背面中缝明显；头背毛细长，可达触角第3节基宽的2.40倍。眼瘤明显。触角有6节，短于体长的1/2；第6节鞭部长为基部的0.30~0.67倍；无翅孤雌蚜触角第4节和有翅孤雌蚜触角第3~4节有次生感觉圈；触角毛硬，触角第3节毛长为该节最宽直径的0.66~1.60倍。喙端部达后足基节，第4、5节分节明显或不明显，有8~16根次生毛。腹部背面有节间斑。体背毛密，稍长于腹面毛。腹部第3~4背片间有1个大型背瘤(有翅孤雌蚜中某些个体背瘤稍小)。腹管平截状，位于多毛的圆锥体上，基宽为端宽的1.45~5.00倍。足光滑，足毛硬，后足胫节毛长为该节中宽的0.23~0.88倍。尾片及尾板几乎半月形，有长短毛。

生物学：该属种类寄生在柳属 *Salix* spp.、枇杷属 *Eriobotrya* spp.、木梨 *Pyrus xerophila* 等植物的叶面、叶柄、嫩枝、枝干等部位。

分布：古北区。秦岭地区发现1种。

(99)柳瘤大蚜 *Tuberolachnus salignus*（Gmelin，1790）(图443)

Aphis salignus Gmelin，1790：2209.

Lachnus punctatus Burmeister，1835：93.

Aphis salicina Zelterstedt，1840：311.

Aphis viminalis Boyer de Fonscolombe，1841：184.

Aphis vitellinae Hartig，1841：369.

Dryobius riparius Snellen van Vollenhoven，1862：95.

Lachnus fuliginosus Buckton，1891：41.

Tuberolachnus viminalis Das，1918：257.

Pterochlorus salignus：Theobald，1929：104.

Lachnus nigripes Takahashi，1932：69.

Tuberolachnus salignus：Börner，1952：45.

鉴别特征：无翅孤雌蚜身体呈卵圆形，体长 4.10～5.58mm，体宽 2.63～3.68mm。活体为深褐色，与柳枝或干树皮的颜色相仿。玻片标本头部灰黑色，胸部、腹部淡色。触角第 1、2 节黑色，第 3～4 节黑褐色；喙第 2 节端部及第 4～5 节有灰黑色斑；胸部各节、腹部第 1、2 背片有缘斑，第 1～6 背片各有小型中侧斑，第 8 背片有 1 个横带；第5～6背片有 1 个骨化背中瘤，顶端尖黑色。前足股节端部2/3、中后足股节端部1/4、胫节基部及端部1/2、跗节黑色，其他部分深褐色；腹管、尾片、尾板及生殖板为深褐色至灰黑色。体表较光滑，微显不规则瓦纹及网纹。节间斑明显深褐色。气门圆形关闭或稍开放呈月牙形；气门片大型隆起，骨化黑色。中胸腹岔有长柄。体背密被长毛，尖锐，排列整齐，头部有背毛 200 余根，腹部第 8 背片有毛 40 余根，毛基片骨化，毛长为触角第 3 节直径的 1.00～1.40 倍。额瘤不显，额圆顶形，额中部稍下凹，头部背面有明显头盖缝至后头缘部。触角有 6 节，光滑，全长 1.80mm，为体长的 0.38 倍；第 3 节长 0.71～0.90mm，第 1～6 节长度比例为 13：17：100：36：39：24＋10；第 1～6 节毛数为 15～21、27～36、39～67、13～21、19～30、10～14＋1或＋2 根，第 6 节鞭节顶端有 2～4 根短毛，第 3 节毛长为该节直径的 0.93 倍；第 3 节有圆形次生感觉圈 2～4 个，分布于端部；第 4 节有 2～4 个，分布于中部。喙长，大，端部超过后足基节，顶端钝粗；第4＋5节长为基宽的 1.80～2.33 倍，为后足第 2 跗节的 0.45～0.53 倍；有次生长毛 4～7 对。足粗长，后足股节长 1.92～2.50mm，为触角全长的 1.10 倍；后足胫节长2.80～3.95mm，为体长的 0.59 倍，毛长为该节直径的 0.41～0.60 倍；各足第 1 跗节有毛 17～21 根。腹管截断状，位于多毛灰褐色的圆锥体上，端径 0.15～0.17mm，为基宽的 2 倍，有明显缘突。尾片月牙形，有小刺突构成瓦纹，长为基宽的 0.26～0.35 倍，有粗长毛 24～31 根，细短毛 20 余根。尾板半圆形，粗糙有小刺突，有长毛 80～110 根。生殖板骨化，半圆形，有短毛 90～110 根。

有翅孤雌蚜体呈长卵形，体长 4.00～4.81mm，体宽 2.00～2.31mm。玻片标本头部、胸部黑色，腹部淡色，有黑纹，腹部第 1～6 背片有大缘斑，第 1～6 背片有中、侧小黑斑，第 8 背片有 1 个横带。体表明显有微细网纹。节间斑明显黑色，常与背斑愈合。触角有6 节，全黑色，全长 1.70mm，为体长的 0.43 倍；第 3 节长 0.71mm；第 1～6 节长度比例为15：17：100：36：36：27＋8，第 3 节有大小圆形次生感觉圈 11～17 个，分布于全节，第 4 节有 3 或 4 个次生感觉圈，分布中部及端部。翅脉正常，中脉有 2 个分叉。其他特征与无翅孤雌蚜相似。

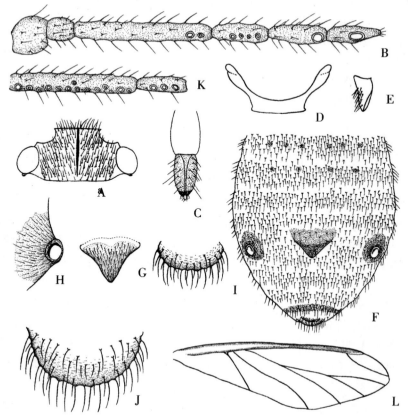

图 443　柳瘤大蚜 *Tuberolachnus salignus*（Gmelin）

无翅孤雌蚜（apterous viviparous female）

A. 头部背面观（dorsal view of head）；B. 触角（antenna）；C. 喙第 4 + 5 节（ultimate rostral segment）；D. 中胸腹岔（mesosternal furca）；E. 后足第 1 跗节（hind tarsal segment 1）；F. 腹部背面观（dorsal view of abdomen）；G. 腹部背瘤（dorsal tubercle of abdomen）；H. 腹管（siphunculus）；I. 尾片（cauda）；J. 尾板（anal plate）

有翅孤雌蚜（alate viviparous female）

K. 触角第 3 ~ 4 节（antennal segments 3- 4）；L. 前翅（forewing）

生物学：寄主为白柳 *Salix alba*、毛柳 *S. amygdaloides*、垂柳 *S. babylonica*、爆竹柳 *S. fragilis*、朝鲜柳 *S. koreensis*、光滑柳 *Salix* sp. 和青冈柳 *Salix* sp. 等多种柳树。柳瘤大蚜是为害柳树重要害虫，主要在在枝条或树干皮处，常密布枝条表皮，严重时使枝叶枯黄，影响柳树生长。沿河、湖、海栽植的柳树受害尤重。以成虫在树干下部树皮缝隙中或其隐蔽处过冬，在宁夏早春由柳树基部向树枝移动，四五月间大量繁殖，盛夏较少，到秋季再度大量发生，直到 11 月上旬还有发现。在内蒙古和吉林六七月间发生较多。应在发初期用接触剂防治。

分布：陕西（宁陕）、黑龙江、吉林、辽宁、北京、河北、内蒙古、河南、宁夏、甘肃、青海、新疆、山东、上海、江苏、浙江、福建、台湾、四川、云南、西藏；日本，朝鲜，印度，伊拉克，黎巴嫩，以色列，土耳其，欧洲，非洲，美洲。

（九）平翅绵蚜亚科 Phloeomyzinae

鉴别特征：体中型，体长一般不超过 2mm。无翅孤雌蚜复眼由 3 个小眼面组成。孤雌蚜无翅，头部与前胸愈合；性蚜有翅。触角有 6 节，无次生感觉圈，原生感觉圈有睫。前翅中脉一分叉，后翅 2 条斜脉。中胸前盾片狭窄，后端圆，盾片中部不分开，静止时翅平叠于体背。腹部有大型蜡片，可分泌蜡丝、蜡粉。腹管小。尾片圆形。尾板稍有缺刻至几乎圆形。

生物学：生活在树木枝干表皮，营同寄主全周期生活。

分类：世界已知仅 1 属 1 种。陕西秦岭地区也有发现。

58. 平翅绵蚜属 *Phloeomyzus* Horvath，1896

Phloeomyzus Horvath，1896：5. **Type species**：*Schizoneura passerinii* Signoret，1886.

属征：体中型。触角有 6 节；孤雌蚜无次生感觉圈。复眼由 3 个小眼面组成。喙端部达腹中部。无翅孤雌蚜腹部第 7 背片有大型缘蜡片。腹管小，孔状。尾片半圆形或圆形。翅脉经常减少，中脉有 1 个分叉；休息时翅平叠于背部。性蚜和卵生蚜有翅，无次生感觉圈；雄性蚜肘脉不分离。卵生蚜腹部第 7 背片有大型蜡片。

生物学：寄生在杨属植物 *Populus* spp. 茎的裂缝处、皮下和根上，分泌絮状蜡丝，不形成虫瘿。种群可以很大或仅局限分布在几片叶子上。在北美、北欧、中欧和中国发生性蚜，在其他地区仅有孤雌蚜。每个卵生雌蚜仅产卵 2 枚；有翅雄性蚜和雌性蚜有喙，能取食。在中东、印度地区和北美的寄主包括银白杨 *Populus alba*、加杨 *P. canadensis*、缘毛杨 *P. ciliata* 和黑杨 *P. nigra*。在中国除危害黑杨和加杨以外，还有小叶杨 *P. simonii*。在山东青岛 10 月上旬发生雌性蚜和雄性蚜，交配产卵越冬。

分布：古北区，新北区，新热带区，非洲区。秦岭地区发现 1 亚种。

(100) 杨平翅绵蚜 *Phloeomyzus passerinii zhangwuensis* Zhang，1982（图 444）

Phloeomyzus passerinii zhangwuensis Zhang，1982b：21.

鉴别特征：无翅孤雌蚜身体呈卵圆形，体长 1.60mm，体宽 1.10mm。活体为灰黄色、灰黄绿色至呆白色，被白粉及蜡毛。玻片标本体淡色，头顶背部有方形骨化斑、腹部第 6～8 背片缘斑黑色；头部中额有骨化斑，暗褐色；附肢灰黑色。体表光滑，腹部第 6～8 背片缘斑圆形，骨化，有不明显斑纹，第 8 背片有椭圆形中斑 1 对，有瓦纹。前胸背板与中胸背板间有 1 对节间斑。腹部第 6 背片有 2 个侧缘蜡片，淡色，后缘凹入。体背毛短而尖锐，头部有头顶毛 2 对，头背毛 6 对；前胸背板有中侧毛3对, 缘毛2对; 腹部第1~6背片有中侧毛4对, 缘毛2对; 第7背片有中侧毛2对, 缘毛2对; 第8背片有毛7根; 头顶毛长0.01mm, 腹部第1背片毛长0.01mm, 第8背片毛长0.02mm, 分别为触角第3节最宽直径的0.40倍、0.50倍、1.50倍。气门有7对, 圆形关闭, 气门片隆起黑色。头部与前胸愈合。中额平, 中额缝明显。复眼由3个小眼面组成。触角有6节, 短粗, 各节有褶曲纹, 第3~4节有微瓦纹; 全长0.35mm, 为体长的0.22倍; 第3节长0.06mm, 第1~6节长度比例为66:79:100:57:75:140+25; 触角毛短而尖, 第1~6节毛数为3、3、0~2、0或1、0~5、0或1+3或4根, 第4节鞭部顶端有短毛3或4根。喙细长, 端部达后足基节, 第4+5节呈剑状, 细长, 长0.14mm, 为基宽的4倍, 为后足第2跗节的1.80倍, 有原生毛2对, 次生毛2对。足光滑, 短粗, 各节有卵形纹; 后足股节长0.24mm, 为触角第3节的5.30倍; 后足胫节长0.21mm, 为体长的0.13倍, 毛长为该节中宽的0.20倍; 后足第2跗节长0.08mm。第1跗节毛序为3、3、3。腹管呈小环状, 直径为触角第3节最宽直径的0.78倍。尾片末端圆形, 骨化, 黑色, 有网纹, 有短毛5根; 尾板末端圆形, 有网纹, 有短毛9~11根。生殖板骨化黑色, 横长圆形, 有短毛12~17根。

有翅雌性蚜身体呈椭圆形, 体长1.50~2.00mm, 体宽0.70mm。玻片标本头部、胸部、触角、喙第2节端部及第4+5节为黑色; 足、腹管、尾片及尾板淡色; 腹部无斑纹。体表光滑。气门肾形, 关闭, 气门片骨化隆起。无节间斑。腹部第6、7背片有2块淡色大型直角三角形中侧蜡片。体背毛少而短, 缘毛长为背毛的2倍; 腹部第8背片有中毛5根, 侧、缘毛各5根; 第1、5背片缘毛和第8背片毛长分别为触角第3节直径的0.25倍、0.75倍、2.30倍。中额稍隆, 额瘤不显。触角有6节, 短粗, 有瓦纹; 全长0.56mm, 为体长的0.37倍; 第3节长0.15mm, 第1~6节长度比例为22:38:100:58:65:79+9; 触角毛短, 各节端部有毛3或4根, 第3节毛长为该节直径的1/3; 无次生感觉圈。喙细长, 光滑, 端部伸达腹部第4节; 第4+5节呈细长锥形, 长0.21mm, 为基宽的6.30倍, 为后足第2跗节的1.90倍, 有原生刚毛2对, 有极短次生刚毛3或4根。足光滑, 后足股节长0.34mm, 与触角第3~5节之和约等长; 后足胫节长0.52mm, 为体长的0.30倍, 与触角几乎等长; 第1跗节有短毛1对。前翅中脉一分叉, 翅脉镶粗黑边。腹管孔状, 端径约等于触角第3节直径。尾片短圆, 锥形, 光滑, 长为基宽的3.50倍, 有长毛8或9根。尾板舌形, 有毛15~19根; 生殖板骨化, 有短毛30余根。

有翅雄性蚜体呈椭圆形, 体长1.50mm, 体宽0.48mm。玻片标本头部、胸部黑色, 腹部淡色, 有灰黑色斑; 尾片、尾板及外生殖器为黑色。腹部第1~7背片有缘斑及中断中侧斑; 第8背片无斑纹, 有短毛7根, 毛长为触角第3节直径的2.30倍。触角6节, 全长0.59mm, 为体长的0.39倍; 第3节长0.18mm, 第1~6节长度比例为17:35:100:58:58:58+8。喙细长, 端部达腹部第4节。后足股节长0.35mm, 后足胫节长0.48mm。腹管短, 基部有骨化斑。尾板长方形, 末端中央内凹。其他特征与雌性蚜相似。

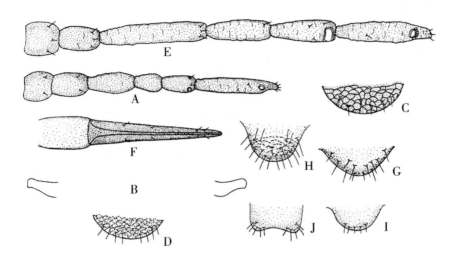

图 444　杨平翅绵蚜 *Phloeomyzus passerinii zhangwuensis* Zhang

无翅孤雌蚜（apterous viviparous female）

A. 触角（antenna）；B. 中胸腹岔（mesosternal furca）；C. 尾片（cauda）；D. 尾板（anal plate）

有翅雌性蚜（alate oviparous female）

E. 触角（antenna）；F. 喙第 4＋5 节（ultimate rostral segment）；G. 尾片（cauda）；H. 尾板（anal plate）

有翅雄性蚜（alate male）

I. 尾片（cauda）；J. 尾板（anal plate）

生物学：寄主为小叶杨 *Populus simonii*、加杨 *P. canadensis*，国外记载指名亚种也危害银白杨 *P. alba*、黑杨 *P. nigra* 和西伯利亚白杨 *Populus* sp.。在树干、根基部及树枝皮缝中，由于该种身被蜡粉和蜡丝，所以被害处覆有白色绒毛，容易发现。受伤或修剪的枝干受害较重，有时盖满幼枝和树皮缝。较少发生有翅蚜。在青岛 10 月上旬发生雌性蚜和雄性蚜，雌、雄性蚜都有翅，交配产卵越冬。

分布：陕西（秦岭）、黑龙江、吉林、辽宁、北京、河北、内蒙古、山东、宁夏、甘肃、青海；蒙古，俄罗斯，伊朗，土耳其，欧洲，非洲，北美洲，南美洲。

参考文献

姜立云，乔格侠，张广学，钟铁森. 2011. 东北农林蚜虫志. 北京：科学出版社，750pp.

乔格侠，张广学，钟铁森. 2005. 中国动物志 昆虫纲 同翅目 斑蚜科 第四十一卷. 北京：科学出版社，390pp.

乔格侠，张广学，姜立云，钟铁森，田士波. 2009. 河北动物志 蚜虫类. 石家庄：河北科学技术出版社，1-622.

张广学. 1999. 西北农林蚜虫志. 北京：中国环境科学出版社，491pp.

张广学，钟铁森. 1983. 中国经济昆虫志，第二十五册，同翅目 蚜虫类（一）. 北京：科学出版社，387pp.

张广学，乔格侠. 1999. 中国动物志 昆虫纲 同翅目 矿蚜科和瘿绵蚜科 第十四卷. 北京：科学出版社，356pp.

Blackman, R. L., Eastop, V. F. 2000. *Aphids on the World's Crops: An Identification and Information Guide.* John Wiley & Sons, Ltd., Chichester, England, 466pp.

Blackman, R. L., Eastop, V. F. 2006. *Aphids on the World's Herbaceous Plants and Shrubs.* John Wiley & Sons, Ltd., Chichester, England, 1439pp.

Blackman, R. L., Eastop, V. F. 1994. *Aphids on the World's Trees: An Identification and Information Guide.* CAB International in association with the Natural History Museum, Wallingford, UK, 1004pp.

Colin, F. 2016. http://aphid.speciesfile.org/HomePage/Aphid/HomePage.aspx. [OL]

第八章　蚧总科 Coccoidea

冯纪年[1]　魏久峰[1,2]　武三安[3]　刘荻[1]

（1. 西北农林科技大学植物保护学院，陕西杨凌 712100；

2. 山西农业大学，山西太谷 030801；3. 北京林业大学，北京 100083）

蚧虫隶属于昆虫纲 Insecta 半翅目 Hemiptera 胸喙亚目 Sternorrhyncha 蚧总科 Coccoidea。蚧虫多数个体微小，一般难以发现，具有适应性强、传播快的特点，蚧虫在寄主的根部、树干、枝干、叶面和果实等部位寄生。它的传播方式随着种子和苗木的调运，还可以借助风、流水和其他动物传播到新的地区。往往由于输入地缺乏天敌，容易爆发成灾，因此很多蚧虫是检疫对象。

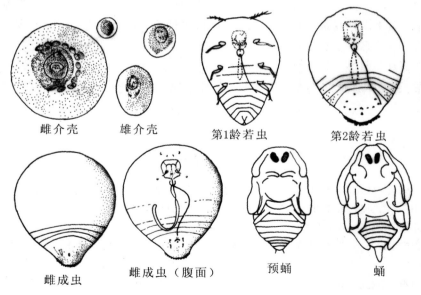

雌介壳　　雄介壳　　第1龄若虫　　第2龄若虫

雌成虫　　雌成虫（腹面）　　预蛹　　蛹

图 445　蚧虫形态特征——透明蚧 *Aspidiotus destructor* Signoret（仿周尧，1936）

鉴别特征：蚧虫雌雄异型，体型大小不一。雌虫属于渐变态，经过卵、若虫、成虫3个发育阶段。雄虫属于过渐变态，经过卵、若虫、蛹、成虫4个发育阶段。1龄若虫有发达的感觉器官和行动器官。有眼1对。足发达并正常分节，触角有5或6节，分泌蜡腺少。2龄若虫雌雄分化，雌虫椭圆形或圆形，体被有蜡壳。雄虫长椭圆形，体被白色的茧壳。3龄若虫能分泌蜡被、蜡囊。雄虫的预蛹和蛹在茧壳发育，具有触角芽、翅芽和足芽。雄虫羽化后，不食即找雌虫，完成繁衍的任务。蚧虫一般一年1代或2代。蚧虫鉴定大多数以雌成虫的形态特征为主。

雌性成虫（图445）一般0.50~7.00mm。体形为球形、倒梨形、长椭圆形、牡蛎形等。体壁硬化或者柔软。体常被蜡质覆盖，蜡质有毡状、玻璃状、定形厚蜡壳等。触角一般为线状和念珠状，有的甚至退化为瘤状，有1或2根毛。一般有单眼，个别种类无。口器由喙和口针组成。胸足3对或者退化。胸部气门一般有2对，个别只有1对。腹气门有或者无。肛环发达，有环毛和环孔，有些种类肛环退化如盾蚧。边缘分布着刺腺和管腺。盾蚧的腹末几节愈合成三角形的臀板，常见有3对臀叶。阴门位于第8~9腹节，阴门周围有腺孔。绵蚧科在腹面有椭圆形腹疤。粉蚧科在腹面有腹脐1~5个。还有分布着盘腺和管腺。粉蚧科在背面有圆形背疤。盾蚧腹部背面有不同种类的管腺。蜡蚧的体末有尾裂，被称为臀裂；在肛门附近有1对肛板。

雄性成虫（图446）体节分节明显。触角呈丝状或环毛状。有单眼和复眼。口器不发达。有3对胸足。前翅发达，有简单的2条翅脉；后翅已退化为平衡棒。腹末有锥状的阳茎，部分种类有2条长的白蜡丝。

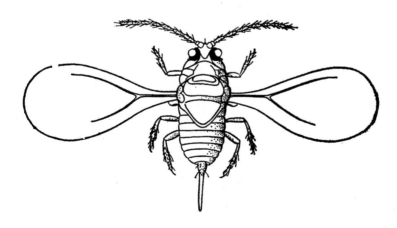

图446　盾蚧雄性成虫(仿周尧，1986)

生物学：大多数种类是农林植被、果树、绿化观赏植物和花卉的重要害虫。它们以刺吸式口器插入植物组织内，大量掠夺植物汁液，破坏植物组织，造成植物干枯甚至死亡。当虫害大量发生时，常密被枝叶上，其介壳和分泌的蜡质覆盖植物表面，严重影响植物进行光合作用，并影响其植物经济价值。

分类：蚧总科全世界有 28 科 7000 多种，中国已记载 18 科 1000 余种。陕西秦岭地区发现 8 科 35 属 51 种。

分科检索表

一、盾蚧科 Diaspididae

盾蚧科是蚧总科中属、种最多的一个类群。世界性分布，据统计，该科全世界记录 398 属 2429 种；我国记录 105 属 460 种。该科一般认为可分为 2 个亚科：盾蚧亚科 Diaspidinae 和圆盾蚧亚科 Aspidiotinae。两个亚科在我国均有分布。本志主要记述了陕西秦岭地区盾蚧科的 2 亚科 15 属 27 种。

分亚科检索表

臀板上具臀栉，多变化；第 2 和第 3 臀叶不分瓣；腺管单闩式 ········ 圆盾蚧亚科 Aspidiotinae

腺刺发达，无臀栉，第 2 和第 3 臀叶一般双分，腺管双闩式 ·············· 盾蚧亚科 Diaspidinae

（一）盾蚧亚科 Diaspidinae

鉴别特征：雌性成虫体形多变，臀板具臀叶，腺刺，臀栉少或无；中臀叶间无腺刺，其余臀叶一般双分。腺管双闩式。雌性介壳形状、色泽多变。雄性介壳比雌性介壳小，白色。

分类：世界广布。陕西秦岭地区发现 8 属 20 种。

分属检索表

1. 雌性成虫在第 2 龄蜕皮内生活；臀板背腺管很少，主要分布于臀板边缘 … **围盾蚧属 *Fiorinia***
   雌性成虫生活正常，不在第二龄蜕皮内生活 ……………………………………… 2
2. 中臀叶基部紧靠或略分开或完全合为 1 个单叶 ……………………… **并盾蚧属 *Pinnaspis***
   中臀叶基部分开，绝不靠近 ………………………………………………………… 3
3. 中臀叶轭连 ……………………………………………………………………………… 4
   中臀叶不轭连 …………………………………………………………………………… 6
4. 雌性成虫体非常细长，臀板狭窄，臀叶 2 对 ………………………… **竹盾蚧属 *Greenaspis***
   雌性成虫体不如上述 …………………………………………………………………… 5
5. 雌性成虫前体部明显膨大，略呈方形，后体部狭小，中臀叶之间无刚毛 … **白轮蚧属 *Aulacaspis***
   雌性成虫前体部膨大不明显，中臀叶间具 1 对刚毛 …………… **拟轮蚧属 *Pseudaulacaspis***
6. 雌性成虫囚禁型 ……………………………………………………… **牡蛎蚧属 *Lepidosaphes***
   雌性成虫非囚禁型 ……………………………………………………………………… 7
7. 臀叶小，略呈锥状突；臀叶 2 对 …………………………………… **釉雪盾蚧属 *Unachionaspis***
   臀叶正常大小，臀叶 3 对 ………………………………………………… **矢尖蚧属 *Unaspis***

1. 矢尖蚧属 *Unaspis* MacGillivray，1921

Unaspis MacGillivray，1921：308. **Type Species**：*Chionaspis acuminata* Green，1896.

Ametrochaspis MacGillivray，1921：311. **Type Species**：*Chionaspis flava* Green，1899.

Graphaspis MacGillivray，1921：310. **Type Species**：*Chionaspis permutans* Green，1899.

Protaspis MacGillivray，1921：311. **Type Species**：*Chionaspis citri* Comstock，1883.

Tegmelanaspis Chen，1983：92. **Type Species**：*Tegmelanaspis mediforma* Chen，1983.

属征：雌性介壳长形，呈黄褐色至深褐色，通常背面有 1 条中脊，蜕皮位于前端。雄性介壳为白色溶蜡状，长形，背面有 3 条纵脊，蜕皮位于前端。雌性成虫长形或略呈纺锤形，成虫前体部(胸部和第 1 腹节)窄。臀前腹节侧缘呈瓣状突出。触角具 2 毛或多毛。具有前气门和后气门。前气门腺存在，后气门腺存在或无。有 3 对发达的臀叶，中臀叶不轭连，有时略微陷入臀板内，其间无腺刺。第 2 和第 3 臀叶发达，双分。臀板背面的边缘腺管略大于背腺管，在中臀叶和第 2、3 臀叶间各有 1 个。背腺管数目多，分布至第 8 腹节，在臀板上分布不均匀，在中臀叶与第 2 臀叶之间 1 个，第 4~6 腹节成双列分布，腺刺在臀板上单个或成对排列，只在臀板基角及臀前腹节侧缘成群分布，中臀叶间无。肛门位于臀板中部稍前，肛门与中臀叶之间有 1 条肛后沟。围阴腺孔存在或无。

分布：本属全世界已知 18 种，我国分布 13 种，秦岭地区发现 3 种。

分种检索表

1. 边缘腺管每侧7个，围阴腺孔有 ································· 卫矛矢尖蚧 *U. euonymi*
   边缘腺管每侧8个，围阴腺孔无 ··· 2
2. 腺刺每侧7个，背腺管每侧25~35个 ···················· 橘矢尖蚧 *U. citri*
   腺刺每侧超过7个，背腺管每侧50~80个 ············· 矢尖蚧 *U. yanonensis*

(1) 橘矢尖蚧 *Unaspis citri* (Comstock, 1883) (图447)

Chionaspis citri Comstock, 1883：97.
Prontaspis citri：MacGillivray, 1921：359.
Dinaspis veitchi：Green & Laing, 1923：123.
Unaspis citri：Ferris, 1937：129.

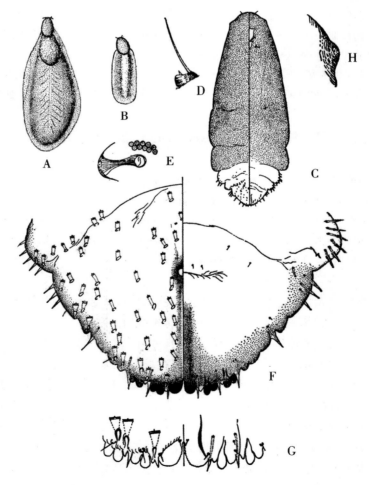

图447　橘矢尖蚧 *Unaspis citri* (Comstock) (仿周尧, 1986)
A. 雌介壳；B. 雄介壳；C. 雌成虫；D. 触角；E. 前气门；F. 臀板；G. 臀板末端；H. 眼点

鉴别特征：雌性介壳长约 2.50mm，宽约 0.80mm。长形，后端宽，呈褐色至紫色，背面隆起，中央有 1 条纵脊线，蜕皮位于前端。雄性介壳长约 1mm，宽 0.30～0.50mm。长形，白色，有 3 条纵脊。雌性成虫体长约 2mm，宽约 0.70mm。体长形或纺锤形，长约为宽的 2 倍，前体部窄，后体部强骨化。腹部分节明显，侧缘突出。触角瘤上具 1 根长毛和 1 根微刺。前气门盘状腺孔 9～15 个，后气门盘状腺孔 2～5 个。臀板圆形。臀叶 3 对，中臀叶基部非常靠近，略缩入臀板末端的凹刻内，内缘长于外缘，外缘光滑而内缘边缘具有细齿，基部连有厚皮棍。第 2 臀叶双分，内叶基部较狭窄，而端圆，与中臀叶几乎一样长，基部连有厚皮棍，外叶形状小；与内叶相似，厚皮棍无。第 3 臀叶跟第 2 臀叶相似，稍小。腺刺每侧 7 个，臀叶外侧各 1 个，臀板基角 3 个，越靠近臀板末端越小。边缘腺管 8 对，每两个臀叶间有 1 个，第 3 臀叶双分叶间有 1 个，第 3 腺刺外侧有 2 个，第 4 腺刺外侧有 3 个。背腺管比边缘腺管稍小，短，管口椭圆形，呈不规则的纵列，每侧 25～35 个。肛门小，圆形，位于臀板背面中央。阴门位置与肛门重叠。无围阴腺孔。1 龄雌性若虫长 0.18mm，宽 0.10mm。体卵圆形，触角 5 节，末节具螺纹。2 条触角间头缘具缘毛 2 对。头管 1 对，末端双环状。眼瘤明显。腹部末端第 1 臀叶，双分；第 2 臀叶，单叶。第 1 臀叶之间有 1 对尾毛。腺刺均短小，在第 2、3 臀叶间 1 根，第 3 臀叶外 1 根。2 龄雌性若虫长 0.32mm，宽 0.18mm。虫体卵圆形，后体部具 6 条横纹。中臀叶及第 2 臀叶与雌性成虫相似。第 3 臀叶小，侧缘及端部齿状，第 4 臀叶齿状，臀板边缘腺管每侧 4 个，腺刺每侧 5 根。

分布：陕西（周至）、浙江、湖北、台湾、广东、海南、广西、四川；世界广布。

寄主：番荔枝 Annona muricata（Annonaceae），橘子 Citrus reticulata（Rutaceae），冬青卫矛 Euonymus japonicus（Celastraceae），鳄梨 Persea americana（Rosaceae），柚子 Citrus maxima（Rutaceae）。

（2）卫矛矢尖蚧 *Unaspis euonymi*（**Comstock, 1881**）（图 448）

Chionaspis euonymi Comstock, 1881: 313.

Unaspis euonymi: Ferris, 1937: 130.

鉴别特征：雌性介壳长约 2mm，宽约 1mm。呈深褐色或紫色，体扁阔，前端窄，后端宽，背面有中脊线；蜕皮位于前端。雄性介壳长约 1mm，宽约 1mm。白色，体狭长，两侧平行，背面有 3 条脊线；蜕皮位于前端。雌性成虫长约 1.40mm，宽约 0.70mm。体长，纺锤形，橙黄色，臀板黄褐色。腹部第 1 节为身体最宽处；前端窄圆，后胸与臀前腹节侧缘突出成不著瓣。皮肤除臀板外均膜质。触角有 1 长毛和 1 短的细毛。前气门具有盘状腺孔 10～16 个；后气门盘状腺孔少，2～4 个。背面中胸以后各节有边缘腺管 3～7 个，第 2、3、4 腹节具亚缘组背腺管 2～6 个。腹面在口器前方，中、后胸以及腹部第 1 节侧缘分布有小腺管；后气门后方和第 1 腹节亚缘有 4～6 个刺状腺瘤；第 2 和第 3 腹节有腺刺 4～6 个。臀板阔，臀叶 3 对；中臀叶基部接近，但绝不轭连，末端圆，内缘向外倾斜，形成臀板末端的中凹刻；第 2 和第 3 臀叶均双分，外叶比内叶小，端部圆形。腺刺在每一臀叶外侧各2个，臀板外缘具2个，臀板基角附近4~6个；越接近臀板末端腺刺越小。边缘腺管每侧7个；中臀叶外侧1个，第2臀叶外侧2个，其中一个开口在第3臀叶内叶的基部，第4和第5腹节的边缘各2个。背腺管比边缘腺管小，每侧30~36个，按节排列为不太整齐的亚缘组和亚中组。腹面有少数的小腺管。肛门圆形，直径稍微大于一个中臀叶的宽度，位于臀板中央以前。阴门与肛门位置重叠，围阴腺孔5群，中群4~6个，前侧群6~9个，后侧群6~7个。1龄若虫长0.20mm，宽0.12mm。椭圆形，头前缘平直。头腺1对。触角5节，第1、2和4节各生1毛；第5节约等于前4节之和，有环纹，生7毛，末端的1条最长。臀板臀叶2对，中臀叶有3齿，第2臀叶齿状。腺刺小，2对。刚毛长。2龄若虫长0.32mm，宽0.20mm。虫体椭圆形。臀板特征像成虫，腺刺每组1个，边缘腺管每组1个，无背部腺管。

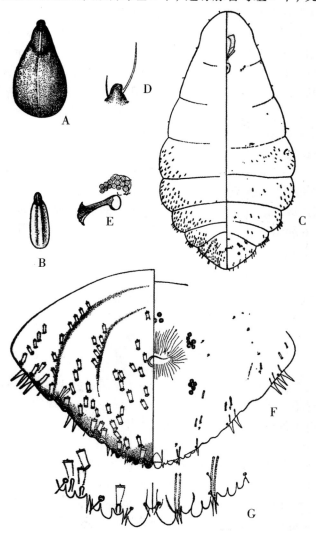

图448 卫矛矢尖蚧 Unaspis euonymi (Comstock)(仿周尧, 1986)

A. 雌介壳；B. 雄介壳；C. 雌成虫；D. 触角；E. 前气门；F. 臀板；G. 臀板末端

分布：陕西（秦岭）、内蒙古、山西、甘肃、山东、江苏、湖北、湖南、广东、广西、四川、西藏；世界广布。

寄主：落霜红 *Ilex serrata*（Aquifoliaceae），洋常春藤 *Hedera helix*（Araliaceae），富贵草 *Pachysandra terminalis*（Buxaceae），南蛇藤 *Celastrus scandens*（Celastraceae），金边卫矛 *Euonymus radicans*（Celastraceae），大叶黄杨 *Euonymus japonica*（Celastraceae），爬行卫矛 *Euonymus fortunei*（Celastraceae），欧卫矛 *Euonymus europaeus*（Celastraceae），一叶兰 *Aspidistra elatior*（Liliaceae），欧梣 *Fraxinus excelsior*（Myrtaceae），李 *Prunus salicina*（Rosaceae），柚子 *Citrus grandis*（Rutaceae）。

(3) 矢尖蚧 *Unaspis yanonensis*（**Kuwana，1923**）（图 449）

Prontaspis yanonensis Kuwana，1923：1.

Unaspis yanonensis：Takahashi & Kanda，1939：187.

鉴别特征：雌性介壳长 2.80～3.50mm，宽 1.40～1.90mm。形似茄状。深褐色，蜕皮淡黄色。体前窄后阔，中间有 1 条明显的纵脊线，两侧有弧度。雄性介壳长 1.25～1.55mm，宽 0.45～0.75mm。白色，长形，具有明显的 3 条脊线，蜕皮位于前端，淡黄色。雌性成虫长 2.50mm，宽 1mm。体长形，橙色；前胸与中胸之间、中胸与后胸之间分界明显；体前部约占身体的 2/3；臀前各节略向侧面突出，末端 2 节明显呈瓣状。臀板窄圆形。皮肤在老熟时全部骨化。触角上有 1 根长毛。前气门有 12 个左右的盘状腺孔，后气门有 0～7 个腺孔。臀前腹节侧瓣上各有 12 个以上的腺刺和 10 个边缘腺管。后胸和第 1 腹节侧缘各有刺状腺瘤 7～9 个。臀板末端具三角形凹刻，臀叶 3 对；中臀叶大，略陷入臀板末端的内，左右两个中臀叶不轭相连，端部向外倾斜，内缘呈一系列锯齿形，基部具有 2 根细的厚皮棍；第 2 臀叶双分，比中臀叶小，端圆，内叶基部有 1 对细的厚皮棍，外叶比内叶小；第 3 臀叶和第 2 臀叶相似，更小。腺刺在 3 对臀叶外侧各 1 个，在臀板侧缘有 1 个，臀板基角处有 5～8 个。边缘腺管呈斜口式，每侧 8 个：每两个臀叶间有 1 个，第 3 臀叶分叶间有 1 个，第 3 腺刺外侧有 2 个，第 4 腺刺外侧有 3 个。背腺管大小、形状和边缘腺管差不多，管短，管口椭圆形，数目很多，每侧50～80个，排列不规则。肛门圆形，位于臀板基部。阴门位置和肛门重叠。围阴腺孔无。1 龄若虫长 0.23mm，宽 0.14mm。淡黄色，后端黄褐色，体椭圆形。触角有 5 节，末节长，有环纹，有 9 根长毛。眼突出，位于头两侧触角的后方。在背面近前方有 1 对相当大的腺孔。3 对足相似而发达；腿节长而发达，胫节短，不及跗节长度的 1/2，爪大而微微弯曲，冠球毛明显。身体周围约有 30 根短毛。臀板具 3 对臀叶，中臀叶最大，其余 2 对较小且相似。有 3 对腺刺，1 对在第 2 臀叶内侧，另 2 对在第 3 臀叶外侧，略伸出臀板边缘。在臀板末端中臀叶间有 2 根短毛及 2 根几乎和身体一样长的刚毛。2 龄若虫长 0.31mm，宽 0.21mm。体椭圆形，身体中部分节明显。足完全消失。触角退化，只有 1 节。腹部侧缘有腺刺。臀板特征明显,圆形。臀板3对,显著:中臀叶端缘呈锯齿状,第2臀叶和第3臀叶双分,外叶比内叶小,第3臀叶比第2臀叶小。腺刺每侧3个,每一臀叶的外侧各1个。边缘腺管每侧4个,每一腺刺外侧有1个,在第3腺刺外1个,都开口在臀板边缘的齿突上。

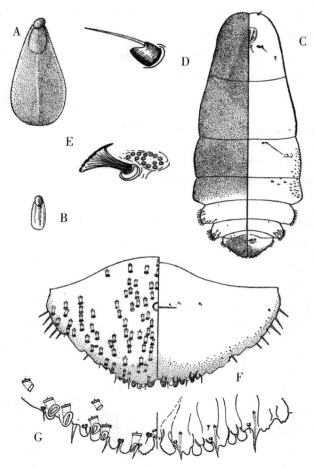

图449　矢尖蚧 Unaspis yanonensis (Kuwana)(仿周尧,1986)
A. 雌介壳;B. 雄介壳;C. 雌成虫;D. 触角;E. 前气门;F. 臀板;G. 臀板末端

采集记录: 22♀,城固,1969.XI.15,周尧采;6♀,城固,1985.VII.23,李金舫采;5♀,南郑,1993.IV.21,周尧采。

分布: 陕西(秦岭、城固、南郑)、河北、内蒙古、河南、甘肃、安徽、浙江、湖北、江西、湖南、福建、台湾、广东、香港、广西、四川、贵州、西藏、云南;韩国,日本,越南,泰国,缅甸,印度,菲律宾,马来西亚,印度尼西亚,斐济,巴基斯坦,欧洲,非洲,澳洲。

寄主: 酸橙 Citrus aurantium(Rutaceae),香橼 Citrus medica(Rutaceae),柚 Citrus gran-

dis(Rutaceae)，柑橘 *Citrus deliciosa*(Rutaceae)，柑子 *Citrus unshiu*(Rutaceae)，沙柑 *Citrus nobilis*(Rutaceae)，金柑 *Fortunella japonica*(Rutaceae)，枳 *Poncirus trifoliata*(Rutaceae)。

2. 釉雪盾蚧属 *Unachionaspis* MacGillivray，1921

Unachionaspis MacGillivray，1921：307. **Type Species**：*Chionaspis colemani* Kuwana，1902.

属征：雌性介壳白色，呈梨形或近圆形，蜕皮位于前端；雄性介壳白色，长形，溶蜡状，背面具 3 条纵脊。雌性成虫体为长形或纺锤形，臀板边缘圆弧状，自由腹节侧叶不明显或有时候微微显露。触角远离，通常具 1 刚毛。背腺管一般大小，在自由腹节上明显分为亚中和亚缘组，在臀板上分为亚中和亚缘组或散乱分布。臀板边缘腺管管口具厚环，中臀叶间无边缘腺管。肛门圆形，中等大小，位于臀板近基部。臀叶小，略呈锥状突。中臀叶不轭连，相互远离。第 2 臀叶双分，分叶形状、大小与中臀叶相似。臀板边缘腺刺细长，中臀叶两叶之间无腺刺。围阴腺孔 5 群。1 龄若虫触角有 5 节，末节具螺纹。触角间有缘毛 1 或 2 对。有头管 1 对，管口呈圆形或"8"字形。腹部末端简单，具尾毛及小尖锥突起。2 龄雌性若虫臀叶似雌性成虫，臀板边缘腺管每侧 4 个，亚缘腺管每侧 0 ~ 3 个。边缘腺刺每侧 5~7 个。

分布：全世界已知 3 种，我国分布 1 种，秦岭地区发现 1 种。

(4) 纺锤釉盾蚧 *Unachionaspis tenuis*（Maskell，1897）（图 450）

Fiorinia tenuis Maskell，1897：242.

Kuwanaspis tenuis：Lindinger，1935：149.

Chionaspis sakaii Takahashi，1936：2- 4.

Unachionaspis tenuis：Takahashi & Tachikawa，1956：10.

鉴别特征：雌性介壳长 2mm，白色，呈梨形或近圆形，质薄而平；雄性介壳不详。雌性成虫长 0.80mm，体呈纺锤形，胸部膨大，后胸最宽。自由腹节侧突不明显。触角远离，具 2 根粗刺状毛。前气门腺 0 ~ 2 个，后气门腺 0 ~ 1 个。臀板狭窄，后缘圆形或呈马蹄形，略硬化。臀叶 3 对，细小，略呈锥状；中臀叶基部不轭连，远离，其间有 1 对小突起；第 2 对臀叶双分，硬化；第 3 臀叶为单一硬化突。腺刺在臀板每侧从中臀叶向外，按 1、2、2、1- 2 排列，从第 4 腹节至胸部不见腺锥。背腺管粗大，从第 2 腹节直分布至第 7 腹节，约分亚中、亚缘群，但臀板边缘腺管不特化，仅见 20 个左右同一形状的背腺管。肛门位于臀板背面基部。中群有围阴腺孔 6 ~ 8 个，前侧群有围阴腺孔 5 ~ 6 个，后侧群有围阴腺孔 6 ~ 8 个。有时，该种分为山地型和平原型。平原型特征为雌成虫触角有 1 细长刚毛，第 1 腹节无背腺管，腺瘤分布于中、后胸和自由腹节，第 2 臀叶侧边具 1 边缘腺刺。山地型特征为雌性成虫胸部膨大，触角刚毛粗壮，有时 2 根。臀前腹节亚中腺管数量多，几乎呈散乱分布，略呈连续纵排列。第 1 腹节有背腺管。自由腹节无腺瘤。第 2 臀叶侧边有 2 根腺刺。第 2 龄蜕皮亚缘腺管存在或缺失。

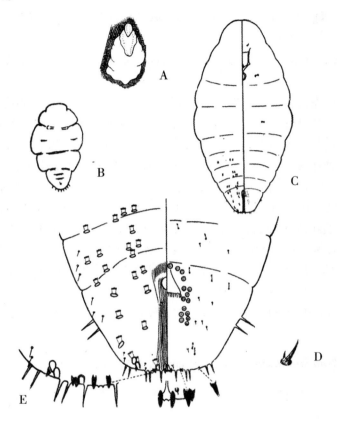

图 450　　纺锤釉盾蚧 *Unachionaspis tenuis*（Maskell）（仿汤祊德，1988）

A. 介壳；B. 背面图；C. 腹面图；D. 触角；E. 臀板末端

　　1 龄雌性若虫身体宽卵形。触角有 5 节，末节有螺纹。头部缘毛有 2 对。头管有 1 对。眼瘤明显。腹末简单，有 1 对尾毛及 1 对小尖锥突起。2 龄雌性若虫身体为菱形。触角瘤尖，有 2 个粗短突起。前气门腺 0 ~ 1 个，后气门腺无。背腹面腺管细长。前气门侧有腺瘤 2 个，后气门侧有腺瘤 4 个，第 1 腹节有腺瘤 2 个，第 2 腹节有腺瘤 1 个，第 3 腹节有腺瘤 1 个，第 4 腹节有腺瘤 1 个，边缘腺管第 7 腹节有腺瘤 1 个，第 6 腹节有腺瘤 1 个，第 5 腹节有腺瘤 1 个，第 4 腹节有腺瘤 1 个，第 3 腹节有腺瘤 1 个，第 2 腹节有腺瘤 2 个，第 1 腹节有腺瘤 2 个，亚缘腺管第 6 ~ 4 腹节各 1 个腺瘤。肛门大，位于腹末端部。中臀叶，第 2 和 3 臀叶发达。臀板腺管发达且硬化。

　　采集记录：6 ♀，杨凌，1996. Ⅳ. 21，曾涛采。

　　分布：陕西（周至、杨凌）、浙江、福建、四川、贵州；俄罗斯，日本。

　　寄主：毛竹 *Phyllostachys pubescens*（Poaceae），紫竹 *Phyllostachys nigra*（Poaceae），

桂竹 *Phyllostachys bambusoides*（Poaceae），川竹 *Pleioblastus simonii*（Poaceae），日本倭竹 *Shibataea kumasaca*（Poaceae）。

3. 拟轮蚧属 *Pseudaulacaspis* MacGillivray，1921

Pseudaulacaspis MacGillivray，1921：305. **Type Species**：*Diaspis pentagona* Targioni-Tozzetti，1886.

Sasakiaspis Kuwana，1926：7‐8. **Type Species**：*Diaspis pentagona* Targioni-Tozzetti，1886.

Euvoraspis Mamet，1951：227. **Type Species**：*Chionaspis cordiae* Mamet，1936.

属征：雌性介壳白色，近圆形或长梨形，蜕皮位于前端；雄性介壳白色，长形，溶蜡状，背面具3纵脊或1中脊。雌性成虫的模式种体圆形，接近陀螺形；在一些种为中长形或纺锤形，该属体形多变，从长形到圆形不等。自由腹节侧突明显。皮肤除臀板外均膜质。触角有1根毛，前气门具盘状腺孔，后气门有或无。臀叶2对或3对。中臀叶发达，基部轭连，其间有1对刚毛。第2臀叶一般很发达，比中臀叶小很多，双分，外叶有时退化或缺失。第3臀叶退化或缺失。一些种类具有食叶型和食干型，食叶型中臀叶凹入臀板内，第2臀叶相对发达；食干型中臀叶突出臀板边缘。腺刺发达。臀板上有边缘腺管分布，中臀叶与第2臀叶之间有1个，第6腹节有2个，第5腹节有2个，第4腹节有1~2个。背腺管与边缘腺管大小一样，在各节上分为亚中和亚缘区。肛门接近臀板基部。围阴腺孔5群。1龄若虫触角有5~6节，末节螺纹有或无。头管1对或无，腹末具尾毛1对，第1和2臀叶明显。肛侧管有或无。2龄雌性若虫的臀叶与成虫相似。臀板每侧具有4~5个腺管，亚缘及亚中背腺管0~2个。边缘腺刺每侧4~5根。

分布：全世界已知65种，我国分布30种，秦岭地区发现3种。

分种检索表

(5) 考氏拟轮蚧 *Pseudaulacaspis cockerelli*（**Cooley，1897**）（图451）

Chionaspis cockerelli Cooley，1897：278.

Chionaspis aucubae Cooley，1897：279.

Phenacaspis cockerelli：Fernald，1903：237.

Trichomytilus cockerelli：Lindinger，1933：165.

Pseudaulacaspis cockerelli：Takagi & Kawai，1967：40.

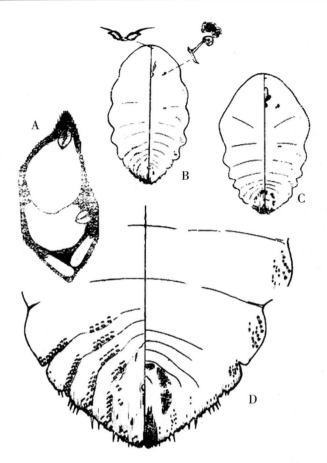

图 451 考氏拟轮蚧 *Pseudaulacaspis cockerelli*（Cooley）（仿汤祊德，1988）

A. 雌雄介壳；B. 雌成虫(食干形)；C. 雌成虫(食叶形)；D. 臀板末端

鉴别特征：雌性介壳长 2mm，宽 1.80mm。体略扁平，呈阔卵形，几乎成圆形，不透明。表面有放射状隆线和环形的生长线；蜕皮位于前端，白色。雄性介壳长 1mm，宽 0.30mm。两侧略平行，背面有 3 条纵脊线；白色或黄色；蜕皮位于前端，淡黄色。雌性成虫长约 1mm，宽约 0.50mm。体呈纺锤形或长形甚至梨形。前胸或中胸膨大，触角间距很近。触角瘤上有 1 毛。前气门具盘状腺孔 8～12 个，后气门少或无。臀板三角形，末端尖，中间略凹入。食干型个体中臀叶阔，突出臀板边缘，略呈三角形，端尖，两侧缘略呈锯齿状；食叶型的个体中臀叶一半凹入臀板末端，内缘端部呈锯齿状；两臀叶相互接近，中间有 1 毛。第 2 臀叶小，双分，内叶大于外叶，基角有 1 对短小的厚皮棍，外叶小，食干型个体退化为 1 个三角形的齿。臀板侧缘有 3 个锯齿状突起。背腺管在中胸每侧有 10 个左右，后胸和第 1 腹节，第 2 腹节及第 3 腹节均有少量分布；亚缘背腺管分布于第 2～5 腹节，每组 4～18 个；亚中背腺管在第 2 腹节上有或没有，3～5 腹节上 12～15 个。腺刺在中臀叶外侧各 1 个，小，长不及中臀叶的一半；第 2 臀叶外侧各 1 个，发育正常。边缘腺管每侧 7 个，第 1 腺刺外侧 1 个，3 个锯齿状突起的基部各 2 个。肛门小，圆形，之间小于 1 个中臀叶宽度，位置在臀板中央以前。阴门和肛门略相重叠，稍微靠前。围阴腺孔 5 群：中群 4 ~ 18 个，前侧群 13 ~ 24 个，后侧群 14 ~ 29 个。1 龄若虫触角有 6 节，末节有螺纹，触角间头缘缘毛 1 对，头管 1 对。2 龄若虫 5 个边缘腺管分布于第 3~7 腹节，亚缘腺管无或存在于第 4、5 腹节。

　　采集记录：3♀，秦岭，1996.Ⅳ.23，曾涛采。

　　分布：陕西（宝鸡）、内蒙古、河南、山东、浙江、广东、香港、广西、四川、云南；非洲，北美洲，南美洲，澳洲。

　　寄主：范围广，已经记录 40 多科植物，主要为害棕榈科、天南星科等。

（6）高桥拟轮蚧 *Pseudaulacaspis takahashii*（**Ferris, 1955**）（图 452）

Phenacaspis takahashii Ferris, 1955：52.

Chionaspis takahashii：Tao, 1978：102.

Pseudaulacaspis takahashii：Xie, 1998：125.

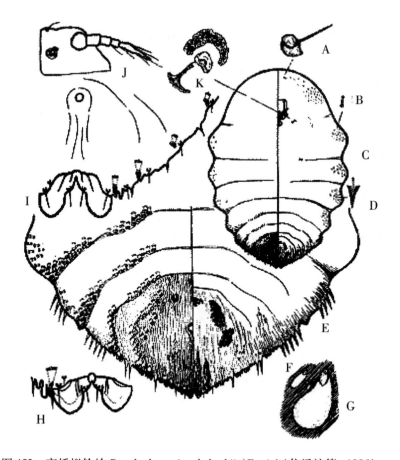

图 452　高桥拟轮蚧 *Pseudaulacaspis takahashii*（Ferris）（仿汤祊德，1986）

A. 雌成虫触角；B. 腺管；C. 雌成虫背腹面；D. 腺瘤；E. 雌成虫臀板；F. 雄介壳；G. 雌介壳；H. 中臀叶；I. 初孵若虫臀板；J. 初孵若虫触角；K. 前气门

鉴别特征：雌性介壳直径2.20～2.50mm。略呈圆形或长圆形，蜕皮偏到一边；白色，蜕皮黄色。雌性成虫体长1.50mm，宽0.90mm。体宽，最宽处位于后胸，腹部分节明显。触角互相远离。前气门腺具盘状腺孔一大群，后气门腺盘状腺孔少。臀板具臀叶3对，中臀叶很大，突出，其间有1对刚毛；第2臀叶小。第3臀叶为1对狭窄的齿突。背腺管有6列，第6腹节分布3个，第2～5腹节腺管呈双列，第2～3腹节亚缘腺管列宽，3～4列，每节腺管至少10个。亚中腺管每节8～10个，单列。第1腹节具亚缘腺管至少5个，单列，与边缘腺管连在一起，边缘腺管较小。腺瘤分布于后胸及第1～2腹节，依次为5～12，5～9，7～10个。围阴腺孔5群，中群21～32个，前侧群33～44个，后侧群30～41个。

采集记录：3♀，眉县汤峪，1996.Ⅵ.27，曾涛采。

分布：陕西（眉县、杨凌）、福建、台湾；尼泊尔。

寄主：柿子 *Diospyros kaki*（Ebenaceae），台湾乌木 *Diospyros discolor*（Ebenaceae），西南木荷 *Schima wallichii*（Theaceae），山茶 *Thea sinensis*（Theaceae）。

(7) 桑拟轮蚧 *Pseudaulacaspis pentagona*（**Targioni-Tozzetti，1886**）（图453）

Diaspis pentagona Targioni-Tozzetti，1886：1.

Diaspis amygdali Tryon，1889：89.

Diaspis lanatus Cockerell，1892：137.

Aspidiotus vitiensis Maskell，1895：40.

Diaspis lanata Green，1896：4.

Aulacaspis pentagona：Newstead，1901：186.

Aulacaspis pentagona：Cockerell，1902a：59.

Pseudaulacaspis pentagona：MacGillivray，1921：315.

鉴别特征：雌性介壳直径为2.00～2.50mm。圆形，略隆起；蜕皮偏在前方，但不在边缘。灰白色或黄白色。雄性介壳长0.80～1.00mm。宽0.30mm。白色，蜡质状；长形，两侧平行，背面有3条纵脊线。雌性成虫长0.98mm，宽0.90mm。体宽，呈倒梨形，后端三角形，后胸部分为最宽。腹部分节明显，每节的侧缘突出成圆形的瓣。颜色为橙黄色到橘红色，臀板为黄褐色或红褐色。皮肤除臀板外膜质。触角有1根短粗而弯曲的毛，互相接近。前气门具有盘状腺孔，有6～17个，后气门盘状腺孔无。各腹节侧瓣的腹面具很多腺刺，有5～10个，后胸上有5～9个。中胸侧瓣上有腺瘤分布。前胸区及中胸亚缘有微小的腺管分布。臀板呈三角形，臀叶有3对，中臀叶发达，长宽略相等，端圆；内缘有2个缺刻，外缘有3个缺刻；基部互相轭连，中间有2根小毛，无腺刺。第2臀叶双分，内叶大于外叶，外叶小，不明显，端圆。第3臀叶不发达，呈齿状突出；相当于第3臀叶和第4臀叶的位置。腺刺发达，端部刺状或分叉，里面通有2条小腺管；中臀叶外侧和第2臀叶外侧各有1个，第3臀叶外侧有2个，在第4臀叶的位置外侧有2～3个，近臀板基角有4～6个，越靠外越发达。背腺管很短，在第2、3、4、5节的后缘排成整齐的行列，各有亚缘组腺管3～16个，亚中组腺管 3 ~ 12 个；第 6 节无背腺管分布。边缘斜口腺管和背腺管一样大小，每侧有 7 个，第 2 臀叶内侧有 1 个，第 3、4、5 臀叶的基部各有 2 个。腹面亚缘有少数小腺管分布。肛门位于臀板中央，圆形，之间约等于 1 个中臀叶的宽度。阴门位置和肛门略重叠。围阴腺孔 5 群，数目变化大：中群 17 ~ 20 个，前侧群 27 ~ 48 个，后侧群 25 ~ 55 个。1 龄若虫体椭圆形，扁平，两端圆，淡黄色或暗红色。触角长，6 节。2 龄雌性若虫与雌性成虫相似，但较小。臀板有 1 对发达的中臀叶，侧缘有多次的缺刻；第 2 臀叶不发达；有 4 对腺刺，中臀叶外侧有 1 对小的；每隔一定距离，分布有 3 对大的腺刺，边缘腺管 4 对，每个腺刺外有 1 个无背腺管。

采集记录：5♀，西安，1996. Ⅶ. 12，曾涛采。

分布：世界广布。

寄主：软枣猕猴桃 *Actinidia arguta*（Actinidiaceae），杧果 *Mangifera indica*（Anacardiaceae），牛角瓜 *Calotropis procera*（Apocynaceae），散尾葵 *Chrysalidocarpus lutescens*（Arecaceae），野梧桐 *Mallotus japonicus*（Euphorbiaceae）等。

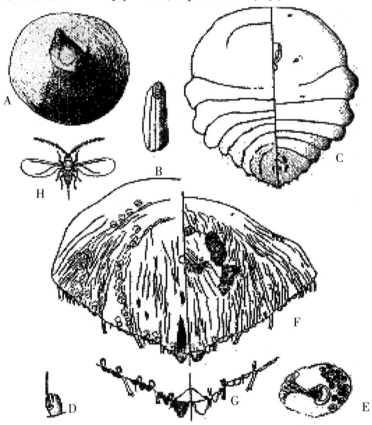

图 453　桑拟轮蚧 *Pseudaulacaspis pentagona*（Targioni-Tozzetti）（仿周尧，1986）
A. 雌介壳；B. 雄介壳；C. 雌成虫；D. 触角；E. 前气门；F. 臀板；G. 臀板末端；H. 雄成虫

4. 白轮蚧属 *Aulacaspis* Cockerell, 1893

Aulacaspis Cockerell, 1893: 180. **Type Species**: *Aspidiotus rosae* Bouché, 1833.

Miscanthaspis Takagi, 1960: 69. **Type Species**: *Aulacaspis kuzunoi* Kuwana *et* Muramatsu, 1932.

Superturmaspis Chen, 1983: 85. **Type Species**: *Chionaspis schizosoma* Takagi, 1970.

Semichionaspis Tang, 1986: 170. **Type Species**: *Chionaspis schizosoma* Takagi, 1970.

属征: 雌性介壳白色，圆形，蜕皮位于前端，突出或不突出介壳外。雄性介壳白色，狭长，溶蜡状，背面有 3 条纵脊，蜕皮位于前，突出介壳外。雌性成虫前体部明显膨大，略呈正方形，后胸及腹部明显收缩。触角有 1 长毛。前气门盘状腺孔多，后气门盘状腺孔通常有。前体部散乱分布有背腺管或无。第 2 或 3 腹节侧叶通常有较小的背腺管及边缘腺刺分布。臀叶 3 对，中臀叶很发达，基部轭连，互相叉开而陷入臀板内或互相靠近而突出臀板外。第 2 和第 3 臀叶较中臀叶小，双分。第 4 臀叶若存在，则为 1 单突起。臀板边缘腺刺很发达。边缘腺管与背腺管同大。背腺管明显呈亚中及亚缘排列，分布于第 5 腹节至第 1 腹节或后胸，第 6 腹节仅有亚中列。肛门位于臀板近中部。围阴腺孔 5 群。1 龄若虫体椭圆形。触角有 5～6 节，末节有螺纹或无。触角间头缘有 1 对缘毛。头管 1 对。腹末有尾毛 1 对；肛侧管有或无。2 龄雌虫体呈纺锤形。臀叶与雌成虫相似。臀板每侧有边缘腺管 4～5 个，亚缘背腺管有或无。边缘腺刺每侧 5 根。

分布: 全世界已知 82 种，我国分布 30 种，其中秦岭地区发现 4 种。

分种检索表

(8) 月季白轮蚧 *Aulacaspis rosarum* Borchsenius, 1958 (图 454)

Aulacaspis rosarum Borchsenius, 1958: 165.

鉴别特征: 雌性介壳直径 2.00～2.40mm。卵形或近圆形，略隆起；白色；蜕皮在边缘，深褐色。雄介壳长 0.80mm，宽 0.25mm。白色，狭长，两侧平行；蜕皮位于前端。雌性成虫体长形，长 1.40mm，宽 0.75mm。头胸部膨大，以中胸处为最宽。

后胸和臀前腹节侧缘呈瓣状突出。触角瘤上只有 1 细毛。前气门附近有 20 个左右盘状腺孔，后气门有 5～6 个。臀前第 2 腹节上有 5～6 个短腺刺，第 3 腹节上有 7～9 个短腹刺。臀板中部有短凹刻，具 3 对臀叶。中臀叶沉入臀板凹刻内，互相接近而基部轭连，内基部直，互相平行，端半部分突然向外倾斜，呈锯齿状，和臀板中凹刻的边缘略微平行。第 2 臀叶与第 3 臀叶均双分，每叶的端部圆，外叶比内叶稍小。臀板外侧边缘呈波状，隔一定距离分布有 2 个不很显著的齿状突出。腺刺每侧 5 组：3 个臀叶的外侧各 1 个，第 1 和第 2 齿状突起之间 1 个，第 2 齿突与臀板基角间 4～7 个排成 1 组。背腺管分为亚缘组和亚中组，亚缘组 3 列：沿着第 3～5 腹节分布，各 5～10 个；亚中组 8 列：第 2、3、4 腹节分布各 2 列，第 5、6 腹节各 1 列，每列各 4～7 个。边缘腺管较背腺管长；中臀叶与第 2 臀叶之间 1 个。第 2 臀叶外叶基部 2 个，第 1 齿突基部 2 个，第 2 齿突基部 1～2 个，臀板基角 2 个。肛门圆形，直径小于 1 个中臀叶的宽度，位于臀板近基部 1/3 处。阴门位置在肛门后，近臀板中央，围阴腺孔 5 群：中群 12～24 个，前侧群 30～50 个，后侧群 25～40 个。

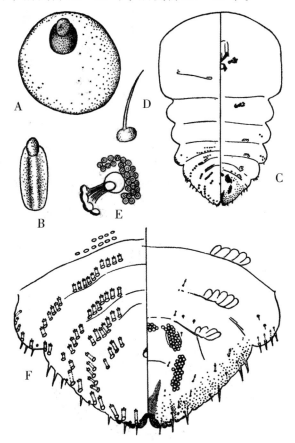

图 454　月季白轮蚧 *Aulacaspis rosarum* Borchsenius（仿周尧，1986）

A. 雌介壳；B. 雄介壳；C. 雌成虫；D. 触角；E. 前气门；F. 臀板

采集记录：13♀，西安、武功、杨凌，1996.Ⅳ.21，曾涛采。

分布：陕西（西安、武功、杨凌）、北京、内蒙古、甘肃、山东、江苏、浙江、江西、湖南、福建、广东、广西、四川、云南；印度，澳洲。

寄主：乌桕 *Sapium sebiferum*（Euphorbiaceae），番樟 *Cinnamomum camphora*（Lauraceae），月季 *Rosa chinensis*（Rosaceae）。

（9）玫瑰白轮蚧 *Aulacaspis rosae*（Boughé，1833）（图455）

Aspidiotus rosae Bouché，1833：53.

Chermes rosae：Boisduval，1868：281.

Diaspis rosae：Targioni-Tozzetti，1868：735.

Aulacaspis rosae：Cockerell，1896a：259.

鉴别特征：雌性介壳直径2.00～2.50mm，近圆形，扁平，白色，蜕皮在介壳的边缘，第2蜕皮橙黄色或黄褐色。雄性介壳长1.00～1.50mm，宽0.30mm，白色，蜡质状，长形，蜕皮位于前端，黄色或黄褐色。雌性成虫长1.40mm，宽0.80mm。体长形。头胸部膨大，前端圆，两侧略平行；后胸和臀前腹节狭，侧缘呈瓣状突出，第2节比第1节宽；末端尖形。分节明显，皮肤除臀板外膜质。触角圆瘤形，生有1粗而弯曲的毛。前气门盘状腺孔约20个，后气门具盘状腺孔6～7个。臀前腹节的侧瓣上各有腺刺4～5个。臀板三角形，宽过于长，末端有深凹刻。中臀叶粗壮，基部平行，端部叉开，内缘具齿，第2和第3臀叶一样大，均双分，每叶端部圆，外叶比内叶稍小。臀板两侧呈锯齿状。腺刺每侧7～8个，每个臀叶外侧各有1个，第2臀板齿状突出内侧1个，其余分布在臀板边缘近基角处。边缘腺管短粗，每侧7个，第2臀叶内侧1个，第3臀叶内侧2个，两个齿状突出的基部各2个。背腺管短粗，比边缘腺管稍小，在第3、4、5腹节上排列成亚缘组和亚中组各4～8个，第6腹节上只亚中组2～3个。腹面小腺管少，在第2和3臀叶前各2～3个。肛门小，圆形，直径小于1个中叶的宽度，位于近臀板中央位置。阴门和肛门重叠。围阴腺孔5群：中群13～20个，前侧群18～29个，后侧群25～38个。1龄雌性若虫触角6节，末节无螺纹，头管1对，触角间无缘毛。2龄雌性若虫臀板边缘腺管4个，无背腺管。

分布：陕西（秦岭）、河北、内蒙古、山西、河南、江苏、浙江、湖南、江西、福建、台湾、广东、海南、四川、西藏；日本，欧洲，北美洲，南美洲，澳洲。

寄主：杧果 *Mangifera indica*（Anacardiaceae），杨梅 *Myrica rubra*（Myricaceae），仙鹤草 *Agrimonia eupatoria*（Rosaceae），龙牙草 *Agrimonia eupatoria*（Rosaceae），苹果 *Pyrus malus*（Rosaceae），草莓 *Fragaria chiloensis*（Rosaceae），深山蔷薇 *Rosa marretii*（Rosaceae），黑莓 *Rubus fruticosus*（Rosaceae）。

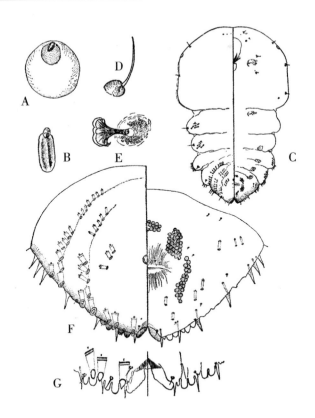

图455　玫瑰白轮蚧 *Aulacaspis rosae*（Boughe）（仿周尧，1986）
A. 雌介壳；B. 雄介壳；C. 雌成虫；D. 触角；E. 前气门；F. 臀板；G. 臀板末端

（10）乌桕白轮蚧 *Aulacaspis thoracica*（**Robinson，1917**）（图456）

Phenacaspis thoracica Robinson，1917：22.

Trichomytilus thoracicus：Lindinger，1933：166.

Aulacaspis thoracica：Scott，1952：36.

　　鉴别特征：雌性介壳直径2.50～2.70mm，白色，扁平，蜕皮偏心。雄性介壳长1mm，白色，两侧平行，背面具3条纵脊线。雌性成虫长1.40mm，宽0.70mm。触角有1长毛，前气门盘状腺孔10～18个，后气门约有盘状腺孔6个。第2和第3侧瓣上有10个以上的边缘腺孔。臀板三角形，臀叶3对。中臀叶相当大，叉开，内缘具齿。第2和第3臀叶也很发达，双分，每叶端部圆形，外叶比内叶稍小；第4臀叶退化，该处臀板边缘齿状，背腺管分布于2～6腹节，可分为亚中腺管和亚缘腺管。亚中背腺管分布在第2～6腹节，分别为6～8、6～8、5～6、7～9、4～5、2。亚缘背腺管分布在第4～6腹节，分别为5～6、3～4、4～5。边缘腺管稍大，每侧7个，除第1对腺刺外侧1个外，其余3个腺刺外各2个。肛门接近臀板中央位置，阴门比肛门靠近臀板，围阴腺孔5组：中群8～10个，前侧群20～23个，后侧群19～25个。1龄若虫有触角6节，末节无螺纹。2龄雌若虫的中脊黑色，蜕棕黑色，臀板边缘腺管4个。

　　采集记录：13♀，西安、杨凌、武功，1996.Ⅳ.21，曾涛采。

　　分布：陕西（西安、周至、杨凌、武功）、北京、河南、宁夏、安徽、浙江、福建、广东、香港、广西、四川；菲律宾，澳洲。

　　寄主：苏铁 *Cycas revoluta*（Cycadaceae），乌桕 *Sapium sabiferum*（Euphorbiaceae），香樟 *Cinnamomum camphora*（Lauraceae），潺槁木姜子 *Litsea glutinosa*（Lauraceae）。

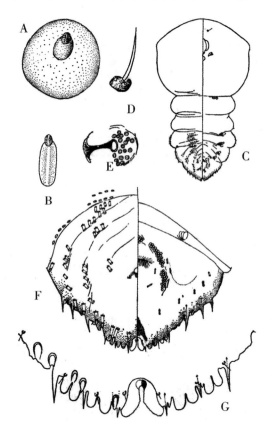

图456　乌桕柏轮蚧 *Aulacaspis thoracica*（Robinson）（仿周尧，1986）

A. 雌介壳；B. 雄介壳；C. 雌成虫；D. 触角；E. 前气门；F. 臀板；G. 臀板末端

（11）胡颓子白轮蚧 *Aulacaspis difficilis*（Cockerell，1896）（图457）

Chionaspis difficilis Cockerell，1896b：42.

Sasakiaspis difficilis：Kuwana，1926：9.

Pseudaulacaspis difficilis：Lindinger，1943：146.

Aulacaspis difficilis：Takahashi & Tachikawa，1956：9.

　　鉴别特征：雌性介壳长 2～3mm，圆形或近长形，质地毛状，白色，突起。雄性介壳白色，蜡状，狭长。背面具有 3 条纵脊线，壳点几无色。雌性成虫约 1.50mm。触角具 1 毛，前气门具盘状腺孔大群，有 20～30 个，后气门也具盘状腺孔，有 17～24 个。前体部膨大，后体部每侧略突出，同宽。臀板呈三角形或圆形，具 3 对臀叶。中臀叶粗大，基部轭连，内缘基半部平行，后半部叉开，每叶三角形，内缘边缘具细齿，突出板缘或略微凹陷；第 2 和第 3 臀叶双分，比中臀叶小；第 4 臀叶无。背腺管分为亚中群和亚缘群：亚中群分布自 2～6 腹节，前 4 腹节各分为 2 亚排，内排向前胸；亚缘群分布于第 2～5 腹节，第 2 和第 3 腹节侧缘管为小型，仅少数。腺刺细长而多，分布于第 2～8 腹节，分布为：1～2、2～4、4～5、4～5、8～9、15～18、9～11 根。边缘腺管分布在第 4～5 腹节，每侧各为 1、2、2、1～2。肛门近臀板基部。围阴腺孔 5 群：中群 24～31 个，前侧群 32～55 个，后侧群 27～50 个。

　　采集记录：4♀，秦岭，1996.Ⅷ.01，曾涛采；4♀，秦岭，1973.Ⅴ.13，周尧采。

　　分布：陕西（秦岭）、山西、甘肃、浙江、台湾、云南；日本。

　　寄主：沙枣 *Elaeagnus umbellata*（Elaeagnaceae），胡颓子 *Elaeagnus pungens*（Elaeagnaceae），蔓胡颓子 *Elaeagnus glabra*（Elaeagnaceae），沙棘 *Hippophae rhamnoides*（Elaeagnaceae）。

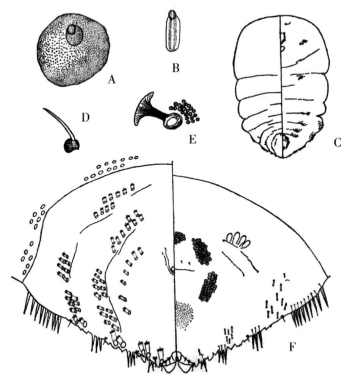

图 457　胡颓子白轮蚧 *Aulacaspis difficilis*（Cockerell）（仿周尧，1986）

A. 雌介壳；B. 雄介壳；C. 雌成虫；D. 触角；E. 前气门；F. 臀板

5. 并盾蚧属 *Pinnaspis* Cockerell, 1892

Pinnaspis Cockerell, 1892: 136. **Type Species**: *Mytilaspis pandani* Comstock, 1881.

Chionaspis Cockerell, 1897b: 592. **Type Species**: *Chionaspis aspidistrae* Signoret, 1869.

Jaapia Lindinger, 1914: 158. **Type Species**: *Mytilaspis uniloba* Kuwana, 1909.

Lepidaspidis MacGillivray, 1921: 275. **Type Species**: *Mytilaspis uniloba* Kuwana, 1909.

属征：雌性介壳黄褐色，呈梨形或长形，蜕皮位于前端。雄性介壳白色溶蜡状，长形，背面具 3 条纵脊，蜕皮位于前端。雌性成虫长形，纺锤形或细长形。后胸与臀前腹节侧突显著或略微显著，皮肤除臀板外均膜质。臀板呈三角形或圆形。触角远离，只有 1 根毛。前气门有盘状腺孔，后气门盘状腺孔有或缺失。中臀叶很发达，基部轭连，中叶内缘平行而紧靠或部分融合，外缘斜而呈弧形，有 1 个或数个凹刻，整个中臀叶呈半球形；第 2 臀叶发达，双分，内分叶常具有 1 对骨化棒，或退化或无；第 3 臀叶有时发达，或退化。边缘腺刺在臀板上很发达，大多在第 5~8 腹节上单一排列，或者某些种部分成双列。臀板上背面大腺管在第 4~6 腹节上常成对，第 7 腹节上单一排列，第 4 腹节上每侧 2 个，1 个常内移。背腺大管与边缘腺管相似，在第 5 腹节前排成亚中、亚缘列，其中亚中列常缺大腺管，有时有小腺管，第 6 腹节有时见到亚缘大腺管。另外在臀前一部分体节边缘有一些大腺管。肛门接近臀板中部。围阴腺孔 5 群。1 龄雌性若虫有触角 5 节，末节具螺纹，触角间有缘毛 1 对，头管 1 对。腹部末端具尾毛 1 对，第 1 和 2 臀叶明显。2 龄雌性若虫的臀叶与雌成虫相似。臀板每侧边缘腺管 4 个，边缘腺刺每侧 5 根。

分布：本属全世界已知 43 种，中国分布 16 种，秦岭地区发现 2 种。

分种检索表

臀叶 2 对，具第 2 臀叶 ·· 栎木并盾蚧 *P. indivisa*

臀叶愈合为 1 个 ·· 单叶并盾蚧 *P. uniloba*

(12) 单叶并盾蚧 *Pinnaspis uniloba* (**Kuwana, 1909**) (图 458)

Mytilaspis (*Lapidosaphes*) *uniloba* Kuwana, 1909: 156.

Lepidosaphes uniloba: Sasscer, 1911: 72.

Jaapia uniloba: Lindinger, 1914: 158.

Lepidaspidis uniloba: MacGillivray, 1921: 292.

Pinnaspis simplex Ferris, 1921: 214.

Pinnaspis uniloba: Takahashi, 1929: 74.

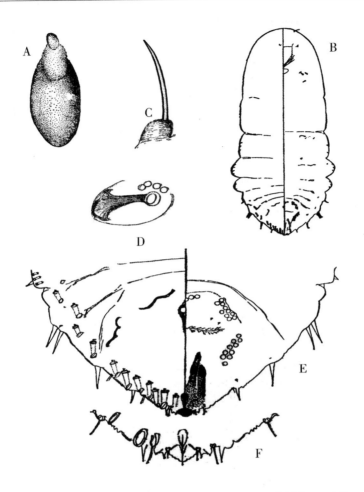

图 458　单叶并盾蚧 *Pinnaspis uniloba*（Kuwana）（仿周尧，1986）

A. 雌介壳；B. 雌成虫；C. 触角；D. 前气门；E. 臀板；F. 臀板末端

鉴别特征：雌性介壳长 3～4mm，赤褐色至暗褐色。雄性介壳未见。雌性成虫体长 0.53mm，黄褐色，体细长，两侧几乎平行，自由腹节侧突不明显，触角瘤上有 1 根长毛，前气门具盘状腺孔 2～4 个，后气门盘状腺孔无或 1 个臀板近三角形，中臀叶合并为 1 个，侧缘凹刻 2～3 个，中臀叶前端有 1 长纺锤形硬化斑；第 2 和第 3 臀叶缺失。臀板边缘腺刺单一排列第 3 腹节每侧腺刺 1 根，第 4 腹节为 2 根，第 4 和 5 腹节上的很粗大。臀板背缘大管每侧多大 10 个，但数目多变，自第 3～7 腹节，每侧依次为 1、3～4、2、1～2、1 个，第 4 腹节每侧有 1 个亚缘大腺管，后胸及前 3 腹节体缘各有一些较小背腺管，依次为 3～7、4～8、3～6、2～3 个。在第 3～4 腹节间每侧有 1 亚缘疤。肛门近臀板基部，阴门在臀板中央，围阴腺孔 5 群：中群 4～5 个，前侧群 5～12 个，后侧群 9～14 个。1 龄若虫有触角 5 节，头管 1 对。2 龄雌虫有边缘腺管 4 对。

分布：陕西（秦岭）、河南、江苏、浙江、湖北、江西、福建、台湾、广东、广西、四川、贵州、云南；日本，印度，北美洲。

寄主：总状花羊蹄甲 *Bauhinia racemosa*（Fabaceae），桂花 *Osmanthus fragrans*（Oleaceae），齿叶木樨 *Osmanthus fortunei*（Oleaceae），木橘 *Aegle marmelos*（Rutaceae），黄瑞木 *Adinandra milletti*（Theaceae），山茶 *Camellia japonica*（Theaceae），榊 *Cleyera ochnacea*（Theaceae），柃木 *Eurya japonica*（Theaceae）。

（13）楝木并盾蚧 *Pinnaspis indivisa* **Ferris，1950**（图459）

Pinnaspis indivisa Ferris，1950：76.

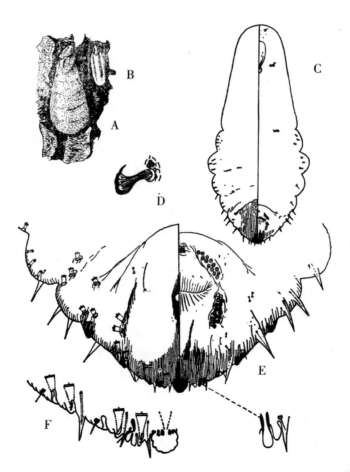

图459　楝木并盾蚧 *Pinnaspis indivisa* Ferris（仿周尧，1986）
A. 雌介壳；B. 雄介壳；C. 雌成虫；D. 前气门；E. 臀板；F. 臀板末端

鉴别特征：雌性介壳长1.40mm，宽0.50mm；前窄后宽，后圆，扁平，有明显的生长线；蜕皮位于前端。雄性介壳长 1.00~1.20mm，宽 0.30mm；白色蜡质状；具 3 条纵脊线。雌性成虫长 1.20mm，宽 0.50mm；长纺锤形；前端窄，腹部第 1 节最宽；分节不明显。皮肤除臀板外均膜质。黄色。触角有 1 毛。前气门具盘状腺孔 3~4 个，后气门盘状腺孔无。背面后胸和臀前腹节的侧缘各有 2~4 个边缘腺管，在第 3 腹节后缘有亚缘组腺管 2~3 个。腹面在后胸和第 1 腹节侧缘各有 3 个腺管，第 2 腹节侧缘有 1 腺刺，第 2 节有 2 个腺刺。臀板窄，端部圆，具有 2 对发达的臀叶。中臀叶小，愈合，端圆，外侧有 3 缺刻，基部有 1 硬化的圆锥形轭片。第 2 臀叶双分，基部窄，端圆内叶比外叶稍长，基部有 1 对厚皮棍。第 3 臀叶退化。腺刺每侧 6 个：每个臀叶外 1 个，小，第 6 和第 5 腹节上各 1~2 个，第 4 腹节上 3 个，发达。边缘腺管每侧 6 个：第 1 腺刺外 1 个，第 2 和第 3 腺刺外各 2 个，第 4 腺刺外 1 个。亚缘背腺管分布在第 4 腹节和第 5 腹节，依次为 2~3、2。亚中背腺管分布在第 5 节只有 1 个很小的腺管。肛门小，圆形，周围骨化，直径小于 1 个中臀叶的宽度，位置近臀板中央。阴门位置比肛门靠近后方。围阴腺孔 5 群，中群 6~8 个，前侧群 13~20 个，后侧群 16~20 个。

采集记录：8♀，宁陕火地塘，2009.Ⅶ.27，王亮红采。

分布：陕西（宁陕）、云南。

寄主：四照花 *Dendrobenthamia japonica*（Cornaceae）。

6. 围盾蚧属 *Fiorinia* Targioni-Tozzetti，1868

Fiorinia Targioni-Tozzetti，1868：735. **Type Species**：*Fiorinia pellucida* Targioni-Tozzetti，1868.

Uhleria Comstock，1883：110. **Type Species**：*Fiorinia pellucida* Targioni-Tozzetti，1868.

属征：雌性介壳黄褐色，长椭圆形，由第 2 蜕皮组成。雄性介壳白色，长形，溶蜡状，背面具 3 条纵脊或 1 纵脊。雌性成虫围蛹型（pupillarial），即雌成虫被包围在硬化的第 2 龄蜕皮内。虫体长形，臀前区分节不明显。臀板窄，三角形或圆形。皮肤除臀板外均膜质。触角互相靠近，具 1 刚毛。触角间突起经常存在，形状有变化。前气门盘状腺孔有，后气门盘状腺孔无。中臀叶发达，基部轭连发达或较弱而为一硬化斑，其间有 1 对刚毛。第 2 臀叶发达，退化或缺失。第 3 臀叶退化或呈齿突状突起。臀板腺刺有或无，若有，排列于第 7 和 8 腹节。臀前腹节腺刺变小，向前略呈腺瘤，分布于胸区侧缘。臀板边缘大腺管数目有变化。有些种类边缘大腺管部分或全部为小腺管代替。亚缘背腺管无或仅少数分布于臀板基部及臀前腹节。亚中背腺管无，至多在臀板基部及臀前腹节上有小腺管分布。肛门位于臀板基部。围阴腺孔 5 群。1 龄雌性若虫虫体椭圆形，触角 5 节，末节有螺纹。2 龄雌性若虫臀叶似雌性成虫，臀板边缘腺管每侧 4~5 个，边缘腺刺每侧 5 根。

分布：全世界已知 63 种，中国记录 33 种，秦岭地区发现 2 种。

分种检索表

触角基部之间头上有1膜质的长突起，形状多变化，一般为柱头状 ………… 茶围盾蚧 *F. theae*
触角间无膜质的囊状突起 ·· 松围盾蚧 *F. pinicola*

(14) 茶围盾蚧 *Fiorinia theae* Green，1900 (图460)

Fiorinia theae Green，1900：3.

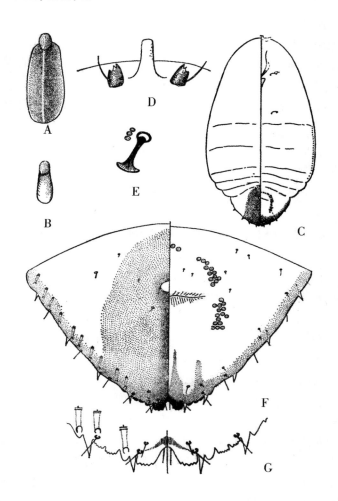

图460　茶围盾蚧 *Fiorinia theae* Green(仿周尧，1986)
A. 雌介壳；B. 雄介壳；C. 雌成虫；D. 触角；E. 前气门；F. 臀板；G. 臀板末端

鉴别特征：雌性介壳长1.30~1.60mm，宽0.50~0.65mm；呈狭长的卵形，后部呈长方形，背面有1纵脊线，深褐色。雄性介壳长0.95~1.00mm，宽0.38~4.00mm；白色，蜡质，狭长，两侧略平行，3条纵脊线，淡黄色。雌性成虫体长0.60

~0.75mm，宽2.80～3.00mm，体呈长卵形，两端尖，腹部第1节较宽，后胸和腹部分节明显，淡黄色。触角互相靠近，每个触角有1短圆柱形突起和1粗毛。触角基部之间头上有1膜质的长突起，形状多变化，一般为柱头状。前气门有盘状腺孔1～5个，后气门盘状腺孔无。体侧边缘有很多腺瘤。中胸及臀前腹节边缘约有20个腺瘤呈不连续的行。臀板窄略呈三角形，有两对发达的臀叶。中臀叶发达，略微凹入臀板内，基部轭连，长宽约等，端部齿状。中臀叶有缘毛1对，有背缘毛及腹缘毛在侧面各5对。第2臀叶短而宽，锯齿状。边缘腺刺均短而基部宽，分布第4～8腹节，臀板每侧5根。臀板每侧边缘大腺管被约9个细长的腺管所替代。臀板基部散乱分布少数小腺管。围阴腺孔5群：中群5～6个，前侧群11～18个，后侧群13～18个。1龄若虫体长椭圆形，黄色。2龄雌性若虫中臀叶长，完全陷入臀板内。第2臀叶发达，内分叶长形，基部有1对硬化棒，外分叶较小。

分布：陕西（秦岭）、福建、台湾、广东、香港、广西、云南；日本，印度，尼泊尔，菲律宾，马来西亚，北美洲，南美洲。

寄主：构骨 *Ilex cornuta*（Aquifoliaceae），腺叶木犀榄 *Olea glandulifera*（Oleaceae），五列木科（Pentaphylacaceae），茜草科（Rubiaceae），山茶 *Camellia japonica*（Theaceae），茶 *Camellia sinensis*（Theaceae），茶梅 *Camellia sasanqua*（Theaceae），柃木 *Eurya japonica*（Theaceae）。

（15）松围盾蚧 *Fiorinia pinicola* Maskell，1897（图461）

Fiorinia pinicola Maskell, 1897a：242.

Fiorinia camelliae Maskell, 1898：232（nec Comctock, 1881）.

Fiorinia juniperi Ferris, 1921：215.

Fiorinia japonica Kuwana, 1925b：8.

Fiorinia pruinosa Ferris, 1950：77.

鉴别特征：雌性介壳长1.80～2.00mm，宽0.45～0.50mm；两侧略平行，前端圆，中间有1纵脊线。雄性介壳长1mm，宽0.40mm；白色，蜡质，两侧略平行，蜕皮位于前端，黄色。雌性成虫长1mm，宽约0.48mm；体长椭圆形，前端圆，两侧几乎平行。臀前腹节侧缘略呈瓣状突出。皮肤除臀板外膜质均，黄色。触角呈长圆锥形，外侧有1根长毛。触角间无膜质的囊状突起。前气门盘状腺孔3～11个，后气门盘状腺孔无。中后胸侧面各有1～3个腺瘤，第1腹节侧面各有2～6个腺瘤；第2～4腹节有腺刺1～3个。腹部每节约有8个边缘腺管，1～2个较小的亚中腺管。臀叶3对。中臀叶陷入臀板内，细长形，叉开，内缘端半部锯齿状，端尖。第2臀叶发达，内叶长，端圆，基部有骨化棒1对，外叶小而明显。第3臀叶呈边缘状突起。腺刺发达，中臀叶与第2臀叶间和第2臀叶侧面各1根，第2腹节1～3根，第3腹节1～2根，第4腹节1根。中胸及后胸各有腺瘤1～3个。围阴腺孔5群：中群4～8个，前侧群9～22个，后侧群19～27个。2龄雌性若虫第3～7腹节分布有5个边缘腺管，5

根腺刺分布于 3、4、5、7、8 节，无触角间突。

　　采集记录：10♀，杨凌，1996. V. 19，曾涛采。

　　分布：陕西（秦岭、杨凌）、浙江、湖南、福建、台湾、广东、海南、香港、广西、云南；日本，欧洲，北美洲。

　　寄主：金松 *Sciadopitys verticillata*（Cupressaceae），滇桐 *Quercus schottkyana*（Fagaceae），花叶青木 *Aucuba japonica*（Garryaceae），薜荔 *Ficus pumila*（Moraceae），杨梅 *Myrica rubra*（Myricaceae），马尾松 *Pinus massoniana*（Pinaceae），南亚松 *Pinus latteri*（Pinaceae），海桐 *Pittosporum tobira*（Pittosporaceae），粗榧 *Cephalotaxus drupacea*（Taxaceae），山茶 *Camellia japonica*（Theaceae）。

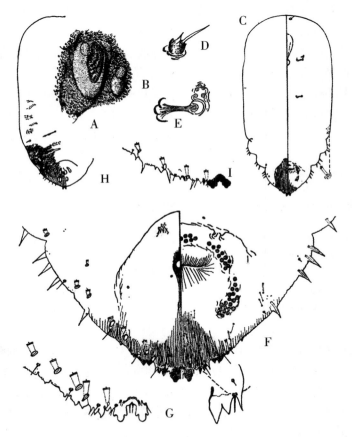

图 461　松围盾蚧 *Fiorinia pinicola* Maskell（仿周尧，1986）

A. 雌介壳；B. 雄介壳；C. 雌成虫；D. 触角；E. 前气门；F. 臀板；G. 臀板末端；H. 第二蜕皮；I. 第二蜕皮臀板末端

7. 牡蛎蚧属 *Lepidosaphes* Shimer，1868

Lepidosaphes Shimer，1868：373. **Type Species**：*Lepidosaphes conchiformis* Shimer，1868.

Scobinaspis MacGillivray, 1921：274. **Type Species**：*Mytilaspis serrifrons* Leonardi, 1898.

Cornuaspis MacGillivray, 1921：274. **Type Species**：*Mytilaspis ocellata* Green, 1907.

Cephalaspis MacGillivray, 1921：274. **Type Species**：*Mytilaspis cocculi* Green, 1896.

Insulaspis Mamet, 1950：32. **Type Species**：*Lepidosaphes vermiculus* Mamet, 1937.

Paralepidosaphes Borchsenius, 1962：863. **Type Species**：*Paralepidosaphes coreana* Borchsenius, 1962.

Eucornuaspis Borchsenius, 1963：1168. **Type Species**：*Mytilaspis machili* Maskell, 1898.

Pinomytilus Borchsenius, 1963：1173. **Type Species**：*Lepidosaphes pseudotsugae* Takahashi, 1957.

Pistaciaspis Borchsenius, 1963：1165. **Type Species**：*Lepidosaphes pistaciae* Archangelskaya, 1930.

Cornimytilus Borchsenius, 1963：1165. **Type Species**：*Lepidosaphes afganensis* Borchsenius, 1962.

Palaeomytilus Borchsenius, 1978a：110. **Type Species**：*Palaeomytilus daphniphylli* Borchsenius, 1978.

属征：雌性介壳长，前窄后宽，圆形，通常灰色到紫色，蜕皮部分重叠，位于介壳的前端。雄性介壳体呈纺锤形，白色。腹节侧缘常呈瓣状突出。皮肤除臀板骨化外，其余部分膜质，少数种类臀前节局部骨化。两触角间距离大，触角有1~3根毛。前气门有盘状腺孔，后气门无盘状腺孔。有些种类头部有很多小形圆锥状颗粒。有些种类在头部着生眼的位置有骨化的距或突起。多数种类腹部有3对侧瘤，上面生有骨化的距。有的种类腹节两侧有骨化的背圆疤，胸腹各节侧面常有不同大小的腺管、腺瘤及腺刺等分布。臀板骨化，有2对发达的臀叶。中臀叶大，明显突出，对称，互相分离，基部不轭连，第2臀叶分为2瓣。第3与第4臀叶消失或呈低的锯齿状突起。厚皮棒有或无，如有则较细会连于臀叶的基角。腺刺发达，常2个为1组，分布于每2个臀叶之间（也分布到臀前腹节2~3节的侧缘）。腺管双闩式，有不同的大小。背腺管数目很多，在腹节分布排成为亚缘组和亚中组；边缘腺管大，斜口式，通常每侧6个，即第7、8腹节间（中臀叶与第2臀叶间）1个，第6、7腹节间2个，第5节上2个，臀板侧面1个，中臀叶间无，也有多至每侧7个或8个的，肛门位于臀板的基部。围阴腺孔多为5组（也有8组）。

分布：本属全世界记录约164种，其中中国分布45种，秦岭地区发现4种。

分种检索表

1. 背腺管小，多，每侧约100个，第4、5腹节的节间线排成亚缘及亚中列多在第6节上从边缘到肛门有20~30个排成1纵列 ……………………………………………… 榆牡蛎蚧 *L. ulmi*
   背腺管少，每侧明显少于50个 …………………………………………………………… 2
2. 背腺管不规则排列，每侧约15~40个 ……………………………… 榧牡蛎蚧 *L. okitsuensis*
   背腺管在在腹部有些节排成列 …………………………………………………………… 3
3. 背腺管小，从第1到第7腹节排列成亚缘组和亚中组，但第1节上无亚中组，第6节的亚缘组和亚中组连成1条横带，约14~27个 …………………………… 紫牡蛎蚧 *L. beckii*
   背腺管在第5腹节上排成2行亚缘组及1行亚中组 …………………… 柏牡蛎蚧 *L. cupressi*

（16）榆牡蛎蚧 *Lepidosaphes ulmi*（Linnaeus，1758）（图 462）

Coccus ulmi Linnaeus，1758：455.

Coccus berberidis Schrank，1801：146.

Aspidiotus conchiformis Curtis，1843：735.

Mytilaspis pomorum Signoret，1870：98.

Lepidosaphes ulmicandida Fernald，1903：317.

Lepidosaphes ulmi：Hall，1922：39.

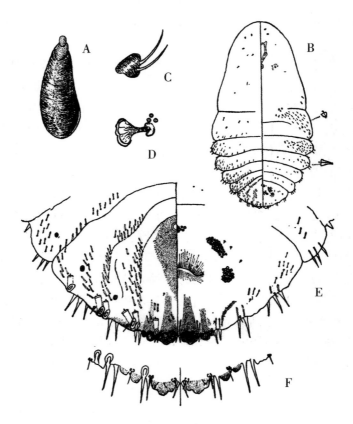

图 462　榆牡蛎蚧 *Lepidosaphes ulmi*（Linnaeus）（仿周尧，1986）
A. 雌介壳；B. 雌成虫；C. 触角；D. 前气门；E. 臀板；F. 臀板末端

鉴别特征： 雌性介壳长 2.80～3.50mm，宽 1.00～1.25mm；形似牡蛎状，暗灰色、紫暗灰色或紫色；蜕皮位于前端，橙色或红褐色；背面隆起，有明显的横纹，弯曲或直。雄性介壳长 1.60mm，宽 0.50mm；质地、颜色同雌性介壳，两侧由前向后逐渐加阔，一般很少发现，可能为单性生殖。雌性成虫长 2.00～2.50mm，宽 1.00～1.20mm；长卵形，头胸部狭，以腹部第 2 节最宽，长约为宽的 2 倍。分节明显，各节侧缘突出成圆形的瓣。皮肤除臀板外膜质。黄白色，臀板黄色。触角圆瘤形，各生有 1~2 长毛，位置在口器和头前缘的中间，左右略相离开。气门开口呈肾脏形，前气门前面有 3~7 个盘状腺孔，后气门无盘状腺孔。从中胸到腹部第 4 节的侧缘瓣上分布有腺管。腺瘤从后胸至第 3 腹节每侧依次是 0~6、6~16、5~7、3~4 个。腹节侧缘瓣的腹面各有腺刺 4~8 个，越靠近后面腹节腺刺越长。第 1~4 腹节节间刺每侧为 2、1、1 根。亚缘背疤分布于腹部第 1~5 节。臀板很阔，有 2 对发达的臀叶：中臀叶很阔，端圆而两侧缘平行，两侧角各有 1 个明显的缺刻，第 2 臀叶和中臀叶一样阔，但较短并裂成两瓣，外瓣较内瓣短小，都端圆而略向内倾斜。两中臀叶间距小，不超过每叶半宽，第 2 臀叶双分。腺刺 9 对：中臀叶间 1 对，左右离开，其间臀板边缘呈三角形突出，中臀叶外侧 1 对，第 2 臀叶外侧 2 对，此外臀板边缘等距离分布有 2 组，每组各 1 对，越靠近臀板末端越小。缘毛背面每侧 5 条：中臀叶有 2 个基角，第 2 臀叶内瓣的外基角各 1 条，侧缘每 2 组腺刺间各 1 条，腹面每侧 4 条：2 对臀叶基外角各 1 条，最外 2 组腺刺的基部各 1 条。边缘腺管很粗，共 6 对，呈 1、2、2、1 排列。背腺管很小，数极多，每侧约有 100 个，大多数按第 4、5 腹节的节间线排成亚缘及亚中列多在第 6 节上从边缘到肛门有 20~30 个排成 1 纵列，第 7 节上无，第 2 臀叶前方有 1 个；臀板的基角。肛门小，圆形，位于臀板背面近基部约 1/5 处。阴门位于臀板腹面的中央。围阴腺孔 5 群：中群 4~16 个，前侧群 10~28 个，后侧群 8~24 个。

　　1 龄若虫长 0.35~0.40mm，宽 0.18~0.20mm；卵形，白色，头及臀板红褐色。头的前缘微微凹入，有 4 根缘毛及 2 根亚缘毛，有管状头腺 1 对。眼位于头的两侧。触角长，有 5 节：除第 1 节较粗外，第 2、3、4 节都长过于阔，依次略缩小；第 5 节长等于前 4 节之和，端部稍细，末端略分歧，稍有环纹，生有 6 根长毛，其中 2 根最长。足粗壮。臀板有 3 对臀叶，其中中臀叶小，端部伸出臀板边缘，第 2 臀叶分为 2 瓣，内瓣很阔，内侧有 1 个缺刻，外侧有 2 个缺刻，外瓣很小，端尖，第 3 臀叶和中臀叶一样。每个臀叶外侧有 1 个腺刺，愈在外面的愈发达。中臀叶外着生 1 对长肛毛，前面有 1 对普通毛。2 龄若虫长 0.86mm，宽 0.35mm；卵形，黄白色。臀板的臀叶同成虫。腺刺只 5 对，不成组排列。边缘斜口腺管 4 对，每对腺刺外有 1 对，除第 1 对外，其余各对开口处臀板边缘成三角形齿突。背腺管沿第 5、6 节的后缘节间线排列，每侧有亚缘组各 2 个，亚中组各 1 个。

　　采集记录：9♀，汉中汉江大桥，1989. V. 22，袁忠林采。

　　分布：陕西(汉中、秦岭)、黑龙江、吉林、辽宁、河北、山西、河南、宁夏、新疆、山东、江苏、安徽、浙江、湖北、江西、湖南、福建、台湾、广东、广西、四川、云南、西藏；世界广布。

　　寄主：寄主广泛，主要包括黄栌 *Continus coggygria*(Anacardiaceae)、夹竹桃 *Nerium oleander*(Apocynaceae)等 67 科 100 多种植物。

(17) 榧牡蛎蚧 *Lepidosaphes okitsuensis* Kuwana, 1925

Lepidosaphes okitsuensis Kuwana, 1925: 33.

Velataspis okitsuensis: Balachowsky, 1954: 94.

Parainsulaspis okilsuensis: Borchsenius, 1963b: 1163.

鉴别特征: 雌性介壳长3.00~3.70mm, 宽0.90~1.00mm; 后端宽, 两侧几乎成平行线, 直或弯曲, 背面隆起, 深褐色至黑色。蜕皮位于前端。雄性介壳长1mm, 宽0.30mm; 质地和颜色同雌性介壳, 两侧平行, 深褐色, 后端褐色, 蜕皮淡黄色。雌性成虫虫体粗壮长形, 宽只有长的1/2。腹节分节明显且臀前腹节突出呈瓣状。老熟时皮肤骨化, 触角前方头区分布着很多锥状小突起。触角瘤有2根以上弯曲的毛, 前气门前方有8~10个盘状腺孔, 后气门盘状腺孔无。有很多微小的背腺管分布在胸部和臀前腹节侧面, 后胸亚缘有1个同样但较小的锯, 各有1个长大而尖锐的非常显著的刺状骨化的锯存在于最后臀前腹节侧缘。臀前腹节的瓣状突上分布着很多腺刺。臀板端圆, 相当阔, 中臀叶宽稍大于长, 两侧角有缺刻, 端圆, 完整或呈锯齿状, 有1对纤细的厚皮棒存在于基部, 两臀间的距离略微比1个中臀叶的宽度狭。第2臀叶双分和中臀叶一样宽, 形状和中臀叶相似, 内叶比外叶大得多, 基部也有1对纤细的厚皮棒。臀板边缘还有3对齿状突出, 每侧6个管口突出臀板外成瓣状。边缘斜口腺管相当粗长, 数目少。每侧有15~40个的背腺管很小, 排列不规则。肛门位于在臀板背面近基部1/5处, 小圆形, 直径约等于1个中臀叶的宽度。围阴腺孔5组, 中群7~9个, 前侧群12~15个, 后侧群9~16个。

分布: 陕西(秦岭)、北京、山东、浙江; 日本。

寄主: 日本冷杉*Abies firma*(Pinaceae), 粗榧*Cephalotaxus drupacea*(Taxaceae), 日本榧*Torreya nucifera*(Taxaceae)。

(18) 紫牡蛎蚧 *Lepidosaphes beckii* (Newman, 1869) (图463)

Coccus beckii Newman, 1869: 217.

Mytilaspis tasmaniae Cockerell, 1899b: 14.

Lepidosaphes beckii: Fernald, 1903: 305.

Cornuaspis beckii: Borchsenius, 1963b: 1168.

鉴别特征: 雌性介壳长2~3mm, 宽0.70~0.90mm; 呈逗点形, 前窄后宽, 略弯曲, 背面隆起, 有很多的横皱纹, 蜕皮位于前端, 红褐色, 边缘淡褐色, 第1蜕皮黄色, 第2蜕皮红色, 被有分泌物。腹膜白色、完整。雄性介壳长1.50mm, 宽0.40mm。和雌性介壳相似, 狭长, 前狭后阔, 蜕皮位于前端。暗褐色, 蜕皮黄色, 腹膜不完全。雌性成虫长 0.95 ~ 1.45mm，宽 0.57 ~ 0.75mm；体略呈纺锤形，头和胸部超过全长的 1/2 半，第 1、2 腹节处最宽。臀前腹节侧缘突出呈明显的三角形瓣。身体呈淡黄色，臀板黄褐色。触角圆瘤状，生有 2 根毛。头部前侧角有 1 个小形骨化的突起，周围有环状纹。前气门有 3 ~ 8 个盘状腺孔，后气门无盘状腺孔。小腺管胸部各节的边缘背面和腹面排成纵列，而在中胸腹面前缘和后胸气门后方排成横列。臀前腹节的侧瓣上有很多背腺管和腺刺，腺刺在第 2 节有 4 ~ 5 个，第 3 节有 4 个，第 4 节有 3 ~ 4 个。第 1、2、4 腹节的前侧角各有 1 个背侧疤。很多尖形的腺瘤在后胸气门后方及第 1 腹节的腹面排成横列。臀板阔，半圆形，中臀叶间略凹入。中臀叶短，宽大于长，两侧缘有钝锯齿，左右分离，两者之间的距离约等于 1 个中臀叶宽度的 1/3，基部有微弱的横的厚皮棒。第 2 臀叶发达，双分，外叶较小。臀板边缘有 3 个齿状突起。腺刺狭长，长过臀叶，每 2 臀叶或齿突的中间都有 1 对腺刺，中臀叶与第 2 臀叶间有的为 1 个。背腺管小，从第 1 ~ 7 腹节排列成亚缘组和亚中组，但第 1 节上无亚中组，第 6 节的亚缘组和亚中组连成 1 条横带，约 14 ~ 27 个。第 2 臀叶前有 1 个小的腺管。边缘的斜口腺管短粗，每侧 6 个：第 2 臀叶内侧 1 个，第 1 与第 2 臀板边缘齿突上各 2 个，第 3 齿突上 1 个。肛门小，挨近臀板基部。围阴腺孔 5 组，中群 6 ~ 10 个，前侧群 11 ~ 19 个，后侧群 8 ~ 13 个。1 龄若虫长 0.35mm，宽 1.50mm；体长卵形，长约为阔的 2 倍。白色，略带黄色。头的前缘波状，有 8 长毛及一对管状腺，皮肤划分为很多小的区域。触角有 6 节，第 1 节粗壮，其次 4 节较狭而长阔略等，从第 3 节起都具有环纹，末节长等于前面 4 节之和，有 6 长毛，末端 2 条最长。足粗壮。臀板背面满布波状的骨化的指纹状线，互相平行，清晰可见。中臀叶微小，微微突出，方形，第 2 臀叶发达，略呈三角形，端圆，两侧各有 1 个浅刻，第 3 臀叶比中臀叶还小。中臀叶每侧各有 2 个管状腺刺及 1 根长肛毛，第 2、3 臀叶外各有 1 个大的腺刺，基部相当粗。2 龄若虫体长 0.85mm，宽 0.45mm；体椭圆形，淡黄色。臀板特征像雌成虫，但除中臀叶间外，腺刺每组只 1 个。边缘的斜口腺管每处 1 个。

分布：陕西（城固）、河北、江苏、安徽、浙江、湖北、江西、湖南、福建、广东、海南、香港、广西、四川、云南；亚洲，欧洲，非洲，美洲，澳洲。

寄主：椰子 *Cocos nucifera*（Araceae），圆柏 *Juniperus chinensis*（Cupressaceae），月桂 *Codiaeum variegatum*（Euphorbiaceae），无花果 *Ficus carica*（Moraceae），马尾松 *Pinus massoniana*（Pinaceae），斑克木 *Banksia integrifolia*（Proteaceae），澳大利亚榛 *Pomaderris apetala*（Rhamnaceae），西洋梨 *Pyrus communis*（Rosaceae），枳 *Citrus aurantium*（Rutaceae），柚 *Citrus grandis*（Rutaceae），橙子 *Citrus sinensis*（Rutaceae），柑橘 *Citrus reticulata*（Rutaceae），葡萄柚 *Citrus paradisi*（Rutaceae），九里香 *Murraya exotica*（Rutaceae），月橘 *Murraya paniculata*（Rutaceae），槲寄生 *Phoradendron serotinum*（Santalaceae），东北红豆杉 *Taxus cuspidata*（Taxaceae）。

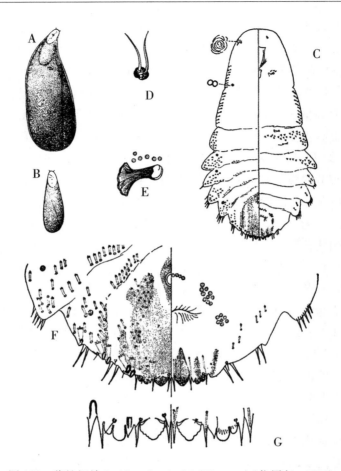

图 463　紫牡蛎蚧 *Lepidosaphes beckii* (Newman) (仿周尧, 1986)
A. 雌介壳; B. 雄介壳; C. 雌成虫; D. 触角; E. 前气门; F. 臀板; G. 臀板末端

(19) 柏牡蛎蚧 *Lepidosaphes cupressi* Borchsenius, 1958 (图 464)

Lepidosaphes cupressi Borchsenius, 1958: 169.

Lepidosaphes folicola Borchsenius, 1961: 252.

　　鉴别特征：雌性介壳长 2.20mm，宽 0.70mm；逗点形，前狭后宽，略弯曲，蜕皮位于前端，褐色。雌性成虫长 1.50mm，宽 0.70mm；体长，纺锤形，长约为宽的 2 倍，以腹部第 1、2 节最宽，臀前腹节侧缘明显呈瓣状突出。黄白色，臀板黄褐色。触角瘤上有 2~3 根弯曲的毛。前亚侧缘有 2 个疤连成 "8" 字形。前胸气门伴有 4~5 个盘状腺孔；后气门无盘状腺孔。中后胸两侧腹面有很多小腺管，并在后气门的后面排成 1 个长横列，腹部第 1 节的两侧也有同样的腺管群。刺状腺瘤在第 1 腹节侧面有 20 或 21 个，第 2 腹节有侧面 8 个。腺刺在第 3、4 腹节侧面各 4~5 个。背腺管在第 1~4 腹节侧面各有一群，在第 2、3 腹节上排成平行的 2 列，第 4 节上则 2 行相连接。在第 1~4 腹节的节间各有 1 个骨化的侧距。第 1~6 腹节每侧前方各有 1 个背侧疤。臀板阔，端部稍微陷入成凹刻。中臀叶大，宽大于长，每侧角都有 2 个缺刻，端钝圆，两中臀叶间的距离接近 1 个中臀叶宽度的 1/2。第 2 臀叶相当大，分为 2 瓣，每瓣外侧角都有 1 缺刻，端圆，外叶较小。此外，臀板的外缘有 3 个钝形的齿状突出。腺刺发达，每 2 个臀叶间有 2 个，第 3 臀叶与第 1 齿状突出间有 2 个，第 1、2 齿状突出间有 2~3 个，第 2、3 齿状突间各有 3~4 个。背腺管在第 5 腹节上排成 2 行亚缘组及 1 行亚中组；在第 6 节上只有亚中组有 14~28 个腺管，排成不整齐的纵列，第 2 臀叶基部 1 个腺管，中臀叶的基内角前 1 个腺管。边缘斜口腺管每侧 6 个，其中中臀叶与第 2 臀叶间 1 个，第 1、2 齿状突附近各 2 个，第 3 齿状突上有 1 个。腹面有少数微小腺管分布在臀板近基部的亚缘。肛门小，圆形，直径不到 1 个中臀叶宽度的 1/2，位置在臀板近基部 1/5 处。围阴腺孔 5 组，中群 6~7 个，前侧群 7~13 个，后侧群 9~14 个。

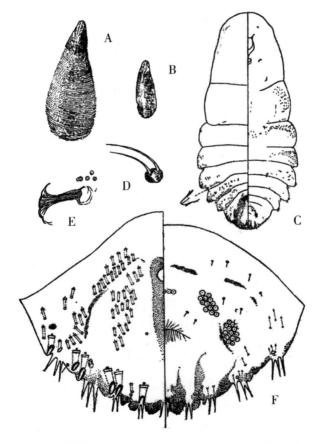

图 464　柏牡蛎蚧 *Lepidosaphes cupressi* Borchsenius（仿周尧，1986）
A. 雌介壳；B. 雄介壳；C. 雌成虫；D. 触角；E. 前气门；F. 臀板

采集记录：8♀，武功，1970.Ⅺ，周尧采；6♀，城固，1970.Ⅺ，周尧采。

分布：陕西（武功、城固）、江苏、四川、福建、广东、广西、云南；日本。

寄主：柿 *Diospyros kaki*（Ebenaceae），红豆杉 *Juniperus chinensis*（Pinaceae），马尾松 *Pinus massoniana*（Pinaceae），苹果 *Malus pumila*（Rosaceae）。

8. 竹盾蚧属 *Greenaspis* MacGillivray，1921

Greenaspis MacGillivray，1921：307. **Type Species**：*Mytilaspis elongata* Green，1896.

Canaspis MacGillivray，1921：308. **Type Species**：*Chionaspis arundinariae* Green，1899.

属征：雌性介壳细长形，白色，蜕皮位于前端。雄性介壳长形，白色溶蜡状，背面没有脊线，蜕皮位于前端。雌性成虫虫体细长，臀板窄，皮肤除臀板外均膜质。触角有1根毛。前气门盘状腺孔少，后气门盘状腺孔无。臀板上有2对臀叶，集中在臀板端部，均较小。中臀叶基部轭连，略陷入臀板，形成浅臀板凹，两中臀叶叉开，内缘有凹刻。第2臀叶小于中臀叶，双分。第3臀叶缺失。边缘腺刺非常发达，相当粗壮。边缘腺管在第4~6腹节每节上成双排列，在第7腹节单一排列。背腺管与边缘腺管同大，较少而按节排列。肛门位于臀板近基部。围阴腺孔5群。

分布：本属全球已知6种，中国分布4种，秦岭地区发现1种。

（20）竹盾蚧 *Greenaspis elongata*（Green，1896）（图465）

Mytilaspis elongata Green，1896：4.

Chionaspis elongata：Green，1899：125.

Greenaspis elongata：MacGillivray，1921：339.

Trichomytilus elongate：Lindinger，1933：165.

Greenaspis yunnanensis Ferris，1952：7.

鉴定特征：雌性成虫体似椭圆形。圆锥状的触角瘤有1根毛。前气门盘状腺孔1~2个，后气门盘状腺孔无。有2对发达的臀叶。中臀叶内缘端半部有宽凹刻，端圆。第2臀叶双分，分叶均窄，内分叶基部有1对不明显的厚皮棍；外分叶明显小于内分叶。臀板第5和6腹节边缘呈齿状。边缘腺刺在第4腹节成双排列，其后腹节单一排列，第3腹节2~3根。后胸后侧角有2~3个腺瘤，第1腹节有4~9个腺瘤，第2腹节具3~4个腺瘤。亚中背腺管第4腹节有1~2个，第5腹节1~3个。亚缘背腺管分布在第3至第5腹节，依次为2~5，2~5，1~4；较小背腺管散乱分布于后胸后侧角及第1和2腹节的侧缘。围阴腺孔5群，中群4~5个，前侧群4~8个，后侧群7~9个。1龄若虫体长椭圆形，体缘具1系列长毛；触角5节，末节细长，具螺纹，2触角间在头缘处有长毛2对。无头管。2龄雌若虫体长形，臀叶似雌成虫，臀板边缘腺管每侧4个，边缘腺刺每侧4根。

采集记录：6♀，秦岭，1970. V，周尧采。

分布：陕西（周至、秦岭）、安徽、福建、台湾、广东、四川、云南；日本，泰国，印度，菲律宾，非洲。

寄主：神农箭竹 *Arundinaria murielae*（Poaceae），孝顺竹 *Bambusa multiplex*（Poaceae），泰山竹 *Bambusa vulgaris*（Poaceae），菲律宾巨草竹 *Gigantochloa aspera*（Poaceae），芦苇 *Phragmites communis*（Poaceae），沙簕竹 *Schizostachyum diffusum*（Poaceae），黄金丽竹 *Schizostachyum zollingeri*（Poaceae）。

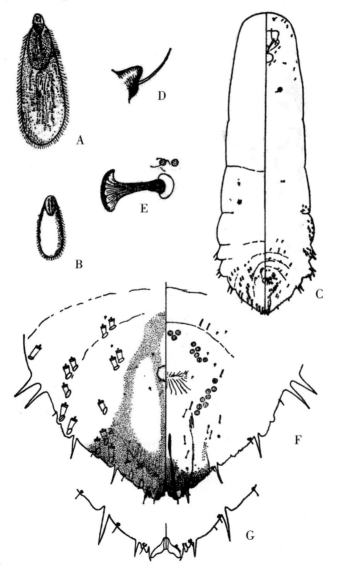

图 465　竹盾蚧 *Greenaspis elongata*（Green）（仿周尧，1986）

A. 雌介壳；B. 雄介壳；C. 雌成虫；D. 触角；E. 前气门；F. 臀板；G. 臀板末端

（二）圆盾蚧亚科 Aspidiotinae

鉴别特征：雌性成虫体一般有圆形，卵形或梨形等，宽大于长，但也有长大于宽的。臀前腹节分节明显。触角只有 1 根毛。臀板略呈三角形，臀叶正常，一般 3 对，有的臀叶无，有的数量可达 5 对，侧臀叶单一，绝不分瓣。臀栉发达。背腺管长，单栓式，常在臀板背面的腺沟内排成列；无短腺管和斜口腺管，腹面腺管很小。阴门一般位于臀板中央。肛门位置多变化，比较接近臀板末端，但从不在阴门之前。臀板边缘有时有厚皮棍。

分类：世界广布。陕西秦岭地区分布 7 属 7 种。

分属检索表

1. 臀板背面具发达的网纹区 ………………………………………… 网纹盾蚧属 *Pseudaonidia*
   臀板背面无网纹区 ……………………………………………………………………………… 2
2. 背缘毛在第 2 臀叶和第 3 臀叶基部伸出，呈披针状 ………………… 刺圆盾蚧属 *Octaspidiotus*
   背缘毛不如上述 ………………………………………………………………………………… 3
3. 雌体老熟时，体通常呈肾脏形 …………………………………………… 肾圆盾蚧属 *Aonidiella*
   雌成虫体不如上述 ……………………………………………………………………………… 4
4. 臀板边缘呈多角形突出，无明显的臀叶 ………………………… 豁齿盾蚧属 *Froggattiella*
   雌成虫臀板边缘不如上述 ……………………………………………………………………… 5
5. 臀板边缘臀叶大小略等，等距离排列 …………………………… 等角圆盾蚧属 *Dynaspidiotus*
   臀板上中臀叶最大，其余臀叶小于中臀叶 …………………………………………………… 6
6. 臀板有 2 对发达的臀叶，均斜向体中轴，臀栉小，不发达 ………… 灰圆盾蚧属 *Diaspidiotus*
   臀板有 3 对发达的臀叶，第 4 臀叶在第 5 腹节呈现为 1 个骨化的锯齿状突起，臀栉发达 ……
   ……………………………………………………………………… 金顶圆盾蚧属 *Chrysomphalus*

9. 网纹盾蚧属 *Pseudaonidia* Cockerell，1897

Aspidiotus（*Pseudaonidia*）Cockerell，1897：14. **Type Species**：*Aspidiotus duplex* Cockerell，1896.

Pseudaonidia：Fernald，1903：283.

Pseudaonidiella MacGillivray，1921：394. **Type Species**：*Pseudaonidia duplex* var. *paeoniae* Cockerell，1899.

Stringaspidiotus MacGillivray，1921：393. **Type Species**：*Aspidiotus curculiginis* Green，1904.

属征：雌性成虫体呈卵形，前胸与中胸之间有明显的收缩。头胸部皮肤骨化或不骨化。第 3 腹节和第 4 腹节侧瓣后角突出。前气门具盘状腺孔，后气门盘状腺孔有或无。腹节亚缘区有腺管排列。臀板背面具发达的网纹区，腹部网纹区无。臀板有 4 对臀叶，均与身体的纵轴平行；中臀叶最大，第 2、第 3 和第 4 臀叶的形状与大小相似。中臀栉与侧臀栉均发达，端部有细齿或分裂；外臀栉无，臀板边缘有时具有退化的厚皮棍。背腺管数量多，管细，圆柱形，管口较大，为椭圆形，在臀板的一定区域排成规则的系列。腹面有微小的腺管，边缘开口小。肛门小，直径比中臀叶的宽度小，位置在臀板中央以后。围阴腺孔4或5群。

分布：全世界已知19种，中国分布3种，其中秦岭地区发现1种。

(21) 三叶网纹圆盾蚧 *Pseudaonidia trilobitiformis* (**Green, 1896**)（图 466）

Aspidiotus trilobitiformis Green, 1896：4.

Aspidiotus (*Pseudaonidia*) *trilobitiformis*：Cockerell, 1897a：28.

Pseudaonidia trilobitiformis：Cockerell, 1899：396.

Pseudaonidia darutyi Marlatt, 1908：137.

Pseudoaonidia trilobitiformis：Leonardi, 1914：203.

Aspidiotus daruyi：Borchsenius, 1966：232.

Pseudaonidiella trilobitiformis：Remillet, 1988：61.

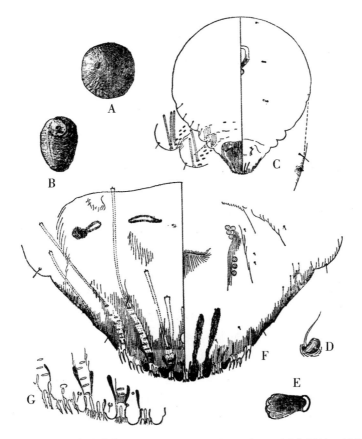

图 466　三叶网纹圆盾蚧 *Pseudaonidia trilobitiformis* (Green)（仿周尧，1986）

A. 雌介壳；B. 雄介壳；C. 雌成虫；D. 触角；E. 前气门；F. 臀板；G. 臀板末端

鉴别特征：雌性介壳圆形，微微隆起；蜕皮位于介壳中心或亚中心；直径 1.80~2.20mm。雄性介壳白色，与雌介壳形状一样。雌性成虫长 1.04~1.35mm，宽 0.78~1.01mm；体卵形，分节明显，前胸和中胸之间有一深缢缩。触角有 1 根刚毛。皮肤成熟时全体骨化。臀板背面有发达的网纹区。前气门盘状腺孔 17~20 个，后气门无盘状腺孔。臀板末端有 4 对臀叶，中臀叶长大于宽，通常比第 2 臀叶低，内外侧均具缺刻，之间的距离不超过单个臀叶的 1/2；第 2 臀叶比中臀叶窄，约为其 1/2 宽，外侧具 1 缺刻；第 3 臀叶和第 4 臀叶与第 2 臀叶形状相似，但是稍小；第 4 臀叶侧面臀板边缘不规则锯齿状。臀栉微微比臀叶长，顶端双分；中臀叶之间有 2 个，中臀叶和第 2 臀叶之间有 2 个，第 2 臀叶和第 3 臀叶之间有 3 个，第 3 臀叶和第 4 臀叶之间有 3 个。厚皮棍退化。背腺管细：中臀叶和第 2 臀叶之间有 3~5 个亚缘腺管，第 2 臀叶和第 3 臀叶之间 2 个亚缘腺管，第 3 臀叶和第 4 臀叶之间有 7~10 个，第 4 腹节分布有 20~24 个。臀前腹节背腺管与臀板上的一样长，第 1 腹节有 20~24 个，第 2 腹节有 12~16 个，第 3 腹节有 13~18 个。肛门开口与中臀叶纵径一样长或稍短，距中臀叶基部的距离是其纵径的 3 倍；阴门位于臀板中央位置。围阴腺孔 4 群，前侧群 9~22 个，后侧群 8~20 个。

采集记录：11♀，武功、汉中、城固，1987.IX.23，李金舫采。

分布：陕西（武功、汉中、城固）、香港、台湾；澳大利亚，斐济，安哥拉，喀麦隆，肯尼亚，利比亚，马达加斯加，马拉维，莫桑比克，索马里，塞拉利昂，乌干达，菲律宾，坦桑尼亚，南非，扎伊尔，美国，印尼，印度，巴基斯坦，越南，泰国，埃及，玻利维亚，巴西。

寄主：本中寄主广泛，取食于大约 47 科 80 种的植物。

10. 刺圆盾蚧属 *Octaspidiotus* MacGillivray，1921

Octaspidiotus MacGillivray，1921：387. **Type Species**：*Aspidiotus subrubescens* Maskell，1892.

Metaspidiotus Takagi，1957：35. **Type Species**：*Aspidiotus stauntoniae* Takahashi，1933.

属征：雌性成虫体似梨形，臀板突出。皮肤在臀前区域仍然膜质，但是在一些种中，老熟虫体全身骨化。臀板有 3 或 4 对发达的臀叶，与体轴平行或者微微倾斜。中臀叶发达，侧面通常有 1 缺刻；每个中臀叶基部被一个狭窄的膜质区域隔开。第 2 臀叶与中臀叶相似，侧面中央部位通常有缺刻。第 3 臀叶与第 2 臀叶一样大，仅在侧面有缺刻。第 4 臀叶若存在的话，相当小，端尖，侧面具缺刻。背缘毛在第 2 臀叶和第 3 臀叶基部伸出，呈披针状，平阔；背缘毛发生在第 4 臀叶处时也呈披针状。臀栉不短于与其相邻的臀叶，中臀叶间有臀栉 2 个，中臀叶和第 2 臀叶间有臀栉 2 个，第 2 臀叶和第 3 臀叶间有臀栉 3 个，若第 4 臀叶存在，第 3 臀叶和第 4 臀叶间有臀栉 3 个。第 4 腹节背缘毛外也有一些臀栉；臀叶间的臀栉端部呈刷状，外侧的宽，具齿，在齿缘或多或少骨化。臀板边缘无厚皮棍。臀板背面有 3 对清晰的节间沟，背腺发

生在节间沟内，在臀板上组成 6 列，长，但不呈丝状，管口椭圆形；边缘腺管排列为
1、1、1~2、1~2，另外第 4 和第 5 腹节均有 1~2 个边缘腺管。臀板腹面从第 2 臀叶
直达肛门有 1 条厚皮棍，其端长有 1 根毛。在第 1~3 腹节或后胸后角通常有短缘背
管。肛门椭圆形，位于臀板后面约 1/3 处；阴门在肛门前。围阴腺孔有 4~5 群。

　　分布：全世界已知 16 种，中国分布 10 种，秦岭地区发现 1 种。

（22）楠刺圆盾蚧 *Octaspidiotus stauntoniae*（Takahashi，1933）

Aspidiotus stauntoniae Takahashi，1933：54.

Metaspidiotus stauntoniae：Takagi，1957：36.

Octaspidiotus stauntoniae：Takagi，1984：8.

　　鉴别特征：雌性介壳近圆形，边缘不规则，蜕皮位于介壳中心，灰褐色，直径约
1.50mm。雌性成虫体阔，梨形，体长 0.98~1.25mm，宽 0.75~0.96mm，皮肤老熟
时全部骨化，在腹和胸、臀板和臀前区域有贯穿身体宽度的强骨化节间沟；中胸和后
胸间也有骨化的节间沟，但是不到达身体边缘；另有 3 个不到达体缘的节间沟存在于
腹节基部，将此区域分为 4 节。触角小，远离，各具 1 细的刚毛；前后气门不连有盘
状腺孔。臀板有 3 对臀叶，中臀叶大，略对称，基部略收缩，端部圆，每侧有 1 个深
缺刻；第 2 臀叶比中臀叶小，外侧有缺刻；第 3 臀叶与第 2 臀叶相似，但略小；第 2
臀叶和第 3 臀叶披针状背缘毛不超过臀叶末端。臀板背面的大腺管在管口内严重骨
化。边缘大腺管分布：中臀叶间有 1 个，开口位于肛门与中臀叶基部 2/3 位置；中臀
叶和第 2 臀叶间有 1 个；第 2 臀叶和第 3 臀叶间有 2 个；第 3 臀叶和第 4 腹节背缘毛
之间有 2 个；这个背缘毛侧面有 1 个。亚缘背腺管每侧有 27~35 个，分布为：5~7
个在第 7 腹节和第 8 腹节之间；第 6 和第 7 腹节之间有 9~11 个；第 5 和第 6 腹节之
间有 14~19 个。第 1 腹节到第 3 腹节之间边缘分布一些比较小的腺管。肛门位于近
臀板端部 1/3 处，椭圆形；阴门约在臀板中央位置。围阴腺孔 4 群，前侧群 2~4 个，
后侧群 3~6 个。

　　采集记录：4♀，城固，1970.Ⅸ，周尧采；15♀，城固，1985.Ⅶ.23，李金舫采；7
♀，汉中市，1989.Ⅴ.16，袁忠林采。

　　分布：陕西（汉中、城固、宁陕）、台湾；蒙古，日本，越南，菲律宾，北美洲。

　　寄主：杧果 *Mangifera indica*（Anacardiaceae），三菱果树参 *Dendropanax trifidus*
（Araliaceae），八角金盆 *Fatsia japonica*（Araliaceae），日本常春藤 *Hedera rhombea*（Ara-
liaceae），胡颓子 *Elaeagnus pungens*（Elaeagnaceae），日本油桐 *Aleurites cordata*（Euphor-
biaceae），花叶青木 *Aucuba japonica*（Garryaceae），那藤 *Stauntonia obovatifoliola*（Lardiz-
abalaceae），石月 *Stauntonia hexaphylla*（Lardizabalaceae），三桠乌药 *Lindera obtusiloba*
（Lauraceae），山苍子 *Litsea cubea*（Lauraceae），黄瑾 *Hibiscus tiliaceus*（Malvaceae），榕
树 *Ficus retusa*（Moraceae），珍珠莲 *Ficus foveolata*（Moraceae），番石榴 *Psidium guajava*

（Myrtaceae），竹叶兰 *Arundina bambusifolia*（Orchidaceae），檬 *Citrus depressa*（Rutace-
ae），鲁花树 *Scolopia oldhamii*（Salicaceae），星苹果 *Chrysophyllum cainito*（Sapotaceae）。

11. 等角圆盾蚧属 *Dynaspidiotus* Thiem *et* Germeck，1934

Dynaspidiotus Thiem *et* Gerneck，1934：231. **Type Species**：*Aspidiotus britannicus* Newstead，1898.

Nuculaspis Ferris，1938：250. **Type Species**：*Aspidiotus californicus* Coleman，1903.

Ephedraspis Borchsenius，1949a：738. **Type Species**：*Aspidiotus ephedrarum* Lindinger，1912.

Tsugaspidiotus Takahashi *et* Takagi，1957：52. **Type Species**：*Aspidiotus tsugae* Marlatt，1911.

　　属征：雌性介壳圆形，扁平；蜕皮不位于介壳中央位置；灰色或褐色。雄性介壳
椭圆形，蜕皮位于介壳末端。雌性成虫身体梨形或阔梨形。触角呈小突起，上有 1 根
刚毛。前后气门无盘状腺孔。臀板有 3 对发达臀叶，大小略等，等距离排列；中臀叶
对称，第 2 臀叶和第 3 臀叶对称或不对称；第 4 臀叶没有或退化或锯齿状或为突起。
臀栉发达，中臀栉及侧臀栉发达，阔，和臀叶一样长，端部有细齿；外臀栉同样构造，
通常较阔，有时呈刺状。厚皮棍只存在于第 7 和第 8 腹节之间，不明显。腺管单栓
式；背腺管多，在臀板排成斜列；管一般长，圆柱形，管口椭圆形。肛门和中臀叶宽
度一样大或稍大，位于臀板近端部 1/3 到 1/4 处；阴门位置多变。围阴腺孔有或
没有。

　　分布：本属全世界分布 21 种，我国记录 4 种，秦岭地区发现 1 种。

（23）冬青等角圆盾蚧 *Dynaspidiotus britannicus*（Newstead，1998）

Aspidiotus britannicus Newstead，1898：93.

Aspidiotus britannicus Leonardi，1900：340.

Dynaspidiotus britannicus：Ferris，1938：229.

　　鉴别特征：雌性成虫虫体呈圆形，腹部尖，臀板突出，但末端钝圆。有 3 对发达
的臀叶，不分裂，两侧边均有凹刻，第 1 对宽与长近似相等，其顶端钝圆，而基部较
小；第 3 对臀叶与第 2 对臀叶相似，但都小于第 1 对臀叶，各有 2 个顶端锯齿状短而
宽的臀棘分布于臀板第 1 和第 2 切口；第 3 切口有 3 个臀棘；第 4 切口有 4 个外缘锯
齿状的臀棘。臀板背面的管状腺不规则地排列分布于臀板边缘；腹面的管腺很细小，
也多在臀板边缘分布，且在第 1～4 腹节之体缘形成系列。围阴腺 5 群，中侧群 0～3
个，前侧群 5～10 个，后侧群 4～8 个。

　　分布：陕西（秦岭）；加拿大，美国，瑞士，捷克共和国，埃及，西班牙，法国，英
国，希腊，伊朗，以色列，意大利，葡萄牙，俄罗斯，斯洛文尼亚，巴西。

　　寄主：该种寄主超过 22 科 50 种植物，主要包括乳香黄连木 *Pistacia lentiscus*

（Anacardiaceae）、构骨 *Ilex aquifolium*（Aquifoliaceae）、洋常春藤 *Hedera helix*（Araliace-ae）、常春藤 *Hedera colchica*（Araliaceae）、舌苞假叶树 *Ruscus hypoglossum*（Asparagace-ae）、假叶树 *Ruscus aculeatus*（Asparagaceae）等。

12. 肾圆盾蚧属 *Aonidiella* Berlese *et* Leonardi, 1895

Aonidiella Berlese *et* Leonardi, 1895：77. **Type Species**：*Aspidiotus aurantii* Maskell, 1878.

Chrysomphalus（*Aonidiella*）：Cockerell, 1897a：9.

Heteraspis Leonardi, 1914：197. **Type Species**：*Aspidiotus replicatus* Lindinger, 1909.

属征：雌性介壳圆形，体很扁，颜色多变化；蜕皮位于介壳中心位置。雄性介壳卵形，质地和色泽与雌介壳一致，但较小；蜕皮位于介壳近末端位置。雌性成虫老熟时，体通常呈肾脏形。前体段皮肤骨化。触角具 1 毛。前后气门无盘状腺孔。臀板末端有 3 对发达的臀叶，互相平行，形状相似，第 4 臀叶无或骨化为 1 个突起。中臀叶与侧臀栉发达，端部具细齿；第 3 臀叶以外有 3~6 个臀栉，发达，分歧很深而具齿，或呈枝状。厚皮棍小。背腺管发达，单栓式，管长椭圆形；管口椭圆形，多数在节间沟中排列。肛门圆形，直径与中臀叶宽度一样或稍小，位于臀板近末端；阴门位置多变，但均位于肛门前方位置。围阴腺孔有或无。

分布：全世界分布 32 种，其中中国记录 12 种，秦岭地区发现 1 种。

(24) 紫衫肾圆盾蚧 *Aonidiella taxus* Leonardi, 1906（图 467）

Aonidiella taxus Leonardi, 1906：1.

鉴别特征：雌性介壳透明，直径 2mm；雄性介壳长形，较小，长 1mm。雌性成虫虫体肾脏形，长 1.08~1.56mm，宽 1.05~1.62mm。全体硬化，臀板前一方块为膜质。触角瘤具 1 毛。前后气门均无盘状腺孔。臀叶 3 对，形状和大小几乎相似，第 4 臀叶仅为 1 个骨化突。臀栉呈刷状，只存在第 4 臀叶以内的叶间，排列为 2、2、3、3。臀板边缘厚皮棍小，存在于 3 对臀叶的内外角，第 2 臀叶到第 3 臀叶间各有 1 条细小的厚皮棍。背腺管细长，多集中在臀板边缘，粗细相同；第 2 臀叶和第 3 臀叶之间有 4~5 个，第 3 臀叶和第 4 臀叶之间有 12~15 个；第 4 臀叶外侧分布 12~15 个，腹腺管细小，散乱分布。肛门圆形，小，近中臀叶基部末端；阴门位于臀板近基部 1/3 处。围阴腺孔无。

分布：陕西（秦岭）、河南、台湾；日本，菲律宾，欧洲，北美洲，南美洲。

寄主：百日青 *Podocarpus neriifolia*（Podocarpaceae），罗汉松 *Podocarpus macrophyl-lus*（Podocarpaceae），三尖杉 *Cephalotaxus fortunei*（Taxaceae），红豆杉 *Taxus adpressa*（Taxaceae）。

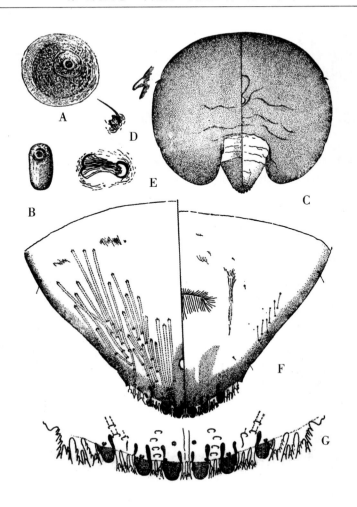

图 467 紫衫肾圆盾蚧 *Aonidiella taxus* Leonardi（仿周尧，1986）
A. 雌介壳；B. 雄介壳；C. 雌成虫；D. 触角；E. 前气门；F. 臀板；G. 臀板末端

13. 金顶圆盾蚧属 *Chrysomphalus* Ashmead，1880

Chrysomphalus Ashmead，1880：267. **Type Species**：*Chrysomphalus ficus* Ashmead，1880.

属征：雌性介壳圆形，扁平，蜕皮位于介壳中心或者偏心；黄色。雄性介壳椭圆形，颜色同雄介壳，蜕皮位于介壳偏中心处。雌性成虫体长卵形或梨形，皮肤除臀板外仍然保持膜质。触角有 1 刚毛。臀板有 3 对发达的臀叶，第 4 臀叶在第 5 腹节呈现为 1 个骨化的锯齿状突起。中臀叶不轭连；第 2 臀叶和第 3 臀叶不分瓣。臀栉发达，端部分叉，毛状，第 4 臀叶外臀栉缺失；第 3 臀叶和第 4 臀叶的遗迹部位有臀栉 3 个，每个臀栉具有 1～2 个长突起。臀板边缘的厚皮棍发达，细长；有或无，在第 3 臀叶和第 4 臀叶间趋于退化。背腺管长，大多数分布在臀板的 3 个节间沟内，在外侧

2 个节间沟数量多，更细。肛门开口接近臀板顶端；阴门位于肛门前端。围阴腺孔 4 或 5 群。

　　分布：古北区，东洋区，澳洲区。全世界已知 30 多种，中国记录 11 种，秦岭地区发现 1 种。

（25）拟褐圆金顶盾蚧 *Chrysomphalus bifasciculatus* Ferris，1938（图 468）

Chrysomphalus ficus Ferris，1937：64（nec Ashmead，1880）.

Chrysomphalus bifasciculatus Ferris，1938：199.

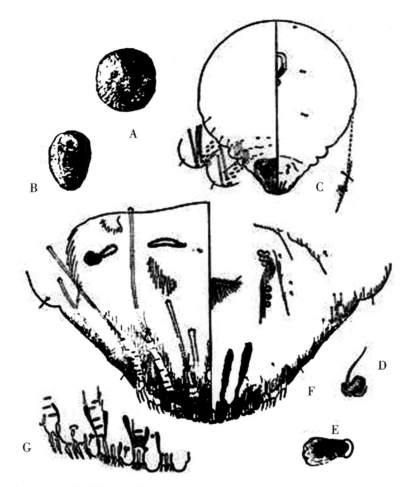

图 468　拟褐圆金顶盾蚧 *Chrysomphalus bifasciculatus* Ferris（仿周尧，1986）

A. 雌介壳；B. 雄介壳；C. 雌成虫；D. 触角；E. 前气门；F. 臀板；G. 臀板末端

　　鉴别特征：雌性介壳直径约为 2.50mm，圆形，深黄褐色，蜕皮位于整个介壳接近中心的位置。雄性介壳长约为 1.20mm，卵圆形，黄褐色，蜕皮位于介壳接近前端的位置。雌性成虫体呈倒梨形，皮肤除臀板外保持膜质。体长 1.08~1.45mm。宽 0.80~1.25mm。体长触角瘤乳头状，具 1 弯曲的毛。前后气门均无盘状腺孔。臀板有 3 对发达的臀叶：中臀叶长宽接近相等，外侧具 1 缺刻，内侧的缺刻不清晰，两臀叶间的间隔略小于 1 个臀叶的宽度；第 2 臀叶与中臀叶一样大或稍小，外侧具 1 缺刻；第 3 臀叶比第 2 臀叶小，形状相似。第 4 臀叶呈 1 个小的骨化突，其外侧臀板边缘有一段距离骨化。臀栉发达，中臀叶间有 1 对臀栉和中臀叶一样长，端部 2 次双分；中臀叶和第 2 臀叶间有 1 对臀栉比第 2 臀叶长，端部 3 次双分；第 2 臀叶和第 3 臀叶间有 3 个臀栉比臀叶长，端部 4~6 分叉；第 3 臀叶和第 4 臀叶位置有 2 个臀栉，顶端略呈剑状。背腺管长，中臀叶间 1 个，远超肛门；第 7 和第 8 腹节有 4~7 个；第 6 和第 7 腹节、第 5 和第 6 腹节分别有 10~20 个，有时排成 1 列，有时排成不规则的 2 列，有时甚至 3 行；第 4 臀叶外侧离第 4 臀叶遗迹不远处有 1 个。第 2 和第 3 腹节每侧有 3~10 个背腺管，比臀板部位的背腺管短。背小腺管有一些沿着后胸边缘到胸的节结之间和基部 3 腹节分布。肛门纵径不短于中臀叶长度，距中臀叶基部的距离为肛门纵径的 1.50~2.50 倍；阴门位于臀板基部约 1/3 处。围阴腺孔 4 群，前侧群 2~7 个，后侧群 3~5 个。

采集记录：1♀，城固，1969. Ⅺ。

分布：陕西（城固）、河南、台湾；蒙古，韩国，日本，越南，欧洲，北美洲。

寄主：夹竹桃 *Nerium oleander*（Apocynaceae），构骨 *Ilex aquifolium*（Aquifoliaceae），八角金盆 *Fatsia japonica*（Araliaceae），洋常春藤 *Hedera helix*（Araliaceae），加拿利海枣 *Phoenix canariensis*（Arecaceae），黄杨木 *Buxus microphylla*（Buxaceae），珊瑚树 *Viburnum odoratissimum*（Caprifoliaceae），阿拉伯茶 *Catha edulis*（Celastraceae），冬青卫矛 *Euonymus japonicus*（Celastraceae），苏铁 *Cycas revoluta*（Cycadaceae），伞竹 *Cyperus alternifolius*（Cyperaceae），小叶栲 *Castanopsis cuspidata*（Fagaceae），日本石柯 *Lithocarpus edulis*（Fagaceae），毛梾木 *Aucuba japonica*（Garryaceae），蝴蝶花 *Iris japonica*（Iridaceae），樟树 *Cinnamomum camphora*（Lauraceae），一叶兰 *Aspidistra elatior*（Liliaceae），石桂花 *Ligustrum japonicum*（Oleaceae），浓香漏兜树 *Pandanus odoratissimus*（Pandanaceae），桂樱 *Laurocerasus officinalis*（Rosaceae），鹤望兰 *Strelitzia reginae*（Strelitziaceae），地锦 *Ampelopsis tricuspidata*（Vitaceae）。

14. 灰圆盾蚧属 *Diaspidiotus* Berlese *et* Leonardi, 1896

Aspidiotus（*Diaspidiotus*）Berlese *et* Leonardi, 1896：350. **Type Species：***Aspidiotus*（*Diaspidiotus*）*patavinus* Berlese *et* Leonardi, 1896.

Affirmaspis MacGillivray, 1921：393. **Type Species：***Aspidiotus socotranus* Lindinger, 1913.

Comstockaspis MacGillivray, 1921：391. **Type Species：***Aspidiotus perniciosus* Comstock, 1881.

Ferrisaspis MacGillivray, 1921：388. **Type Species：***Aspidiotus covilleae* Ferris, 1913.

Hendaspidiotus MacGillivray, 1921：391. **Type Species：***Aspidiotus ulmi* Johnson, 1896.

Archaspis Bodenheimer, 1943：25. **Type Species**：*Archaspis ephedrae* Bodenheimer, 1943.

　　属征：雌性成虫体呈倒梨形，体前端多骨化，有些种类膜质。臀板上的臀叶骨化，臀板末端一般有 2 对臀叶，有些种类有 3 对，均斜向体中轴，臀叶外侧常有缺刻。节间骨化成棒槌状，每侧有 2 对，从中臀叶和第 2 臀叶之间的腺沟旁伸出。臀栉小，仅存于中臀叶和第 2 臀叶间或无，有些种类第 3 臀叶外也有。肛后沟发达，背腺粗长，在臀板背面排成定列，形成腺沟，但此腺沟前端决不向肛门前弯曲。肛门小，与中臀叶等宽或稍小，位于臀板后 1/3 处附近。围阴腺孔有或无。

　　分布：全世界分布 90 种，中国记录 14 种，秦岭地区发现 1 种。

（26）梨灰圆盾蚧 *Diaspidiotus perniciosus*（**Comstock，1881**）（图 469）

Aspidiotus perniciosus Comstock, 1881：304.

Aonidia fusca Maskell, 1895：43.

Aspidiotus albopunctatus Cockerell, 1896c：20.

Aspidiotus andromelas Cockerell, 1897：20.

Dispidiotus perniciabilus Wang *et* Zhang, 1994：326.

Diaspidiotus perniciosus：Danzig, 1980：405.

　　鉴别特征：雌性介壳直径 1.20～1.64mm，圆形，微微隆起；蜕皮位于介壳中心位置。雄性介壳直径 0.60～1.00mm，卵形，前面隆起；蜕皮前半部位于介壳中心位置。雌性成虫体成阔梨形，宽约 0.60mm，长约为宽的 1 倍。皮肤膜质，分节不明显。触角瘤状，具 1 短刚毛。前后气门均无盘状腺孔。臀板有 2 对发达的臀叶，中臀叶大，长阔略相等，端圆而外侧有 1 个明显缺刻，两臀叶很接近，端部向内侧倾斜；第 2 臀叶小，宽只有中臀叶的 1/2，端圆而外侧有缺刻；第 3 臀叶很退化，呈三角形突起。中臀叶之间臀栉 1 对，短齿式，长不及中臀叶，中臀叶与第 2 臀叶之间臀栉有 2 对，与第 2 臀叶长度差不多；第 2 臀叶和第 3 臀叶之间有细长而端齿式的臀栉 3 对，第 3 臀叶外有臀栉 3～4 对；为短阔的短齿式，臀栉都与小腺管连接。厚皮棍有 5 对，中臀叶有内基角 1 对，中臀叶有外基角 1 对，第 2 臀叶内基角 1 对，最后 1 对臀栉由基内角伸出 1 对，第 3 臀叶有基内角 1 对。背腺管有 7 组，中臀叶间有 1 组，1～2 个；侧面第 1 组 4～6 个；第 2 组 5～7 个；第 3 组 5～6 个；管口圆形，近臀板基角有较短的腺管 4～5 个。腹面沿臀板边缘有小腺管分布。肛门中等大，位于臀板近末端 1/6 处；阴门位于臀板近中央位置。围阴腺孔无，有明显围阴脊起。

　　采集记录：1♀，宝鸡，1973.Ⅶ.03，周尧采。

　　分布：陕西（宝鸡、秦岭）、黑龙江、吉林、辽宁、内蒙古、河北、河南、新疆、山东、江苏、安徽、浙江、湖北、江西、台湾、广东、四川；蒙古，俄罗斯，韩国，日本，越南，印度，尼泊尔，巴基斯坦，阿富汗，土耳其，塔吉克斯坦，乌兹别克斯坦，土库曼斯坦，欧洲，南非，北美洲，南美洲，澳洲。

寄主: 该种寄主广泛,取食于 50 个科约 70 种植物,其中以绣线菊科(Rosaceae)取食最多,约 30 种。

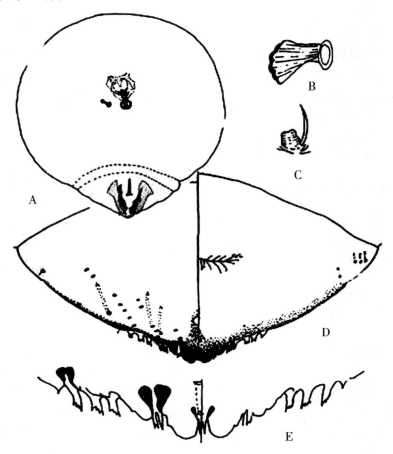

图 469　梨灰圆盾蚧 *Diaspidiotus perniciosus* (Comstock)

A. 雌成虫;B. 前气门;C. 触角;D. 臀板;E. 臀板末端

15. 豁齿盾蚧属 *Froggattiella* Leonardi, 1900

Froggattiella Leonardi, 1900: 298. **Type Species:** *Aspidiotus inusitatus* Green, 1896.

Targionia Leonardi, 1900: 299 (nec Linnaeus, 1753). **Type Species:** *Aspidiotus inusitatus* Green, 1896.

属征: 雌性介壳为圆形或椭圆形,白色或淡褐色。雄性介壳较雌介壳小。雌性成虫身体近圆形、卵形或梨形,头胸部皮肤骨化或不骨化。触角瘤具 1 刚毛,前气门附近有很多盘状腺孔。后胸和腹部有很多腺管开口;这些节的节间缝处有小刺列,呈棒状、线状或齿状,有时在腹面或两面都有,但腹面位于节间。有些种类前胸和中胸的腹侧区有腺瘤,分散或成组。臀板边缘呈多角形突出,不愈合为1个中臀叶。臀板的背面分布有很多不同口径的小腺孔,不排成列,但有时退化。腺管单栓式,短,管口通常为卵形,有时有骨化的边。第5和第6、第6和第7、第7和第8的节间边缘连有纺锤形厚皮棍,或为显著的骨化区。肛门小,圆形或卵形。围阴腺孔无。

分布:全世界分布3种,中国记录3种,秦岭地区发现1种。

(27) 须豁齿盾蚧 *Froggattiella penicillata* (Green, 1905)(图470)

Odonaspis penicillata Green, 1905: 346.

Froggattiella penicillata: Rutherford, 1915a: 104.

Anoplaspis penicillata: Kuwana, 1933: 37.

Dycryptaspis penicillata: Lindinger, 1937: 184.

Froggattiella penicillata: Borchsenius, 1966a: 227.

鉴别特征:雌性介壳长1.80mm,宽0.90mm;长形,白色;蜕皮偏心,红褐色。雄性介壳长0.80mm,宽0.30mm;长形,颜色同雌介壳。雌性成虫长0.80mm,宽0.50mm。体椭圆形,胸部最宽,皮肤膜质,胸节的一部分和腹部的边缘略加厚而有微小的皱纹。触角瘤小,有1根刚毛。气门开口圆形,前气门盘状腺孔0~3个,后气门盘状腺孔无。腹节背面的刺列呈细齿状,腹面节间的刺不显著或无。臀板的中臀叶明显,短阔,略呈方形,而端部有1根个钝形的突出,左右2个臀叶间的间隔和臀叶的宽度相等,该部位生有10~12根束线状长腺毛,同样长短,长出中臀叶好几倍。有一系列钝齿状骨化突起排列成锯状存在于中臀叶以外、臀板边缘。在中臀叶内侧有厚皮棍1对,粗壮,呈纺锤形,很长;在第6、7节的节间界限上另有1对略微短的纺锤形厚皮棍。第5与第6的节间区刻入很深而略骨化。背面的大腺管和腹面的小腺管同样形状都很小,管单闩式,管口圆形;在臀板面和第1~4腹节的背缘区及腹侧区很密且不规则分布。位置接近臀板的基部的圆形。肛门小,围阴腺无。

采集记录:8♀,咸阳中医学院,2007.Ⅶ.31,魏久峰采。

分布:陕西(秦岭、咸阳)、河南、台湾、香港;印度,菲律宾,伊拉克,南非,北美洲。

寄主:篱竹 *Arundinaria hindsii*(Poaceae),油竹 *Bambusa pervariabilis*(Poaceae),泰山竹 *Bambusa vulgaris*(Poaceae),刺竹 *Bambusa stenostachya*(Poaceae),火管竹 *Dendrocalamus merrilliana*(Poaceae),毛竹 *Phyllostachys pubescens*(Poaceae)。

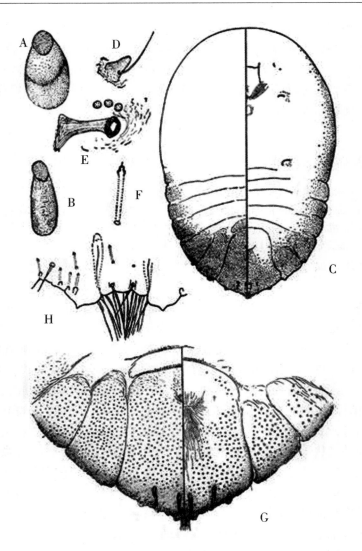

图 470　须齹齿盾蚧 *Froggattiella penicillata* (Green)（仿周尧，1986）
A. 雌介壳；B. 雄介壳；C. 雌成虫；D. 触角；E. 前气门；F. 腺管；G. 臀板；H. 臀板末端

二、粉蚧科 Pseudococcidae

鉴别特征：雌性成虫触角端节较其前节长且大，约呈纺锤形；背孔有 0 ~ 2 对，位于前胸及第 6 腹节背侧；腹脐有 0 ~ 5 个，位于腹部腹面中区有 1 纵列；背缘有一系列刺孔群，左右侧成对，基数为 18 对，也可少至 0 对，或更多，每刺孔群由锥刺及腺群组成；体表常有三格腺。虫体表面常被有白色蜡粉。

分类：世界性分布。陕西秦岭地区发现 7 属 8 种。

分属检索表

16. 巢粉蚧属 *Nesticoccus* Tang，1977

Nesticoccus Tang, 1977：28. **Type Species**：*Nesticoccus sinensis* Tang, 1977.

属征：雌性虫体梨形，触角退化成瘤状，足全缺，背孔和刺孔群无，肛环呈狭环状，无环孔；尾瓣不显；三格腺、多格腺存在，五格腺缺，管腺顶端硬化呈墓顶状；寄生在竹枝分叉处，外包 1 个石灰质混有杂屑的蜡壳，形如鸟巢。

分布：中国。中国特有属，仅有 2 种，秦岭地区发现 1 种。

(28) 竹巢粉蚧 *Nesticoccus sinensis* **Tang，1977**（图 471）

Nesticoccus sinensis Tang, 1977：28.

鉴别特征：雌性成虫体梨形，前端略尖，后端宽大，全体硬化，然而分节尚明显。体长 2.96mm，宽为 2.40mm。触角呈瘤状，有 2 节。气门很大，气门口有成群三格腺包围。后气门之后有 1 个长椭圆形筛状硬化板，有稀疏之圆形盘状分布；硬化板上有 6 个凹窝，分为 2 排，内侧 4 个，外侧 2 个，凹窝为纯粹形态凹陷处，新鲜标本呈黑褐色。板中部有管腺及多格腺呈纵带状分布，腹脐有 1 个，略呈方形。管腺主要分布于筛状硬化板上。多格腺有大小两种。

分布：陕西（周至）、山西、山东、上海、江苏、安徽、浙江、福建。

寄主：青篱竹 *Arundinaria gigantea*（Poaceae），茶秆竹 *Arundinaria amabilis*（Poaceae）。

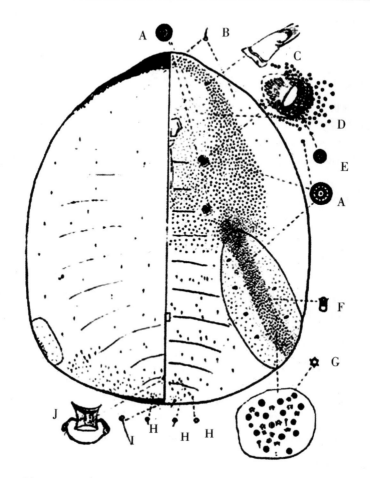

图 471　　竹巢粉蚧 *Nesticoccus sinensis* Tang(仿汤祊德，1992)
A. 多管腺；B. 刺毛；C. 触角；D. 气门；E. 三格腺；F. 管腺；G. 盘孔；H. 体毛；I. 端毛；J. 肛门

17. 安粉蚧属 *Antonina* Signoret，1875

Antonina Signoret，1875：24. **Type Species**：*Antonina purpurea* Signoret，1875.

Laboulbenia Lichtenstein，1877：299. **Type Species**：*Laboulbenia brachypodii* Lichtenstein，1877.

属征：雌性成虫体呈长形或卵圆形，外被白色棉絮状蜡质分泌物或卵囊覆盖。腹部末端有的虫体前端及体侧边缘都高度硬化。触角退化，节数最多不超过 4 节。气门开口常有不同程度的硬化并分布有多数圆盘状腺。前背孔无，后背孔有时存在。肛环位于长肛筒之端部。圆盘状腺 3 种：多格腺、三格腺和不规则的筛状孔。管腺呈墓顶状。刺孔群无。足退化，有的呈小毛刺状。产卵期分泌灰白色毛毡状卵囊，包裹虫体。

分布：全球分布 28 种，我国记录 13 种，秦岭地区发现 2 种。

分种检索表

后背孔存在；多格腺沿体缘成带分布 ……………………………………… 白尾安粉蚧 *A. crawi*

后背孔无；多格腺不沿体缘成带分布 ……………………………………… 九龙安粉蚧 *A. graminis*

(29) 九龙安粉蚧 *Antonina graminis* (Maskell, 1897)（图 472）

Sphaerococcus graminis Maskell, 1897a：244.

Chaetococcus graminis：Maskell, 1898：250.

Kermicus graminis：Cockerell, 1899：392.

Antonina graminis：Fernald, 1903：121.

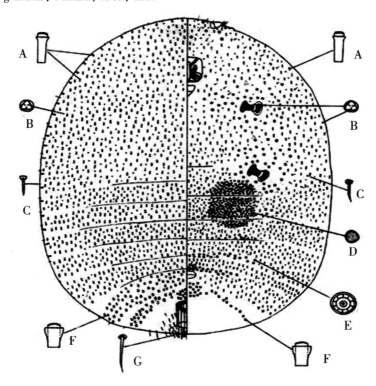

图 472　九龙安粉蚧 *Antonina graminis* (Maskell)（仿汤祊德）

A. 杯状管腺；B. 三格腺；C. 体毛；D. 筛状孔；E. 多格腺；F. 管腺；G. 端毛

鉴别特征：雌性成虫体呈卵形，长 2.00~3.50mm，宽 1.50~2.50mm；触角有 2 节。足完全退化。背孔全缺。三格腺在气门口呈半月形，其他体面稀少。多格腺除在触角基附近和前、后气门附近存在外，主要分布在腹部腹面。腹面后气门后分布有大小不同的不规则筛状孔。管状腺在背、腹两面均有分布。

分布：陕西(秦岭)、河南、湖北、福建、台湾、广东、香港、西藏；亚洲，欧洲，非洲，澳洲。

寄主：该种寄主广泛，取食多种植物，主要有两个科，莎草科有香附子 *Cyperus rotundus*（*Cyperaceae*）、佛焰苞飘拂草 *Fimbristylis spathacea*（Cyperaceae），禾本科（Poaceae）100 多种植物，有马甲竹 *Bambusa tulda*（Poaceae）、龙爪茅 *Dactyloctenium aegyptium*（Poaceae）等。

(30) 白尾安粉蚧 *Antonina crawi* Cockerell, 1900（图 473）

Antonina crawi Cockerell, 1900: 70.

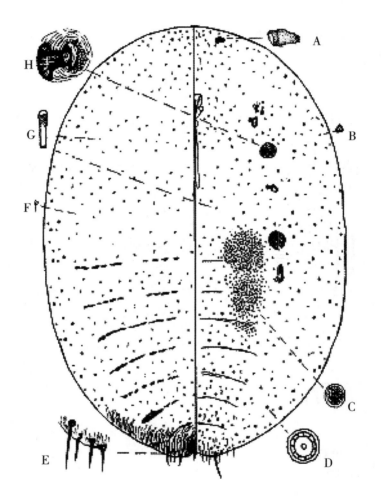

图 473　白尾安粉蚧 *Antonina crawi* Cockerell（仿汤祊德，1992）

A. 触角；B. 三格腺；C. 筛状孔；D. 多格腺；E. 臀瓣（刺状毛）；F. 背刺；G. 管腺；H. 气门

鉴别特征：雌性成虫体呈椭圆形，暗紫色，体长约 2mm。被包在一白色球形卵袋内，并有一条白色蜡丝伸出。老熟时腹末数节很硬化。触角退化成 2 节。气门大，位于大的硬化片上，开口处有三格腺排成半月形。三格腺和管腺很丰富，背腹面均存在。多格腺沿体缘分布，呈狭带，在第9腹节腹板上侧全面分布。筛状孔从阴门直至后气门形成亚缘带。后背孔很明显。腹末数节有刺状毛。

分布：陕西（周至）、北京、河北、山西、河南、上海、江苏、安徽、浙江、湖北、江西、湖南、福建、台湾、广东、香港、四川、云南、西藏；俄罗斯，韩国，日本，阿富汗，伊朗，欧洲，北美洲，澳洲。

寄主：椎子竹 *Arundinaria variegata*（Poaceae），青篱竹 *Arundinaria japonica*（Poaceae），黑节篱竹 *Arundinaria hindsii*（Poaceae），业平竹 *Arundinaria fastuosa*（Poaceae），粽粑箬竹 *Indocalamus herklotsii*（Poaceae），芦苇 *Phragmites communis*（Poaceae），桂竹 *Phyllostachys reticulata*（Poaceae），紫竹 *Phyllostachys nigra*（Poaceae），罗汉竹 *Phyllostachys aurea*（Poaceae），琉璃石竹 *Pleioblastus linearis*（Poaceae），青苦竹 *Pleioblastus chino*（Poaceae）。

18. 蚁粉蚧属 *Formicococcus* Takahashi，1928

Formicococcus Takahashi，1928：253. **Type Species**：*Formicococcus cinnamomi* Takahashi，1928.

Planococcoides Ezzat et McConnell，1956：53. **Type Species**：*Pseudococcus njalensis* Laing，1929.

Indococcus Ali，1967：35. **Type Species**：*Indococcus pipalae* Ali，1967.

属征：雌性成虫触角有6~9节。尾瓣具硬化棒或硬化片。足发达，后足基节和胫节存在透明孔群；有时存在于后足腿节。爪粗大，弯曲，无齿。背孔明显。刺孔群16~24对，部分或所有腹部刺孔群具有2根以上刺毛。肛环毛有6根或更多。三格腺分布体两面。多格腺一般分布腹面。管腺存在，无蕈状腺。

分布：全世界分布38种，中国已知11种，秦岭地区发现1种。

（31）毛竹蚁粉蚧 *Formicococcus bambusus*（Takahashi，1930）（图474）

Pseudoccus bambusicola Takahashi，1930：1.

Planococcoides bambusicola：Tang，1992：359.

Formicococcus bambusus：Li，Tsai & Wu，2014：382.

鉴别特征：雌性成虫体长形，两侧近平行，活体黄白色。玻片标本体长2.40~2.90mm，宽0.80~1.04mm。尾瓣稍突，腹面具有明显的硬化条。触角有8节。后足基节不膨大，但有一群透明孔。腹脐1个，中等大小，长形或近方形。背孔2对，发达。肛环具有2列环孔和6根长环毛。刺孔群19~24对，即原18对基础上，第2~7腹节每节上又增加1对，第7腹节上定有，其他体节上即使无刺孔群，也有间插刺存在。头胸部刺孔群间亦存在间插刺。末对刺孔群具10根大锥刺、2根小锥刺、1~3根刺毛和80个左右三格腺，位于比肛环大的硬化片上。背毛披针状。三格腺数量很多，分布均匀。多格腺少数标本在阴门后有 2~4 个。大管腺分布在体背缘刺孔群附近，每侧从 24~30 不等；小管腺分布在腹脐后各节腹板上。

分布：陕西（宝鸡）、浙江、贵州。

寄主：毛竹 *Phyllostachys pubescens*（Gramineae），玉竹 *Polygonatum odoratum*（Poaceae）。

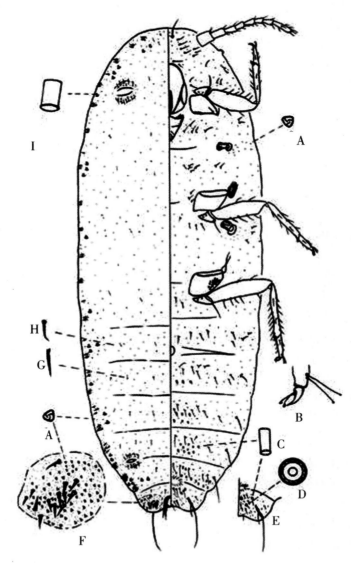

图 474 毛竹蚁粉蚧 *Formicococcus bambusus*（Takahashi）（仿武三安）

A. 三格腺；B. 后爪；C. 小杯状管；D. 多格腺；E. 臀瓣；F. 末对刺孔群；G. 刚毛；H. 体毛；I. 管腺

19. 堆粉蚧属 *Nipaecoccus* Šulc, 1945

Nipaecoccus Šulc, 1945: 1. **Type Species**: *Dactylopius nipae* Maskell, 1893.

Elizabetiella Borchsenius, 1947: 142. **Type Species**: *Dactylopius nipae* Maskell, 1893.

Calicoccus Balachowsky, 1959: 339. **Type Species**: *Calicoccus guazumae* Balachowsky, 1959.

属征：雌性成虫体阔卵圆形，触角6~8节，足正常发育，爪粗壮，无齿。前背孔和后背孔存在。尾瓣不发达，其腹面顶端具1根臀瓣刺和若干根细刺毛。具多孔腺及管状腺。刺孔群中的2根锥刺远离。虫体背面具有大刺或小刺。虫体常被白色圆锥形突起的分泌物所覆盖。

分布：全球分布47种，中国分布5种，秦岭地区记录1种。

(32) 柑橘堆粉蚧 *Nipaecoccus viridis* (**Newstead, 1894**) (图475)

Dactylopius viridis Newstead, 1894: 5.

Pseudococcus viridis: Fernald, 1903: 112.

Pseudococcus solitarius Brain, 1915b: 104.

Ripersia theae Rutherford, 1915b: 111.

Pseudococcus perniciosus Newstead, 1920: 179.

Trionymus sericeus James, 1936: 203.

Nipaecoccus vastator Ferris, 1950: 103.

Nipaecoccus viridis: Ali, 1970: 113.

鉴别特征：雌性成虫体呈长椭圆形，长约4mm，触角有7节，足小。前背孔缺失，后背孔存在。腹脐1个。刺孔群通常具有6对均在腹末。多格腺分布在虫体腹面，在腹部比较密集，在胸部也有分布。管状腺数量很多，分布在虫体背和腹面。三格腺在虫体背和腹两面均有分布。虫体背面有各种长短和粗细不同的圆锥状刺，且分布在腹部背面中央的体刺较为粗壮，分布在头胸部的体刺稍为细短。

分布：陕西(周至)、内蒙古、湖南、香港；日本，越南，印度，尼泊尔，斯里兰卡，菲律宾，马来西亚，新加坡，印度尼西亚，以色列，伊朗，北美洲，非洲，南非，澳洲。

寄主：该种取食广泛，取食约41个科90种植物，主要有老鼠簕 *Acanthus ilicifolius* (Acanthaceae)、杧果 *Mangifera indica* (Anacardiaceae)、芹菜 *Apium graveolens* (Apiaceae)、清明花 *Beaumontia grandiflora* (Apocynaceae)、椰子树 *Cocos nucifera* (Araceae) 等。

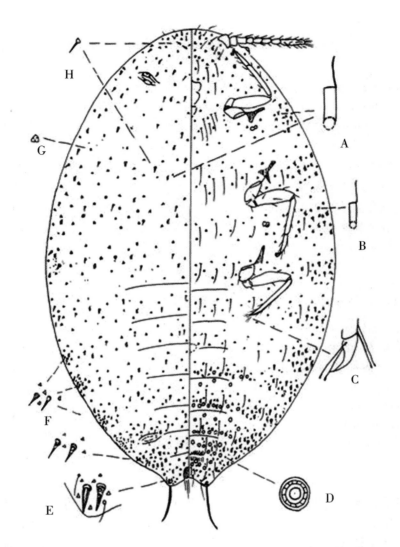

图 475　柑橘堆粉蚧 *Nipaecoccus viridis*（Newstead）（仿汤祊德等，1988）

A. 腹大管腺；B. 腹小管腺；C. 后爪；D. 多格腺；E. 臀瓣；F. 刺孔群；G. 三格腺；H. 体毛

20．拟锯粉蚧属 *Paraserrolecanium* Wu，2010

Paraserrolecanium Wu，2010：902. **Type species**：*Paraserrolecanium fargesii* Wu，2010.

　　属征：雌性成虫体背腹扁平，触角 6 节同，口器唇基盾前端强烈突出，背孔无。阴门裂缝状，开口向后。刺孔群无。五格腺和多格腺无。三格腺存在，分布体两面。管状腺短型。

　　分布：本属仅模式种 1 种，分布于秦岭。

（33）箭竹拟锯粉蚧 *Paraserrolecanium fargesii* **Wu，2010**（图 476）

Paraserrolecanium fargesii Wu，2010：902.

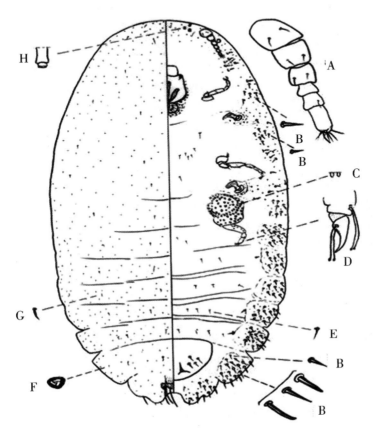

图 476　箭竹拟锯粉蚧 *Paraserrolecanium fargesii* Wu（仿武三安，2010）
A.触角；B.腹刺；C.微管腺；D.后爪；E.腹毛；F.三格腺；G.体毛；H.管腺

　　鉴别特征：雌性成虫老熟后个体呈红褐色，强烈骨化；青年个体末端几节硬化。体末有3~4节间内凹，腹末内凹，从而形成浅锯齿状。在坡片上老熟个体长3.00~3.60mm，宽0.90~1.70mm。青年个体长1.70~2.10mm，宽0.84~0.94mm。触角有6节，单眼存在。喙1节。前、中足稍退化，后足基节极膨大，上有许多内陷小管；腿节稍膨大，其外侧亦有少量内陷小管。肛环在体末，位于短肛筒内。环毛有6根，向后伸出超过体末。无腹脐。无背孔。三格腺在体背很多，散布整个体面。管腺1种，顶端有1个塞状突出物，量少，在两触角间定有4~6个，腹部第3~7节和两气门口之体缘有时亦有1个。体毛分布体背和腹面中区，不同形状和不同大小的刺分布腹面缘区，愈向头端，刺数愈少，且刺愈小。

　　采集标本：8♀，凤县天台山，1999.Ⅸ.05，武三安采。

分布：陕西（凤县）。

寄主：箭竹 *Fargesia* sp.（Poaceae）。

21. 绵粉蚧属 *Phenacoccus* Cockerell，1893

Phenacoccus Cockerell，1893：318. **Type Species**：*Pseudococcus aceris* Signoret，1875.

Peukinococcus Šulc，1944：2. **Type Species**：*Boisduvalia piceae* Löw，1883.

Paroudablis Borchsenius，1949b：88. **Type Species**：*Boisduvalia piceae* Löw，1883.

Caulococcus Borchsenius，1960：47. **Type Species**：*Phenacoccus angustatus* Borchsenius，1949.

属征：雌性成虫体呈椭圆形、长形，被有白色蜡粉，体周有细长蜡丝，产卵时能在体后分泌白色卵囊。触角有9节，少数种有8节。眼发达，喙有3节。足发达，爪下有齿。气门无盘孔。有背孔2对。刺孔群有1~18对，一般有2根刺和少数三格腺。腹脐常有1~5个，有的种则无。肛环在背末，有成列环孔和6根长环毛。尾瓣稍微突出，端毛长于环毛。盘腺有3种。三格腺在背面和腹面边缘多，而五格腺在腹面中区多；多格腺一般分布在腹部腹面，分布均匀，与管腺不成群。管腺领式，1种或数种，不同大小。体背常有小刺，但不形成背刺孔群，腹面为毛。

分布：世界广布。全世界已知160余种，中国记录30余种，秦岭地区记录1种。

(34) 柿树绵粉蚧 *Phenacoccus pergandei* Cockerell，1896（图477）

Phenacoccus pergandei Cockerell，1896d：55.

鉴别特征：雌性成虫长4~6mm，体呈椭圆形。触角有9节，第3节最长。足细长，爪下表面有齿，后足基节无透明孔。背孔有2对。腹脐有5个位于后胸至第5腹节腹板上。刺孔群有17~18对，均不着生在硬化片上。肛环在背末，有成列环孔和6根长环毛。尾瓣稍微突出，环毛小于端毛。三格腺分布体两面。五格腺在腹面中区。多格腺在腹部腹面。管状腺有3种，在背、腹两面分布。背面和腹面边缘有小刺分布，腹面有体毛。

分布：陕西（秦岭）、山西；日本。

寄主：八角金盘 *Fatsia japonica*（Araliaceae），连香树 *Cercidiphyllum japonicus*（Cercidiphyllaceae），柿子 *Diospyros kaki*（Ericaceae），月桂树 *Laurus nobilis*（Lauraceae），无花果 *Ficus carica*（Moraceae），枇杷 *Eriobotrya japonica*（Rosaceae），樱花 *Prunus yedoensis*（Rosaceae），东北红豆杉 *Taxus cuspidata*（Taxaceae），朴树 *Celtis sinensis*（Ulmaceae）。

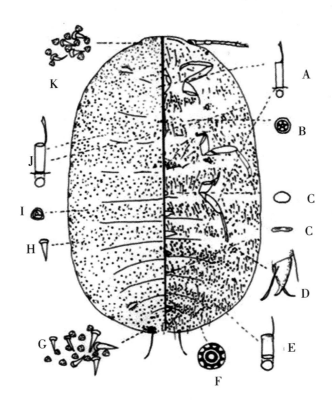

图 477　柿树绵粉蚧 *Phenacoccus pergandei* Cockerell（仿汤祊德，1992）

A. 腹小管腺；B. 五格腺；C. 腹脐；D. 后爪；E. 腹大管腺；F. 多格腺；G. 刺孔群（6 根刺）；H. 背刺；I. 三格腺；J. 背中管腺；K. 刺孔群（4 根刺）

22. 锯粉蚧属 *Serrolecanium* Shinji，1935

Serrolecanium Shinji，1935：106. **Type species**：*Serrolecanium bambusae* Shinji，1935.

属征：雌性成虫体偏平，前圆后尖锥，也就是第 4 腹节和 6 腹节分节明显且外缘突出，第 5 腹节至 7 腹节外缘突出并向后延伸，到第 8 腹节两侧弯曲成钳子形状，从而形成 1 条尾裂。触角有 1～2 节，眼无。足无。胸气门大，后气门分布在第 2 腹节腹板上，两侧分别有椭圆形腺板，有一群管腺在板上。背孔及刺孔群无，肛环位于一肛筒底部，有环孔而无环毛。唇基盾具前端延伸。腹脐无，阴门开口向后，狭缝状。三格腺和单孔腺分布体缘。多格腺无。锥状毛或刺主要分布在体缘。

分布：亚洲。世界已知 5 种，中国记录 3 种，秦岭地区发现 1 种。

（35）卡氏锯粉蚧 *Serrolecanium kawaii* **Hendricks** *et* **Kosztarab, 1999**（图 478）

Serrolecanium kawaii Hendricks et Kosztarab, 1999：73.

鉴别特征：雌性成虫体前端圆形，两侧平行，从第 3 腹节向后逐渐变窄呈锥状，第 3～8 腹节两侧外缘突出，硬化并呈锯齿状；其中第 5～8 腹节突出部分向后延伸，第 3、4 腹节外缘突出但不向后延伸。第 3～8 腹节缘区具锥状刺。在玻片上长 4.50～5.00mm，宽 1.70～2.40mm。

采集记录：5♀，宁陕火地塘，2013.Ⅶ.11，武三安采。

分布：陕西（宁陕）、安徽；日本。

寄主：箬竹 *Indocalamus* sp.（Poaceae）。

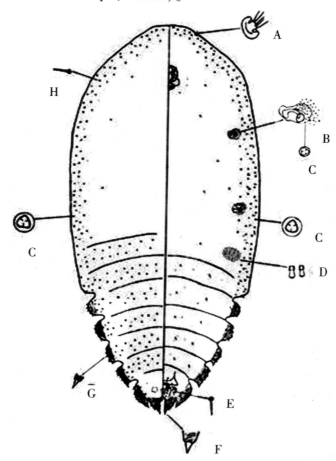

图 478　卡氏锯粉蚧 *Serrolecanium kawaii* Hendricks *et* Kosztarab

（仿 Hendricks *et* Kosztarab, 1999）

A. 体缘；B. 气门；C. 三格腺；D. 管腺；E. 腹刺；F. 腹锥状刺；G. 背锥状刺；H. 背刺

三、链蚧科 Asterolecaniidae

鉴别特征：雌性成虫体小，呈椭圆形或梨形，分节不明显。虫体背面隆起而扁平。体被薄而透明蜡壳。触角退化成瘤状和盘状，其顶端有不同的根刺毛。喙有1节。足全缺，或仅留残爪。胸气门发达，但无腹气门。肛环上常无孔纹，环毛有6根。无肛板。尾瓣不发达，但有尾瓣毛1根。盘腺有五格腺、多格腺、单孔和"8"字形腺，"8"字形腺通常为1条，多在背缘排成链带状；管腺无端丝。常被有透明或半透明的玻璃质蜡壳，壳缘常具蜡丝。

分类：世界广布。陕西秦岭地区发现2属2种。

分属检索表

肛环无孔，至多2根短环毛 ·· 寡链蚧属 *Pauroaspis*

肛环有2列孔和6根环毛 ·· 竹链蚧属 *Bambusaspis*

23. 寡链蚧属 *Pauroaspis* **Tang** *et* **Hao**, **1995**

Pauroaspis Tang *et* Hao, 1995：326. **Type Species**：*Asterolecanium ceriferum ceriferum* Green, 1909.

属性：雌性成虫体形多样，尾瓣常缺。体缘有"8"字孔列和五格孔列；体背密布细长、端曲的管腺，腹末有1对背管；腹面气门路和触角外侧常有五格孔。肛管短小，肛环无孔，至多有2根短环毛。

分布：东洋区，新热带区。全世界已知6种，中国分布3种，秦岭地区发现1种。

(36) 竹竿寡链蚧 *Pauroaspis rutilan*（**Wu, 1983**）（图 479）

Bambusaspis rutilan Wu, 1983：428.

Pauroaspis rutilan：Tang & Hao, 1995：330.

鉴别特征：雌性成虫体呈近卵形，深红或紫红色；长约0.80mm，宽0.45mm。体缘"8"字腺1列，后端终止于距臀瓣毛基部约1个"8"字腺长度；体缘五孔腺为双列。触角呈疣状，具长短刚毛各2根；前气门路有五孔腺约24个，后气门路有20个；口器每侧有暗框"8"字腺7~9个。腹部腹面多孔腺为大五孔腺，此五孔腺为有缘五孔腺的2倍大，自尾端亚缘区中部向前，横向按腹节分布。背管腺细长，全面分布于背管之前背面。

　　分布：陕西（周至）、安徽。

　　寄主：毛竹 *Phyllostachys edulis*（Poaceae）。

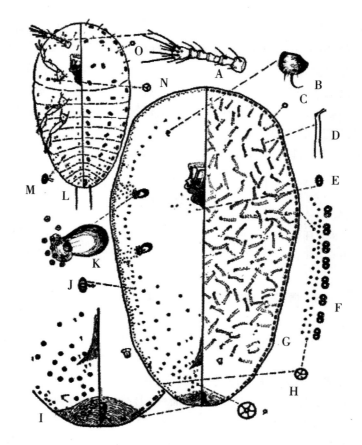

图479　竹竿寡链蚧 *Pauroaspis rutilan*（Wu）（仿吴世君，1983）

A. 初孵若虫触角；B. 雌成虫触角；C. 雌成虫盘孔；D. 背管腺；E. 暗框对腺；F. 缘对腺及缘五孔腺列；G. 雌成虫背腹面；H. 缘五孔腺；I. 尾端背腹面；J. 雌成虫亚缘对腺；K. 前气门；L. 初孵若虫背腹面；M. 初孵若虫亚缘对腺；N. 初孵若虫三格腺；O. 初孵若虫盘孔

24. 竹链蚧属 *Bambusaspis* Cockerell, 1902

Asterolecanium（*Bambusaspis*）Cockerell, 1902：114. **Type Species**：*Chermes miliaris* Boisduval, 1869.

Bambusaspis：Borchsenius, 1960b：133.

　　属征：雌性成虫体常为长椭圆形或椭圆形，腹部末端逐渐变窄。长0.40～4.00mm，宽0.30～2.20mm。触角多呈瘤状突起，一般其顶端有2-5根毛。喙顶端无毛。肛门开口于体末端，有的肛环发达，有的肛环退化。臀瓣很小，有臀板刺和细毛。腹部背面近末端有 1 对背管状突。沿虫体腹面体缘或腹面与背面连接交界处常有由较大的"8"字腺形成的单列链，或呈带状链分布。在虫体背面和腹面亚缘区也可见有"8"字腺分布。五孔腺除组成气门腺路外，还在靠近体缘"8"字形腺链的亚体缘也形成与"8"字腺链相平行的五孔腺链。多孔腺分布在虫体腹面，管状腺在虫体背面分布。

分布：世界性分布。全球记录 60 种，中国已知 45 种，秦岭地区发现 1 种。

(37) 半球竹链蚧 *Bambusaspis hemisphaerica* (Kuwana, 1916)（图 480）

Asterolecanium hemisphaericum Kuwana, 1916：147.

Bambusaspis hemisphaerica：Borchsenius, 1960：134.

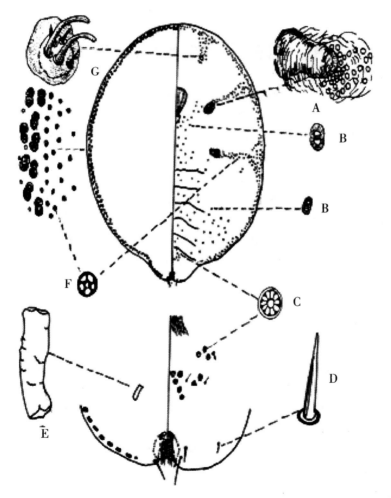

图 480　半球竹链蚧 *Bambusaspis hemisphaerica* (Kuwana)（仿王子清, 2001）

A. 气门；B. "8"字腺；C. 多格腺；D. 腹刺；E. 管状腺；F. 五格腺；G. 触角顶端

鉴别特征：雌性蜡壳近长卵形，背中前高突，绿黄色，透明、光滑，缘丝白色。雌性成虫身体近圆形，尾端稍突出。体长 1.80～2.00mm，宽 1.20～1.50mm。触角多为圆盘状，其顶端一般着生 2 根粗毛和 1 根细毛。胸气门发达，开口内陷处具有密集的五孔腺，胸气门柄短粗。气门腺发达，特别是接近体缘处更加宽阔，并和体缘五孔腺带彼此融合。沿体缘有 2 列由较大的"8"字腺形成的带状链，只是在体缘逐渐的由 2 列"8"字腺变为 1 列。与体缘"8"字腺带状链靠近的五孔腺也集聚为 3～6 个腺体的宽带。管状腺在虫体背面末端分布。在触角和体缘之间，明显分布有由五孔腺形成的宽带。多孔腺主要分布在腹部的腹面。

分布：陕西（周至）、安徽、湖南、浙江、广东；日本，北美洲。

寄主：青篱竹 *Arundinaria chino*（Poaceae），箣竹 *Bambusa metake*（Poaceae），刚竹属 *Phyllossachys*。

四、绵蚧科 Monophlebidae

鉴别特征：雌性成虫多数体形大，皮肤柔软，胸部、腹部分节明显。触角可多达 11 节。口器和足发达。腹气门有 2～8 对。腹部腹面常有腹疤，其数量可多达几百个。腹部末端肛管长，内端硬化并具有成圈蜡孔，无肛环。有的种类在生殖期形成蜡质的卵囊。雄性成虫具有单眼和复眼，触角 10 节，从第 3 节以上每节成双瘤式；翅透明，2 条翅脉呈叉状。腹末有根状突起。

分类：古北区，东洋区，新北区，澳洲区。陕西秦岭地区发现 1 属 1 种。

25. 草履蚧属 *Drosicha* Walker, 1858

Drosicha Walker, 1858：306. **Type species**：*Drosicha contrahens* Walker, 1858.

Drosycha Signoret, 1876：351（lapsus）.

Monophlebus Cockerell, 1902c：233. **Type species**：*Monophlebus fusoipennis* Burmeister, 1835.

属性：雌性成虫体呈椭圆形，形似草履虫，被白色蜡粉。背面稍隆起，有褶皱。触角有 8～9 节。足发达，跗节 1 节。胸气门 2 对。腹气门 7 对，气门腔内无盘孔。肛门被毛丛包围。多孔腺的中央为圆形孔，周边为 5～7 孔。体毛多，分布于背腹面。腹疤 3 个，位于阴门后。

分布：东洋区。全世界已知 24 种，中国分布 5 种，秦岭地区分布 1 种。

(38) 草履蚧 *Drosicha corpulenta*（**Kuwana, 1902**）（图 481）

Monophlebus corpulenta Kuwana, 1902：46.

Drosicha corpulenta：Cockerell，1902：318.

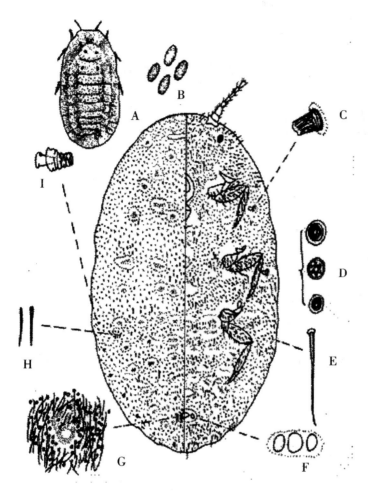

图 481　草履蚧 *Drosicha corpulenta*（Kuwana）（仿汤祊德，1988）
A. 雌成虫；B. 卵；C. 胸气门；D. 多格腺；E. 体缘毛；F. 脐斑；G. 肛孔；H. 体毛；I. 腹气门

鉴别特征：雌性成虫体椭圆形，背略突起，腹面平。体长 7.80～10.0mm，宽 4.00～5.50mm。暗褐色，边缘橘黄色，背中线淡褐色；触角、足和喙亮黑色；眼红褐色。触角有 8 节。3 对，发达，胫节长约为腿、转节之和，跗节长为胫节长之半，爪粗短，爪冠毛细尖。胸气门 2 对，位于腹面；腹气门 7 对，位于背缘；腹气门小于胸气门，气门腔内均无盘孔。腹部 8 节，末端宽圆。肛门大，无毛，在腹末背面。疤在第 7、8 腹部腹板间。多孔腺分布背、腹两面。雄成虫体红紫色，前翅紫蓝色，前缘脉红色。触角有 10 节，除基部 2 节外，其他节均生有 3 轮长毛。头部红紫色，复眼和单眼各 1 对，黑色。前胸红紫色，足黑色。喙缺。平衡棒端有钩状毛 2～9 根。尾瘤 2 对，均长。生殖鞘呈锥形。胸气门有 2 对，腹气门有 7 对。

采集记录: 15♀，西北农林科技大学校园内，2015. Ⅳ. 15，刘荻采。

分布: 陕西(杨凌、洋县)。

五、珠蚧科 Margarodidae

鉴别特征: 雌性成虫体呈椭圆形，分节明显。背面和腹面上有刺。两触角相互接近，其基节很大，一般有6~11节。喙最多至3节。胸气门有2对，腹气门有2~8对，如缺，常缺后数对。足发达，跗节1~2节。腹部腹面有脐斑。肛孔在腹末，无肛环。

生物学: 本科昆虫多过隐蔽生活，或潜居土壤中，或寄生于树皮下。

分类: 世界性分布。中国已记录7属20种，陕西秦岭地区发现2属2种。

分属检索表

爪基部有后跟 ⋯⋯⋯⋯⋯⋯⋯⋯⋯⋯⋯⋯⋯⋯⋯⋯⋯⋯ 松干蚧属 *Matsucoccus*

爪基部无后跟 ⋯⋯⋯⋯⋯⋯⋯⋯⋯⋯⋯⋯⋯⋯⋯⋯⋯ 新珠蚧属 *Neomargarodes*

26. 松干蚧属 *Matsucoccus* Cockerell, 1909

Acreagris Koch *et* Berendt, 1854: 17 (nomen oblitum). **Type species:** *Acreagris crenata* Koch *et* Berendt, 1854.

Matsucoccus Cockerell, 1909: 56. **Type species:** *Xylococcus matsumurae* Kuwana, 1905.

Sonsaucoccus Yang, 1980: 186. **Type species:** *Matsucoccus sinensis* Chen, 1937.

属征: 雌性成虫体细长，后端略宽。触角在头的前端，有9节，基部2节大且硬化，第2节呈网状，其他节近陀螺形，端节顶端截形。无喙。足粗，但分节明显，胫节常弯曲，跗节有2节。胸气门有2对，腹气门有7对，腔内均无盘孔。腹部有背疤，无脐斑。无肛环。盘腺有3种，即背疤、多孔腺和双孔腺。体毛短，分布背面和腹面。本属专寄生于松属植物。

分布: 全北区。世界已知38种，中国已记载7种，秦岭地区记录1种。

(39) 中华松干蚧 *Matsucoccus sinensis* Chen, 1937 (图 482)

Matsucoccus sinensis Chen, 1937: 382.

Sonsaucoccus sinensis: Yang, 1980: 186.

鉴别特征：雌性成虫长约2mm，体呈纺锤形，被黑色蜡壳。头端略大，腹部变窄且末端分为两瓣。触角有9节。口器退化。足小而弯曲，股节粗壮，胫节圆柱形，跗节2节，中部变宽，这3节都具有网纹。胸气门大，腹气门有7对，腔内有3~5个盘孔腺。背疤在第3~8腹节背面，总数203~242个。多孔腺缺。

分布：陕西(南郑、柞水)、河南、江苏、贵州。

寄主：油松 *Pinus tabulaeformis*(Pinaceae)，马尾松 *P. Massoniana*(Pinaceae)。

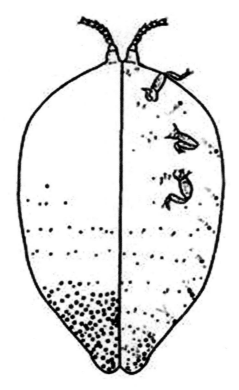

图482　中华松干蚧 *Matsucoccus sinensis* Chen(仿李成德 2004)雌成虫

27. 新珠蚧属 *Neomargarodes* Green, 1914

Neomargarodes Green, 1914: 263. **Type species**: *Neomargarodes erythrocephalus* Green, 1914.

属征：雌性成虫体呈宽椭圆形，表皮柔软。触角短，有6节，基节膜质，他节则侧壁硬化。胸气门有2对，气门杠呈细长勺状，气门腔背壁上有多孔腺；腹气门有8对。前足为开掘足。盘腺为多孔腺，有中心孔或无中心孔。雄性成虫触角有7节，栉齿状。

分布：古北区。全世界已知16种，我国记录4种，秦岭地区发现1种。

(40) 花生新珠蚧 *Neomargarodes gossypii* Yang, 1979（图 483）

Neomargarodes gossypii Yang, 1979: 37.

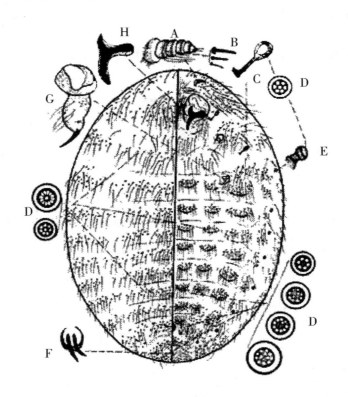

图 483　花生新珠蚧 *Neomargarodes gossypii* Yang（仿武三安，2007）
A. 触角；B. 感觉毛；C. 胸气门；D. 多孔腺；E. 腹气门；F. 肛门；G. 后足；H. 前足爪

鉴别特征： 雌性成虫体粗壮，呈阔卵形，背面向上隆起，腹面较平。体长 4.00~8.50mm，宽 3~6mm。体柔韧，乳白色，多皱褶，密被黄褐色柔毛，特别是前足间毛长且密。触角短粗，呈塔状，有 6 节。单眼和口器均退化。前足为开掘足，特别发达，爪极粗壮而坚硬，黑褐色，爪基部内凹向下突伸而呈"T"字形；中、后足很小，全长约与前足的爪相等，上面有长短刚毛，跗节与爪愈合，爪细长而弯曲。胸气门 2 对，气门腔内有盘腺（有中孔及 6 个缘孔）。腹气门 8 对，位于第 1~8 腹节腹面两侧，第 1 对气门位置偏高，开口处有 1 列盘腺。肛门靠近腹面末端，有 2 条骨化条。阴门两侧各有 1 个近圆形的骨化区。盘腺为多孔腺，大致分为两种类型：一种具中心孔，周缘有 7~12 孔，分布在体背腹两面各节中区；另一种无中心孔，有 6~13 孔，分布在阴门周围。

分布： 陕西（秦岭）、河北、河南、山东。

寄主： 落花生 *Arachis hypogaea*（Leguminosae），大豆 *Glycine max*（Leguminosae），

棉花 *Gossypium* sp.（Malvaceae）等。

六、毡蚧科 Eriococcidae

鉴别特征：雌性成虫通常呈椭圆形，体红色或黄褐色，外包有 1 个致密的毡状卵囊，虫体躲在里面取食和产卵，仅肛门处裸露，用以排泄蜜露和初孵若干虫爬出。体壁柔软，少数硬化。触角有 5 ~8 节，端节常狭且小于其他节。有单眼 1 对，位于触角外侧。足正常发达，跗节 1 节。腹部末端有 1 对长锥形尾瓣。肛环有成列环孔和 6 ~8 根刚毛，或有的属退化。尾瓣发达，但无背孔、腹脐及刺孔群。盘腺为五格腺和多格腺，绝无粉蚧型三格腺；管状腺为瓶形管腺和微管腺。体背面有许多粗锥状刺，或在背面排成横带，或沿背缘分布。

分布：世界性分布。陕西秦岭地区发现 3 属 4 种。

分属检索表

1. 触角 3~5 节 ··· 白毡蚧属 *Asiacornococcus*
   触角大于 5 节 ·· 2
2. 肛环毛 6 根 ··· 毡蚧属 *Eriococcus*
   肛环毛 8 根 ·· 大盘毡蚧属 *Macroporicoccus*

28. 毡蚧属 *Eriococcus* Targioni-Tozzetti, 1868

Eriococcus Targioni-Tozzetti, 1868：726. **Type Species**：*Coccus buxi* Boyer *et* Fonscolombe, 1834.

Acanthococcus Signoret, 1875：16. **Type Species**：*Acanthococcus aceris* Signoret, 1875.

Gossyparia Signoret, 1875：20. **Type Species**：*Coccus ulmi* Linnaeus, 1758.

Thekes Maskell, 1892：28. **Type Species**：*Acanthococcus multispinus* Maskell, 1879.

Greenisca Borchsenius, 1948b：502. **Type Species**：*Anophococcus gouxi* Balachowsky, 1954.

Anophococcus Balachowsky, 1954：61. **Type Species**：*Eriococcus inermis* Green, 1915.

Neokaweckia Tang *et* Hao, 1995：596. **Type Species**：*Greenisca rubra* Matesova, 1960.

属征：雌性成虫体呈椭圆形或长形，通常腹部末端变狭窄。尾瓣发达。触角有 6 ~8 节。肛环常为椭圆形，具 1~2 列孔，6~8 根环毛。刺在虫体背面呈横带或横列分布。柱状腺为杯状管和微管腺。盘状腺为五格腺。

分布：全球分布 73 种，中国记录 34 种，秦岭地区发现 2 种。

(41) 紫薇毡蚧 *Eriococcus lagerstroemiae* Kuwana, 1907（图 484）

Eriococcus lagerstroemiae Kuwana, 1907：182.

Nidularia lagerstroemiae：Lindinger，1933：116.

鉴别特征：雌性成虫长约 2.70mm，体呈长卵圆形，暗紫色或紫红色。老熟成虫被包于白色毛毡状的蜡囊中，其大小如稻米粒。触角有 7 节，以第 3 节为最长。足 3 对，较小；跗冠毛和爪冠毛 1 对。胸气门 2 对，气门腔口无盘腺。肛环具不规则孔 1 列和 8 根肛环毛。尾瓣发达，呈长锥状。体刺圆锥形，在体背之头与前胸呈 1 刺区，中胸和后胸共 4 条横带状刺区，腹部为 8 条横带状刺区，刺与刺间横向距离一般为刺长的 2~3 倍。五格腺在腹部腹面则按节排成横带。杯状管分大小 2 种，大管分布在虫体背面和腹面亚缘区；小管仅个别见于腹面中区。微管腺分布于体背。体毛仅分布于腹面。

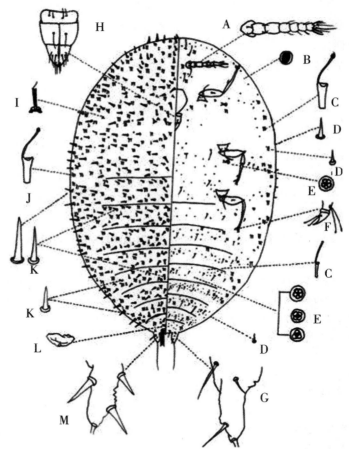

图 484　紫薇毡蚧 *Eriococcus lagerstroemiae* Kuwana，1907（仿南楠，2014）

A. 触角；B. 十字孔腺；C. 腹杯状管；D. 腹刺；E. 格腺；F. 后爪；G. 尾瓣腹面；H. 喙；I. 微管腺；J. 背杯状管；K. 背刺；L. 尾片；M. 尾瓣背面

分布：陕西（华县）、辽宁、河北、内蒙古、宁夏、甘肃、青海、新疆、山东、江苏、江西、四川、贵州；蒙古，韩国，日本，欧洲，非洲。

寄主： 黄杨木 *Buxus microphylla*（Buxaceae），柿子 *Diospyros kaki*（Ebenaceae），野桐 *Mallotus japonicus*（Euphorbiaceae），黄豆 *Glycine max*（Fabaceae），紫薇 *Lagerstroemia indica*（Lythraceae），无花果 *Ficus carica*（Moraceae），苹果 *Malus pumila*（Rosaceae），朴树 *Celtis sinensis*（Ulmaceae）。

（42）绣线菊毡蚧 *Eriococcus isacanthus*（Danzig，1975）（图485）

Acanthococcus isacanthus Danzig，1975：45.

Eriococcus isacanthus：Tang & Hao，1995：474.

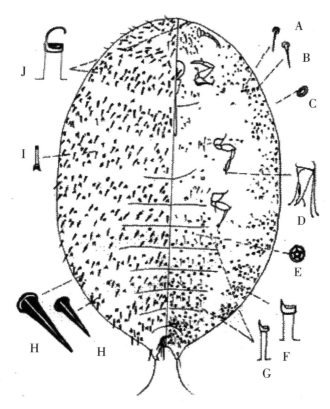

图485　绣线菊毡蚧 *Eriococcus isacanthus*（Danzig）（仿汤祊德等，1995）
A.腹毛；B.腹刺；C.十字孔腺；D.后爪；E.多格腺；F.腹大杯状管；G.腹小杯状管；H.背刺；I.微管腺；J.背杯状管

鉴别特征： 雌性成虫长约2mm，体呈椭圆形，棕色。触角有7节。喙3节。额囊存在。足小，爪下有齿。肛环有6根环毛和肛环，无肛前刺。尾瓣突出，硬化，内缘具齿，每侧背刺有3根，腹毛4根。尾片存在。五格腺散布在腹面，腹部较为密集。十字孔腺分布在体缘区。杯状管有大小2种：大杯状管量较多，分布体缘；小杯状管量较少，分布体中区。腹刺小，在体缘成纵列。杯状管散布在整个体背。微管腺细长，散布全背。背刺呈长锥状，在背面各体节成横带，各腹节每侧有缘刺2或3根。

分布：陕西（凤县、秦岭）、山西、河南；俄罗斯，韩国。

寄主：山合欢 *Albizia kalkora*（Fabaceae），绣线菊 *Spiraea salicifolia*（Rosaceae）。

29. 白毡蚧属 *Asiacornococcus* Tang *et* Hao, 1995

Asiacornococcus Tang *et* Hao, 1995：587. **Type Species**：*Eriococcus exiguus* Maskell, 1897.

属征：雌性成虫体呈椭圆形，被白色卵囊，体呈紫红色。触角有3～5节。眼不明显。足正常，爪下有齿；有跗冠毛和爪冠毛各1对。肛环有孔列和6～8根环毛。尾瓣呈锥形突起，内缘光滑无齿突，每侧尾瓣有2根背刺和1根端毛。体背有杯状腺，腹面有五格腺、多格腺和杯状腺。背刺为粗锥状或橡实状，一般在体背（特别是腹部）排成5纵列，即缘列、亚缘列、中列，第8腹节背中无刺。体毛在腹面。

分布：全世界共记录3种，中国已知2种，秦岭地区发现1种。

(43) 柿树白毡蚧 *Asiacornococcus kaki*（Kuwana, 1931）（图486）

Eriococcus kaki Kuwana *et* Muramatsu, 1931：659.
Asiacornococcus kaki：Tang & Hao, 1995：439.

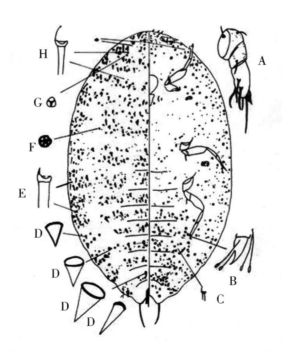

图486 柿树白毡蚧 *Asiacornococcus kaki*（Kuwana）（仿汤祊德等，1995）
A.触角；B.后爪；C.腹小杯状管；D.背刺；E.背大杯状管；F.五格腺；G.三格腺；H.背中杯状管

鉴别特征：雌性成虫体呈椭圆形，长约1.08mm，宽约0.63mm，红色。触角有3节。喙有2节。气门附近有少量五格腺。足爪下有1齿，有跗冠毛和爪冠毛各1对。肛环圆形，有1~2列环孔和8根环毛。尾瓣粗锥状，每侧背刺2根。五格腺散布在整个腹面，暗格孔在头部、足与缘区有分布。杯状管分大、小两种，大杯状管在体缘区分布，小杯状管主要散布于胸腹部。杯状管分大、中、小三种，大杯状管散布于整个背面，其间杂有少量中杯状管和小杯状管，阴门前5个腹节上呈横带。刺呈粗锥状，散布于整个体背，并在腹部呈横带。

分布：陕西(户县)、黑龙江、吉林、辽宁、北京、河北、山西、河南、山东、安徽、浙江、湖北、湖南、广东、广西、四川、贵州、云南、西藏。

寄主：柿子 *Diospyros kaki*(Ebenaceae)，无花果 *Ficus carica*(Moraceae)，杏 *Prunus armeniaca*(Rosaceae)，油茶 *Camellia oleosa*(Theaceae)。

30. 大盘毡蚧属 *Macroporicoccus* Nan *et* Wu，2013

Macroporicoccus Nan *et* Wu，2013：172. **Type species**：*Cryptococcus ulmi* Tang *et* Hao，1995.

属征：雌性成虫体近球形，橘红色，体被白色卵囊；触角退化，有6节。口器发达，喙3节。足退化，仅部分跗节和爪可见，爪下有齿，后足分别位于1个孔板上。肛环圆形或椭圆形，有6根环毛，无环孔。尾瓣消失。杯状管除腹面中区外的其他体表均有分布。微管腺分布在体背和腹面缘区。五格腺主要位于腹面。大盘腺分布于体背和腹面缘区。体刚毛短小，散布腹面。

分布：中国。仅知1种，秦岭地区有分布。

(44)榆大盘毡蚧 *Macroporicoccus ulmi*（**Tang** *et* **Hao，1995**）(图487)

Cryptococcus ulmi Tang *et* Hao，1995：429.
Macroporicoccus ulmi：Nan，Deng & Wu，2013：175.

鉴别特征：雌性成虫体近球形，长0.90~1.45mm，宽0.70~1.33mm，橘红色，体被白色蜡质卵囊。触角不发达，有6节。口器发达，喙3节。足退化为疣突，只有部分跗节和爪可见，爪下有齿；跗冠毛和爪冠毛各1对。肛环圆形至椭圆形，有6根环毛，无环孔。尾瓣消失。杯状管密布于整个体背。微管腺管散布于体背。大盘腺略凸出体表，在体背呈横列分布。五格腺仅出现在背缘。无背刺。杯状管、微管腺和大盘腺分布在体缘区与亚缘区。五格腺主要分布在腹部、体缘区和亚缘区，另在气门口外和口器两侧成群，气门附近有时出现三格腺。肛门有刚毛呈刺状，在腹面不均匀分布。

分布：陕西(秦岭)、北京、天津、山西。

寄主：紫丁香 *Syringa oblata*（Oleaceae），春榆 *Ulmus japonica*（Ulmaceae），榆 *U. pumila*（*Ulmaceae*），垂枝榆 *U. pumila*（Tenue）（Ulmaceae）。

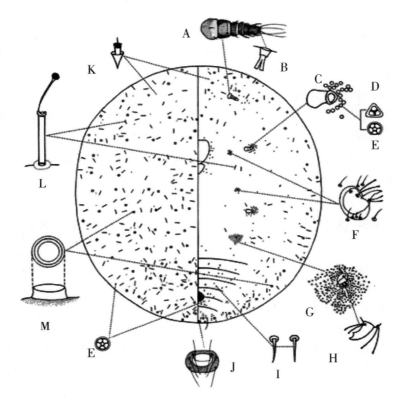

图 487　　榆大盘毡蚧 *Macroporicoccus ulmi*（Tang *et* Hao）（仿南楠，2014）

A. 触角；B. 腔锥感器；C. 胸气门；D. 三格腺；E. 五格腺；F. 前、中足；G. 孔板；H. 后爪；I. 腹刚毛；J. 肛环；K. 微管腺；L. 杯状管；M. 大盘腺

七、蜡蚧科 Coccidae

鉴别特征：雌性成虫体形较大，一般长 2～6mm，少数种类体长可达 15mm。虫体体形多样，常见有椭圆形、圆形、长形，有时虫体左右不对称。虫体背面扁平，或不同程度的向上突起，使虫体成半球形或近球形；虫体背面体壁常高度硬化，少数种类背面较薄；虫体背面常被蜡质覆盖，蜡质有毡状、玻璃状、定形厚蜡壳等。雌性成虫在产卵期间分泌白色絮状卵囊，有的种类不分泌卵囊，卵产在虫体腹面空腔内。虫体腹面靠近寄主植物表面，或呈凹形，与植物表面形成一定的空间，或平坦紧贴于植物表面；虫体腹面很薄而呈膜质状态。虫体背腹面交接处形成体缘，缘褶上有 4 个凹口，即气门凹，气门凹一般有 1 群气门刺。最突出的特征是体末有 1 尾裂，大多

数种类尾裂分开，仅少数尾裂闭合；尾裂背底部有两片肛板，肛板呈三角形、菱形或半月形等，少数种类无肛板。触角和足一般正常发育，亦有退化或消失。虫体背腹面都有丰富的孔腺及管状腺存在，少数种类腺体少或缺。

　　分类：世界性分布。陕西秦岭地区记述 3 亚科 4 属 6 种。

分亚科检索表

1. 体被定形厚蜡壳；体背面有二孔腺、三孔腺、四孔腺、五孔腺及管腺等各种腺体；肛周体壁硬化成肛锥，或成明显硬化框 ···························· **蜡蚧亚科 Ceroplastinae**
   特征不如上述 ·· 2
2. 体常突起成球形或半球形；亚缘瘤无；足正常，无胫跗关节硬化斑 ····················
   ··· **球坚蜡蚧亚科 Eulecaniinae**
   体背管状腺少或缺；亚缘瘤常存在 ···················· **软蜡蚧亚科 Coccinae**

（一）软蜡蚧亚科 Coccinae

　　鉴别特征：雌性成虫体蜡被不发达，仅有不定形的蜡粉、蜡壳或虫体分泌长形卵囊。体背有各种毛、刺及盘孔，且常有亚缘瘤分布；体缘毛形态各异，气门凹深或浅，气门刺一般 3 根，亦有少数种类大于或小于 3 根；触角和足一般发达，大小不一，亦有退化者。

　　分类：陕西秦岭地区记述 2 属 2 种。

分属检索表

腹面管状腺 1 或 2 种形成宽亚缘带 ····························· **木坚蜡蚧属 Parthenolecanium**
腹面管状腺常缺如，如有不形成亚缘带 ····················· **软蜡蚧属 Coccus**

31. 软蜡蚧属 Coccus Linnaeus，1758

Coccus Linnaeus，1758:455. **Type species**：*Coccus hesperidum* Linnaeus，1758.

Taiwansaissetia Tao *et al.*，1983：77. **Type species**：*Lecanium formicarii* Green，1896.

　　属征：雌性成虫体呈椭圆形或梨形，常扁平或略突，有时呈半球形。体背随年龄不同而表现出不同的硬化程度；背刺呈刺状、毛状、棍棒状或柱状；管状腺和亚缘瘤有或无；肛前孔存在或否，如有，数量及形状各异；肛板多合成正方形，肛环毛有 6 或 8 根。体缘毛简单或分叉；气门凹深或浅，气门刺有 2 ~ 8 根。触角有 2 ~ 8 节；足发达或退化，胫跗关节存在或否；气门腺多为 5 孔；阴前孔有 5 ~ 10 孔，在阴门周围分布，或延伸至前腹节、胸节甚至头部；管状腺存在或否，如存在，可在中区分布，或形成不同密度的亚缘列。

　　分布：全世界记录 112 种，中国分布 12 种，秦岭地区发现 1 种。

（45）褐软蜡蚧 *Coccus hesperidum* Linnaeus，1758（图 488）

Coccus hesperidum Linnaeus，1758：455.

Lecanium minimum Newstead，1892：141.

Lecanium minimum pinicola Maskell，1897b：310.

Lecanium flaveolum Cockerell，1897：52.

Lecanium（*Calymnatus*）*hesperidum pacificum* Kuwana，1902：30.

Lecanium signiferum Green，1904：197.

Lecanium punctuliferum Green，1904：205.

Coccus mauritiensis Mamet，1936：90.

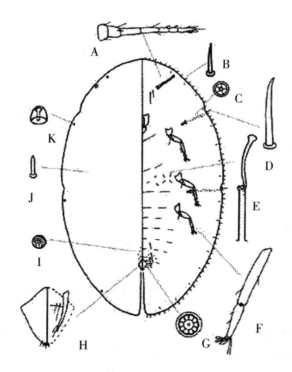

图 488　褐软蜡蚧 *Coccus hesperidum* Linnaeus
A. 触角；B. 腹刺；C. 五格腺；D. 体缘毛；E. 管状腺；F. 后足；G. 多格腺；H. 肛板；I. 肛前孔；J. 背刺；K. 腹气门

　　鉴别特征：雌性成虫长 2.00～4.50mm，宽 1～3mm。体扁平或略突起，呈长椭圆形，有时虫体呈不对称分布；年轻成虫体黄绿色或黄褐色，常有黑色斑点散布。身体背面表皮膜质，老熟虫体时有小亮区且硬化。眼呈椭圆或圆形，被一淡色圈包围，靠近头部体缘。背刺为针状，端尖或钝，任意分布。亚缘瘤有 2～12 个。微管腺常分布于小亮区，管状腺沿亚缘分布或缺如。肛前孔为近椭圆形，常成群分布并向前延伸，有时可至第 1 腹节，硬化标本则不显。肛板合成正方形，前缘短于后缘；肛板端毛有 4 对，腹脊毛有 2 对。肛环位于肛板前方，肛环与肛板间距离约为肛板内缘长或其长度的 2/3；肛筒缨毛 2 对，肛环毛有 8 根，肛环孔有 2 ~ 3 列。体缘毛细尖，仅少数分叉，顶常弯曲；缘毛间距不等，约为缘毛长的 1 ~ 2 倍；前、后气门凹间有缘毛 11 ~ 16 根。气门凹稍显；气门刺有 3 根，中央气门刺长约为侧气门刺长的 2 ~ 4 倍。体腹面膜质。触角有 7 节，偶有 8 或 9 节；触角间毛 2 ~ 3 对。足纤细，但发达，胫跗关节处有小硬化斑，偶缺；跗冠毛细长，其顶端膨大；爪冠毛同粗，其顶端亦十分膨大；爪下无齿。腹毛稀疏分布于腹面；亚缘毛 1 列；阴前毛有 3 对。胸气门有 2 对，气门腺路由五孔腺组成，前气门路约有五孔腺 17 ~ 26 个，后气门路 18 ~ 34 个。多孔腺常为 10 孔，在阴门周围及前 1 ~ 2 腹节分布。管状腺常在中足间成群。

采集记录：3♀，武功麻叶绣球，1964. X，周尧采；2♀，武功印度橡胶，1967. IX. 23，周尧采；2♀，武功薄荷，1967. IX. 11，周尧采；1♀，火地塘胡颓子，2009. VII. 27，张斌采。

分布：陕西（宝鸡、武功、宁陕）、山西、湖南、台湾、四川、西藏；世界广布。

寄主：该种寄主广泛，取食多科植物。大约取食于 110 个科 200 种植物。

32. 木坚蜡蚧属 *Parthenolecanium* Šulc, 1908

Parthenolecanium Šulc, 1908：36. **Type species**：*Lecanium corni* Bouche, 1844.
Lecanium Šulc, 1932：53. **Type Species**：*Lecanium pulchrum* King, 1903.

属征：雌性成虫体呈椭圆形或圆形，稍突或高突，前、后均呈斜坡状。背刺呈锥状或棒槌状；亚缘瘤存在或否，有些种类亚缘瘤呈垂柱状；小盘孔在体背散布，管状腺有或无；肛环三角形，肛环毛 6 或 8 根。体缘毛刺状或毛状，在体缘成 1 列或不规则双列；气门刺有 3 根。触角有 6 ~ 8 节；足正常，胫跗关节无硬化斑；气门腺有 5 孔，多孔腺有 6 ~ 10 孔；微管腺和管状腺在成亚缘带。

分布：全世界分布 15 种，中国记录 2 种，秦岭地区发现 1 种。

（46）桃木坚蜡蚧 *Parthenolecanium persicae*（**Fabricius, 1776**）（图 489）

Chermes persicae Fabricius, 1776：304.
Lecanium persicae：Bouché, 1844：296.
Lecanium magnoliarum Cockerell, 1897b：5.
Lecanium berberidis major Maskell, 1898：238.
Lecanium（*Eulecanium*）*spinosum* Brittin, 1940：420.
Parthenolecanium persicae：Borchsenius, 1957：350.
Parthenolecanium thymi Danzig, 1967：152.

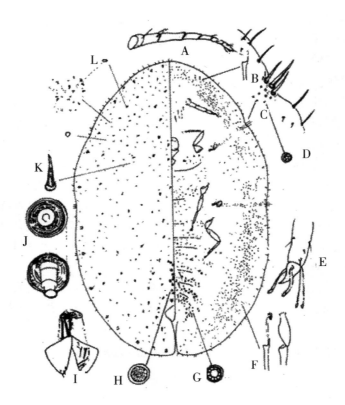

图 489　桃木坚蜡蚧 *Parthenolecanium persicae*（Fabricius）（仿王建义等，2009）

A. 触角；B. 管状腺；C. 缘毛；D. 五格腺；E. 后爪；F. 瓶状腺；G. 多格腺；H. 肛前孔；I. 肛板；J. 亚缘瘤；K. 背刺；L. 微管腺

鉴别特征：雌性成虫体呈椭圆形，背部突起，前、后端均斜坡状。长 3.00 ~ 6.50mm，宽 2 ~ 4mm。体背面膜质，老熟虫体稍硬化，背部无小亮斑。眼为椭圆或圆形，靠近头部体缘。背刺有 2 种，均锥状，较大者在背中线上分布，较小者分布于其他背面。亚缘瘤呈垂柱状，约 12 对。微管腺任意分布；管状腺少或缺。肛前孔在肛板前稀疏分布。肛板三角形，前缘稍长于后缘，肛板周围稍硬化成狭硬化环，无射线或网纹；肛板端毛 4 根，腹脊毛有 2 根；肛环在肛板前，肛筒有缨毛 2 对，肛环毛有 8 根，肛环孔有 1 ~ 2 列。体缘毛毛状，排成 1 列；毛距为毛长的 1 ~ 2 倍；前、后气门凹间有体缘刺 11 ~ 20 根。气门凹缺；气门刺有 3 根，均粗，中央气门刺长为侧气门刺的 1.50 ~ 2.00 倍。体腹面膜质。触角有 7 节；触角间有毛 3 ~ 4 对。足正常，胫跗关节不硬化；跗冠毛细长，顶端膨大；爪冠毛 1 粗 1 细，顶端均膨大；爪有小齿。腹毛稀疏；亚缘毛 1 列；阴前毛有 2 对。胸气门小，2 对；气门路上五孔腺成 2 ~ 3 个腺宽，气门路上有五孔腺 42 ~ 56 个。多孔腺 7 ~ 10 孔，在阴门周围及腹节上成带分布，少数可在前足基节附近，中、后足基节附近很多。微管腺及小管状腺在腹面形成宽亚缘带。

采集记录：2♀，宝鸡植物园柽柳，2010.Ⅸ.02，姜洪雪采。

分布：陕西（宝鸡、眉县）、山西、浙江、湖南、香港；俄罗斯，朝鲜，日本，印度，斯里兰卡，巴基斯坦，阿富汗，土耳其，伊朗，以色列，欧洲，非洲，北美洲，澳洲。

寄主：杧果 *Mangifera indica*（Anacardiaceae），八角金盘 *Fatsia japonica*（Araliaceae），欧洲小檗（Berberidaceae），冬青卫矛 *Euonymus japonicus*（Celastraceae），黑枣 *Diospyros lotus*（Ebenaceae），柿子 *Diospyros kaki*（Ebenaceae），中国沙棘 *Hippophae rhamnoides*（Elaeagnaceae），蓖麻 *Ricinus communis*（Euphorbiaceae），黑木相思 *Acacia melanoxylon*（Fabaceae），八仙花 *Hydrangea hortensis*（Hydrangeaceae），鳄梨 *Persea americana*（Lauraceae），北豆根 *Menispermum canadense*（Menispermaceae），无花果 *Ficus carica*（Moraceae），三球悬铃木 *Platanus orientalis*（Platanaceae），旗草 *Brachiaria brizantha*（Poaceae），桃 *Amygdalus persica*（Rosaceae）等。

（二）蜡蚧亚科 Ceroplastinae

鉴别特征：雌性成虫体被定形的厚蜡壳或蜡被，突起成半球形、球形或星形等。体背有毛或刺，盘孔形式多样，背部管状腺和亚缘瘤大多缺如，肛周体壁常硬化成肛锥或成明显硬化框；气门凹浅或深凹，气门刺形态、数量各异；多孔腺在阴区或腹面中区分布，腹面管状腺多形成亚缘带，或少以至不存在。

分类：陕西秦岭地区记述了 1 属 3 种。

33. 蜡蚧属 *Ceroplastes* Gray，1828

Ceroplastes Gray，1828：7. **Type species**：*Coccus*（*Ceroplastes*）*janeirensis* Gray，1828.

Gascardia Targioni-Tozzetti，1893：88. **Type species**：*Gascardia madagascariensis* Targioni-Tozzetti，1893.

Ceroplastidia Cockerell，1910：76. **Type species**：*Ceroplastes bruneri* Cockerell，1902.

Ceroplastina Cockerell，1910：76. **Type species**：*Ceroplastes lahillei* Cockerell，1910.

Baccacoccus Brain，1920：127，**Type species**：*Baccacoccus elytropappi* Brain，1920.

Cerostegia De Lotto，1969b：211. **Type species**：*Ceroplastes rufus* De Lotto，1966.

Vinsonia Signoret，1872：33. **Type species**：*Vinsonia pulchella* Signoret，1872.

Paracerostegia Tang，1991：303. **Type species**：*Ceroplastes floridensis* Comstock，1881.

属征：雌性成虫体背有 1 层厚蜡壳，颜色多样，并随发育龄期而变化。去壳虫体为椭圆形或圆形。背刺为锥状或柱状；背有各种形状、结构和格数不同的孔腺分布，这些孔腺统称为复式孔，也有无复式孔分布的无腺区；无亚缘瘤；肛板近三角形，前缘弯曲，外角圆；肛周体壁强烈硬化，或形成肛突。体缘毛常稀疏分布成 1 列；气门凹明显，有成群气门刺分布，并向体缘延伸，两群气门刺连接或否。触角有 6～7 节；足小，正常分节或否，有些种类胫跗节愈合，有些种类足分节不清或退化；跗冠毛细长，有 2 根，爪冠毛同粗或 1 根粗 1 根细，顶端均膨大，爪有齿或否；腹毛散布，或成 1 列沿亚缘分布；腹面亚缘常有扁圆"十"字形腺分布；气门腺多 5 孔，偶有 6 或 7 孔，在气门路上成带状；多孔腺成群分布于阴门附近，并可向前腹节上延伸；管状腺分布方式各异。

分布：世界性分布。全世界已知 144 种，中国分布 11 种，秦岭地区发现 3 种。

分种检索表

1. 体腹面管状腺内管细长 ·· **日本龟蜡蚧 C. japonicus**
   体腹面管状腺内管膨大 ··· 2
2. 背中无腺区有 ·· **红蜡蚧 C. rubens**
   背中无腺区无 ··· **伪角腊蚧 C. pseudoceriferus**

(47) 红蜡蚧 *Ceroplastes rubens* Maskell, 1893（图 490）

Ceroplastes rubens Maskell, 1893: 214.
Ceroplastes rubens minor Maskell, 1897b: 309.

鉴别特征：雌性成虫蜡壳呈半球形，体为暗红至红褐色，背壳顶凹，凹内常有白斑，并从凹内发出放射状的分界线；边缘上卷，两侧气门区及头、尾区翻起，使周缘呈近六边形；缘褶与蜡背交界处有蜡芒，肛板两侧各 1 个，端呈双叉状，头部 3 个，体侧白色气门路处各 1 个。蜡壳长 2～5mm，宽 1.50～4.00mm，高 1.50～3.50mm。玻片虫体为椭圆形，长 1.50～4.00mm，宽 1.20～3.00mm。身体背面膜质，肛板周体壁强烈硬化。眼不显。背刺呈锥状，散布。背面孔腺有"8"字形腺，2 种三孔腺分布；无腺区头部 1 个，背中区 1 个，背两侧各 3 个；在背中空区及头部空区有背刺散布。肛板近三角形，前缘远短于后缘，且前缘常弯曲，外角圆；肛板有背毛和亚背毛 4 根。肛筒缨毛为 4 根短毛，腹脊毛 4 根，肛环孔 2～3 列。体缘毛细，靠近腹面亚缘分布，臀裂顶端有 4 根左右较长。气门凹深，气门刺成不规则 3～4 列分布，靠背中常有 3 根刺，中部 1 根大刺粗圆呈锥状，顶端逐渐变细，有时略弯似角状；两侧的 2 根气门刺较大，顶端顿圆形，似半球状；其余气门刺小，半球状，有 13～22 根。体腹面膜质。触角有 6 节，第 3 节最长；触角间毛 2 对。足小，胫跗关节愈合，跗冠毛细长，爪冠毛粗于跗冠毛，但 1 根粗 1 根细，顶端均膨大，爪无小齿。腹毛端尖常弯曲，除胸区外的其他腹面分布较多，并可在亚缘区成列成带；阴前毛 1 对。扁圆"十"字腺在胸、腹部亚缘区成带分布。气门路多由五孔腺组成宽带；多孔腺 10 孔，在阴区密布。管状腺无。

分布：陕西(周至、城固)、山西、河南、湖南、台湾、香港、云南、西藏；韩国，日本，泰国，印度，斯里兰卡，马来西亚，印度尼西亚，非洲，北美洲，澳洲。

寄主：该种寄主广泛，取食 75 个科 100 多种植物，如红泽兰 *Strobilanthes*

japonicus（Acanthaceae）、鸡冠花 *Celosia cristata*（Amaranthaceae）、腰果 *Anacardium occidentale*（*Anacardiaceae*）等。

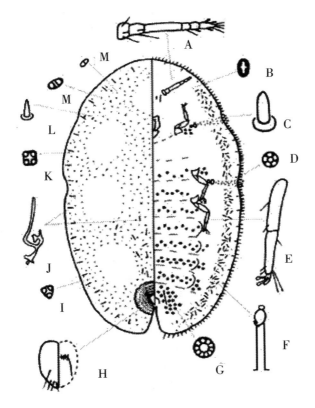

图490　红蜡蚧 *Ceroplastes rubens* Maskell（仿王芳，2013）

A.触角；B.十字孔腺；C.气门刺；D.五格腺；E.后足；F.管状腺；G.多格腺；H.肛板；I.三格腺；J.丝腺；K.四格腺；L.背刺；M.二格腺

（48）伪角腊蚧 *Ceroplastes pseudoceriferus* Green，1935（图491）

Ceroplastes pseudoceriferus Green，1935：180.

鉴别特征：雌性成虫虫体外被白色蜡壳，长筒状突出尾端。虫体多为卵圆形，头端略微狭窄，尾端钝圆。触角有6节，其中第3节最长。胸足正常发育。胸气门比较发达，气门开口宽圆，呈喇叭状。由五孔腺组成的气门腺路在腺路接近体缘凹时显著变宽，腺体比较密集，着生气门刺之体缘凹不甚显著，气门刺有30~40个，甚至更多紧密集聚成群。气门刺大小有变化，气门刺中有若干较大者分布在气门刺群中部外缘。肛板周围体壁高度硬化，且向外延伸成长筒状之尾突，肛板位于尾突之顶，略呈三角形。虫体腹面分布有方形、三角形和小椭圆形的盘状腺。背面小体刺多为棒状。

分布：陕西(秦岭)、河南、湖南、台湾、西藏；韩国，印度，斯里兰卡，澳洲。

寄主：本种取食于 41 个科 70 余种植物，如杧果 *Mangifera indica*(Anacardiaceae)、漆木 *Rhus succedanea*(Anacardiaceae)、夹竹桃 *Nerium oleander*(Apocynaceae)、八角金盘 *Fatsia japonica*(Araliaceae)等。

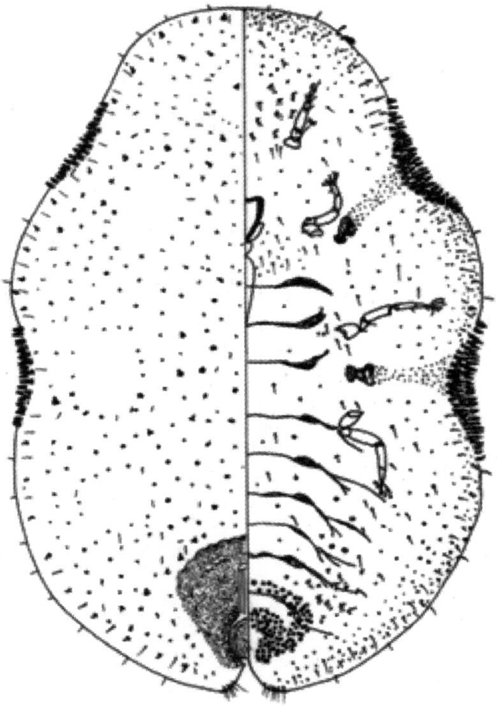

图 491　伪角腊蚧 *Ceroplastes pseudoceriferus* Green(仿王子清，2001)雌成虫

(49) 日本龟蜡蚧 *Ceroplastes japonicus*(**Green，1921**)(图 492)

Ceroplastes floridensis japonicus Green，1921：258.

Ceroplastes japonicus：Wang，1949：121.

Paracerostegia japonica Tang，1995：309.

鉴别特征：雌性蜡壳长 2.50~4.00mm，宽 1.50~2.50mm，高 1.00~1.50mm；半球形，灰白色。雌性成虫成虫初期蜡壳周围被大量湿蜡包围，背部分块形成龟背状，蜡帽在背顶，湿蜡形成的缘褶上有蜡芒，头部蜡芒三分叉，体侧气门路处各 1 个，后侧区每侧各 2 个。体呈椭圆形，多褐色；长 1.50~4.50mm，宽 1.00~3.50mm。体背面年轻虫体膜质，肛板周强烈硬化；老熟虫体硬化。眼明显。背刺呈小锥状，散布，背中区较少。二格腺、三格腺、四格腺均匀分布，在亚缘密集成带分布；丝状腺在背中后部成群，亚缘区成列。无腺区头部有 1 个，背两侧各有 3 个，背中无。肛板近三角形，前缘远短于后缘，且前缘常弯曲，外角圆；肛板有背毛和亚背毛 4 根，肛筒缨毛有 8 根，肛环毛有 6 根。体缘毛在虫体前端和后端成列分布，在臀裂顶端有 4 根长刺缘毛。气门凹宽，气门刺短粗，呈圆锥形，顶端尖锐，成群分布在气门凹内，并沿体缘向前后延伸，前、后气门刺群相连，在其间夹杂生有 5~6 根体缘毛，与气门刺相间排列；气门凹内常有 2~3 列气门刺，其中央位置的 2~3 根气门刺又显著大于其余气门刺。体腹面膜质。触角有 6 节，第 3 节最长，偶有 5 节或 7 节的；触角间毛有 2~3 对。足小，但分节正常，胫跗关节不硬化；跗冠毛细长，爪冠毛同粗，顶端均膨大，爪无小齿。腹毛端尖常弯曲，在亚缘区成列；阴前毛 1 对。扁圆"十"字腺在胸、腹部亚缘区成带分布。气门路多由五孔腺组成宽带；多孔腺 10 孔，在腹部直至胸部成横带分布，少数可在足基侧分布。管状腺内管膨大，形成 1 列亚缘带。

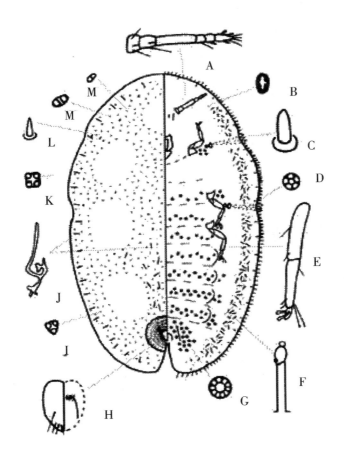

图 492　日本龟蜡蚧 Ceroplastes japonicus（Green）（仿王芳，2013）

A. 触角；B. 十字孔腺；C. 气门刺；D. 五格腺；E. 后足；F. 管状腺；G. 多格腺；H. 肛板；I. 三格腺；J. 丝腺；K. 四格腺；L. 背刺；M. 二格腺

分布：陕西（秦岭）、辽宁、天津、山西、上海、浙江、湖北、湖南、云南；俄罗斯，日本，朝鲜，欧洲。

寄主：夹竹桃 *Nerium oleander*（Apocynaceae），长节藤 *Trachelospermum asiaticum*（Apocynaceae），构骨 *Ilex aquifolium*（Aquifoliaceae），洋常春藤 *Hedera helix*（Araliaceae），十大功劳 *Mahonia aquifolium*（Berberidaceae），厚壳树 *Ehretia acuminata*（Boraginaceae），阔叶黄杨 *Buxus sempervirens*（Buxaceae），冬青卫矛 *Euonymus japonicus*（Celastraceae），山茱萸 *Cornus mas*（Cornaceae），苏铁 *Cycas revoluta*（Cycadaceae），胡颓子 *Elaeagnus pungens*（Elaeagnaceae），杜英 *Elaeocarpus decipiens*（Elaeocarpaceae），月桂 *Laurus nobilis*（Lauraceae），红楠 *Machilus thunbergii*（Lauraceae），无花果 *Ficus carica*（Moraceae），海桐 *Pittosporum tobira*（Pittosporaceae），竹柏 *Podocarpus nagi*（Podocarpaceae），欧洲酸樱桃 *Cerasus vulgaris*（Rosaceae），枇杷 *Eriobotrya japonica*（Rosaceae），苹果 *Malus domestica*（Rosaceae），樱花 *Prunus yedoensis*（Rosaceae），桂樱 *Prunus laurocerasus*（Rosaceae），西洋梨 *Pyrus communis*（Rosaceae），柑橘 *Citrus reticulata*（Rutaceae），南川柳 *Salix glandulosa*（Salicaceae），山茶 *Camellia japonica*（Theaceae）。

（三）球坚蜡蚧亚科 Eulecaniinae

鉴别特征：雌性成虫多鼓起呈球形或半球形。背部管状腺常小而散布，亚缘瘤存在或否；体缘毛毛状或刺状，或二者混生；腹面管状腺多形成宽亚缘带；足之胫跗关节的硬化斑缺、爪冠毛同细，或 1 根粗 1 根细，但几乎不同粗。

分类：陕西秦岭地区记述 1 属 1 种。

34. 毛球蜡蚧属 *Didesmococcus* Borchsenius，1953

Didesmococcus Borchsenius，1953：281. **Type Species**：*Didesmococcus megriensis* Borchsenius，1953.

属征：雌性成虫体呈半球形，背面强烈硬化。背毛常在肛板前及头端形成 2 群，并在背中线上成纵带分布；亚缘瘤和管状腺无；肛前孔在肛板前与成群长毛夹杂分布；肛板三角形；肛环毛有 6 ~ 10 根刺。体缘毛呈毛状或刺状，或二者混生；无气门刺。触角有 6 或 8 节；足细小，但正常发育，胫跗关节处无硬化斑；气门腺 5 ~ 10 孔，在气门路上成宽带，并沿腹面体缘分布；多孔腺 8 ~ 11 孔，在腹中区分布；暗框孔散布腹面。

分布：古北区。全世界已知 2 种，中国分布 2 种，秦岭地区发现 1 种。

（50）朝鲜毛球蜡蚧 *Didesmococcus koreanus* Borchsenius，1955（图 493）

Didesmococcus koreanus Borchsenius，1955：288.

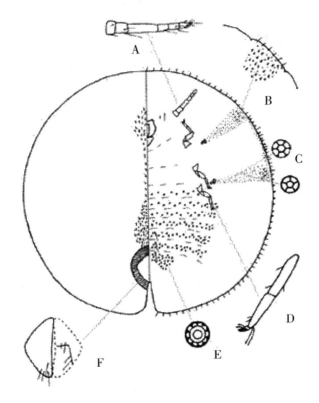

图 493　朝鲜毛球蜡蚧 *Didesmococcus koreanus* Borchsenius

A. 触角；B. 缘刺；C. 气门腺；D. 后足；E. 多格腺；F. 肛板

鉴别特征：雌性成虫体近球形，后面近垂直，前面和侧面亚缘区凹入；产卵后体黑褐色。长 4～5mm，宽 3～4mm，高 3～4mm。体背面硬化，肛板周围有大的硬化带。眼为椭圆或圆形，靠近头部体缘。背毛在肛板前和头部各聚集成 1 群，2 群背毛间沿背中线有 1 个纵列端毛带。小盘孔散布体背。肛前孔为盘状，分布在肛板前的毛群中。肛板呈三角形，前、后缘几乎相等，肛板后的 1/3 处有 3 或 4 根长毛；腹脊毛 2 根；肛筒缨毛有 2 或 3 对，肛环毛有 6 根，肛环孔有 2～4 列。体缘体缘毛毛状和刺状混生，毛状缘毛多在前、后端分布，亦有少量在体侧与刺状缘毛混生。气门凹不显，在气门路延伸至体缘处有不规则成列的气门刺分布，气门刺与缘刺无区别。体腹面膜质。触角有 6 节，第 3 节最长；触角间毛 1～2 对。足小，但正常，胫跗关节处无硬化斑，胫跗节大约等长；跗冠毛细，爪冠毛细，顶端均膨大；爪有小齿。腹毛刺状，散布；阴前毛有 3 对。胸气门有 2 对；气门路上气门腺为 5～10 孔，呈喇叭形宽带，并在前、后气门凹间的缘刺中成列分布。多孔腺为 8～11 孔，在腹节、后胸节上成横带分布。暗框孔在腹面中区及体缘均可见。管状腺无。

分布：陕西（周至）、内蒙古；韩国。

寄主：樱桃 *Cerasus pseudocerasus*（Rosaceae），杏 *Armeniaca vulgaris*（Rosaceae）。

八、旌蚧科 Ortheziidae

鉴别特征：雌性成虫体背和体缘被有白色蜡片，腹部末端附着有蜡片组成的白色卵囊。卵囊常比虫体长，当雌性成虫爬行时举起卵囊，形同掮的旌旗，因此被称作"旌蚧"。触角有 3 ~8 节，顶端有 1 根粗刚毛。足发达。腹气门有 4 ~8 对。身体上有很多粗刺，在背面密集成一定的斑纹，在腹部腹面形成半圆形或月形的卵囊带。

分类：世界已知 23 属 190 余种，中国记录 4 属 6 种，陕西秦岭地区发现 1 属 1 种。

35. 旌蚧属 *Orthezia* Bosc d'Antic，1784

Orthezia Bosc d'Antic，1784：173. **Type species**：*Coccus urticae* Linnaues，1758.

属征：雌性成虫触角有 7 ~ 8 节。眼着生在突出的短柄上。腹气门有 7 ~ 8 对。全身被有很多粗刺，组成 2 个特有的斑纹。

分布：古北区，新北区，非洲区。世界已知 24 种，中国记录 2 种，秦岭地区发现 1 种。

(51)艾旌蚧 *Orthezia yashushii* Kuwana，1923

Orthezia yashushii Kuwana，1923：58.

鉴别特征：雌性成虫背面完全被白色分泌物所覆盖，蜡片呈 4 纵列。眼柄基部有 1~2 个突起，腹面卵囊带第 2 节后缘四格孔带宽，有 8~10 排四格孔，其中 3~4 排在刺之外。

采集记录：10♀，宁陕火地塘，2013. Ⅶ.11，武三安采。

分布：陕西(宁陕)、山西、台湾；俄罗斯(远东)，韩国，日本，土耳其。

寄主：茵陈蒿 *Artemisia capillaries*(Asteraceae)。

参考文献

汤祊德. 1977. 中国园林主要蚧虫. 第一卷. 山西农学院，1- 260 页.

汤祊德. 1984. 中国园林主要蚧虫. 第二卷. 山西农业大学，1- 133 页.

汤祊德. 1986. 中国园林主要蚧虫. 第三卷. 山西农业大学，1- 305 页.

汤祊德. 1992. 中国粉蚧科. 北京：中国农业科技出版社，1- 768 页.

汤祊德，郝静. 1995. 中国珠蚧科及其他. 北京：中国农业科技出版社，1-738 页.

王芳. 2013. 中国蜡蚧科分类研究（半翅目：蚧总科）. 西北农林科技大学.

王亮红. 2010. 陕西秦岭地区盾蚧的分类研究（半翅目：盾蚧科）. 陕西：西北农林科技大学.

王培明. 2004. 中国雪盾蚧族分类研究（同翅目：盾蚧科）. 陕西：西北农林科技大学.

王子清. 1994. 中国经济昆虫志. 第四十三册，同翅目：蚧总科（蜡蚧科、链蚧科、盘蚧科、壶蚧科、仁蚧科）. 北京：科学出版社，1-119 页.

王子清. 2001. 中国动物志. 昆虫纲第二十二卷，同翅目：蚧总科（粉蚧科、绒蚧科、蜡蚧科、链蚧科、盘蚧科、壶蚧科、仁蚧科）。北京：科学出版社，1-611 页.

魏久锋. 2011. 中国圆盾蚧亚科分类研究（半翅目：盾蚧科）. 西北农林科技大学.

武三安. 2009. 中国大陆有害蚧虫名录及组成成分分析（半翅目：蚧总科）. 北京林业大学学报，31（4）：55-63.

武三安. 2010. 粉蚧科一新属一新种（半翅目，蚧总科）. 动物分类学报，4：902-904.

杨集昆. 1979 珠蚧科的研究. 昆虫分类学报，1（1）：5-48.

杨平澜. 1982. 中国蚧虫分类概要. 上海科技出版社，1-425 页.

袁水霞. 2007. 中国牡蛎蚧亚科分类研究（同翅目：盾蚧科）. 陕西：西北农林科技大学.

袁忠林. 1990. 中国盾蚧亚科分类研究（同翅目：盾蚧科）. 陕西：西北农业大学.

曾涛. 1998. 中国盾蚧亚科分类研究（同翅目：盾蚧科）. 陕西：西北农林科技大学.

张斌. 2012. 中国围盾蚧族分类研究（半翅目：盾蚧科）. 西北农林科技大学.

张凤萍. 2006. 中国片盾蚧亚科分类研究（同翅目：盾蚧科）. 陕西：西北农林科技大学.

周尧. 1982. 中国盾蚧志. 第一卷. 西安：陕西科技出版社，1-195 页.

周尧. 1985. 中国盾蚧志. 第二卷. 西安：陕西科技出版社，1-431 页.

周尧. 1986. 中国盾蚧志. 第三卷. 西安：陕西科技出版社，1-771 页.

Ali, S. M. 1970. A catalogue of the Oriental Coccoidea. (Part iv). (Insecta：Coccoidea：Diaspididae), *Indian Museum Bulletin*, 5：71-150.

Ben-Dov, Y. 1993. A systematic catalogue of the soft scale insects of the world (Homoptera：Coccoidea：Coccidae) with data on geographical distribution, host plants, biology and economic importance. Flora & Fauna Handbook, No. 9. Sandhill Crane Press, *Gainesville*, 536pp.

Ben-Dov, Y A. 1994. A Systematic Catalogue of the Mealybugs of the world (Insect：Homoptera：Coccoidea：Pseudococcidae and Putoidae) with Data on the Geographical Distribution, Host Plants Biology and Economic Importance. *Intercept Limited*, *Andover*, *UK*, 686pp.

Ben-Dov, Y., German, V. 2003. A systematic catalogue of the Diaspididae (Armoured Scale insects) of the world, Subfamilies Aspidiotinae, Comstockiellinae and Odonaspidinae. *Journal of Insect Conservation*, 9(1)：65-66.

Borchsenius, N. S. 1953. New genera and species of scale insects of the family Coccidae (Homoptera：Coccoidea)(In Russian). *Entomologicheskoe Obozrenye*, 33：281-290.

Borchsenius, N. S. 1963. On the revision of the genus Lepidosaphes Shimer (Coccoidea, Homoptera, Insecta), *Zeologicheslii Zhurnal*. Moscaw, 42：1161-1174.

Borchsenius, N. S. 1966. A catalogue of the armoured scale insects (Diaspidioidea) of the World. Moscow and Leningrad：*Nauka Moscow and Leningrad*, 1-449pp.

Cockerell, T. D. A. 1893. Note on the genus Pseudococcus Westwood. *Entomological News*, 4：317-318.

Cockerell, T. D. A. 1897. The San José scale and its nearest allies. *United states Department of Agriculture*,

Division of Entomology, *Technical Series* 6: 1- 31.

Cockerell, T. D. A. 1899. Article Ⅶ. - First supplement to the check-list of the Coccidae. *Bulletin of the Illinois State Laboratory of Natural History*, 5: 389- 398.

Cockerell, T. D. A. 1900. Some Coccidae quarantined at San Franciso. *Psyche*, Ⅸ: 70-72. Cockerell T. D. A. 1902. The nomenclature of the Coccidae. *The Entomologist*, 35: 114.

Cockerell, T. D. A. 1909. The Japanese Coccidae. *Canadian Entomologist*, 38: 57, 41: 55- 56.

Fernald, M. E. 1903. A Catalogue of the Coccidae of the World. *Bulletin of the Hatch Experiment Station of the Massachusetts Agricultural College*, 88: 1- 360.

Ferris, G. F. 1950-1953. Report upon scale insects collected in China (Homoptera: Coccoidea). *Microentomology*, Part 1, 15: 1- 34, f. 1- 20; Part 2, 69- 97, f. 30- 47; Part 3. 18: 6-16. Part iv. 18: 59- 84; Part 5. 19: 51- 66, 11 figs.

Ferris, G. F. 1955. Report upon scale insects collected in China (Homoptera: Coccoidea). PartⅤ. *Microentomology*, 20: 30- 40.

Green, E. E. 1900. Supplementary notes on the Coccidae of Ceylon. *Journal of the Bombay Natural History Society*, 13: 66-76.

Green, E. E. 1904a. The Coccidae of Ceylon, Part 3. Dulau& Co. , London, 171- 249.

Hoy, J. M. 1963. A catalogue of the Eriococcidae(Homoptera: Coccoidea)of the world . *New Zealand Department of Scientific and Industrial Research Bulletin*, 150: 1- 260.

Kuwana, S. I. 1902, Coccidae(Scale insects) of Japan. *Proceedings of the California Academy of Sciences*, (3).3: 43- 98, t. 7-13.

Kuwana, S. I. 1909. Coccidae of Japan. (3). First supplemental list of Japanese Coccidae, or scale insects, with description of eight new species. *Journal of the New York Entomological Society*, XⅧ: 150-158, t. Ⅶ-Ⅸ.

Kuwana, S. I. 1916. Some new scale insects of Japan. *Annotationes Zoologicae Japonenses*, Ⅸ: 145-151, t. Ⅳ.

Kuwans, S. I. 1923. Description and biology of new or little-known coccids from Japan. *Bulletin of Agriculture and Commerce*, *Imperial Plant Quarantine Station*, 3: 1- 67.

Kuwana, S. I. 1925. The Diaspine Coccidae of Japan. 2. *Bulletin of the Imperial Plant Quarantine. and Service Techology*, 3: 1- 42.

Li, W. C. , Wu, S. A. 2014. A new species and a new record of *Balanococcus* Williams (Hemiptera: Coccoidea: Pseudococcidae) from China. *Acta Zootaxonomica Sinica*, 39(2): 269- 274.

Lindinger, L. 1933, Beiträge zur Kenntnis der Schilcläuse. (Hemipt. Homopt. Coccid.). *Entomologisches. Anzeiger*, XⅢ: 77-78, 107-108, 116-117, 143, 159-160, 165-166.

Maskell, W. M. 1893. Further coccid notes: with descriptions of new species from Australia, India, Sandwich Islands, Demerara, and South Pacific. *Transactions and Proceedings of the New Zealand Institute*, 25: 201- 252.

Maskell, W. M. 1897a. On a collection of Coccidae, principlly from China and Japan. *Entomologist's Monthly Magazine*, 33: 239- 244.

Maskell, W. M. 1897b. Further coccid notes: with descriptions of new species and discussions of points of interest. *Transactions and Proceedings of the New Zealand Institute*, 29: 293- 331.

Nan, N. , Deng, J. and Wu, S. A. 2013. A new felt scale genus *Macroporicoccus*gen. n. (Hemiptera: Coccoidea：Eriococcidae）from China, with a redescription of *Macroporicoccus ulmi*（Tanget Hao）comb. n. *Zootaxa*, 3722（2）：170-182.

Shimer, H. 1868. Notes on the "apple bark-louse"（*Lepidosaphes conchiformis* Gmelin sp. ）with a description of a supposed new Acarus. *Transactions of American Entomological Socity*, 1：361-374.

Signoret, V. 1875. Essai sur les Coehenilles on Gallinsectes（Homoptera：Coccides）. *Annales de la Société Entomologique de France*, V（5）：15- 40.

Šulc, K. 1908. Towards the better knowleage of the genus *Lecanium*, *Entomologist's Monthly* Magazine, X, iv：36.

Šulc, K. 1945. Zerni morphologic metamorfosa a beh Zivota-Cervce Nipaecoccus n. gen. nipae Maskell. *Acta Societatis Scientiarum Naturalium Moravicae*, X Ⅶ（3）：1- 48.

Takagi, S. 1957. A revision of the Japanese species of the genus *Aspidiotus*, with description of a new genus and a new species. *Insecta Matsumurana*, 21：31- 40.

Takagi, S. 1984. Some Aspidiotinae Scale insects with enlarged setae on the pygidial lobes Homoptera：Coccoidea：Diaspididae）. *Insecta Matsumurana*, 28：1- 69.

Takagi, S. 2003. Some burrowing Diaspidids from Eastern Asia（Homoptera：Coccoidea）. *Insecta Matsumurana. Series entomology. New series*, 60：67-173.

Takagi, S. and Kawai, S. 1966. Some Diaspididae of Japan（Homoptera：Coccoidea）. *Insecta Matsumurana*, 28（2）：98-105.

Takahashi, R. 1928. Coccidae of Formosa（2）. *Transactions of the Natural History Society of Formosa*, 18：253- 261.

Takahashi, R. 1930. Observation on the Coccidae of Formosa. Part 2. *Report Department of Agriculture Government Research Institute*, Formosa, 43：1- 45.

Takahashi, R. 1933. Observations on the Coccidae of Formosa. Part 3. *Report of the Department of Agriculture Government Research Institute*, Formosa, 60：47- 50.

Tao, C. C. , Wong, C. and Chang, Y. C. 1983. Monograph of Coccidae of Taiwan, Republic of China（Homoptera：Coccoidea）. *Journal of Taiwan Museum*, 36：57-107.

Targioni-Tozzetti, A. 1868. Introduzine alla seconda memoria per gli studi sulle cocciniglie, ecatalogo dei generi e delle specie famiglia dei coccidi. *Atti della Society italiana di scienze naturali*, 11：721- 738.

Walker, F. 1858. List of the specimens of homopterous insects in the collection of the British Museum. *British Museum（Natural History）* London, 306.

中名索引

（按首字音序排列，右边的号码为该条目在正文的页码）

学名索引

（按首字母顺序排列，右边的号码为该条目在正文的页码）

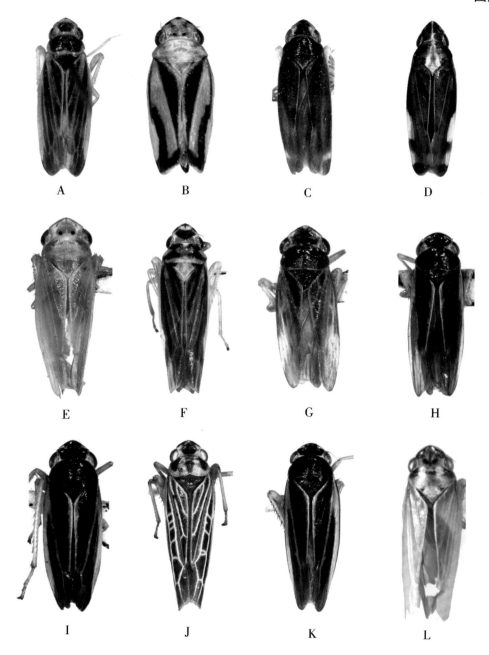

A   B   C   D

E   F   G   H

I   J   K   L

A. 黑色冠垠叶蝉 *Boundarus nigronotus* Zhang, Zhang *et* Wei；B. 三斑冠垠叶蝉 *Boundarus trimaculatus* Li *et* Wang；C. 峨嵋斜脊叶蝉 *Bundera emeiana* Li *et* Wang；D. 白脊凸冠叶蝉 *Convexana albicarinata* Li；E. 二点横脊叶蝉 *Evacanthus biguttatus* Kuoh；F. 叉突横脊叶蝉 *Evacanthus bistigmanus* Li *et* Zhang；G. 淡黑横脊叶蝉 *Evacanthus nigrescens* Jacobi；H. 黑面横脊叶蝉 *Evacanthus heimianus* Kuoh；I. 黄面横脊叶蝉 *Evacanthus interruptus*（Linné）；J. 长刺横脊叶蝉 *Evacanthus longispinosus* Kuoh；K. 黄带横脊叶蝉 *Evacanthus repexus* Distant；L. 灰毛横脊叶蝉 *Evacnthushairus* Li *et* Wang

图版 2

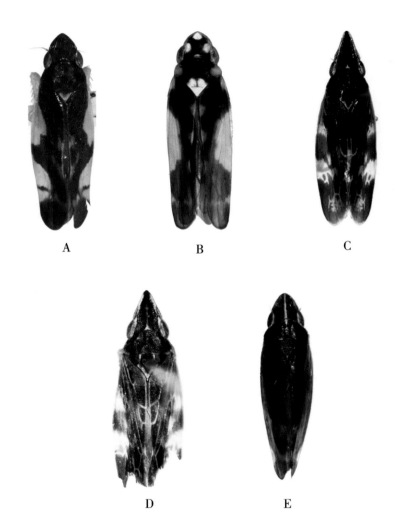

A. 黄纹锥头叶蝉 *Onukia flavimacula* Kato；B. 黄斑锥头叶蝉 *Onukia flavopunctata* Li et Wang；C. 中华突脉叶蝉 *Riseveinus sinensis*（Jacobi）；D. 曲突皱背叶蝉 *Striatanus curvatanus* Li et Wang；E. 横带角突叶蝉 *Taperus fasciatus* Li et Wang

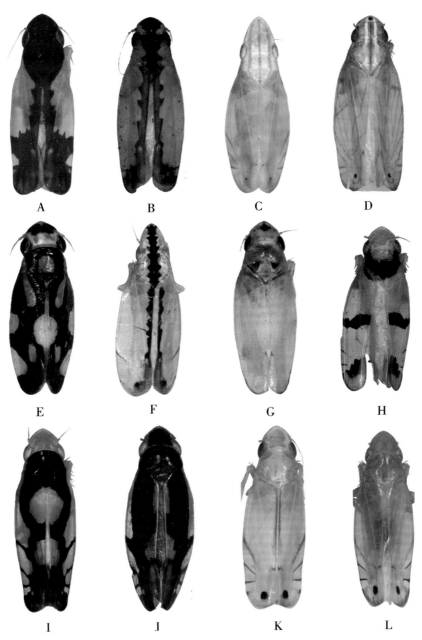

A. 甘肃消室叶蝉 *Chudania ganana* Yang *et* Zhang；B. 武当消室叶蝉 *Chudania wudangana* Zhang *et* Yang；C. 红线凹片叶蝉 *Concavepla rufolineata*（Kuoh）；D. 郭氏隆额叶蝉 *Convex fronta guoi* Li；E. 端黑指腹叶蝉 *Decursusnirvana excelsa*（Melichar）；F. 宽带隐脉叶蝉 *Nirvana suturalis* Melichar；G. 白翅小板叶蝉 *Oniella albula*（Cai *et* Shen）；H. 横带小板叶蝉 *Oniella fasciata* Li *et* Wang；I. 白头小板叶蝉 *Oniella honesta* Melichari；J. 陕西小板叶蝉 *Oniella shaanxiana* Gao *et* Zhang；K. 褐缘拟隐脉叶蝉 *Sophonia fuscomarginata* Li *et* Wang；L. 蔷薇拟隐脉叶蝉 *Sophonia rosea* Li *et* Wang

图版 4

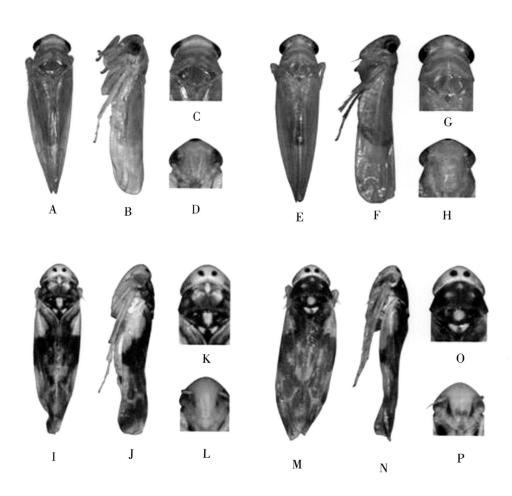

A－D. 桃一点叶蝉 *Singapora shinshana*（Matsumura，1932）

E－H. 佛坪新小叶蝉 *Singapora fopingensis* Chou *et* Ma，1981

I－L. 七河赛克叶蝉 *Ziczacella heptapotamica*（Kusnezov，1928）

M－P. 丝赛克叶蝉 *Ziczacella steggerdai*（Ross，1965）

A，E，I，M. 整体背面观（dorsal habitus）

B，F，J，N. 整体侧面观（lateral habitus）

C，G，K，O. 头胸部（head and thorax）

D，H，L，P. 颜面（face）

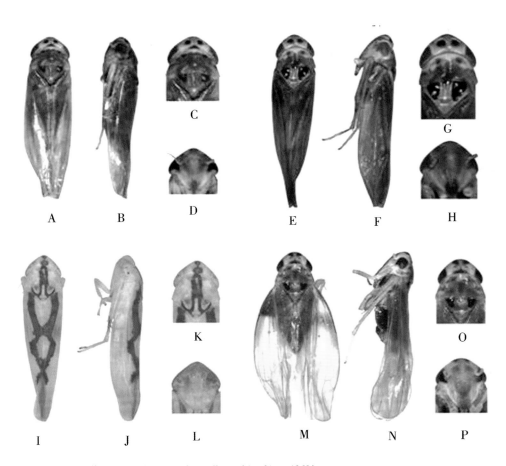

A – D. 核桃二星叶蝉 *Arboridia*（*Arboridia*）*agrillacea*（Anufriev，1969）

E – H. 铃木二星叶蝉 *Arboridia*（*Arboridia*）*suzukii*（Matsumura，1916）

I – L. 异色欧小叶蝉 *Zygina*（*Zygina*）*discolor* Horváth，1897

M – P. 拟卡安小叶蝉 *Anufrievia parisakazu* Cao et Zhang，2012

A，E，I，M. 整体背面观（dorsal habitus）

B，F，J，N. 整体侧面观（lateral habitus）

C，G，K，O. 头胸部（head and thorax）

D，H，L，P. 颜面（face）

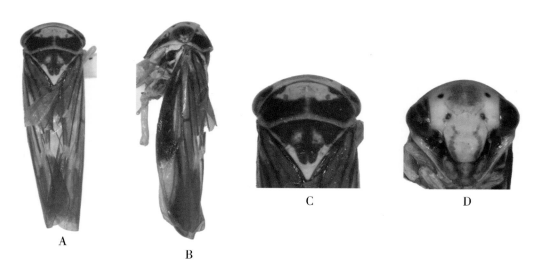

黄颊角突叶蝉 *Anidiocerus brevispinus* Xue *et al.*

A. 整体背面观(habitus, dorsal view);B. 整体侧面观(habitus, lateral view);C. 头胸部背面观(head and thorax, dorsal view);D. 颜面(face)

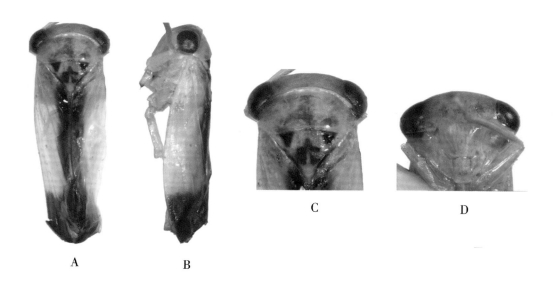

黑纹片角叶蝉 *Koreocerus koreanus*(Matsumura)

A. 整体背面观(habitus, dorsal view);B. 整体侧面观(habitus, lateral view);C. 头胸部背面观(head and thorax, dorsal view);D. 颜面(face)

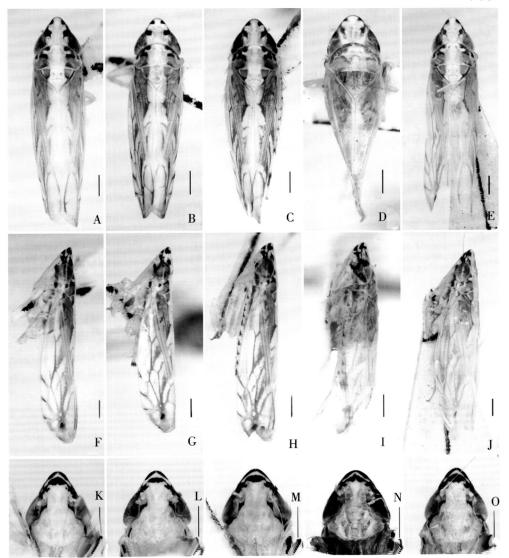

白条带叶蝉 *Scaphoideus albovittatus* Matsumura（山东）

A. 背面观；F. 侧面观；K 颜面观；

白条带叶蝉 *Scaphoideus albovittatus* Matsumra（陕西）

B. 背面观；G. 侧面观；L. 颜面观；

白条带叶蝉 *Scaphoideus albovittatus* Matsumra（湖北）

C. 背面观；H. 侧面观；M. 颜面观；

白条带叶蝉 *Scaphoideus albovittatus* Matsumra（广西）

D. 背面观；I. 侧面观；N. 颜面观；

喙突带叶蝉 *Scaphoideus rostratus* chen，Dai & Zhang

E. 背面观；J. 侧面观；O. 颜面观

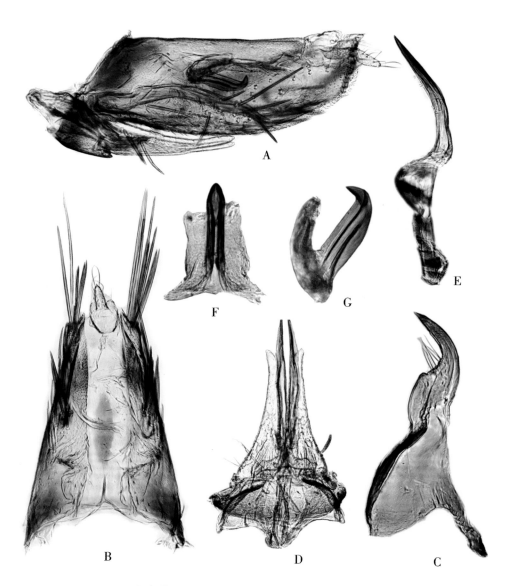

白条带叶蝉 *Scaphoideus albovittatus* Matsumura

A. 尾节侧瓣侧面观；B. 生殖瓣、下生殖板、阳基侧突、连索及连索突起；C. 阳基侧突；D, E. 连索及连索突起, 腹面观和侧面观；F. 阳茎腹面观；G. 阳茎侧面观

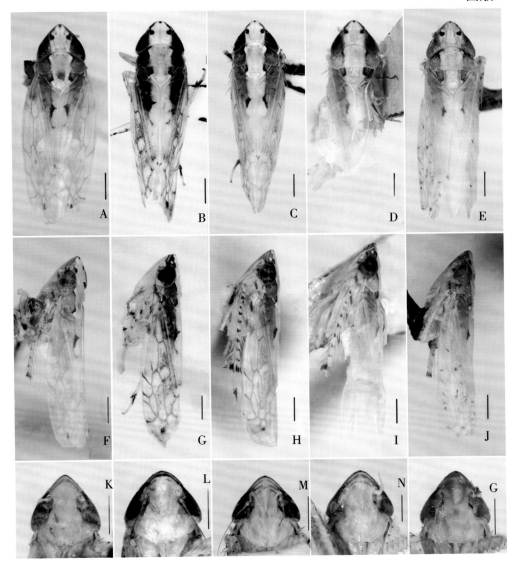

锥茎带叶蝉 *Scaphoideus coniceus* Matsumura

A. 背面观；F. 侧面观；K 颜面观；

白背带叶蝉 *Scaphoideus kumamotonis* Matsumura

B. 背面观；G. 侧面观；L. 颜面观；

白纵带叶蝉 *Scaphoideus maai* Kitbamroong & Freytag

C. 背面观；H. 侧面观；M. 颜面观；

袁氏带叶蝉 *Scaphoideus yuani* Chen，Dai & Zhang

D. 背面观；I. 侧面观；N. 颜面观；

箭突带叶蝉 *Scaphoideus sagittatus* Chen，Dai & Zhang

E. 背面观；J. 侧面观；O. 颜面观

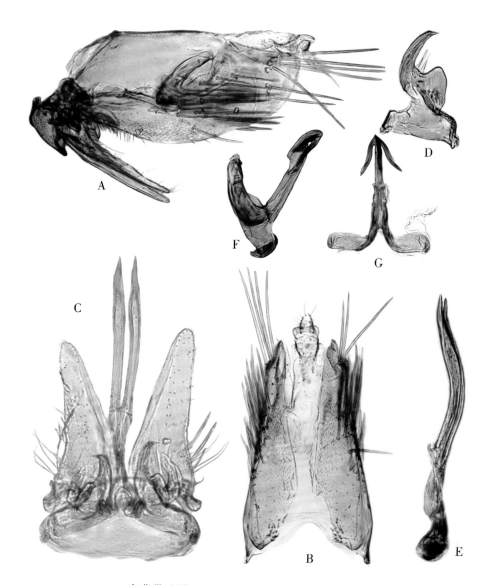

白背带叶蝉 *Scaphoideus kumamotonis* Matsumura

A－B.尾节侧瓣侧面观和腹面观；C.生殖瓣、下生殖板、阳基侧突、连索及连索突起腹面观；D.阳基侧突；E.连索及连索突起侧面观；F－G.阳茎侧面观和腹面观

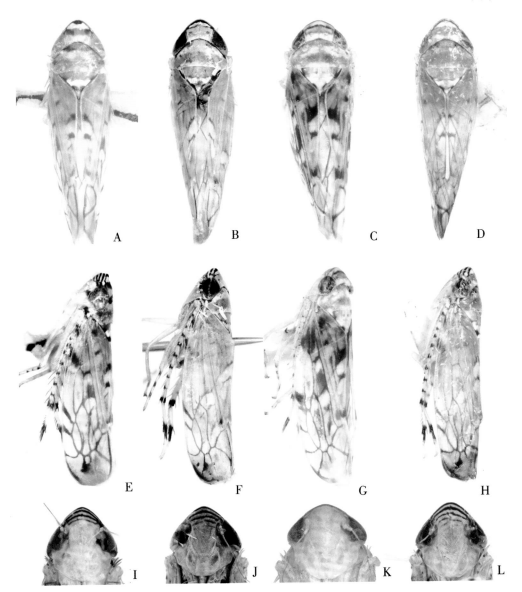

端斑带叶蝉 *Scaphoideus apicalis* Li et Wang

A. 背面观；E. 侧面观；I. 颜面观；

曲茎带叶蝉 *Scaphoideus curvanus* Li & Wang

B. 背面观；F. 侧面观；J. 颜面观；

弯茎带叶蝉 *Scaphoideus curvatureus* Li & Song

C. 背面观；G. 侧面观；K. 颜面观；

齿茎带叶蝉 *Scaphoideus dentaedeagus* Li & Wang

D. 背面观；H. 侧面观；L. 颜面观

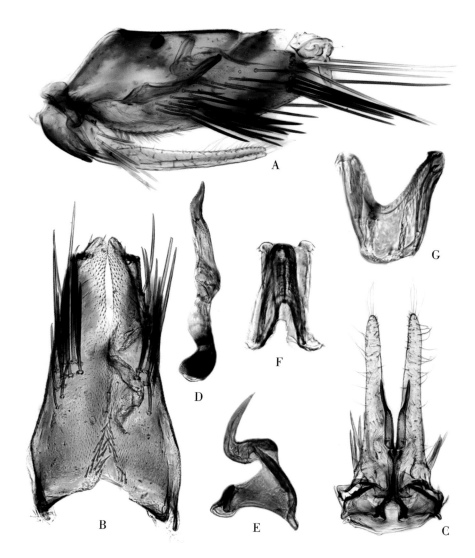

齿茎带叶蝉 *Scaphoideus dentaedeagus* Li *et* Wang

A. 尾节侧瓣侧面观；B. 尾节侧瓣背面观；C. 生殖瓣、下生殖板、阳基侧突、连索及连索突起；D. 连索及连索突起侧面观；E. 阳基侧突；F. 阳茎腹面观；G. 阳茎侧面观

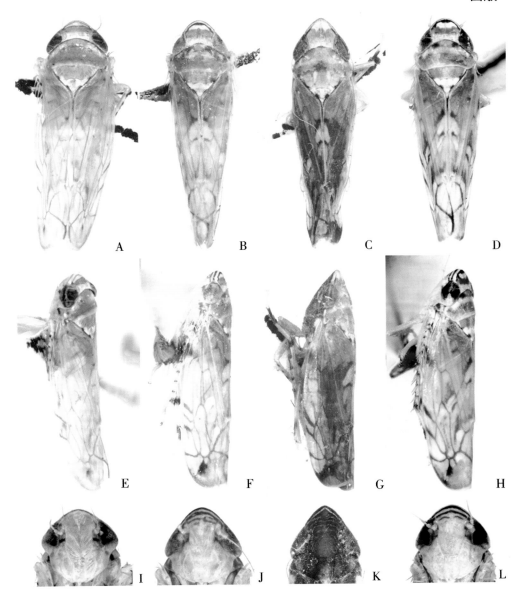

红横带叶蝉 *Scaphoideus erythraeous* Matsumura
A. 背面观；E. 侧面观；I 颜面观；
阔横带叶蝉 *Scaphoideus festivus* Matsumura
B. 背面观；F. 侧面观；J. 颜面观；
黑面带叶蝉 *Scaphoideus nigrifacies* Cai & Shen
C. 背面观；G. 侧面观；K. 颜面观；
黑纹带叶蝉 *Scaphoideus nigrisignus* Li
D. 背面观；H. 侧面观；L. 颜面观

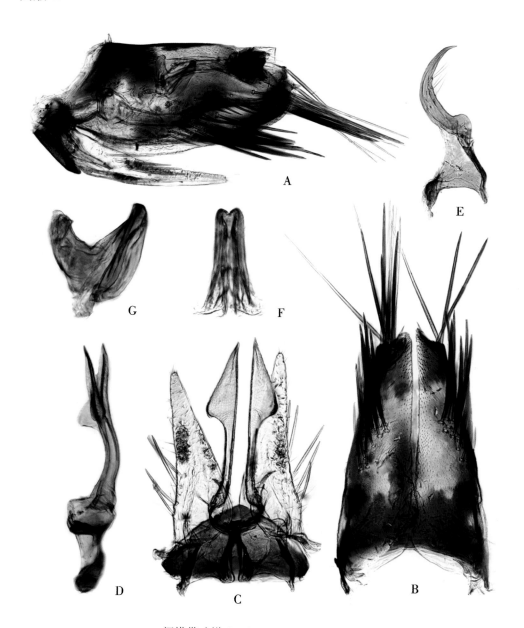

阔横带叶蝉 *Scaphoideus festivus* Matsumura

A－B.尾节侧瓣侧面观和腹面观；C.生殖瓣、下生殖板、阳基侧突、连索及连索突起腹面观；D.连索及连索突起侧面观；E.阳基侧突；F－G.阳茎腹面观和侧面观

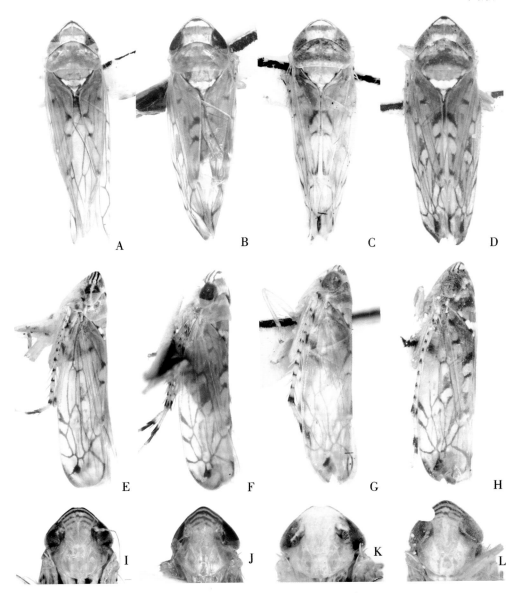

黑瓣带叶蝉 *Scaphoideus nigrivalveus* Li et Wang

A. 背面观；E. 侧面观；I. 颜面观；

双钩带叶蝉 *Scaphoideus ornatus* Melichar

B. 背面观；F. 侧面观；J. 颜面观；

红色带叶蝉 *Scaphoideus rufilineatus* Li

C. 背面观；G. 侧面观；K. 颜面观；

褐横带叶蝉 *Scaphoideus testaceous* Li

D. 背面观；H. 侧面观；L. 颜面观

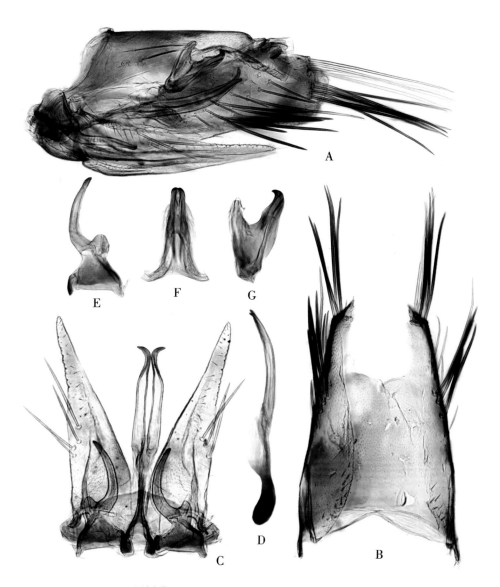

黑瓣带叶蝉 *Scaphoideus nigrivalveus* Li *et* Wang
A－B.尾节侧瓣侧面观和腹面观；C.生殖瓣、下生殖板、阳基侧突、连索及连索突起腹面观；D.连索及连索突起
侧面观；E.阳基侧突；F－G.阳茎腹面观侧面观

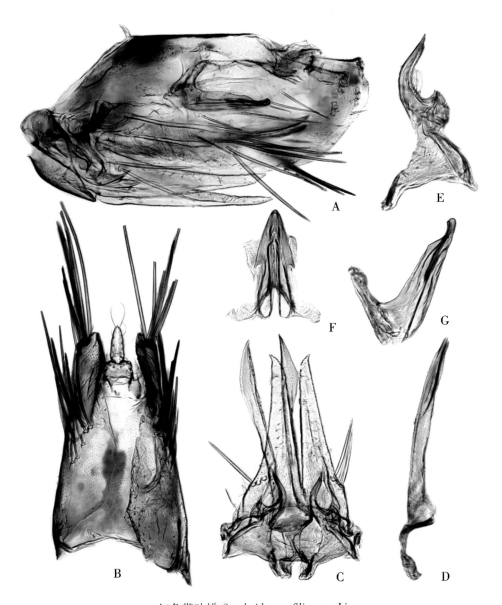

红色带叶蝉 *Scaphoideus rufilineatus* Li

A－B.尾节侧瓣侧面观和腹面观；C.生殖瓣、下生殖板、阳基侧突、连索及连索突起腹面观；D.连索及连索突起
侧面观；E.阳基侧突；F－G.阳茎腹面观和侧面观

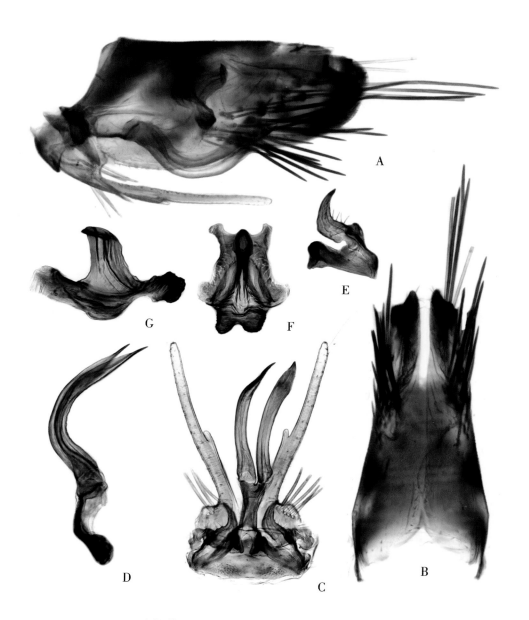

图版 19

刺板带叶蝉 *Scaphoideus spiniplateus* Li *et* Wang

A – B. 尾节侧瓣侧面观和腹面观；C. 生殖瓣、下生殖板、阳基侧突、连索及连索突起腹面观；D. 连索及连索突起侧面观；E. 阳基侧突；F – G. 阳茎腹面观和侧面观

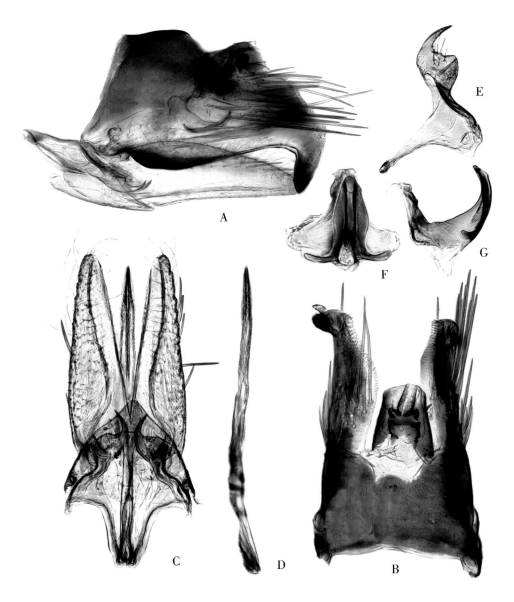

多色带叶蝉 *Scaphoideus varius* Vilbaste

A – B.尾节侧瓣侧面观和腹面观；C.生殖瓣、下生殖板、阳基侧突、连索及连索突起腹面观；D.连索及连索突起侧面观；E.阳基侧突；F – G.阳茎腹面观和侧面观

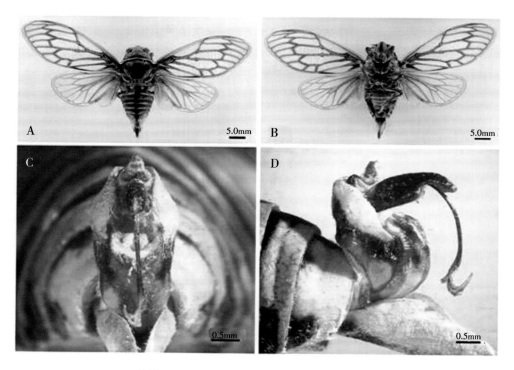

枯蝉 *Subpsaltria yangi* Chen，1943 雄性（male）

A. 整体背面观（habitus，dorsal view）；B. 整体腹面观（habitus，ventral view）；C. 雄性外生殖器腹面观（male genitalia，ventral view）；D. 雄性外生殖器侧面观（male genitalia，lateral view）

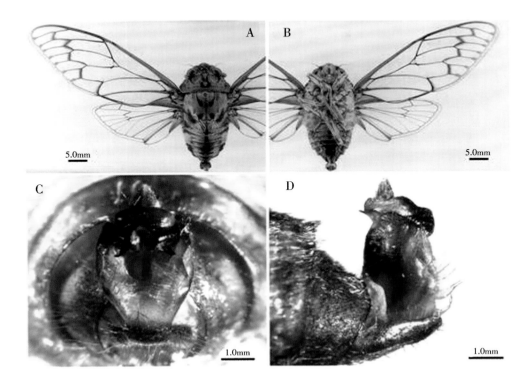

合哑蝉 *Karenia caelatata* Distant，1890 雄性（male）

A. 整体背面观（habitus, dorsal view）；B. 整体腹面观（habitus, ventral view）；C. 雄性外生殖器腹面观（male genitalia, ventral view）；D. 雄性外生殖器侧面观（male genitalia, lateral view）

雅氏指蝉 *Kosemia yamashitai*（Esaki *et* Ishihara，1950）雄性（male）

A. 整体背面观（habitus，dorsal view）；B. 整体腹面观（habitus，ventral view）；C. 雄性外生殖器侧面观（male genitalia，lateral view）；D. 雄性外生殖器腹面观（male genitalia，ventral view）

栗色指蝉 *Kosemia castaneous* Qi，Hayashi *et* Wei，2015 雄性（male）

A. 整体背面观（habitus，dorsal view）；B. 整体腹面观（habitus，ventral view）；C. 雄性外生殖器侧面观（male genitalia，lateral view）；D. 雄性外生殖器腹面观（male genitalia，ventral view）

栗色指蝉 *Kosemia castaneous* Qi，Hayashi *et* Wei，2015 雌性（female）

A. 整体背面观（habitus，dorsal view）；B. 整体腹面观（habitus，ventral view）；C. 雌性外生殖器侧面观（female terminalia，lateral view）；D. 雌性外生殖器腹面观（female terminalia，ventral view）

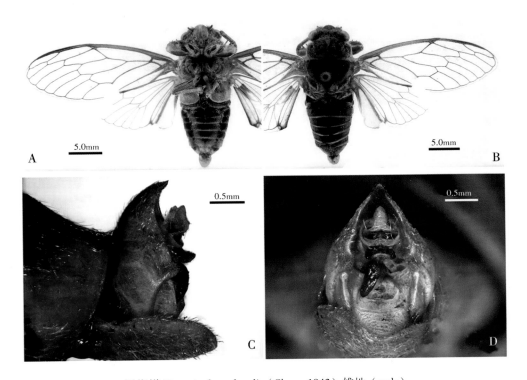

5.0mm

A

5.0mm

B

0.5mm

C

0.5mm

D

褐指蝉 *Kosemia fuscoclavalis*（Chen，1943）雄性（male）

A. 整体腹面观（habitus，ventral view）；B. 整体背面观（habitus，dorsal view）；C. 雄性外生殖器侧面观（male genitalia，lateral view）；D. 雄性外生殖器腹面观（抱握器部分破损）（male genitalia，ventral view，clasper partially broken）

图版 27

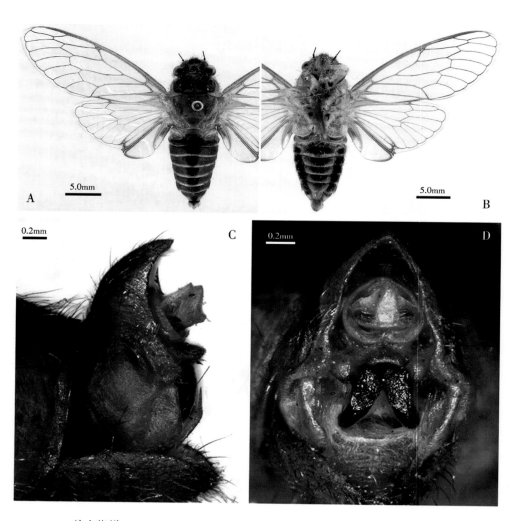

关中指蝉 *Kosemia guanzhongensis* Qi，Hayashi *et* Wei，2015 雄性（male）

A. 整体背面观（habitus, dorsal view）；B. 整体腹面观（habitus, ventral view）；C. 雄性外生殖器侧面观（male genitalia, lateral view）；D. 雄性外生殖器腹面观（male genitalia, ventral view）

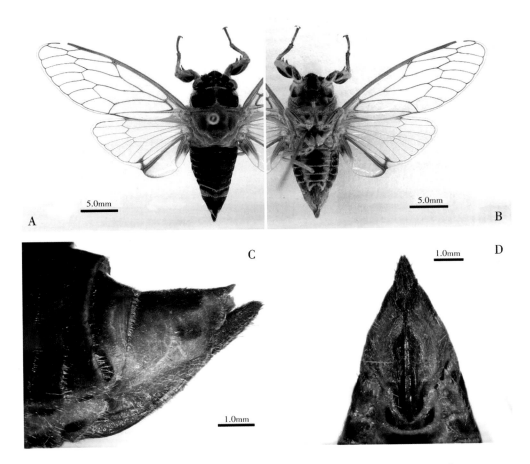

关中指蝉 *Kosemia guanzhongensis* Qi，Hayashi *et* Wei，2015 雌性（female）

A. 整体背面观（habitus, dorsal view）；B. 整体腹面观（habitus, ventral view）；C. 雌性外生殖器侧面观（female terminalia, lateral view）；D. 雌性外生殖器腹面观（female terminalia, ventral view）

山西姬蝉 *Cicadetta shansiensis*（Esaki *et* Ishihara，1950）雄性（male）

A. 整体背面观（habitus，dorsal view）；B. 整体腹面观（habitus，ventral view）；C. 雄性外生殖器侧面观（male genitalia，lateral view）；D. 雄性外生殖器腹面观（male genitalia，ventral view）

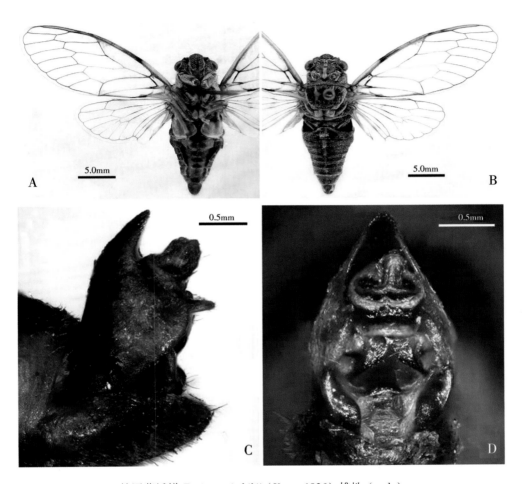

韩国草蟋蝉 *Tettigetta isshikii*（Kato，1926）雄性（male）

A. 整体腹面观（habitus, ventral view）；B. 整体背面观（habitus, dorsal view）；C. 雄性外生殖器侧面观（male genitalia, lateral view）；D. 雄性外生殖器腹面观（male genitalia, ventral view）

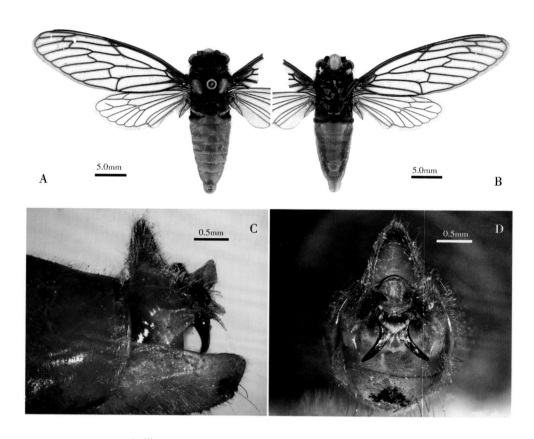

红蝉 *Huechys sanguinea*（de Geer，1773）雄性（male）

A. 整体背面观（habitus，dorsal view）；B. 整体腹面观（habitus，ventral view）；C. 雄性外生殖器侧面观（male genitalia，lateral view）；D. 雄性外生殖器腹面观（male genitalia，ventral view）

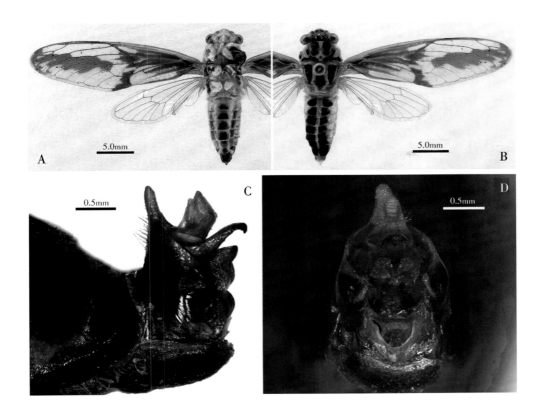

周氏碧蝉 *Hea choui* Lei，1992 雄性（male）

A. 整体背面观（habitus，dorsal view）；B. 整体腹面观（habitus，ventral view）；C. 雄性外生殖器侧面观（male genitalia，lateral view）；D. 雄性外生殖器腹面观（male genitalia，ventral view）

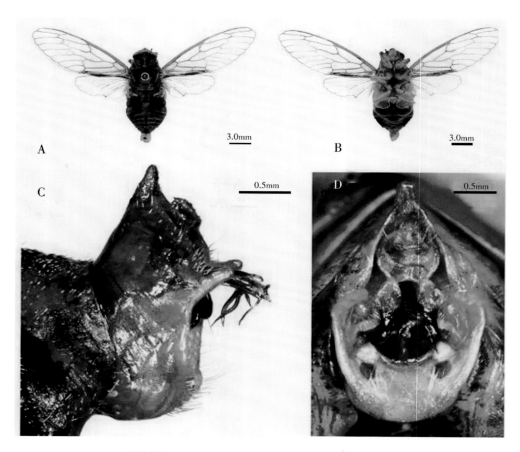

绿草蝉 *Mogannia hebes*（Walker，1858）雄性（male）

A. 整体背面观（habitus，dorsal view）；B. 整体腹面观（habitus，ventral view）；C. 雄性外生殖器侧面观（male genitalia，lateral view）；B，D. 雄性外生殖器腹面观（male genitalia，ventral view）

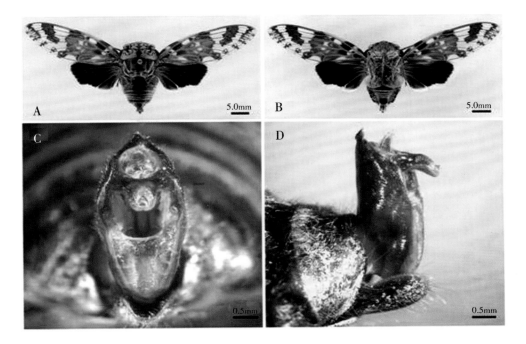

蟪蛄 *Platypleura kaempferi*（Fabricius，1794）雄性（male）

A. 整体背面观（habitus, dorsal view）；B. 整体腹面观（habitus, ventral view）；C. 雄性外生殖器腹面观（male genitalia, ventral view）；D. 雄性外生殖器侧面观（male genitalia, lateral view）

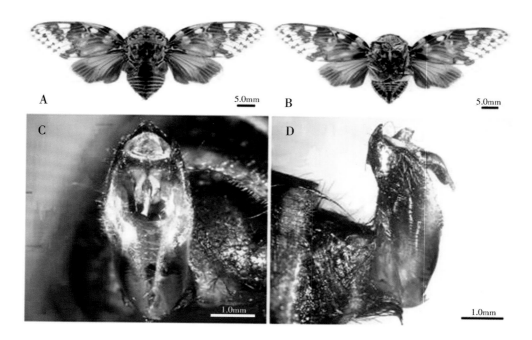

毛蟪蛄 *Suisha coreana*（Matsumura，1927）雄性（male）

A. 整体背面观（habitus，dorsal view）；B. 整体腹面观（habitus，ventral view）；C. 雄性外生殖器腹面观（male genitalia，ventral view）；D. 雄性外生殖器侧面观（male genitalia，lateral view）

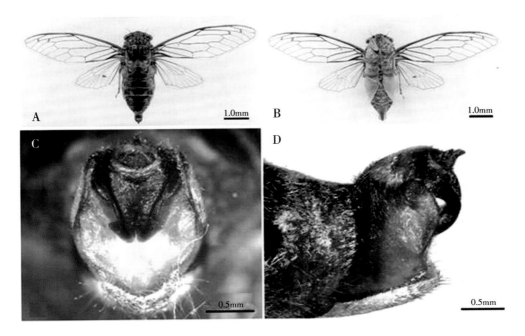

蒙古寒蝉 *Meimuna mongolica*（Distant，1881）雄性（male）

A. 整体背面观（habitus，dorsal view）；B. 整体腹面观（habitus，ventral view）；C. 雄性外生殖器腹面观（male genitalia，ventral view）；D. 雄性外生殖器侧面观（male genitalia，lateral view）

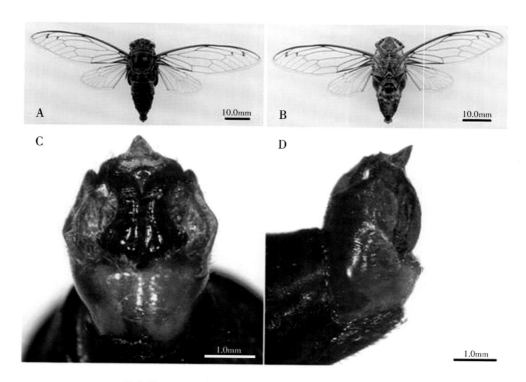

松寒蝉 *Meimuna opalifera*（Walker，1850）雄性（male）

A. 整体背面观（habitus，dorsal view）；B. 整体腹面观（habitus，ventral view）；C. 雄性外生殖器腹面观（male genitalia，ventral view）；D. 雄性外生殖器侧面观（male genitalia，lateral view）

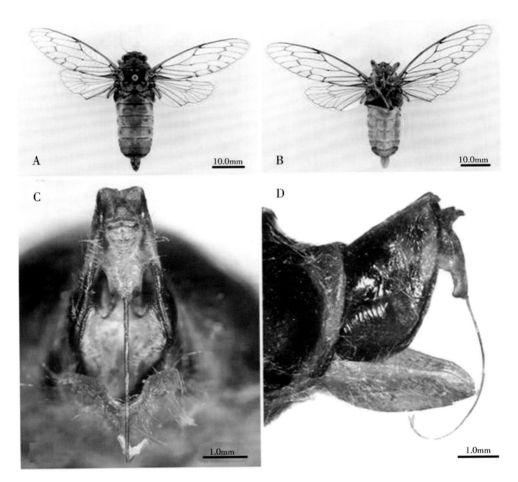

黑瓣日宁蝉 *Yezoterpnosia nigricosta*（Motschulsky，1866）雄性（male）

A. 整体背面观（habitus，dorsal view）；B. 整体腹面观（habitus，ventral view）；C. 雄性外生殖器腹面观（male genitalia，ventral view）；D. 雄性外生殖器侧面观（male genitalia，lateral view）

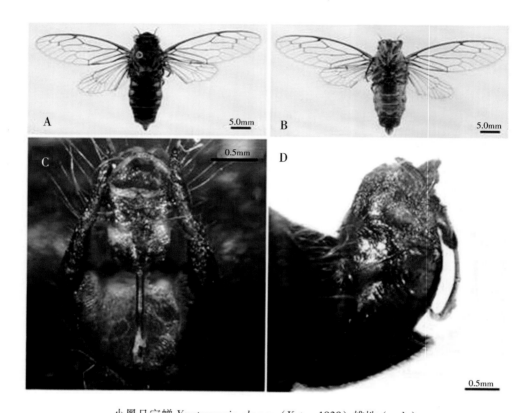

小黑日宁蝉 *Yezoterpnosia obscura*（Kato，1938）雄性（male）

A. 整体背面观（habitus, dorsal view）；B. 整体腹面观（habitus, ventral view）；C. 雄性外生殖器腹面观（male genitalia, ventral view）；D. 雄性外生殖器侧面观（male genitalia, lateral view）

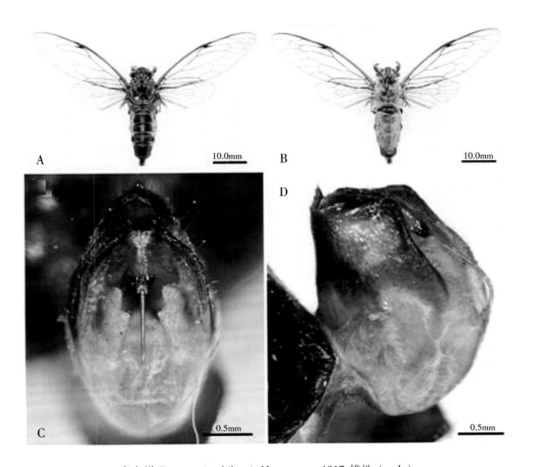

真宁蝉 *Euterpnosia chibensis* Matsumura，1917 雄性（male）

A. 整体背面观（habitus，dorsal view）；B. 整体腹面观（habitus，ventral view）；C. 雄性外生殖器腹面观（male genitalia，ventral view）；D. 雄性外生殖器侧面观（male genitalia，lateral view）

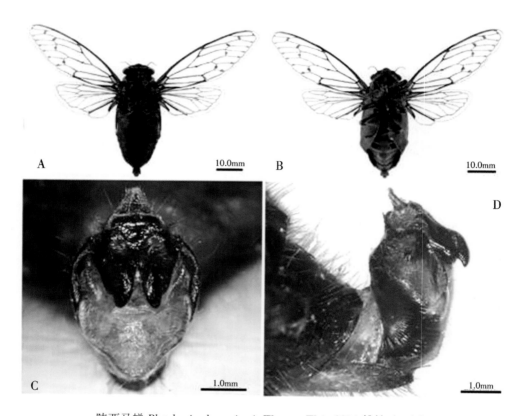

陕西马蝉 *Platylomia shaanxiensis* Wang *et* Wei，2014 雄性（male）

A. 整体背面观（habitus，dorsal view）；B. 整体腹面观（habitus，ventral view）；C. 雄性外生殖器腹面观（male genitalia，ventral view）；D. 雄性外生殖器侧面观（male genitalia，lateral view）

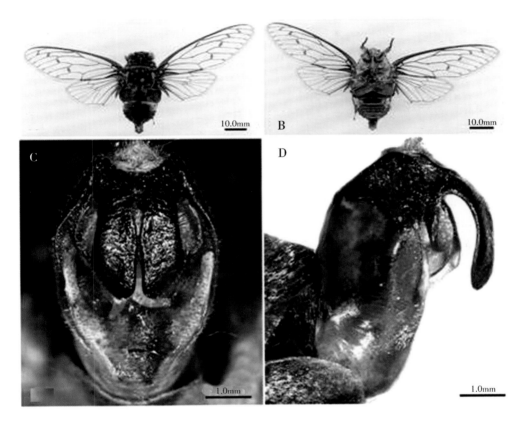

斑透翅蝉 *Hyalessa maculaticollis*（De Motschulsky，1866）雄性（male）

A. 整体背面观（habitus，dorsal view）；B. 整体腹面观（habitus，ventral view）；C. 雄性外生殖器腹面观（male genitalia，ventral view）；D. 雄性外生殖器侧面观（male genitalia，lateral view）

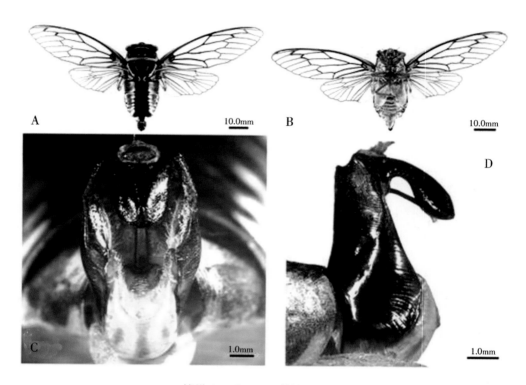

蝉 *Auritibicen* sp. 雄性（male）

A. 整体背面观（habitus，dorsal view）；B. 整体腹面观（habitus，ventral view）；C. 雄性外生殖器腹面观（male genitalia，ventral view）；D. 雄性外生殖器侧面观（male genitalia，lateral view）

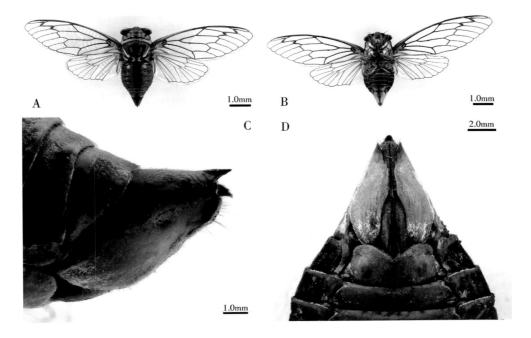

A 1.0mm B 1.0mm

C D 2.0mm

1.0mm

蝉 *Auritibicen* sp. 雌性（female）

A. 整体背面观（habitus，dorsal view）；B. 整体腹面观（habitus，ventral view）；C. 雌性外生殖器侧面观（female terminalia，lateral view）；D. 雌性外生殖器腹面观（female terminalia，ventral view）

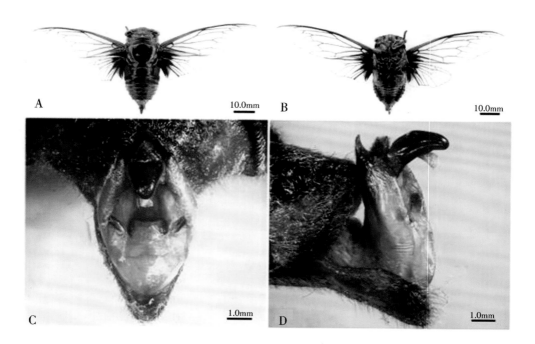

蚱蝉 *Cryptotympana atrata*（Fabricius，1775）雄性（male）

A. 整体背面观（habitus, dorsal view）；B. 整体腹面观（habitus, ventral view）；C. 雄性外生殖器腹面观（male genitalia, ventral view）；D. 雄性外生殖器侧面观（male genitalia, lateral view）

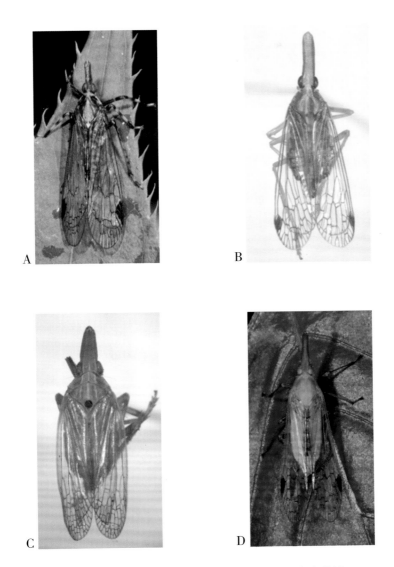

A. 黑唇鼻象蜡蝉 *Saigona fuscoclypeata* Liang *et* Song，2006；B. 中华鼻象蜡蝉 *Saigona sinicola* Liang *et* Song，2006；C. 东北象蜡蝉 *Dictyophara nekkana* Matsumura，1940；D. 中华彩象蜡蝉 *Raivuna sinica*（Walker，1851）

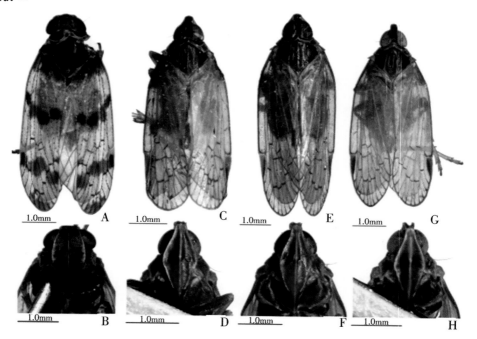

A – B. 四带瑞脊菱蜡蝉 *Reptalus quadricinctus*（Matsumura, 1914）；C – D. 锥冠脊菱蜡蝉 *Oecleopsis spinosus* Guo，Wang *et* Feng，2009；E – F. 武夷冠脊菱蜡蝉 *Oecleopsis wuyiensis* Guo，Wang *et* Feng，2009；G – H. 天台冠脊菱蜡蝉 *Oecleopsis tiantaiensis* Guo，Wang *et* Feng，2009

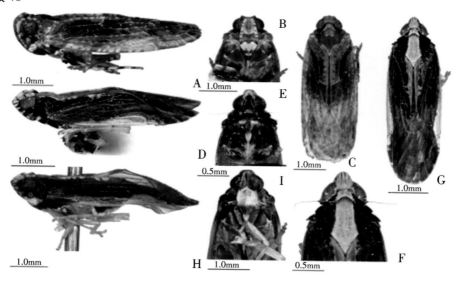

A – C. 陕西马颖蜡蝉 *Magadha shaanxiensis* Chou *et* Wang，1985；D – G. 佛坪卡颖蜡蝉 *Caristianus fopingensis* Chou，Yuan *et* Wang，1994；H – I. 紫阳卡颖蜡蝉 *Caristianus ziyangensis* Chou，Yuan *et* Wang，1994

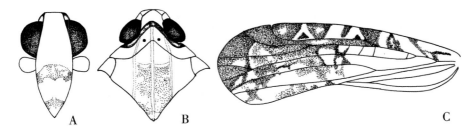

太白马颖蜡蝉 *Magadha taibaishanensis* Wang，1989（仿 王思政图）

A. 颜面（face）；B. 头胸部背面观（head and throax，dorsal view）；C. 前翅（forewing）

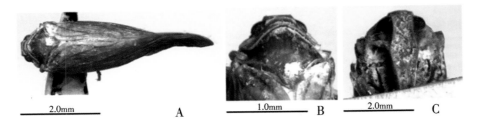

雪白粒脉蜡蝉 *Nisia atrovensoa*（Lethierry，1888）

A. 雄虫背面观（habitus，dorsal view）；B. 头胸部背面观（head and throax，dorsal view）；C. 额前面观（frons，anterior view）

图版 51

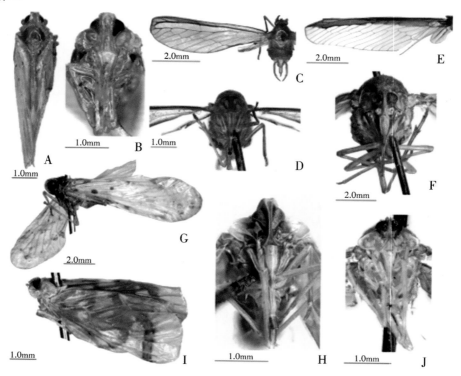

A - B. 兰屿寡室袖蜡蝉 *Vekunta kotoshoni* Matsumura, 1940；C - D. 红袖蜡蝉 *Diostrombus politus* Uhler, 1896；E - F. 湖北长袖蜡蝉 *Zoraida hubeiensis* Chou *et* Huang, 1985；G - H. 札幌幂袖蜡蝉 *Mysidioides sapporoensis*（Matsumura, 1900）；I - J. 台湾广袖蜡蝉 *Rhotana formosana* Matsumura, 1914

图版 52

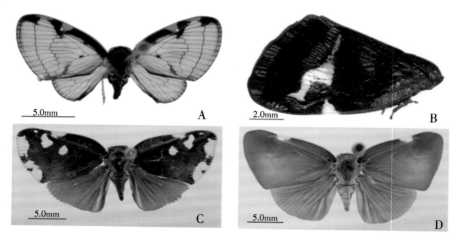

A. 透明疏广蜡蝉 *Euricania clara* Kato, 1932, 雄虫背面观；B. 电光宽广蜡蝉 *Pochzia zizzata* Chou *et* Lu, 1977, 雄虫背面观；C. 八点广蜡蝉 *Ricania speculum*（Walker, 1851）, 雄虫背面观；D. 柿广蜡蝉 *Ricania sublimbata* Jacbi, 1915, 雄虫背面观

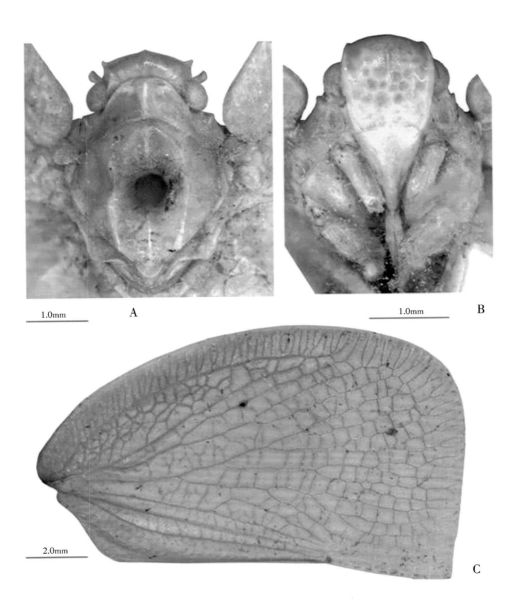

秦岭碧蛾蜡蝉 *Geisha qinlingensis* Wang, Che *et* Yuan, 2005

A. 头胸部背面观(head and throax, dorsal view)；B. 额部腹面观(frons, ventral view)；C. 前翅(forewing)

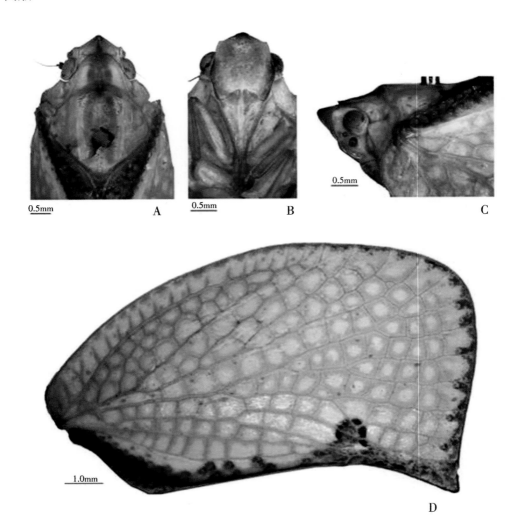

褐缘蛾蜡蝉 *Salurnis marginella* (Guérin-Méneville，1829)

A. 头胸部背面观(head and throax，dorsal view)；B. 额腹面观(frons，ventral view)；C. 头胸部侧面观(head and throax，lateral view)；D. 前翅(forewing)

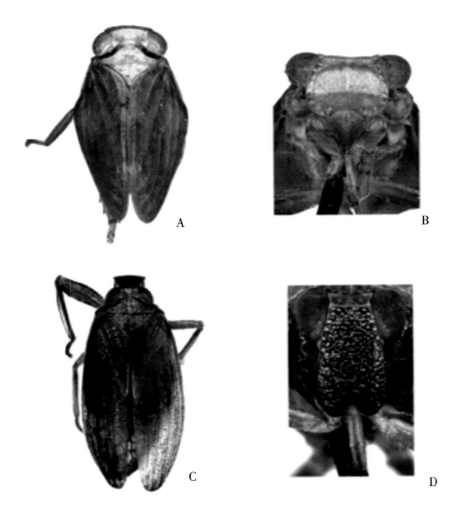

恶性巨齿瓢蜡蝉 *Dentatissus damnosus*（Chou *et* Lu，1985）

A. 成虫背面观（adult，dorsal view）；B 额和唇基前面观（frons and clypeus，anterior view）；

鼻瓢蜡蝉 *Narinosus nativus* Gnezdilov *et* Wilson，2005

C. 成虫背面观（adult，dorsal view）；D. 额和唇基前面观（frons and clypeus，anterior view）

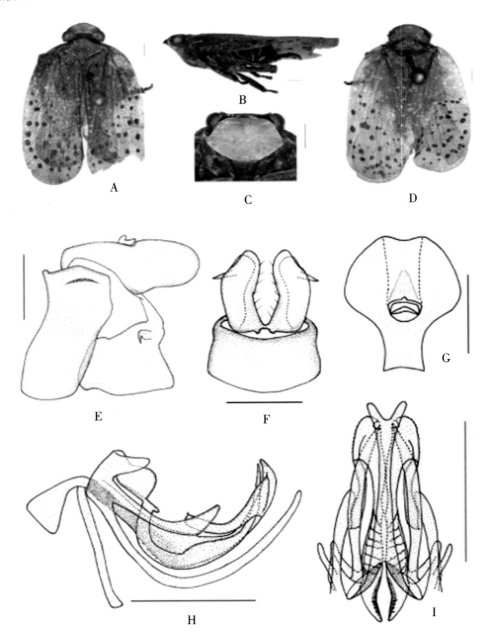

褶皱珞颜蜡蝉 *Loxocephala rugosa* Wang et Wang, 2013

A. 雄虫背面观(male adult, dorsal view); B. 雄虫侧面观(male adult, lateral view); C. 雄虫额(male frons); D. 雌虫背面观(female adult, dorsal view); E. 雄性生殖器侧面观(male genitalia, lateral view); F. 雄性生殖器腹面观(male genitalia, ventral view); G. 雄虫肛节背面观(male anal tube, dorsal view); H. 阳茎侧面观(aedeagus, lateral view); I. 阳茎腹面观(aedeagus, ventral view) Scale bars =1mm

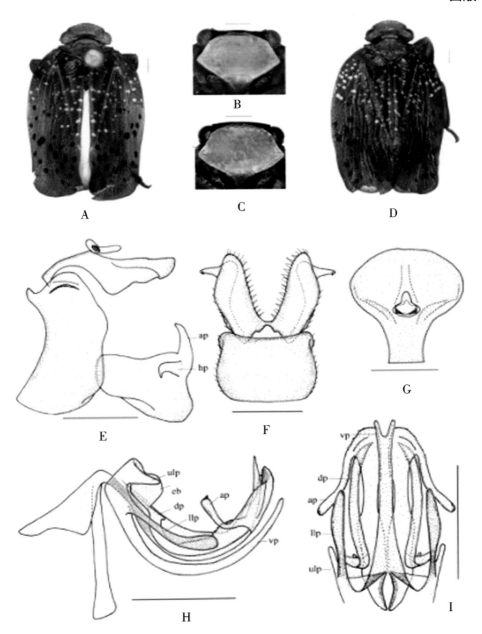

中华珞颜蜡蝉 *Loxocephala sinica* Chou et Huang, 1985

A, D. 雄虫背面观（male adult, dorsal view）；B, C. 雄虫额（male frons）；E. 雄性生殖器侧面观（male genitalia, lateral view）；F. 雄性生殖器腹面观（male genitalia, ventral view）；G. 雄虫肛节背面观（male anal tube, dorsal view）；H. 阳茎侧面观（aedeagus, lateral view）；I. 阳茎腹面观（aedeagus, ventral view）Scale bars = 1mm

ap：端突起；hp：钩形突起；eb：基部突起；dp：背突起；ulp：背侧突起；llp：腹侧突起；vp：腹突起

A   B   C

斑衣蜡蝉 *Lycorma delicatula*（White，1845）

A. 成虫背面观（adult, dorsal view）；B. 成虫腹面观（adult, ventral view）；C. 头胸部背面观（head and thorax, dorsal view）

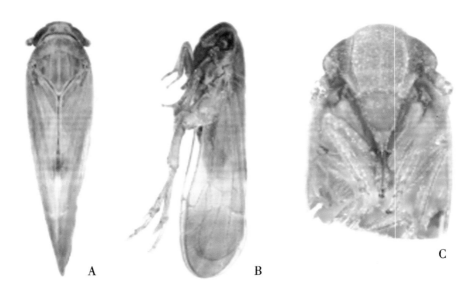

A   B   C

短头飞虱 *Epeurysa nawaii* Matsumura，1900

A. 成虫背面观（adult, dorsal view）；B. 成虫左侧面观（adult, left lateral view）；C. 额（frons）

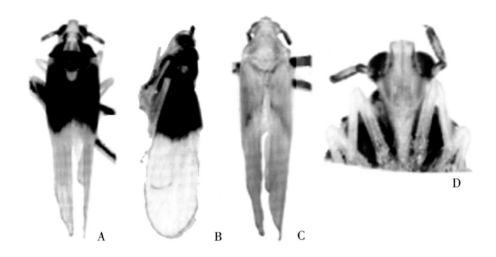

太白竹飞虱 *Bambusiphaga taibaishana* Qin，Liu *et* Lin，2012

A. 雄成虫背面观（male adult，dorsal view）；B. 雄成虫左侧面观（male adult，left lateral view）；C. 雌成虫背面观（female adult，dorsal view）；D. 额（frons）

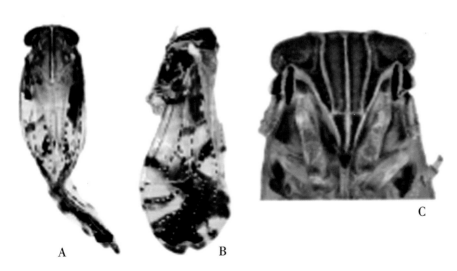

汉阴偏角飞虱 *Neobelocera hanyinensis* Qin *et* Yuan，1998

A. 成虫背面观（adult，dorsal view）；B. 成虫左侧面观（adult，left lateral view）；C. 额（frons）

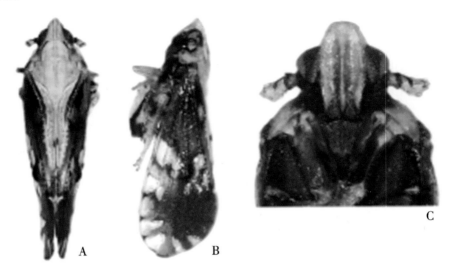

二刺匙顶飞虱 *Tropidocephala brunnipennis* Signoret, 1860

A. 成虫背面观（adult, dorsal view）；B. 成虫左侧面观（adult, left lateral view）；C. 额（frons）

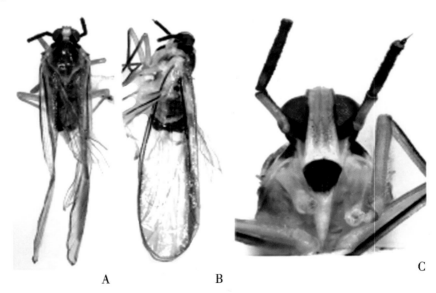

端刺劳里飞虱 *Lauriana senticosa* Ren *et* Qin, 2014

A. 成虫背面观（adult, dorsal view）；B. 成虫右侧面观（adult, right lateral view）；C. 额（frons）

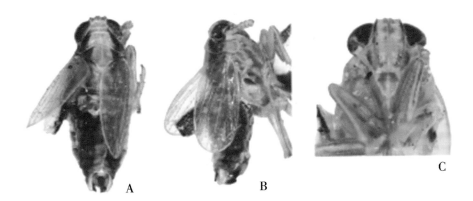

拟小褐飞虱 *Muellerianella extrusa*（Scott，1871）

A. 成虫背面观（adult, dorsal view）；B. 成虫右侧面观（adult, right lateral view）；C. 额（frons）

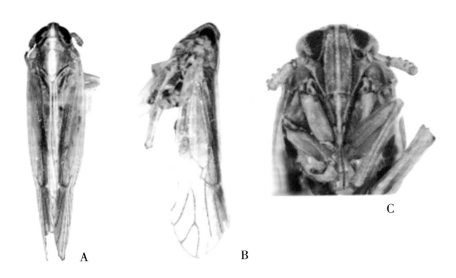

白脊飞虱 *Unkanodes sapporona*（Matsumura，1935）

A. 成虫背面观（adult, dorsal view）；B. 成虫左侧面观（adult, left lateral view）；C. 额（frons）

图版 66

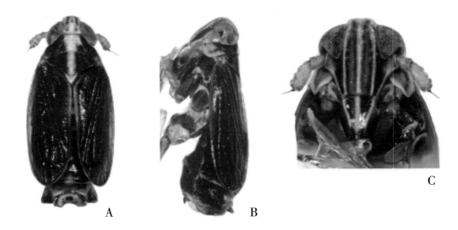

贡山芳飞虱 *Fangdelphax gongshanensis* Ding，2006
A. 成虫背面观（adult, dorsal view）；B. 成虫左侧面观（adult, left lateral view）；C. 额（frons）

图版 67

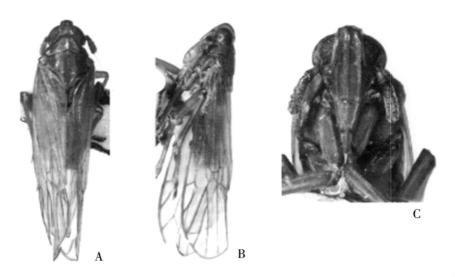

沼泽派罗飞虱 *Paradelphacodes paludosa*（Flor，1861）
A. 成虫背面观（adult, dorsal view）；B. 成虫左侧面观（adult, left lateral view）；C. 额（frons）

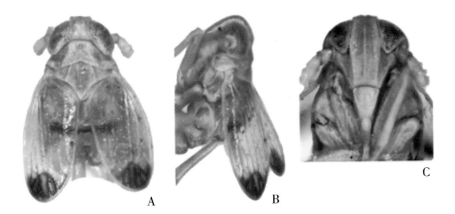

东洋飞虱 *Orientoya orientalis* Chen *et* Ding，2001

A. 成虫背面观（adult，dorsal view）；B. 成虫左侧面观（adult，left lateral view）；C. 额（frons）

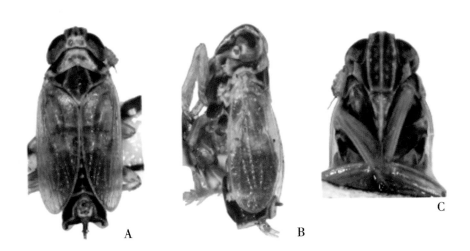

疑古北飞虱 *Javesella dubia*（Kirschbaum，1868）

A. 成虫背面观（adult，dorsal view）；B. 成虫左侧面观（adult，left lateral view）；C. 额（frons）

图版 70

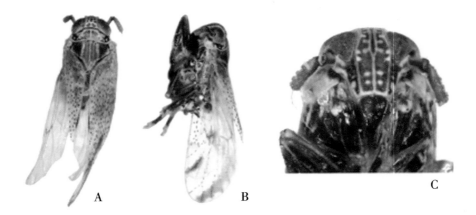

黑斑纹翅飞虱 *Cemus nigropunctatus*（Matsumura，1940）

A. 成虫背面观（adult, dorsal view）；B. 成虫左侧面观（adult, left lateral view）；C. 额（frons）

图版 71

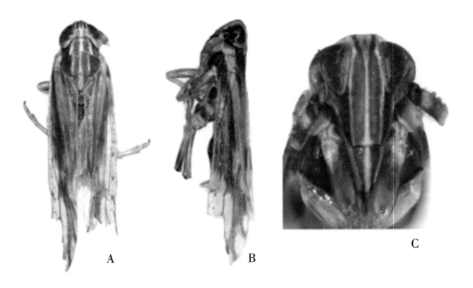

单突飞虱 *Monospinodelphax dantur*（Kuoh，1980）

A. 成虫背面观（adult, dorsal view）；B. 成虫左侧面观（adult, left lateral view）；C. 额（frons）

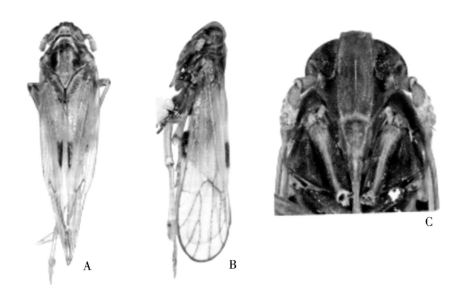

褐飞虱 *Nilaparvata lugens*（Stål, 1854）

A. 成虫背面观（adult, dorsal view）；B. 成虫左侧面观（adult, left lateral view）；C. 额（frons）

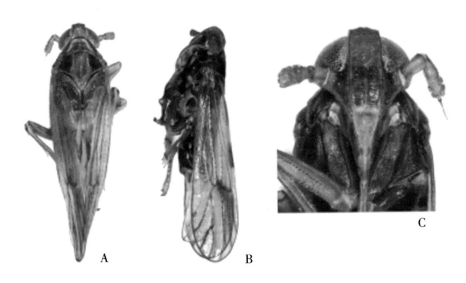

拟褐飞虱 *Nilaparvata bakeri*（Muir, 1917）

A . 成虫背面观（adult, dorsal view）；B. 成虫左侧面观（adult, left lateral view）；C. 额（frons）

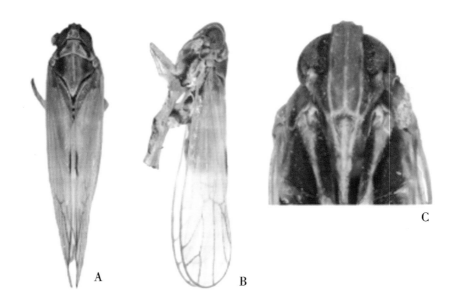

伪褐飞虱 *Nilaparvata muiri* China，1925

A. 成虫背面观（adult，dorsal view）；B. 成虫左侧面观（adult，left lateral view）；C. 额（frons）

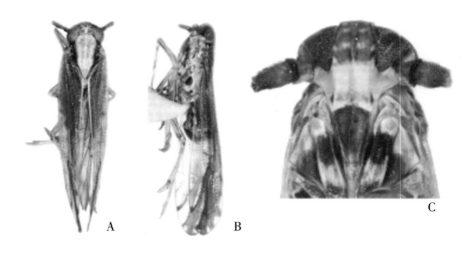

甘蔗扁角飞虱 *Perkinsiella saccharicida* Kirkaldy，1903

A. 成虫背面观（adult，dorsal view）；B. 成虫左侧面观（adult，left lateral view）；C. 额（frons）

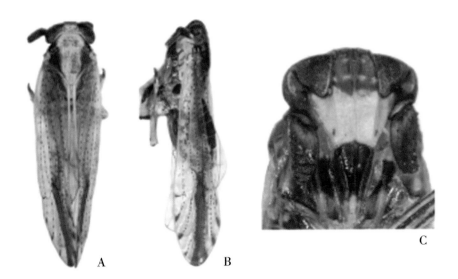

中华扁角飞虱 *Perkinsiella sinensis* Kirkaldy，1907

A. 成虫背面观（adult, dorsal view）；B. 成虫左侧面观（adult, left lateral view）；C. 额（frons）

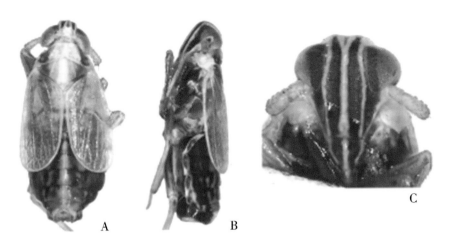

坎氏美伽飞虱 *Megadelphax kangauzi* Anufriev，1970

A. 成虫背面观（adult, dorsal view）；B. 成虫左侧面观（adult, left lateral view）；C. 额（frons）

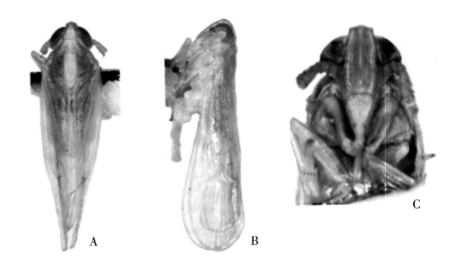

带背飞虱 *Himeunka tateyamaeua* Matsumura，1935

A. 成虫背面观（adult，dorsal view）；B. 成虫左侧面观（adult，left lateral view）；C. 额（frons）

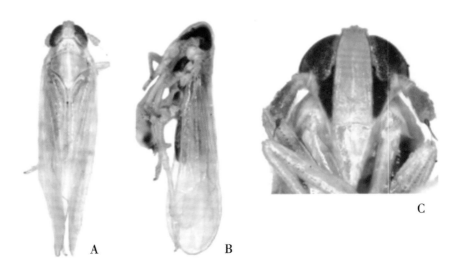

白背飞虱 *Sogatella furcifera*（Horváth，1899）

A. 成虫背面观（adult，dorsal view）；B. 成虫左侧面观（adult，left lateral view）；C. 额（frons）

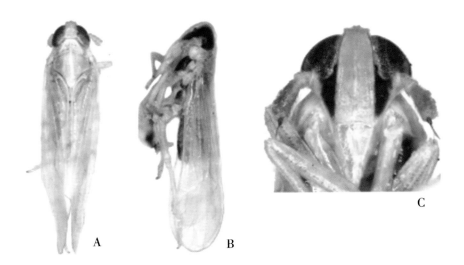

稗飞虱 *Sogatella vibix*（Haupt，1927）

A. 成虫背面观（adult, dorsal view）；B. 成虫左侧面观（adult, left lateral view）；C. 额（frons）

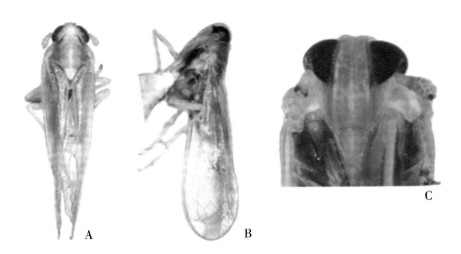

烟翅白背飞虱 *Sogatella kolophon*（Kirkaldy，1907）

A. 成虫背面观（adult, dorsal view）；B. 成虫左侧面观（adult, left lateral view）；C. 额（frons）

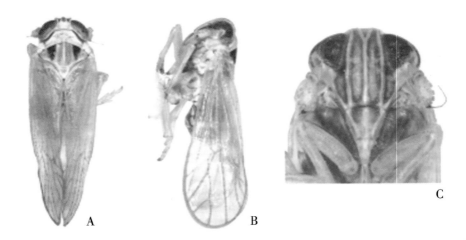

琴镰飞虱 *Falcotoya lyaeformis*（Matsumura，1900）
A. 成虫背面观（adult, dorsal view）；B. 成虫左侧面观（adult, left lateral view）；C. 额（frons）

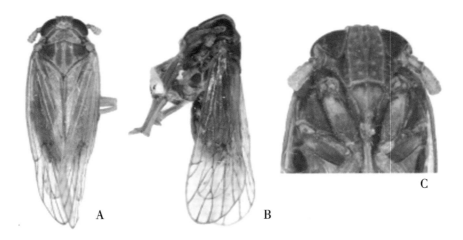

东眼山新叉飞虱 *Neodicranotropis tungyaanensis* Yang，1989
A. 成虫背面观（adult, dorsal view）；B. 成虫左侧面观（adult, left lateral view）；C. 额（frons）

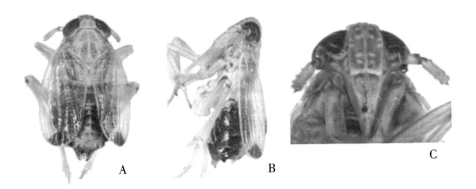

获叉飞虱 *Garaga miscanthi* Ding *et al.*, 1994

A. 成虫背面观（adult, dorsal view）；B. 成虫左侧面观（adult, left lateral view）；C. 额（frons）

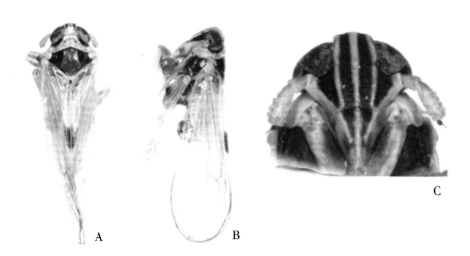

灰飞虱 *Laodelphax striatellus*（Fallén, 1826）

A. 成虫背面观（adult, dorsal view）；B. 成虫左侧面观（adult, left lateral view）；C. 额（frons）

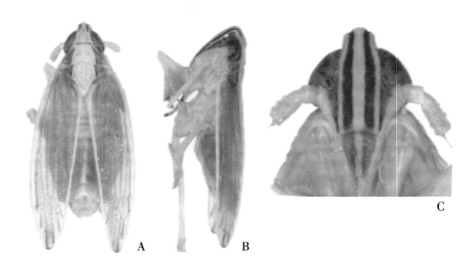

锯茎欧尼飞虱 *Onidodelphax serratus* Yang，1989

A. 成虫背面观（adult, dorsal view）；B. 成虫左侧面观（adult, left lateral view）；C. 额（frons）

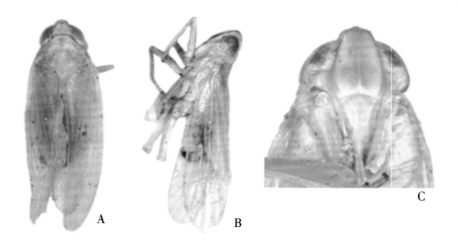

芦苇绿飞虱 *Chloriona tateyamana* Matsumura，1935

A. 成虫背面观（adult, dorsal view）；B. 成虫左侧面观（adult, left lateral view）；C. 额（frons）

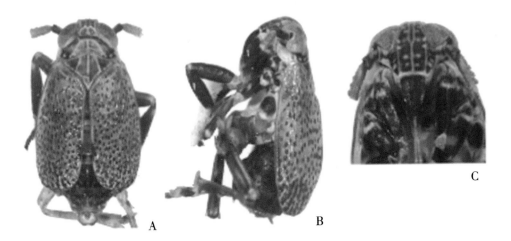

触口片足飞虱 *Peliades chukouensis* Yang，1989

A. 成虫背面观（adult，dorsal view）；B. 成虫左侧面观（adult，left lateral view）；C. 额（frons）

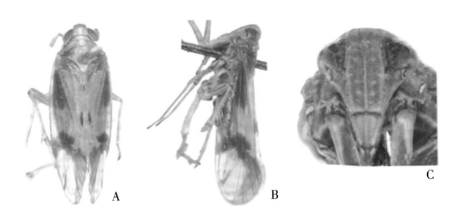

大斑飞虱 *Euides speciosa*（Boheman，1866）

A. 成虫背面观（adult，dorsal view）；B. 成虫左侧面观（adult，left lateral view）；C. 额（frons）

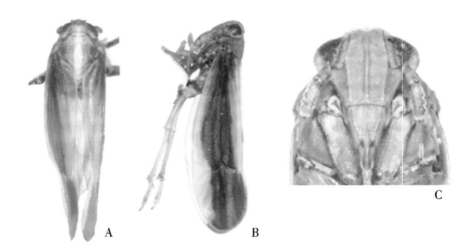

太白长跗飞虱 *Kakuna taibaiensis* Ren et Qin, 2014

A. 成虫背面观（adult, dorsal view）；B. 成虫左侧面观（adult, left lateral view）；C. 额（frons）

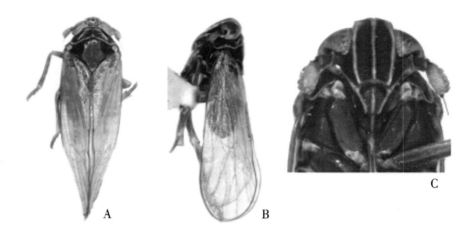

具条缪氏飞虱 *Muirodelphax nigrostriata*（Kusnezov, 1929）

A. 成虫背面观（adult, dorsal view）；B. 成虫左侧面观（adult, left lateral view）；C. 额（frons）

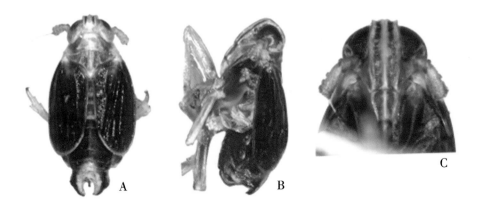

截形淡脊飞虱 *Neuterthron truncatulum* Qin，2007

A. 成虫背面观（adult, dorsal view）；B. 成虫左侧面观（adult, left lateral view）；C. 额（frons）

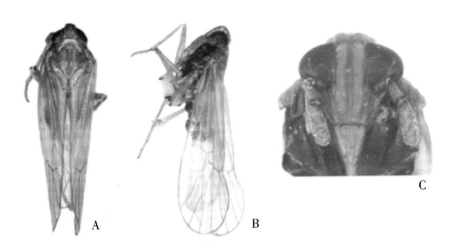

大褐飞虱 *Changeondelphax velitchkovskyi*（Melichar，1913）

A. 成虫背面观（adult, dorsal view）；B. 成虫左侧面观（adult, left lateral view）；C. 额（frons）

图版 94

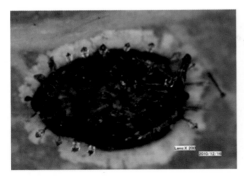

A. 黑刺粉虱 *Aleurocanthus spiniferus* Quaintance，
1903 4 龄若虫

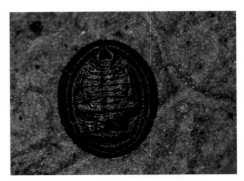

B. 四川三叶粉虱 *Aleurolobus szechwanensis*
Young, 1942 4 龄若虫

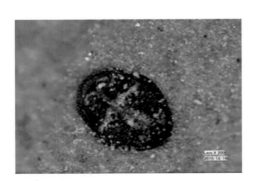

C. 珊瑚棒粉虱 *Aleuroclava aucubae*（Kuwana, 1911）
4 龄若虫

D. 非洲小粉虱 *Bemisia afer*（Priesner *et*
Hosny, 1934）4 龄若虫

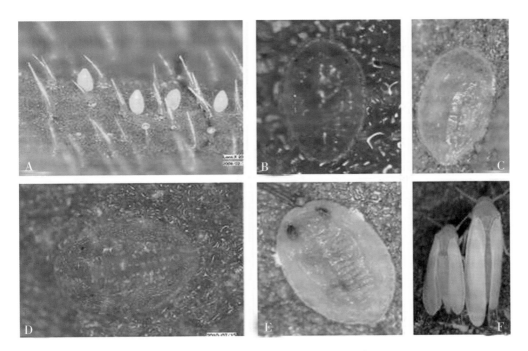

烟粉虱 *Bemisia tabaci*（Gennadius，1889）
A. 卵；B. 1 龄若虫；C. 2 龄若虫；D. 3 龄若虫；E. 4 龄若虫；F. 成虫

橘绿粉虱 *Dialeurodes citri*（Ashmead，1885）
A. 卵；B. 4 龄若虫；C. 成虫